DEMAIN TU VERRAS

ANDRÉ MATHIEU

DEMAIN TU VERRAS

roman

ÉDITIONS QUÉBEC-AMÉRIQUE
450 est, rue Sherbrooke, suite 801
Montréal, P.Q. H2L 1J8, (514) 288-2371

Édition originale en langue française
ÉDITIONS QUÉBEC-AMÉRIQUE

Dépôt légal
Bibliothèque Nationale du Québec
2e trimestre, 1978

ISBN 0-88552-044-0

Mais il reste à jamais au fond du cœur de l'homme Deux sentiments divins, plus forts que le trépas: L'amour, la liberté, dieux qui ne mourront pas!

Lamartine

1958

Il n'avait plus de véritable foyer depuis la disparition de sa mère l'année précédente. Il prenait quelques repas chez lui quand il avait congé du pensionnat, y dormait aussi, mais la maison n'était plus pour lui qu'une boîte morte. L'âme en était partie, assassinée par la misère et le cancer.

Alain Martel consumait ses journées dans l'un des rares endroits du village où il fût possible de perdre son temps sans devoir perdre l'espoir que parfois, un visage connu ou inconnu vienne rompre la monotonie des heures: le restaurant situé juste en face de l'église.

En ce jour gris, il y avait flâné depuis le début de l'après-midi, jouant aux boules sur une machine nerveuse. Quand les visiteurs se faisaient trop attendre, il écoutait les chansons américaines du juke-box. Et son esprit vagabondait sans jamais s'arrêter pour creuser quoi que ce fût.

Bien que sa montre marquât déjà seize heures, l'air et la couleur du temps trompaient, disant au moins dix-sept. Par milliards, de gros flocons de neige pourrie se mirent à tomber drû. Ils venaient mourir doucement, absorbés par la tiédeur du macadam noir et luisant. Le mois de mars agonisait tout aussi furtivement.

Tout le long de l'église, des amas de neige sale, tels des vagues en furie, semblaient vouloir prendre d'assaut le temple paroissial.

« Vagues de l'enfer, » se dit l'adolescent.

Son attention fut attirée par une forme humaine noire et blanche qui descendait l'allée du presbytère. Il reconnut bientôt le curé qui marchait résolument.

Alain regarda à nouveau les montagnes de neige. Elles n'étaient plus crasseuses, mais d'un blanc immaculé. Des flocons frais avaient effacé l'aspect noirâtre du moment d'avant. Il pensa au pouvoir du prêtre, à la régénération des âmes salies, à la rédemption des pécheurs, passant par la volonté de ce leader des esprits. Il se souvint de ces paroles qu'il avait gravées pour l'éternité en sa mémoire de quinze ans et par lesquelles le pasteur avait statué, près du lit de mort de sa mère, la minute d'après le dernier souffle de la femme, sur la nature de son au-delà.

« Cette personne a quatre-vingt-dix chances sur cent d'être au ciel à l'heure qu'il est, » avait dit le confident du Seigneur.

Ce souvenir aussi frais que net lui pinça le cœur pendant quelques minutes, le temps que le prêtre, tel un géant, passe entre les montagnes blanches devenues vagues célestes par quelque force surnaturelle et mystérieuse, puis qu'il s'efface sur la rue principale, en direction du bureau de poste.

Alain s'arracha brusquement à cette souffrance qu'il avait jugée inutile. Il marcha jusqu'au juke-box, y déposa une pièce et commanda « Peggy Sue ». Cette chanson était devenue sa favorite, surtout à cause de son rythme. Cent fois elle avait charmé son oreille, cent fois elle avait renouvelé son plaisir. Elle était une mine inépuisable de nouveaux rêves à des filles neuves. Le rythme avait accroché son âme dès la première écoute et lui, en retour, avait pris l'habitude d'accrocher son âme au rythme: franc et riche feedback. Seule la musique pouvait se faire un écho fidèle de ses vibrations adolescentes.

Lorsque le silence eut éteint la voix de Buddy Holly, le garçon aux cheveux châtains devint nostalgique. Il détestait la fin des bonnes choses, s'expliquant confusément que leur répétition en usait le charme, cherchant vaguement à comprendre pourquoi leur goût frais devait d'abord se décanter dans son âme, pour que d'elles, renaisse un désir neuf.

Debout, légèrement incliné vers l'avant, mains appuyées sur les coins de la boîte à musique, pour la millième fois de sa vie, il observa ses oreilles, hochant doucement la tête. Cette image que lui reflétait la vitre lui apparut bel et bien comme celle de portes de grange, ainsi que le disait une expression populaire pour désigner des oreilles décollées. Au pensionnat, il avait déjà fait une tentative pour les cacher. Il s'était laissé pousser les cheveux; mais il avait dû essuyer tant de quolibets qu'il avait fini par se résigner à les faire raccourcir à une longueur normale...

Sa réflexion fut abruptement interrompue par l'arrivée bruyante d'une famille composée de trois personnes: le père, la mère et une jeune fille qu'Alain jugea de seize ou dix-sept ans.

L'adolescente désigna la table la plus rapprochée de la boîte à musique et dit: «Asseyons-nous là.» Sans attendre de réponse, elle s'y dirigea d'un pas ferme et s'assit, imitée par ses parents.

Alain n'avait eu qu'à bouger un peu les yeux pour toiser les arrivants et il l'avait fait avec discrétion. Il voulut néanmoins justifier sa position; et il déposa une pièce dans la machine. Il pressa le bouton de «Love letters in the sand».

«Ils ont de la musique antique dans ce village antique,» dit la jeune fille aux premières modulations de Pat Boone.

Alain eut juste le temps d'entendre ce jugement avant de refermer sur lui la porte des toilettes. Se culpabilisant d'avoir choisi une chanson «Old favorite», il sentit le rouge lui monter aux joues. Il regretta son choix, même s'il avait voulu, par ce disque-là, faire comprendre à l'adolescente qu'il appréciait sa présence.

«Je vais lui montrer que nous avons les chansons à la page,» siffla-t-il entre ses dents. «J'attendrai ici jusqu'à la fin du disque et quand je sortirai, je mettrai un vingt-cinq cents dans le juke-box. Je vais lui montrer qu'à St-Hubert, nous sommes moins arriérés qu'elle n'a l'air de le croire.»

D'un geste déterminé, il descendit la fermeture-éclair de son pantalon et sortit son pénis qu'il fixa des yeux tout le temps qu'il pissa, grommelant pour la xième fois: «Pourquoi cet abruti d'ivrogne de médecin ne m'a-t-il pas circoncis comme tout le monde le jour de ma naissance? Comment pourrais-je avoir des relations sexuelles avec... avec ça? Il secoua d'abord la tête avec dépit comme pour se débarrasser de sa déplaisante fixation, puis son pénis avec violence pour l'assécher. Après avoir remonté sa fermeture-éclair, il chercha dans ses poches et trouva un peigne dont il se servit pour bien centrer la boucle de cheveux agglutinés qui ornait son front. Il aimait cette mode qui lui permettait de camoufler sa proéminence frontale.

«Je vais tout de suite décider pour les disques. Comme ça, je pourrai les faire tourner sans hésitation et ainsi, elle verra bien... Tiens, pourquoi pas «I beg of you»?... Oui. Et... «Don't». Et certainement «Peggy Sue».

Il empocha son peigne, prit une pièce de vingt-cinq cents et, lorsqu'à travers la porte, il entendit s'effacer la voix de Pat Boone, il sortit.

Un sourire vague au visage, il se répétait: «Elle verra bien!» Mais alors son sang ne fit qu'un tour. Il arrivait à plein nez sur la jeune fille affairée elle-même à faire tourner des disques. Il ragea de n'avoir pas prévu qu'elle puisse le précéder à la machine. Néanmoins, demi-consolation, il releva qu'elle arborait une poitrine agressive et attirante. Il se rendit s'asseoir à une table d'où il pourrait, tout à son aise, la reluquer, bien que celle-ci, pour le voir, devrait tourner la tête, ce qui, le cas échéant, serait un signe certain de son intérêt pour lui. À nouveau, il enveloppa la poitrine d'un regard tournoyant, vite interdit par un reproche de sa propre conscience.

«J'ai encore de mauvaises pensées,» se dit-il. «Que Dieu me vienne en aide! Mais puisque je ne m'y complais pas, il n'y a donc pas de péché. Pourquoi ne puis-je regarder une fille sans subir cette sorte de tentation? Suis-je anormal? Hormis que les femmes n'aient le diable dans la chair? Non! Le diable est dans ma propre chair, dans mes yeux, dans mon esprit!» Son regard s'attrista et ses yeux fixèrent le macadam mouillé. «Je me demande si je ne suis pas une créature du diable... Et puis non! Ne reçois-je pas régulièrement le corps et le sang du Christ. Sauf, bien sûr, quand j'ai de ces périodes de masturbation... Mais c'est fini, je ne recommencerai plus!... Je me suis dit ça si souvent! Pourtant, il ne faut pas que je retombe, non, non. Ma volonté sera plus forte cette fois-ci. Je ne suis pas une créature du diable; autrement je ne pourrais recevoir en moi le corps et le sang de Jésus-Christ: le mal peut absorber le bien, mais le diable ne peut absorber Dieu...»

«Ça, c'est un disque!» clama la jeune fille dès les premières notes de «I beg of you». La frustration monta d'un cran au cœur d'Alain.

N'était-ce pas son premier choix d'une chanson qui eût donné la preuve que lui et St-Hubert étaient à la page?

«Il n'y a rien de nouveau sous le soleil,» rétorqua le père, d'un air désabusé.

«Mais tu n'as jamais entendu cette chanson,» fit-elle, inquiète.

«Des bien meilleures!» affirma l'homme en combinant un haussement d'épaules à un hochement de tête.

«Et quand ça, Le rock and roll n'existait même pas dans ton temps!» protesta la jeune fille. Le ton demandait une réponse: elle lui ajouta un regard doublement inquisiteur. Mais l'homme demeura impassible. Elle insista: «Papa, c'est un rythme nouveau, c'est jeune, c'est excitant...» Baignant ses mots d'un large sourire, elle n'obtint pourtant aucun signe d'approbation. Alors, comme si elle sentait le besoin d'une alliance, elle jeta un coup d'œil du côté d'Alain qui, partageant sa foi dans le rock and roll, la regardait justement, afin de mieux boire à ses paroles. Elle ramena vite ses yeux à son père, et son sourire se transforma en un long rire surfait et sonore.

«Pauvre papa,» ajouta-t-elle, plaintive, «nous ne sommes plus au temps de Crosby, nous sommes au temps de Presley.»

Visiblement ennuyé, l'homme dit: «J'aimerais bien entendre parler de la serveuse.» Il n'avait pas remarqué que celle-ci arrivait à la table en marchant gauchement. Elle sourit et s'excusa.

«Absolument aucun problème!» lui lança l'homme d'un ton catégorique. Il la détailla d'un insistant regard.

Pendant qu'ils commandaient, Alain se questionna sur la fille. «D'où pouvait-elle venir?» Et il s'imagina une réponse: «Sans doute de Québec ou de Montréal, à sa façon de parler de St-Hubert. A-t-elle un ami régulier? Probablement!... Toutes les adolescentes des villes n'en ont-elles pas un? Pourquoi donc est-elle si énervée? Veut-elle attirer l'attention? Pas nécessairement. N'est-il pas connu que les jeunes des villes sont plus exhubérants?»

Quand la fille se rendit à la chambre des dames, il forgea un plan. «Quand elle sortira, je lui sourirai, je lui sourirai,» se promit-il fermement. L'adolescente rétive réapparut bientôt avec un remarquable sourire au coin des lèvres. Elle regarda intensément Alain. Ses yeux, pourtant, s'assombrirent vite, et elle reprit place, hargneuse, derrière sa soupe qu'elle attaqua sans cérémonie.

Tout à fait abasourdi, Alain se demanda ce qui avait bien pu se passer. Comment son sourire avait-il pu vexer à ce point la jeune personne? Car il avait dû se battre contre ses nerfs, user de tout son courage pour arriver à accrocher cet agrément à sa face. Une déception mêlée de dépit le poussa à tourner le dos et, pour mieux ignorer cet être trop imprévisible à son goût, il se rendit s'asseoir à un tabouret près du comptoir de la caisse. Il attrapa un journal traînant sur une tablette et entreprit de le lire pour la troisième fois.

À peine quelques minutes s'étaient-elles écoulées qu'il entendit, tout juste à côté de lui, la voix de l'adolescente: « S'il-vous-plaît, mademoiselle, un paquet de cigarettes. » Il paralysa de sentir qu'elle se tenait aussi près. Un mélange étrange de deux odeurs, la lavande et une autre qui ne lui était pas tout à fait étrangère mais dont il ne connaissait pas spécifiquement l'identité, envahit ses narines. Et, en même temps, les contradictions assaillirent son cerveau. Il avait envie de la regarder, d'essayer un autre sourire, mais il craignait d'échouer. Il se décida pourtant et voulut bouger la tête; mais elle était bloquée, barrée sur son axis. Il finit par y parvenir. Et ce deuxième essai tourna aussi au vinaigre. Il aperçut un sourire de coin, une sorte de faible contraction sur le visage de la jeune fille, ce qui lui sembla un effort de communication à son endroit. Il voulut y répondre, mais au moment où leurs yeux se rencontrerent, le rictus de l'adolescente cailla. Elle tourna abruptement la tête. Elle paya ses cigarettes et retourna à sa table où elle assaisonna le reste de son repas de grognements et de mauvaise humeur.

« Ou bien elle est stupide, ou bien elle déteste mon visage, » pensa-t-il. « Ou peut-être... quand elle a vu mes oreilles de près?... Et puis après, qu'a-t-elle à dire? Elle-même n'est pas si jolie! Elle a des éruptions autour du nez et ses cheveux sont graisseux. De plus, elle marche comme un homme. Stupide qu'elle est! Stupide et laide. S'est-elle seulement regardée dans un miroir? En plus de tout ça, ses vêtements sont de qualité médiocre. Et son rouge à lèvres ne va pas avec son visage... et sa taille est épaisse. »

Il prit un crayon et tua le temps à travailler sur des mots-croisés. Il en vint presque à oublier la présence de l'écervelée quand la vue de l'homme réglant sa facture le sortit de son occupation accaparante.

Alain ne remarqua pas le regard goulu dont le personnage enveloppait le postérieur de la jeune serveuse. L'idée qu'un tel homme puisse avoir des pensées obscènes ne lui aurait même pas effleuré le cerveau; n'était-il pas marié, dans la quarantaine avancée, et, en ce moment même, accompagné de sa famille?

Les parents et leur fille quittèrent le restaurant et prirent la direction de leur auto stationnée dans la cour de l'église. Au milieu de la rue, d'un mouvement vif, l'adolescente tourna les talons et rentra. Visiblement, elle avait fait exprès d'oublier sa bourse à l'intérieur. Elle la récupéra et, avant de ressortir, s'arrêta afin d'apostropher le jeune homme: « Espèce d'arriéré mental, pourquoi regardes-tu les gens avec cette face de singe? » Par petits pas vigoureux, elle progressa vers la porte et s'arrêta sur le seuil où elle se retourna une dernière fois pour sortir la langue et adresser une grimace dédaigneuse à l'adolescent ahuri.

Alain faillit ravaler sa propre langue et, l'œil bête, il suivit des yeux la jeune fille qui espaçait à peine de multiples petits pas secs vers l'auto familiale.

La serveuse éclata de rire. « Que lui as-tu donc fait? » demanda-t-elle.

« Je suppose qu'il y a eu malentendu quelque part », répondit-il laborieusement, cherchant à reprendre son souffle. « Elle est folle ou malade, ou bien les deux! Mais je ne lui ai pas dit un traître mot! » s'écria-t-il.

« Elle n'a probablement pas l'esprit rapide, » dit la serveuse.

Alain secoua la tête et ferma les yeux. « Il faut de tout pour faire un monde, » dit-il avant de replonger dans ses mots-croisés.

« Acte d'autorité?... Loi. Action de communiquer?... Communication. Mouvement de la bouche et des yeux?... Hum... Mot à cinq lettres... » Il cherchait encore lorsque l'entrée d'un client faillit lui faire tourner la tête de curiosité. Il se retint pourtant. Il lui fallait, puisque c'était la mode, montrer son esprit d'indépendance et son souci de se mêler de ses propres affaires, en terminant son occupation du moment avant de jeter un œil à l'arrivant qu'il avait deviné s'être assis au même endroit où la jeune tête de linotte avait mangé un peu plus tôt. Il voulait se montrer maître de sa curiosité et chercha à se retremper dans la concentration de la minute d'avant, mais il en fut incapable. Il devait savoir qui se trouvait là, derrière lui. Il pivota sur son tabouret mobile et reconnut aussitôt l'homme qu'il avait vu des milliers de fois, mais à qui il avait rarement parlé.

En cette période d'idéaux à atteindre et de modèles à imiter, ce personnage était son choix, car il avait le type américain, même si, tout comme l'adolescent, il était né et avait presque toujours vécu dans ce petit village frontalier, canadien-français, catholique romain, typique, traditionnel, stable, folklorique.

En dépit de son jeune âge, l'homme était déjà un important brasseur d'affaires de la région. Il parlait couramment l'anglais et possédait la plus grosse maison du coin. Il ne roulait pas que sa Cadillac, mais aussi une seconde voiture: celle de sa femme. Il avait l'habitude de porter des bermudas et une casquette de coton pour se rendre à son chalet sis près d'un lac aux abords bourgeois. Dans l'annuaire du téléphone, ce chalet avait droit à l'appellation de résidence d'été.

À la réflexion, l'homme était bien plus qu'américain dans l'esprit d'Alain, puisqu'en plus d'être le parfait « design » d'un businessman des États-Unis, il était d'abord canadien-français et catholique.

Pour ces mêmes raisons, en bloc, les gens de tout St-Hubert avaient vu en lui leur phare, leur vérité de cette année 1958. Il les sauverait par ses options politiques d'opposition mais de type traditionnel, par ses idées à vieilles formules rajeunies, par ses vues peintes en neuf mais issues de la sécurisante et poussiéreuse société canadienne-française. Le personnage était tourné vers le fabuleux et dynamique modèle américain et c'était là son grand mérite. Sa mission tacite: conduire les gens, à travers un entier respect de la foi et des traditions, vers une société de sur-consommation. Il était le vivant exemple de l'homme canadien-français du futur.

Alain savait qu'il pourrait lui adresser la parole, car, même s'il était un élu du peuple, l'homme avait l'habitude de parler aux petites gens. L'adolescent fuma cigarette sur cigarette, le cœur battant, n'osant parler ni bouger.

« Et si je disais des âneries? Et s'il ne désirait pas être dérangé? À seize ans, que puis-je apporter à un tel homme? Il sentira que le jeu est inégal et refusera de jouer. » L'adolescent reprit sa position première face au comptoir, se disant qu'il était normal que l'autre n'eût point jeté les yeux sur lui, occupé qu'il était à chercher sur le menu.

« Passe-moi la carte de « punch » que je tente ma chance, » dit Alain à la serveuse qui voyageait de la table du politicien à la cuisine. Avec la clef troueuse, il suivit les rangées dorées, cherchant à deviner l'antre du gros lot.

« Et puis après, qu'est-ce que je risque? » se dit-il. « Si je gaffe, il n'aura qu'à fermer la porte et tout sera dit. Et puis s'il avait voulu être seul, il serait allé de l'autre côté, dans la salle à manger, mais n'aurait pas pris place ici, près de l'entrée. »

Le jeune homme poinçonna huit fois, déposa carte et clefs, étira un à un, les petits bouts de papier ondulé.

« Je te dois deux dollars, » dit-il à la serveuse. Il avait parlé avec une certaine hauteur et jeta négligemment le billet sur le comptoir. Après tout, il fallait bien montrer à cet homme américain-canadien-français qu'il approuvait son style.

« Et je n'ai absolument rien gagné, comme d'habitude ! » s'exclama-t-il avec la même voix teintée de la plus grande indifférence.

Après avoir payé, il se dit que le meilleur moment était venu d'entamer la conversation. Il pivota sur son siège en même temps qu'il ouvrit la bouche pour dire quelque chose. Mais l'homme n'était plus là mentalement. Il vivait dans un autre monde : dans le monde mystérieux et fermé des affaires où peu de Canadiens français de l'époque étaient appelés et encore moins d'élus. Il mangeait sa soupe en lisant une lettre.

« Une lettre d'affaires, » pensa Alain. « Comment cela pourrait-il être une lettre amicale ou sentimentale ? De telles choses n'intéressent pas les hommes d'affaires. Et puis, ils n'en ont d'ailleurs pas le temps. » Il tenta de se souvenir de ce qu'il avait lu d'eux dans « Le Petit prince », mais n'y parvint pas. « Les businessmen sont... sont des businessmen, » finit-il par se contenter de se dire.

Afin de justifier l'esquisse de son geste, il le compléta d'une autre façon en se levant pour marcher jusqu'à la machine à boules. Il hésita un moment avant d'insérer une pièce dans la glissière. Mais il finit par se convaincre que l'homme ne serait pas importuné par ce bruit tout de même typiquement américain. Une première partie lui valut un « tilt ». La suivante : une partie gratuite dont il ne put profiter puisqu'elle fut vite couronnée d'un autre « tilt ». Pour montrer un peu de dépit, il risqua un demi-coup de poing sur le côté de la table avant de tourner les talons.

L'homme, lui, placidement restait plongé dans son univers.

« C'est une longue lettre, » pensa Alain. « Non, il ne lit pas, il pense. Il pense, il mange, il lit et il fume tout à la fois ; c'est un véritable homme d'affaires. Voilà pourquoi l'on dit que ces gens-là travaillent trois ou quatre fois plus que les autres. Il n'y a pas plus de vingt-quatre heures pour eux comme pour tout le monde dans une journée, mais grâce à de multiples occupations simultanées, ils en font soixante-douze ou quatre-vingt-seize. »

Il sentit le désir de retraiter, d'abandonner. Il se définit tel un accessoire du décor du moment présent de la vie de l'autre tout comme, pour lui-même, l'était la machine à boules. Le politicien ne favoriserait pas la communication, présuma-t-il, et c'est pourquoi il décida de s'en aller. Il se dirigea vers la porte, mais ne sortit pas immédiatement. Fidèle à une vieille habitude, il mit un pied sur un calorifère près de l'entrée et observa de rares passants à travers la grande vitrine.

L'homme sentit ce mouvement de retraite. Il mit sa lettre de côté.

« Pas jasant ! » dit-il sur un ton de reproche.

Étonné de l'interpellation, jusqu'à se demander si elle s'adressait bien à lui, Alain tourna la tête et dit, à voix faible : « Comment ? »

« Pas jasant ! » répéta l'homme sur le même ton, en espaçant toutefois les syllabes.

« Il me met dans mon tort dès le début, » pensa Alain, « mais c'est mieux que pas de communication du tout. Au moins la glace est brisée ! Et c'est lui qui l'a fait. »

« On a toujours l'impression de déranger un homme d'affaires, même quand il mange, » dit l'adolescent en s'approchant. Et, d'un geste gauche de la main, il fit allusion à la lettre.

L'homme sourit largement.

« Mon pauvre ami, » dit-il sur un ton paternel, « le monde des affaires n'est pas si drôle. Vois cette lettre : c'est une réclamation de vingt mille dollars pour blessures. Un des camions... impliqué dans un accident. »

« De telles choses ne doivent pas t'empêcher de dormir sur tes deux oreilles, » dit Alain en tutoyant à dessein. L'homme désirait en effet que les gens le tutoient, ce qui montrait comme il était proche du peuple.

« Bien entendu, je transmets tout cela à mes avocats qui prennent les mesures nécessaires avec mes assureurs, » jeta tranquillement le businessman.

« Même sans assurances, ce n'est pas vingt mille dollars de plus ou de moins qui te feraient rêver au diable, » dit naïvement Alain.

« Tu sais, vingt mille dollars par ici, dix mille par là ; chaque homme a ses limites. » Ces chiffres sonnaient si bas dans sa bouche, et l'homme les jetait avec un tel détachement, qu'Alain finit par les trouver plausibles.

« Chaque année, je reçois des lettres de ce genre, » poursuivit le politicien-businessman. « Un de mes camions a toujours quelque chose sur la conscience. Un « windshield » éclaté, une « mudguard » égratignée, un « bumper » enfoncé. Le mois passé, un accident grave : une collision frontale avec une automobile dans l'État de New York. Quatre morts. » Il fit un éventail de ses quatre doigts pour appuyer ses mots.

Alain — il se demanda bien pourquoi — s'arrêta au fait que l'homme avait utilisé des mots anglais pour désigner pare-brise, aile et pare-chocs. Il trouva curieux de constater comme ce mélange linguistique, habituellement si horrible dans une bouche molle, avait une musique particulière chez un homme de volonté... d'affaires.

L'étudiant sentit que le sujet des accidents s'épuisait déjà, ceinturé par l'autre à l'aide de deux ou trois chiffres. Il risqua donc d'ouvrir une autre porte.

« Tu vends tout ton bois du côté américain ? »

« Pas un seul morceau au Canada. Mes camions livrent jusqu'au Wisconsin. Que veux-tu, les prix sont meilleurs, le paiement plus sûr et le marché plus constant. » Le regard de l'homme prouvait qu'il jubilait.

« Je vois, » fit Alain, pensif. « Comme de raison, tu n'as aucun problème de langue. Pour toi, traiter d'un côté de la frontière ou bien de l'autre... » Il termina sa phrase avec un mouvement des bras accompagné d'un froncement de sourcils qui voulait dire : « Corrobore ce qu'on dit à ton sujet. »

« Imagine-toi que si je m'adressais en français à ces gens-là, les affaires ne feraient pas long feu. »

Mi-naïf, mi-intéressé, l'adolescent demanda : « Comment as-tu appris ton anglais ? »

L'homme sourit, mais il ne répondit pas sur-le-champ. De son couteau chargé, il beurra minutieusement son pain dont il déchira un morceau qu'il porta à sa bouche. Tout en mâchant, il dit d'une voix ferme qui occasionnait l'expulsion régulière de gouttes de pain délayé : « Tu sais, à faire des affaires à l'année longue de l'autre côté de la frontière, un homme apprend vite. » Il mordit énergiquement à même sa tranche et ajouta : « Mais j'avais une excellente base à cause de mon cours commercial. »

Un vague nuage envahit l'esprit d'Alain. Selon son frère aîné, l'homme avait été médiocre dans ses études primaires. Ce n'est que dans ses études commerciales suivies dans une institution éloignée qu'il s'était fait une réputation d'étudiant brillant. « Cette dernière renommée doit être la plus conforme à la réalité, puisque l'homme en donne de nombreuses preuves par ses réussites sociales nombreuses, » conclut-il mentalement.

« Quel âge as-tu maintenant, Alain ? C'est bien Alain, ton prénom ? »

L'adolescent fit signe que oui. « Dix-sept ans bientôt, » dit-il.

« Tu vas probablement voter à la prochaine élection ? »

Alain hocha négativement la tête. « Je ne crois pas. Je n'aurai que vingt ans à ce moment-là. »

« Minute, mon ami! L'âge de vote sera sans doute abaissé à dix-huit ans avant la prochaine élection. Un important ministre du cabinet Diefenbaker en parle régulièrement à la Chambre des Communes. »

L'homme parlait avec l'autorité du politicien, utilisant force gestes des mains comme pièces à conviction. « Donc, j'aurai peut-être alors une « job » pour toi. Ça ne donne pas une fortune: vingt dollars pour la journée de votation. Mais c'est mieux que rien, n'est-ce-pas? »

« J'ai bien des chances d'être loin d'ici dans ce temps-là, » dit Alain.

« Qu'importe! Si t'es aux études au loin, ça te permettra de prendre un congé payant. »

« Je veux dire qu'il n'est pas certain que je sois aux études à ce moment-là. Il n'est facile d'aller à l'université. »

« Tu penses?... Oh non! » s'exclama l'homme d'affaires. « Si tu travailles fort, tu réussiras; c'est la seule recette, crois-moi. Et, comme on dit, tu ne seras pas le premier à aller à l'université. Tiens, moi par exemple, j'étais inquiet quand j'ai commencé mes études commerciales et pourtant, par la suite, j'ai toujours été le premier de ma classe. » Il adopta le ton de la confidence. « Entre nous deux, les gars de la ville n'ont pas inventé le travail. » Et il fit un clin d'œil complice.

« Je ne risque pas de problèmes d'études, mais plutôt des problèmes d'argent, » soupira l'étudiant.

L'homme leva la main et secoua la tête. « Je t'arrête, je t'arrête. Si je pouvais faire la moindre chose pour les étudiants, je le ferais avec le plus grand plaisir. Mais... » Il haussa les épaules et fit un mouvement de bouche laissant deviner qu'il se nettoyait les dents avec sa langue. « Mais je ne suis qu'un député fédéral et les affaires provinciales, tu sais... De plus, tu dois savoir quelle sorte de gouvernement provincial nous avons au Québec... »

« Je ne disais pas cela à dessein... »

Le jeune homme fut interrompu. « Je suis familier avec des tas de problèmes: problèmes de pensions de vieillesse, d'emprisonnement, de chômage, de bureaux de poste... »

À son tour, Alain voulut insister: « Si l'argent manque, je m'en irai travailler à Montréal, comme mes frères... »

« Mademoiselle, s'il-vous-plaît, apportez-moi un peu de beurre, » ordonna le politicien.

« La fin du monde n'aura pas lieu même si je dois interrompre mes études, » ajouta le jeune homme avec un sourire forcé.

« Et aussi un autre verre d'eau, s'il-vous-plaît, mademoiselle. »

Il y eut un moment de silence au cours duquel l'homme mangea rapidement. Soudain, il leva sa fourchette en direction de l'étudiant.

« Je te parlais des problèmes du député fédéral et j'allais justement te dire que, pas plus tard que la semaine passée, j'ai eu à régler un cas d'homosexuel. Sa mère m'a téléphoné. Elle pleurait comme une fontaine et m'a demandé de tout faire pour exempter son fils de la prison. Imagine: un député fédéral qui aide un homosexuel à éviter l'incarcération. Devine ce qui s'est passé? J'ai promis à la femme d'appeler le juge. Trois jours plus tard, elle m'a rappelé pour me dire de n'en rien faire, qu'elle avait soumis le cas à un prêtre qui lui avait conseillé de laisser la justice suivre son cours. Elle s'était mise à espérer que la prison puisse remettre son garçon dans le droit chemin. Comme tu peux voir, c'est pas toujours amusant le rôle d'un député fédéral! »

L'homme n'avait pas cessé de manger durant toute sa narration. Désolé de l'avoir involontairement importuné avec ses problèmes d'argent, Alain laissa échapper les mots vides de sens qui lui vinrent à la bouche.

«Je ne croyais pas que tu avais à régler de tels problèmes. Ça doit gruger une bonne partie de ton temps à Ottawa.»

Il y eut un nouveau silence vite rompu, cependant, par l'entrée d'un client. Le visage de l'homme d'affaires s'illumina.

«Salut Laurent! Comment ça va?» dit-il à l'arrivant. «Viens t'asseoir à ma table.» L'autre, un organisateur politique et ami du député, accepta. «J'étais sur le point de partir, mais puisque tu es là, prenons un café ensemble,» dit le politicien à voix forte.

Les deux hommes se mirent à parler à voix basse. Alain se sentit ridicule dans sa position d'appui sur le coin du comptoir, et qu'il avait tenue tout au cours de sa conversation avec le député. Il reprit place à un tabouret et se remit le nez dans ses mots-croisés. Quand il eut fini de compléter la grille, il s'aperçut que le restaurant était vide de clients.

Alors il se rendit compte qu'il avait faim.

1959

À la recherche de brillantes prunelles, de multiples jets de lumière jaune traversaient l'épaisse fumée, dansaient dans les verres pleins et frétillaient sur les boucles d'oreilles. L'ensemble de musiciens attaqua un air de Presley. La plupart des filles et garçons de la salle se retrouvèrent sur la piste de danse.

Alain Martel ne bougea pas. Il regarda attentivement son verre de bière, accrocha ses yeux aux bulles blondes, rumina quelque lointaine et insondable pensée. D'un geste brusque, imprévisible, il leva son verre et avala une longue gorgée. Puis il sortit à moitié une cigarette de son paquet rouge, l'offrit à son ami assis en face de lui.

« Tu fumes Robert ? »

« Rarement, merci ! » dit l'autre.

« Fume, fume, » insista Alain.

Son mince et interminable camarade finit par accepter. D'un geste gauche, il mit la cigarette entre ses lèvres et, encore plus maladroitement, se pencha vers l'allumette enflammée qu'Alain tenait. Avant de relever la tête, mine de rien, il dit : « Les filles que nous avons rencontrées la semaine dernière viennent d'entrer. »

« Viennent-elles dans notre coin ? » demanda Alain. « Ouch ! » fit-il, sa main réagissant violemment au feu qui expirait près de ses doigts.

« Elles ne bougent pas. Je suppose qu'elles attendront la fin de la danse pour se trouver une table inoccupée. »

« Penses-tu que nous devrions les inviter à se joindre à nous ? »

Le grand jeune homme fit signe que non. « Soyons indépendants : elles ne doivent pas penser que nous puissions leur courir après. Ce n'est d'ailleurs pas le cas, » dit-il, jetant de rapides coups d'œil de surveillance vers les nouvelles venues.

Alain acquiesça : « Tu as raison, soyons indépendants. Qu'est-ce qu'elles font maintenant ? »

« Je pense qu'elles nous ont vus. Elles regardent dans notre direction. »

« Faisons comme si elles n'étaient pas là ; laissons les marcher. »

La danse prit fin et le chef de groupe annonça un « slow ». Tous les danseurs retournèrent s'asseoir pendant que les musiciens réglaient leurs instruments. « Et que font-elles maintenant ? » demanda Alain.

« Elles viennent vers nous. Je te l'avais bien dit qu'il valait mieux rester froids. Elles viennent... » Le grand adolescent s'interrompit. Ses yeux s'encapuchonnèrent.

« Que se passe-t-il, retournent-elles ? » demanda nerveusement Alain.

« Elles se sont assises à trois tables de nous avec ce groupe de gars de leur village. »

« Quels gars ? »

« Tu sais bien, ceux qui, à chaque danse, font le tour de la salle et demandent les filles une par une... »

« Merde ! pas ces gars-là ! » coupa Alain.

« Ne t'en fais pas, » dit calmement Robert. « Elles ont dû s'asseoir là parce qu'elles ne voyaient aucune table libre. Ce qui est le cas d'ailleurs ; jette un coup d'œil. »

« J'espère bien, » grincha Alain. De ses quatre doigts levés, il fit signe au serveur comme un habitué des tavernes, et il accompagna son geste d'un mouvement des lèvres créé par l'accentuation des mots quatre bières. Le serveur s'approcha néanmoins, ce qui déplut à son jeune client qui répéta sèchement, l'œil méchant : « Quatre bières ! »

« Facile pour eux de s'accrocher des filles, ils ont une auto, » dit Robert.

« Et nous n'en avons pas, » rétorqua Alain avec résignation. Crispant les poings, il ajouta : « La première, la toute première chose que je ferai en terminant mes études sera de m'acheter une auto flambant neuve. Et, à notre tour, nous leur passerons au nez aux emmerdeurs de St-Maurice. »

« Elles vont danser le « slow » avec ces gars-là, » dit Robert.

« Mille fois merde ! » bougonna Alain.

Les deux adolescents ne se parlèrent plus jusqu'à l'arrivée du garçon de table qui déposa les bières commandées.

« Quatre de plus, » dit Robert.

« Tout de suite ? » demanda le serveur.

« Tout de suite ! » dirent ensemble les jeunes gens.

Le serveur hésita quelques secondes, puis il retourna remplir la commande.

« Rien n'est plus stupide que la danse, » jeta Alain avec amertume. « Les gens marchent sans se parler. Qu'est-ce qu'ils trouvent de drôle là-dedans ? Rien de spécial, rien d'original ; le même patron pour tous. C'est de l'amusement à la chaîne. »

« Comment faire autrement pour rencontrer des filles ? » s'inquiéta Robert.

« Je sais bien, les femmes sont malades de ça. S'il y avait au moins une différence d'une danse à l'autre... »

Le silence se fit à nouveau entre eux, mais il fut rompu une autre fois par l'arrivée du serveur qui déposa sa nouvelle commande sur la table. Il vérifia les bouteilles déjà là afin de rapporter les vides.

« Laisse les morts sur la table, » dit Alain. « Ce soir, nous voulons les compter. Nous voulons briser un record ; il nous faut donc nos témoins. » Ils payèrent et le serveur repartit, incrédule.

« Ces gars qui dansent beaucoup ne quittent jamais la salle tout seuls, » dit Robert. « Ils se trouvent régulièrement des filles. »

« Tu penses que nous devrions faire la même chose ? » maugréa Alain. « Merci pour moi ! Je ne suis pas aussi affamé qu'eux. De toute façon, la plupart de celles qu'ils rencontrent ont l'air de chameaux à poitrine plate ou bien elles sont débraillées... » D'une seule lampée, il vida son verre.

Le « slow » prenait fin.

Les filles de St-Maurice et leurs compagnons retournèrent à leur place. Cette fois, elles marchèrent dans l'allée, juste à côté de la table des adolescents à qui, au passage, elles sourirent.

« Elle veulent nous narguer, » dit Alain, insulté. « Ah ! et puis qu'elles aillent au diable ! »

« Qui sait si elles ne voudraient pas se débarrasser de leurs compagnons ? » songea tout haut Robert. « Après tout, elles n'avaient pas le choix de s'asseoir où elles le voulaient tout à l'heure. » Il se déplia de toute sa longueur et quitta la table, disant : « Je vais lâcher quelques gouttes. »

Alain continua de boire à longues gorgées. Il commença à maugréer comme un homme ivre. La perception des distorsions qui embrumaient son cerveau le portèrent à rire ; mais ce rire se mua vite en hoquet aussi bruyant qu'incontrôlable.

« Je suis certain qu'elles ont voulu se moquer... hic... de nous. Mais elles verront, les vaches... hic... dans deux ou trois ans. Je n'aurai même pas une

Cadillac vieux-jeu, j'aurai... une hic... Continental. Et décapotable en plus! Je leur passerai devant le nez... hic... dans leur propre village, le dimanche après-midi, sans même les regarder. Je leur dirai: «Vous aimez danser? Alors... hic... dansez et regardez-moi. Je m'en vais en blouse sport blanche... hic... dans ma voiture sport rouge.» Voilà ce que je leur dirai! Pourquoi donc ces filles stup... hic... ides ne font-elles pas autre chose que de danser, danser, danser encore et touj... ourshic... ours.»

À son tour, il eut besoin d'aller aux toilettes. Il tenta de se lever et retomba lourdement sur sa chaise. «Oh boy! je pense que j'ai dû boire un peu trop. Non, pas trop, mais... hic... trop vite. Personne, nulle part, ne boit jamais trop! Le problème vient toujours du fait qu'on boit trop vite. Vive boire! Que le ciel et l'enfer... hic... soient d'immenses beuveries!»

De retour à sa place, Robert se frotta les mains d'aise. Mais il reprit vite son sang-froid. «J'ai une bonne nouvelle à t'apprendre,» dit-il. «J'ai parlé à l'une des filles. Elles cherchent, comme je l'avais prévu, à se débarrasser de leurs petits amis. Je les ai invitées à venir s'asseoir avec nous et ça va marcher. Elles feront semblant de s'en aller et quitteront l'hôtel pour une quinzaine de minutes; puis elles vont revenir avec nous. Que dis-tu de ça?»

«Leurs petits copains ne seront pas contents,» fit Alain, satisfait.

«Ils n'ont aucun droit sur elles; les filles sont parfaitement libres d'aller avec qui elles veulent. Et si jamais ils cherchent la bagarre, ils vont se rendre compte que nous ne sommes pas nerveux.» L'adolescent fronça les sourcils. «Ça n'a pas l'air d'aller, Alain?»

L'autre répondit: «Je vais me rendre aux toilettes et essayer de me rafraîchir un peu les idées.» Il parvint à quitter la table. Après avoir pissé, il trempa une serviette de papier dans l'eau froide du lavabo et s'épongea le front. Quelqu'un entra. Le visage du jeune homme devint livide. Il avait reconnu l'un des compagnons des filles. Son cerveau fonctionna en distorsion, s'ajustant aux idées comme une machine à sous détraquée l'aurait fait aux grappes de raisin mal alignées. «Il doit avoir éventé la mèche au sujet des filles et vient ici pour me pincer dans un coin,» se dit-il avec frayeur. «S'il essaie de me frapper, que vais-je faire? J'ai trop bu; je ne suis pas en état de me battre. Si Robert pouvait donc revenir aux toilettes! S'il m'attaque, je vais me servir de la bouteille qu'il y a là sur l'urinoir, et il va y goûter.»

L'adolescent continua de s'éponger le front, la main tremblante. Du coin de l'œil, il surveillait le gars qui pissait. Pour éviter de lui présenter le dos, quand l'autre finit, il se tourna.

«Salut,» dit amicalement le gars souriant. «Un paquet de belles filles ce soir à l'hôtel, hein?» Et il sortit sous le regard hétété d'Alain.

Un peu dégrisé par l'eau et l'émotion, le jeune homme retourna à sa table, bien résolu à ne plus toucher à la bière que du bout des lèvres. Les jeunes gens furent bientôt rejoints par les deux adolescentes dont l'une, courte, blonde, grassette et au visage truité, s'assit avec Alain. Ils se connaissaient pour avoir un peu dansé et s'être assis une heure ensemble le samedi précédent. Elle s'appelait Louisa. Ceux qui la connaissaient bien la surnommaient affectueusement Loulou.

Robert fit signe au serveur et dit aux filles: «Que boirez-vous?»

«Un Coke pour moi,» dit l'une.

«Même chose pour moi,» dit l'autre.

Il y eut alors un long moment de silence. Du bout des doigts, les filles retouchèrent leurs cheveux rigides, tandis que les garçons, timidement, rangeaient les bouteilles.

«Penses-tu qu'ils nous ont vues?» demanda l'une à son amie.

L'autre éclata d'un rire mince et vif et ne répondit pas.

Le serveur revint bientôt porter les breuvages. Il nettoya la table de ses bouteilles vides, avec hésitation tout d'abord, puis d'un geste sûr.

La blonde jeta un coup d'œil furtif vers l'endroit où elle était quelques minutes auparavant. Elle fit un clin d'œil à sa compagne. Toutes deux éclatèrent d'un rire à demi étouffé.

Alain reluqua aussi du côté des gars délaissés. Une immense joie l'envahit. Faute de crête, il redressa les épaules. Les musiciens attaquèrent un rythme de rock and roll. Robert et sa compagne quittèrent la table.

«J'aimerais danser, mais je n'aime pas la danse,» bafouilla Alain. «Je veux dire qu'il est stupide de danser sans se dire un mot. Parler est important, instructif, intelligent, mais danser est inutile et n'apporte jamais rien de neuf.» Il fit semblant de boire. «Qu'est-ce que tu penses de ça?» demanda-t-il.

«De quoi?» dit-elle distraitement. Elle lorgnait avec envie dans la direction de la piste de danse.

«De la valeur de la parole et de celle de la danse.»

«J'aime beaucoup danser et toi?»

«Je soutiens que la danse est une perte de temps et est une fatigue inutile. Ça rapproche les corps, mais çà éloigne les esprits.»

Les yeux pétillants, accrochés au rythme, elle semblait n'avoir qu'une idée en tête. Quand elle sut qu'il était trop tard pour danser sur cette pièce, elle se tourna vers Alain pour dire capricieusement: «Danserons-nous le prochain rock and roll?»

Il ne répondit pas, se contentant d'assécher une bouteille de bière d'une torsion inutilement ferme.

Les yeux de l'adolescente retournèrent aux danseurs et ne les quittèrent plus jusqu'à la fin de la pièce. Alors le chef du groupe annonça une intermission.

Alain pensa à réserver un taxi afin de reconduire les jeunes filles chez elles, à St-Maurice. Les jeunes gens en discutèrent et s'entendirent quant à l'heure du départ et sur une éventuelle visite au restaurant du village.

Alain continua de tenir au plus strict ralenti le rythme de son gosier. Il savait qu'au-delà d'une certaine quantité d'alcool, il risquait de tomber ivre-mort. Or, il y avait trop à faire avant d'aller dormir!

La conversation courut, échevelée, sur plusieurs sujets. Aucun ne fut élaboré. Vers minuit, les quatre adolescents se rendirent au restaurant, y mangèrent hamburgers et patates frites. Une heure plus tard, ils quittèrent les lieux pour St-Maurice, à huit milles de là.

Tout au long de la soirée, Alain s'était demandé à quelle sorte de fille il pouvait bien avoir affaire en Loulou. À force d'y penser, il avait fini par se promettre fermement de le savoir sur le chemin de St-Maurice.

Après le répit de l'heure du lunch, dès qu'ils furent en route, les questions surgirent à nouveau, se bousculèrent en son esprit un peu dégagé, maintenant, des vapeurs d'alcool. «Est-ce une bonne fille? J'espère... Non... Oui! Embrasse-t-elle le premier soir? Probablement... Sinon... Donne-t-elle des baisers prolongés? J'ai bien hâte! Et des baisers français? Accepte-t-elle des caresses sur les seins?... Et entre les... jambes? J'en doute. Et l'acte sexuel? Ça me surprendrait fort... On ne sait jamais avec les filles d'aujourd'hui.»

Ils s'étaient assis tous les quatre sur la banquette arrière, les jeunes demoiselles collées aux garçons. Alain sentit sa première véritable accélération cardiaque causée par la proximité d'une femme. Contrairement à tous ses amis, il n'avait jamais eu l'occasion de caresser une fille. D'autant plus qu'il avait perdu trois années à cause du pensionnat et de ses règlements sévères réprimant tout contact avec l'autre sexe. On avait aussi essayé d'inculquer dans son âme de solides principes anti-sexualité. Cependant, il était arrivé souvent, lorsque la pression s'était faite trop forte dans la partie basse de son corps, que les principes explosent. Sa vie d'adolescent avait donc oscillé entre la pureté d'enfant d'après le confessionnal et les sordides masturbations d'adulte perverti d'avant le confessionnal. Son cauchemar, chaque mois renouvelé, avait toujours été d'avouer au prêtre le nombre de ses masturbations depuis sa dernière confession. Il craignait chaque fois d'en oublier une ou deux. Pour être plus certain du chiffre, il en ajoutait quelques-unes de plus... au cas. Après tout, cette marge de sécurité pouvait lui valoir le ciel. Au confessionnal, en plus de ses fautes, il regrettait le fait que si le prêtre posait inévitablement la question sur le nombre des attouchements et sur leur aboutissement, par contre, jamais il ne se renseignait sur leur répartition, ce qui, à son sens, aurait atténué les fautes ou du moins montré qu'il en avait le repentir, puisqu'elles se produisaient toutes dans les dix derniers jours précédant la réception du sacrement de pénitence.

Les lampadaires bridant ses désirs, Alain devint anxieux de voir l'auto quitter le village et pénétrer dans le noir. Dès que la dernière lumière s'éteignit derrière eux, il passa son bras autour des épaules de sa compagne. Robert fit de même auprès de la sienne. Alain frémit au chaud contact. Il sentit courir en ses veines des flots ininterrompus de sang bouillant. Le peu de résistance qu'il rencontrait l'encouragea à resserrer son enlacement, et bientôt, l'adolescente se colla tout à fait à sa poitrine. À cela vint s'ajouter l'inhalation de l'odeur discrète de la femme et des cosmétiques. Il n'en fallait pas tant pour qu'il goûtât à toute l'étrangeté d'une sensation neuve: une merveilleuse, une fabuleuse contraction, juste là, au creux de l'estomac. Cette vibration non familière fut accompagnée de convulsions tout aussi curieuses mais combien divines, courant le long des muscles de ses jambes. Il ferma les yeux, aspira profondément plusieurs fois afin de jouir encore davantage de l'effluve magique et surtout pour nourrir le frisson prodigieux.

« Elle est pure. Je suis sûr qu'elle est propre, » se dit-il avec bonheur.

Il la sentit bouger doucement la tête sur sa poitrine puis il perçut sur son genou le poids et la chaleur de sa main qu'elle avait négligemment laissée tomber. Devant la marée montante de plus en plus impérieuse dans son bas-ventre, Alain fut amené à penser qu'après tout, elle n'était peut-être pas pure. Afin de savoir plus vite, il lui prit la tête entre ses mains et l'embrassa sans hésitation, avec avidité, droit sur les lèvres. Mais, sans trop savoir pourquoi, obéissant à une force inconnue, dare-dare, il changea d'attitude et se fit plus tendre et délicat. Il laissa rouler ses lèvres sur la joue ronde, vers le cou, puis remonta jusqu'à l'oreille.

« Tu es merveilleuse, » murmura-t-il. « Je veux... je voudrais que tu me donnes ta langue. » Il se rendit aux lèvres pour chercher la réponse qui fut ardente et directe. Les bouches mouillées s'ouvrirent toutes grandes et un fougueux duel s'engagea entre leurs langues. Ce premier baiser français de toute sa vie provoqua en lui un immense vertige qui, l'espace d'un éclair, jeta une certaine confusion dans ses vibrations. Mais bientôt, l'unicité se refit, l'ordre revint, et toutes ses énergies vitales, se groupant dans une sorte de champ de force, s'alignèrent dans une seule direction: son entre-cuisse.

Il s'arrêta soudain, par crainte du péché. Toutes les discussions de collège au sujet du baiser français vinrent se résumer en sa mémoire. D'aucuns soutenaient que ce baiser était péché, d'autres que non. Et le débat, souvent enflammé, n'avait cessé que le jour où un père de retraite fermée avait tranché la question en affirmant que le péché dépendait des intentions de celui ou celle qui donnait le baiser. Tous s'étaient rangés de son avis.

« Mon intention étant pure — car je veux savoir si Loulou est une bonne fille — je ne commets donc aucun péché en l'embrassant à la française, » se dit-il. Alors il se reprit à goûter aux lèvres charnues qui s'ouvrirent vite afin d'engager une seconde bataille. Devant l'imminence d'explosion entre ses jambes, il fut à nouveau tourmenté par une tornade de questions pénibles. Est-elle pure ? Le baiser français est-il péché ? Devrais-je essayer d'aller plus loin ? Et si elle me laisse caresser ses seins, que ferai-je ensuite ? Laisserai-je mon âme tomber dans le péché mortel ? Et que faire de cette merveilleuse torture qui me gagne... »

Le jeune homme pensa comme il serait facile d'introduire sa main entre les revers du décolleté de la robe qu'il voyait à peine dans la pénombre. Cherchant à vérifier si elle portait un soutien-gorge, il suivit, de sa main gauche, l'épine dorsale, jusqu'à sentir sous ses doigts l'agrafe du vêtement. Sa langue commença à fatiguer. Il se demanda si cela était dû à la prolongation du baiser ou bien à ce filament qui retenait l'organe en arrière, attaché à la gencive inférieure. Il n'en accéléra pas moins les mouvements, cherchant à augmenter les sensations chez le jeune fille afin de mieux la mûrir pour une caresse des seins. Quelques brèves secondes plus tard, jugeant son travail suffisant, il plongea la main derrière le revers de la robe, mais la fille saisit aussitôt le bras chercheur et tira, mettant ainsi fin à l'exploration surprenante. Elle garda cependant sa bouche ouverte et les langues continuèrent à se fouiller l'une l'autre. Quelque peu frustré, quoique rassuré, Alain se dit, un moment, qu'il avait sans doute affaire à une fille propre. Pourtant, il n'était pas satisfait de son test.

« Elle préfère peut-être entre les jambes, » pensa-t-il. Il accéléra à nouveau les mouvements tortueux de sa langue fatiguée, d'une fatigue frisant la souffrance. Il plongea la main sous la robe, le long de l'intérieur des cuisses. Mais il rencontra plus de résistance encore que dans sa précédente attaque à la poitrine et la jeune fille tira sur son bras avec plus de détermination que la première fois.

Alors il mit fin au baiser. Plein de tendresse, il coucha la tête de la jeune fille sur sa poitrine. Il appuya son menton dans les cheveux doux et se laissa envahir par une relaxation bienfaisante.

« Elle est propre, » se dit-il. Et son âme vibra tant, qu'une larme jaillit dans ses yeux émus. « Et je suis en paix avec Dieu, et je n'ai point péché... »

La brûlante, l'infernale sensation avait quitté le bas de son ventre. Il en remercia l'Immaculée Conception, comme il le faisait depuis longtemps chaque fois qu'il réussissait à mettre fin à une pensée mauvaise. Ses mains, renouant avec la douceur, reprirent délicatement la tête de la jeune fille. Il lui déposa sur les lèvres un baiser à bouche fermée qu'il prolongea afin de pouvoir déguster langoureusement à la façon dont il avait vu Kim Novak épouser de sa bouche sensuelle le cristal d'une coupe remplie de vin dans un film américain. Il voulut cependant injecter à son geste une grande modestie et tourna sa pensée vers la Vierge Marie.

Sur le chemin du retour, Alain et Robert parlèrent de leur soirée.

« Comment était-elle ? » demanda Alain. Les phares d'une voiture qui venait en sens inverse brisèrent la noirceur et firent apparaître l'interrogation qui enveloppait son visage.

« Ah !... plus que ça, » répondit Robert avec un filet de rire dans la voix.

« Elle a marché à ton goût ? » insista Alain. Les phares d'une seconde auto firent voir ses yeux complices.

« Tant qu'on veut ! Et la tienne ? » questionna Robert.

« Tout ! » dit Alain. Une autre voiture éclaira son visage sur lequel une satisfaction sans mélange pouvait se lire.

« Tout ? »

« En haut et en bas ; tu n'as pas vu ? » Le conducteur eut besoin, pour un moment, d'allumer la lumière du toit. Il put voir dans les yeux d'Alain les reflets d'une totale confiance en soi.

« J'avais trop de travail de mon côté... En plus que dans le noir, on ne voit pas grand-chose, n'est-ce-pas ? » dit Robert, un peu inquiet.

« Même chose pour moi, » s'empressa d'ajouter Alain.

Les jeunes gens ne poussèrent pas plus avant leur conversation et le reste du voyage fut silencieux. Chaque fois que les lueurs d'une voiture frappaient le visage d'Alain, elles couronnaient d'un halo irisé son sourire bienheureux.

Un peu plus tard, dans sa chambre, il enleva rapidement ses vêtements et plongea sous le drap. Il prit la position du fœtus, mains autour des épaules, jambes pliées, et se laissa bercer par le charme d'une musique céleste. Un chœur angélique se fit entendre dans le lointain, très loin mais tout près, tandis qu'un rayon de lune, à travers la fenêtre, illuminait son sourire stationnaire.

Alain Martel dormait.

●

Les cloches de l'église toute proche le réveillèrent. Il se prépara et se rendit à la grand messe.

De son banc, il pouvait embrasser du regard presque toute l'assemblée et, en même temps, surveiller ce qui se passait à l'autel. Juste en face, dans l'autre balcon, il vit une fille dont la mauvaise réputation avait crû de façon proportionnelle à ses longs cheveux platine. Elle passait pour ne jamais refuser une offre. « Elle attendra longtemps des avances de ma part, » pensa-t-il. « Je n'oserais même pas lui parler en public ; les gens diraient que je me vautre dans le ruisseau. »

Le chœur entonna : « Asperges me, Domine, hyssopo, et mundabor ; lavabis me et super nivem dealbabor. » Alain lut la traduction française : « Vous m'aspergerez avec de l'hysope, Seigneur, et je serai purifié ; vous me laverez, et je deviendrai plus blanc que la neige. »

Derrière la fille, se tenait bien droit l'un des copains d'Alain, n'ayant pas, lui non plus, fort bonne réputation à la différence que lui, se la créait de toutes pièces en affirmant à tout vent qu'il avait pénétré la moitié des filles qu'il avait rencontrées, du pénis supposément énorme dont la nature l'avait gratifié. « Il ne respecte pas la beauté et n'a aucune pudeur, » pensa Alain. « Il veut tout pour lui-même. Toutes ces filles se marieront bien un jour et c'est lui qui aura eu leur fleur... Celle que j'épouserai ne lui aura pas passé par les mains. Elle sera propre. »

« Ad Deum qui laetificat juventutem meam, » dit le servant de messe. Alain lut la traduction dans son livre : « Jusqu'au Dieu qui réjouit ma jeunesse. »

Il tourna la tête lentement vers la gauche, s'arrêta à un jeune homme timide, vêtu d'un complet démodé.

« Ah ! ces gars des rangs, ces fils de fermiers, comme ils ont l'air arriérés ! D'accord, ils sont plus forts et mieux musclés que nous, du village, mais c'est normal puisqu'ils travaillent à l'année comme des bêtes. Malheureusement pour eux, les pauvres n'inventeront jamais grand-chose. Et en plus, ils sentent mauvais. C'est à croire qu'ils ne connaissent pas le savon, ces gens-là ! »

Son attention revint aux paroles du prêtre : « Judica me, Deus, et discerne causam meam de gente non sancta : ab homine iniquo et doloso érue me. » Et il lut la traduction: « Juge-moi, Seigneur, et distingue mes actions de celles des nations non saintes; délivre-moi de l'homme inique et fourbe. »

Plus tard, il nota l'entrée d'un homme qui resta planté debout, derrière. Il décida de prier pour lui. « Mon Dieu, prends pitié de lui. Il fait mal sa religion: toujours en retard à la messe quand il daigne y assister. Le plus souvent ivre, il bat sa femme et ses enfants et perd son argent aux cartes. Mais le pire, c'est qu'il blasphème à tout venant. Pardonne-lui, Seigneur, car il ne sait pas ce qu'il fait. »

« Dominus justus concidit cervices peccatorum, » dit le prêtre. Alain lut la traduction: « Le Seigneur est juste; Il écrasera la tête des pécheurs. »

L'adolescent se demanda si Robert était également venu à la grand messe. Il ne voulait pas risquer que son ami l'aperçoive à la table de communion, ce qui lui révélerait certaines exagérations quant aux caresses prodiguées à Louisa la veille. D'un autre côté, il désirait montrer sa nouvelle blouse sport flambant blanche qu'il portait à l'église pour la toute première fois.

Selon un vieux célibataire maraudant tous les soirs au centre du village, une femme, qu'il n'avait pas voulu identifier, avait dit qu'Alain était l'adolescent à la meilleure apparence de tout St-Hubert, à cause de son teint foncé et de sa façon de s'habiller. Le jeune homme avait deviné qu'il devait s'agir de la grande Jeanne Maheux, devant chez qui il passait chaque soir pour aller au restaurant, et qui lui adressait régulièrement des sourires sous les yeux condescendants de son mari.

« Si je pouvais donc apercevoir le banc de la famille de Robert... Je crois que je vais prendre une chance d'aller communier... Robert va rarement à la grand messe... »

« Sanguis Domini nostri Jesu Christi custodiat animam meam invitam aeternam. Amen, » récita la prêtre. « Que le sang de notre Seigneur Jésus-Christ garde mon âme pour la vie éternelle. Ainsi soit-il, » lut Alain.

Ciboire en mains, de son habituel pas déterminé, le prêtre se rendit à la sainte table.

Alain surveilla les gens s'avancer. Il reconnut trois membres de la famille de Robert et en conclut que celui-ci ne devait pas être à cette messe puisque leur banc, comme tous les autres de l'église, en était un à trois places. Alors il se leva, bomba le torse et prit résolument la direction de la sainte table, claquant de ses talons ferrés sur le plancher de bois du balcon.

« Corpus Domini nostri Jesu Christi custodiat animam meam in vitam aeternam, » dit le prêtre.

« Amen, » répondit Alain. Il ouvrit la bouche pour recevoir l'hostie que le prêtre lui déposa sur la langue, non sans s'être mouillé le pouce, le jeune homme n'ayant pu, comme d'habitude, sortir son organe à cause du malencontreux filament.

« Corpus Domini nostri Jesu Christi... » répéta sèchement l'homme de Dieu.

Alain prit garde de ne pas toucher avec ses dents à l'hostie consacrée. Ce geste rituel lui avait été enseigné dès avant sa première communion, commandé par le respect du corps du Christ. Cela lui avait cependant créé des interrogations quand il s'était fait poser un dentier. Il s'était demandé comment concilier ce respect du corps très saint avec son contact inévitable à du vulgaire plastique à râtelier?

Il retourna à son banc, s'agenouilla, pencha humblement la tête et se plongea dans une pieuse médication.

« Très sainte Mère de Jésus, merci de m'avoir aidé à préserver la blancheur de mon âme hier soir. Je sais que vous savez que j'ai été obligé de vérifier l'innocence de la jeune fille. Aurais-je péché si elle m'avait laissé la caresser davantage? Non, car je ne serais pas allé plus loin. Je veux une jeune fille pure et virginale, comme vous, très sainte vierge Marie, et comme Loulou. Merci à vous, merci au Seigneur, merci aux saints anges qui m'ont protégé, spécialement mon ange gardien, merci à tous les saints du ciel et à Saint Joseph, grand gardien de votre sainte virginité. Je veux rester pur le reste de ma vie et ainsi éviter les tourments éternels de l'enfer.»

Il releva la tête et, jusqu'à la fin de la messe, un sourire bienheureux resta figé sur son visage. Après l'Ite missa est, il suivit la foule vers l'escalier conduisant à la sortie. Devant lui, une jolie femme de trente ans, portant une robe à décolleté plongeant, descendait les marches. L'adolescent suivit des yeux le canal blanc charnu, entre les seins voluptueux. Comme la descente fut longue, à cause du goulot d'étranglement que constituait la sortie, il quitta l'église tout à fait bouleversé.

Il marcha lentement sur le trottoir, évitant les raies, réfléchissant: «Quelles formes! Comme j'aimerais la voir nue!» se disait-il en se rappelant qu'il n'avait jamais vu, même en photo, une femme dévêtue. «Comment donc est fait le bout de leurs seins? Cette femme doit... Oh! mon Dieu! ne m'abandonnez pas! Aidez-moi à dissiper ces mauvaises pensées. Je viens de communier et, déjà, le diable me tente.»

Il voulut s'aider pour chasser le malin rôdeur et se mit à courir. Bien que sa demeure fût proche, la vigueur de sa course l'essouffla assez pour que, rendu chez-lui, il se sentît libéré de ses fantasmes.

Alors il se prépara à dîner.

●

L'après-midi était tiède et agréable comme aux plus beaux jours de juin. Pourtant, juillet tirait à sa fin. Les jeunes gens formaient un rang le long de la rue, devant le restaurant, dans l'attente vague de quelque événement inhabituel. Chacun avait une cigarette dans une main et un Coke dans l'autre. Lorsqu'une auto passait, toutes les têtes suivaient du regard; et quand une autre venait, les nuques luisantes bougeaient selon la direction empruntée par le véhicule.

Puis les jeunes gens commencèrent à se disperser. La plupart d'entre eux partirent pour le lac des Castors, à St-Basile, à huit milles, afin d'y assister à un programme de lutte professionnelle mettant en vedette, ce jour-là, le plus fameux lutteur de l'heure et du monde: Paul Baillargeon, un Québécois, capable à lui seul, de vaincre deux ou même trois Anglais.

Il ne resta plus bientôt qu'Alain et Robert qui, sans se l'être avoué, nourrissaient la secrète intention d'aller jouer aux quilles à St-Maurice, risquant ainsi d'y rencontrer les filles de la veille.

Alain fut ébahi par la venue d'une rutilante décapotable 1959 qui stoppa juste en face, de l'autre côté de la rue. La voiture, une Pontiac, était conduite par un jeune homme portant des lunettes à verres fumées. Les plaques d'immatriculation disaient Connecticut.

L'homme descendit, traversa nonchalamment la chaussée. Il tendit une main tandis que de l'autre, il enlevait ses lunettes. «Salut guys, comment ça va?» demanda-t-il.

Alain hésita une seconde ou deux, puis la lumière se fit: «Normand Champagne,» dit-il, surpris, serrant la main de l'autre. «Ce que tu peux avoir changé depuis l'an dernier! Je t'ai pris pour un véritable Américain: l'auto, les vêtements, les plaques d'immatriculation, la décapotable...» À chaque mot, Alain hochait la tête, regardant alternativement la voiture et son propriétaire.

« Well, tu vois, à force de vivre aux États, tu deviens un peu américain malgré toi. Tu vois ce que je veux dire ? » Et Champagne rit avec détachement.

Alain pointa l'auto du doigt : « Quelle voiture tu as ! » siffla-t-il. « Elle doit coûter une fortune ? »

« Yes ! Mais l'argent, aux États, on le ramasse à la pelle... »

Robert, qui était entré dans le restaurant quelques minutes plus tôt, en ressortit, un cigarillo entre les dents. Champagne et lui se reconnurent et se serrèrent la main.

Alain poursuivit : « Tu travailles dans quoi là-bas ? »

« Construction toujours ! Je pose du gyproc. Deux cents dollars par semaine, minimum. »

« Autant ! » s'exclama Alain. « C'est un peu mieux que les trente dollars par semaine à la manufacture de boîtes de St-Hubert ! »

Champagne sortit ses talons de chèques de paye et expliqua ses revenus ainsi que ses heures de travail.

« Quelle sorte de moteur ? » demanda Robert avec un geste vers l'auto.

« Le plus puissant en Pontiac, » dit Champagne. « C'est une option. Cent cinquante dollars de plus. »

« Automatique, je présume ? » fit Alain.

« Sure ! »

« Power brakes, power steering ? »

« Power brakes, power steering ! Mais ça aussi c'est optionnel. Deux cents dollars de plus ! »

« Il y a beaucoup d'éléments optionnels sur ta voiture ? » s'enquit Alain

« Oh yes ! décapotable, « tires » blancs, batterie spéciale, radio, peinture métallique, antenne spirale, barres nickelées, « shocks heavy-duty », « windshield » teinté... En tout, vingt et une options. » Encouragé par l'ébahissement d'Alain, il ajouta : Vous voulez venir essayer ça ? Venez, on va faire un tour. » Sur quoi il tourna les talons, suivi des deux adolescents qui montèrent dans l'auto en se donnant des airs faussement naturels. À l'aide de son rétroviseur, Champagne ajusta sa boucle de cheveux graisseux, puis il poussa sur le milieu de ses lunettes afin qu'elles s'accrochent bien au nez. Et il mit le moteur en marche.

Il tourna la tête à droite et à gauche, cherchant d'éventuels spectateurs. « Vous voulez connaître la puissance du moteur ? » demanda-t-il. « Dans ce cas, nous allons faire une petite grillade sur l'asphalte. » En même temps qu'il appuya sur l'accélérateur, il crampa les roues afin d'assurer un meilleur crissement des pneus et, dans un bruit épouvantable, l'auto prit la direction du presbytère.

Dans le restaurant, les gens tournèrent la tête pour voir aller le véhicule. Les religieuses firent de même dans leur véranda du vieux couvent. Chez la vieille fille aux chats, derrière une fenêtre, les épais rideaux bougèrent. Le bijoutier du village, sur son balcon, leva les yeux de son Sélection du Reader's Digest. L'auto s'arrêta à côté du presbytère.

« Pas ici, les prêtres seront incommodés, » dit Alain.

« Les prêtres ? Qu'est-ce que c'est que ça ? » dit Champagne à voix forte. « Je ne veux rien savoir des prêtres. J'ai payé pour cette route, pour ce presbytère, pour cette église, » dit-il en désignant du doigt chaque chose. « Mon grand-père a payé et mon père aussi. Les prêtres ? Ils n'ont rien à redire. C'est mon auto, c'est mon chemin ! Alors quoi ? » À nouveau, il accéléra en trombe, forçant les pneus à d'aigres lamentations.

Une étrange et inquiétante sensation s'empara alors de l'esprit d'Alain. « S'il avait un accident, il serait bien heureux d'avoir un prêtre pour l'aider à mourir, » pensa-t-il. Par contre, il partageait l'émotion de Champagne, son émancipation, sa liberté, son sens de la possession des choses; il jouissait lui aussi autant que la Franco-Américain, de l'attention des gens du centre du village qu'attirait la fabuleuse et puissante voiture. Quel sentiment emballant que de se promener, libre, dans l'un des plus prestigieux véhicules qui soient sur le marché! «Que de conquêtes doit-on faire avec une pareille Pontiac!» pensa Alain.

«Comment sont les filles du Connecticut?» demanda Robert.

Champagne stoppa à nouveau devant le restaurant. Il leva les deux mains et dispersa les doigts pour exprimer la quantité. «Like that!» s'exclama-t-il. Puis il regroupa ses doigts et se pointa la bouche afin d'exprimer la qualité. «And like that!» ajouta-t-il en riant.

«Elles marchent?» demanda Alain.

Champagne siffla et, en même temps, secoua la tête paternellement. «Like that!» dit-il, levant les bras au ciel. «Tout! Tout, dès le premier soir! Tu peux être certain que les Américaines sont en avance sur les petites Québécoises.»

«Pas si vite!» contesta Alain. «On a trouvé un nid plein de beaux petits oiseaux à St-Maurice, et je te jure qu'elles ne sont pas piquées des vers.»

«Elles marchent?»

«À volonté!» répondit Alain.

«Et plus que ça!» fit Robert en riant.

Visiblement intéressé, Champagne demanda: «On y va?»

Les adolescents acquiescèrent sans se faire prier. Aussitôt l'on se mit en route.

Chemin faisant, Alain s'enquit: «Comment est ton anglais? Tu dois sûrement commencer à comprendre maintenant?»

«Mon cher ami, je parle mieux l'anglais que le français!» s'exclama Champagne. «Je dis ce que je veux, à qui je veux et tout le monde me comprend et je comprends tout le monde.» Il avait parlé avec autorité. Puis son visage s'assombrit un peu et il demanda avec un filet d'appréhension dans la voix: «Tu vas toujours aux études, Alain, tu dois apprendre l'anglais?»

«Pas vraiment! Ah! nous apprenons bien à demander un verre d'eau, ou encore les temps des verbes, ou des listes de règles de grammaire, mais pas à parler couramment comme toi ou le député fédéral. Je peux exprimer mes besoins, mais je ne peux communiquer plus en profondeur, échanger des points de vue, des idées avec quelqu'un de langue anglaise.»

«Je n'ai absolument aucun problème avec mon anglais,» reprit Champagne plein d'assurance. «Je travaille avec un immigrant et nous parlons des heures chaque jour, rien qu'en anglais.»

«Un immigrant?»

«Je pense qu'il est Autrichien ou Mexicain, I don't know. En tout cas, de quelque part par là...» dit Champagne. «Mais il parle très bien l'anglais.» Jetant un coup d'œil au tableau de bord, il s'exclama: «Ça parle au maudit, on va manquer d'essence. J'ai complètement oublié d'en prendre avant de partir.»

«Il y a une station-service juste à l'entrée de St-Maurice,» dit Robert.

«Si on se rend,» fit Champagne, inquiet.

«Pas de danger de rester en chemin, ça descend tout le long pour les deux milles qu'il nous reste à faire,» dit Robert.

Ils purent se rendre à la pompe où le plein fut ordonné.

«Sept dollars,» dit le pompiste quand il eut terminé.

Champagne ouvrit son portefeuille. Dans un grand geste ahuri, il se cogna le front, et s'exclama d'une voix remplie de surprise: «Ça parle au diable, je n'ai pas emporté le bon portefeuille!»

Robert tendit au pompiste un billet de dix dollars. « Tiens, » dit-il. « Il fournit l'auto et nous fournissons l'essence. »

« Je te rembourserai ce soir, » dit Champagne.

« Sûrement pas! » dit Alain. « Nous allons partager la facture de l'essence, Robert et moi. Ne pense plus à cela. »

« Comme vous voudrez, » dit l'autre avec désinvolture.

Les jeunes gens se tinrent raides tout le temps qu'à vitesse réduite l'auto traversa la partie ouest du village. Des filles dirent à leur passage: « Quelle voiture! », « Les gars ne sont pas mal non plus! », « Oh, oh, oh, oh! » Ces remarques provoquèrent des picotements tout le long de sa colonne vertébrale, mais Alain ne tourna pas la tête, gardant la nuque volontairement figée.

« On retourne? » dit Champagne.

« Pas celles-là, » dit Alain. « Regarde de l'autre côté de la rivière, sur la rue principale, il y a un autre groupe de filles. Je pense les reconnaître. Traversons le pont et allons voir de plus près. »

« Trois filles et nous sommes trois, » dit Champagne, rieur, quand l'auto se rapprochait du groupe d'adolescentes dont deux étaient effectivement les compagnes de la veille d'Alain et Robert.

« Passons notre chemin et faisons semblant de ne pas les voir, » suggéra Alain.

« Right, » dit Champagne. Et il accéléra. Mais quand les jeunes gens revinrent, les filles avaient disparu.

« Merde! » s'exclama Alain. « Elles ont dû entrer quelque part. La troisième fille doit demeurer dans l'une de ces maisons. »

« Faisons une tournée du village; elles vont sûrement réapparaître, » dit Robert avec son calme coutumier.

« La mienne, c'est la blonde, » dit Alain. « Et Robert rencontre la petite brune. Qu'est-ce que tu penses de l'autre? »

Champagne répondit blasé: « Ça va! Elle n'est pas « cute » comme les petites Américaines, mais ça pourra aller. »

Les jeunes gens se promenèrent une dizaine de minutes, cherchant, surveillant, s'inquiétant. Finalement, ils retrouvèrent le groupe d'adolescentes et, cette fois ne risquèrent pas de passer tout droit.

Arborant un large sourire, Alain leur adressa la parole: « Que diriez-vous du tableau suivant: les plus jolies filles de St-Maurice dans la plus belle auto de toute la région? » Elles ne se firent pas davantage prier et montèrent.

Champagne suggéra une promenade jusqu'à St-Gilles. Il emprunta la route longeant la rivière Etchemin et roula à vitesse réduite. Sa compagne se tourna pour dire à ses amies: « Cette auto ressemble beaucoup à celle des gars de Galtown. »

« Ça me surprendrait fort, » dit Champagne, « ce modèle est exclusivement américain et ne se vend pas au Canada. »

« Pourtant!... » fit-elle, incrédule. « Même couleur, même forme, hein les filles? Mais elle était bien plus rapide que celle-ci! » ajouta-t-elle naïvement.

Piqué au vif, le conducteur appuya sur l'accélérateur et la vitesse augmenta rapidement. Soixante-quinze, quatre-vingts, quatre-vingt-cinq. Alain regardait les courbes venir avec une rapidité étourdissante. L'auto dévorait si vite les traits discontinus de la ligne blanche que celle-ci finit par lui paraître ininterrompue. Champagne, chaque fois qu'il apercevait un chauffeur du dimanche, soit pour le dépasser ou pour le rencontrer, s'amusait à klaxonner pendant plusieurs secondes, ajoutant ainsi une note discordante à un suspense qu'Alain commençait à trouver insupportable.

Pour se rassurer, le jeune homme prit la main de sa compagne entre les siennes et serra. Quatre-vingt-dix, quatre-vingt-quinze. Ses muscles raidissaient à mesure que croissait la vitesse et que la circulation d'air se faisait plus violente. Il entendit à peine le rire gauche d'une des filles. Il essuya les larmes que le vent, fouettant vicieusement son visage, provoquait. « Heureusement que j'ai communié ce matin, » pensa-t-il. Pensée de réconfort vite dissipée, car une tempête d'images horribles envahit bientôt son cerveau. Il vit sa tête éclatée en morceaux, sa poitrine broyée ; il imagina les derniers battements de son cœur expulsé de son thorax et sautillant son dernier spasme dans l'herbe verte. Il se vit dans une tombe. Une cérémonie funéraire. Le Kyrie eleison. Un monument au cimetière... La voiture atteignit cent milles à l'heure.

Puis, tout de suite, la vitesse décrut rapidement et se stabilisa dans les soixante.

« Tu nous as fait peur, » dit la compagne de Robert.

« Il n'y avait pourtant aucun danger, » dit tranquillement Robert. « Nous sommes en plein jour, la chaussée est sèche et l'auto est d'un modèle très stable. »

« Sans compter que le conducteur n'a pas pris de boisson, » ajouta Champagne.

Alain demeura nerveux pendant toute la randonnée et ne put relaxer qu'au retour au village de St-Maurice. Cette relâche de la tension lui donna le goût d'enlacer sa compagne. Il chercha à l'embrasser, mais elle le repoussa.

« Attention aux petites vieilles, elles vont jaser, » lui dit-elle à l'oreille.

Il regretta son geste, pensant qu'une fille propre ne pouvait évidemment pas se permettre en public des rapprochements physiques avec un garçon.

Le groupe passa le reste de l'après-midi à circuler d'un bout à l'autre du petit village, après quoi, s'étant séparés de leurs compagnes, les jeunes gens retournèrent à St-Hubert, au restaurant.

En descendant de l'auto, Alain demanda : « C'est combien pour la promenade ? »

« Bah !... Je ne devrais pas accepter d'argent pour ça ! Mais si vous insistez... Disons six dollars chacun : est-ce trop ? » demanda Champagne avec une certaine hauteur. Alain et Robert se jetèrent un bref regard, mais n'osèrent répondre et ils payèrent. Quand l'autre fut parti, ils se regardèrent à nouveau, un peu hébétés.

« En tout cas, il n'aura pas perdu son temps, » dit Alain. « Çà lui fait dix-neuf dollars pour son après-midi. »

« À ce prix-là, il n'aura pas de mal à payer sa décapotable, » renchérit Robert. Il secoua la tête et ajouta : « Quelqu'un quelque part doit bien payer pour les vingt-et-une options de la voiture américaine ! »

« D'un autre côté, la sensation de se promener dans pareil véhicule en vaut bien la peine, » dit Alain. Son visage s'assombrit. « Je me demande de plus en plus si je ne devrais pas laisser tomber mes études et m'en aller aux États-Unis, comme Champagne. Gagner deux fois le revenu d'un professeur d'ici... Et je n'aurai mon diplôme que dans deux ans... À tout prendre, quand je toucherai mon premier dollar à titre d'enseignant, lui, il aura gagné de très gros salaires pendant cinq ans. Je croupis aux études à dépenser l'argent de mon père, tandis que ces gars-là ont le portefeuille ça d'épais, des filles à profusion, la grosse décapotable et la belle vie. Et moi, je dois me consoler avec l'espoir et... le rêve. Je te jure qu'un homme ne va pas pisser bien loin avec des espoirs et des rêves. »

« Je ne suis pas trop sûr que tu aies raison, » dit Robert. « As-tu remarqué, sur sa feuille de salaire, le nombre d'heures de surtemps qu'il doit faire pour gagner autant d'argent ? Le gars doit travailler après souper, jusque tard le soir et aussi le samedi. Sais-tu quelle sorte de travail il fait ? Ce qu'il y a de plus dur en construction. Les Américains eux-mêmes ne veulent pas de ces travaux-là: c'est trop ruineux pour la santé. Les gars sont au boulot six jours par semaine, parfois sept, et c'est du matin jusqu'au soir à vitesse maximum. Les plus solides d'entre eux ne tiennent pas le coup plus de dix ans et ensuite, ils se retrouvent Gros-Jean comme devant.»

«Après dix ans, ils ont assez d'argent pour n'avoir pas à quêter. Ils n'ont alors qu'à investir dans leur propre affaire,» dit Alain.

Son ami fronça les sourcils et répondit d'une voix pleine de doute: «Ils dépensent leur argent à mesure qu'ils le gagnent. D'autre part, n'apprend pas à conduire un commerce qui veut, et avec une feuille de gyproc comme professeur. La tenue de livres, la publicité, l'anglais, les lois, la conduite d'employés et tout le reste, ça ne s'apprend pas à trimer d'une étoile à l'autre à bride abattue. Le capital, ce n'est pas seulement de l'argent.»

«Mon pauvre Robert, tu connais pourtant bien cette idée vieille comme le monde qui veut que l'argent permette d'acheter n'importe quoi et n'importe qui. Qu'ils ne puissent faire eux-mêmes telle ou telle chose et ils n'auront qu'à engager quelqu'un pour la faire à leur place. Aux États-Unis, avec de l'argent dans tes poches et de l'anglais dans ta bouche, tu peux réaliser absolument tout.»

Robert objecta: «Question langue, par exemple, je ne suis pas certain qu'ils apprennent aussi vite qu'ils s'en vantent.»

«Hey, hey! tu exagères un peu, tout de même! Ce gars-là, Champagne, parle couramment l'anglais.»

«C'est lui qui le dit. Il glisse bien un petit mot par ci, une petite phrase par là, mais de là à croire qu'il soit devenu bilingue après un an de travail intense sous des feuilles de gyproc?...»

«Il nous a pourtant dit qu'il parlait à longueur de journée avec un immigrant!»

«Et il ne sait même pas d'où l'immigrant est originaire? Drôle de conversation!» Robert sourit vaguement et mit la main sur l'épaule de son ami pour dire: «Crois-moi, sa réalité est bien moins intéressante que tes rêves!»

L'autre secoua la tête sans grande conviction et dit: «Mon cher Robert, tu parles comme un poète.»

●

Alain Martel ne remarqua point que l'été vieillissait vite, ni ne perçut le goût d'automne de ce mois d'août 1959. Il ne vit pas les brouillards drapant les rivières, ni n'entendit les claquements des grands érables grêles. Il enveloppa son cœur d'amour et son esprit de rêve. Aussi prépara-t-il mécaniquement son entrée à l'école normale de l'université.

Il avait opté pour la carrière d'enseignant, car c'était là le cours terminal le moins onéreux, question temps et argent, qu'il avait pu trouver dans les listes de métiers et professions.

À l'âge de dix ans, il avait rêvé d'être un jour médecin jusqu'à ce qu'il se découvre peu d'aptitudes à côtoyer la souffrance physique, la vue du sang le faisant invariablement défaillir. Alors il s'était souvenu que ce rêve lui avait été insufflé à l'âme par sa grande sœur, une infirmière. Plus tard, la prêtrise l'avait fortement tenté, mais lorsqu'il aurait fallu commencer les études classiques, son père avait dit qu'il n'avait pas les moyens financiers d'assumer une aussi longue scolarité. Un jour, il avait été séduit par l'idée de devenir psychiatre; il devait changer d'avis quand il sut que les médecins de l'âme, au Québec, passaient le plus clair de leur temps à traiter des cas extrêmes et travaillaient le plus souvent dans des asiles, alors que lui avait rêvé de s'occuper de gens normaux comme le font les psychiatres américains. Au collège, on l'avait souvent sollicité pour qu'il s'intéresse à la vocation de frère enseignant. Il y avait songé. Chez les frères, il pourrait étudier à bon compte, défroquer ensuite puis voler de ses propres ailes. Mais une telle indécence lui répugnait. Et puis, il y avait cette autre indécence, cette réputation douteuse des frères... Ses dernières visées avaient concerné la profession d'ingénieur qui commençait à faire prestigieux au Québec. Mais il fut pris de court. Le manque de temps, d'argent, une certaine lassitude aussi, le poussèrent à se rabattre sur une solution plus fonctionnelle: il serait professeur.

Il savait bien que l'enseignement n'était pas le plus court chemin menant à la fortune, à la gloire et au pouvoir, mais il se consolait à l'idée courante voulant que ce métier mène à tout, pourvu qu'on en sorte. Il s'en ferait un marchepied vers autre chose. Pourtant, à l'école normale, à cette époque, le contraire se passait.

La plupart des ratés des autres facultés allaient finir leurs études aux sciences de l'éducation: faculté de la dernière chance. C'est la raison pour laquelle le futur environnement humain de l'adolescent, tant à l'université que dans le monde de l'enseignement, serait une véritable mosaïque d'ex-futurs prêtres, d'ex-futurs avocats, d'ex-futurs médecins, d'ex-futurs ingénieurs...

Mais il ne se préoccupait guère de toutes ces choses. Il ne savait rien d'autre que la date de son départ et l'adresse de son école. Et à part le fait qu'il fût conscient qu'on ferait de lui un enseignant légalement qualifié, il ne voulait rien savoir d'autre.

Quelques jours avant son départ, il demanda à Louisa pour la fréquenter régulièrement, ce qui, tacitement, signifiait qu'il serait son seul ami de cœur. «Je serai à toi et tu seras à moi,» lui avait-il dit entre deux chastes baisers. Elle avait accepté. «Je t'aime, et toi, est-ce que tu m'aimes?» lui avait-il demandé par la même occasion. Elle avait souri timidement. Un dimanche après-midi, dans la balançoire, derrière chez elle, sous les bouleaux blancs, le cœur chargé d'émoi, il lui avait posé sa plus importante question: «Je t'écrirai deux fois par semaine et je viendrai te voir une fois par mois, est-ce que tu m'attendras?» Elle avait baissé les yeux et fait un signe de tête affirmatif.

Au début de septembre, le cœur à la fois serré et heureux, il quitta son village pour aller suivre ses cours à l'école normale. Dans les jours qui suivirent, il se familiarisa avec la ville, le lieu de sa pension, l'école, l'environnement.

Un soir, quelques jours plus tard, il écrivit sa première lettre d'amour.

Sherbrooke, 9/9/59.

Ma chérie,

Je t'aime! Oui, je t'aime! Voilà les premiers mots que je veux te dire dans cette lettre, car ce sont là les mots les plus importants au monde dans la vie de chaque être humain et dans la mienne.

Chaque jour, je pense à toi, je rêve à toi. Je prépare mon cœur pour ce moment merveilleux où nous nous jetterons dans les bras l'un de l'autre, quand nous nous reverrons.

Que fais-tu? Comment vas-tu?

Je voulais toujours te le dire, mais je crois que ça restera plus longtemps si je l'écris: tu es la fille la plus féminine que je connaisse à St-Maurice, à St-Hubert ou bien ailleurs. Tes cheveux sont si beaux, tes yeux si profonds, tes lèvres si douces, tes bras si chauds.

Je t'aime parce que chaque fois que je pense à toi, mon cœur vibre. Je t'aime parce que tu es pure et propre. Je t'aime parce que c'est merveilleux de t'aimer.

Je serai à la maison le 25. Cela veut dire qu'il y a encore treize jours à espérer. Mais, comme le disait quelqu'un: « Espérer, c'est le bonheur; attendre, c'est la vie! »

Au revoir, ma chérie! Je t'embrasse mille fois. Je t'aime! Je t'aime! Je t'aime!

Alain.

Deux jours plus tard, il commença à surveiller l'arrivée du courrier. Le douze, il se dit qu'elle n'avait sans doute reçu sa lettre que la veille. Le treize, il pensa que sa réponse devrait être en route. Le quatorze, il se dit qu'il ne recevrait pas de réponse avant le dix-sept ou le dix-huit à cause de la fin de semaine. Le dix-huit, il souffrit de ne rien recevoir. Le dix-neuf, il se demanda sérieusement s'il avait bel et bien donné son adresse, mais finit par se rappeler que oui. Le vingt, il se fâcha et se dit à lui-même que si elle avait dit la vérité concernant son amour pour lui, il aurait dû recevoir une lettre. Le vingt-et-un, il décida de lui téléphoner, mais, à la dernière minute, il se ravisa, se contentant de se ronger les ongles nerveusement et rageusement.

Le vingt-deux, il reçut une lettre. Avant de la relire pour la dixième fois, il en huma le moelleux parfum. « Voilà la plus belle lettre d'amour qu'un homme puisse recevoir, » pensa-t-il.

St-Maurice, le 20 septembre, 1959.

Cher Alain,

J'ai reçu ta lettre avec plaisir. Nous sommes aujourd'hui dimanche. Il pleut. Je m'ennuie beaucoup.

Je voulais te dire, Alain, je sais que cela va te contrarier, mais tu vas sûrement comprendre. Je dois quitter St-Maurice avec mes parents, de vendredi à dimanche, en fin de semaine. Nous devons aller au Maine chez ma sœur qui vient d'avoir un bébé. Dimanche après-midi, tu pourras venir me voir; je serai de retour. J'aurais bien aimé être avec toi samedi, mais, malheureusement, je ne le pourrai pas.

J'espère que tout va bien dans tes études. Sûrement puisque tu es si renseigné sur tant de choses!

Je dois te quitter. C'est déjà l'heure du souper. Comme le temps passe vite!

Au revoir! Je te verrai dimanche. Je t'embrasse.

Ta Loulou.

« Chaque mot, chaque ligne, chaque phrase respire l'amour, » pensa-t-il. « Elle dit qu'elle s'ennuie: c'est bien certain puisque nous sommes séparés l'un de l'autre. Quelle délicate attention de m'aviser de son voyage au Maine! Comme il est exemplaire pour une jeune fille d'aujourd'hui d'accompagner ses parents un samedi soir! Et quel sens de la famille que d'aller voir sa sœur qui a eu un bébé!... Ensemble, dimanche après-midi, dit-elle. Ensemble: quel mot merveilleux! Elle s'ennuyait avant de m'écrire et pourtant, elle finit en disant que le temps passe vite: n'est-ce pas tout à fait normal quand, par la pensée, on est avec quelqu'un que l'on aime? Et cette merveilleuse signature: ta Loulou... Oui, ma Loulou, mon amour, et qui sait, peut-être un jour, ma femme. Ça me fait rire: je n'ai que dix-sept ans, mais que de rêves! Ma décapotable, ma maison, ma femme... et, un jour, mes enfants. Ah! la vie est merveilleuse! Je suis heureux, si heureux! Mon amour, je t'aime tant!» Et il embrassa tendrement l'enveloppe.

•

Trois jours plus tard, commença sa première fin de semaine de congé depuis le début de son année d'études. Tôt dans la soirée du samedi, il retrouva ses amis dans un hôtel situé près de chez lui où les adolescents avaient l'habitude de se réunir, histoire de se faire, selon leur expression, un fond alcoolisé avant de partir vers les dancings à la recherche de divertissement et de filles.

Alain avait cependant l'intention d'y passer toute sa soirée, par fidélité à Louisa. Il s'amuserait à téter une bière devant le match de hockey télévisé. Dès qu'il fut entré, il marcha directement au comptoir-bar où il se commanda une bière, saluant tous ses amis de la main et du sourire. Puis il les rejoignit à leur table.

La conversation porta, comme d'habitude, sur les automobiles et sur les filles.

«Martel, t'aurais dû être avec nous autres samedi soir dernier,» dit l'un des adolescents. «On a eu un loisir terrible, tout le groupe avec Normand Champagne. On a rencontré les filles de St-Maurice et ce fut épouvantable...»

«Waiter, quatre bières,» coupa Robert.

Simulant un rire détaché, Alain demanda: «Quelles filles?»

«J'étais avec Lyne Martin, Robert avec Marie Cliche et Cham...»

À nouveau Robert l'interrompit: «Nous devrions changer de pièce pour écouter le hockey,» dit-il.

«Il n'est que sept heures et demie,» dit l'autre en consultant sa montre. Et il poursuivit: «Champagne était avec Louisa Bégin ou Loulou, quelque chose comme ça. En tout cas, tu la connais. J'pense que tu l'as rencontrée une ou deux fois l'été dernier. Maudit chanceux, t'as dû avoir du plaisir avec elle. Pas besoin d'une clef pour l'ouvrir, cette fille-là...»

Alain dégringola des millions de marches, sa tête heurtant chacune d'elles. La moindre goutte de sang de son visage disparut, s'échappa, fut aspirée en un point central, quelque part dans la poitrine. Il se sentit entièrement congelé. Il leva le bras pour prendre une gorgée; un léger tremblement agita son verre; les glaçons percutèrent contre la paroi et tintèrent. D'une voix flageolante, il demanda: «A-t-elle marché?»

«Qui? La Bégin? Elle n'a pas marché, elle a couru. Elle était flambant nue sur la banquette avant et baisait comme une truie. Champagne vient de partir pour aller la voir; il dit qu'il va l'emmener dans un motel, pour finir ce qu'il a commencé la semaine dernière. Ah! c'est pas difficile pour lui: avec l'auto qu'il a, il pince toutes les filles qu'il veut. Les femmes sont maniaques des décapotables. C'est mon idée que la petite Bégin va se faire ruer dans la pantoufle au motel de St-Gilles,» dit l'adolescent en pouffant de rire.

Alain n'écoutait plus, même s'il continuait d'entendre. Après les quelques terribles minutes où il s'était senti de glace, le cœur lui projeta des milliers de jets brûlants vers les limites extérieures du corps. L'insupportable implosion faisait place à une explosion plus intolérable encore. Il se leva péniblement, jambes vacillantes, et se rendit aux toilettes où il vomit copieusement.

Il ressortit bientôt, l'esprit aussi vide que l'estomac. Robert l'attendait près de la porte.

Alain le dévisagea et lança: «Il n'y a rien à dire!»

« J'ai transporté nos bières dans la petite salle ; viens écouter la partie de hockey, » dit le grand jeune homme.

Alain le suivit et se laissa tomber lourdement sur une chaise, devant le téléviseur. Il riva ses yeux hagards sur ce lointain lumignon que l'écran lui semblait devenu. Il ne sortit de sa torpeur qu'à la fin du match, quand Robert proposa : « Allons faire un tour du côté de St-Louis. »

« Pour ma part, je vais à St-Gilles, » dit Alain.

« Je ne te le suggère pas, » dit son ami avec bienveillance.

« Si tu ne viens pas, j'irai seul, » dit froidement Alain.

Ils se retrouvèrent bientôt à l'hôtel-motel où Champagne, selon ses dires, devait coucher avec Louisa. La salle de danse grouillait. Alain s'accouda au comptoir et avala plusieurs verres de bière, regardant ici et là, un peu partout, cherchant à voir Loulou quelque part. Pendant le match de hockey, il avait eu tout le temps de réfléchir sur les prétendues prouesses de Champagne avec Louisa, les rapprochant de ses propres vantardises concernant la même fille à la fin de juillet. « Il l'a peut-être simplement reconduite chez elle après la soirée pour ensuite inventer toutes ces histoires. Mais de sa part à elle, ce serait quand même de la trahison... » L'espoir et l'amertume accompagnaient ses pensées successives qui se bousculaient les unes les autres.

Il n'aperçut la jeune fille nulle part. Il se rendit aux toilettes et se parla tout en pissant : « Il est impossible qu'elle soit dans un motel avec Champagne, puisqu'elle est une bonne fille... je ne pouvais même pas la toucher. Jacques m'a sûrement fait marcher... Et je n'ose plus faire parler Robert : j'ai trop honte. J'aurais dû appeler chez elle en arrivant. Malgré que je ne me doutais pas que... Tiens, je vais téléphoner chez elle et si quelqu'un répond, je saurai qu'elle m'a menti avec son histoire d'aller au Maine avec ses parents. »

Il se rendit jusqu'au téléphone public. Le courage lui manqua. D'ailleurs une force diabolique le poussait déjà à autre chose. Il sortit de l'hôtel.

« Je vais marcher et prendre l'air. Je vais marcher et réfléchir. Je vais marcher et oublier. Je vais marcher et me détendre. » À chaque pas qu'il faisait, il se créait une raison valable de faire le suivant. Mais au fond de lui-même, il savait qu'également, chaque pas l'amenait à vérifier, les voitures du stationnement tout autour de la bâtisse.

Il repéra la décapotable de Champagne. Curieusement, il ne réagit pas. Sauf qu'il eut chaud plus que de raison, transpirant en abondance, en dépit de l'air plutôt frais de cette soirée de fin de septembre. Il revint à la bâtisse qu'il longea jusqu'à une encoignure où il s'appuya sur le mur de briques, dans le noir. Des larmes emplirent ses yeux et roulèrent tranquillement jusqu'à sa bouche. Quand il ne les essuyait pas, il les avalait.

« Pourquoi m'a-t-elle fait cela à moi ? Pourquoi m'a-t-elle poignardé dans le dos ? Pourquoi m'a-t-elle frappé au cœur ? Je ne voulais pourtant que lui plaire, prendre soin d'elle, la respecter. La vie ne vaut pas la peine d'être vécue ! Pourquoi m'a-t-elle dit qu'elle m'aimait ? Pourquoi m'a-t-elle écrit pour me faire croire des choses qu'elle ne sentait pas ? Pourquoi m'a-t-elle dit qu'elle aimerait... Pourquoi m'a-t-elle dit que... Pourquoi m'a-t-elle... Pourquoi... »

Surchargé, survolté, son cerveau ne parvenait pas à ordonner ses pensées qui se bousculaient, se brisaient, se heurtaient comme une mer furibonde s'entêtant rageusement contre un brisant aussi inexorable qu'unique. La même tornade mentale qu'il avait subie un an auparavant quand il avait été malade de la grippe asiatique lui balaya l'esprit, à la seule différence qu'ici, dans ce coin étroit, la tempête ne lui laissait pas d'espérance. Il fut bientôt distrait de sa souffrance par le bruit d'une porte que l'on fermait. Quelqu'un venait de sortir d'une chambre de motel. Il ne bougea pas et continua à tendre l'oreille. Une voix d'homme lui parvint. Il ne put comprendre ce qu'on disait ni savoir qui parlait. Un rire féminin à moitié étouffé, puis le bruit sourd de deux portières d'auto et, enfin, le départ agressif d'une voiture le poussèrent à risquer un œil sur la cour; la décapotable n'était plus là.

Il se rencoigna à nouveau afin de se sentir désespérément seul. Quelques interminables secondes plus tard il sentit une main sur son épaule, accompagnant une voix familière: « Ils ont le plaisir, mais toi, tu as l'espoir. Possible même qu'un jour tu aies les deux, alors qu'eux n'auront plus ni l'un ni l'autre. Dans la vie, c'est souvent chacun son tour. Viens prendre un bon coup; ça te fera du bien. »

Alain suivit docilement Robert qui poursuivit tout en marchant: « Laisse-moi te dire une bonne chose: un homme peut se fatiguer très vite de l'amour, mais jamais de l'espoir. »

Alain demeura coi le reste de la soirée. Il se contenta d'écouter. Et d'absorber! Il épongea toute la bière qu'il put, et c'est ivre-mort qu'il retourna chez lui.

Il se jeta sur son lit sans ôter ses vêtements et se mit à marmonner: « Voilà la récompense de ceux qui sont purs et respectent les filles! Vierge Marie, protectrice puissante et glorieuse de toutes les vierges de la terre, comment peux-tu laisser de telles choses arriver? Hein? » Il cherchait à faire glisser vers le bas la fermeture-éclair de son pantalon. « Laisse-moi te dire, Vierge Marie, que dans ma petitesse et ma méchanceté, je ne permettrais pas que des choses comme ça arrivent à qui que ce soit, où que ce soit dans le monde... » Il réussit à ouvrir la braguette lâche et poursuivit: « Je vais te montrer ce que je pense de ta religion, de ton respect des filles, de ta pureté... » Il sortit son pénis et entreprit de se masturber, mais le membre resta totalement flasque et aucun attouchement ne lui provoqua de sensation quelconque. De guerre lasse, il prit la position du fœtus et s'abandonna au sommeil.

●

Le lendemain de Noël était un samedi. Alain et ses amis se retrouvèrent dans la salle de danse de l'hôtel du Domaine, à l'extrémité du village de St-Hubert, draguant les filles. Au milieu de la soirée, arriva un groupe de St-Maurice. Alain sursauta. Il avait reconnu Louisa qu'il n'avait pas revue depuis le grand chagrin de l'automne.

Il se pencha vers Robert et lui dit d'un ton sinistre qu'il soutint d'un regard dur: « La petite maudite va se faire charroyer en troisième vitesse si j'ai la chance de l'attraper ce soir. Elle va se souvenir de moi, je t'en passe un papier. »

Pour arriver à ses fins, il ne voulut prendre aucun risque. Dès le premier « slow », il demanda la jeune fille à danser. Elle accepta.

Après quelques pas, elle dit: « Pourquoi ne m'as-tu donné aucun signe de vie après ma lettre? »

« Pour plusieurs raisons. Mais ce n'est pas le bon endroit pour en parler. Si tu veux venir avec moi, nous en discuterons. »

« Où irons-nous? »

« Chez moi, » dit-il avec un sourire composé.

« Et ton père et ton frère? »

« Mon père est en voyage. Quant à mon frère, il ne sera pas là avant deux heures du matin. Une maison vide. Vide et chaude. Un garçon et une fille. Toi et moi. Moi et toi. Et une profonde, très profonde discussion sur la vie. Ça t'intéresse? Tu n'as pas peur? »

« Pourquoi aurais-je peur? » demanda-t-elle incrédule.

« Dans ce cas, allons-y tout de suite, » dit-il d'une voix pleine de défi. D'un simple et bref signe de tête, elle acquiesça. Elle prit ses affaires à la table et se dirigea vers la sortie, suivie de l'adolescent à l'air sardonique. Il se trouva un taxi pour les conduire.

Ils entrèrent dans la maison sans style, aux airs frustes des années 30. Au passage de la grille de la fournaise dont il se dégageait un souffle chaud, la jeune fille s'arrêta et se laissa envelopper sensuellement.

Il nourrit une pensée sadique: « Laisse-toi chauffer la pantoufle et tantôt, je pourrai mieux la tisonner, » se dit-il, l'œil méchant.

« Oh ! comme c'est bon ! » dit-elle à la Mae West.

Provocateur, il commenta: « Ça le sera encore davantage tout à l'heure. »

« Ah ! ah ! » fit-elle.

« Mon frère aura mis une grosse bûche avant d'aller voir sa fiancée. » Il prit Louisa par la main et la conduisit dans le living-room où, après avoir allumé une lampe, il la pressa de s'asseoir. En même temps, par un geste de la main, il lui faisait signe d'enlever son manteau.

« Comme il fait froid ici ! » s'exclama-t-elle. Et elle se jeta tout habillée sur un étroit divan à rigides coussins bruns.

« La pièce est toute petite. Avec la porte grande ouverte, il fera chaud dans quelques minutes, » dit-il, craignant qu'elle ne prenne le froid comme prétexte pour refuser de se déshabiller. Il répéta: « Pourquoi n'enlèves-tu pas ton manteau ? »

« Parce qu'il fait trop froid ! »

Il s'assit auprès d'elle en ironisant: « Je peux essayer de te réchauffer comme à la belle époque. Tu te rappelles de ces jours d'amour ? »

Comme s'il avait donné une de ces poignées de main d'hommes d'affaires, aux fins de démontrer la trempe d'acier du caractère du donneur, il enveloppa la jeune fille de ses bras et serra violemment.

« N'est-ce pas que c'était la belle époque ? » demanda-t-il affirmativement.

« Puisque tu le dis, » répondit-elle, à moitié étouffée.

Il desserra un peu son étreinte. « Eh oui, pour moi, c'était le bon temps ! Le temps de l'amour avec un grand A, le temps des promesses, le temps des grandes illusions... Et pour toi... pour toi... n'en parlons pas, cela vaudra peut-être mieux. » Lentement, scientifiquement, il déboutonna le manteau de la jeune fille. « Viens dans mes bras que nous puissions fêter un peu nos retrouvailles. »

Elle se cala dans le divan et appuya sa tête sur le dossier. Quand le manteau fut ouvert, il se pencha sur elle, l'écrasa de son poids. Il l'embrassa longuement, avec rudesse. Elle resta passive.

« La belle époque, c'était aussi le temps de la tricherie, du mensonge, de la tromperie, des coups de poignard... » Il reprit son baiser coléreux.

Dès qu'il eut relâché son étreinte, elle put dire: « Si c'est moi que tu vises, sache que je n'avais pas passé de contrat avec toi. »

« Et ce samedi où tu devais être au Maine à zézayer avec le bébé de ta sœur, ne roucoulais-tu pas autrement, quelque part ailleurs ? » dit-il sur un ton acide.

« Le voyage avait été cancellé et quelqu'un m'avait appelée pour sortir... »

« Normand Champagne et sa décapotable. »

« Oui. »

« Tu es sortie avec lui ou bien avec sa voiture ? »

Elle haussa les épaules.

« Tu aimes les décapotables ? » insista-t-il.

« Beaucoup ! » s'exclama-t-elle.

« Je sais que jamais tu ne te noieras dans une mer de bon sens. »

« Les goûts ne se discutent pas ! »

« Mais où est-il maintenant, ce soir, avec sa grosse voiture ? »

« Je n'en ai aucune idée et c'est le cadet de mes soucis, » dit-elle. Il y eut un moment de silence, puis elle ajouta sur le même ton tranquille : « Si tu voulais me voir, tu n'avais qu'à me téléphoner le dimanche comme je te l'avais demandé sur ma lettre, mais tu ne l'as pas fait. Alors pas pires amis ! Ça te regardait. Mais ça me concernait la veille de rencontrer qui je voulais. »

« Et je présume que ce samedi-là, tu es allée à la messe avec Champagne ? »

« Voilà une chose qui ne te regarde pas du tout non plus. »

« Dans le temps, çà me regardait ! Quand on dit aimer un garçon et que l'on va coucher avec le premier venu ou devrais-je dire avec la première décapotable venue... »

« Je ne t'appartenais pas. Je n'étais pas ton bien. Je n'étais pas mariée avec toi... »

Il leva les bras au ciel. « Il est absolument inutile de discuter de tout cela. Le passé est mort et enterré. Il a coulé bien de l'eau dans l'Etchemin depuis ces événements. Le temps de parler est révolu. C'est maintenant le temps d'agir. Telle que je te connais, si tu as accepté de venir ici, ce soir, ce n'est sûrement pas pour dire des prières. Enlève ton manteau. »

« Si tu veux ! D'ailleurs, il fait déjà plus chaud dans cette pièce. » Elle lui donna son vêtement qu'il jeta négligemment plus loin, sur un fauteuil.

Sans raffinement, avec de l'animosité dans les gestes, il la reprit dans ses bras et lui plaqua une bouche gloutonne et grande ouverte sur les lèvres. Elle se laissa manipuler sans offrir de résistance.

Quand il reprit son souffle, elle dit : « Tu as l'air affamé. Tu as soupé ? »

« J'ai toujours faim quand le lunch est gratuit et à portée de la main, » répondit-il du tac au tac. « Et ce soir, je veux un repas complet avec mets principal et dessert. » Il ouvrit une bouche vorace et reprit son baiser, tenant la tête de Louisa d'une main, lui pétrissant les seins de l'autre. À travers la blouse, il sentit qu'elle portait un soutien-gorge et se demanda de quelle façon il pourrait le détacher pour qu'elle pût croire qu'il avait de l'expérience en ce domaine. Plongeant la main à l'intérieur de la blouse, il caressa la poitrine à travers le vêtement. Il ne s'arrêta guère que deux ou trois secondes, pressé qu'il était d'atteindre l'agrafe.

« Si ça ne te dérange pas, voudrais-tu réduire la lumière ? » dit-elle.

« À ton entier service ! Comme à la belle époque ! » Il éteignit une grosse lampe et alluma une veilleuse avant de revenir prendre place sur le rebord du divan de manière qu'il pût déboutonner la blouse d'un mouvement leste et adroit. Multipliant les gestes professionnels, il l'enveloppa de ses bras afin d'atteindre des deux mains l'attache du soutien-gorge. Il fit alors une pression des doigts. Rien ne se produisit.

« Tu ne dois pas avoir peur, toi qui connais si bien le tabac. »

« Pourquoi aurais-je peur, tu ne vas pas me tuer, » répondit-elle, sceptique, cherchant à comprendre pourquoi il parlait ainsi.

Il pressa encore, mais dans le sens vertical : rien. « Ce n'est sûrement pas la première, ni la dernière fois qu'un homme te déshabille, » dit-il en riant faiblement.

« Mais je pense que toi, c'est la première fois que tu enlèves les vêtements d'une fille, » dit-elle, impassible. Elle passa son bras derrière son dos et fit un mouvement sec et bref du bout de ses doigts. Le vêtement se détacha.

Il rit lourdement et avec hauteur. « Pauvre enfant, si tu penses que je n'ai jamais vu de soutiens-gorge. Nous sommes en 1959 et la guerre est finie depuis longtemps. » Il plongea une main tremblante sous un bonnet. La chair qu'il trouva et caressa le surprit. Il avait toujours imaginé qu'une poitrine de femme était ferme et agressive et jamais ne s'était posé la question de savoir pourquoi les soutiens-gorge avaient été inventés.

Après cette prise de conscience toute biologique, il réalisa que, pour la première fois de sa vie, il tenait dans sa main un sein de femme. Une chaleur aussi soudaine que violente lui embrasa le bas-ventre. L'instant d'après, la plus superbe érection qu'il ait jamais eue, projeta son pénis contre son pantalon. Des tréfonds de son âme, du plus profond de son corps, de toutes parts, émergea une impression de puissance: l'esprit du conquérant l'enveloppa de son formidable cri. Dès lors, il accéléra son exploration, quittant la poitrine pour une région plus mystérieuse et plus sérieuse aussi: l'intérieur des cuisses. Il frotta un peu, mais n'obtint aucune réaction. Cela ne l'inquiéta nullement, puisque son intérêt tout entier était de savoir si elle portait une gaine ou seulement une culotte. Le mouvement exploratoire de sa main, progressant trop vite, son index heurta quelque chose, ce qui provoqua chez la jeune fille une brève impulsion de recul. Alain prit ce geste pour un sursaut de plaisir, il s'en félicita. Il poussa la main jusqu'à sentir la chaude toison à travers le mince tissu de la culotte. Il frotta pendant quelques secondes à peine. Frustré par la barrière du vêtement, il passa la main par l'ouverture de la jambe à la recherche du brûlant duvet. La jeune fille ferma les yeux, croisa les bras, écarta les jambes. Nerveusement, l'adolescent retira sa main et chercha à enlever la culotte en tirant sur la bande élastique du haut.

« Minute, ne déchire rien! » Pour aider, elle se souleva les fesses. Comme il ne tirait que dans une seule direction et avec une seule main, l'autre côté du vêtement restait accroché à la hanche. Elle décroisa les bras et descendit elle-même son dessous bleu en soupirant, visiblement agacée.

Il prit un ton câlin: « Bonne fille, elle sait ce qu'il faut faire. » Et, sans plus attendre, à nouveau il plongea la main. Louisa avait repris sa position: bras croisés, jambes écartées. De l'index, il entreprit un mouvement rotatif dans les poils du pubis. Une boucle naquit et grossit tant, que la fille en vint à sentir qu'on lui arrachait les poils.

« Ouch! tu me fais mal! » dit-elle en bougeant le postérieur.

Il décida de changer de tactique. Se souvenant des plaisanteries de ses frères sur le sujet, il décida de la pénétrer de son gros doigt. Il tâta un moment, finit par trouver la fissure et y enfonça son majeur, râpant les parois au passage.

« Ne me défonce pas, » gémit-elle sous la désagréable pression.

Il se dit alors que rien ne pourrait plus tuer son désir ni son érection. Il n'eut pas à bouger longtemps le doigt que la fille se mit à mouiller, ce qu'il ne comprit d'ailleurs pas. Il retira son bras d'entre les jambes de Louisa et lui passa la main derrière la tête d'une façon qu'il pût sentir l'odeur de son doigt en même temps qu'il embrassait la jeune fille dans le cou. Cette senteur fit doubler les surcharges de sang qui gonflaient son pénis d'acier. Les risques d'explosion prirent des proportions sérieuses.

Par des gestes mal contrôlés, il défit sa ceinture et enleva son pantalon, puis son sous-vêtement. Il garda cependant sa chemise, cherchant ainsi à éviter que la jeune fille ne puisse voir son pénis non circoncis. Puis il la fit s'étendre sur le divan et se coucha près d'elle. Il se colla, approcha son pénis qui toucha le pubis. Ce contact ne provoqua qu'un léger pincement au bout de l'organe. Il fit une nouvelle approche. Rien d'intéressant ne se produisit. Encore et encore. Il ne récolta que des douleurs sur la peau du gland.

« Mets ta jambe sur le haut du dossier, » lui dit-il. Il l'aida et la fille accrocha son pied comme il le voulait. « Ce sera ma première pénétration, il faut que je sois calme afin de pouvoir mieux déguster,» pensa-t-il. Avec précautions, il toucha la vulve, centra son pénis et poussa le bassin vers l'avant, L'organe glissa dans les poils. Nouvel essai: rien encore. Une autre fois: douleur. Encore, encore et encore. Il devint nerveux. Encore et encore. Une soudaine chaleur envahit sa poitrine. Encore et encore. Douleurs. Encore... agressivement. Encore... furieusement. Encore... désespérément. Alors il perdit son érection.

De crainte de perdre aussi la face, il s'excusa pour aller aux toilettes, mit ses vêtements et sortit du living-room.

Habitué de pisser dans le noir, il ne rata pas le bol de son jet bruyant. Il le sut au son. Le temps que sa vessie s'aplatissait, il pensa aux seins pulpeux qu'il avait caressés, de même qu'à la toison laineuse. Il porta son doigt à ses narines afin de humer encore une fois l'odeur mystérieuse des profondeurs de la femme. Dès qu'il eut fini d'uriner, son érection revint en force. Il se garnit une main d'un morceau de papier de toilette et, au-dessus, secoua violemment son pénis. Le sperme jaillit vite.

De retour au living-room, il se coucha à côté de la jeune fille, elle paraissait endormie et avait toujours la jambe accrochée au-dessus du dossier.

Il se tint coi, pensant qu'elle relaxait. Et il se laissa aller à la décontraction. La quiétude inonda ses nerfs, ses muscles, ses veines.

Il perdit longuement la notion du temps et ne la retrouva qu'au bruit d'une automobile qui s'arrêtait dans la cour. Il ferma la porte du living-room et dit à Louisa de s'habiller.

Son frère entra et s'engagea dans l'escalier menant au deuxième étage. Il s'arrêta pour s'enquérir: «C'est toi, Alain?»

«Oui Fernand. Attends une seconde, j'ai à te parler». Il sortit et demanda à voix basse: «J'ai avec moi une fille que je voudrais reconduire chez elle à St-Maurice. Veux-tu me prêter ton auto?»

«Tu as bu?»

«Deux bières et elles sont digérées depuis longtemps.»

«D'accord. Voici mes clefs. Sois prudent; tu sais que tu n'as pas de permis de conduire.»

«Merci beaucoup!» s'exclama Alain. «La route est-elle glissante? A-t-il neigé?»

L'autre fit signe que non et glissa un clin d'œil complice à son jeune frère. «Fais bon voyage,» dit-il.

Sur la route de St-Maurice, Alain et sa compagne parlèrent peu. Lorsque sur les hauteurs, il aperçut les lumières du village, le besoin de se défouler, issu de sa réflexion sur le passé, lui revint en force.

«Tu es le genre qu'on ne rencontre qu'une fois dans sa vie. Un homme ne marie pas une fille comme toi,» dit-il sèchement.

«Pourquoi es-tu si bête?» demanda-t-elle, surprise de cette insulte aussi soudaine qu'imprévue.

«Des choses de l'été dernier me remontent au nez, malgré qu'elles m'ont bien aidé à savoir à quoi m'en tenir au sujet des femmes... en tout cas, des femmes comme toi.»

«Tu as appris toutes ces choses à l'université?» demanda-t-elle, sarcastique.

«Quelles choses?»

«Que les hommes ne marient pas de filles comme moi etc...»

«Pas besoin d'aller à l'université pour savoir cela.» Il appuya fort sur l'accélérateur, mais la Ford se fit prier. «Tu veux savoir ce qu'on apprend à l'université, alors je vais te le dire: mathématiques, civilisations, philosophies et un paquet de choses dont le nom lui-même ne te dirait pas grand chose.» Il avait parlé d'un ton détaché, quoiqu'en espérant un commentaire qui ne vint pas. Ce silence, le temps qui passait, la route qui se dépensait, augmentèrent en lui le désir de la faire payer pour les vieilles souffrances. Mais elle détectait les pièges et les évitait soigneusement.

«Tu iras à la messe demain matin?» demanda-t-il.

«Et toi?»

«Sûrement et pourquoi pas?»

«Après ce que nous avons fait ce soir...»

«Donc, toi tu n'iras pas?»

«J'irai.» dit-elle.

«Après ce que nous avons fait ce soir?»

«Oui.»

«Comment cela?»

«Sans doute pour les mêmes raison que toi,» dit-elle, impatiente.

«Et, selon toi, quelles sont ces raisons?»

«Faire comme tout le monde, faire comme d'habitude, faire plaisir à mes parents.»

«Ma pauvre fille, si tu penses que je prends mes décisions en fonction de ce que font les autres, tu te trompes royalement. De toute façon, ma mère est morte et mon père est rarement à la maison.»

«Dans ce cas, tu n'as aucune raison d'aller à la messe demain; et si tu le fais, c'est stupide.»

«Écoute, petite vache, je vais à la messe parce que je crois en Dieu et en ma religion, pas pour faire comme les autres.»

«Mais puisque tu as péché ce soir, quel besoin d'aller à la messe demain? À moins que tu n'ailles à la confesse avant? Tu vas laver ton âme, prendre ta douche spirituelle du dimanche matin?» dit-elle, narquoise.

«Tu es trop bornée pour comprendre qu'un homme puisse avoir la foi. Tu pratiques ta religion en hypocrite tout comme tu joues dans le dos des gens dans la vie. Tu ne penses qu'au sexe. Pour toi, le sexe devrait être une religion, une foi. Ils devraient fermer la porte des églises aux personnes comme toi.»

La jeune fille rit. «Marie-Madeleine la pécheresse a asséché les pieds de Jésus avec ses cheveux...»

«Elle regrettait sincèrement ses fautes.»

«Et moi pas, tu penses? Et toi, tu les regrettes?»

«Si tu avais été une fille propre, ce qui s'est passé ce soir ne se serait pas produit. J'ai agi comme un homme doit le faire avec une...»

«Une putain, une pécheresse, une créature perdue, une fille de Satan, perdant son âme à cause de son sexe. Heureusement que je t'ai rencontré, toi, l'homme pur, le sauveur qui a eu pour mission de m'ouvrir les yeux avant qu'il ne soit trop tard!»

«Petite vache, tu es la dernière qui puisse se moquer de moi! Tu es une menteuse et une tricheuse et... une fille à tout le monde.»

«Et toi un sauveur, un savant sauveur qui a toujours raison.»

L'auto venait de s'engager sur le pont de St-Maurice; Alain freina brusquement jusqu'à stopper le véhicule.

«Je ne vais pas plus loin,» dit-il tout sec.

«Mais il me reste encore un demi-mille avant d'arriver à la maison, et tu sais comme il fait froid dehors,» protesta la jeune fille.

«Tu marches avec tout le monde, alors tu dois bien être capable de marcher seule, non?»

«Alain, ne fais pas l'idiot! Traite-moi de tous les noms, mais reconduis-moi à la maison. Je n'ai pas envie de geler ronde.»

« Descends et marche, » dit-il sans émotion. « Des filles comme toi ne savent pas faire autre chose. »

« Si tu veux, Alain Martel ! Mais avant, je vais te dire une chose : j'espère qu'à ta chère université, ils vont t'apprendre quelque chose en sexualité parce que dans ce domaine, tu es un parfait bon à rien... »

Il serra violemment les poings. « Sors de cette auto et ça presse, » hurla-t-il. Elle poussa la poignée de la porte, hésita une seconde, puis descendit en riant bruyamment. Il la regarda, rageur, déambuler jusqu'à ce qu'il la perde de vue.

« Elle ne comprendra jamais rien à la vie, » siffla-t-il entre ses dents.

Derrière, une auto klaxonna, car la Ford bloquait le passage. Alain relacha la pédale d'embrayage, mais il ne pressa pas suffisamment sur l'accélérateur et le moteur cala. Il tenta à plusieurs reprises, mais sans succès, de remettre le moteur en marche. Deux hommes descendirent de l'autre voiture et s'approchèrent. L'un d'eux cria : « Mets au neutre, nous allons pousser. » Et ils s'arc-boutèrent à l'arrière de la Ford. L'auto s'engagea, près de la garde du pont étroit, dans un amas de neige durcie, laissé là par la déneigeuse. Quand il ouvrit sa portière, les hommes avaient déjà réintégré leur véhicule qui doubla vite la Ford et disparut, personne ne se préoccupant des signes du jeune homme.

Il décida de pousser la voiture jusqu'à la sortie du pont où une descente lui permettrait de remettre le moteur en marche en utilisant la compression. Mais l'amas de neige l'empêcha de bouger. Il chercha une pelle dans le coffre arrière. Pas de pelle.

Il retourna dans l'auto et actionna le démarreur, encore et encore. Rien. « Il passera bien quelqu'un, » se dit-il. Et il attendit quelques minutes. « Je peux aussi bien attendre ici toute la nuit, » pensa-t-il.

À un demi-mille de là, deux jambes chaudement bottées avançaient prestement. Sans savoir ce que c'était, Louisa entendait au loin le faible bruit de refus du démarreur de la Ford 1954. La jeune fille rentra chez elle.

Au même moment, Alain Martel se mit à marcher sur le pont enrobé de froidure à en casser. Il se dirigeait vers un garage et frissonnait, car il était fort mal vêtu pour affronter le froid bleu qui mordait tout l'Etchemin cette nuit-là.

●

1960

« Allo ! »

« C'est Alain... Alain Martel ? » demanda la voix.

« Lui-même ! »

« Ici le docteur Roland Gilbert, comment ça va ? »

« Pas mal. »

« Toujours aux études ? »

« Toujours. »

« Ça va bien ? »

« Ah oui ! » Alain répondait avec hésitation, intrigué par cet appel d'un genre inusité.

« Tu n'es pas sans savoir, Alain, que je serai candidat à la convention du parti libéral ? »

« En effet, docteur, je suis au courant. »

« C'est la raison pour laquelle je te téléphone. J'aimerais que tu fasses partie de mon organisation... »

« C'est que je ne connais pas grand-chose dans une convention politique... En plus, je suis aux études à l'extérieur. »

« Je ne t'appelle pas pour l'organisation de la convention, mais pour celle de l'élection. Et je m'explique. Je sais d'avance que je serai élu à la convention étant donné que je suis le seul candidat sérieux. Les autres ne vont se présenter que pour les apparences. Il faut bien faire une convention, et celle-ci ne servira qu'à officialiser ma candidature à l'élection. Ça veut dire que déjà, je suis en train de jeter les bases de mon organisation électorale. Et j'ai pensé que tu aimerais peut-être nous aider. »

« Mon expérience en politique... »

L'autre coupa : « C'est justement l'occasion d'en prendre. Chaque chose doit bien avoir un commencement, n'est-ce-pas ? »

« Je ne dis pas non, » hésita Alain. « Tout dépendra du travail à faire. »

« Je t'explique. Dans le parti, il y aura à cette élection de nouvelles structures. Entre autres, les organisateurs de paroisse auront, pour les aider, un adjoint qui s'appellera écuyer : un jeune homme comme toi, débrouillard et travailleur. Pour être franc, ce n'est pas une tâche de décision mais d'exécution, et je pense que c'est normal quand on commence, n'est-ce-pas ? Donc tu seras pairé à mon grand organisateur de St-Hubert et sous ses ordres. Tu seras un peu son homme à tout faire. Que l'expression ne te fasse pas peur, car tu dois savoir que c'est une excellente chose de tâter un peu tous les aspects d'une organisation : c'est la base qui permet plus tard de se voir confier des responsabilités plus importantes. »

« L'élection est prévue pour le vingt-cinq et je ne terminerai pas mes études avant le début de juin, fin mai au plus tôt... »

L'autre l'interrompit : « C'est parfait car la campagne ne débutera pour de vrai que dans la deuxième semaine de juin. »

« Et je n'ai pas l'âge de vote. »

« Vraiment ? Tu me surprends. Mais ça n'a pas d'importance ! Ce qui compte, c'est le travail que tu feras. »

« Disons que j'aimerais bien y penser un peu... »

«Entre nous deux, Alain, sache qu'advenant une victoire du parti libéral, un programme d'emplois d'été pour étudiants sera mis sur pied. Même s'il ne sera plus question de patronage, puisque le parti l'abolira, il sera normal, après l'élection, qu'à compétence égale, nous choisissions d'abord ceux qui auront travaillé dans notre organisation pour occuper des emplois d'été. Tu comprends? Alors voilà, Alain, je ne te demande pas une réponse immédiate; prends le temps d'y penser et rappelle-moi. Disons... dans une demi-heure? Est-ce que ça irait?»

«Quelle que soit ma décision, je rappellerai dans une demi-heure,» promit l'étudiant avant de raccrocher.

D'une douceur incomparable, la voix du médecin s'était faite persuasive tout au long de la conversation.

Il n'en aurait pas fallu tant pour convaincre son homme. Alain se frotta les mains d'aise, sourit entre ses dents, se mit à arpenter la maison, de la cuisine au salon, en passant par le living-room, claquant de ses talons de fer sur le grillage métallique de la fournaise. Jamais il ne s'était senti aussi heureux. Le médecin-candidat lui-même avait daigné l'appeler pour lui confier une tâche dans son organisation électorale. Il avait hâte de rappeler pour signifier son acceptation, mais surtout afin de pouvoir se rendre au restaurant annoncer la nouvelle à ses amis.

Le temps n'en finissait pas de passer. Toutes les trois minutes, il consultait sa montre et, au moment même où prit fin la demi-heure, il s'approcha du téléphone. Mais il se ravisa. «Mieux vaut attendre encore cinq minutes,» pensa-t-il. «Cela fera plus réfléchi, plus adulte, plus indépendant.» Quatre minutes plus tard, tremblant d'émotion, il sonna la téléphoniste et demanda le numéro du médecin-candidat.

Quand il eut donné sa réponse, il reçut l'ordre de communiquer, dès son retour des études, avec Vincent Lapointe, l'organisateur de St-Hubert dont il serait l'adjoint et qui lui détaillerait la tâche d'écuyer. Alain dit qu'il espérait être utile à l'organisation. L'autre répondit: «Aucun doute là-dessus, autrement je ne t'aurais pas appelé. Je ne te remercie pas trop fort, car l'expérience que tu prendras avec nous te sera très utile, mais je te remercie quand même.»

«Je sais que ça m'apportera beaucoup. C'est même moi qui devrais faire les remerciements,» dit Alain.

«De la manière dont tu parles, nous allons nous entendre parfaitement. Au plaisir et à bientôt!»

«Au revoir, docteur!»

Dans un calme village du Québec, le choix du médecin de l'endroit comme candidat à la convention d'un parti politique faisait figure d'événement majeur, historique, et faisait couler beaucoup plus de salive que tous les décès et naissances de l'année réunis. Alain savait qu'au restaurant, la conversation portait souvent sur la politique. En s'y rendant, il se dit qu'il pourrait facilement, sans avoir l'air de se vanter, glisser la nouvelle concernant son futur rôle électoral.

Il entra, s'acheta un Coke et s'approcha de la table où ses amis faisaient leur habituelle partie de poker du samedi après-midi.

«Il nous manque justement un joueur pour que la partie soit intéressante,» dit Robert. «Tire-toi une bûche!»

Alain se rendit chercher une caisse de bois derrière le comptoir et la rapporta à la table des joueurs pour s'asseoir.

«King and low», annonça le brasseur. Pendant qu'il distribuait les cartes, les joueurs pissèrent.

Alain reçut un as et une paire de deux. Il jeta les deux autres cartes et reçut en remplacement un roi et un as. «Cinq as. Ça commence bien la partie,» pensa-t-il. Il avait toujours cru en ces journées où un homme se lève gagnant, de ces journées de chance sans mélange. Il avait eu cette intuition ce matin-là et elle s'avérait de plus en plus fondée à mesure que la journée progressait. C'est pourquoi, après avoir joué et gagné, il sentit le besoin de rassurer les joueurs. « Remporter le premier pot n'est jamais chanceux, » dit-il.

C'était à son tour de donner. Il proposa un bluff. Relevant ses cartes, il trouva un quatre, un cinq, un sept, un huit et un valet. Il réfléchit. Tout jeter et recommencer à neuf ou bien essayer d'attraper un six ? Il ne tentait jamais pareil jeu, sachant que les chances de le réussir étaient trop minces. Mais l'intuition de la chance augmenta son goût du risque et il ne réclama qu'une seule carte qu'il laissa dormir pendant que les autres joueurs misaient. Puis il reprit son jeu dont il écarta, une à une, les cartes: quatre, cinq, sept, huit... D'un petit coup sec du pouce, il dégagea la dernière: c'était un six. Il l'aurait juré !

Et c'est ainsi qu'il ramassa le deuxième pot.

« As-tu entrepris de nous plumer aujourd'hui ? » demanda Robert.

« Je me sens un peu l'âme d'un gars de l'impôt. Malheureusement pour moi, la chance ne durera pas. »

« Parlant d'impôt, s'il faut que les libéraux gagnent les élections, ça va nous coûter cher, quand on pense à tout ce qu'ils promettent, » dit un des joueurs.

« Ce sera mieux que maintenant. Il ne se passe rien dans la province de Québec depuis trente ans, » dit Robert.

« Pouah ! ils vont prendre dans ta poche droite pour mettre dans ta poche gauche et, en passant, accrocher leur petite commission, » dit un autre joueur.

« Peut-être aussi prendre plus dans les poches des vieilles crapules bleues pour établir des programmes équitables dont tout le monde profitera, » dit Alain avec un sourire plein d'assurance. « Ce n'est pas toujours aux mêmes à manger dans l'assiette au beurre. »

« Il paraît qu'ils vont abolir le patronage. Le chef libéral en parle depuis que les élections sont annoncées, » dit un joueur.

« Abolir le patronage et mettre sur pied des programmes pour ceux qui sont dans le besoin comme nous, les étudiants, » dit Alain. « Il y aura un programme de prêts-bourses et un autre d'emplois d'été. Je ne serais pas surpris qu'un bon matin, ils rendent l'instruction gratuite. » Le jeune homme espérait toujours qu'un des joueurs ajoutât à ses propos pour qu'à la fin, une porte puisse s'ouvrir et lui permettre d'annoncer sa nouvelle.

« Jack pot, low ball, » dit Robert en donnant les cartes.

« Ouvert de dix cents, » dit l'un des joueurs.

Les autres suivirent. Alain garda sa paire de septs et une dame. Pourquoi la dame ? Il ne jouait jamais de cette façon non plus. Il ouvrit ses deux cartes de remplacement. Alors, ses muscles bandèrent légèrement. Mais son cerveau leur ordonna aussitôt de se relâcher afin d'éviter que le visage ne devienne le miroir du jeu. Cet ordre se traduisit par un léger battement des cils ainsi qu'une inhalation balancée, plus nuancée que les précédentes, ni trop longue, de peur qu'elle ne trahisse la vérité, mais assez, pour qu'elle puisse faire croire à un certain mécontentement.

Coudes sur la table, mains en forme de panier, pouce agile, il découvrit à nouveau son jeu devant ses yeux faussement myopes et imperturbables: trois dames, deux septs. Il réprima aussitôt son sourire intérieur, de peur qu'il ne s'infiltrât au dehors par quelque fissure insoupçonnée.

« Dix de mieux, » dit-il négligemment.

Il espérait une relance, mais les autres suivirent simplement et les jeux s'abattirent un à un, même s'il lui appartenait de découvrir d'abord le sien. On se pardonnait volontiers cette entorse à la règle afin de donner au joueur de relance le plaisir de montrer le sien en dernier, ce qui lui donnait l'impression de mettre tout le monde à genoux. Cependant, qu'un joueur jouisse trop sadiquement et sans décence de sa force, et l'on aurait aussitôt boycotté son plaisir en appliquant intégralement la règle.

Alain gagna et cette victoire décupla son désir d'annoncer sa nouvelle. « Le docteur Roland Gilbert m'a justement parlé des programmes d'aide aux étudiants qui seront proposés par le parti libéral, » dit-il avec un léger tremblement dans la voix.

« Tiens, il t'a demandé à toi aussi de faire partie de son organisation? » s'enquit Robert.

Désarçonné, Alain, du geste, acquiesça à demi.

Robert poursuivit tranquillement: « Il m'a parlé d'être écuyer, mais je ne lui ai pas laissé le temps de s'expliquer. Finalement, je lui ai dit de s'adresser à André Veilleux et c'est toi qu'il a appelé. Mais peut-être que Veilleux a refusé lui aussi? » Robert haussa les épaules. « Ça ne m'intéresse pas de faire les commissions des organisateurs du docteur; d'autant plus qu'il ne s'est jamais aperçu que j'existais avant aujourd'hui. Le lendemain de l'élection, il ne me reconnaîtra même plus. »

Ces paroles jetèrent une douche froide sur les secrètes pensées d'Alain. Il tenta de sauver sa dignité: « Pour ma part, je trouve que c'est une belle expérience à vivre et j'ai décidé d'essayer... Ça pourra m'apporter beaucoup de choses... » Il parlait défensivement, rageant contre le docteur d'avoir contacté quelqu'un d'autre avant lui, se sentant un pis-aller.

« Tant mieux si tu le prends de cette manière, mais tu as de bonnes chances de faire rire de toi, » rétorqua Robert.

Conservant une attention suffisante au jeu, il n'en remarqua pas moins qu'il vibrait, sans trop pouvoir en donner d'explications, à tous les aspects attirants, presque magnétiques du poker.

« Un bluff, » annonça le joueur de la donne. Alain releva ses cartes: dame, six, dame, dame, huit. Il demanda deux cartes de remplacement dont la première était un trois qu'il plaça à gauche de ses dames. Mais il laissa l'autre dormir afin d'augmenter le désir, le plaisir de l'attente, l'espérance d'une autre dame ou encore d'un deuxième trois. Jusqu'au moment de faire sa mise, il savoura en son esprit la joie anticipée de découvrir une carte intéressante. Le moment venu, il donna un vif coup de poignet en même temps qu'il leva les yeux: c'était un trois qu'il plaça aussitôt à la droite de ses dames. Il étendit son jeu en éventail et il en tâta sensuellement des yeux la parfaite symétrie: trois, dame, dame, dame, trois.

Il se dit que, sur un bluff, c'était là une main le plus souvent gagnante. Une sécurité bienfaisante le berça un moment. Puis il pensa aux mains plus fortes; à la full aux rois, à celle aux as, au carré; mais il chassa vite ces images pessimistes qui créaient un malaise en son esprit. À tout prendre, il se rendit compte qu'il vibrait davantage à cette main solide, bien que comportant des risques, qu'à celle parfaite des cinq as du premier jeu.

Au moment de la mise, il aima le libre-choix qui lui était offert: liberté d'accoter, de passer, de relancer et même de quitter la partie. Il choisit de relancer. Sans excès, afin de mieux tromper. D'une tromperie acceptée et qui possède ses règles.

Savourant son secret, il se dit à lui-même: « S'ils savaient, les pauvres, ce que je détiens... »

Les joueurs virent. Les jeux s'étalèrent. Il gagna. Il hésita deux ou trois secondes, montra son indifférence. Puis, d'un geste professionnel, il passa sa main en forme de grattoir au centre de la table, ramenant vers lui la poignée de monnaie qu'il empila en rangées, soigneusement, glorieusement. Des milliers de fois, il avait posé ce geste de possession et il ne s'en était jamais lassé, sauf la fois où il avait triché. Alors il avait ramassé l'argent, mais sans conviction. Presqu'à regret! Il avait d'ailleurs par la suite dilapidé son pot par des mises forcées. L'expérience de la tricherie lui avait appris à apprécier les règles du jeu. Mais il ne s'était pas expliqué la chose, Posséder en trompant avait tué en lui l'espoir de la chance ainsi que le merveilleux goût du risque et ne lui avait laissé que le goût amer d'une domination facile. Le plaisir avait sonné faux à son cœur. En trompant les autres, il s'était trompé lui-même.

Mais ici, par ce gain honnête, il vibrait profondément à la possession, car elle était conditionnelle et impliquait qu'à la prochaine donne, ce soit lui le perdant.

Et quand il gagnait, il sentait toujours, comme en ce moment même, de l'admiration mêlée d'envie chez les autres joueurs... Admiration fictive que les gagnants ont toujours cru, bien à tort, susciter chez les perdants!

«Tiens, le curé qui s'amène au restaurant,» dit l'un des joueurs. «Nous ferions peut-être mieux de serrer nos cartes pour le temps qu'il sera ici?»

«Si tu penses!» lança Robert, un peu plus ému que d'habitude. «Nous ne sommes pas des enfants.»

«Ce n'est pas le curé, c'est le vicaire,» dit Alain.

«Les gens n'aiment pas beaucoup le jeu de cartes à l'argent, du moins quand c'est les autres qui le pratiquent. On dirait que dans leur tête, c'est péché,» dit un joueur.

«À moi la brasse,» dit Alain. «Je suis catholique, je vais à la messe tous les dimanches, mais il n'appartient pas au clergé de décider si je dois jouer ou non.» Il distribua les cartes pendant que le prêtre entrait et s'achetait un paquet de cigarettes à travers de vagues salutations au groupe de jeunes gens. Chaque fois qu'il faisait une mise, Alain laissait tomber la monnaie d'un peu plus haut que d'habitude afin que le prêtre comprenne bien que sa présence n'empêchait nullement les jeunes gens de jouer.

Robert s'apprêtait à ramener le pot à lui lorsque l'homme en soutane s'approcha de la table.

«Grosse partie!» s'exclama-t-il, taquin.

«Venez jouer une brasse ou deux avec nous autres,» dit nerveusement un joueur.

«Je ne suis pas assez riche pour jouer aux cartes,» dit le vicaire dans un rire bruyant et gras qui lui donna du mal à allumer sa cigarette.

«C'est justement un bon moyen d'en faire,» répondit le joueur.

«Mon cher ami, le peu d'argent que je gagne, je le place de façon plus sécuritaire,» dit le prêtre. Il expulsa une longue bouffée de fumée et poursuivit son rire qui dégénéra en toux grasse.

«Regardez le pot: cinq dollars,» dit le joueur.

Par une toux maintenant provoquée, le prêtre attaqua les humeurs de ses bronches bouchées. «Je n'ai rien contre une petite partie comme celle que vous jouez, même si vous le faites en public, mais je préfère dépenser mon argent autrement.» Il roula dans sa bouche les humeurs décollées qu'il ravala. Puis, sur le ton de la complicité, il dit: «Voyez-vous ça; le vicaire de la paroisse jouer aux cartes à l'argent en public? Je serais excommunié par les paroissiens et par le curé.» Il se dirigea vers la sortie et ajouta: «Bonne chance à chacun!»

«Il nous a fait voir que nous ne devrions pas jouer en public,» dit l'un des joueurs quand le prêtre fut parti.

«Il n'y a pas à s'en faire, tant qu'il n'y aura pas d'hommes mariés à la table,» dit Robert. «Ce sont les femmes qui sont jalouses des cartes et s'en plaignent au confessionnal.»

«Tu as l'air de t'y connaître,» dit Alain en souriant.

«Je sais depuis longtemps que les femmes mariées ont peur de trois choses: des autres femmes, de l'alcool, des cartes. Le plus drôle, c'est que chaque homme est amoureux d'au moins l'une d'elles,» affirma Robert en souriant faiblement.

«Pour ma part, j'ai bien l'intention de tomber amoureux des trois, et ma future n'a qu'à bien se tenir,» dit Alain. Les joueurs s'esclaffèrent.

•

Dès son retour chez lui, à la fin de son année d'études, le deux juin, Alain, tel qu'entendu avec le médecin-candidat, téléphona à Vincent Lapointe pour connaître et entreprendre sa fonction d'écuyer libéral.

Il reçut pour mission de tenir ouvert le comité central paroissial à partir de midi jusqu'à la fermeture, tous les jours. Il devrait y mettre de l'ordre, nettoyer les planchers, vider les cendriers, ranger les chaises, contrôler les item publicitaires. On lui confierait un budget de dix dollars par semaine pour amuse-gueule, liqueurs douces, cigarettes et cigares mis en offre aux organisateurs quand ils viendraient au local du comité. Sauf Lapointe, Alain serait le seul à disposer d'une clef de ce lieu, ce qui, dès leur première rencontre occasionna une discussion au cours de laquelle Lapointe insista sur les dangers d'infiltration.

«Quel intérêt auraient les bleus à venir renifler par ici?» demanda Alain.

«Rien! Absolument rien et c'est ça qui est drôle! Ces gars-là ne sont pas des lumières, mais ils pourraient quand même avoir l'idée de venir sentir, on ne sait jamais.»

«S'ils n'ont rien à gagner, pourquoi viendraient-ils?»

«Quand je dis rien, c'est une manière de parler. Je veux dire rien de ce que nous autres, les rouges, pourrions penser. Mais tu connais les bleus: il n'y a rien que ces gens-là ne peuvent pas inventer. Ils pourraient entrer ici, la nuit, et le lendemain, tu trouverais tous les murs du local placardés des posters de leur candidat. Ça s'est déjà vu des choses pareilles!»

«Vincent, tu sais bien que çà ne convaincrait personne de voter pour eux!»

«Quant à ça...» Lapointe pencha la tête et réfléchit. «On ne sait jamais, un papier qui traîne, une lettre dans une armoire... C'est maudit, une élection. Un détail peut te la faire perdre.»

Alain sourit, incrédule, et Lapointe poursuivit avec force gestes: «Je me rappelle en 52, toutes les organisations rouges avaient été infiltrées par des bleus. Ça grouillait de bleus dans tous nos comités. Même chose en 56. Nos maudites élections, on les a toujours bien perdues. Et à plate couture en plus. Quand il y a des espions partout, t'es perdu d'avance. Ils savent tout. Ils savent qui travaille pour toi. Ils connaissent tes plans d'action, tes armes de combat. Comment veux-tu gagner quand l'adversaire te connaît sous toutes tes coutures?»

«Si l'autre sait que tu es fort, cela ne risque-t-il pas de briser la confiance qu'il a en lui-même?» objecta Alain.

«Es-tu fou? Faut pas que tu te mettes tout nu devant l'adversaire! Si tu veux gagner, tu dois garder des armes secrètes... Le secret, voilà le secret d'une campagne électorale!»

« De toute façon, il ne traînera rien et la porte restera fermée à clef quand je serai absent, » coupa Alain.

« Parfait, absolument parfait ! C'est pour ça qu'on t'a choisi comme écuyer. Nous autres, des hautes instances du parti, aimons faire confiance aux jeunes. Et avec l'expérience que tu vas prendre, dans quelques années, c'est peut-être toi qui seras candidat. »

●

Sans grandes émotions, Alain vit s'écouler la première partie du chaud juin de 1960.

Il s'était mis au pas du crescendo électoral.

À chaque début d'après-midi, il faisait de l'ordre au local du comité tout en écoutant à la radio les discours politiques. Vers les quinze heures, Lapointe arrivait. Chacune de ces rencontres entre l'écuyer et son chef donnait lieu à une nouvelle discussion. Quand la radio diffusait des discours bleus, Lapointe coupait le volume de l'appareil.

« Pourquoi ne pas écouter ce qu'ils ont à dire ? » demanda Alain, la troisième fois que la chose se produisit.

« C'est pas un rouge, c'est un bleu qui parle. »

« Je sais. »

« Alors c'est ça ! » dit Vincent en haussant les épaules.

« Ça quoi ? » dit Alain.

Lapointe s'approcha de la table derrière laquelle Martel était assis, et s'y appuya les mains, penchant la tête comme pour réfléchir. « Il y a malentendu, » dit-il dans une grimace incrédule. « C'est le premier ministre, le chef bleu qui parle, tu comprends ? C'est pour çà que j'ai tourné le bouton. »

« Je dis que nous devrions l'écouter, » affirma Alain.

« Mais pourquoi ? »

« Pour savoir ce que les autres pensent et proposent, et peut-être pour nous convaincre davantage de nos propres idées politiques. »

Mi-amusé, mi-curieux, Lapointe secoua la tête. « Maudit Alain Martel, toujours une farce en tête ! »

« Ce n'est pas une farce. Il doit arriver aux bleus de dire des vérités... »

« Alain, tu m'inquiètes et il est grand temps que je te parle. » Lapointe se laissa tomber sur une chaise en face de son écuyer. « Tu sais bien que les bleus ne disent que des menteries ! Ça fait vingt ans qu'ils exploitent le pauvre monde ! Ça fait vingt ans qu'ils achètent leurs élections ! Pour les petits, c'est la misère ; pour eux, c'est la crèche ! »

« S'ils étaient aussi mauvais que tu le dis, ils ne gagneraient pas leurs élections depuis vingt ans. Que je sache, ce sont des élections libres ! »

Vincent gratta vigoureusement son énorme tête ovale surmontée d'une mince couche de cheveux aplatis. « Ce que je veux te faire comprendre, c'est que les gens ne s'aperçoivent pas qu'ils sont mauvais. Du monde, c'est aveugle. Les gens ont peur de voter rouge. Les bleus cultivent la peur : peur du communisme, peur de perdre une pension... Mon pauvre ami, quand tu connaîtras les bleus comme je les connais, tu sauras que ces gens-là, ça ment comme ça marche, ça vole, ça fraude... Tout ce qu'ils savent faire, c'est du patronage. Pense au scandale des graines de semence, pense à tous les autres scandales. Avec les bleus au pouvoir, c'est la corruption, c'est scandale par-dessus scandale... »

« Comme ? »

«Comme?» fit Lapointe ahuri.

«Oui... les scandales?»

«Depuis le début de la campagne qu'il s'en dit partout dans la province. Tiens, celui des graines de semence et... tous les autres à la grandeur du Québec.»

«Des scandales, il y en a toujours sous tous les gouvernements,» dit Alain comme s'il se parlait à lui-même.

«Quoi? Qu'est-ce que tu dis? Il y aura toujours des scandales? Non, mon ami. Si le parti libéral prend le pouvoir, ça voudra dire la fin du patronage, la fin des scandales et des graissages de pattes. Un gouvernement libéral fera le grand nettoyage, le grand épurage, le grand écurage...»

«Le programme rouge promet plus d'honnêteté que le programme bleu...»

«J'te crois!» coupa Lapointe. «Pas seulement honnête, c'est le meilleur programme électoral jamais présenté par un parti politique.»

«Comment peux-tu le savoir puisque tu n'écoutes pas ce que les bleus ont à dire?» objecta malicieusement Alain.

«Ça me donnerait quoi? Je sais d'avance que leur programme, c'est un paquet de menteries. D'ailleurs, ils n'ont même pas de programme. Ils se contentent de mentir à la population comme ils l'ont fait depuis vingt ans.»

Alain tenta de faire dévier la conversation. «Comment se fait-il que tu sois ici tous les jours depuis le début de la campagne? Ne travailles-tu pas?»

«J'étais dans les chantiers américains quand l'élection s'est déclenchée. Dès que je l'ai su, j'ai planté ma hache et je me suis dit: Ti-gars, tu retournes au Canada. J'ai décidé de venir leur montrer aux bleus que c'est le temps qu'ça change. Et je suis revenu pour un mois, le temps de la campagne électorale. Un mois, c'est une manière de dire, parce que je ne m'attends pas trop de retourner aux États.» Il baissa le ton, jeta un regard furtif vers la porte, fit un clin d'œil complice et dit, confidentiellement: «Entre nous deux, si les rouges gagnent, je m'attends d'avoir une «job». C'est le docteur lui-même qui me l'a promis. Je serai probablement chef cantonnier du comté.»

«Mais le chef cantonnier actuel?» dit Alain.

«C'est un bleu. Il va se faire dégommer!»

«Mais puisque les libéraux vont abolir le patronage!»

«C'est sûr qu'ils vont l'abolir! Mais quand le nettoyage sera fait. Tu fais le ménage d'abord, t'ôtes les crapules de la crèche, ensuite tu abolis le patronage.»

«Je ne suis pas trop sûr que nos mœurs politiques vont changer tant que ça après l'élection,» dit Alain sur un ton d'hésitation. «Juste pour parler, ne crois-tu pas qu'advenant leur victoire, les libéraux dans quelques années essuieront les mêmes reproches qu'ils font aux bleus maintenant? Finalement, je pense que chez nous, on a plus tendance à dire aux autres de s'enlever pour prendre leur place que de rechercher d'abord le fair-play.»

«Par chance que t'es de famille rouge. À t'entendre parler, on te croirait un bleu.» Lapointe laissa échapper un énorme éclat de rire et se leva. «Je disais ça pour t'agacer.» Il consulta sa montre et marcha jusqu'au téléphone. «Je vais appeler ma femme...»

●

Quelques jours plus tard, les deux hommes établirent l'échéancier de la dernière semaine de campagne. En réalité, Lapointe dictait, l'autre notait.

Alain comprit que cette semaine-là n'aurait aucune ressemblance avec les précédentes, ce qui le poussa à poser plusieurs questions.

« Qu'est-ce que c'est que la claque ? » fut sa première.

« La claque ? Mais, mon pauvre ami, tout le monde connaît ça ! C'est les applaudissements au bon moment. Tu places un gars par coin de salle et quand l'orateur dit tel ou tel mot, ils se mettent à claquer. Ils partent la claque. C'est bien connu ! Les artistes le font. On appelle ces gens-là des claqueux. Moi, je dis que deux claqueux c'est assez ; autrement, les gars se mêlent et les applaudissements partent au mauvais moment. Et l'orateur perd son « timing ». »

« Je pensais que les gens applaudissaient quand ils le voulaient, librement. »

« Jamais de la vie ! Comment veux-tu qu'un politicien puisse se faire élire sans les claqueux ? Malgré qu'il paraît que le chef n'en veut pas ! Il soutiendrait que le slogan de cette année, « C'est l'temps qu'ça change ! » est assez fort pour produire la claque à tout coup... Peut-être assez fort pour lui, mais les petits candidats des comtés n'ont pas tous son panache et sa voix de... de tonnerre. »

Alain jeta un autre coup d'œil sur l'échéancier et demanda : « L'opération photo, ça veut dire quoi ? »

« L'élection est dimanche. Dans la nuit de jeudi à vendredi, nous allons déchirer toutes les photos et affiches publicitaires des bleus. »

« Çà me paraît plutôt malhonnête et risqué. »

« Malhonnête ? Mais non, ça se fait dans toutes les campagnes électorales. »

« Je croyais que les photos étaient lacérées par des gamins. »

« Oui, mais des gamins payés pour nous ! »

« Mais si l'adversaire en faisait autant la nuit d'avant ? »

Lapointe pouffa : « Ce serait absolument parfait ! Tu vois ça, nos photos déchirées sur les poteaux et celles de l'adversaire intactes ? Les gens diraient : encore un coup de cochon des bleus. »

« Mais si c'est nous qui le faisons, ne diront-ils pas : encore un coup de cochon des rouges ? »

« Ah non ! En voyant leurs photos déchirées, les gens diront des bleus qu'ils sont détestés et que plus personne ne veut d'eux, tu comprends ? »

« Et l'opération électricité ? » s'enquit Alain.

« Tu peux me poser la question, mais je ne peux pas te répondre, » dit l'autre fièrement. « Disons que c'est un petit tour de dernière minute que nous allons leur jouer. C'est le docteur Gilbert qui a pensé à cela. C'est une maudite bonne idée. Je t'en parlerai peut-être la semaine prochaine... »

« Je n'ai pas envie de m'embarquer dans des manigances, » soupira Alain.

« Jamais de la vie ! Qu'est-ce que tu vas chercher là ? Des petits coups de fin de campagne, ce n'est rien de malhonnête. Ce n'est pas comme d'exploiter les gens pendant quatre ans. Faut voir la vraie crasse là où elle se trouve. »

« Les deux sont proches parents, » dit Alain.

« Je vais appeler ma femme, » dit Lapointe tout en marchant jusqu'au téléphone.

« Allo Thérèse ?... Oui, je sais que je t'appelle en retard, mais, vois-tu, le docteur Gilbert vient tout juste de partir d'ici... Je vais devoir rester plus longtemps pour préparer l'ouvrage des prochaines journées... Oui... Oui... Oui, oui... Je ne serai pas en retard pour le souper... Je vais apporter la viande hachée... Et le blé d'Inde aussi... C'est ça, à tantôt ! » Il raccrocha, adressa un clin d'œil à Martel, esquissa quelques pas de danse en claquant les doigts.

« Il ne faut pas toujours dire la vérité aux femmes. Ça ne les rendrait pas plus heureuses, » dit l'homme en s'écrasant sur sa même chaise. Il ajouta :

«Bon l'ordre du jour de l'assemblée de demain soir étant prêt, nous allons nous arrêter là pour aujourd'hui. Tu viens faire une partie de billard?»

●

Ce vendredi seize juin, Alain placarda les murs du local de photos et posters. Il étala sur des tables toute la paperasse disponible: collants, pamphlets, dépliants, programmes, photos de divers formats, macarons, journaux, circulaires, posters, crayons... Sur d'autres tables, il mit cigarettes, cigares, tablettes de chocolat, chips et petits gâteaux.

Dès son arrivée au comité, Lapointe téléphona à sa femme. Son appel terminé, il fit deux pas et s'arrêta net. Au même rythme que la progression de son regard circulaire sur les murs, ses bras s'élevèrent au ciel.

«Je sais bien, je sais que tu as fait ton possible, mais je vais t'expliquer une chose. Vois-tu, nos gars ont beau être rouges, il faut que tu leur en fasses voir comme ça.» Il montra ses dix doigts.

«Nos organisateurs doivent sentir qu'on a de la galette pour faire l'élection, qu'on ne fait pas ça en quêteux, en «cheap» comme disent les Américains. Autrement, ils n'auront pas confiance. Des bébelles publicitaires, mets-en, c'est pas de l'onguent! Tu vois, sur le mur du fond, il y aurait de la place pour plusieurs posters. Sur les côtés, on pourrait ajouter des dépliants et des collants. Ça prend de la couleur! Il faut impressionner notre monde. Les gens aiment ça quand il y en a!» Lapointe prit une chaise et entreprit de tapisser les murs, servi en son travail par son écuyer.

«Une autre chose importante: il faut disperser les item publicitaires partout dans la salle afin que nos organisateurs les aient à portée de la main et qu'ils puissent se servir à volonté. Par contre, cigares, cigarettes, chocolat, tu concentres tout çà en avant, à côté de notre table de sorte qu'il leur soit difficile d'en prendre trop sans être embarrassés.»

Le jeune homme tendit un bout de papier à son chef. «Je t'ai préparé une prière d'ouverture un peu originale, comme tu me l'avais demandé.»

«Parfait,» dit Lapointe. «Tu vas me la lire toi-même que je puisse voir ce que ça donne.»

«Au nom du Père, et du Fils, et du Saint-Esprit. Seigneur, éclaire-nous dans nos entreprises, apporte-nous la lumière qui nous permettra de mieux aimer notre prochain en le servant utilement. Que cette réunion puisse nous rendre plus fraternels dans la dignité et la charité. Ainsi soit-il!»

«Parfait, parfait, parfait! Mets ton papier sur la table, à ma place, juste devant moi.»

Les organisateurs paroissiaux commencèrent d'arriver et bientôt, une vingtaine de personnes se trouvèrent dans la salle.

«Demande leur attention, nous allons commencer,» dit Lapointe à Martel.

«Messieurs, messieurs, s'il-vous-plaît, s'il-vous-plaît... je demande votre attention, je demande votre attention.» Le ton élevé qu'Alain avait pris imposa le silence à la plupart des assistants.

Debout, les pouces accrochés dans sa ceinture, Lapointe fronça les sourcils pour dire d'un ton solennel:

«Si vous voulez, nous allons ouvrir dignement cette assemblée par une prière.»Tous se levèrent et se tournèrent vers le crucifix perdu dans les posters. «Au nom du Père, et du Fils, et du Saint-Esprit,» marmonna-t-il de façon presque inintelligible. «Je vous salue Marie pleine de grâces. le Seigneur est avec vous qui êtes bénie entre toutes les femmes...»

Quand il eut terminé, tous s'assirent, sauf lui. Il toisa l'assistance d'un regard profond qui fit taire les derniers murmures. Il fronça davantage les sourcils, comme s'il cherchait quelque chose de très important, puis il hocha la tête et centra un papier sur la table. « Mes chers amis, il me fait grand plaisir... »

Il fit part de ses directives pour le reste de la campagne, insistant sur la nécessité de réunir une forte délégation de St-Hubert pour assister au discours du chef à Belleville, dans l'après-midi du dimanche. Il parla ensuite de la soirée de fermeture de la campagne du docteur Gilbert qui aurait lieu à St-Hubert le vendredi vingt-trois. Puis il formula des vœux quant au travail discret de dernière minute. Il termina par une recommandation ferme quant à l'usage d'alcool le jour de l'élection, toute consommation de boissons alcooliques devant être fort mal vue avant la fermeture des bureaux de votation. Suivit une période de questions dont les points saillants furent les problèmes des paris, du transport d'électeurs et du dîner du personnel des bureaux de scrutin.

Finalement, Lapointe conclut d'un ton péremptoire: « Les amis, on se fie sur vous autres pour suivre ces directives à la lettre. Autrement, notre organisation ne sera pas efficace. Vous êtes des gens intelligents et capables de penser par vous-mêmes et nous sommes certains que vous le démontrerez en répondant minutieusement à ce qu'on attend de vous. La victoire dépend de l'unité et de la solidarité au sein du parti. Ce temps de Duplessis où un seul homme pensait pour tous est révolu. Dans le parti libéral, chacun a son mot à dire et voilà pourquoi, au soir du vingt-cinq, nous allons goûter à la victoire... ainsi qu'à autre chose d'aussi agréable, et vous savez de quoi je veux parler. » Il fit un clin d'œil complice à l'assistance. « S'il y a des directives particulières, je contacterai personnellement les intéressés. Là-dessus, je vous laisse le bonsoir. »

Tous bougèrent. Certains pour quitter les lieux, d'autres pour former de petits groupes de bavardage, d'autres pour déguster un cigare. Lapointe se rendit au téléphone. « Allo Thérèse ?... J'en ai encore pour une heure, à peu près... Oui, l'assemblée commence dans quelques minutes... Couche-toi. Dès que ça sera fini, je rentrerai... Ti-Bert va mieux ?... Tant mieux... À tantôt ! »

Alain prit le papier de la prière qu'il avait composée et le chiffonna avant de le jeter dans un cendrier. Il se choisit ensuite un gros cigare, le huma et l'alluma.

●

Le jeune homme avait voyagé avec Vincent pour se rendre à Belleville assister au discours du chef libéral. Chemin faisant, il avait peu parlé, laissant ses yeux boire à l'été naissant, à ce dimanche beau, chaud, léger.

Il s'était livré à une sorte d'expérience photographique mentale, s'amusant à fermer les yeux, puis à les rouvrir pour une fraction de seconde, le temps de capter une image, comme l'aurait fait une caméra. Puis il refermait les yeux de façon à emmagasiner dans son cerveau une série de photos fixes.

« Le soleil est fort pour les yeux aujourd'hui, » lui avait dit Lapointe.

« Non... oui... non... un peu, » avait répondu Martel, mal à l'aise. Alors il avait jugé préférable d'observer les images en action et s'était plu à constater l'accélération des arbres à mesure qu'ils se rapprochaient de l'auto. Et il avait regardé les rochers marcher dans la rivière paresseuse.

Mais une fois encore, ce qu'il avait aimé le plus dans ce trajet familier le long de l'Etchemin, c'était la personnalité des maisons telle que racontée par leurs yeux, tantôt charmeurs, tantôt froids, ou encore monstrueux, cyclopiens, affligés de strabisme sur deux dimensions, ou bien pochés, ou ternes, ou pétillants. Ils disaient tous quelque chose, des habitants de la maison, ces yeux-là.

Le jeune homme s'était demandé ce qu'avait pu penser son ancêtre lorsqu'il avait suivi cette même route pour aller s'établir sur les terres hautes. Et, plus loin encore, deux cents ans auparavant, qu'est-ce qui avait donc trotté dans la tête de ce jeune Indien poursuivant un ours noir? Alain avait regretté pour eux qu'ils n'aient pu se déplacer aussi rapidement et aussi confortablement qu'aujourd'hui, en 1960, l'estomac plein, sans crainte du lendemain. Il avait plaint l'Abénaki d'avoir perdu son souffle à courir son ours et son ancêtre d'avoir perdu sa vie à chercher à la gagner.

Et c'est ainsi qu'un silence inhabituel de Lapointe lui avait permis de réfléchir, tout au long du trajet, aux triomphes de la civilisation sur la misère humaine.

Les deux compagnons entrèrent dans la salle de cinéma où les discours seraient prononcés. Ils se séparèrent. L'un désirait s'asseoir en première rangée, tandis que l'autre dit préférer circuler parmi la foule, à l'arrière du cinéma et à l'extérieur.

Alain ne porta aucune attention aux premiers orateurs, mais lorsque le président de l'assemblée eut procédé à la présentation du chef, il s'arrêta, comme Belleville tout entier.

La foule, malgré des applaudissements prolongés, toisa l'homme; mais en vain! Il sut répondre à l'hommage inquisiteur en toisant lui-même l'assistance de son œil poché et autoritaire. Il gagna vite ce duel, car la foule avait hâte d'être battue, subjuguée. Il projeta d'abord son centre de gravité sur une jambe, puis sur l'autre. Il jeta un bref coup d'œil par terre en signe d'humilité, puis au ciel en signe soit de supériorité soit de connivence, peut-être les deux. Alors il fit une légère torsion pour bien montrer aux élites assises derrière lui qu'il s'adressait d'abord à elles.

« Monsieur le président de l'assemblée, monsieur le candidat et futur député d'Etchemin, madame Gilbert, messieurs les maires, messieurs les invités d'honneur, mesdames, mesdemoiselles, messieurs. En voyageant ce matin depuis la vieille capitale jusqu'à Belleville, j'ai été à même de réfléchir à la place qu'occupe votre magnifique comté d'Etchemin sur l'échiquier provincial. Je... comparais votre région à d'autres de la province, des plus grandes et des plus petites, des plus éloignées mais des plus centrales, des plus populeuses et des plus désertes. Et, comme résultat de cette réflexion, je me suis surpris à dire tout haut, de façon spontanée: l'Etchemin, mais c'est tout le Québec! Car, en vérité, il s'agit de définir ce beau pays de l'Etchemin pour ainsi, automatiquement, donner une définition à toute la province.

« Et ceci m'amène, mes chers amis, à vous faire quelques confidences sur l'image qui m'est apparue ce matin de votre magnifique région, l'une des plus agréables et des plus accueillantes de tout le Québec. »

Quelques acclamations hésitantes, puis plus nourries permirent au chef d'avaler une gorgée d'eau.

« Ce qui m'a tout d'abord frappé, chez vous, c'est l'immense quantité de travail qu'il a fallu pour créer, tel qu'il est aujourd'hui, ce merveilleux coin de terre qu'est le vôtre. Combien d'années de labeur ne furent-elles pas requises pour ériger ces villages, ces églises, ces écoles, ces bâtiments de ferme, ces maisons? Combien de sueur vos aïeux ont-ils dû répandre pour défricher ces terres, et combien n'en faut-il pas à vous, leurs descendants pour en tirer le fruit? Combien d'efforts ne furent-ils pas requis pour tracer ces routes, bâtir ces ponts, ériger ces clôtures? Combien de risques n'ont-ils pas courus, ces courageux riverains, en butte chaque printemps aux sautes d'humeur intempestives de votre rivière, soit dit en passant quand même fort charmante, si impitoyable le printemps, mais si généreuse l'été.

« Mais s'il en a fallu du labeur, de la sueur, du travail acharné aux gens d'ici pour créer ce patrimoine extraordinaire qu'est le vôtre, ces efforts... immenses ont-ils toujours trouvé leur juste récompense? Je pose la question en d'autres mots: les moyens dont vous disposez pour développer votre région sont-ils ce qu'ils devraient être? En ce dix-huit juin 1960, je réponds que non. Et je ne suis pas le seul, car toute la province dit non aussi. Vos bras, votre peine ne suffisent plus dans la vie moderne. Il vous faut également des outils de travail. Pour l'agriculteur, ces outils seront du roulant modernisé, du bétail amélioré et bien d'autres choses encore. Pour les jeunes, ces outils seront l'éducation et l'instruction nécessaires à gagner convenablement leur vie. Pour nos ouvriers, il s'agira d'emplois plus rémunérateurs et de conditions de travail plus décentes. Il faut pour nos industriels de l'équipement rajeuni. Dans tous les domaines, il faut des outils.

« Que fait le gouvernement actuel pour que vous puissiez acquérir ces instruments nécessaires à une vie plus humaine et à une meilleure productivité dans tous les domaines, ces outils qui vous permettront de jouir davantage de la vie, de donner à vos enfants la chance de vivre dans la dignité? La réponse à cette question, c'est tout le Québec qui la donnera par son vote le vingt-cinq juin... Car le Québec va rejeter ce gouvernement de la stagnation, qui a perdu le sens véritable des valeurs en ne permettant ni à l'ouvrier, ni à l'agriculteur, ni à la jeunesse, ni aux mères de familles de vivre décemment, comme tous devraient pouvoir le faire dans notre vie moderne, de nos jours, en 1960. Chers amis, le vingt-cinq juin, le gouvernement actuel mordra la poussière parce que tout le Québec est maintenant convaincu que c'est l'temps qu'ça change. »

La foule applaudit frénétiquement. L'orateur but.

« Je disais tout à l'heure que j'ai vu de belles choses le long de votre rivière Etchemin: c'est vrai! Mais j'ai vu aussi des tracteurs de ferme qui ont fait leur temps. J'ai vu des écoles... Ou plutôt je ne les ai pas vues, car elles sont à être construites. J'ai vu des usines qu'il faudrait agrandir pour permettre la création de nouveaux emplois. Chers amis, j'ai vu de la beauté, de la grandeur d'âme chez-vous, j'ai vu des efforts immenses et, pour cela, vous êtes à louer, à admirer, à féliciter chaleureusement. Mais j'ai vu également des choses tristes, des carences flagrantes dans tous les domaines. Cette situation n'est pas typique à l'Etchemin, elle est générale de par tout le Québec. Et ces faits révoltants sont les fruits d'un arbre pourri: l'actuel gouvernement. Où est-il ce gouvernement? On le cherche. Existe-t-il? Il n'est nulle part. On ne le reconnaît qu'à un seul signe: le patronage... »

La foule applaudit. Le chef garda son attitude mosaïque.

« En 1960, chers amis, ce n'est plus le temps, comme dans le passé, de se demander ce qu'on peut faire pour le gouvernement, mais c'est le temps de dire au gouvernement: qu'est-ce que vous pouvez faire pour nous, les payeurs de taxes? »

La foule acclama.

« Nous vivons dans l'un des pays les plus riches du monde. Nous disposons de tous les minerais possibles, nous avons du bois en quantité, des sols fertiles, une population travailleuse comme pas une au monde, des richesses inépuisables. Nous avons tout... et pourtant nous n'avons rien. La vie est chère sans bon sens. Les salaires sont bas. Les mamans ont besoin d'argent pour habiller les enfants. Les jeunes ont besoin d'argent pour s'instruire. Les ouvriers ont besoin de plus d'argent pour vivre une vieillesse plus décente. Nos industries ont besoin d'aide pour la création d'emplois. Il faut de l'argent dans tous les domaines et, pour ça, il nous faut un gouvernement qui bouge, capable de répondre aux aspirations profondes du peuple du Québec, ce grand et fier peuple.»

La foule applaudit frénétiquement.

«Chers amis, le programme libéral est le plus consistant, le plus étoffé jamais présenté par un parti politique, qu'il s'agisse du domaine de l'éducation où nous entendons donner à tous l'accès à l'instruction, qu'il s'agisse du domaine de l'agriculture où des mesures énergiques assureront de meilleurs revenus aux travailleurs de la terre, qu'il s'agisse de l'aide aux personnes âgées que nous allons soutenir par le biais de subventions aux foyers d'hébergement, qu'il s'agisse du domaine routier où nous entendons doter la province d'un réseau moderne, à la mesure d'un Québec moderne. Dans tous les domaines, notre gouvernement jouera un rôle actif, et notre action ne négligera aucun secteur de la vie économique. Certains disent de notre programme électoral qu'il est révolutionnaire. Eh bien soit! Le vingt-six juin commencera au Québec une révolution, mais une révolution tranquille, sous la direction d'un gouvernement honnête, qui assurera à tous et à chacun la prospérité et l'abondance, par conséquent la joie de vivre et la paix du cœur et de l'âme.»

Les applaudissements nourris de la foule permirent à l'orateur d'avaler un plein verre d'eau et de s'éponger le front.

«Mes chers amis, pensons à une famille ordinaire du Québec, de la région d'Etchemin ou d'ailleurs. Est-il normal, aujourd'hui, en 1960, que le père doive s'exiler aux États-Unis pour s'assurer un salaire décent ou encore qu'il doive travailler à l'extérieur de chez lui parce que ses revenus agricoles ne suffisent pas à subvenir aux besoins de sa famille? Est-ce normal que le grand fils abandonne ses études faute d'argent? Est-ce normal de voir la maman éternellement aux prises avec des casse-tête budgétaires? Quand le besoin est là, qu'il faut échanger l'auto, qu'il faut faire réparer le téléviseur ou bien rajeunir les meubles, quoi faire si le portefeuille est vide? En 1960, est-ce trop demander qu'un peu de douceur dans le garde-manger, ou une petite robe neuve de temps à autre pour la maman ou un équipement sportif dont la grande fille rêve depuis longtemps? Est-ce trop demander une cigarette manufacturée au lieu d'une rouleuse? Une auto qui avance? Un toit décent? Un petit rafraîchissement après le travail? Une petite distraction de temps à autre? Un peu de confort dans la maison? Une certaine sécurité pour les vieux jours? Ne seraitce pas là une juste récompense à ces efforts immenses dont je parlais tout à l'heure? Pourquoi faut-il qu'une famille ordinaire attende si longtemps pour obtenir toutes ces choses, et pourquoi doit-elle faire tant de sacrifices pour finir par les avoir? Chers amis, c'est pour toutes ces raisons que, dans la province de Québec, c'est l'temps qu'ça change!»

Alain Martel ne se retint pas d'applaudir au même tempo que la foule. Devant lui, un petit homme replet cria d'une voix retenue: «Puis quand tu meurs, un petit enterrement dans une petite tombe en satin avec quelques basses messes pour t'assurer une petite place au paradis.»

«Un baveux bleu,» songea Alain. «Lapointe me l'avait bien dit qu'il y aurait de ces renifleux en arrière.»

Le chef exposa ensuite les principaux points du programme électoral de son parti. Puis il souleva l'ire populaire en étalant les scandales entourant l'administration gouvernementale. Et finalement, ce fut l'apothéose.

«Mes chers amis, mettez votre gouvernement au service de votre prospérité, car le Québec doit enfin prendre ses affaires en mains. Il doit à tout prix trouver son identité pour assurer le bonheur à tous et à chacun. Mais surtout, rappelez-vous bien de ceci: ça n'a plus de bon sens; c'est l'temps qu'ça change. Ensemble, vers les sommets, mais maîtres chez nous, élisons un vrai gouvernement au service du peuple. Essayez le parti libéral, vous n'avez rien à perdre. Et à tous je dis: à la victoire de l'équipe libérale, l'équipe du tonnerre...»

Alain crut entendre l'écho des derniers mots se répercuter de façon intemporelle. La voix était devenue trop spatiale pour avoir dit du faux. L'écuyer ajouta ses vivats aux hurlements frénétiques de la foule en délire.

●

«Il parle ou il parle pas, le chef,» dit Lapointe en guise d'ouverture d'une assemblée impromptue des organisateurs de paroisse. Il se frotta les mains d'aise et promena ses yeux heureux sur l'assistance. Son enthousiasme se communiqua à plusieurs visages qui s'éclairèrent. Quelques assistants se penchèrent pour glisser un bref commentaire à l'oreille de leur voisin.

«Les amis, nous sommes à la première journée de la dernière semaine, la semaine des coups de mort. Ce soir, nous allons mettre au point l'opération téléphone de même que celle du porte à porte qui nous ont été demandées, en dernière minute, par le docteur Gilbert. Paraît-il que cette cabale sera le chapeau qui coiffera la victoire...»

Quand les plans furent exposés, Lapointe passa à la vérification des listes électorales. Chacun avait reçu une feuille contenant les noms des indécis de son secteur, et devait l'étudier avant d'en discuter avec Lapointe et Martel.

«Assieds-toi, mon Pierre,» dit Lapointe à un premier organisateur qui s'était avancé.

«Écoute Vincent,» dit l'homme, «mon chum pis moi, on a discuté de ta liste mais...» Il fit un signe de doute et mentionna qu'il ne pouvait pas parler à la plupart de ces gens-là à cause d'une chicane survenue l'hiver précédent concernant des travaux publics. Lapointe prit note et reçut un deuxième organisateur qui se plaignit d'un problème semblable. Alors il demanda aux deux hommes de s'échanger les listes afin que chacun puisse, de la sorte, travailler dans le secteur de l'autre. Un troisième organisateur se dit convaincu de la conversion de tout son monde. Le suivant accusa tous ses indécis d'être des hypocrites bleus. Son problème fut vite réglé quand Lapointe lui parla des deux cent cinquante caisses de bière qui seraient distribuées au triomphe du dimanche soir, à condition qu'il y ait triomphe.

Quand cette période de confessionnal, comme la désignait Lapointe, fut terminée, il procéda aux recommandations de groupe.

«Je n'ai pas besoin de vous expliquer comment contacter un indécis, vous connaissez votre monde. Vous téléphonez à votre gars et vous le saluez au nom du candidat. Vous lui tâtez le pouls afin de savoir de quel côté il penche. Ensuite, annoncez-lui que vous allez le visiter. Le soir venu, allez passer une heure avec lui et prenez soin d'apporter avec vous une couple de petites bières: rappelez-vous qu'on va vous le remettre en triple dimanche soir. N'essayez pas de convertir votre homme en parlant de politique. Il est trop tard. Que ce soit une visite d'amitié au nom du docteur Gilbert, mais rien de plus!...»

●

Dès vingt heures, tous les sièges de la salle paroissiale étaient occupés. Deux orateurs avaient été inscrits au programme: un maire millionnaire du bas du comté et le docteur Gilbert. Une demi-heure plus tard, le maître de cérémonie ouvrit l'assemblée et présenta le premier orateur. Celui-ci n'avait pas parlé dix minutes que l'électricité manqua. Lapointe sortit en trombe pour revenir aussi vite quelques minutes plus tard. Il monta sur la tribune et parla au maître de cérémonie qui s'approcha ensuite, bien symboliquement, du microphone.

«Chers amis, je viens d'obtenir des renseignements sur la panne de courant.» dit-il à voix forte. «Le bris serait à St-Basile, au transformateur qui contrôle toute l'électricité de St-Hubert. Il semble que la réparation pourra être effectuée d'ici à une demi-heure. Restez à vos places. Nous allons allumer les lanternes d'urgence. Je sais que nous allons pouvoir compter sur vous car je suis absolument convaincu que, même dans les circonstances les plus difficiles, vous soutenez et appuyez le docteur Gilbert...»

«Oui i i i i,» hurla un claqueur. Toute la salle éclata en applaudissements. Après une quinzaine de minutes au cours desquelles Lapointe fit la navette entre la tribune et un endroit qu'Alain ne put deviner, le courant électrique fut rétabli.

L'orateur termina son discours. Le docteur Gilbert fut présenté. Il entama le sien avec l'emphase protocolaire habituelle. À peine cinq minutes s'étaient-elles écoulées que Lapointe se dirigea vers lui et déposa un bout de papier sur son lutrin. Le candidat s'arrêta net et lut, hochant la tête et affichant un sourire incrédule.

Il reprit la parole: «Nos adversaires, ces champions de la corruption et du scandale, ont, semble-t-il, mis le comble à leurs manigances. L'on me renseigne à l'instant sur la cause de la panne d'électricité qui s'est produite tout à l'heure. Il s'agirait d'un câble d'acier qu'on a délibérément jeté sur les fils d'alimentation du transformateur principal au pouvoir de St-Basile. Nous sommes actuellement alimentés via un transformateur secondaire. Est-il possible, chers amis, qu'en 1960, dans une société civilisée, dans un pays libre, des gens désespérés, sentant fondre sur eux l'humiliation de la défaite, en viennent à utiliser des moyens électoraux rappelant les plus beaux temps de la Gestapo allemande?...»

«Hou ou ou les bleus!» cria un claqueur, entraînant la foule dans de copieuses huées.

«Je comprends votre réaction, chers amis,» dit le candidat. «Évidemment, si nos adversaires avaient pu nous empêcher de tenir cette assemblée, vous imaginez bien quel tort ils auraient pu nous causer; d'autant plus que les discours de ce soir sont diffusés dans tout le comté par notre station de radio de St-Grégoire. Mais je vous fais une promesse solennelle. Et que nos adversaires l'entendent! Une enquête aura lieu sur cet incident criminel et les coupables seront démasqués. Entretemps, dimanche, par notre vote, nous démasquerons cet adversaire déloyal pour les multiples raisons qui nous disent, qui nous crient, en 1960: c'est l'temps qu'ça change!»

Les claqueurs déclenchèrent les acclamations et la foule hurla pendant plusieurs secondes.

L'orateur décupla la véhémence de son discours, alternant ses effets, habilement, scientifiquement. Aux promesses d'un avenir brillant grâce au programme libéral succédèrent les constats d'échec du gouvernement bleu. Graduellement, il échauffa la foule, accéléra le rythme, multiplia les caresses de la passion populaire. Quand il sentit l'assistance prête à exploser, il déclencha son apothéose: la promesse de la victoire éclatante sur un adversaire sans foi ni loi, suivie du triomphe le plus grandiose jamais vu dans toute l'histoire du comté d'Etchemin. De toutes parts, en saccades ininterrompues, jaillirent les applaudissements brûlants d'une foule hors d'elle-même.

Alain Martel frappa modérément. Quelque chose le retenait, l'empêchait d'embarquer.

•

« Quel que soit le parti élu ce soir, nous espérons que le gouvernement nous posera de l'asphalte sur la partie est du stationnement de l'église, » dit le curé en fin d'un bref sermon au cours duquel il avait exhorté les fidèles à se rendre aux urnes quelle que puisse être leur allégeance politique.

Alain passa ce nuageux vingt-cinq juin au comité libéral qui servait de centre névralgique, de point de liaison entre Lapointe et les différents bureaux de scrutin. L'organisateur téléphona à tous ses hommes et leur fit savoir que le docteur Gilbert avait promis de l'asphalte pour la cour de l'église advenant une victoire libérale.

À dix-neuf heures, Alain relaxa, soulagé d'une semaine d'intenses préoccupations. Il se mit à l'écoute simultanée des résultats provinciaux et locaux à la télévision et à la radio.

La victoire libérale au niveau provincial se dessina rapidement; mais au niveau d'Etchemin, ce n'est qu'après vingt heures que le député sortant concéda la victoire au docteur Gilbert.

Silence de dimanche et silence d'élection s'étaient donnés le mot toute cette journée-là. Leur succéda une fièvre montante se traduisant par l'afflux de véhicules vers la salle de St-Hubert déjà remplie à craquer lorsqu'Alain y arriva. Assis, debout, partout, tassés comme des sardines, les gens hurlaient victoire.

Un peu plus tard, en pleine frénésie populaire, le nouveau député fit son apparition dans l'encadrement d'une porte d'urgence. Ses commettants le hissèrent sur leurs épaules et le conduisirent jusque sur la tribune aux cris de « hip hip hourra ». L'homme s'approcha du microphone et salua la foule tandis que des gens entonnèrent: « Il a gagné ses épaulettes... » Pendant que la foule, debout, lui adressait sa longue ovation, le docteur leva plusieurs fois les bras au ciel en signe de victoire. Quand les acclamations ralentissaient, des électeurs, en qui Alain reconnut les claqueurs du vendredi soir, forçaient les bras du vainqueur vers le ciel, provoquant ainsi des recrudescences de vivats. À force de rictus du visage et de gestes des bras, le nouveau député finit par obtenir l'attention de la foule.

« Chers amis, je n'ai que deux phrases à vous dire et elles vont tout dire. La première, c'est que jamais, autant que ce soir, je n'ai été aussi fier d'être Etcheminois... » La foule hurla frénétiquement pendant plusieurs minutes. « La seconde, c'est pour vous dire à quel point je suis heureux qu'enfin le Québec soit libre... » La foule reprit son ovation délirante. « Le Québec vient de prendre ses affaires en mains, il vient de vivre un moment historique et l'avenir s'ouvre à nous. Merci à tous ceux qui ont travaillé si fort depuis le début de cette campagne, merci aux hommes et aux femmes d'Etchemin, merci au Québec tout entier ! »

L'excitation augmenta jusqu'à friser l'hystérie et, quand le docteur descendit de tribune pour sortir de salle, un remous, une sorte de mouvement collectif amena une concentration de l'assistance sur un côté de la salle.

Retenu par quelque chose qu'il ne pouvait s'expliquer, Alain resta en retrait. Appuyé à une colonne de soutien d'un balcon, il observait froidement la foule quand, soudain, à travers le tumulte, il crut entendre un bruit curieux, presque omnidirectionnel, sérieux. Ce craquement avait été suivi d'un frémissement net, bref, comme si tout le lieu avait légèrement frissonné. Il jeta un regard circulaire, aperçut Lapointe à une vingtaine de pas, se faufila péniblement entre les coudes serrés et parvint jusqu'à lui.

« Se pourrait-il que la salle branle ? » cria-t-il à l'oreille de l'autre.

« Ça ne fait pas que branler, ça bouge ! » répondit Vincent avec un immense sourire.

« Je veux dire la bâtisse... à cause du poids. Il y a tout de même un bon cent tonnes de monde là-dedans. »

« Tu veux rire ? On pourrait faire grimper vingt bulldozers sur le pignon que ça ne bougerait pas d'un pouce. J'ai vu quand on a bâti cette salle. Les meilleurs ouvriers de St-Hubert. Dans cent ans, elle sera encore debout et bien des bâtisses d'aujourd'hui ne le seront pas. »

Lapointe coupa à la conversation et tenta, à son tour, d'approcher le nouveau député qui, pouce à pouce, se dirigeait vers l'escalier de sortie.

Alain se fraya un passage vers une porte d'urgence et quitta la salle dont il fit le tour en tâtant les murs. Puis il chercha une voiture dont le nez était tourné vers la bâtisse et il en alluma les phares. Il regarda attentivement ce qu'ainsi il pouvait voir, mais il ne perçut rien qui ne fût dans l'ordre. Alors, à son tour, il eut envie d'embarquer dans l'euphorie générale et ce désir le poussa à retrouver son chef à l'intérieur.

« L'opération bière commence-t-elle bientôt ? » demanda-t-il.

L'autre tendit ses clefs de voiture et dit : « Va chez moi, Thérèse va te recevoir. Rapporte une bonne vingtaine de caisses et rapproche-toi le plus possible d'ici. »

« Où est-elle, ton auto ? »

« Dans l'entrée du vieux couvent. »

Alain n'entama presque pas la montagne des deux cent cinquante caisses empilées dans le sous-sol de Lapointe. Au retour, son chef lui demanda de distribuer la bière, mais à raison d'une bouteille à la fois, par personne. Et il devrait enlever lui-même les capsules. Tout ceci pour éviter que des gloutons ne se constituent des réserves.

« Ta femme désire que tu lui téléphones, » dit Alain avant de retourner vers son bar improvisé.

Tout d'abord il se cacha une caisse personnelle à côté de la grille d'entrée du cimetière, puis il entreprit sa distribution.

Au début, il eut du plaisir à offrir ses bouteilles, mais il se lassa vite. Les gens acceptaient comme un dû la bière offerte. Pressé de toujours servir un nouvel électeur se prenant pour un pilier de la victoire, bousculé, écœuré des airs supérieurs de ces gagnants d'un soir, il ferma son bar.

●

Une bouteille dans la main, une autre dans la poche, il se dirigea vers une estrade où des musiciens tentaient gauchement de faire danser les gens.

À la recherche de filles seules, il jeta un regard circulaire sur la foule et sur les danseurs. Ses yeux embués d'alcool et de désir disaient sa fierté de son travail électoral. À retardement, il se sentait l'âme du conquérant à qui les honneurs sont dus. Les honneurs et les femmes aussi !

« C'est toi, Alain ? Il y a longtemps qu'on ne s'est pas vus, » dit une voix chaude juste derrière lui. Il fit vivement demi-tour. Ses yeux s'agrandirent démesurément, commencèrent à voyager de bas en haut et de haut en bas.

« C'est toi Micheline ? Ce que tu peux avoir fondu !... Je voulais dire... »

Elle l'interrompit : « C'est bien moi... avec quarante livres en moins. »

Il sourit.

Elle dit d'une voix suave:

«J'ai su que tu avais beaucoup travaillé pendant la campagne; tu dois être heureux ce soir?»

Alain sourit davantage. «Mais je n'en reviens pas de te voir! Comme tu as changé!»

Micheline arbora à son tour un sourire satisfait. Elle sentait bien, par la réaction de l'adolescent, qu'il la trouvait belle. L'automne d'avant, à une soirée où un hasard qu'Alain avait deviné forcé, et qui les avait mis en présence l'un de l'autre, ils avaient dansé et parlé. Elle avait, par la suite, souvent tenté de le rejoindre, mais il s'était toujours défilé, la trouvant trop grosse.

«Tu es seule?» demanda-t-il.

«Non, avec mon père. Il est là-bas quelque part avec ses amis libéraux.»

«Tu veux danser ou bien tu veux qu'on s'éloigne un peu pour jaser du bon vieux temps?» dit Alain, moqueur.

«Je ne connais pas les danses canadiennes.»

«Alors viens!»

Il fit attendre sa compagne et se rendit uriner dans un coin noir entre la salle et le cimetière.

«S'il y a un petit moyen, tu vas y goûter tantôt,» dit-il à son pénis. «Après tout, tu es comme le Québec, çà fait près de vingt ans que tu stagnes. Finie la stagnation! C'est ce soir que tu vas, toi aussi, trouver ton identité propre et commencer à voler de tes propres ailes, libre. L'avenir est à nous.» Il s'égoutta en ricanant, remonta sa fermeture-éclair. En retournant auprès de Micheline, il rencontra Lapointe et lui remit ses clefs de voiture.

«Nous devrions aller dans un coin plus tranquille,» dit-il à la jeune fille qu'il prit par le bras. Elle le suivit en hésitant, puis s'arrêta net.

«Pas là, pas dans le cimetière,» dit-elle, incrédule.

«Alors quoi, tu as peur des morts? Tu peux être sûre que personne ne viendra nous y embêter! De toute façon, si tu as peur, je suis là.» Il l'entraîna malgré elle, s'offrant une bière, depuis sa réserve, au passage de la grille d'entrée. Il en proposa une à sa compagne, s'excusant de n'avoir rien de plus sophistiqué. Elle refusa.

Ils marchèrent loin dans l'allée centrale, puis obliquèrent derrière une rangée de monuments. Alain regardait le clair de lune et l'inquiétude allier leur éclat sur le visage frais de l'adolescente. Il n'avait jamais admiré auparavant cette forme d'attrait. Un irrésistible désir de posséder un moment cette beauté neuve le baigna tout entier. Il s'arrêta, déposa sa bouteille sur une pierre tombale, se retourna vers elle, lui enveloppa la taille.

«La lune est belle, mais quand je la vois dans tes yeux, elle est divine,» souffla-t-il doucement.

Elle sourit légèrement, un brin nerveuse.

«J'ai très envie de t'embrasser,» dit-il.

«Aussi vite?»

«Et pourquoi pas?»

«Nous ne sommes que des amis de passage,» dit-elle en obliquant la tête.

«Qu'une femme soit belle n'est-il pas une raison bien suffisante pour qu'un homme veuille l'embrasser?»

«Ne trouves-tu pas que l'endroit manque un peu d'atmosphère?» fit-elle, une lueur de doute brillant sous ses longs cils.

«Personne ne va faire des cancans.» Il approcha sa bouche des lèvres désirées. «Personne ne va...» Les lèvres se touchèrent, mais à peine, car il recula la tête afin de plonger ses yeux dans ceux de la jeune fille. « Comme tu es devenue belle ! » Il l'embrassa à nouveau. À son tour elle recula la tête.

« Pas de baisers français, » ordonna-t-elle taquine. « À bouche fermée ou rien du tout. »

« Son ardeur n'en fut nullement touchée. Il la caressa encore de son baiser fervent. Longuement. Sur la joue d'abord. Puis sur la tempe. Sur le front. Il buvait au visage féminin. Dans les cheveux. Cheveux noirs. Sur les yeux. Yeux noirs. Sur les lèvres. Enfin. Pour de vrai. Lèvres divines. Lèvres charnues. Fraîches. Brûlantes.

Il chercha à coller son genou à l'intérieur de la cuisse de la jeune femme. Elle recula la jambe.

Alors il reprit son baiser. Doux. Fébrile. Chaud. Maraudeur. Assoiffé.

Le besoin de régulariser un peu ses arythmies cardiaque et respiratoire le fit s'arrêter. Il prit sa bouteille, la porta à ses lèvres. Ce geste lui valut la disparition subite et violente de tout le romantisme du moment d'avant. Un puissant choc aux dents l'assomma à moitié. La jeune fille poussa un hurlement effroyable. Une terreur incontrôlable semblait s'être emparée d'elle et, dans le mouvement qu'elle avait fait pour se mettre en fuite, elle avait heurté le bras du jeune homme qui, de la sorte, s'était lui-même donné un coup de bouteille à la bouche.

Il se questionnait sur la cause d'une attitude aussi étrange lorsqu'il entendit des pas feutrés qui s'approchaient de lui par derrière. Un peu énervé, il se retourna vivement.

Un homme sombre, la tête renfrognée dans les épaules, marchant comme un automate, canne d'une main et pelle de l'autre, arrivait sur lui.

Alain frissonna. Le cœur lui fit un nœud, le temps qu'il mit à reconnaître l'aveugle du village. Cet homme avait l'habitude de creuser des fosses pour arrondir ses revenus de pension. Sa femme le conduisait, généralement après le souper, à l'endroit à creuser qu'elle délimitait à l'aide d'une corde et de pieux. L'aveugle travaillait tard le soir et parfois la nuit. C'est ainsi qu'il avait acquis la réputation de meilleur fossoyeur de tout l'Etchemin.

« Bonsoir monsieur Loubier. Vous avez fini votre journée ? » cria Alain d'une voix inutilement forte, enclin lui aussi à cette curieuse propension qu'ont certaines personnes à prendre les aveugles pour des sourds.

L'aveugle sursauta. « Mais dis-moi donc, c'est Alain Martel ? » Il connaissait toutes les voix de la paroisse. « Qu'est-ce que tu fais ici par une noirceur pareille ? »

Alain sourit à cette remarque et dit : « Il fait clair de lune. »

« J'ai dû creuser une fosse aujourd'hui, même si c'est dimanche, » dit le petit homme. « Tu comprends, il y a trois personnes sur les planches... »

« Je faisais un tour avec ma blonde et je pense que vous lui avez fait un peu peur. C'est une fille de St-Louis, et elle ne vous connaît pas. »

« J'avais bien cru entendre quelque chose, » dit l'aveugle en s'étouffant de rire. « Cours lui parler, j'voudrais pas passer pour le diable en personne. »

« C'est ce que je vais faire, » dit Alain en s'éloignant. « Vous ferez attention sur le terrain de l'église, c'est plein d'autos. Vous feriez peut-être mieux de passer par le raccourci de chez Fred. »

« C'est ce que je voulais faire. Bonne chance avec ta blonde, » cria l'homme.

Alain rejoignit Micheline qui gémissait nerveusement à l'entrée du cimetière. Elle eut un moment de répulsion, quand il la toucha.

« Qu'est-ce que c'est, ce monstre-là ? »

« C'est tout simplement l'aveugle qui vient de finir de creuser une fosse. Regarde-le aller dans le petit chemin là-bas. »

Elle ne voulut pas lever les yeux et dit d'un ton capricieux: « Pourquoi m'avoir amenée dans un endroit pareil ? »

« Tu as eu plus peur de mes baisers que de l'aveugle, » dit Alain.

« Éloignons-nous d'ici, » supplia-t-elle.

« Allons, ne te fâche pas ! Il m'arrive de faire les choses de travers et peut-être plus à moi qu'aux autres. Je n'aurais pas dû te conduire au cimetière, mais que veux-tu, c'est fait. Allons ailleurs. Viens. »

Il l'entraîna dans l'allée bordée d'arbres du presbytère où elle finit par retrouver son calme. Ils marchèrent longtemps sans parler.

« Curieux comme les aveugles peuvent faire peur aux gens qui voient ! » taquina-t-il.

Tout de suite après ces mots, de but en blanc, sans lever la tête, elle dit: « Pourquoi on ne sortirait pas ensemble régulièrement ? »

« Bien... j'sais pas. J'avais pas pensé... J'ai encore une année d'études à faire. Cet été, peut-être ! Tiens, nous nous téléphonerons cette semaine, O.K. ? »

« O.K. » fit-elle avec un sourire intentionné.

La pensée qu'elle était issue d'un milieu bourgeois l'inquiétait. « Je n'aurai pas assez d'argent pour sortir avec elle, » se dit-il. « Elle a le genre qui doit coûter cher... Et il faut que je ramasse mon argent pour mes études, maintenant que le père ne peut plus travailler... »

Elle devint loquace et parla de dix choses. Il se contentait de glaner un mot ici et là, dont il fabriquait des phrases, avec lesquelles il bouchait des silences.

« Je te téléphonerai cette semaine, » promit-il quand ils se quittèrent.

« Non... Nous serons à notre chalet. Il vaudrait mieux que je le fasse moi-même, » dit-elle.

« Comme tu voudras ! »

●

Alain se rendit au local du comité libéral pour y donner un dernier coup de balai. Au moment d'entrer, il aperçut, près de la salle paroissiale, Lapointe et trois hommes en train de discuter avec force gestes et éclats de voix, visiblement intéressés par les murs de la bâtisse.

Quand il arriva au comité, Lapointe, secouant la tête et, sautillant nerveusement, dit: « Tu ne sais pas la meilleure ? La salle aurait failli s'écrouler dimanche soir. Le mur est bombé comme une tonne. C'est le curé qui s'est aperçu de ça hier. Imagine ce qui aurait pu se passer ! Il va leur falloir installer des tuyaux métalliques par dedans, bander tout çà et ramener les murs à leur place... » Il fut interrompu par la sonnerie du téléphone.

« Comité libéral, Vincent Lapointe... oui Thérèse... Oui... Oui, oui... Ah ! ben oui... Dans une heure, je serai à la maison; c'est à peu près le temps qu'il nous faudra pour fermer définitivement le comité. Ça ne sera pas long... O.K... »

Il raccrocha, esquissa quelques pas de danse, battit des mains et proposa une partie de billard à son écuyer.

●

Alain obtint un emploi d'assistant-comptable dans une petite entreprise de St-Hubert, ce qui lui permit de voir régulièrement Micheline une partie de l'été.

Les parents de la jeune fille possédaient plusieurs commerces dont une salle de cinéma. Les jeunes gens passaient leurs soirées du samedi et du dimanche à regarder les films depuis un petit balcon privé attenant à la chambre de projection.

Le premier soir, au cours de l'intermission, Alain se rendit chercher du Coke dans le lobby public.

« Ma mère ne veut pas que tu payes quoi que ce soit pour moi, » lui murmura-t-elle quand il eut repris son siège.

« Trop tard ! Le Coke est tiré, il faut le boire ! »

« Maman me défend de toucher à du Coke. »

« Que veux-tu que je fasse avec ? Je ne peux tout de même pas le jeter par terre. »

« Je vais le tenir, et tu les boiras tous les deux. »

Il la regarda, incrédule et commença à boire par petites gorgées. Dans une robe fortement échancrée, Lana Turner parut à l'écran.

Micheline dodelina de la tête et glissa à l'oreille de son compagnon :

« Samedi prochain, nous allons veiller au salon. Maman ne veut pas que nous regardions le film. »

« Comment ça ? »

« C'est un film avec Marilyn Monroe. »

« Et après ? »

« Tu connais Marilyn Monroe ? »

« Évidemment ! »

« Il paraît qu'il y a aussi des travestis dans cette production. »

« Si des gens comme nous deux ne peuvent assister à ce film, pourquoi le présentez-vous au public ? » demanda-t-il, ennuyé.

« Il passe partout. Alors il faut bien que nous le présentions ici aussi. »

Après la projection de second film, Micheline consulta sa montre et avertit : « Il ne nous reste une heure, car à minuit, je me couche. »

« Encore une idée de ta mère ? » s'impatienta l'adolescent.

« Elle trouve que c'est raisonnable pour deux jeunes comme nous. »

« Tout de même, Micheline, à dix-huit ans, nous devrions prendre nos propres décisions… »

« Alain, je n'ai que dix-sept ans. Et puis si ta mère était là ?… »

« Elle ne passait pas tout son temps à dicter mon agir. »

« Tu es un gars ; moi, je suis une fille. »

« Quelle différence ? »

« À ton âge, tu devrais le savoir ! » Ils pouffèrent de rire et l'heure s'écoula à parler de psychologie.

Trois semaines plus tard, assis aux mêmes sièges, ils regardaient une production française.

« Les films français m'ennuient à mourir, » dit Alain.

Elle fronça les sourcils. Il poursuivit :

« J'sais pas… C'est leur langage, leurs fausses bagarres. Ça traîne en longueur, ça rit pour rien. Le scénario est mauvais et la fin toujours pessimiste. Je préfère les films américains pour de l'action, de belles images, des jolies femmes… »

« On sait bien, les hommes… » soupira-t-elle.

« Ce n'est pas que cela. Les films américains sont plus optimistes, plus roses… Pas rien que des histoires de fond de cour. » Il approcha ses lèvres et lui murmura : « Plutôt d'écouter ce film ennuyeux, nous devrions nous occuper à des choses plus gaies… »

« Comme quoi ? »

«Comme ceci.» Il lui caressa le bras et l'épaule, se dirigea lentement, tournoyant des doigts, vers la poitrine. Quand il vint trop près de la zone dangereuse, elle lui repoussa fermement la main.

«Je pourrais bien te toucher un peu... juste par-dessus tes vêtements,» dit-il capricieusement. «Tu n'es pas en chocolat, tu ne fondras pas.»

«Je ne suis pas une fille comme çà! Pas de baisers français, pas de mauvais touchers.»

«Pourquoi pas? Ça ne nous fera pas mourir tout de même.»

«Je suis pure et je le resterai jusqu'à mon mariage.»

«Mais seulement un peu, par-dessus tes vêtements...»

«C'est péché mortel.»

Il éclata d'un rire forcé. «Pourquoi Dieu a-t-il mis le désir en nous? Hein? C'est de sa faute si nous faisons des péchés. Dans sa grande sagesse, il n'avait qu'à nous bâtir autrement. Pourquoi une chose naturelle serait-elle péché?»

«Parce que c'est comme ça! Les touchers honteux, les baisers avec la langue, c'est défendu. C'est réservé aux personnes mariées. On fait sa religion, ou bien on ne la fait pas! D'ailleurs, maman voudrait savoir si tu pratiques ta religion, si tu vas à la messe.»

«Je ne suis pas allé à la messe depuis plusieurs mois. J'en ai discuté avec un prêtre et il m'a dit que j'avais la crise de la foi, que c'était normal, que ça passerait.»

Ahurie, Micheline chuchota plus confidentiellement encore: «Mon Dieu, je ne dirai pas cela à maman, elle ne voudra plus que nous sortions ensemble.»

«Je ne te demande pas de lui mentir,» jeta-t-il d'un ton détaché.

«Écoute Alain, mon oncle est prêtre. Il est en mission, mais il vient nous visiter dans quinze jours. Il fera une tournée dans la région pour recueillir des fonds. Aimerais-tu le rencontrer afin de discuter avec lui, seul à seul?»

«Je n'en vois pas le besoin.»

«Je te garantis qu'il sait ce qu'il dit. Il trouve des réponses à toutes les questions. Ce n'est pas un prêtre ordinaire. Il a étudié jusqu'à l'âge de trente ans. Absolument aucune question ne l'embête. Une heure avec lui et tu seras transformé.»

«On verra, on verra!» dit Alain. «Tu as demandé à ta mère pour venir au mariage de mon frère samedi prochain?»

Elle hésita un moment, sérieuse. Puis elle fit un signe de tête et sourit doucement. «Elle a dit oui. Tu vois qu'elle n'est pas une tigresse. Quand les choses ont du bon sens, elle dit oui.»

Le reflet d'une image claire sur l'écran devint brillance dans les prunelles et sur les lèvres de la jeune fille. Alain s'y baigna les yeux. Puis il sentit que jamais il ne pourrait vraiment y étancher sa soif, car Micheline était déjà trop l'âme damnée de sa mère pour cesser de l'être un jour. Il se tourna vers l'écran et siffla entre ses dents: «Vieille crapule!»

•

Avant que les mariés ne partent en voyage, Alain emprunta l'auto de son frère pour conduire Micheline chez elle.

«D'après mes calculs, nous avons une heure bien à nous, sans que personne au monde ne sache où nous sommes,» dit-il, chemin faisant. «Nous pouvons aller jaser dans le petit bois St-Jean.»

«Je rentre directement à la maison,» dit-elle fermement.

Il fit un signe de tête négatif.

Elle fit un signe de tête affirmatif.

« Il faudra bien que tu viennes, c'est moi qui conduis. »

« S'il faut que je marche deux milles, je le ferai, mais je resterai pas au petit bois St-Jean si tu m'y conduis. »

« Donne-moi une seule bonne raison pour refuser et je n'irai pas. »

« Le bois St-Jean, c'est pour les filles de rien. »

« Je ne te tuerai pas. Nous jaserons et nous nous embrasserons un peu. »

« Si ma mère le sait, elle me tuera. »

« Qui le lui dira ? »

« Non. »

« Nous ne ferons que ce que tu voudras ; rien de plus. »

« Non. »

« Tu as peur de toi-même ou quoi ? »

« Puisque tu veux savoir, écoute bien, Alain Martel. Je suis une enfant adoptée et je ne veux pas que, par ma faute, la même chose arrive à quelqu'un d'autre. Je veux dire que je ne voudrais pas envoyer un enfant à la crèche... Tu comprends maintenant pourquoi je ne veux pas aller dans le bois St-Jean ? »

Nullement troublé par cette confidence, il insista : « Tu resteras dans ton coin et moi dans le mien ; de cette façon, tu ne pourras pas tomber enceinte. »

« Alors pourquoi aller au bois ? Pourquoi veux-tu absolument m'emmener là ? »

Il soupira lourdement. « Pour que nous puissions nous sentir libres de parler sans le grand nez de ta mère qui nous surveille sans arrêt. »

« Pas question d'aller au bois St-Jean, » dit-elle en accentuant chaque mot.

« Micheline, c'est beau de parler de psychologie à longueur de soirée et de se donner un bec sur le front à minuit, mais je commence à en revenir de toujours suivre les directives de ton éternelle mère. Nous avons dix-huit ans, tu comprends, dix-huit ans. De nos jours, en 1960, c'est rare que des jeunes de dix-huit ans se font mener à ce point par leurs parents... »

« Demain soir, nous en discuterons. Pour le moment, viens me reconduire à la maison. »

« Nous avons pourtant une si belle chance d'être seuls tous les deux... »

Elle fit un signe de tête négatif.

« Comme tu voudras ! » dit-il tristement.

Quelques minutes plus tard, le cœur un peu gros, l'œil un peu triste, l'orgueil un peu blessé, il croisa la route du petit bois St-Jean. Il continua jusque chez Micheline. Et il n'alla jamais plus la revoir.

1961

Accoudé au bar près des portes des toilettes, Alain sirotait une bière, l'œil blasé et indifférent. Il n'avait encore vu aucune fille intéressante dans l'hôtel et pourtant, la soirée avançait. Il se sentait plus fier de montrer son indépendance qu'à se faire voir au bras d'une fille. Surtout, se disait-il, d'une de ces machines à danser, sans personnalité propre.

Depuis Micheline, il n'avait sorti régulier avec personne, préférant disait-il, voltiger de fleur en fleur. Et quand il parlait de la valeur des filles, c'était toujours en rapport direct avec le volume de leurs seins ou selon leur réponse aux avances sexuelles.

Chaque fois que la porte de l'établissement s'ouvrait, s'il s'agissait d'adolescentes, il vérifiait la qualité du produit. Et, le nez en l'air, invariablement, il tournait la tête et commandait une autre bière; ou bien, s'il en restait dans son verre, il avalait une longue gorgée de liquide blond.

Au moment où un serveur qu'il n'avait jamais vu, lui demanda de se déplacer afin de mieux prendre livraison de sa commande, trois filles entrèrent. À cause de la présence du garçon de table dans son champ de vision, il ne les vit qu'une à une, de sorte qu'il put ainsi les détailler rapidement.

La première: petite, brune, visage d'ange. «Trop courte,» pensa-t-il.

La seconde: plus grande, brune, bien faite. «Quels yeux croches!» pensa-t-il. «Sûrement qu'elle doit s'emmêler dans ses seins!»

La troisième: visage connu, taille moyenne, grassette, blonde. «C'est toi que je pince ce soir,» se promit-il.

Elles prirent place à la seule table libre de toute la salle, juste derrière lui. Leur présence rétrécit l'allée, entre leur table et le bar où le jeune homme musardait, et par laquelle devaient passer les pisseurs pour se rendre aux toilettes.

Ce n'est que dix minutes après leur arrivée qu'il daigna tourner la tête afin de jeter un regard circulaire à la salle enfumée. Il feignit la surprise quand ses yeux croisèrent ceux de la fille blonde qu'il salua d'un très léger sourire avant de revenir, tout yeux et toute bouche, à sa bière.

«Alain,» crut-il entendre derrière lui. Mais il ne broncha pas.

«Alain,» dit-on à nouveau. Précautionneusement, il fit un quart de tour. C'était la blonde qui l'interpellait. Bandant les muscles de son abdomen, il s'approcha.

«Pourquoi te laisser bousculer, alors qu'il y a une place libre à notre table?» demanda-t-elle avec un sourire charmeur.

Il sourit.

«Viens t'asseoir avec nous autres,» insista-t-elle d'un ton aussi engageant que provocant.

«Et pourquoi pas?» dit-il en haussant les épaules. Il prit sa bouteille et son verre et s'assit entre la blonde et la plus grande des brunes, face à la troisième.

«Je te présente mes sœurs,» dit-elle. «Voici Martine qui étudie en couture à Québec et Claudette qui est infirmière à St-Grégoire.» Et, à l'adresse de ses sœurs: «Alain Martel de St-Hubert.»

«Tes sœurs!» fit-il, surpris. «Elles sont jolies, mais ne te ressemblent pas du tout.»

Claudette éclata d'un long rire sonore. « Ce n'est pas un compliment pour toi, Viviane. »

« Je veux dire: une autre forme de beauté, » dit Alain, heureux de pouvoir glisser un compliment subtil. Sa joie lui venait bien davantage de l'habileté de ses mots que du plaisir qu'il donnait à Viviane et qu'il décela néanmoins par le battement des cils qu'elle retenait gauchement. « La couleur des yeux, des cheveux, la forme du visage... Vous êtes vraiment les trois sœurs ? »

« Tu vérifieras auprès de nos parents, » dit Viviane.

« Et toi, tu es complice des médecins, » dit-il à Claudette.

« Eh oui ! » répondit la jeune fille aux yeux excentriques. « Il faut bien faire de la place pour ceux qui naissent. »

« Tu travailles dans quel rayon ? »

« Maternité. »

« Beaucoup de travail ? »

« Énormément de ce temps-ci. C'est la pleine lune, les femmes accouchent. »

« Il y a un rapport ? »

« Tu l'ignorais ? »

« Je dois t'avouer, » dit-il, « que le seul livre traitant de choses médicales que j'ai lu ne parlait que de ventres incisés, de cerveaux ouverts, et de sang qui coule. Ce genre-là m'effraie un peu, et je préfère autre chose. »

Le garçon de table déposa une consommation devant chaque jeune fille. Il n'attendit pas qu'on le paye.

« C'est déjà réglé, » dit Viviane à l'endroit d'Alain qui remettait son portefeuille dans sa poche sans comprendre.

« Tu aimes lire quoi ? » demanda Claudette.

« De ce temps-ci, du Edgar Poe. »

« Ça n'a rien de très rassurant non plus ! » s'exclama-t-elle.

« Tu connais ? »

« J'ai lu un ou deux contes: La Chute de la maison Usher, Le Fantôme de la rue Morgue. »

L'adolescent en connaissait assez sur Viviane pour savoir qu'elle était en marge de ces connaissances, car pour travailler, elle avait dû abandonner ses études très jeune ; aussi savourait-il un malin plaisir à parler de choses qu'elle ignorait, utilisant sa sœur Claudette comme complice inavouée.

« Je crois avoir déjà lu La Chute de la maison Usher, peux-tu me résumer un peu l'histoire ? » dit-il.

La jeune fille commença à parler, mais il n'écouta point. Son esprit médita sur la jalousie de ses copains qui l'apercevraient, seul avec trois filles.

Puis il se dit que Viviane lui courait après. Cette idée lui fit bomber le torse. Il avait rencontré la jeune fille deux fois pendant l'hiver, mais il s'était montré froid, réservé, indifférent, comme l'était d'ailleurs devenue son âme à cause de ce qu'il considérait maintenant comme sa vaste expérience des femmes. Il avait appris que la jeune fille était originaire de St-Maurice et s'appelait Viviane Vallée. Il avait su, par ses amis, qu'elle avait la réputation d'être ennuyeuse, ce qui, en clair voulait dire qu'elle ne marchait pas d'un pouce. Le genre à se marier, disait-on. Pourtant, la façon dont elle l'avait abordé en disait long sur son intérêt pour lui. Ceux qui s'étaient plaints de la froideur de Viviane n'avaient, de toute façon, jamais démontré d'aptitudes à séduire les filles autres que les faciles. Le seul problème qui lui resta à l'esprit fut celui de se débarrasser des deux sœurs...

« Viviane nous disait tantôt que tu as fini tes études ? » demanda Claudette. S'étant aperçue qu'Alain n'écoutait plus, elle cherchait, par une question, à regagner son attention.

« Comment ? »

« Tu as fini tes études ? »

« Depuis trois semaines. Et pas fâché ! »

« Tu enseigneras ici, à St-Hubert ? »

« Non, je ne crois pas. Probablement dans la région de l'amiante ou de Québec. »

« Tu n'as pas signé de contrat ? »

« Bah ! les places ne manquent pas ! Il y a des demandes partout dans la province. Je viens tout juste d'envoyer mes offres de services. »

Les musiciens entamèrent un « slow ». Alain conduisit Viviane à la piste de danse. Mais il continua de ne pas lui parler. Il jouit aussi de la sentir chaude dans ses bras et frémit au contact de leurs poitrines. Il la suivit pour retourner à leur table, épousa sa ligne de corps d'yeux goulus. Mine de rien, il rapprocha leurs chaises. Par contre, il reprit sa conversation sophistiquée avec Claudette qui ne se faisait pas prier. En fait, il embrayait la jeune fille sur des sujets où elle pouvait en avoir long à dire et il en profitait pour se retrancher dans le secret de son âme afin de planifier sa fin de soirée.

Il raisonna de diverses façons, se disant tout d'abord que Martine et Claudette, voyant leur sœur accompagnée, finiraient par comprendre et se trouveraient une façon de s'en aller. Leur insistance à ne pas comprendre lui fit deviner qu'elles avaient sans doute, depuis avant la soirée, prévu un mode de transport, et qu'il ne lui suffirait que de retenir Viviane quand elles décideraient de partir.

Quand il crut savoir exactement ce qui se passerait, il se frotta discrètement les mains d'aise. Comme la soirée tirait déjà à sa fin, il se dit qu'il devrait faire boire rapidement deux ou trois consommations à Viviane, que cela contribuerait à ouvrir son esprit. Il voulut héler le serveur, mais il ne le vit ni près du bar ni dans la salle qui s'était vidée vite après la dernière danse.

Claudette parlait encore quand le serveur réapparut en tenue de ville et s'approcha de la table.

« Tu es prête ? » demanda-t-il à Viviane.

Elle acquiesça et se leva. « Et vous autres les filles ? » demanda-t-elle. Sans attendre leur réponse, elle dit : « Bonsoir, Alain. À un de ces jours. » Et elle s'éloigna au bras du serveur.

« ...soir » répondit Alain piteusement.

« Bonsoir, » dit Martine.

« Qui est ce gars-là ? » demanda-t-il à Claudette avant qu'elle ne parte à son tour.

« C'est l'ami de Viviane. Ils sortent ensemble depuis deux mois... Bonsoir là, et au plaisir de se parler de livres... »

« Bye ! » dit-il mollement. Le visage froid, il vida son verre. Ensuite, il se rendit au restaurant du village où il s'assit en un point central de la salle à manger et commanda quatre hamburgers avec une montagne de frites.

Un vieux célibataire, réputé pour ses beuveries mensuelles, mangeait à une table voisine.

« Mon p'tit Martel, j'te connais, » bredouilla l'homme en clignotant des yeux. « J'ai déjà rencontré ta sœur. Une famille de bon monde, les Martel... Du bon monde, du vrai bon monde. »

« Ce que tu peux avoir l'air imbécile ! » grogna Alain. « Regarde-toi l'allure : toujours saoûl, la bave qui coule... Et les personnes qui clignotent des yeux me coupent l'appétit... »

« Fâche-toi pas, mon p'tit Martel ! J'ai pris un coup de trop mais ça arrive à tout le monde. »

« Mais toi, t'es un écœurant d'ivrogne ! »

L'homme se leva et se rendit aux toilettes en titubant. « Du bon monde, du bon monde, » ne cessait-il de répéter. Il y resta plusieurs minutes au cours desquelles l'adolescent reçut ses hamburgers. Pendant qu'il mangeait, l'homme revint et lui adressa à nouveau la parole : « J'ai sorti avec ta sœur que tu n'étais pas encore de ce monde. »

« Maintenant je suis de ce monde, » dit Alain. Il hocha lentement la tête et ajouta : « Je n'aime pas les gens qui troublent ma vue quand je mange ; ça me fait de l'ombre. Et je n'aime pas les ombres, surtout quand elles clignotent. »

L'ivrogne tourna les talons et s'engagea dans le couloir menant à l'autre partie du restaurant. Il rasait les murs en chantonnant : « Du bon monde, du bon monde. »

Quelques minutes plus tard, Alain fit signe à la serveuse.

« Ma facture ! » ordonna-t-il sèchement.

Elle sourit et regarda les deux hamburgers restés dans l'assiette. « La faim est partie ? » s'enquit-elle.

Il ramassa toutes ses frustrations et les projeta dans une immense grimace pour cracher : « Tes hamburgers ? Ils ne sont pas mangeables ! »

●

Le gouvernement avait entrepris un programme d'embellissement des routes publiques. Par tout le Québec, des groupes de travailleurs formés d'étudiants, de chômeurs, d'enseignants, de petits organisateurs du parti libéral, s'affairaient à repeindre les poteaux des garde-fous, à rapiécer le pavage des chaussées, à couper le foin des fossés.

Alain obtint un emploi. Il apprit à se servir d'une faux à bras, à l'aiguiser, à lui passer la pierre pour l'ébarber. Quand il sut qu'il savait faire ces choses, il se sentit l'âme d'un moissonneur, comme l'avaient été son grand-père dans ses champs d'avoine dorée et parfois son père lorsqu'une malencontreuse bourrasque avait écrasé une partie de sa récolte, empêchant l'utilisation d'un mode de coupe plus moderne.

Il ne songea pas à comparer le plaisir du geste de ses paternels au sien. Peu importe qu'il se soit mouillé les pieds dans l'eau croupissante du fossé la première journée ; le lendemain, il avait porté de meilleures chaussures. La pente du fossé finissait bien par lui donner des sérieuses crampes aux jambes ; il se disait que l'exercice physique n'en était que meilleur. Chaque quart d'heure ne s'écoulait pas que la faux ne se fût empêtrée dans la broche d'une ancienne clôture écrasée, mais cela lui donnait l'occasion de passer la pierre afin d'atténuer les plaies faites au métal. Le foin était un mélange de moutarde, chardons, plantes douteuses et poussiéreuses. Quoi de mieux, pensait-il, que d'abattre d'aussi mauvaises et inutiles herbes.

Chaque pas lui permettait de réfléchir aux bienfaits de la civilisation écrits dans le fossé : verre cassé, bouteilles vides, contenants aérosol, bottes pourries, cannettes d'huile, semelles de pneus, kleenex pleins, tuyaux d'échappement, papiers d'emballage de toutes sortes, capotes anglaises, cadavres de porc-épics, caisses de bois défaites, carcasses de moufettes, chaudières cabossées…

Alain mit plusieurs jours à remarquer que les abords des dalots étaient truffés de couleuvres. Il figea net quand il vit la première s'écouler juste à côté de son pied. Il avait toujours su que ces bêtes n'étaient pas dangereuses. En outre, jamais, dans son enfance, il n'avait été traumatisé par quelque drôle le poursuivant avec une bestiole de ce genre dans les mains, ni d'une autre sorte non plus. Il conclut que son comportement de peur allait chercher au-delà des explications psychologiques traditionnelles.

Il continua son travail un peu plus vite, les mains un peu plus crispées, chaque coup de lame l'éloignant un peu plus du lieu de sa rencontre inopinée.

En même temps que l'amorce d'un coup de faux, quelque chose remua dans l'herbe, courte à cet endroit. La couleuvre, ou en était-ce une autre, leva la tête au-dessus de la verdure. Alain ne vit cette image qu'une fraction de seconde puisque le métal vif frappa la tête. Le coup projeta l'animal sur l'accotement de la route, tout en haut du fossé. Agitée par d'interminables convulsions, la couleuvre n'en finit plus d'agoniser, la tête ne tenant plus qu'à un morceau de peau.

« Dix jours de pluie, » déclara un étudiant faucheur qui passait pour aller entamer une portion de fossé un peu plus loin. Mais une idée le fit s'arrêter tout net. Il regarda Alain en souriant.

« Mettons-la sur la motocyclette de notre fin finaud de Drouin. Il voudra nous tuer, » dit-il cyniquement.

« Il ne voudra pas nous tuer, il voudra mourir, » rétorqua Alain.

« Allons aiguiser nos faux à l'auto du contremaître et apportons la couleuvre avec nous. »

Alain grimpa sur l'accotement. Il fit passer le métal de la faux sous le cadavre, mais la couleuvre coula sur l'acier et retomba au sol. Il recommença. Cette fois, la blessure faite à la tête de l'animal s'accrocha à la lame, empêchant le corps de tomber. Les jeunes gens marchèrent jusqu'à l'entrée du champ où était garée l'auto du contremaître et la motocyclette de Drouin, un autre étudiant faucheur dont l'originalité autant que la rutilante moto tapait sur les nerfs de ses collègues.

« Nous allons aiguiser nos faulx, » avait hypocritement crié l'un deux au contremaître de façon que Drouin puisse entendre.

Assez distancés de l'équipe des travailleurs, camouflés par l'auto, les adolescents purent, tout à leur aise, mettre leur plan à exécution.

À l'aide de petits bâtons, Alain tenta vainement, à plusieurs reprises, de faire tenir le cadavre sur le siège de cuirette noire.

« J'ai une meilleure idée, » dit l'autre. « Nous allons l'enrouler autour de la poignée. Elle tiendra mieux. Il ne la verra pas et mettra la main en plein dessus. Il en fera sûrement une crise cardiaque. »

« Prends-la, » dit Alain.

« Tu es malade ? Je ne toucherai pas à ça ! »

« Tu as peur ? »

« C'est pas ça. C'est plein de sang. » Il recula en frémissant. « Si tu n'as pas peur, prends-la toi-même.

« Je n'ai jamais eu peur d'une couleuvre, surtout morte, » fit Alain. Il se pencha brusquement et saisit le cadavre par la queue et le déposa sur la poignée. À force d'y faire, à l'aide d'un bâton qu'il tenait dans l'autre main, il finit par réussir à l'y maintenir. Il pria ensuite son ami d'aller chercher un bout de corde à moissonneuse et s'en servit pour attacher le corps.

« Dépêchons-nous d'aller aiguiser nos faux, sinon il se rendra compte que nous jouons après sa moto, » dit Alain en s'éloignant, les mains tremblantes. Les jeunes gens retournèrent à la meule, près de l'auto du contremaître. Pendant que l'un tournait, l'autre appliquait sur la pierre le métal mouillé qui se mit à chuchoter de façon rassurante.

Alain ricana : « Ce sera le choc de sa carrière. »

« Ça fait assez longtemps qu'il nous écœure... Monsieur, qui a tout vu et tout connu, n'aura peut-être pas peur d'une couleuvre morte ! » s'exclama l'autre.

Après l'aiguisage, ils retournèrent à leur portion du fossé. Quand dix-huit heures arrivèrent, à la fin du travail, ils suivirent Drouin de près. Alain resta derrière l'auto, un peu en retrait, pour mieux observer, sans être vu, le motocycliste. Il appuya au sol le bout de son manche de faux, plaça son avant-bras sur la jonction de la lame et du bois, sortit sa pierre dont il frotta le métal dans un mouvement de va-et-vient professionnel, sifflotant au rythme, tout en suivant discrètement les gestes de leur victime.

Drouin vit la couleuvre au premier coup d'œil. Il ne broncha pas d'une ligne. Avec dextérité il défit calmement le nœud de la corde qui retenait le cadavre. À pleine main, il empoigna la bête par le milieu du corps, la regarda une seconde, puis la jeta négligemment un peu plus loin. Il sortit un kleenex dont il épongea une goutte de sang sur la poignée chromée. Il prit ses gants noirs, les enfila, puis son casque protecteur, enfourcha son véhicule, démarra sans excès. La roue écrasa le cadavre. Il quitta les lieux la tête haute, froidement, sans regarder personne.

Alain fixa des yeux pendant un long moment les courbes distorsionnées du cadavre terreux.

●

Quelques jours plus tard, Martel fut transféré au rapiéçage de la chaussée sur le chemin de St-Maurice.

Sa tâche consistait à vider à la petite pelle le contenu d'un camion, d'en jeter l'asphalte aux endroits choisis par les râteleurs. Quand ceux-ci avaient égalisé une pièce, le rouleau, conduit par Vincent Lapointe, la tassait.

Ce dernier avait perdu sa verve de la période électorale de l'année précédente. Il montrait une mauvaise humeur permanente, presque systématique. Songeait-il à la place de chef cantonnier qu'un organisateur plus important avait obtenue ? Ou bien au fait qu'à deux reprises, l'été d'avant, il avait renversé le rouleau, ce qui, disait-on, devait être un record dans les annales de la voirie au Québec ?

« Il aurait mieux fait de rester dans les chantiers américains, » se disait souvent Alain.

« Une fin d'après-midi que d'imposants nuages annonçaient un orage imminent, l'équipe se mit au travail plus sérieusement que d'habitude. Il y avait encore un plein camion à étendre. Mais la pluie vint trop vite et il fallut s'abriter. En de tels cas, le contremaître faisait appel à la gratte motorisée qui étendait tout le chargement en moins de dix minutes. Mais, ce soir-là, on l'avertit que le scraper ne serait pas là avant vingt-et-une heures. Râteleurs et pelleteurs eurent le choix de partir. Leur travail serait fait mécaniquement. Alain préféra rester puisque les heures d'attente seraient payées en supplément par le gouvernement.

Seul à pouvoir conduire le rouleau, Lapointe dut aussi rester malgré ses protestations. Et il maugréa sans arrêt jusqu'à l'arrivée de la gratte. Sa hargne redoubla quand, deux minutes plus tard, le chef cantonnier du comté, dans sa camionnette neuve aux couleurs vives de la voirie provinciale, fit son apparition.

Cette arrivée inopinée décida le contremaître à changer ses prévisions et, histoire de faire preuve de souci professionnel devant le grand patron, il ordonna qu'on fasse deux pièces. La première fut bâclée ; le reste du chargement fut vidé un peu plus loin.

Lapointe eut à déplacer le rouleau pour laisser passer le scraper. Pour cette raison, il engagea sa machine dans une entrée de champ, mais il opéra au petit bonheur, de sorte qu'obliquant trop à droite, elle se mit à pencher dangereusement sur le bord du fossé. Il aurait pu faire marche arrière, mais il prit panique et sauta. La machine continua d'avancer toute seule, de pencher. Puis, tout doucement, elle se coucha sur le côté.

« Il n'y a plus rien à faire ce soir, » dit le contremaître. Et il renvoya tous les hommes, sauf les deux pelleteurs à qui il ordonna de jeter dans le fossé l'amas d'asphalte non étendu.

Le chef cantonnier fit venir Lapointe à sa camionnette. La discussion s'engagea entre les deux hommes.

Trop près pour ne pas entendre, Alain se jugea trop curieux pour ne pas écouter.

« Tu dois comprendre que nous ne pourrons pas te garder sur le rouleau, » dit le cantonnier.

« Ce n'est pas toi qui va me renvoyer, » maugréa Lapointe.

« Non, mais le bureau-chef le fera. Ton cas a été discuté avec le député lui-même. D'après ce que je sais, on ne pourra pas te laisser sur ta machine. Et après ce qui s'est passé ce soir... »

« Je suppose que vous avez déjà quelqu'un qui attend ma « job » ? »

« Vincent, écoute-moi. Ce n'est pas grave. D'ici les fêtes, au garage de la maintenance, à Belleville, un poste sera vacant. Applique et tu auras d'excellentes chances d'être choisi. On se souvient de ce que t'as fait pour nous autres à la dernière élection. On n'est pas durs envers toi... »

« C'est justement ! la prochaine élection va venir plus vite qu'on pense ! Vous allez trouver qu'il est plus facile de perdre que de gagner. »

« Vincent, je viens de te faire une belle offre. Va travailler aux États et quand le temps sera venu, je t'appellerai. »

« Vos petites « jobs » de rouleau et de maintenance ne m'intéressent pas. Je faisais le double de salaire dans les chantiers américains... »

« À toi de décider, » coupa le cantonnier. « Notre offre est à prendre ou à laisser. »

« C'est à laisser. Gouvernement libéral de mon cul ! Ça ne vaut pas de la merde. »

« C'est vrai que tu gagneras plus aux États ; mais en travaillant à Belleville, tu serais chez toi tous les soirs, avec ta femme et tes enfants... »

« Non, non, non, je ne veux plus rien savoir de vous autres ! » dit Lapointe d'une voix dure, définitive. « À la prochaine élection, vos petites cochonneries, vous allez vous les faire jeter au visage. »

« Ce que j'ai dit est dit. Le patron, ce n'est pas toi. »

« Les petites taxes que tu collectes pour le député auprès des gars de camions, ça va peut-être sortir à la prochaine campagne électorale... »

« Je me passe de tes menaces... Et le député s'en passe aussi. Si tu ne veux rien savoir, tu sais ce qu'il te reste à faire, » cria le cantonnier.

Lapointe claqua la portière du véhicule. À grandes enjambées, il prit la direction du lieu où était garée sa voiture, quelques arpents plus loin. Un peu plus tard, passa son auto... dangereusement...

Alain finissait le nettoyage de la chaussée lorsque le contremaître, à son tour, se rendit à la camionnette.

« Voici l'argent de mes gars de camions, » confia-t-il au cantonnier.

L'adolescent n'écouta plus. Il marcha jusqu'au rouleau renversé, contre lequel il s'appuya. Il sortit de sa poche un crayon et un petit carnet noir qu'il ouvrit. À la lueur des phares d'une auto qui passa, il inscrivit ses heures de la journée à la suite de celles des jours précédents, toutes minutieusement compilées.

●

Le jour suivant, Alain ressassa mollement en son esprit les événements de la veille.Il n'en tira ni jugement, ni leçon, ni aucune idée d'aucune sorte. Il lut simplement dans le livre de sa mémoire ce qui s'était passé. Voilà pourquoi il n'eut aucun mal à débusquer ces pensées pour engager son esprit sur le chemin magique du vagabondage. Il se mit à rêver, en regardant, entre chaque pelletée d'asphalte, les montagnes américaines, là-bas, de l'autre côté de la frontière, si proches mais si lointaines.

« Et si j'étais donc né deux cent milles plus au sud, ou même cent, ou cinquante, » soupirait-il.

À chaque coup d'œil aux doux contours montagneux, il voyait derrière, une image colorée. Pêche à la truite arc-en-ciel dans un grand lac du Maine. Ravissantes Américaines sur une plage d'Old Orchard. Immense New York et ses enluminures et sa brillance. Jolies noires en dentelles blanches. Clubs de nuit de Miami.

« Quant au soleil de Floride, je m'en passerais bien, » se dit-il en s'épongeant le front. Il déposa sa pelle et marcha à peine deux minutes jusqu'à un restaurant-chalet situé à côté d'un ruisseau barré près duquel des baigneurs se doraient la peau, tandis que grenouilles, couleuvres et grillons y cherchaient un peu de fraîcheur et d'humidité. Il s'acheta un Coke glacé, le septième depuis le matin, et l'avala d'un seul trait. Puis il retourna à sa pelle, à ses montagnes américaines et à ses rêves.

Les bateaux à aube du Mississipi. Les immenses plaines débordantes de... de tout. Le Grand Canyon...

« Martel, » entendit-il. Émergeant de ses mirages, il aperçut le chef cantonnier dans son flamboyant véhicule orange.

« Martel, mets ta chemise. »

Sûr d'avoir mal compris, Alain s'approcha. L'homme garda son ton ferme afin que tous les travailleurs puissent entendre. « Les gars, on vous donne des « jobs » et vous vous conduisez comme des écœurants. Du monde, ça ne doit pas se promener tout nus comme des bêtes. Et encore moins des employés de la voirie ! Le député m'en a parlé deux fois ; il n'aime pas ça et les gens qui passent non plus. Mettez vos chemises et gardez-les. Vous n'aurez pas plus chaud et vous n'aurez pas l'air d'animaux. »

Honteux, les travailleurs au torse nu coururent enfiler leur chemise, tandis que la camionnette poursuivait sa route.

Les paysages de l'Ouest. John Wayne à cheval. « C'est vrai que John Wayne ne se promène jamais le torse nu malgré le soleil des grandes plaines. » Las Vegas, la fabuleuse. Hollywood, Marilyn. Hawaï. Les fleurs, la mer...

Son rêve se perdit dans le Pacifique qu'il connaissait: celui des films américains sur la deuxième guerre. Guadalcanal. Okinawa. Midway. « Pourquoi pas un grand film sur Hiroshima avec John Wayne comme vedette ? Quel spectacle ! » s'imagina-t-il.

« C'est l'heure du lunch, » cria le contremaître. « Il faudra le prendre un peu moins long si nous voulons terminer pour dix-huit heures. L'histoire du rouleau nous a retardés. »

Alain avait été témoin qu'il avait fallu remettre le rouleau sur ses rouleaux et initier quelque peu le nouveau chauffeur.

Même s'il comprit que le contremaître blaguait, l'adolescent ne réussit pas à rire à ses paroles. Il n'avait nulle envie de se moquer de Lapointe, comme les autres l'avaient fait depuis le matin. C'est la raison pour laquelle il s'isola pour dîner.

Il se prit un Coke et marcha jusqu'à un arbre nain, le long d'une clôture, près de la route, où il s'affala dans l'herbe entretenue, la tête à l'ombre. Quand il eut fini d'avaler ses sandwiches, il se choisit une petite pierre pointue et s'en servit pour décrotter ses bottes.

Absorbé dans sa manœuvre, il ne remarqua pas qu'un cycliste approchait. Le bruit des pneus roulant dans le gravier de la cour et des pieds se plaquant au sol en claquant le sortirent de son champ d'intérêt. Appuyé sur un coude, il souleva le haut de son corps et leva les yeux. Les rayons métalliques des roues lui jetèrent aux prunelles mille éclats vifs. Puis, d'un seul coup d'œil, il aperçut une sandale molle, une cuisse rosée, un short en ratine blanche. Prolongeant son regard, il découvrit, à travers les feux mobiles d'un soleil violent, deux tresses éblouissantes sous un chapeau de paille blonde. Il baissa les yeux une brève seconde, mit sa main en parasol sur son front et envisagea à nouveau le bain d'or. Mais, cette fois, il se sentit enveloppé d'un sourire familier et chaud, rouillé et neuf.

« Bonjour Alain, » dit la voix mélodieuse.

« Viviane... Viviane Vallée ! » s'exclama-t-il spontanément. « Un peu plus et je ne te reconnaissais pas. »

« Ai-je tant changé depuis une semaine ? » demanda-t-elle de sa même voix pétillante.

« Non... Oui... Non. En fait, je t'ai toujours vue en robe du soir, dans le noir, dans la fumée et... j'avais chaque fois un peu de bière derrière la cravate. Mais te voilà en plein soleil, en vêtements sport et avec ces tresses... »

« Déçu ? » dit-elle, taquine.

« Non, non, non ! C'est plutôt moi qui devrais te le demander ; regarde mon accoutrement. » Il montra ses bottes. « Qu'est-ce que tu fais par ici ? »

Elle fit un signe de la main vers l'horizon. « Je suis en vacances chez mes parents, pour une semaine. »

« Tes parents demeurent près d'ici ? »

« Tu ne le savais pas ? Regarde là-bas, la maison blanche à... disons un mille. »

« Ton père est cultivateur ? »

« Tu n'as pas vu mon chapeau ? » Elle battit des cils, toucha un brin de paille ballotant et, d'un geste sec des genoux vers l'avant se donna des airs d'une gamine faussement timide.

« Il te va bien... Je veux dire que sur ta tête, il est charmant. »

« Merci !... J'ignorais que tu travaillais par ici. Tu m'as dit l'autre soir que tu fauchais dans les fossés. »

« On m'a transféré... Sais-tu, parlant de l'autre soir, que tu as quitté la table plutôt rapidement, » dit-il, délayant du reproche à un brin de surprise à retardement. « Je ne savais pas que tu avais un ami régulier. »

« J'avais, » murmura-t-elle derrière un regard insistant droit dans les yeux d'Alain.

« Tu n'as plus ? » risqua-t-il.

Elle fit signe que non et dit d'un ton détaché : « Pas plus de trois mois avec le même. »

Alain pensa que cette fois, c'était vraiment sa chance. Mais il ne voulut pas trop entreprendre, de peur de se faire encore pincer les doigts.

« Il paraît qu'il y a un gros spectacle à l'hôtel du Domaine samedi soir, » dit-il.

« Il paraît ! » dit-elle. « Mais je ne pense pas pouvoir y aller. Je ne finirai de travailler qu'à vingt-et-une heures. Le temps ensuite de me préparer... il sera trop tard pour que les filles m'attendent jusque-là. »

« Je croyais que tu étais en vacances pour une semaine ? »

Elle hésita. « Oui... mais c'est que samedi, je vais devoir remplacer ma compagne de travail. Et comme la pharmacie ne ferme qu'à vingt-et-une heures, alors... »

« Et si quelqu'un allait te chercher ? » risqua-t-il d'un ton prudent.

« J'sais pas, peut-être ! Ça dépendrait de qui ! »

« Quelqu'un dans mon genre : Martel de St-Hubert. »

« Oui, » dit-elle simplement en haussant les épaules.

« Alors j'irai te chercher à la pharmacie à vingt-et-une heures trente. »

« Non... je préférerais que tu viennes chez moi... au cas où je ne travaille pas. Et même si je travaillais, je me ferais reconduire chez mes parents tout de suite après pour me changer de vêtements. »

« Je l'écris en grosses lettres dans ma tête, » dit-il en mimant l'écriture des mots du bout du doigt. « Vingt-et-une heures trente, samedi soir, chez monsieur Vallée. » Et il projeta son bras en arc de cercle pour désigner l'horizon du doigt, en direction de chez Viviane.

« Est-ce que tu vas te baigner ? » demanda-t-il.

« Jamais ! Cette eau-là est remplie de bibittes. Je viens seulement prendre un bain de soleil. Je voudrais bien avoir un teint comme le tien. »

« Je noircis autant par la chaleur de l'asphalte que par le soleil. Je ne suis pas bronzé, je suis cuit. »

« Chanceux ! Regarde moi : toute pleine de taches de rousseur. Je ne grille pas, je brûle, je rouille comme une truite. »

« Selon une enquête américaine, il paraît que le cancer de la peau est beaucoup plus répandu chez les ranchers du Texas que chez les religieuses du Québec. Ce qui voudrait dire que nous ferions peut-être mieux de garder nos visages pâles. »

Elle prit un air sérieux. « Mon Dieu, je vais m'en aller chez les sœurs ! En plus que j'y pense depuis longtemps. »

« Tu n'en as pas l'air pourtant. »

« Et comment ça ? »

« Tu aimes trop de choses dont les sœurs se privent. »

« Comme ? »

« Comme la danse, les vêtements sport, les bains de soleil, les enfants. »

« Qui t'a dit que j'aime les enfants ? »

« Toutes les femmes les aiment, pas toi ? »

« Je les adore. Justement, si j'étais sœur, je pourrais enseigner à des dizaines d'enfants. Et pour ce qui est de la danse, on dit que les sœurs dansent ensemble, parfois. »

« Pas les « slows », j'espère ? »

« Non, je ne ferai jamais une sœur ; ma mère aimerait trop ça. »

« Ah ? »

« Je pense bien ! Elle aurait voulu faire des sœurs avec ses six filles et des prêtres avec ses quatres garçons. Malheureusement, je ne crois pas qu'il y en ait plusieurs pour relever l'honneur de la famille. »

« Je pensais qu'une jeune fille de ton âge écoutait sa mère. »

« Je l'écoute, mais je ne fais pas tout ce qu'elle voudrait. »

« Ah ! non ? »

« Jamais de la vie ! »

Il prit un air angélique pour dire : « Les bonnes jeunes filles doivent toujours écouter leur maman. »

« Si j'écoutais ma mère, je ne fumerais pas, je n'irais pas danser, je ne mettrais pas de shorts, je ne prendrais pas de bains de soleil, je ne ferais pas d'auto-stop et quoi encore... Autant m'en aller chez les sœurs ! »

« Je te croyais une jeune fille obéissante. Tu fais tout le contraire de ce que veut ta mère ? »

« Non, pas tout ! Je fais ma religion ; je me conduis bien... Pas comme certaines petites garces que je connais, » dit-elle en regardant au loin.

« Comme ? »

« Comme Louisa Bégin. »

« Je l'ai déjà rencontrée... »

« Je le savais. Mais c'est une garce quand même ! »

« Dans ce cas, je ne dois pas valoir plus qu'elle. »

« Quant à ça, elle a eu des sorties avec tous les gars de la région. »

« Un gars qui se respecte et qui se rend compte de ce qu'elle est ne traîne pas longtemps avec elle, » dit Alain en fronçant les sourcils.

« Si on changeait de sujet, » dit-elle. « As-tu entendu le dernier disque d'Elvis ? »

« Non, ça s'appelle comment ? »

« Je ne me souviens pas... Little Sister ou quelque chose comme ça. »

●

Dans les semaines qui suivirent, Alain rencontra régulièrement la jeune fille. Il ne tenta aucune avance sexuelle sachant bien à quoi s'en tenir quant à sa conduite. Le plus qu'il se permettait c'était de l'écraser sur sa poitrine en l'embrassant.

Il trouva ses parents fort sympathiques et apprécia leurs fréquentes invitations à souper avec la jeune fille, le dimanche soir. À jouer au badminton sur la pelouse près des arbres à lilas, à poursuivre Viviane autour de la maison, à cueillir des légumes frais dans le grand jardin, il retrouva un goût d'enfance de cette époque magique où tout n'avait été que merveilles et explorations poétiques.

Quand il lui montra sa copie de contrat pour enseigner dans une petite ville à une trentaine de milles, elle s'exclama : « Quel salaire ! »

Il sourit fièrement.

« J'admets que quatre mille dollars par année, c'est gros, » jeta-t-il sobrement.

Elle siffla admirative : « Je ne gagne pas la moitié ! »

Le dimanche suivant, le dernier avant l'ouverture des classes, ils jouèrent au badminton une partie de l'après-midi. Une fois qu'ils s'arrêtèrent pour prendre un Coke, il s'approcha par derrière Viviane assise dans l'herbe fraîche. De ses mains, il lui enveloppa les épaules et lui déposa délicatement un baiser à la base du cou. Sans l'avoir cherché, il plongea les yeux dans la blouse ample et entrevit la naissance des rondeurs prometteuses.

Il ne s'attarda pas et s'accroupit à son tour.

« Le soir de la vérité approche, » fit-il mystérieux.

« Que veux-tu dire ? »

« Tu verras ce soir ! »

Dès la fin du souper, chacun prit sa place habituelle devant l'appareil de télévision et ce furent, l'un à la suite des autres, Matt Dillon et les Incorruptibles, après quoi la mère annonça: « C'est l'heure du chapelet. » Et elle tourna le bouton du téléviseur.

Alain se mit à genoux et compta chacun des cinquante ave répondus par tous sur une seule note usée. Quand il se releva de la chaise sur laquelle il s'était appuyé, il s'amusa à discuter un peu malicieusement avec celle qu'il appelait sa belle-mère.

Sur un ton inquisiteur, il dit: « Il paraît que la récitation du chapelet va disparaître. »

« Jamais de la vie! » s'exclama sévèrement la femme qui parlait sans jamais cesser de faire quelque chose, comme si de s'arrêter cinq minutes avait été un péché mortel de paresse. Ou bien elle cherchait un médicament perdu dans une multitude de fioles et flacons, ou encore, elle dirigeait ses innombrables petits pas pressés jusqu'au congélateur chargé afin d'en extraire un poulet à faire coucher au chaud pour qu'il soit prêt à cuire au matin. « Le chapelet est la plus grande force que nous ayons comme catholiques, » dit-elle entre deux courses.

« La prière peut-être, mais pas le chapelet, » objecta Alain.

« Qu'est-ce que c'est que le chapelet sinon une prière? »

« Ce n'en est qu'une forme... »

« Évidemment! » coupa-t-elle. « Mais le chapelet, c'est la plus grande de toutes. Tous les prêtres sont d'accord là-dessus. »

« On m'avait dit que c'était la messe... »

« C'est certain que la messe vient avant! Mais tout de suite après, c'est le chapelet. »

« Vous n'êtes pas d'avis qu'une pensée envers son Créateur vaut plus qu'une formule marmonnée sans réflexion? »

« Une pensée n'est pas une prière, » affirma-t-elle avec autorité.

« Je le croyais pourtant, » fit Alain, songeur. « En ce cas, un seul ave réfléchi ne vaudrait-il pas mieux que cinquante récités? »

« Moi, je pense à tout ce que je récite; mais, en plus, un ave ne donne que trente jours d'indulgence, tandis qu'un chapelet entier donne dix ans. Et une famille qui récite un chapelet entier pendant vingt jours d'affilée peut gagner une indulgence plénière. »

« Madame Vallée, pourquoi précisément cinquante ave pour une indulgence de dix ans, pourquoi pas quarante-cinq? »

La femme serra les mâchoires. Ses paroles se firent dures comme le métal et, tranchantes comme des lames. « Tu peux tromper Viviane, tu peux me tromper, tu peux tromper tout le monde, mais il en est un que tu ne tromperas jamais et c'est celui qui est en haut. » L'index levé, elle poursuivit: « Il voit tout, il entend tout, il compte tout. Au jugement particulier, il mettra le moindre de tes gestes dans la balance et le pèsera. Ta mère a dû te montrer ces choses-là quand elle vivait? Je l'ai bien connue et je pense qu'elle ne serait pas trop fière de t'entendre parler... »

Il l'interrompit: « Ne prenez pas ça au sérieux, madame Vallée, ce n'était que pour agacer un peu. Je suis catholique comme vous... En moins bon, mais catholique quand même. »

« Ça, je l'espère bien, » dit-elle, intransigeante, le doigt montrant le crucifix au-dessus de la porte d'entrée, « parce que ceux qui ne le respectent pas Lui ne sont pas les bienvenus dans cette maison. »

Le père souriait doucement depuis le début de cette conversation, mais quand il sentit que les choses tournaient au vinaigre, il coupa d'un cœur léger: « Ah! j'sais que tu dis tout ça juste pour rire. J'ai bien connu tes parents. Du monde catholique comme on en voit pas souvent. Mais j'pense que la mère, il faut pas y'en dire trop là-dessus, ça la fait étriver. »

Alain n'aimait pas le chapelet comme prière, mais comme geste familial, traditionnel. Chaque récitation était l'occasion d'une rêverie: il imaginait son futur foyer. La prière du soir y serait originale différente chaque fois, riche, pleine, authentique, humaine. Pas une formule sèche et sans âme. Mais sa divergence d'opinion sur le chapelet ne diminuait pas son respect pour la mère de Viviane qui lui rappelait tant sa mère, toutes les mères. « La crise de la foi doit m'aveugler, » se dit-il à lui-même après la discussion. « Sans doute y a-t-il dans ces formules des valeurs qui me restent cachées et que les autres perçoivent. »

Tous allèrent au lit tandis que Viviane et Alain se rendaient au salon pour y terminer leur soirée. La jeune fille mit un disque à volume réduit et pria son compagnon de s'asseoir à ses côtés sur un divan de velours rouge face à un faux foyer. Il leur alluma à chacun une cigarette qu'ils déposèrent immédiatement sur le rebord d'un cendrier afin de ne pas être dérangés dans leurs baisers. Quand les silences se prolongeaient trop, un râclement de gorge provenant de la chambre des parents les ramenait à l'ordre et au bruit.

Alain était conscient que chaque baiser et chaque inhalation de fumée de tabac augmentaient son rythme cardiaque, mais sa véritable nervosité originait, il le savait bien, des paroles longuement réfléchies qu'il se proposait de dire à Viviane.

Il écrasa leur cinquième cigarette et passa son bras par-dessus le dossier. De sa main libre, il lui coucha délicatement la tête sur son bras et l'embrassa pour la vingtième fois.

Il prit une longue aspiration et lança: « J'aimerais que ça continue entre nous, tu es d'accord ? »

« Hum hum ! » dit-elle d'un ton et d'un signe de tête affirmatif.

Encouragé, il la regarda intensément dans les yeux. « Je serai ton ami, ton seul ami ? »

« Hum, hum ! »

Ces deux hum hum filèrent droit à son cœur et le remuèrent d'une intensité nouvelle. Il sentit émaner de toute son âme l'élan le plus emballant qu'il n'eût jamais connu. Une piquante chair de poule naquit à la base de sa nuque et envahit son cuir chevelu jusqu'au front. Deux larmes noyèrent ses yeux.

Simplement, avec tendresse, il chuchota: « Je t'aime. »

Elle sourit.

« Je t'aime, » répéta-t-il en espérant une réponse qui ne venait pas. Il fut sur le point d'ajouter: et toi; mais le silence de Viviane l'arrêta. Et il réfléchit pour formuler autrement sa question.

« Je m'excuse pour les larmes, mais c'est la première fois que je connais une émotion aussi intense. » Il baissa les yeux. « Est-ce que je peux savoir si tu as des sentiments pour moi ? »

« S'il n'y en avait pas, je ne serais pas ici... »

« Je veux dire, est-ce que tu ressens davantage pour moi que pour quelqu'un d'autre ? Si je te quittais, comment réagirais-tu ? »

« Si je te comprends bien, Alain, tu voudrais savoir si je t'aime ? »

Il fit un signe de tête sans lever les yeux.

« D'abord, c'est quoi aimer ? » s'enquit-elle.

Il devint songeur et triste. « Quand on aime, on sait ce que c'est. Si tu ne le sais pas, c'est que tu n'aimes pas. »

Elle parla en hésitant: « Non... ce n'est pas ce que j'ai voulu dire... Il y a quelque chose en moi, mais je ne sais pas trop ce que c'est. Tu es tellement instruit, tu dois sûrement savoir ce que c'est que l'amour. »

Ces paroles firent tinter d'un son clair et merveilleux en son esprit, les cloches de l'espoir et de la joie. Il releva la tête. et expliqua: « Aimer, c'est vibrer à l'autre, c'est lui être fidèle, c'est penser souvent à l'autre, c'est rechercher l'autre dans tout ce qu'on fait. »

« Tu vas trop vite et je ne te suis pas. Recommence. »

« C'est vibrer à l'autre, » reprit-il.

La jeune femme leva haut les yeux, réfléchit et sourit. « Ensuite ? »

« C'est être fidèle à l'autre. »

« Je ne sors qu'avec toi, » dit-elle. Il sourit à cet aveu de fidélité.

« C'est aussi penser à l'autre, rechercher l'autre dans tout ce qu'on fait. »

Viviane réfléchit encore, compta sur ses doigts et sourit à nouveau. « J'ai pensé à toi chaque jour de cette semaine, » dit-elle doucement.

Il s'attrista: « Moi, j'ai pensé à toi vingt fois par jour. »

« C'est ce que je voulais dire: tous les jours, plusieurs fois par jour, » affirma-t-elle en penchant légèrement la tête sur le côté.

Les yeux du jeune homme étincelèrent. « Si tu vibres en pensant à moi, que tu ne sors qu'avec moi et que tu penses souvent à moi, c'est donc que tu m'aimes. Y as-tu songé, tu m'aimes, tu m'aimes. » Il la prit par les épaules. « Tu m'aimes et je t'aime. Ah! quel bonheur! Que je t'aime! » Il se mouilla les lèvres et les approcha de la bouche de Viviane. « Donne-moi tes lèvres: elles sont si douces, si attirantes, si belles. » Ils s'embrassèrent longuement.

« Dis-moi que tu m'aimes. Je veux entendre ce mot pour la première fois de ma vie, tout comme moi je le dis pour la première fois. »

Elle hésita, l'espace d'une seconde, puis avoua, soulagée: « Je t'aime. »

« Comme c'est merveilleux à entendre! Je t'aime, je t'aime, je t'aime. Et toi... c'est la première fois que... tu aimes quelqu'un ? »

« Oui... et toi ? » dit-elle.

« Moi aussi bien sûr! »

« Mais Louisa et Micheline ? »

« Des petites amourettes sans aucune conséquence et sans vibrations. Des tocades. Des petites brises dans ma vie, mais toi, tu es un ouragan... » Il l'embrassa avec fougue et l'écrasa contre son cœur. Il sentit un irrésistible besoin de se fondre en elle. Et il perçut que Viviane serrait un peu plus fort que d'habitude, ce qui fit redoubler son ardeur.

Un râclement de gorge se fit entendre et lui rafraîchit momentanément les idées, d'autant plus que la mère y avait ajouté deux toussottements.

« Mon enfant, ma sœur, songe à la douceur d'aller là-bas vivre ensemble, aimer à loisir, aimer et mourir au pays qui te ressemble... C'est un poème de Beaudelaire: son plus beau, je crois. Ensemble, nous sommes ensemble tous les deux et ça va continuer jusqu'à... Tant que nous nous aimerons et je sais que c'est pour longtemps... Tu veux une cigarette ? »

« Ça m'a fait quelque chose de te voir pleurer, » dit-elle après un long silence.

« Tu sais, c'est la première fois que je pleure depuis mon enfance. Mais ce « je t'aime », je le sentais si fort en moi qu'il a poussé devant lui mes larmes. Et je voudrais bien maintenant te dire pourquoi je t'aime, pourquoi je vibre à toi, pourquoi je pense constamment à toi... Tu veux ? »

« Hum hum. »

« Parce que tu es la plus belle, parce que tu es pure, parce que tous les deux, nous nous comprenons si bien, parce que toi et moi, ensemble, ça marche à merveille. »

« Est-ce que tu viendras les fins de semaine, le samedi et le dimanche ? »

« Je me suis trouvé quelqu'un pour voyager en attendant de pouvoir m'acheter une auto, et je pourrai venir toutes les fins de semaine. Tu es contente ? »

« Tu ne pourras pas venir sur semaine ? » s'enquit-elle.

« Je le voudrais bien de temps en temps, mais je ne le pourrai pas. » Il devint songeur. « Pourquoi me demandes-tu cela ? »

« C'est que j'ai cru que tu voyagerais tous les soirs chez toi. »

« Jamais de la vie, c'est trop loin ! Çà ferait soixante-dix milles par jour. »

« Ah bon ! »

Du bout de son nez, il frotta celui de Viviane et dit : « Je t'adore. »

Elle pencha la tête et fit tournoyer la bague d'étudiant qu'il portait encore. « Qu'est-ce que c'est, adorer ? » demanda-t-elle.

●

Alain se reprocha de n'avoir pas mieux préparé son premier contact avec ses élèves quand il se retrouva devant eux, bouche bée. Pourtant, pendant des heures et des heures, entre les pelletées d'asphalte et les rêves de Viviane, il avait réfléchi à cette première rencontre. Mais il avait toujours fini par se promettre : « Je leur dirai que je les aime et que je veux les aider. Le reste viendra bien tout seul. »

Mais, devant ces trente têtes à l'affût, devant tous ces yeux le dévorant, et ces soixante oreilles qui lui tendaient la main, il ne savait plus. Ne sachant plus, il trouva ce qu'il put et des exemples de ses anciens maîtres lui vinrent en mémoire. Alors il déclina son curriculum vitae et fit lecture des règlements de l'école signés par le principal. Enfin, il exposa comment il entendait que la discipline soit maintenue et leur dit quelle sorte d'attitude devant le travail il espérait d'eux.

« L'on ne vous demande qu'une chose et c'est l'obéissance, » dit-il. « Obéissez, suivez nos directives, celles du principal et les miennes, et vous développerez une belle personnalité. Car ne savent commander que ceux qui ont su obéir. Obéir, ça veut dire : bien travailler, bien étudier, bien écouter en classe. Si vous faites bien ces choses, vous obtiendrez de bonnes notes. En d'autres mots, si vos notes sont mauvaises, c'est que vous n'aurez pas bien fait ces trois choses et, par conséquent, que vous n'aurez pas obéi. Or, les enfants désobéissants sont punis. Par contre, si vous travaillez, écoutez, étudiez bien, vous obtiendrez de bonnes notes et vous serez récompensés.

« Vous avez l'air de garçons intelligents, vous savez donc que dans la vie c'est la même chose. Celui qui travaille bien et se conduit bien devient quelqu'un de bien dans la société. Il est récompensé en devenant une élite, c'est-à-dire quelqu'un qui gagne bien sa vie et qui s'attire le respect et l'admiration des autres. Au contraire, une personne qui travaille mal et se conduit mal reste derrière dans l'échelle sociale. C'est pourquoi je vous demande à tous de prendre un crayon et d'écrire cette phrase que vous transcrirez demain en première page de votre cahier de français : « Le travail, c'est la clef du succès. »

« Voilà... c'est écrit ? Vous demanderez à vos professeurs, à vos parents et à tous ceux qui ont du succès dans la vie si cette parole est vraie ou non. Évidemment, ceux qui ne réussissent pas trouveront trente-six raisons pour expliquer leurs échecs, mais soyez certains que presque toujours, ces raisons ne seront pas sérieuses.

« Qui oserait dire que le manque de talent est une excuse ? Un élève qui apprend moins vite doit simplement travailler davantage. Vous noterez la phrase suivante à la première page de votre cahier d'arithmétique: «Qui veut peut!»

«C'est écrit? Alors prenez tous votre livre d'arithmétique à la page sept. Avant de commencer, je dirai à ces deux étourdis là-bas, qui n'ont rien écouté depuis le début, que je ne tolérerai pas qu'...»

•

À sa troisième paye, il acheta, pour le reste des paiements, la voiture d'un de ses amis qui retournait aux études. Une Pontiac 1957, toit rigide, transmission ordinaire. Il s'était demandé un moment comment il s'y prendrait pour parvenir à faire face aux mensualités, mais il avait réglé la question en décidant de se faire un budget. Il s'était procuré un cahier spécialement ligné pour répartir son salaire hebdomadaire net de $83.50. Il avait détaillé les choses, additionné et obtenu un grand total de $82.75.

Il s'était trouvé chanceux de constater que son budget bouclait aussi bien.

Sa première randonnée de voiture fut pour aller faire essayer la Pontiac à Viviane. Il roula jusque sur les hauteurs où il stoppa, désireux d'admirer encore une fois ses montagnes américaines. Mais il eut une étrange sensation, comme si les montagnes s'étaient aplanies; à moins que ce ne fussent les hauteurs d'Etchemin qui lui parurent plus élevées. Il fit un rêve bref: la Pontiac se transformait en avion, s'envolait, lui permettant ainsi de voir au-delà des monts. Ce fantasme farfelu le fit sourire. Et son sourire le ramena à la réalité de ses mains agrippées au volant.

«Ils sont finis les problèmes de courir les taxis. Nous pourrons nous voir quand nous le voudrons,» dit-il. «Si le cheval est la plus noble conquête de l'homme, l'automobile est son plus grand outil de liberté.»

«Je suis bien contente pour toi.»

«Savais-tu que ces Pontiacs sont terriblement puissantes? Je vais te faire voir.» Il embraya, passa vite en deuxième vitesse, accéléra, passa en troisième et poussa au maximum.

«Pas trop vite,» protesta-t-elle.

Il n'écouta pas et fit grimper la vitesse jusqu'à plus de cent milles à l'heure.

Viviane avait plaqué ses deux pieds au plancher incliné et elle poussait.

«On va se faire arrêter,» dit-elle.

«Il n'y a jamais de policiers sur cette route.»

«Mais la loi est de soixante milles à l'heure.»

«Tu sais, les lois au Québec... pouah!»

«Qu'il y ait des lois ou non, des policiers ou pas, ça ne nous empêchera pas de nous casser la gueule si tu continues.»

«Ah! les femmes, ça craint leur ombrage!» jeta-t-il en ralentissant.

«J'ai des choses à faire avant le cimetière,» dit-elle sur un ton de reproche.

Il eut un rire forcé, un peu coupable et apeuré, mais qui n'indiquait pas non plus qu'il battait en retraite.

«Tu veux qu'on recommence?» demanda-t-il en accélérant à nouveau.

Frémissante de colère, elle cria: «Si tu veux faire le fou, reconduis-moi à la maison et je ne remettrai jamais les pieds dans ton auto.»

Il réduisit à nouveau la vitesse.

«Ne te fâche pas, c'était juste pour le «thrill».

«Je préfère autre chose comme «thrill»» dit-elle.

« Comme ? »

« À toi de le découvrir. »

« J'essaierai en fin de semaine. Avec l'auto, nous pourrons maintenant aller dans les endroits les plus tranquilles... »

Elle dit sévèrement : « Il y a deux sortes de « thrills » dont je me passe : ceux qui mettent en danger la vie du corps et ceux qui mettent en péril la vie de l'âme. Souviens t'en si tu veux que ça marche bien entre nous deux. »

« Je suis d'accord avec toi et je suis bien content que tu le dises. Mais nous n'avons rien fait de dangereux. La route est droite et sèche. Je n'ai pas bu. C'est une voiture solide et bien chaussée... »

« De toute façon, ne recommence pas... »

Il y a eu un long moment de silence qu'Alain finit par rompre : « Tu t'es levée du mauvais pied ce matin. »

« Ce n'est pas mon pied qui me rend de mauvais humeur, mais le tien sur l'accélérateur, » dit-elle, capricieuse et bourrue.

Il ne put retenir une touche de culpabilité qui vint colorer son long rire sonore.

Elle sourit un brin.

●

Le jeune professeur marcha nerveusement à sa maison de pension. Il prit une douche froide et enfila son habit du dimanche.

Il se demanda s'il ne devrait pas téléphoner à Viviane pour lui dire qu'il partait fêter l'Halloween avec elle. Mais quelque chose le retint : une sorte de réticence maligne, une petite inquiétude perverse.

Il s'expliquait autrement cette sensation : il voulait qu'elle l'attende d'elle-même. Quelle surprise agréable à faire à celle qu'on aime que d'arriver au moment où elle ne s'y attend pas. Surtout un soir de fête ! Il décida néanmoins de lui faire un appel vers vingt heures, depuis St-Hubert, afin de lui ménager la joie de la surprise et aussi pour lui donner la chance de se préparer.

Chemin faisant, il jubilait. « Qu'il fait bon vivre, » se disait-il. « Un bon métier, de l'argent, une auto, la grande liberté, l'amour. Quelle merveilleuse combinaison que celle-là : liberté et amour ! Quelle différence d'avec le temps des études ! Et je me pensais un adulte à cette époque. »

À l'heure prévue, il téléphona à Viviane. On lui dit qu'elle était partie fêter l'Halloween. Il n'osa insister pour en savoir davantage et raccrocha en se mordant les pouces.

Espérant la voir au cours de la soirée, il se rendit à l'hôtel du Domaine avec un ami. Au moment de s'asseoir, la petite sensation de l'après-midi revint le chatouiller. Il la refoula à nouveau, se disant que Viviane était parfaitement libre de ses actes, qu'il n'avait pas à intervenir dans sa vie privée. Ce qui le justifia de choisir une table où elle ne risquait pas de le voir : en retrait, derrière une machine à boules, d'où il pouvait observer les arrivants sans que ceux-ci ne pussent l'apercevoir. Pour s'innocenter tout à fait, il se dit que si elle sortait avec un autre garçon ce soir-là, elle ne viendrait sûrement pas se ballader au nez de ses amis à lui, qui — elle devait bien le savoir — se seraient fait un devoir fraternel de le renseigner.

La moitié des gens étant costumés, Alain n'eut aucun mal à déduire, par plusieurs signes extérieurs — grandeur, démarche, nombre de personnes à la table — que Viviane n'était pas là. Il bavardait avec son ami, mais chaque fois qu'un groupe entrait, il en détaillait chacune des personnes, histoire de deviner.

Vers vingt-deux heures, quatre clients costumés arrivèrent. Visiblement deux filles et deux gars. Alain sentit une sorte de serrement à la poitrine, une compression thoracique désagréable, quand il reconnut ce chapeau de paille si bien imprimé en sa mémoire depuis cette rencontre de l'été d'avant avec Viviane devant le restaurant-chalet de St-Maurice. Il se dit que déguisée, elle pouvait fort bien passer la soirée à l'hôtel du Domaine après tout, et sans qu'il ne l'apprenne puisque personne ne la reconnaîtrait. Cette pensée le fit rire jaune et sa lèvre supérieure se mit à se retrousser spasmodiquement.

«Tu peux bien t'accoutrer en guenillou», pensa-t-il amèrement.

«Tu as vu la fille qui vient d'entrer, celle avec le chapeau de paille? C'est ma sœur», dit l'ami d'Alain.

«Qu'est-ce qui te le dit?»

«Je l'ai vue s'habiller tout à l'heure, à la maison.»

Alain se pinça les lèvres et se dit: «Je me monte la tête... Comme s'il n'y avait qu'un seul chapeau de paille du même modèle!»

Les jeunes gens continuèrent à bavarder quand soudain, une demi-heure plus tard, l'ami d'Alain découvrit: «Finalement, sais-tu que la fille au chapeau de paille n'est pas du tout ma sœur. Je l'ai cru tout à l'heure, mais en y regardant bien... J'aurais eu l'air drôle d'aller lui parler comme si elle était Jeannine.»

Alain blêmit. Il cessa de porter attention aux paroles de l'autre. Quand il vit la fille déguisée en épouvantail se diriger vers les toilettes, il se leva et marcha vers la chambre des hommes, contigue à l'autre, celle des dames, dont la porte s'ouvrit au bon moment, l'espace d'une seconde, lui permettant de conclure qu'il s'agissait bel et bien de Viviane. Tout doute s'était dissipé quand il avait aperçu la nuque de la fille qui avait enlevé son chapeau: même forme de tête, même type et même couleur de cheveux.

«Il aurait fallu que je sois aveugle pour ne pas la reconnaître», se dit-il parvenu dans l'autre salle de toilettes, pissant de rage. «Je vais sortir, l'attendre et lui parler», se promit-il.

Il se rendit flâner à quelque distance et bientôt, l'épouvantail réapparut. Alain fit un pas vers la jeune fille déguisée, mais n'osa lui parler. Elle hocha brusquement la tête et s'éloigna. Comme quelqu'un qui fuit.

Il retourna à sa place et surveilla l'épouvantail jusqu'à son départ. «Il n'y avait aucun doute», se dit-il, «mais à la voir danser et marcher, il y en a encore moins.» Il observa également l'autre fille et conclut qu'il devait s'agir de Ginette, l'amie de Viviane: même façon d'agir, même grandeur, mêmes hochements de tête quand elle parle, mêmes haussements d'épaules quand elle rit...

Un épais mépris encroûta rapidement son âme. «Les femmes sont toutes des épouvantails», pensa-t-il amèrement en retournant à sa pension ce soir-là. «Elles se déguisent pour mieux tromper. Elles jouent un personnage pour faire peur aux autres et ne se rendent pas compte que c'est elles qui n'ont rien dans le cœur ni dans la tête.»

●

Avant d'entrer chez Viviane, il se composa un visage gelé. Dès qu'ils furent ensemble, il lui dit qu'il ne se sentait pas bien et préférait rester à la maison plutôt que d'aller danser, comme ils le faisaient d'habitude le samedi soir.

«Tu veux une pilule?»

« Ma pilule, je l'ai prise cette semaine. J'ai même pris tout un flacon» dit-il avec une ironie mordante qu'elle prit pour le signe de troubles physiques et émotionnels causés par son travail.

« Les femmes ne sont que des épouvantails à moineaux,» marmonna-t-il entre ses dents. Il hocha la tête pour observer la réaction de la jeune fille, mais il n'obtint rien de révélateur.

« Mais d'où te vient donc cette humeur de chien?» demanda-t-elle gaiement.

Il la regarda intensément dans les yeux, cherchant à lire jusqu'au plus profond de son âme. « Tu as passé une belle soirée d'Halloween mardi? Tu t'es amusée à ton goût ou devrais-je dire à ton saoûl?»

« Je n'ai pas de comptes à te rendre», dit-elle sur la défensive.

« Non... évidemment... nous ne sommes pas mariés. Mais faut-il être mariés pour jouer franc jeu?»

« Je joue franc jeu avec toi Alain», protesta-t-elle. « Pourquoi me reprocher d'avoir fêté l'Halloween? Je n'avais pas de permission à te demander.»

« Nous sortons ensemble ou non? Alors si nous sortons ensemble, il faut jouer loyalement. Faut tout de même être le moindrement honnête dans cette sacrée vie!»

« Sortir avec toi, oui! Mais vivre cloîtrée quand tu n'es pas là, non! Où est le mal que je sois allée fêter l'Halloween?»

« Je prends la peine de faire trente-cinq milles en pleine semaine pour te faire une heureuse surprise et l'on me dit que mademoiselle est allée fêter l'Halloween.»

« Mais Alain, je ne pouvais pas deviner. Je ne l'ai pas fait pour mal faire.»

« Écoute, il y a des maudites limites pour agir en hypocrite. Tu me danses sous le nez avec un autre, tu me passes devant la face avec un autre. Me faire jouer dans le dos, me faire rire au nez? Non, non, c'est fini tout ça.»

« Je ne t'ai même pas vu...»

« Ce qu'il ne faut pas entendre, hein? Chaque fois que tu me voyais la face, tu tournais la tête. Comme si ton masque ne te suffisait pas. Est-ce que tu me prends pour un aveugle?»

« Alain Martel, pour qui me prends-tu? Tu sais bien que si je t'avais vu, je t'aurais parlé.»

« Je te prends pour une femme.» Il consulta nerveusement sa montre et ajouta: « Si tu veux, nous allons parler d'autre chose; il ne faudrait tout de même pas gaspiller ce qu'il nous reste de notre dernière soirée.»

« À quelle table étais-je dans la salle et à quelle heure m'as-tu vue?» s'enquit-elle.

« Ce que tu peux faire dur», dit-il dédaigneusement. « Dans la salle de toilette, tu t'es dépêchée de tourner la tête, et, en sortant, tu t'es sauvée, comme si l'épouvantail c'était moi. Tu ne te rappelais pas que ton petit maudit chapeau de paille, je le connaissais? T'aurais pourtant dû y penser: un tricheur pense à ce genre de choses. Malgré que tu ne dois pas toujours te souvenir de ce que tu portes quand tu rencontres quelqu'un d'autre que moi...»

« Alain, tu vas m'excuser, je vais revenir dans quelques minutes», dit-elle en se levant. Elle quitta la pièce.

« Ça nous fera moins longtemps à nous chicaner», dit-il. Et il consulta encore sa montre.

La jeune fille revint un peu plus tard, déguisée en policier.

Alain prit une longue respiration et jeta avec nonchalance: « C'est quoi la farce?»

« La farce, c'est que voilà mon costume de mardi soir.»

« Tu n'étais sûrement pas habillée de cette façon. »

« C'était mon costume d'Halloween », dit-elle en accentuant chaque syllabe.

« Tu veux me faire marcher ou quoi ? Je n'ai vu personne dans tout le Domaine, à aucun moment de la soirée, avec un tel costume. »

« Parce que c'est au Domaine que tu m'as vue, évidemment ! Le Domaine n'est pas la seule salle de danse de la région. Le monde ne se termine pas aux limites de ton St-Hubert. Ginette et moi sommes allées à St-Gilles. Elle était habillée en clown et moi en policier et nous n'avons jamais mis les pieds au Domaine ce soir-là. Et si tu ne me crois pas, prends le téléphone et appelle Ginette... »

Plus Alain se frottait le menton, plus son visage devenait oblong. À travers ses soupirs et ses hochements de tête, il finit par balbutier, l'air navré : « Que veux-tu que je te dise ? »

« Une seule chose, c'est que tu es jaloux. »

« Jaloux ? Moi, jaloux ?... Oh non ! Tout ce que tu voudras mais pas jaloux ! La jalousie, c'est le dernier défaut que je voudrais avoir. Ce qui m'a insulté, c'est que tu... enfin celle que j'ai prise pour toi, ne me regarde pas. J'avais l'impression de faire rire de moi. C'est peut-être de l'orgueil, mais certainement pas de la jalousie ! »

« Tu t'es monté la tête pour rien et c'est ça la jalousie. »

« Que le bon Dieu m'écrase si je suis jaloux ! » s'écria-t-il. « Orgueilleux, coléreux, soupe au lait et tout ce que tu voudras, mais jamais jaloux. » Il changea de ton, se fit doucereux : « Je m'en veux tellement. Ne parlons plus de tout cela. Maintenant que je sais que ce n'était pas toi, tout s'arrange. Me pardonneras-tu mon impulsivité ? »

« Pardonner, oui ; oublier, non ! » Droite, les mains sur les hanches, elle avait parlé d'un ton ferme, comme un représentant de la loi.

Alain se leva, s'approcha d'elle et lui mit les mains sur les épaules. « Je tâcherai de te faire oublier, ma chérie. »

« Ce n'est pas très agréable de se sentir contrôlée, jalousée... »

« Shhhhhhh ! » murmura-t-il doucement à son oreille. « Viens dans mes bras que j'embrasse le plus séduisant policier de la terre. »

« Dans le fond, je crois que je te comprends un peu », dit-elle en se réfugiant sur sa poitrine. « J'ai dit à Ginette avant de partir que ça m'inquiétait un peu d'aller danser avec les petits gars de St-Gilles. J'avais peur que tu n'aimes pas ça ; mais, maintenant que je sais que tu n'es pas jaloux, ça me rassure... »

« Tu as fêté l'Halloween avec un autre ? » demanda-t-il sans émotion.

« Tu connais le petit Maheux de St-Gilles, celui qui danse drôlement ? J'ai passé la soirée avec lui et on a ri... Il est comique sans bon sens. Ça compense un peu pour sa laideur. Par chance que c'était l'Halloween ; je n'aurais pas voulu qu'on me voit avec lui... sans masque... »

Après s'être dégagé lentement, avec froideur des bras de Viviane, visage ciré, poings roulés, Alain se dirigea vers la porte.

« Apporte-moi mon imperméable », ordonna-t-il.

« Mais qu'est-ce qui te prend, Alain », dit-elle sidérée.

« Va me chercher mon imperméable et fais vite. »

« Puisque tu le veux... » Elle apporta le manteau qu'elle retint cependant. « Vas-tu enfin me dire ce qui se passe ? »

« Donne », dit-il en tendant la main.

« Non ! » Et elle recula. « Tu vas m'expliquer. Tu n'es pas content que je sois sortie avec le petit Maheux ? Mais où est-il donc l'homme pas jaloux à qui je parlais il y a une minute ? »

« N'importe qui mais pas lui ! Surtout pas lui ! Et ce n'est pas du tout une question de jalousie, mais de fierté. Tu as choisi ce qu'il y a de plus bas à St-Gilles et je ne l'admettrai jamais. »

Il sortit en claquant la porte, sans prendre son manteau.

Elle lui cria : « Ne fais pas le fou avec ton auto. Et reviens demain chercher ton imperméable. » Il ne répondit pas et la Pontiac partit en trombe.

Il revint le lendemain.

Ils se parlèrent longuement...

Ils pleurèrent.

Ils se promirent mille choses...

•

Alain voulait perdre son samedi. Le perdre seul. Vivre une journée où il ne se passe rien. Une journée blanche, vide, neutre.

Il emprunta une carabine de faible calibre de son ami Robert et marcha jusqu'au grand bois derrière St-Hubert, la grande concession bordant le Maine. La défeuillaison était complète et les feuilles le trahissaient en dépit de tous ses efforts pour feutrer ses pas. De guerre lasse, il se mit à l'écoute des bruissements presque nuageux que faisaient ses pieds dans les végétaux cassants.

Tout à coup, un bruit d'ailes battant l'air le fit s'arrêter. Une perdrix se posa bien en vue, à vingt pas. Dans un silence total, méthodiquement, avec bien des précautions, il épaula, visa et tira. À trois pieds de la cible, quelques feuilles frissonnèrent et l'oiseau leva à nouveau pour aller se poser un peu plus loin. Il tira une autre fois mais encore dans le vide. Autre vol, autre tir, autre échec. Alain poursuivit longtemps le volatile dont chaque battement d'ailes faisait naître en sa poitrine un troublant battement de cœur. Essoufflé, résigné, il abandonna, se laissa choir dans le tapis sec.

« Quel sport merveilleux ! » se dit-il en retrouvant sa respiration. Alors il eut envie de se masturber. Mais il se retint. De toute façon, il ne le faisait que dans son lit, sous les draps ou bien dans une pièce tout à fait close, à l'abri parfait de l'énorme honte dont il eût pu être couvert à cause d'yeux indiscrets.

« Quel silence ! » pensa-t-il. Et il souhaita s'étendre pour dormir. Mais il choisit de s'accouder et alluma une cigarette.

« Comme le tabac est bon dans l'air frais ! » Alors il écouta son souffle : souffle jeune et libre. Puis le souffle léger du vent dans les têtes sèches des grands érables : souffle de vie. Puis le cri d'un oiseau dans l'invisible, là, juste à côté, tout près.

« Comme ce silence de vie est bon ! » dit-il tout haut.

Un bruissement bref, vif, sur la gauche, vint chercher ses yeux. Au pied d'un merisier blanc, nerveusement pelotonné, un écureuil roux défiait le chasseur. Alain se fit précaution ; sa main devint douceur ; ses yeux, des juges. L'arme bougea, légère, et se posa, solide, au creux de l'épaule d'acier. Il ferma un œil et visa... à côté... plus près... juste. L'index reçut l'ordre, mais la fumée de cigarette piqua les yeux et les années d'efforts de la minute d'avant s'évanouirent. L'animal bondit et s'enfuit, queue à mi-hauteur jusqu'à un érable jeune au pied duquel il s'arrêta tout net. Alain enfouit la tête de sa cigarette dans une mousse et tira un deuxième coup, mais il rata de nouveau sa cible. La bête grimpa vivement à l'arbre, cherchant une illusoire protection hors de la planète.

Muscles bandés, triomphe à l'âme, arythmie du souffle, le chasseur s'approche à pas inutilement tranquilles. Il épaule au ciel et vise encore une fois le provocateur. L'écureuil a rebroussé chemin à vingt-cinq pieds du sol, il a hésité, s'est arrêté. Il n'y a plus d'issue: l'arbre est trop isolé, le ciel trop éloigné et l'homme trop proche. Quoi faire? Ne pas bouger, demander grâce, supplier, attendre. C'est cela: attendre le verdict. Seules les bajoues battent en cadence folle. Et le cœur aussi! Mais le cœur est caché. Cependant, il y a un autre cœur en bas, qui bat, et qui attend. Le cœur de l'homme est prêt; le geste est presqu'à point. Il l'est. Le doigt bouge... si peu...

L'animal eut un geste sec, comme s'il avait été surpris ou comme s'il avait changé d'idée très vite après l'esquisse d'un geste. Un léger picotement fit bruire les feuilles au pied de l'arbre: des gouttelettes de sang tombaient fines et drues. L'écureuil lâcha l'écorce, bascula, chuta en tournoyant et s'abattit au sol sans fracas, presque silencieusement.

Médusé, le triomphateur s'approcha. Il jeta un coup d'œil à la bête morte. Puis il leva les yeux et regarda l'endroit où, l'instant d'avant, elle était agrippée dans l'arbre et il ne comprit pas qu'elle n'y soit plus. Ses yeux, à leur tour, chancelèrent et s'abattirent juste à côté du cadavre.

« Pourquoi a-t-il saigné de cette manière? Pourquoi s'est-il cramponné à la vie? » pensa l'homme.

Ses yeux remuèrent en hésitant. Mais, poussés par l'horreur vers l'horreur, ils finirent par avancer, en freinant, sur la queue morte, n'y trouvant plus ni courbe, ni grâce, ni espièglerie, ni gloire. Les yeux de l'homme, ces juges, pataugèrent ensuite dans le corps éventré, la fourrure déchirée, les tripes noires, le sang déjà terne; ils gelèrent, dans l'œil hébété, couleur de vitre sale de la bête défaite.

Sans comprendre, l'homme tourna la tête, rageant contre l'animal d'être mort dans la laideur. L'écureuil l'avait trahi... Ou bien était-ce la mort? L'homme s'assit sur une souche, tout près et laissa tomber son arme, et laissa tomber son bras sur son genou, et laissa tomber sa tête sur son bras.

« Pourquoi lui ai-je volé sa vie? Je voulais le tuer, mais je ne voulais pas contempler sa mort. Qu'aurai-je de mieux à manger, à boire, à me vêtir pour cela? Pour quel plaisir? Une cible mobile aurait pourtant pu s'inventer en trente secondes! Pour quelle joie? Vaincre? Mais vaincre la beauté, la vie, l'équilibre?... Non! Où sont-ils ces yeux pétillants, cette fourrure dorée, cette queue glorieuse? Qu'est-ce que c'est que ce cadavre? »

Du coin d'un seul œil, Alain regarda l'écureuil sans vie sur les feuilles mortes.

« Et tout ce sang! On dirait que toute l'humanité a saigné. »

Puis il releva la tête et crâna: « Après tout, qui sait si je ne t'ai pas délivré de ta vie? Ne t'ai-je pas libéré de tes propres rages, de tes mauvais instincts, de ce mauvais tour que t'avaient joué tes parents en te mettant au monde? Dans ce cas, pourquoi t'es-tu agrippé à ta vie? Aimais-tu vraiment vibrer à la peur, à la faim, au sommeil, au froid? Pourquoi? Pourquoi donc?» Le ton chuta: «Pourquoi ne me suis-je pas contenté de créer ta peur afin que tu puisses vibrer à la sécurité d'après? Qui suis-je?»

Il jeta les balles, ramassa l'arme et reprit la direction du village. Après quelques pas, il se retourna pour jeter un dernier coup d'œil à la bête immobile.

«Et toi, qui es-tu donc pour bouleverser autant mon âme? Hein? Tu n'es qu'une bête parmi des millions d'autres. Une autre te remplacera, simplement, naturellement. Des millions d'êtres, après tout, meurent chaque jour sans raison. Bien peu de raisons sont valables pour tuer, mais des tas le sont pour mourir. Tu es mort et je vis. Tu n'as aucun droit de me troubler ainsi! Après tout, je n'ai fait que te tuer. Je ne suis qu'un chasseur, moi. Je fais du sport. Je n'ai rien volé et je n'ai violé personne...»

Il reprit son chemin, mais fit un nouvel arrêt au bout de quelques pas.

«Comme c'est curieux, je n'ai jamais eu de réflexions aussi bizarres!» Allons Alain, reviens sur terre... allons. Ce n'est qu'un écureuil mort!»

Il repartit en trottant.

●

Faits divers, politique, coût de la vie, température, histoires gauloises, hockey, alimentaient quotidiennement la conversation à l'épicerie du coin où, plusieurs fois par mois, Alain allait jaser avec son ami Robert mais aussi écouter les exploits des gars de la quarantaine, car si le bureau de poste était le point de rencontre des vieux et le restaurant celui des jeunes, par contre les hommes entre deux âges avaient tendance à s'écouter parler chez l'épicier, un frère de Robert.

Ce soir-là, Alain fila droit au refroidisseur à liqueurs douces et se servit d'un Coke. Puis il s'appuya contre une colonne afin de prêter l'oreille à une conversation déjà amorcée.

«Celui-là, c'était mon troisième», dit un homme au visage cramoisi, qu'Alain connaissait depuis toujours pour ses excès de colère. L'homme blond aux cheveux rares était célèbre de par toute la région par l'irritation constante qu'il provoquait chez ses employés. Quand il parlait (autre fait connu) on pouvait répondre pour alimenter la suite de son discours ou bien pour remplir les blancs qu'il laissait derrière lui, mais jamais pour s'opposer, car il ne tolérait pas les antithèses et finissait toujours par trouver le moyen d'abattre l'impertinent qui avait osé le contredire.

«Tu as tué combien de chevreuils cette année-là?» dit l'épicier.

«Cinq en tout, dont trois beaux mâles. Et tous en territoire américain.»

«C'est pourquoi on ne t'a pas vendu beaucoup de viande cet hiver-là», fit l'épicier en riant. L'homme s'esclaffa. Ses yeux pétillèrent.

«On a mangé les plus beaux morceaux et j'en ai donné une bonne partie à la parenté. Mon chien ne s'est jamais si bien nourri que cet hiver-là. Malgré qu'on n'a pas pu les rapporter tous les cinq. On en a laissé deux dans le bois.» L'homme parlait d'une voix forte, autoritaire avec force gestes, marchant sans arrêt, s'approchant de chacun pour ne perdre l'attention de personne. Il prévenait ainsi la possibilité qu'un drôle n'engageât la conversation sur quelqu'autre sujet. L'homme avait une minuscule moustache platine qu'il pourlécha à deux reprises avant de poursuivre.

«Le plus beau, ce fut le quatrième. Un vieux mâle. Un vieux de la vieille. Quasiment un panache de renne. Je le voyais venir sur le bord du lac: çà courait pas, çà flottait, cet animal-là. Ce que j'entends en même temps: le bruit d'un moteur d'avion. Comme de bonne, les maudits gardes-chasse américains s'amenaient. L'avion passe si bas que le chevreuil prend le mors aux dents et fonce en plein sur nous autres. Ah! maudit, le beau mâle! Cachés comme on l'était, à rebours du vent, pas de danger qu'il puisse nous apercevoir ou nous flairer.» L'homme éclata d'un rire excessif. «Je te garantis que les gardes-chasse avec tout leur équipement ne sont pas prêts de me mettre la patte sur le corps. Paraît qu'ils ont des télé-objectifs et que plusieurs Québécois se sont fait prendre... En tout cas, pour en revenir à mon chevreuil, il s'avance plus lentement, la tête au ciel, nerveux, reniflant l'air sec. Je fais un clin d'œil à mon «chum» en pointant du doigt l'avion qui s'en va. Il me fait signe que oui. Le «buck» s'arrête, le nez dans le vent. On aurait dit qu'il sentait quelque chose. On attend que le bruit de l'avion meure au loin. Mon «chum» me fait signe et je comprends qu'il veut que je tire le premier. Je vise en plein coffre. Avec mon télescope, c'est rare que je manque mon coup. Ma carabine, mon télescope, c'est tout de l'équipement américain. Ce qu'il y a de mieux! Toujours qu'au moment où je tire, le «buck» bouge d'une manière que je pense une seconde l'avoir manqué. Mais ce qui s'est passé, c'est qu'il a bêché par en avant. T'aurais dû voir ça. Comme si j'lui avais passé une faulx dans les pattes. On l'a perdu un peu de vue en s'approchant, mais on l'entendait te mener un de ces vacarmes! C'était bien ce que j'avais pensé: la balle lui avait cassé les deux pattes: une presque coupée un peu en bas du genou, et l'autre cassée un peu plus haut. Comme il ne peut ni courir ni marcher, il s'accote sur la croupe et se donne des «swings» en se faisant porter un peu sur le genou d'en avant... qu'il lui reste. À chaque coup, il avance d'un bon douze pieds. «Il veut avancer, qu'il avance!» que je dis à mon «chum». «On n'aura pas à le traîner jusqu'au lac.» On lui picosse la croupe pour le faire bouger plus vite. Tu peux être sûr qu'il était «tough» le «buck». J'ai pas vérifié, mais il a fallu plusieurs minutes pour qu'il se rende à l'eau. Il nous regardait comme s'il nous connaissait depuis toujours. Même pas effarouché! Rendu au lac, il devait réaliser que le «fun» était fini. En tout cas, il bougeait moins. Mon «chum» lui adresse le canon de sa carabine dans l'oreille, mais il décide de ne pas tirer, vu qu'on entend le bruit de l'avion au loin. «On ne sait jamais, ils peuvent être équipés pour entendre les coups de carabine même à longue distance», qu'il me dit. «On va le finir au couteau et en même temps, on va se trouver à le saigner,» que je lui dis. «J'prends mon poignard à deux mains, comme ça. Je m'accote comme il faut les deux talons comme ça, et je lui adresse le couteau en plein coffre, juste ici. Je le poigne droit au cœur. Il donne deux ou trois coups de pattes, frémit un peu et c'est fini. Ensuite, on le découpe. Finalement, on a rapporté juste le derrière et la tête... pour le panache. Autrement, ça aurait fait trop pesant dans la chaloupe. On a traversé le lac et on est revenus du côté canadien.»

Alain porta en tremblant la bouteille de Coke à ses lèvres. Il brûlait de traiter l'homme de barbare, mais il se retint, sans trop savoir pourquoi.

L'homme poursuivit: «Deux semaines après, je descendais mon cinquième, à l'autre bout du même lac. Avec une bonne grosse lumière, celui-là. J'ai vu que je l'avais eu à cause du sang tout partout à l'endroit où je l'avais tiré. Mais pas de chevreuil. Le temps de suivre la trace, de le saigner, de le débiter... On a laissé faire. Mais je l'avais touché, ça c'est certain...»

Le chasseur finissait tout juste son récit lorsqu'un petit garçon blond entra. Alain se dit, à la ressemblance, qu'il devait être le fils du braconnier.

L'enfant se tenait timidement dans le coin de la porte, tête basse, mains croisées derrière son dos courbé.

« Relève la tête, personne ne va te manger ici, » dit rudement le braconnier. « Qu'est-ce qui ne va pas encore à la maison? »

« C'est le chien, » dit faiblement l'enfant et sans lever les yeux.

« Qu'est-ce qu'il a le chien? »

« Il a sali partout dans la maison et maman veut l'envoyer dehors. Elle veut que tu viennes. »

« En v'là une bonne! Ce chien-là est malade et elle veut le mettre dehors par un temps pareil. Avec la neige mouilleuse qu'il tombe, il va mourir. » L'homme boutonna son paletot et regarda tout le monde en hochant impatiemment la tête.

« Sors, » dit-il rudement à son fils, « on va aller chez le vétérinaire avec le chien. »

« Mais ce gars-là est malade! » s'écria Alain quand l'homme eut fermé la porte.

L'épicier s'alluma une cigarette et laissa tomber: « Que veux-tu, il y a des gens qui traitent leurs enfants comme des chiens et leur chien comme un enfant. C'est le monde à l'envers. »

« Oui, mais c'est surtout de son histoire de chasse dont je veux parler. C'est de la méchanceté pure, gratuite. Ce gars est un maniaque dévoré par le goût du sang. »

« Que veux-tu, la chasse c'est la chasse! » dit l'épicier.

Alain protesta: « Tu ne trouves tout de même pas intelligent ce qu'il a raconté. »

L'épicier haussa les épaules et aspira une longue bouffée de fumée. Alain poursuivit: « Il gagne un bon salaire comme contremaître à la manufacture, il n'a aucun besoin de tuer des chevreuils pour vivre. Il est malade ou quoi? »

« Nous aussi nous devons tuer des bêtes pour vendre de la viande, » objecta l'épicier.

« Mais ce sont des bêtes d'élevage et qui meurent sans souffrir... » Alain fut interrompu par l'autre qui se grattait le front: « Je suis en train de penser à ça, Alain, c'est pas toi, l'autre jour, qui a emprunté la carabine de Robert? Tu voulais faire quoi avec? As-tu tué quelque chose dans ta journée? »

« Un écureuil. »

« Dans ce cas-là, t'es pas mieux que lui! C'est pas que je veux le défendre, mais une petite bête ou une grosse... »

« C'est pas que je veux me défendre moi non plus, mais je n'en ai tué qu'un et ça m'a suffi à comprendre. Mais ce gars-là massacre à l'année longue. Et aux États-Unis en plus. Pas assez d'avoir tout massacré au Québec, on en est rendus obligés d'aller vider les bois du Maine... »

« Quant à ça, les Américains ne se gênent pas pour aller vider nos bois du nord... »

« J'ai pas voulu parler de la sauvegarde des biens des Américains. La question n'est pas là. J'ai voulu dire que les chevreuils ne sont ni américains ni canadiens. Ils n'ont pas de frontières, eux. La question est la suivante: pourquoi tuer? Survivance? Salut public?... »

« Pour le sport, » coupa l'autre.

« Maudit beau sport! »

La sœur de l'épicier qui écoutait sans en avoir l'air, tout en balayant, tête basse, sans sourciller, s'arrêta, comme il lui arrivait parfois de le faire quand elle sentait trop fort le besoin de mettre un peu d'ordre féminin dans la conversation des hommes.

« C'est plein de bon sens ce que tu nous dis là, Alain, mais c'est pas à nous autres que tu devrais le dire, c'est au braconnier. »

« Le voilà justement qui revient par la porte d'en arrière, » dit malicieusement l'épicier. Il regardait l'autre entrée que ne pouvait voir Alain, mais dont le bruit de la porte indiquait qu'effectivement il arrivait quelqu'un.

« Je vais lui dire pour toi, » dit la balayeuse dans un rire malin et plein de défi.

« Maudit que j'ai faim ! » s'exclama Alain en se palpant l'estomac. « T'aurais pas des petits feuilletés au rayon des gâteaux ? »

« Au même endroit que d'habitude, sur l'étagère du fond, » répondit l'épicier. Alain s'y rendit et prêta l'oreille. Il ne tarda pas à reconnaître la voix de l'arrivant, et à constater ainsi qu'on l'avait fait marcher. Il revint, frondeur.

« Alors, où est-il, le braconnier que je lui parle ? Où est-il que je lui pose certaines questions ? »

« La faim t'a pris vite ! » dit la sœur de l'épicier.

Le jeune homme arpenta nerveusement le plancher de ciment entre les caisses remplies de légumes et hâbla : « Je n'ai qu'une chose à dire et c'est la suivante : jamais je n'hésiterai à dire ce que je pense à un homme capable d'agir comme il le fait. Il jouit à tuer ; il détruit gratuitement. »

« Mais pourquoi ne pas lui avoir parlé tout à l'heure ? » insista la femme.

« As-tu eu la chance de placer un seul mot ? Qui a la possibilité de glisser le moindre mot quand ce gars-là parle ? »

« T'avais qu'à faire exactement comme lui et dire : minute, je veux parler. Et crier plus fort que lui... »

Alain leva à bout de bras son Coke et son petit gâteau. Il conclut : « Bon Dieu, tu me prends pour lui ou quoi ? Me vois-tu faire des discours au beau milieu de la place, les baguettes en l'air ? »

●

1962

Viviane enleva un peu de poussière du tableau de bord. Le métal vert brilla sur toute sa trace.

« Il faut que je fasse un bon ménage dans mon auto cette semaine, » dit Alain. Il s'était vite lassé d'astiquer la Pontiac, surtout que de novembre à mai, ce nettoyage était, à son goût, trop souvent à recommencer.

« J'avais sorti une couverture et je commençais à préparer le lunch quand elle s'est mise à me questionner. Je lui ai répondu que nous allions en pique-nique cet après-midi. C'est à ce moment que la tempête s'est déclenchée, », dit Viviane.

« Qu'est-ce qu'elle a dit ? »

« Bien des choses. Que c'était un jeu pour me retrouver enceinte. Que le meilleur moyen de la conduire vite à sa tombe était qu'une de ses filles revienne enceinte à la maison... »

Alain coupa : « Mais on se croirait en 1950 ou quoi ? Nous sommes en 1962. J'ai vingt ans. Tu en as dix-neuf. Tout de même !... On sait comment ça se fait des bébés. » Il se mit la main au front. « Tu lui as dit au moins que je te respecte ? »

« Je lui ai dit tout ça, mais elle répond que d'aller pique-niquer ensemble, c'est jouer avec le feu. »

« C'est toute la confiance que ta mère me fait ! »

« C'est la même chose pour mes sœurs et leurs amis. Pas question pour ses filles d'aller à la plage, en pique-nique, aux fruitages avec leurs amis. Elle soutient que son devoir est de nous éviter les occasions dangereuses. »

« Occasions dangereuses !... Elle devrait parler pour elle-même. Toi et moi, nous avons prouvé, il me semble, depuis un an, que nous étions capables de bien nous conduire. Ce n'est pas parce qu'elle ferait peut-être certaines choses à notre place qu'elle doive en prendre un secret prétexte pour dicter notre agir. »

« Alain, je t'en prie, respecte ma mère. Elle sait peut-être des choses que nous ignorons. »

« Mon œil ! Elle a rencontré ton père trois fois avant de le marier. Et dans des veillées de rang par-dessus le marché, dans des maisons remplies de monde... »

« Tu sais comme ma sœur Claudette est directe ? Elle lui a dit tout ça. Ma mère a répondu que, n'étant pas basée sur son propre exemple, son opinion n'en était que meilleure. »

« Mais où va-t-elle pêcher ses idées sur les fréquentations ? »

« Paraît-il : à écouter d'autres femmes, à observer les gens, à écouter les sermons des prêtres. Elle dit que tous les prêtres s'accordent à conseiller aux parents d'aujourd'hui de défendre certaines choses à leurs enfants, parce que le démon de la chair serait le plus dangereux. »

« Bon, bon, bon, qu'ils aillent donc tous au diable avec leur démon de la chair ! C'est des histoires de ma grand-mère... »

Viviane croisa les bras et fit la moue

« Tu en es rendu à envoyer ma mère au diable. »

« Pas ta mère, les prêtres ! »

« Elle dit que les plages et les pique-niques, c'est pour les couples mariés, pour les familles. »

« Dans ce cas-là, ça marche ! Aujourd'hui dimanche, le curé doit bien être à son presbytère ; allons nous marier et ensuite, partons en pique-nique. »

« Que voulais-tu que je fasse ? Que je continue les préparatifs ? »

« Voilà exactement ce que tu aurais dû faire ! Il commence à être temps de montrer à ta mère que nous ne sommes plus des enfants. »

« Elle se serait mise à pleurer et je ne peux pas le supporter. »

« Tu sais bien que je ne tiens pas à lui faire de mal. Mais qu'elle nous fasse donc confiance ! »

« Ça ne sert à rien d'en parler, résignons-nous et faisons autre chose. Il fait beau soleil, prenons une marche. Ou bien allons jouer au tennis à St-Grégoire... »

« Tiens, c'est une bonne idée ! Cours chercher ton équipement, on va jouer au tennis. »

Pendant l'absence de Viviane, Alain discuta avec lui-même. Il haussa les épaules, hocha la tête, gesticula et finit par sourire malicieusement.

« Ta mère a dit quelque chose ? » s'enquit-il quand elle fut de retour.

« Je lui ai dit que nous allions jouer au tennis. Elle a répondu que ce serait plus sain pour nous deux. »

Alain conduisit jusqu'au restaurant-chalet et stationna l'auto dans la cour. Sereinement, il croisa les doigts, s'appuya les bras sur le volant, y coucha presque la tête pour mieux dévisager sa compagne. D'une voix placide parce que retenue, basse mais distincte, il échafauda les matériaux de sa réflexion :

« Aujourd'hui. Viviane, tu vas montrer que tu peux te conduire en adulte. Nous allons faire ce qui nous convient et jamais ta mère ne le saura. Je vais faire préparer des sandwiches ici au restaurant. J'emprunterai chez mon frère une couverture et nous irons faire notre pique-nique tel que prévu. »

« Tu es fou ! Et si maman l'apprenait ? »

« Écoute bien, Viviane, ce que j'ai à te dire. Sais-tu pourquoi j'ai laissé tomber Micheline, la Micheline que tu n'aimes pas trop ? C'est parce que sa mère avait toujours le nez dans nos affaires... Que ta mère te donne des conseils, peut-être ; mais qu'elle force ta volonté, ça, c'est une autre histoire. Il y a une façon de satisfaire tout le monde et c'est de lui mentir. Nous ne serons pas coupables puisque c'est elle qui nous y force. Et ce sera pour son bien. Ce qu'on ne sait pas ne fait pas mal. »

Elle grimaça.

« Je suis incapable de lui mentir... »

« C'est elle qui t'oblige à le faire... Et puis, elle ne te posera même pas de questions. »

« Je ne suis pas d'accord ! »

« Dans ce cas, je vais décider à ta place ! » Il descendit et revint quelques minutes plus tard avec un sac de provisions qu'il déposa sur la banquette arrière. Puis il fila droit vers la grande concession forestière limitant les terres au sud de St-Hubert.

Il stationna la Pontiac dans l'entrée d'une piste de bulldozer.

« Nous marcherons un quart de mille dans ce chemin et atteindrons un magnifique petit lac. J'y suis déjà allé à la pêche et c'est un coin fameux. Avec le temps sec de ces quinze derniers jours, nous ne risquons pas de nous mouiller les pieds. » Il confia la couverture à Viviane et prit avec lui une hachette et le sac de lunch. Ils marchèrent jusqu'au lac. Là la déception augmenta en même temps que la progression de son regard circulaire. Le charme qu'avait admiré le pêcheur ne dit rien qui vaille à l'amoureux. L'eau était-elle donc si grise ?

Pourtant, il l'eût aimée bleue. D'où sortaient donc ces abords marécageux? Il ne se rappelait pas d'alentours aussi inextricables et inquiétants.

Au premier endroit sec qu'elle trouva, Viviane étendit la couverture pendant qu'Alain donnait quelques coups de hachette, histoire de montrer qu'il ne l'avait pas apportée inutilement.

Il se retrouva assis auprès d'elle, demanda: « Je t'embrasse ou bien nous allumons une cigarette? »

« Nous faisons d'habitude les deux à la fois. Mais ici, ce sera difficile. »

Il la regarda intensément dans les yeux, plissa les siens. « J'ai bien envie de t'embrasser, » dit-il rieur. Il approcha lentement son visage, s'arrêta. « Mais je pense qu'on va d'abord s'allumer une bonne cigarette. » Et il porta la main à sa poche de chemise.

Elle s'administra une vive claque au bras et s'exclama: « Il va falloir fumer, autrement la compagnie ne manquera pas. »

« Depuis que nous sortons ensemble, as-tu déjà senti le danger de perdre le contrôle? » demanda-t-il. « À en croire les gens, il y aurait entre deux amoureux des moments où ils perdent la tête. Je ne suis peut-être pas normal, mais ça ne m'est jamais arrivé. »

« Ces moments-là sont peut-être au-delà des limites que nous avons décidé de ne pas franchir, » dit-elle, songeuse.

« Tu crois que nous risquerions d'en arriver à ne pas pouvoir nous arrêter si nous reportions ces limites un peu plus loin? »

« Je ne sais pas... Mais on ne le fera pas. »

« Alors, comment savoir? »

Elle ne répondit pas et jeta sa cigarette au loin, vers le lac.

« Veux-tu m'en allumer une autre? » demanda-t-elle. « Les moustiques me dévorent. »

« Nous ferions mieux de ne pas rester ici. Allons dans le champ de la dernière ferme, près du bois. L'endroit sera plus sec et les moustiques plus rares. On s'étendra au soleil... »

Quand ils y furent installés, Alain, surpris de constater après quinze minutes que Viviane était restée assise et ne semblait pas vouloir se coucher, lui demanda: « Pourquoi ne t'étends-tu pas à côté de moi? »

« Voilà une des limites que nous ne devons pas franchir. »

« Je la trouve exagérée. »

« Ah! » s'étonna-t-elle.

« Nous ne sommes tout de même pas de la dynamite. Et même si c'était le cas, de la dynamite habillée et non amorcée, ce n'est pas dangereux d'exploser, » fit-il, souriant.

« Je préfère rester assise. »

Chaque réticence augmentait en lui le désir de la voir s'étendre et surtout de la sentir couchée près de lui, dans ses bras.

Il insista: « Couché, c'est beaucoup plus relaxant. Tous les muscles se relâchent. Ce soleil qui enveloppe de sa douce chaleur!... Est-ce péché de se laisser caresser par le soleil? Paraît-il que, sans le soleil et l'eau, bien des gens ne sentiraient jamais aucune caresse de toute leur vie... »

« Je suis heureuse que tu te sentes bien, » dit-elle, impatiente.

« Tu as peur de la détente? De la chaleur du soleil? »

« N'insiste pas Alain, je ne m'étendrai pas. »

« O.K., je ne t'en parle plus un mot. Devine ce que j'ai apporté comme sandwiches. »

« Aux tomates. »

« Non. »

« Au jambon. »

«Oui.»

«Ce n'était pas difficile.»

«Avec du cola et des petits gâteaux feuilletés.»

«Tu me donnes la soif.»

«J'ai quatre bouteilles de cola, tu en veux une tout de suite?»

«O.K.»

Il sortit les bouteilles du sac.

«Merde, je n'ai pas d'ouvre-bouteilles. Je cours à l'auto. Cinq minutes aller-retour. Tu n'auras pas peur toute seule?»

Elle haussa les épaules, fit la moue.

Au retour, il la trouva étendue sur la couverture, les yeux clos, couchée devant lui pour la première fois. Son sang ne fit qu'un tour. Ébloui, par la splendeur de chaque courbe du corps alangui, il sentit, du plus profond de son âme, une grande envie d'elle. Ce n'était pas un désir physique, mais un besoin irrésistible d'abattre les obstacles le séparant de la possession de la femme.

«Pourquoi ne pas nous marier?» se demanda-t-il. «Nous serions enfin libres de nos actes. Finies les craintes du péché, de la société, de nous-mêmes. Nous pourrions nous aimer totalement, magnifiquement, éternellement et en toute liberté. Elle serait à moi, uniquement à moi, pour toujours. Et je lui appartiendrais à jamais.»

Elle ouvrit d'une ligne mince ses yeux amoureux et le contempla pendant quelques secondes. Il sourit, heureux de voir qu'elle avait fini par s'étendre. Cependant, au moment même où il se jeta sur les genoux à côté d'elle, Viviane se rassit gauchement. Ils avalèrent chacun une gorgée de cola puis s'allumèrent une cigarette.

«Tu sais à quoi je pensais en revenant de l'auto?»

Elle fit une moue espiègle en signe d'ignorance.

«Que nous devrions nous marier!» dit-il.

«Quoi? Mais nous sommes bien trop jeunes! Et puis il faudrait de l'argent.»

«Des moins de vingt ans qui se marient, çà se voit souvent! Et nous aurons plus de vingt ans au moment du mariage: moi, vingt-et-un et toi tout près...» Il y eut un court silence pendant lequel il chercha une réaction qui ne venait pas. «Nous pourrions nous fiancer à Noël et nous marier l'été prochain.»

Après un autre bref silence, elle dit: «Alain, sans compter les meubles, il faut au moins deux mille dollars pour se marier. Ma sœur Solange a dû dépenser un peu plus que cela.»

«Je pense que nos deux salaires combinés nous permettront de mettre un bon deux mille dollars de côté cette année. Quant à l'ameublement, nous le ferons financer. Si nous le voulons, si nous le désirons, si nous faisons attention, nous pourrons être mariés dans un an d'ici. Tu y penses, Viviane? Mariés, toi et moi, l'un à l'autre, pour toujours...»

«On en reparlera,» fit-elle, d'un ton qui trahissait son désir de reporter le sujet à plus tard.

«Ma chérie, c'est tout de suite qu'il faut en parler! À quoi ça nous mène, cette vie que nous faisons? Nous avons peur de tout, du péché, de ta mère, de ce que peuvent dire les gens. Si nous nous marions, nous serons enfin libres, libres de nous aimer, libres de vivre comme nous le voudrons, unis pour toujours. Nous sommes faits l'un pour l'autre. Tu resteras dans notre nid d'amour et me prépareras de bons petits plats. Nous nous ferons un beau petit gars qui nous ressemblera, qui te ressemblera. Je vais faire des calculs ces jours-ci, et en discuterons à nouveau en fin de semaine, tu veux?»

«O.K.»

Il but une longue gorgée de cola, les yeux remplis de soleil et le cœur d'espérance.

« Quelque chose bouge dans ta bouteille, » dit Viviane.

Il cessa de boire et mit son œil sur le goulot.

« Je ne vois rien. »

« Fais tourner le liquide. »

Il donna un vif coup de poignet.

« Qu'est-ce ? » s'écria-t-il, horrifié.

Il agita à nouveau la bouteille.

« C'est blanc... Mais ce n'est pas un mégot... Attends... Eurk ! »

Il eut un haut-le-cœur et vida le contenu liquide dans l'herbe.

« Regarde, » dit-il, portant la bouteille à hauteur des yeux.

La jeune fille grimaça. « C'est un pansement adhésif. Et on voit bien qu'il a déjà servi, les deux bouts sont collés. »

Alain courut à l'écart pour vomir, mais ce geste vif remit son estomac un peu d'aplomb. Il se ressaisit et revint auprès de Viviane en disant : « Si ta mère nous avait vus cet après-midi, elle aurait moins peur que tu ne tombes enceinte à cause de notre pique-nique. J'espère que ce maudit cola ne me rendra pas malade. »

« Les bouteilles sont bien stérilisées à l'usine, tu ne prendras aucun microbe. » Et elle ajouta gaiement : « Et puis, les petites bêtes ne mangent pas les grosses. »

« Rien n'empêche que de la merde, même stérilisée, ça reste toujours de la merde ! » Il jeta son paquet de cigarettes sur la couverture. « Tu veux m'en allumer une ? »

•

Au cours des semaines qui suivirent, ils discutèrent de leur avenir et prirent la décision officielle de se marier. Ils fixèrent la date de leur mariage au vingt juillet. Les fiançailles auraient lieu à Noël.

•

La lumière blanche tombait en abondance sur la table garnie. Alain regarda toutes ces choses brillantes, complices de par leur éclat, des fluorescents ronds. Chaque chose avait son lieu, par les bons offices de la mère de Viviane. Les ustensiles d'acier inoxydable formaient des rangs stricts de rutilantes balises aux assiettes absentes. En plein centre : le gâteau de fiançailles, d'un blanc chatoyant. « Aux fruits confits, » lui avait dit Viviane. Il évalua d'un coup le nombre de plombs décoratifs enchâssés dans la mousse immaculée, mais ne voulut pas les compter ; il lui suffisait qu'ils dessinent, avec une symétrie parfaite, une cloche à fins contours. En trois sauts d'yeux, il compta cependant les couvercles chromés des sucriers pleins. À l'autre bout de la table, sur un gâteau-cheminée à dessus mousseux, un Père Noël rouge, blanc et noir foulait, de ses bottes luisantes, une montagne de neige en sucre. Alain lui fit un clin d'œil.

Un genou frappa une patte de la table et le vin roux frissonna dans les coupes de cristal fleuri. Le jeune homme heurta des yeux les vases de verre aux reflets vifs et un crescendo de notes légères lui caressa le cœur. Il vit un doigt bagué frôler un clavier glacé, puis le vin clignotant accrocher sa magie lumineuse au verre ciselé.

Dans un coup d'œil global à la tablée, l'ordre parfait et prévu des choses lui apparut; aussi ne s'arrêta-t-il point aux plats à hors d'œuvre débordants, aux tasses personnalisées, aux petits mokas bouche-trous, ni aux groupements pain-lait-beurre-sel-poivre, non plus qu'aux récipients à canneberges.

Pour la dixième fois, ses yeux se portèrent sur l'étui sophistiqué, argent, à côté de sa serviette de table. Il avait frotté deux fois avec amour et ardeur son riche porte-bague en forme de cloche, et la petite boîte métallique scintillait de mille feux. Mais le vrai trésor, le grand, dormait au-dedans, dans sa nuit bleue. Il avait coûté deux cent quarante-cinq dollars, ce diamant. C'était le moins cher de la maison où il se l'était procuré, mais de la plus prestigieuse maison de joaillerie de Montréal. À ce prix, on lui avait offert gracieusement la monture, le jonc et l'étui.

Le jeune homme regarda avec tendresse la main aimée, le doigt chéri où bientôt brillerait la pierre de fidélité.

Des éclats de rire tintant à ses oreilles le ramenèrent à la réalité. Il compta machinalement les douze personnes de sa future parenté et se sentit mal à l'aise d'être, avec Viviane, le centre du moment de cette famille. Ces gens-là lui donnaient leur acceptation, leurs sourires, leur intérêt, leur joie; qu'aurait-il à leur proposer en retour?

Un toast fut porté à la santé du jeune couple et Alain, puisque c'était la tradition, sourit. Mais il trouva l'hommage excessif; après tout il ne faisait rien d'autre que d'être le fiancé.

La dinde et le jambon furent divisés et servis. Alain se mit à l'écoute de la riche musique qui émanait de la tablée: couteaux déposés sur la faïence, murmures d'appréciation, grincements de fourchettes entre les dents, éclats de rire, éclats de voix, nez bruyants, chaises qui reculent en soubresauts, bouilloire haletante, toux grasse des fumeurs, rires cristallins. En fond, des disques de rock and roll.

La mère de Viviane finit son repas quelques minutes après les autres. Sa dernière bouchée dit au jeune homme que le temps était venu de fiancer Viviane. Aux applaudissements de tous, déclenchés par la mère, les futurs se levèrent.

Le cœur en fête, Alain sortit de son étui la bague de l'engagement qu'il leva précieusement entre ses doigts à hauteur d'épaules. Alors il prit la main adorée qu'il dirigea doucement vers la bague. Sans un mot, avec tendresse et art, il glissa l'étincelante alliance au doigt léger. Des applaudissements fusèrent et leur fin signifia le moment d'un autre geste rituel: Alain passa son bras autour de la taille de Viviane et, de l'autre main, lui enveloppa la nuque. Elle appuya ses avant-bras sur sa poitrine et, dans cette position généralement si chaude, ils se donnèrent un baiser moins ardent que d'habitude, mais plus officiel.

Il put enfin se rasseoir, soulagé. Il alluma deux cigarettes, en offrit une à sa fiancée. La table avait perdu son ordre. La lumière, plus blafarde, obnubilée par la fumée, commençait à peser sur les paupières.

Il pensa à cet immense désir qui dormait encore dans son étui d'argent. Il se sentit riche de la prestigieuse complicité qui l'unissait à la maison dont les initiales en relief frappaient le couvercle de l'écrin.

Et il se sentit riche d'être fiancé!

Et il se sentit riche de Viviane!

●

1963

Le vendeur souleva le couvercle d'un congélateur. À main ouverte, il en frappa violemment la paroi.

« C'est du solide, » déclara-t-il avec autorité. Il cherchait, par le geste et le bruit, autant à montrer sa force morale qu'à faire voir la résistance du produit.

« Qu'en dis-tu ? » demanda Viviane.

« Nous ne pouvons l'acheter et d'ailleurs, nous devrons recommencer notre choix, parce que nous n'arriverons pas à faire les paiements de ce que nous avons sélectionné, » dit Alain d'une voix basse mais sans patience.

« Mais nous avons besoin de tous ces meubles ! »

« D'accord, mais il nous faut choisir du moins cher. »

« Si tu penses au mobilier de chambre, c'est celui qu'on a choisi que je veux. »

« Alors faisons les coupures nécessaires sur le reste. »

Pour montrer qu'il avait entendu et désirait aller au-devant de leurs désirs, le vendeur dit : « On a du choix pour tous les budgets. Cinquante mille dollars de meubles par plancher. C'est le plus gros magasin de l'Etchemin. »

Les fiancés recommencèrent leur tournée des deux étages. Ils firent un nouveau choix. Avec plus de réserve mais moins de plaisir.

« Notre ameublement est moins beau que celui de ma sœur, » dit Viviane sur le chemin du retour. « Mais il faut comprendre que notre budget n'est pas le même. »

« Après tout, faut vivre selon nos moyens. Ta sœur avait davantage d'économies que nous. »

« N'empêche que le premier mobilier de chambre que nous avions choisi était vraiment superbe. »

« Nous passerons le nôtre aux enfants et nous en achèterons un semblable dans cinq ou dix ans, » soupira-t-il.

« Tu ne crois pas qu'en faisant les paiements un peu plus gros... »

« Il aurait trop fallu se serrer la ceinture. »

« Quelques dollars de plus par mois, qu'est-ce que c'est ? Moi, je serais bien prête à sacrifier autre chose... Après tout, c'est pour notre chambre. »

« Peut-être !... Mais comme il est trop tard !.. »

« Non, » dit-elle vivement, « j'ai parlé au vendeur et il m'a dit que si je revenais sur mon idée, je n'avais qu'à l'appeler demain matin. »

« Comme tu voudras, mais je t'avertis que nous allons passer serré. »

« Ça passera bien... »

« Il faudrait aussi que nous discutions du voyage. J'ai de la documentation à te montrer, » dit-il.

« On s'entend sur les endroits à ne pas aller, mais ça ne nous dit pas que choisir. Les chutes Niagara : pas question, c'est là que ma sœur est allée. La Gaspésie : tout le monde va là. Old Orchard : pour une fin de semaine, peut-être, mais pour un voyage de noces... »

« La documentation que j'ai dans le coffre à gants concerne le lac George, dans l'État de New York. Les gens chez qui je pensionne y ont fait leur voyage. Il paraît que c'est un endroit merveilleux. »

« Je n'avais pas pensé que nous irions aux États-Unis, » dit-elle.

« J'ai vingt-et-un ans et je n'ai jamais vu les États autrement que depuis nos hauteurs de l'Etchemin. Quand j'étais enfant, chaque fois que mes parents partaient pour aller visiter la parenté de Lewiston et d'Augusta, je pleurais pour les accompagner. Mais ils me disaient que les oncles américains n'aimaient pas beaucoup les enfants. Pourtant, ils ramenaient toujours leurs malles remplies de cadeaux de la part des oncles. En fait, ils refusaient de nous y emmener parce que les oncles étaient divorcés et mariés à d'autres femmes et que c'étaient là des secrets d'adultes. Toujours est-il que j'ai envie de voir de quoi ils ont l'air ces Américains, chez eux, dans la vie de tous les jours, habillés autrement qu'en touristes. »

« Dans la région du lac George, ça ne doit pas beaucoup parler français. »

« Le peu d'anglais que j'ai fera bien l'affaire ! »

« C'est loin ? »

« Moins que les chutes Niagara ou la Gaspésie ! Et il semble que les prix soient abordables. D'après les gens où je demeure, c'est le meilleur endroit pour un voyage de noces. Enfin, selon ce qu'ils ont pu voir à parler avec d'autres couples qui sont allés ailleurs. »

Viviane finit de regarder cartes postales et dépliants qu'elle remit à leur place dans le coffre à gants.

« D'accord ! » fit-elle. « Ça fera différent de ce que font la plupart des gens à St-Hubert ou St-Maurice. »

Il leva sa main libre et ouvrit les doigts en éventail dans un geste dont elle devina l'intention. Elle fit la même chose : leurs mains se rencontrèrent, leurs doigts se croisèrent.

« Nous allons faire le plus merveilleux voyage qu'aucun couple n'a jamais fait, » dit-il sans quitter la route des yeux.

Elle répondit par une pression dans l'entrecroisement de leurs doigts.

Il ramena leurs deux mains sur lui.

« Ouch ! » dit-il en reculant les reins. Elle sourit.

« Je pense que nous avons touché un endroit sensible ? »

Il répondit par un léger sourire affirmatif.

« Tu n'es pas encore guéri ? » demanda-t-elle.

« Il reste encore un point à enlever. Le médecin m'a dit qu'aussi longtemps que le fil serait là, le point serait sensible. »

« Tu ne peux l'enlever toi-même ? »

« C'est ce que je vais essayer de faire ce soir. Je ne comprends pas : à mesure que ça guérit, on dirait que je n'ai pas été circoncis du tout. J'ai appelé le chirurgien lundi. Il m'a dit qu'il est préférable de ne pas dégager complètement le gland et qu'il suffisait que le prépuce puisse reculer librement. Voilà pourquoi il a circoncis de cette manière. Quoi dire ? C'est lui le chirurgien, pas moi... »

« Je t'écoute, Alain, et je me dis que si nos parents s'étaient parlé aussi librement que nous le faisons, sans doute auraient-ils eu bien moins de problèmes de sexualité dans leur vie de ménage, ne trouves-tu pas ? »

« Je pense bien ! Je te garantis qu'avec l'évolution des jeunes d'aujourd'hui, dans quinze ans, au plus tard en 1980, il y aura dix fois moins de problèmes conjugaux qu'aujourd'hui. »

•

La route se noyait dans les bras touffus des grands arbres verts. Alain pressa sa fiancée sur sa poitrine.

« Deux semaines et deux jours! Dans deux semaines et deux jours, nous serons unis pour la vie. »

« Je suis bien contente que tout soit enfin prêt. J'ai cru un bout de temps qu'on n'y arriverait jamais. »

Les détails importants, obligatoires, avaient été réglés les uns à la suite des autres depuis les Fêtes: réservations d'église, d'hôtel, d'un photographe. Viviane avait acheté ou commandé ce qu'il fallait en literie, fleurs et menus détails. Ils avaient rencontré le notaire, pris des dispositions pour leur logement, pour les musiciens, le chant à l'église. Alain prenait toutes les décisions. C'est lui qui disait le oui final et ce oui, invariablement, était dans le même sens que les désirs de Viviane.

Ils avaient lu plusieurs livres sur la sexualité, en avaient longuement discuté. Alain avait compris le rôle de l'homme en ce domaine, sa responsabilité de guider la femme vers le plaisir. Tout l'enseignement de ces manuels tenait dans une loi inéluctable: « Il n'y a pas de femmes frigides, il n'y a que des hommes maladroits! » Et il s'en était d'autant plus convaincu que les cours de préparation au mariage, les sermons des prêtres, les téléromans, les films auxquels ils assistaient confirmaient tous cette loi.

« Imagines-tu notre sortie de l'église au son de l'orgue faisant vibrer chaque carreau, de la marche nuptiale? Deux semaines et deux jours et je te verrai dans ta robe blanche. Il fera soleil cette journée-là, n'est-ce-pas? Un soleil radieux à l'image de tes yeux! »

« Parlant de robe, elle sera terminée dans trois jours. C'est ce que Martine m'a dit hier. Un dernier ajustement demain... »

« Ce que je peux avoir hâte de te voir dedans! »

« Ah! pas avant le grand jour! »

« Le grand jour, le grand jour, comme il aura été désiré! Je te vois parmi toutes ces fleurs... Tu seras la fleur des fleurs... »

« J'ai commandé des marguerites seulement. Le fleuriste était réticent à cette idée, mais après tout, c'est mon mariage... »

« Pour moi, toutes les fleurs sont belles. » Il frôla ses lèvres à celles de sa fiancée. « Mais le jour de notre mariage, elles seront les plus belles au monde. Tu n'as pas trop peur de notre première nuit? » demanda-t-il avec émotion.

« Je sais que tu ne me brusqueras pas. Nous en avons tant discuté que je me sentirai en sécurité avec toi. »

« Et tu le seras, ma chérie! Je ne deviendrai pas soudain un méchant ogre, tu sais. » Il rit. « Nous laisserons les choses venir en douce. »

« Hum, hum, » dit-elle.

« Ce qui m'énerve, c'est de savoir que nous serons regardés, observés toute une journée par des tas de gens. J'espère que nous ne ferons pas de gaffes au pied de l'autel. Je vais me faire une liste cette semaine afin d'être sûr de ne pas me tromper. Tu vas m'aider. Je vais inscrire ce qu'il faut faire sur des petites cartes blanches que je vais garder toute la journée avec moi... »

« Pas nécessaire! Nous n'aurons qu'à faire les choses comme elles viendront; après tout, les gens savent bien que c'est la première fois que nous nous marions. »

« Ah! j'y tiens à ma liste! Elle va comprendre tout ce que j'aurai à faire, à partir du matin jusqu'au moment de la grande libération: notre départ pour le voyage. »

« Même le moment d'aller nous changer de vêtements dans l'après-midi? » dit-elle, inquiète.

Il frotta le bout de son nez contre celui de Viviane et dit: « Tout » Il bougea rapidement ses yeux de gauche à droite dans ceux de sa fiancée et ajouta: « Ce que je peux avoir hâte, et toi? »

« Moi aussi ! »

« Chaque geste que nous poserons et chaque parole que nous dirons, cette journée-là, resteront à jamais gravés dans ma mémoire et dans mon cœur. Tellement que nous pourrions nous passer de photographe ! »

« Tu es malade, ça ne se fait pas ! »

« Tu sais bien que je disais ça pour rire. D'ailleurs, il serait bien regrettable de n'avoir aucun souvenir de cette journée : la plus importante de toute notre vie... La plus importante et la plus belle. Viens me voir... Viens dans mes bras que je t'embrasse ! »

« Mais j'y suis déjà ! »

« C'est vrai : que je suis bête ! Mon bonheur est si grand que je ne vois pas le bonheur qui est là, juste devant moi, en plein dans mes bras... »

Il l'écrasa sur lui. « Je pense à toutes ces merveilleuses années qui nous attendent. Ce sera difficile dans les débuts, mais dès que nous verrons plus clair dans nos finances et que nous serons sortis de nos dettes, nous nous bâtirons une petite maison. L'ennui, on va laisser ça aux autres. Un peu plus tard, nous aurons un petit chalet sur les bords du lac St-Basile. Et nous ferons le tour des États... ensemble... tous les deux. J'aime l'avenir avec toi, tu sais ! Je t'aime. Je t'aime. »

Il l'embrassa longuement.

« J'y pense, » dit-elle en se dégageant, « as-tu songé à réserver une auto pour nous conduire, le matin du mariage, à l'église et à l'hôtel ? »

« C'est fait. Mon beau-frère Leroux va nous conduire avec sa Chrysler 1961. Si nous avions plus d'argent, nous aurions pu faire comme plusieurs : louer une Cadillac 1963 décapotable. Mais que veux-tu : quand on est valet, on n'est pas roi ! »

Il prit doucement la tête de sa fiancée entre ses mains et lui murmura amoureusement : « Donne-moi ta bouche... et aussi ta langue. »

« La bouche, oui, mais pas la langue ! Il faut attendre encore quinze jours. »

« Jusqu'au mariage ? » dit-il, incrédule.

« Jusqu'au mariage ! » dit-elle fermement.

« Nous aurions dû nous marier aujourd'hui au lieu du vingt. Nous aurions pris notre indépendance en même temps que les Américains et nous aurions fêté ça avec eux. »

●

Il se leva à six heures. Son premier geste fut d'ajuster sa montre aux deux réveille-matin dont il avait amorcé la sonnerie à une demi-heure d'intervalle, pour plus de sécurité. Il prit une douche, sa cinquième depuis deux jours, et s'habilla. La cravate étant neuve, il dut se reprendre à deux fois afin d'équilibrer la grosseur du nœud à la longueur de la partie habillante. Il centra le nœud, ajusta la pince, brossa sa blouse et l'enfila.

Après s'être regardé dans un miroir, il s'impatienta de ne pas trouver sa pince à cravate. Quand il se rendit compte qu'il la portait, il maugréa de s'être mis en rogne inutilement. Il chercha sa liste de choses à faire, mais il ne la trouva pas et se sentit nerveux à nouveau. Alors il s'arrêta et s'assit sur le bord du lit bien décidé à ne pas faire comme le voudrait la tradition et à se reprendre en mains. « Ce n'est pas la bonne façon d'aborder la journée la plus importante de ma vie, » pensa-t-il. Tout de suite, il se rappela où il avait mis ses mémorandums. Il prit ses cartes et les plaça dans sa poche droite... puis dans sa gauche.

Il descendit bientôt l'escalier.

« La journée sera belle et ensoleillée, » dit sa belle-sœur.

Entendre parler de soleil lui fit penser d'aller vérifier dehors si le temps annonçait beau.

« La journée sera belle et ensoleillée, » dit-il en rentrant. « Voudrais-tu me brosser un peu le dos ? »

« Un peu nerveux ? » demanda la belle-sœur.

« En me levant tout à l'heure, oui ! Mais je me suis ressaisi. »

« Tu veux que je te fasse à déjeuner ? » dit-elle.

« Je vais m'en faire moi-même, ça va me calmer un peu les nerfs. » Quand il eut fini de manger, il retourna à l'extérieur pour y faire une marche, histoire de tuer une heure qu'il craignait de trouver longue.

Parce que le chemin était en face de la maison, parce que les gens du centre du village avaient l'habitude d'y perdre leurs pas plutôt que sur la rue principale, Alain sans arrière-pensée, marcha vers le cimetière.

Il s'arrêta près de la salle paroissiale où il se remémora très brièvement des souvenirs d'élection qui le firent sourire. Il décida d'aller saluer sa mère au fond du cimetière. Quand il arriva à la tombe, il lut sur le petit livre de granit qui tenait lieu d'humble pierre tombale : « Ève Poulin » 1900-1957 Épouse de Alphonse Martel Décédée le 31 mai 1957.

En cet instant, il ne voulut pas penser à la mort mais à la vie. Il imagina ce jour de juillet 1920 où ses parents s'étaient épousés. Comme il avait dû être heureux, ce jour-là ! Mais pourquoi tout s'était-il gâté par la suite ? Se disait-elle, ce matin-là, qu'elle vivrait trente-sept années de... Le mot bonheur resta bloqué derrière ses lèvres. Il fut noyé, dilué par ce leitmotiv de sa mère, cette phrase qu'elle avait répétée des centaines de fois : « La vie, c'est la misère. Et plus une femme se marie jeune, plus sa misère commence jeune. »

La femme avait porté quinze enfants. Enceinte pendant cent trente-cinq mois : onze années. Dix avaient survécu. Elle les avait élevés seule, son mari passant neuf mois sur douze dans les chantiers américains, ne venant à la maison qu'aux moments propices aux procréations. Elle n'avait terminé le gros de sa tâche familiale qu'en 1956, au moment où le dernier, Alain avait quitté la maison pour le pensionnat. Mais, déjà au rendez-vous, le cancer avait alors fini lentement de punir son ventre d'avoir porté trop d'enfants ; elle avait rendu le dernier soupir le lendemain du jour de l'Ascension de 1957, vingt-quatre heures trop tard pour monter au ciel en même temps que son Sauveur qu'elle vénérait tant.

« Aujourd'hui, je m'embarque pour la vie ! » se dit Alain. « Et s'il fallait que mon amour pour Viviane vienne à mourir ! » Il regarda encore le petit livre de granit. « Seule la mort nous séparera... Il y a bien le divorce, mais c'est pour les Américains ; moi, je suis catholique. Ma mère disait toujours que l'oncle Pit, qui vivait avec une divorcée à Lewiston, était un damné vivant et ma tante, la religieuse, nous a dit qu'il était mort rongé par le remords, se disant lui-même damné... S'il fallait que la mésentente s'installe dans mon ménage ? Je serais condamné à vivre dans le malheur pour toujours... Comme ma mère... Pour le meilleur et pour le pire... Malgré que l'exemple de mes parents ne soit pas à prendre. Ils étaient l'exception. Les couples en général s'aiment. Eux n'étaient pas faits l'un pour l'autre, tandis que moi et Viviane... En plus que la vie n'est plus ce qu'elle était, que je n'ai pas le métier de mon père, que nous n'aurons pas plus de quatre enfants, que nous serons tous les jours ensemble, que j'ai appris beaucoup de choses à l'école, la psychologie et tout... Non, décidément, rien n'est comparable. »

Pour mieux chasser le doute, il se mit à marcher résolument dans une allée familière. Pour retrouver le sourire, il s'arrêta au même endroit où il avait embrassé Micheline trois ans auparavant. Mais le doute revint l'accabler.

« Je ne vivrai plus d'aventures comme celle-là. Je serai l'homme d'une seule femme... » Et il se rappela de l'aveugle.

« Il marchait dans la nuit, heureux, au déclin d'une vie d'aveugle; mais ne le suis-je pas bien davantage? Je marche en plein matin, je commence ma vie et pourtant, j'ai une peur incontrôlable. Pourquoi? Je n'ai même pas, comme lui, de canne pour me guider... Qu'est-ce que je dis là? Viviane m'aidera, me guidera. C'est elle que j'aime. Je lui serai fidèle. Je n'ai plus besoin des autres femmes... Je t'aime Viviane, et, ensemble, nous regarderons vers le soleil, vers la vie, aujourd'hui même. »

À la sortie du cimetière, il s'arrêta plus longuement près de la salle paroissiale, regrettant d'avoir trop vite chassé ses souvenirs d'élection quelques minutes auparavant. Mais il ne put concentrer son esprit que sur une seule image, issue d'un seul souvenir: le sinistre craquement du soir du vingt-cinq juin 1960. Il vit la salle s'écrouler, la vie s'en échapper, des corps s'en écouler de toutes parts. « Ma vie est-elle en train de s'effrondrer? » se demanda-t-il. « Pourtant, il est encore temps; je n'ai qu'à disparaître. J'ai peur, incroyablement peur, mais il est trop tard... Non, il n'est pas trop tard. Comme je serais libre si je disparaissais! Mais je lui briserais le cœur, elle qui a si hâte! Et je passerais pour fou. Non, je n'ai pas peur! Ce n'est pas de la peur, c'est de la faiblesse. Je n'ai qu'à me durcir comme un homme, comme un vrai homme, comme un homme fort. Je n'ai qu'à progresser avec courage. La vie nous attend. J'ai de l'amour au cœur, de la force dans l'âme et de la logique dans l'esprit: que me faut-il de plus? Et le soleil n'a jamais été aussi brillant qu'aujourd'hui... »

Il reprit sa marche ferme sous les érables verts. Les rayons du soleil frais carreautaient son visage à travers les feuilles humides.

À dix heures moins cinq exactement, il s'assit dans son fauteuil au pied de l'autel de l'église de St-Maurice. À deux reprises, il avait senti une pression semblable sur ses épaules: à ses derniers examens d'études et, en 1962, à une soirée électorale où il avait dû tuer le temps au microphone, alors que le candidat se faisait attendre.

Ses mains tremblaient bien un peu, mais sa gorge n'était pas sèche, comme cela aurait dû être le cas, à en croire les racontars. Au contraire, il salivait abondamment et ne cessait de ravaler.

Lorsque Viviane fut à ses côtés, il se sentit un peu moins seul. Et quand le célébrant commença, il ferma son esprit à toute pensée soutenue, comme il le faisait d'habitude chez le dentiste.

Quand il plaça ses petites cartes dans le prie-dieu, elle sourit faiblement. Chaque fois qu'il flaira ce vieil ennui familier qu'il avait toujours senti dans une église, il se retrempa au sourire de sa future éblouissante.

Tout au long de la marche nuptiale, il n'eut qu'un désir: fumer. Il dut attendre, pour allumer une cigarette, que la séance de photos fût finie. Sur la route, son beau-frère ne parla que du beau temps. Du moins, Alain ne remarqua-t-il rien d'autre, occupé qu'il était par la brûlure faite à ses pantalons par le feu de sa cigarette.

Les mariés avaient fait demander aux automobilistes de la noce de ne pas klaxonner au passage du village de St-Hubert, jugeant cette coutume un peu portée sur le m'as-tu-vu. Tous klaxonnèrent cependant, comme s'ils avaient été mus par un automatisme. Viviane et Alain en rirent, se disant qu'après tout, ce n'était pas si vexant.

« Un soleil comme celui-là, c'est de bon augure ! » déclara la mère de Viviane à sa fille quand les nouveaux mariés entrèrent à l'hôtel.

Il s'arrêtèrent près de la porte afin de recevoir les félicitations d'usage qui surprirent Alain, tant elles exprimaient de sentiments différents. Elles furent tour à tour tristes, inquiètes, expéditives, joyeuses, enveloppantes, sensuelles, timides, jalouses, hésitantes, chaleureuses, désinvoltes, nécessaires, réservées, angoissées... « Pourquoi la vraie chaleur est-elle si rare ? » se demanda-t-il. À la réflexion pourtant, il se dit que ses propres spéculations masochistes n'allaient pas au-delà des apparences, et il décida d'ouvrir son cœur aux souhaits suivants.

Le cousin Normand fit placer tout le monde aux tables. Il récita ensuite une prière où alternèrent mots pieux et paroles gauloises. Rouge de colère, la mère de Viviane se pencha discrètement à l'oreille de sa fille et dit, juste assez fort pour qu'Alain puisse entendre : « Qui donc a demandé à cet imbécile d'agir comme maître de cérémonie ? »

« D'où sort-il, celui-là ? » fit Alain, surpris.

« Je me le demande bien ? » dit sa belle-mère, la nuque raide et les yeux obliques.

« Les propriétaires lui auront demandé de faire placer les gens en attendant que les musiciens n'arrivent, » dit Alain.

« Probablement quelque chose du genre, » dit la belle-mère d'une voix radoucie. « Je n'ai pas pensé une seule seconde qu'avec ta belle éducation tu puisses y être pour quelque chose. »

Bientôt, le bruit des cuillers contre la vaisselle commença à se faire entendre. Alain compta le nombre de fois où un couple dut s'embrasser aux applaudissements inlassables de l'assistance. « Comment une même farce, répétée douze fois, peut-elle provoquer autant de rires à la fin qu'au début ? » se demanda-t-il. Mais il se répondit en pensant que depuis toujours, ce sont les mêmes gags qui font rire les gens. Néanmoins, il fut soulagé lorsque le cousin Normand se rendit au microphone afin de raconter des histoires épicées. Au moins, serait-il libéré de l'obligation de se préfabriquer un sourire à chaque concert de cuillers qui s'adressait à Viviane et à lui. Tandis qu'aux histoires cochonnes du cousin, il pourrait, comme tout le monde, ne pas rire sincèrement.

À l'ouverture de la danse, le jeune marié eut le temps de glisser un « je t'aime » à l'oreille de son épouse. Quelqu'un les sépara, et ça lui plut ; il put ainsi vibrer à la joie de savoir que, sitôt la danse terminée, c'est auprès de lui que Viviane trouverait refuge.

Il aima bien le spectacle improvisé de charleston que donna sa nouvelle belle-sœur, mais il se désola, lui aussi, aux fausses notes de la charmante petite Suzie que sa mère faisait chanter à chaque noce.

« La nôtre sera aussi jolie, mais elle chantera plus juste, » chuchota-t-il discrètement à l'oreille de Viviane.

Plus tard, les nouveaux époux quittèrent l'hôtel pour aller changer de vêtements. Au sortir de l'établissement, Alain salua un vieux célibataire qu'il connaissait depuis toujours.

« Tu as vu son air triste, » dit-il à Viviane quand ils furent sur le chemin de St-Maurice. » « Chaque samedi que le bon Dieu amène, il va s'asseoir à cette table pour prendre un coup et regarder les nouveaux mariés. Sans doute doit-il rêver à tout ce qu'il a perdu dans la vie ! Sans doute doit-il chercher dans ses souvenirs des raisons de continuer sa vie ennuyeuse ! Le plus drôle, c'est qu'il se prétend heureux. Si un jour ça devait aller mal dans notre ménage, j'espère que je me souviendrai des yeux de ce vieux garçon et qu'ainsi, je penserai qu'après tout, le mariage n'est pas si mauvais. »

« Ça ira dans notre ménage, » dit-elle sur un ton enfantin et confiant.

« Sûr. On a la santé, on est faits l'un pour l'autre, on s'aime comme des fous, alors... Hormis que le bon Dieu nous envoie des gros malheurs... Et même en ces moments-là, nous nous tiendrons la main pour y faire face. »

Ils se sourirent.

Au même endroit, une demi-heure plus tard, ils revenaient, tendus.

« Veux-tu me dire pour quelle raison tu n'as pas voulu que je t'embrasse tout à l'heure, à la maison ? » demanda-t-il après un interminable silence.

« Tu avais promis de ne pas me brusquer et, à la première occasion, tu fais le contraire, » dit-elle, boudeuse.

« Je ne voulais pas te brusquer, je voulais simplement t'embrasser, comme nous l'avons fait des milliers de fois depuis que nous nous connaissons. »

« Ce n'était ni le moment ni l'endroit ! »

« Çà commence bien ! » dit-il en hochant la tête.

« Je m'excuse, » dit-elle, « Mais je croyais que tu voulais... que tu voulais... tu sais quoi. »

« Je n'ai même pas pensé à cela. Je voulais juste qu'on se donne un vrai baiser, notre premier vrai baiser. Sans témoins. Comme mari et femme. »

« Mais pourquoi tant nous presser ? La journée n'est pas finie et nous avons toute la vie devant nous. »

« Ça va, n'en parlons plus ! Je suppose que j'ai mal agi. »

« Changeons de sujet, ça vaudra mieux, » dit-elle. « Tu ne m'as pas dit comment tu trouvais mon ensemble de voyage. Il n'a pas l'air de te plaire beaucoup. »

« Tu es encore plus belle maintenant que dans ta robe de mariée. »

« Tu n'as pas aimé ma robe de mariée ? »

« Les deux sont magnifiques... puisque c'est toi qui les portes... »

« Ce serait moins beau sur quelqu'un d'autre ? Donc ce n'est pas très beau ! »

« Minute, minute, recommençons à zéro ! Tes deux robes sont merveilleusement belles et, parce que c'est toi qui les portes, elles le sont encore davantage, tu comprends ? »

Quand ils eurent fini leur tournée des tables, après la danse de la mariée, ils se dirigèrent lentement vers la porte, suivis et entourés de toute la parenté bruyante. Pour tous, le moment ultime de la journée arrivait. Chaque personne vivait sa propre frénésie que les événements du jour avaient créée en elle. La cérémonie du matin avait offert une portion de nostalgie aux gens mariés, d'espérance aux célibataires, un morceau de romance aux femmes vieillissantes et aux jeunes filles, une pointe de sensualité aux mâles frais à l'affût des poitrines gonflées. La noce avait permis à plusieurs de tâter le fruit défendu : Rose et Lucille avaient triché leur diète ; Claude et Jean avaient bu malgré leurs épouses ; Lucien et Normand avaient essayé de danser cochonnement tout l'après-midi ; le petit André avait allumé sa première cigarette. Chacun avait pu raconter ses achats importants de la saison ou de l'année. Tous étaient prêts pour l'apothéose.

À leur sortie de l'hôtel et jusqu'à leur auto, chaque pas que les mariés faisaient augmentait le suspense. Quand ils quittèrent enfin, ce fut l'hilarité générale de les voir partir dans leur véhicule peinturluré de rouge à lèvres et auquel s'accrochait le tapage des traditionnelles boîtes de conserves.

« Quel mariage réussi ! » dit Aldéa, la cousine, à la mère de Viviane. « Et à tous les points de vue, ma chère ! Aucune fausse note, tout était parfait. Les fleurs, le chant, le repas... Le petit Martel — c'est bien son nom ? — est chanceux de frapper une petite fille comme Viviane : ça sait coudre, ça sait faire à manger. Elle lui fera une femme parfaite... J'espère qu'il la traîtera bien... Si je te disais...»

Viviane enleva son immense chapeau et ses chaussures qu'elle jeta sur la banquette arrière.

«J'en ai marre!» s'exclama-t-elle avec un long soupir.

«Comme journée fatigante, on ne fait pas mieux, hein?»

«Si c'est ça la plus belle journée de la vie d'un couple!... Le plaisir d'un jour de mariage, c'est pour tout le monde, sauf pour les mariés...»

«On ne le dira à personne, ils nous trouveraient anormaux. Malgré que le pire soit passé. Ce qui reste de la journée ne sera qu'à nous deux.» Alain fit un clin d'œil malicieux. «On peut dire qu'il a fait beau temps. Comme disait ta mère: paraît que c'est bon signe.»

«Ce n'est pas le soleil qui a fait défaut aujourd'hui en tout cas,» dit Viviane.

«Parlant de soleil, je suis en train de penser qu'il est sur le point de disparaître.»

«Comment ça? Ah oui! c'est vrai. L'éclipse! J'avais complètement oublié.»

«Et moi aussi! Et je n'ai pas pris de verres fumés spéciaux. Ce qui veut dire que nous allons rater le spectacle. C'est malheureux, parce que nous sommes au cœur de la région où l'obscurité sera la plus totale, et aussi parce que c'est la dernière éclipse solaire totale du siècle dans l'est du Canada. J'ai une idée; dans quelques minutes, nous serons en vue du grand lac St-François. On va s'arrêter et observer les effets sur l'eau. Qui sait, peut-être verrons-nous un phénomène de réverbération ou de réflexion de la lumière; un de ces spectacles que les autres manqueront à s'acharner à regarder le soleil lui-même!»

Impassible, elle dit: «Je ne suis pas allée à l'école assez longtemps pour connaître ces choses-là.»

«Je ne connais sur les éclipses que ce qu'en disent les journaux,» dit-il.

«Pour ma part, je n'en connais rien du tout. Je sais qu'il fera noir, pas plus.»

Bientôt, il stationna l'auto dans une entrée de champ.

«Viens plus près, nous allons goûter le spectacle en nous embrassant,» dit-il. Elle s'approcha.

Il leva la main vers le lac et les collines boisées. «Nous verrons peut-être le mariage des bleus, des rouges, des verts et des jaunes sur l'eau. Qui sait si notre point de vue ne sera pas le plus original? Et l'eau bleutée deviendra d'argent puis d'encre... Colle-toi tout contre moi...» Leurs joues et leurs mains se mélangèrent. Mais comme l'éclipse se faisait attendre, ils se regardèrent et chacun trouva des lueurs colorées dans les yeux de l'autre.

«Comme j'aimerais avoir tes merveilleux yeux bleus!» dit-il.

«Et moi, j'aimerais bien mieux tes grands yeux bruns.»

«Tiens, il commence à faire noir. Nous allons vivre l'un des plus beaux moments de notre vie. C'est le jour de notre mariage, nous sommes seuls mais deux, devant le futur, et nous allons assister à un spectacle unique... Tu sais, j'ai été un peu triste aujourd'hui, mais je sens le bonheur revenir. Je t'aime... ma chérie. Je t'aime!» Ils se donnèrent un baiser. «Bon Dieu, la noirceur épaissit vite!»... «Les couleurs se font rares.» ... «Je pense qu'il va falloir nous contenter d'une vue en noir et blanc.» «Tiens, regarde comme l'eau devient d'argent. Je te l'avais bien dit!»

La nuit noya tout. Les étoiles pointèrent. Les yeux des amoureux ne distinguèrent plus que des formes vagues.

«Comme ce silence est étrange!» s'exclama-t-il. «Il y aurait un orage subit que je ne serais pas surpris.» Il cherchait vainement à scruter l'impénétrable lorsqu'un bourdonnement lointain se fit entendre, renforcit, devint grondement, comme si quelqu'objet mystérieux venait trahir la pause. Émergea d'un détour boisé, cinq cent pieds plus loin, une violente lueur à deux points d'origine et qui fit sourciller les jeunes mariés. La lumière et le bruit s'accrurent jusqu'au moment où passa, inopinément, un camion à bois dont la vitesse en disait long sur l'intérêt de son conducteur pour les superpositions d'astres.

« En voilà un que l'éclipse ne dérange pas plus que moi, » dit Viviane.

« Quant à ça... » fit Alain en haussant les épaules. « Ce n'est rien d'autre, pour un profane, que quinze minutes de nuit le jour. Après quoi la vie continue. »

« Un profane ? »

« Quelqu'un qui n'a pas un esprit scientifique. »

« Tu veux dire un monsieur-tout-le-monde. »

« C'est ça ! » dit-il.

La clarté s'accrut.

« Tu sais ce que nous dirons à nos enfants et à nos petits enfants ? Que le jour de notre mariage fut le plus sombre de notre vie ! »

« Je ne trouve pas ça tellement drôle, » dit-elle en s'éloignant.

Il prit un air désolé. « Écoute, je n'ai pas dit cela pour... »

Elle l'interrompit : « Depuis le matin que tu donnes l'impression de regretter ce mariage ! »

« Qu'est-ce qui te fait dire une chose pareille ? Il y a eu des accrocs, mais rien de grave. Rien n'est jamais parfait. J'ai eu quelques petits moments de tristesse, mais à tout prendre j'ai été heureux toute la journée. »

« Même quand nous sommes allés nous changer de vêtements ? »

« Petite contrariété de rien du tout ! » Il lui prit la main. « Et toi, tu m'as semblé rêveuse parfois. Tu as été heureuse aujourd'hui ? »

« Oui, » dit-elle.

« Beaucoup ? »

« Beaucoup. »

« Tu en es sûre ? »

« Absolument ! »

« Désormais, plus de secrets entre nous ? »

« Aucun. »

« Quand tu sentiras que quelque chose ne va pas en toi, tu me le diras ? »

« Oui... et toi ? »

« Évidemment ! »

« Toujours ? »

« Toujours !... Comme c'est merveilleux de savoir qu'on peut avoir pleine confiance en quelqu'un. Je veux que la loi la plus sacrée qu'il y ait entre nous soit celle de la vérité. Car la confiance ne peut naître que dans la vérité et la sincérité, n'est-ce-pas ? »

Elle hésita un moment et répondit : « C'est sûr qu'il faut savoir à quoi s'en tenir l'un sur l'autre... »

« Je crois que ce qui détruit le plus l'amour entre deux personnes, c'est le mensonge, » dit-il.

« Mais je ne veux pas que tu parles d'aujourd'hui comme d'une journée sombre ! Ça m'effraie. »

« Jamais plus... promis ! » Il serra fort la main de Viviane. « Regarde : le soleil est revenu et la route nous attend. Partons tout de suite et nous arriverons à Sherbrooke vers dix-neuf heures. Le temps de souper et nous irons nous reposer. »

●

Les valises jonchaient le lit. C'est là que Viviane avait voulu qu'elles fussent déposées. Il s'approcha de sa jeune femme. Elle se déroba, prétextant qu'il fallait défaire les bagages, ce qu'ils firent tous deux inquiets.

Elle lui demanda d'aller faire sa toilette le premier. Quand ce fut son tour, elle referma la porte sur elle et tourna le bouton sans discrétion pour bien faire savoir qu'elle tenait à l'intimité de son geste. Le jeune marié sourit, pensant qu'elle n'avait pas à tant s'en faire, désireux qu'il était d'entamer avec lenteur, délicatesse et respect les premières approches sexuelles.

Elle sortit, sublime, vêtue d'un nuage bleu poudre. L'ensemble déshabillé-jaquette à garniture de guipure blanche laissait deviner la perfection des courbes grâce à la complicité d'une lumière trop tard éteinte. Cette image angélique embrasa l'âme de l'époux.

Elle lui demanda d'allumer le téléviseur et elle prit place dans un fauteuil.

« Viens t'asseoir sur le lit, je ne te mangerai pas, » lui dit-il d'un ton taquin. Lui-même s'assit en Indien et se mit à frapper le matelas en cadence.

« Juste ici, tout à côté de moi... » Il sourit gaminement. Et il continua de faire le Bouddha sur trempoline. Elle s'approcha distraitement, feignant de s'intéresser à l'écran.

« Tu n'as pas du tout à être nerveuse ; nous ne ferons rien ce soir, » dit-il doucement. « Nous sommes très fatigués tous les deux... Et puis, nous ne sommes pas assez familiers l'un à l'autre pour faire quoi que ce soit. Alors approche-toi et n'aie pas peur ! »

Elle s'assit sur le bord du lit.

Il fit le reste du chemin les séparant. Il lui entoura les épaules, lui frôla le cou de ses lèvres chaudes, murmurant : « Je ne voudrais qu'une seule chose, une toute petite chose, ce soir. Tu verras comme ce n'est pas difficile. Est-ce que tu acceptes ? »

« Ça dépend de ce que c'est ? »

« J'aimerais... j'aimerais... voir ton corps. »

Elle grimaça.

« Mais rien d'autre, » s'empressa-t-il d'ajouter.

« Ce soir ? » questionna-t-elle.

« Puisque nous sommes mariés : il faudra bien que ça vienne un jour ou l'autre. »

« Pas tout de suite, plus tard. »

« Comme tu voudras ! Nous avons tout notre temps. » Il l'embrassa et trouva qu'elle ne participait pas de la façon qu'il connaissait. Cela l'inquiéta un moment, mais il finit par attribuer cette réticence à la fatigue.

Viviane fixait le téléviseur, ayant l'air de réfléchir profondément.

« Pour ce que tu m'as demandé tout à l'heure, je voudrais que ce ne soit que la partie du haut, » dit-elle.

« C'est d'accord, je comprends, » dit-il avec un sourire de satisfaction. « Mais... mais de quelle façon va-t-on s'y prendre, puisque tu portes une jaquette... »

« Va à la chambre de bain ; je vais me préparer. »

« O.K. » dit-il. Et il se leva prestement.

Quand il fut de retour, elle était sous les draps, recouverte jusqu'au cou, la jaquette déposée sur un fauteuil. Il grimpa sur le lit et se coucha à plat ventre sur les couvertures. À travers son émotion, il força un léger sourire auquel les yeux de Viviane répondirent par une interrogation peureuse.

« Maintenant ! » dit Alain doucement. Il prit le bord du drap et tira tranquillement. Centimètre par centimètre, la blancheur laiteuse de la poitrine gonflée lui apparut. Il se rappela la seule fois où il avait tâté cette blancheur, mais qu'alors, il n'avait pas imaginée. Elle était là, à portée de ses doigts. Mais elle ne s'offrait pas. Pas encore. Et il le sentit. Il poursuivit son exploration visuelle et l'auréole foncée des mamelons se dessina. « Comme c'est beau et différent ! » pensa-t-il. Mais la rondeur de tout le sein, plus que tout, l'étonna. Ça n'avait rien d'un cercle, rien d'une sphère, rien non plus d'une sphère modifiée. Il avait toujours imaginé cette forme tirant plus vers le cône que vers la boule. L'extérieur du sein avait une rondeur parfaite qui s'estompait en pente légère vers le milieu de la poitrine. Le mamelon, excentrique, créait une symétrie bien plus attirante que la symétrie parfaite. Les changements d'intensité lumineuse à l'écran du téléviseur jetaient des lueurs ovales sur la chair neuve.

« Tu es d'une merveilleuse beauté ! » s'exclama-t-il les yeux chargés d'une tendresse sensuelle.

Elle remonta vivement la couverture.

« Nous ferions bien de dormir. Nous sommes tous les deux exténués, » dit-elle en tenant serré le drap.

« Dans ce cas, donnons-nous notre premier baiser d'avant dodo de couple marié, tu veux ma chérie ? »

« Hum hum, » dit-elle. Il l'embrassa.

« Jamais nous ne manquerons à ce baiser, n'est-ce-pas ? » dit-il. « Sauf, bien sûr, si les circonstances nous séparent pour une journée ou deux... Mais alors, nous nous le donnerons par téléphone. »

« Hum hum ! » fit-elle.

« Dodo, mon amour ! Je te retrouve après avoir fermé les lumières... » Ce qu'il fit vite.

« Bonne nuit, » dit-il en bâillant.

« Bonne nuit, » dit-elle faiblement.

Il s'endormit en trente secondes.

Viviane garda les yeux grand ouverts. Elle se leva et se rendit à la chambre de bain. Elle se brossa les cheveux, déclencha la chasse d'eau, se lava les mains, échappa sa brosse par terre. Malgré qu'elle eût laissé la porte ouverte, elle prenait garde de ne pas réveiller son mari. Juste avant de sortir et d'éteindre la lumière, elle lui jeta un coup d'œil. Il dormait comme un ange. Alors elle s'assit dans un fauteuil de coin, regarda le noir, et pleura abondamment pendant de longues heures.

Lorsqu'elle retourna au lit, il était couché en travers. Elle dut se rapetisser du mieux qu'elle put, n'osant le toucher. Roulée en boule, elle finit par s'endormir péniblement.

« Comme tes yeux sont bouffis ! Tu as mal dormi ? » lui demanda-t-il au réveil. Dès qu'il avait ouvert les yeux, il avait consulté sa montre et réveillé tout de suite sa compagne, craignant qu'ils ne pussent trouver de messes après onze heures. Il ne voulait pas commencer leur vie de ménage en manquant à ses devoirs religieux, même involontairement. La crise de la foi de l'adolescent, était d'un lointain passé dans son esprit.

Elle bougea légèrement le bras et dit faiblement : « J'ai bien dormi. »

« C'est ta fatigue d'hier qui sort, » affirma-t-il.

Elle ne répondit pas, gardant son regard dans le vague.

Un peu plus tard, il lui dit sur un ton gamin mais insistant : « Viviane, dépêche-toi, sinon nous serons en retard à l'église, et rien ne m'énerve plus. Les gens nous regardent comme si nous étions des objets de curiosité. Et surtout dans une église étrangère ! »

Ce qu'il avait craint se produisit. Quand ils entrèrent, Alain sentit des milliers d'yeux sévères se poser sur eux.

« J'espère que tu ne me feras pas toujours arriver en retard dans la vie, » lui cingla-t-il après la messe. Elle éclata en sanglots.

Plein de remords, désarçonné par ces larmes qu'il avait provoquées, il dit: « Voyons Viviane, ne pleure pas. Je n'ai pas voulu te faire de peine. Oublie ce que je viens de te dire. Allons dîner et payons-nous un de ces repas. Est-ce que tu as faim?» Mais les sanglots augmentaient et il décida de la ramener directement au motel afin de lui parler et d'essayer de la calmer.

Elle s'assit dans le fauteuil de coin et sanglota de plus belle, au désespoir d'Alain qui cherchait à quel saint se vouer.

« Je te demande pardon. Je... je ... je n'ai pas voulu te blesser. Ça m'a échappé. N'en fais pas un drame, je t'en prie... Si tu savais comme je me sens mal de te voir pleurer de cette façon. Voudrais-tu quelque chose? Veux-tu un verre d'eau? Veux-tu t'étendre un peu? Veux-tu que je te laisse seule? Dis-moi ce que je peux faire... Te voir pleurer comme ça... Veux-tu venir dans mes bras? Sans doute pas!..» Plus il parlait, plus elle pleurait. Il se mit à marcher de long en large en maugréant contre lui-même.

« Je... je... je m'excuse,» dit-elle en hoquetant.

« Mais tu n'as pas à t'excuser!» lui dit-il en la prenant par les épaules. « Voyez-vous ça: je lui fais de la peine, je la rends malade de larmes et elle trouve moyen de s'excuser. Voilà bien la femme merveilleuse que j'ai épousée. Mais c'est moi qui devrais mourir de t'avoir dit ce... cette chose tout à l'heure. Je te dis pardon, pardon mon amour! Je n'ai pas pensé à ce que j'ai dit. Tu sais comment on nous a élevés face aux questions religieuses, comme si c'était un crime d'arriver en retard à la messe... »

« Tout ça, c'est de ma faute... Si j'avais dormi la nuit passée au lieu de rester debout.»

« Tu m'as dit ce matin que tu avais bien dormi.»

« Je me suis assise longtemps; j'avais peur.»

« Peur de quoi?»

« Je ne sais pas: de la vie, de toi, de tout.»

« Mais moi aussi, j'ai peur! Tenons-nous bien la main et nous allons passer à travers de ces inquiétudes normales. Quand ça ne va pas en toi, pourquoi ne pas me le dire tout de suite? Ça éviterait bien des drames.»

« Je sais bien...»

« Il faut que tu le fasses, promis?»

« Hum hum!»

Un bruit de fringale émana de l'estomac de la jeune femme. Ils se mirent à rire.

« Allons avaler un de ces dîners,» dit-il en lui prenant la main.

●

Le dimanche achevait. Ils avaient flâné depuis le matin. Ils s'étaient baigné les pieds dans les eaux d'un lac près de la route, ils avaient visité un sanctuaire et, à deux pas, un zoo. Ensuite ils avaient décidé de ne prendre un motel que de l'autre côté de la frontière afin de passer leur véritable nuit de noces aux États-Unis.

« La première est blanche d'être noire,» avait-il dit, content de son jeu de mots. « Notre vraie nuit de noces sera celle qui vient, et nous allons la vivre aux États. Ainsi, deux de mes rêves vont se rejoindre: me sentir vraiment marié avec toi et voir les États-Unis.»

« Par quel hasard n'es-tu jamais allé aux États? Tout le monde y va régulièrement.»

«Je te l'ai déjà dit pour quand j'étais jeune... À cause de mes oncles américains. Mais plus tard, ça n'a simplement pas adonné. Comme tu dis, c'est un hasard.»

«Tu ne trouveras rien de spécial. C'est comme au Canada, sauf que les automobilistes sont plus polis.»

«C'est que toi, tu es habituée d'y aller depuis ton enfance... J'imagine que c'est comme visiter une maison: on remarque des tas de choses que les habitués ne remarquent même pas.»

«J'ai peur que tu ne sois déçu!» dit-elle. «Tu ne verras pas beaucoup de choses différentes, sauf que les gens parlent anglais. Mêmes routes, même genre de motels, mêmes autos, même façon de s'habiller, hot-dogs... comme nous, hamburgers. Les gens sont plus riches et parlent une autre langue, c'est tout.»

«On verra bien!»

Au-delà de la frontière, il trouva les routes plus larges, les maisons plus grosses, les fermes plus grandes, les enseignes lumineuses plus jolies, les arbres plus verts, les villages plus propres, l'habitat plus typique et les vêtements plus colorés.

«Tout est comme chez nous mais en plus gros, en plus beau, en mieux,» dit-il après plusieurs milles d'un silence inquisiteur et admiratif. «J'espérais retrouver le Canada mais en plus audacieux. Et c'est exactement ce que je trouve!»

...

«Regarde le troupeau, comme il est imposant et comme les bêtes sont bien en chair et vigoureuses! Et les bâtiments de ferme!.. Je te jure qu'ils sont bien entretenus.»

...

«C'est un cinéma en plein air. Je me demande bien quand nous en aurons au Québec?»

...

«As-tu déjà vu un aussi grand jardin potager? Si ta mère voyait ça!»

...

«Plus que deux milles avant la prochaine ville. Si ça te tente, on va s'y arrêter pour souper et prendre une chambre.»

...

«Regarde-moi le beau motel! Qu'est-ce que tu en penses?... Viviane?... Est-ce que tu dors?»

Elle eut un soubresaut quand il la toucha.

«J'étais assoupie, je crois. J'ai perdu le nord tout de suite après les douanes. Est-ce que nous sommes rendus bien loin?»

«Un bon soixante milles depuis la frontière.»

«Et comment trouves-tu les États-Unis?» demanda-t-elle en bâillant.

«Comme tu l'avais dit: rien d'extraordinaire,» dit-il sèchement.

Elle enleva ses verres fumés: «J'ai faim, est-ce que nous allons nous arrêter bientôt?»

•

L'intérieur de la chambre était rustique: murs en pin noueux satiné, meubles agrestes.

Les mariés s'étaient apporté des fruits en cas de fringale. Déjà, Alain faisait éclater la peau de sa pomme à chaque bouchée qu'il triturait goulûment et finissait par avaler, non sans avoir isolé les pelures qu'il crachait dans une poubelle à mesure qu'il les avait dépouillées de leur chair.

Il laissa Viviane faire sa toilette et se coucher, soutenant qu'il préférait relaxer d'abord afin de se débarrasser de la lassitude du voyage.

«Tu n'as pas mis ton ensemble bleu?» lui demanda-t-il quand, à son tour, il sortit de la chambre de bain.

«J'ai toujours dormi en baby doll et je me sens mieux ainsi.»

Ils s'allumèrent une cigarette américaine.

«Pouah! ce goût est affreux!» fit-elle.

«Leurs cigarettes goûtent la vieille pipe.»

«N'en as-tu pas des canadiennes?» demanda-t-elle.

«C'était pour faire changement.»

Elle s'épongea le front. «Ce que la chaleur peut-être difficile à supporter ce soir!»

«L'air va se rafraîchir bientôt.» prédit-il.

«J'espère!... Sinon, je ne me couche pas.»

Il camoufla sa contrariété dans une question: «Es-tu heureuse de ta journée?»

«Oui. Sauf que nous avons fait trop de millage et que je suis au bout de mon rouleau.»

«Relaxons, et dans une heure, nous serons reposés. D'ailleurs, ta douche a dû te décontracter un peu?»

«Je ne sais pas, je ne me sens pas très bien,» dit-elle.

«Jetons nos cigarettes et allons nous étendre sur le lit... Juste pour relaxer... Viens.» Il lui tira le bras.

Quand ils furent allongés côte à côte, ils ne bougèrent pas pendant plus de dix minutes. Alain se remémora les seins de Viviane. Il se plut à imaginer ce qu'il n'avait pas encore vu. Il n'avait qu'une vague idée du bas-ventre féminin et il lui donna des formes dans son esprit. Il imagina ensuite leurs corps nus, emboîtés l'un dans l'autre, enveloppés l'un de l'autre, abandonnés l'un à l'autre, chauds l'un pour l'autre. Alors une incontrôlable érection poussa son organe en avant. Pour cacher son pénis du mieux qu'il put, il ramena sa jambe gauche par-dessus l'autre et se tourna de côté, vers Viviane. Elle sursauta quand il lui passa le bras autour de la taille.

«J'ai moins chaud que tout à l'heure,» dit-elle. «Je crois que nous devrions aller sous les draps.»

«O.K.,» fit-il. Et il se leva prestement afin qu'elle ne puisse apercevoir la bosse de son caleçon. Il éteignit les lampes et revint s'enfiler sous le drap.

«Viens dans mes bras,» dit-il.

Elle s'approcha un peu.

«Plus près.»

Elle s'approcha encore.

«Encore plus près.»

Elle n'avançait que le haut de son corps et il s'en contenta.

«Nous avons maintenant droit aux baisers de langue,» dit-il. Elle ouvrit la bouche et leurs langues de rencontrèrent.

Son érection devint si violente et son désir si vif que, n'y tenant plus, il colla le bas de son corps à celui de sa femme. Elle sentit la bosse et recula.

«Ne crains rien,» fit-il en riant, «ce n'est que moi et nous sommes mariés. Fini le péché, finis les qu'en-dira-t-on. Nous avons le droit, nous sommes libérés. Y penses-tu, libérés.» Elle sourit sans conviction.

«Il reste cependant que si nous nous engageons dans un acte conjugal, nous sommes en conscience de l'achever, à moins d'une raison majeure. Tu te rappelles, on nous l'a dit à nos cours de préparation au mariage. D'ailleurs, les prêtres le disent tous.»

«Je sais,» fit-elle.

«Par notre rapprochement et nos baisers, nous sommes déjà engagés dans l'acte...»

«Tu veux dire qu'il faudra aller au bout... ce soir?» demanda-t-elle.

«En tout cas, il faudra essayer pour être en paix avec notre conscience.»

Elle hésita longuement. «Comment?» demanda-t-elle.

«Nous allons enlever nos vêtements et faire notre possible pour accomplir notre devoir conjugal l'un envers l'autre, et, comme couple, envers notre foi catholique, sans nous inquiéter si nous ne réussissons pas. Car ce qui compte, c'est d'essayer.»

«Voudrais-tu attendre quelques minutes? Je ne me sens pas encore prête,» dit-elle.

«Mais oui!» dit-il doucement. «Entretemps, je vais te toucher un peu les seins pour nous familiariser aux caresses.»

Dès qu'il eut commencé de lui frotter la poitrine, il dit: «Comme tes yeux doivent être brillants! Si ce n'était pas si noir ici...»

«Alain, j'ai peur, mais je pense que nous allons essayer tout de suite.» Elle parlait en ôtant sa culotte. Il l'imita, se rapprocha, lui fit écarter un peu les jambes et se versa sur elle, le pénis dur et prêt. Les jambes bien collées au lit, elle agrippa le drap de ses deux mains. Il centra son organe et poussa en avant. Au même moment, Viviane banda tous ses muscles. Il sentit une douleur au bout de sa verge et recula.

«Je vais encore essayer,» dit-il, «écarte davantage les jambes.»

«C'est que ton poids me fait mal aux cuisses.»

«Voilà pourquoi il faut que tu les écartes un peu plus.»

Elle obéit faiblement. Il poussa à nouveau vers l'avant et, cette fois, sentit autre chose qu'une barrière velue, mais des chairs chaudes qui l'incitèrent à donner une nouvelle poussée.

«Plus bas,» dit-elle. Il obéit et donna un autre coup des reins.

«Ouch! Je pense que ce n'est pas le bon endroit,» dit-il.

«Tu es trop haut,» dit-elle. Il poussa plus bas.

«Tu me fais mal,» dit-elle, tordant du bassin.

«Alors c'est bon signe. Essayons encore,» dit-il.

«Ohhhhh! c'est douloureux!» dit-elle.

«Ne te crispe pas, tu contractes tes muscles...»

«Mais tu n'es pas au bon endroit!»

«Ne pourrais-tu m'aider en me guidant... avec ta main? C'est difficile pour moi, tu comprends? Si tu m'aidais nous y arriverions peut-être.»

«J'ai... j'ai peur,» dit-elle. «Tu ferais mieux de m'explorer avec ta main pour trouver l'endroit exact...»

«D'accord, et dis-moi ce qu'est chaque chose.»

«Le mont de Vénus... Les grandes lèvres... L'entrée du vagin...»

Il centra son organe et poussa poliment mais fermement.

«Ça fait très mal,» dit-elle en reculant. «Reposons-nous un peu.» Elle lui poussa dans l'estomac, le forçant à se coucher à côté d'elle.

«Nous pourrons peut-être essayer à nouveau dans quelques minutes?» demanda-t-il, inquiet.

Elle réfléchit pendant quelques secondes, puis tira le bras.

«Reviens tout de suite!» Il reprit sa position sur elle. Sans hésiter, elle prit le pénis entre ses doigts et le plaça à l'entrée de son vagin.

« Vas-y » dit-elle, relevant les genoux et cambrant les reins pour aller à sa rencontre. Il sentit son gland lacéré par des lames de rasoir, mais il persista à pousser, à pousser...

« Encore, » dit-elle. À chaque centimètre franchi, il s'arrêtait et laissait la douleur s'évanouir.

« Vas-y à fond, » dit-elle. Cette parole, accompagnée d'une pression qu'elle fit sur son bras, motiva Alain à exercer une profonde et violente poussée. Respirant par petites saccades, elle bougea les reins afin de s'adapter au corps étranger.

« Je crois que ça y est, » dit-elle laborieusement.

« Tu es sûre ? »

« Oui, tu peux continuer. »

Il entreprit le mouvement de va-et-vient et, à mesure que la douleur s'amenuisait, accéléra. L'éjaculation vint tout de suite : nécessaire, sans plaisir, mais très heureuse.

« Mon poids ne t'écrase pas trop ? »

« C'est curieux, mais je ne l'ai pas senti. Faut croire qu'une femme est bâtie pour bien supporter le poids d'un homme... Est-ce que tu voudrais me donner des kleenex ? » Il alluma une lampe et apporta les tissus demandés, puis se rendit à la chambre de bain.

Quand il fut de retour au lit, elle lui dit victorieusement : « J'ai saigné. »

« Vrai ? » s'écria-t-il. « Nous avons donc parfaitement réussi. Tu viens de me donner ta virginité. Que je suis content ! Tu es moi maintenant, et je suis toi. »

Elle sourit.

« Laisse-moi voir, » dit-il.

« Voir quoi ? »

« Que tu as saigné ! »

Elle lui montra le kleenex légèrement rosé. Il la prit par les épaules et leurs yeux se parlèrent un moment.

« Maintenant je suis ton mari et tu es ma femme, » dit-il, ému, en insistant sur les adjectifs possessifs.

●

Durant les jours qui suivirent, ils explorèrent et s'explorèrent. Ils aimèrent et n'aimèrent point. Les U.S.A. furent plus décevants les jours de mauvaise communication entre eux et plus intéressants le reste du temps. Leurs intensités sexuelles se mesurèrent en victoires, non en plaisir. L'humidité de l'été américain ajouta sa déplaisante insistance à celle vicieuse des moustiques. Viviane se fit voler sa bourse et cinquante dollars qu'elle avait apportés pour l'achat de souvenirs et cadeaux. Il les lui remboursa après qu'elle eut pleuré, afin qu'elle se sente libre de ses achats. Mais il dut, par compensation, prendre la décision d'écourter le voyage d'une nuit.

À Ticonderoga, il lui expliqua une tranche d'histoire des deux pays. À un serpentarium, il lui apprit des notions de zoologie. Aux deux endroits, elle s'ennuya.

Par contre, elle s'amusa follement plus d'une demi-journée quand elle magasina pour l'achat des cadeaux et souvenirs, tandis qu'Alain tua son impatience et ses heures en préparant de vilains tours à la parenté. Il choisit et acheta de nombreuses farces et attrapes.

●

1964

C'est lui qui s'était rendu chercher le résultat du test de grossesse chez le médecin, et quand il l'avait annoncé à Viviane, tous deux avaient pleuré.

Ils s'étaient demandé pourquoi ça n'avait pas retardé. De quelques mois au moins, le temps qu'ils s'habituent l'un à l'autre, car ils en sentaient grand besoin, mais surtout pour s'adapter à cette nouvelle vie où leur liberté de célibataire leur manquait, ce qu'ils n'auraient jamais cependant osé s'avouer.

Une méthode anticonceptionnelle? Leur religion le défendait. Sauf la méthode du calendrier et encore, après le premier enfant seulement.

Chaque jour, les chaînes dorées de la vie conjugale perdaient de leur éclat. Comme un leitmotiv lourd, cette peur qu'il avait verbalisée sur la tombe de sa mère le matin de son mariage, le harcelait de plus en plus: jusqu'à la mort, jusqu'à la mort... Journellement, nostalgique, il regardait par la fenêtre de leur petit logement de St-Hubert où il enseignait maintenant, et se récitait des poèmes tristes afin de se tromper lui-même sur cette sensation de cœur écrasé.

Alors il se mit à écrire dans sa tête des scénarios de rechange, aussi inutiles qu'oppressants. Ceux d'où Viviane était absente lui faisaient horreur, ce qui le rassurait sur son amour pour elle. Et cet autre, celui que tous avaient souhaité avant leur mariage, celui d'attendre un an ou deux?... Non. Il aurait pu causer la fin de leur amour pour bien des raisons, allant des désirs inassouvis jusqu'au risque de voir Viviane se tourner vers quelqu'un d'autre en passant par les harcèlements de la religion et du milieu.

Sa logique ne trouvant plus d'autres avenues à explorer, les choses devaient être ce qu'elles étaient. Il lui appartenait donc de trouver la solution en tant que chef et guide du foyer. S'il devenait heureux, elle le deviendrait aussi puisqu'ils s'aimaient. «Le bonheur de l'un n'est-il pas le même que le bonheur de l'autre quand deux êtres s'aiment?» avait-il raisonné.

Il fit le bilan de tout ce qu'il possédait pour être heureux: une jeune femme en santé, jolie, habile en tout, talentueuse en cuisine, dans la préparation de petits bonheurs, amoureuse... Lui-même avait une bonne santé, un emploi prestigieux, une vie de famille, une âme en paix... Et le plus bleu des rêves, qui couvait au chaud près du cœur de Viviane, allait éclore en juin.

Leur sexualité avait été riche depuis le début. Alain avait découvert le corps de Viviane progressivement, scientifiquement mais surtout amoureusement. Chacune de leurs intensités sexuelles avait été différente de la précédente. Au début, il lui avait demandé où étaient ses points sensibles. Elle lui avait dit les gestes à éviter: pressions trop fortes, caresses trop violentes ou pas assez, ou encore trop à sec... Il avait bien questionné sur ce qu'il fallait ne pas faire, mais, sans trop savoir pourquoi, il n'avait jamais demandé quoi faire, et cela avait donné d'excellents résultats puisque chaque fois, il inventait de nouvelles caresses, créait de nouvelles intensités, découvrait de nouveaux attouchements, conduisant Viviane sur d'autres sentiers du plaisir que ceux qu'elle connaissait déjà par elle-même.

Parallèlement, elle avait accepté de s'initier au corps d'Alain. Un soir, elle avait regardé. Plus tard, elle avait touché. Ensuite, elle avait commencé à caresser. Il lui avait dit ce qu'il fallait éviter: toute caresse violente, recul excessif du prépuce, répétition sans répit du même geste. Et le reste, il l'avait laissé à l'imagination de sa compagne qui s'avéra magnifiquement fertile.

Elle n'avait pas tardé à connaître l'orgasme. Et lui, s'était mis à goûter le plaisir des caresses et à désirer des préliminaires plus longs. Lentement, gorgée par gorgée, chacun s'était mis à boire à la chair de l'autre avec respect, tendresse, désir et sans réticences, car le fait qu'elle devienne enceinte avait éliminé les deux grandes interférences: la peur du péché et, forcément, l'inquiétude d'une grossesse possible. Un soir, avec une joie sans réserve, ils s'étaient avoué qu'ils aimaient la sexualité.

Pourtant, ils se sentaient malheureux, chacun souffrant en silence, honteux de l'être. Et, mine de rien, histoire de se comprendre soi-même, l'un interrogeait l'autre sur son bonheur à lui. Invariablement, l'autre répondait qu'il était heureux. « Que peut-on espérer de plus ? » concluait chaque discussion. Mais ce « que-peut-on-espérer-de-plus » qu'ils se disaient l'un l'autre, et que la société leur braquait au visage, leur apparaissait comme un mur. Et si le même sujet revenait inlassablement sur le tapis, c'est qu'ils cherchaient désespérément une échelle ou bien une porte secrète pour le franchir.

Des circonstances fort simples leur firent entrevoir l'échelle. Minée par le cancer de la rouille, l'auto demandait à être échangée, mais le budget ne le permettrait pas avant deux ans. Une étude suivie et réfléchie de leur budget leur fit voir la source de toutes leurs difficultés d'accès au bonheur. L'ennemi du ménage, chaque jour, montrait de plus en plus son visage agressif. Il s'appelait le manque d'argent.

Alain polarisait toutes ses frustrations dans de navrantes évidences.

— Nous ne pourrons pas échanger l'auto.

— L'augmentation de salaire de l'an prochain suffira à peine pour l'entretien du bébé.

— Si nous cessions de fumer...

— N'allons plus au cinéma et l'argent économisé nous aidera pour le trousseau de baptême.

— Pourquoi as-tu encore acheté du filet de bœuf? Tu sais bien que c'est trop cher pour nous.

— Si nous avions une petite maison bien à nous...

— Je vais commencer des cours post-scolaires afin d'obtenir un meilleur diplôme et un meilleur salaire.

— Si j'avais été moins pauvre dans le temps, je serais médecin aujourd'hui.

— Le plus petit commerce vaut le meilleur salaire !

— Quand le bébé aura une couple d'années, tu pourras peut-être travailler et nous aider à nous en sortir.

— Encore l'agent d'assurances ? Je lui ai pourtant dit que je n'avais pas les moyens d'en prendre.

— Un jour je me paierai une machine à écrire.

— Combien ça coûte les petits pots de nourriture pour bébés ?

— Si je gagnais un million, tu en aurais des choses à te mettre sur le dos.

— Si le gouvernement m'avait aidé, j'aurais une bien meilleure scolarité.

— Ce salaire n'a pas de bon sens !

— Tu manques encore de viande ? Combien ? Trois dollars ?

— Je n'ai pas eu ma paye. Tu ouvriras un compte à l'épicerie.

— Si les paiements retardent, ils vont venir chercher les meubles.

— Je suis écœuré de perdre ma vie à la gagner.

— Ce n'est pas facile pour moi, Alain, de toujours devoir te demander de l'argent...

— Je comprends, mais je ne devine pas tes besoins.

— Nous allons emprunter.

— Un jour...

— J'ai compté cela et je pourrais me faire pas mal d'argent en dehors de mes heures d'enseignement. Si seulement je me trouvais un «side-line».

— Oui, mais eux, ils ont les moyens de se le payer.

— Si les riches nous exploitaient moins.

— J'ai acheté un livre. Le titre est: «Comment devenir riche.» J'en ai vu un autre qui s'appelle: «Comment réussir». Quand j'aurai de l'argent, je l'achèterai celui-là aussi.

— Paraît qu'il se vend des billets de sweepstake à St-Grégoire.

— Ta mère a-t-elle accepté de l'argent pour ses légumes?

— Par exemple, si ce gars-là avait, disons une Chevrolet ordinaire plutôt que sa Oldsmobile toute équipée, la différence nous permettrait, si le gouvernement instaurait une meilleure justice distributive, de voir clair à tous les item de notre budget: nourriture, vêtements, logement, assurances etc...

— Je vais me cracher dans les mains.

— Je vais réussir, même si je dois travailler jour et nuit.

Il planifia sa guerre contre la pauvreté. Ses armes: une meilleure scolarité et la mise à profit de ses temps libres. Rendre productif le temps improductif en cherchant des idées rentables et en les appliquant: voilà la solution. «Les mines d'or ne sont plus au Colorado ou au Klondyke mais dans votre cerveau,» lui avait attesté son livre bien-aimé.

Il s'inscrivit à des cours du samedi et consacra ses soirées à réfléchir à des idées monnayables. Car il n'était pas question de revenus d'appoint dans son village.

«Les Américains savent s'y prendre,» disait le livre. Alors il repassa ce qu'il savait d'eux et surtout ce qu'il avait appris à son voyage de noces.

«L'ordre et le sens de l'organisation sont importants,» disait aussi le livre. Il se procura des boîtes à beurre en bois qu'il transforma en classeur pour y ficher ses plans.

Sa première idée lui vint en mangeant. «Pourquoi pas de la sauce à spaghetti congelée?» dit-il à Viviane. «Ta recette est fameuse, cent fois meilleure que les sauces en boîte. Pas d'additifs de conservation, pas de perte de goût, pas de goût de fer blanc, et des portions individuelles. Une recette plus viandée, plus québécoise!»

Il calcula le coût du produit, évalua les frais de mise en marché, compara les prix à la consommation.

«Je suis sûr que ça marcherait, mais il nous faudrait vingt mille dollars de capital,» finit-il par dire à Viviane.

«Les banques?» dit-elle.

«Pas question! Les banques ne prêtent que sur des garanties impossibles. Pour emprunter vingt mille dollars, il faudrait que j'en possède déjà soixante mille. Avant de sortir avec toi, j'ai travaillé comme assistant-comptable dans une petite entreprise. La compagnie existait depuis trente ans et pouvait difficilement obtenir une marge de crédit de vingt mille dollars à la banque.»

«Que vas-tu faire de ton plan?»

«Le classer, le laisser dormir et chercher autre chose qui nécessite moins d'investissements.»

«Ce ne sera pas facile!»

«Le livre dit: «Cherchez et vous trouverez.»

«Exploitez votre milieu; cherchez d'abord autour de vous,» disait aussi le livre. Alain pensa au cèdre qu'il avait mesuré quand il travaillait pour l'entreprise de boîtes de St-Hubert, et dont personne ne voulait. Le transformer et le vendre aux citadins ou aux Américains: voilà une bonne idée. Mais faire quoi avec?... «Pourquoi pas ce qu'on a toujours fait: des clôtures? Mais de style moderne. Et qui sait, peut-être des meubles! Pour transformer ce bois, il suffirait de rouvrir l'usine de boîtes qui a dû fermer ses portes, faute de s'être renouvelée...» Ses calculs l'amenèrent à conclure qu'il faudrait au bas mot cinquante mille dollars pour lancer l'affaire. Il ajouta une nouvelle fiche à son classeur.

«Nous vivons dans la plus importante paroisse agricole de tout le Québec,» avait dit le député fédéral. Alain rattacha cette idée à un film américain sur les «State fairs». Il planifia une exposition agricole pour St-Hubert, dans le style des foires américaines. Il calcula que l'investissement initial pourrait être inférieur à sept mille dollars. Mais il faudrait la participation des gens et, comment ne pas se casser le nez devant cette vieille peur québécoise, collective et individuelle, connue de tous, de voir son voisin faire de l'argent grâce à soi? Même sans exploitation abusive? Même avec partage?... Sa boîte à beurre engraissa d'un autre document.

Le début de regroupement des fermes ainsi que la modernisation de l'habitat laissaient pour compte, dans chaque paroisse, bien des anciennes demeures que leur propriétaire aurait eu plaisir à se débarrasser pour moins de cent dollars. Le jeune homme pensa qu'une agglomération de ces vieilles maisons sur la route Québec-Boston traversant l'Etchemin, l'une des plus fréquentées par les touristes américains au Québec, pourrait donner naissance à un village historique comme il savait en exister plusieurs aux États-Unis. Il suffirait d'équiper ces maisons de divers objets d'époque vendus en abondance et à vil prix dans les encans de ferme. À tout prendre, ce village historique québécois aurait coûté environ quarante mille dollars. À nouveau, il nourrit sa boîte à beurre.

«Puisque je suis sans capital, si le consommateur fournissait lui-même le produit,» se dit-il. Il associa cette idée au fait que, faute d'argent, il n'avait pu se procurer le livre «Comment réussir» et à celui qu'il n'y avait pas de bibliothèques publiques ailleurs que dans les villes. Pourquoi pas, raisonna-t-il, un club grâce auquel, moyennant une cotisation annuelle, les frais de poste et le don de trois de leurs volumes comme participation à la bibliothèque collective, les gens échangeraient leurs bouquins le nombre de fois qu'ils voudraient, de sorte qu'ils puissent lire à l'année à peu de frais. Une immense bibliothèque postale. Il ramassa plusieurs centaines de livres pour établir des listes préliminaires et fit une tentative de lancement sur une base locale. Ce fut un échec.

Une revue de son plan et une réflexion plus en profondeur l'amena à une conclusion. L'échec était dû au fait que les gens, pensait-il, ne font confiance qu'à ce qui origine des grands centres éloignés: villes canadiennes ou américaines. Dès lors, il prit des arrangements avec un intermédiaire de sa parenté habitant Montréal et s'y loua un casier postal. Consécutivement à une annonce dans un hebdomadaire connu, les réponses qu'il reçut lui permirent d'anticiper une certaine rentabilité. Mais il eût fallu déménager en ville et investir un bon trois mille dollars en publicité et autres frais de lancement, ce qui était hors de sa portée. Alors il fit une autre visite à sa boîte-classeur.

Le vendredi soir, il prit l'habitude d'aller jouer au poker avec des amis afin de renflouer un peu son budget, ce qu'il réussissait assez bien, car il jouait prudemment, sans jamais s'engager dans une partie à moins qu'elle ne compte un ou deux joueurs imprudents et pourvoyeurs masochistes.

Aux critiques de Viviane, il répondit en allant passer ses fins d'après midi au bureau de poste du village, à jaser avec les vieux.

Alors elle commença à lui servir ses soupers froids. Il ajouta ses samedis après-midi à son horaire de poker.

Elle se tut et plongea dans le tricot afin de tuer sa solitude et préparer la venue du bébé. Chaque semaine pourtant, elle lui trouvait une bonne raison de rester à la maison, mais ne lui en parlait qu'au moment de son départ, le vendredi soir. Une fois, c'était une chaise à réparer, une autre, du prélart à poser. Invariablement, il remettait la tâche au lundi.

Elle lui parla de ses peurs, puisque le logement était situé dans la même bâtisse et au-dessus d'un restaurant où se rendaient souvent des hommes ivres et tapageurs.

« Ferme toujours ta porte à clef et si jamais tu as des problèmes, téléphone-moi ! » lui avait-il répondu paternellement, ajoutant : « D'ailleurs, il ne s'est passé aucun meurtre ni aucun viol à St-Hubert ces quatre-vingt-dix dernières années. Et avant cela, il n'y avait pas de St-Hubert. »

Un autre soir, elle lui avait dit : « Nous avons des difficultés à boucler notre budget et toi, tu vas perdre ton temps et ton argent aux cartes. »

« Je ne perds pas mon temps puisque je me détends, » avait-il répondu. « Quant à mon argent, je ne le perds pas non plus, puisque je vais gagner au moins cinq dollars par semaine, ce qui nous permet presque de payer notre logement. Tu pourras toujours vérifier dans mon portefeuille quand je reviendrai. »

« Dans ma famille, Alain, personne ne passe des heures chaque semaine à jouer aux cartes, » avait-elle dit aussi.

« Je pense bien, personne ne sait jouer ! Ils sont capables de tenir les cartes dans leurs mains, mais ils n'ont jamais rien compris au poker. »

Elle avait fini par lui dire : « Je t'apporte toutes sortes d'arguments pour t'empêcher d'aller jouer, mais au fond, c'est que je m'ennuie quand tu n'es pas là. Je t'aime et je trouve le temps long quand je suis seule. » Et elle s'était réfugiée sur sa poitrine en pleurant.

« Tu dis que tu m'aimes et pourtant tu veux m'empêcher de faire les choses que j'aime, » lui avait-il dit rudement.

« Pourquoi ne travailles-tu pas dans tes plans ? Pourquoi ne regardes-tu pas la télévision ? » avait-elle dit.

Il avait répondu en insistant sur chaque mot : « C'est ce que je fais le lundi soir, le mardi soir, le mercredi soir, le jeudi soir, le samedi soir, le dimanche après-midi, le dimanche soir, les jours de congé et pendant les vacances. Comprends qu'il me faut parfois voir du monde, parler à quelqu'un, sortir de ces quatre murs... »

« Mais je m'ennuie tellement quand tu n'es pas là ! Je suis seule à longueur de journée, et le soir, tu n'es pas là non plus. »

« Tu n'as qu'à sortir un peu. Va voir tes belles-sœurs, fais-toi des amies. Je ne peux pas être toujours avec toi. »

« Ces gens-là ne sont pas mon mari ; c'est mon mari que je veux. »

« Inutile de discuter ! Tu sais que je vais continuer à jouer. Je serai raisonnable, mais je continuerai. Tu sais ce qu'on va faire ? Je te donnerai la moitié de mes gains pour tes petites dépenses, tu veux ? »

« Et quand tu perdras ? »

« Bien... alors... » Souriant à travers ses larmes, elle avait dit : « Je ne partage pas les pertes. »

« O.K. ! » Il avait mit la main sur le ventre de Viviane et ajouté : « La petite fille, elle commence à se faire voir ! »

« Cinq mois ces jours-ci. Mais ce sera peut-être un garçon. »

« Ce sera une fille... Viens, on va l'agacer un peu... viens... sur le lit. » Il l'avait prise par la main...

●

Les moments de rapprochement se firent plus rares à mesure que le temps passait. Le manque d'argent causa de plus en plus de ravages et expliqua les moindres mésententes. Il était devenu le parfait bouc-émissaire.

« Si nous avions seulement une maison à nous, » lui dit-il un soir, « je pourrais bricoler sans déranger les voisins, tu pourrais décorer à ta guise. Nous nous sentirions en sécurité, bien au chaud, chez nous. Tu ne crois pas que nous serions plus libres ?... »

« Une maison ? » dit-elle, incrédule. « Mais nous ne pouvons même pas échanger l'auto ou encore nous payer une petite sortie de temps à autre le samedi soir. »

« Que veux-tu que je fasse de plus, je ne suis qu'un simple professeur ! Si j'avais donc un métier qui me permette d'aller vivre aux États-Unis ! Les salaires y sont bien meilleurs qu'ici et le coût de la vie moins élevé. »

« Vas-tu rester à la maison ce soir ou bien aller jouer aux cartes ? »

« Pourquoi me le demander, tu sais bien que le vendredi, je vais jouer. »

« Ma sœur Claudette vient nous visiter. Mais ne t'en fais pas, ce n'est que ma sœur. »

« C'est le bon temps pour moi d'en profiter. Je ne serai pas inquiet de toi. D'autant plus que vous serez plus libres pour jaser entre femmes. »

« Il faudrait tout de même que tu sois poli. »

« Je l'accueillerai, je jaserai un moment avec vous deux et ensuite, je m'excuserai et vous laisserai ensemble : c'est pas poli, ça ? »

« Comme tu voudras ! De toute façon, le pape viendrait nous visiter que tu partirais quand même ! »

« Je l'emmènerais jouer avec moi. »

Une heure plus tard, à peine entrée la sœur de Viviane dit, sur un ton de complicité : « J'ai une grande nouvelle et vous serez les premiers de la famille à la connaître. »

« Une grande nouvelle ? » dit Alain avec une curiosité affectée, se disant que sa belle-sœur venait tout juste, encore une fois, de tomber en amour.

« Une très grande nouvelle, » reprit-elle, riant à grands éclats.

« Dépêche-toi de nous la dire, » s'impatienta Viviane.

« Tenez-vous bien, » dit-elle, l'air espiègle.

Amusé, Alain agrippa le rebord de la table.

« J'ai obtenu mon visa américain et je pars pour la Californie à l'été » Elle regarda alternativement dans les yeux de sa sœur et de son beau-frère dans l'attente d'une explosion de quelque chose.

« Chanceuse ! » dit Alain sans sourciller. Ce simple mot eut pour effet de déclencher un autre immense éclat de rire chez la jeune femme. Le moindre regard eût provoqué, de toute façon, cet orgasme mental, incontrôlable, libérateur.

« Définitivement ? » demanda Viviane.

« Définitivement ! »

« Tu nous fais les choses en grand, » songea tout haut Viviane.

« Et en surprise ! » ajouta Alain. Claudette se libéra d'une autre saccade de rires qui se termina sur une note aiguë, ses cordes vocales ne parvenant plus à rattraper les sauts de sa gorge.

« J'ai eu mon visa le premier mai. Avant-hier. »

« Seras-tu infirmière là-bas ? » s'enquit Alain.

Elle fit un signe de tête affirmatif. « Dans un hôpital de Santa Barbara. »

« Seras-tu ici pour mon accouchement ? » s'inquiéta Viviane.

« Oui. Je ne pars qu'en juillet. »

« Pour une grande nouvelle, c'est une grande nouvelle et laisse-moi te dire que je t'envie beaucoup, » dit-Alain. « Je t'envie même à mort, » ajouta-t-il en ouvrant largement les bras.

La jeune fille devint songeuse et bougea vivement les yeux, de l'un vers l'autre.

« Tu n'as pas à m'envier, Alain, ta vie est organisée, toi. Tu es marié et tu seras père dans un mois. Si j'avais tout ça, je ne penserais pas à partir. Ce n'est pas que je sois malheureuse, mais je suis un peu comme un oiseau sur la branche... »

Il l'interrompit : « Parlant d'oiseau, je suppose que tu vas te dénicher un bel Américain bourré d'argent ? »

« L'avenir le dira ! » lança-t-elle avec un long rire approbateur.

La conversation se poursuivit entre les deux femmes. Alain n'écouta plus. Il leva les yeux au plafond et jongla profondément. Il regarda Viviane, puis son ventre rond, puis les éclats d'espoir dans les yeux de sa belle-sœur. Alors il eut envie d'aller aux toilettes.

Il s'observa longuement dans le miroir, baissa les yeux. Quand il releva la tête, ce fut pour voir rouler des larmes sur ses joues. Il se mouilla les majeurs d'eau froide et se les appliqua sur les paupières, avant de s'essuyer.

« Je n'ai pas trop réagi tout à l'heure, mais c'est la nouvelle de l'année que tu nous annonces là, » dit-il après avoir repris sa place à table. « C'est formidable de voir quelqu'un de notre entourage se décider d'aller vivre là où ça bouge. »

« L'action ne va pas te manquer à toi non plus, » rétorqua la jeune fille. « Un enfant, ça met de la vie dans la vie ! »

« C'est certain ! » s'exclama-t-il. « Mais, être père, c'est à la portée du dernier des imbéciles, tandis que d'aller vivre en Californie... »

« Tu es content au moins de devenir père ? » questionna subrepticement Claudette, comme pour forcer une réponse qui rassurât Viviane.

« Oui, mais pas de la manière traditionnelle. Je n'ai pas de grandes vibrations... de rêves bleus. C'est une belle chose parmi d'autres belles choses, » dit-il en insistant sur le « d'autres ».

« Je ne te suis pas très bien, Alain. Être père, mais c'est ce qui peut arriver de plus beau à un homme ! Un enfant, c'est du soleil dans une maison. Moi, quand je serai mariée, j'en aurai certainement plusieurs. »

« Peut-être qu'à ce moment-là, tu vas changer d'idée. Viviane et moi, nous avions bien pensé en avoir quatre mais... »

« C'est curieux, tu réagis quasiment comme si tu n'étais pas content. »

« Non, Claudette. C'est que, ni pour l'un, ni pour l'autre, ce n'est si beau que nous ne l'espérions ou que la tradition ne le laisse entendre... De toute façon, pour en revenir à ta nouvelle, pourquoi as-tu opté pour la Californie précisément ? »

« C'est venu comme ça, par des discussions avec ma compagne de chambre. Sa sœur est à Los Angeles depuis trois ans. À force d'en entendre parler, l'envie m'a prise moi aussi. »

« C'est de Josette Caron dont tu parles ? » demanda Viviane.

« Hum, hum ! Elle s'est mariée l'été dernier avec un Américain... » La jeune fille hésita un instant, puis ajouta avec un sourire ravi : « Elle s'est mariée là-bas. Je me demande bien pourquoi elle n'est pas venue faire la cérémonie ici. Pour ma part, si jamais un Américain me demande en mariage, je lui dirai : « Ti-gars, on va aller faire ça dans l'Etchemin, à St-Maurice. »

Devenu enjoué, presque radieux, Alain ne remarquait pas l'heure qui passait. Il dit : « Si tu te maries et que tu viennes faire la cérémonie dans l'Etchemin, on espère que tu la feras quand même à la mode de là-bas, histoire de nous faire vivre un petit bout de vie californienne. »

« Tu ne vas pas jouer aux cartes ce soir ? » demanda Viviane.

« Sais-tu, il est un peu tard, » dit-il en consultant sa montre. « Je me reprendrai demain. De toute façon, avec des nouvelles comme celle que nous venons d'apprendre, y'a de quoi rester jaser. »

« Ne t'en fais pas pour moi si tu as prévu aller quelque part, » dit Claudette. « Viviane et moi avons bien des choses à nous dire. »

« Au diable les cartes ! Ce soir, on parle de Californie, » lança-t-il, comme s'il avait le cœur plongé dans une incroyable fête.

•

Il avait trouvé refuge derrière un journal qu'il ne lisait pas. Le couloir de l'hôpital était peu fréquenté à cette heure-là. Il ne trouvait le temps ni plus long ni plus court que d'habitude. Mais il évalua néanmoins que Viviane et Claudette étaient dans la salle d'accouchement depuis trois quarts d'heure. Le médecin, lui, depuis moins longtemps.

Caché derrière son journal, Alain ne craignait pas d'être observé, ni d'être forcé à donner une image de futur papa nerveux qui ne lui aurait pas convenu. La peur d'être père, il l'avait, à n'en pas douter un seul instant ! Pas pour Viviane, pas pour l'enfant, mais pour lui-même ! Il savait bien que les risques physiques, tant pour la mère que pour le bébé, voisinaient le point zéro ; et, de toute façon, il s'était conditionné à l'idée que de s'énerver n'aurait strictement rien changé à la situation. Mais il pouvait agir sur lui-même, sur ses propres attitudes, et c'est pourquoi il se préoccupait davantage de son problème personnel.

« Mon devoir est de sourire à Viviane quand elle se réveillera ; mon devoir est de sourire au bébé afin de montrer aux infirmières que je ne suis pas un père dénaturé. Mais, bon Dieu, comment accrocher une joie à sa face quand on sent son âme se noyer ? Pourquoi donc faut-il dire blanc quand on vit noir ? Est-ce normal ? Qu'est-ce qui est normal et qu'est-ce qui est anormal ? Anormal ? Qui est anormal ? Moi ! Les seuls actes normaux que j'aie posés depuis mon enfance n'étaient que des tentatives d'imitation des autres. Quant au reste... Quel enfant normal aurait mis le feu à la grange, aurait voulu mourir parce que son chat était mort, aurait dévalisé les troncs de l'église, aurait caché la canne blanche de l'aveugle, aurait jeté un rat mort dans l'auto du professeur, aurait vendu des œufs pourris à l'épicier, aurait toujours fait les choses à l'envers... Et l'adolescent stupide que j'ai été... Comme réagir normalement comme un vrai homme devrait le faire quand on est bâti autrement des autres ? À quel homme marié arrive-t-il de se masturber ? Et pourtant Viviane est jolie et notre sexualité est bonne. À quel jeune marié arrive-t-il de désirer une autre femme ? Quel autre homme à ma place, ce soir, ne serait pas heureux ? Comment le grand rêve d'être mari et père a-t-il pu se transformer si vite en un simple et ennuyeux devoir ? Suis-je un monstre et de quelle espèce ? Pourtant j'aime Viviane ! Et l'enfant qui arrive est bien ma chair et mon sang ! Pourquoi cette peur ? Pourquoi cette tristesse ? Est-ce la peur du temps qui passe trop vite, des responsabilités ? Suis-je un enfant qui s'est marié et qui a procréé trop vite ? Mais alors, l'âge serait-il une meilleure garantie de bonheur que l'amour ? Pourquoi donc cette peur du futur ? Est-ce que je manque, au fond, de confiance en moi-même ? Stupide question après toutes les questions qui me trottent dans la tête !...

« J'ai choisi des toujours et voilà que je me ramasse avec des jamais. Toujours ensemble, elle et moi, c'est beau, mais ça veut dire aussi jamais de liberté. Toujours lui être fidèle, ça veut dire ne jamais aimer une autre femme, ne serait-ce qu'une seule nuit. Toujours, jamais, toujours, jamais, tic, tac, tic, tac, l'horloge de l'enfer. Tiens, voilà que je me fais des farces maintenant : comparer le mariage à l'enfer... Y a-t-il un homme sur un million pour tenir un raisonnement aussi fourchu, alors que son enfant est en train de naître ?

« Pourquoi ne pas penser à quelque chose de beau ? Tiens : la Californie ! Ah ! et puis non ! Ça aussi, d'ailleurs, je peux bien l'embarquer dans mon sac de jamais... »

Une infirmière sortant d'un pas rapide de la salle d'accouchement le ramena à la réalité. Il abattit son journal.

« À quoi peut-elle bien penser ? » se demanda-t-il. « Pourquoi les infirmières ont-elles toutes ce même marcher ? Est-ce leur pas professionnel ? Celui des médecins est pourtant plus retenu... plus fataliste sans doute. En y pensant bien, on peut juger le crapaud à le voir sauter... contrairement à ce qu'on nous a toujours dit. »

La porte de la salle s'ouvrit à nouveau et un chariot, surmonté d'une cage de verre qu'il supposa être un incubateur, apparut, poussé par la sœur de Viviane.

« Voilà ton chef-d'œuvre : une fille comme tu le désirais ; » dit Claudette, radieuse.

Alain regarda longuement sans dire un mot. Des questions qu'il jugea terribles assaillirent son cerveau. « Comment puis-je être ému par cette petite boule grouillante et plissée ? À quelle beauté puis-je vibrer puisqu'elle n'en a pas ? À quelle intelligence puis-je être sensible puisqu'elle n'est pas assez développée pour se manifester ? Comment puis-je l'aimer puisque je ne la connais pas ? Où est donc cette sensation de saute-en-l'air promise aux nouveaux pères ? C'est une vie et je la respecte ; mais comme des millions d'autres, pas plus. Suis-je dénaturé de ne pas aimer davantage mon propre enfant, de ne pas le trouver le plus beau de tous parce que c'est le mien et celui de Viviane, et qu'il nous ressemble ? Oui, hélas ! je suis dénaturé. »

« Et Viviane, ça va ? » demanda-t-il.

« Oui, » dit-elle, un peu hésitante. « Mais l'accouchement a été un peu difficile. Il a fallu utiliser les forceps. » Elle se pencha sur l'incubateur et dit : « Je pense que tu vas ressembler à ton papa. »

« Tes malles sont prêtes pour la Californie ? »

« Je pars le trois juillet... Viviane sera contente d'avoir eu une fille. »

« Tu pars seule ? »

« Hum, hum ! Et je vais conduire pendant huit jours... Il paraît que tu veux la faire appeler Caroline ? »

« Ce nom est à la mode. Passeras-tu par l'ouest canadien ou bien si tu vas couper en travers des États-Unis ? »

« Je passe par Chicago et ensuite j'oblique par la nationale 66... Elle n'est pas grosse, mais dans quelques semaines, tu ne la reconnaîtras pas. »

« J'espère ! Est-ce que tu vas filer droit à Los Angeles ou bien visiteras-tu en cours de route ? »

« Je commence à travailler le quinze, donc je n'aurai pas le temps de flâner en chemin... Allez-vous la faire baptiser avant que je ne parte ? »

« Probablement dimanche prochain. » Avec un signe vers l'incubateur, il ajouta : « Dans un an ou deux, ce sera à ton tour de nous produire un chef-d'œuvre. »

« Laisse-moi me rendre là-bas ! » s'exclama-t-elle dans un vif éclat de rire qui attira l'attention de l'infirmière de garde.

Ayant joué une corde sensible pour qu'elle tienne sur le sujet, il dit: « J'espère que tu vas t'y marier et que tu auras tous les enfants que tu désires. »

« L'avenir le dira! Nous devrions faire un marché: je porterai ta fille au baptême dimanche prochain et toi, en retour, tu viendras faire baptiser mon premier si jamais je me marie là-bas. »

« Avec nos misères à vivre ici, la Californie, ce n'est pas pour demain. De plus, je ne voudrais pas y aller et devoir en repartir tout de suite. »

« Ce n'est peut-être pas aussi drôle là-bas que tu ne l'imagines. Je te l'ai dit: si j'avais la moitié de ce que tu as, je ne partirais pas. »

Il secoua la tête. « Tu auras le double dans peu de temps: le mari, la vie bien organisée, l'avenir, la maison, les enfants et... la Californie. »

Consultant sa montre, elle dit: « Je conduis le bébé à la pouponnière. Jette-lui un dernier coup d'œil; tu ne la reverras pas avant demain. »

« Viviane sortira-t-elle bientôt de la salle d'accouchement? »

Elle poussa le chariot et dit: « Je reviens tout de suite et on va le savoir. »

Le nouveau père retourna à son refuge, derrière son journal. Les idées revinrent drues, farfelues, noires...

●

« Te voilà enfin sur ton grand départ! » s'exclama-t-il quand il aperçut sa belle-sœur. Il mit la main sur le bouton de la porte intérieure restée ouverte toute la nuit à cause de la chaleur torride de ce début de juillet, tandis que Claudette ouvrait déjà elle-même l'autre porte à passe métallique. « Viens t'asseoir, » dit-il.

« Je n'entre qu'une minute. Le temps de prendre ma caméra. Je veux faire au moins cinq cents milles aujourd'hui. Viviane est-elle debout? »

« Elle allaite le bébé, mais elle doit sûrement achever. »

« Elle est dans la chambre? »

« Oui. »

« Tu permets que j'aille jaser avec elle un moment... entre sœurs? »

« Mais certainement... va. » Pour aller plus loin que le désir de la jeune fille, il sortit et descendit le long escalier au pied duquel se trouvait la petite voiture blanche remplie de bagages. Il ne cessa pas une seule seconde de la regarder. Il en fit un tour complet, donna un coup de pied à chaque pneu. Puis il souleva le capot et arracha la jauge à l'huile qu'il essuya tout d'abord dans l'herbe, puis avec ses doigts. Il l'inséra à sa place, la retira à nouveau, constata le niveau d'huile et la remit dans son trou. Il examina précautionneusement toutes les pièces du moteur, cherchant un détail qui n'allait pas et qu'il aurait pu signaler à sa belle-sœur, comme pour donner un dernier coup de pouce à ce voyage qu'il considérait maintenant comme le sien. N'avait-il pas renseigné la jeune fille sur bien des choses concernant la Californie: climat, végétation, cultures, villes, industries. N'avait-il pas minutieusement préparé une longue liste de mots anglais courants afin qu'elle ne soit bloquée nulle part? N'avait-il pas été le seul de la famille à l'encourager sans aucune restriction à persister dans son projet, car depuis qu'elle avait goûté au plaisir de l'annoncer à tous, elle avait manifesté à quelques reprises, certaines hésitations, au gré de ses rencontres dans les salles de danse.

Il avait encore la tête au-dessus du moteur quand il entendit la voix de sa belle-sœur lui crier: « Ne touche à rien, je ne veux pas rester en panne. » Il referma le capot et marcha au pied de l'escalier dans lequel les deux femmes descendaient en bavardant.

«Une dernière vérification, un dernier coup d'œil, ça ne fait jamais de tort!» fit-il, s'appuyant les mains sur les hanches.

«Au garage, hier, on a tout vérifié». Bien qu'elle ne percevait d'aucune façon qu'Alain cherchait à ramasser une miette de la joie de son départ, Claudette lui dit, un peu moqueuse, d'un ton banal: «Tu ne viens pas en Californie?»

Il réplique avec assurance: «Si je le pouvais et si Viviane le voulait, la cabane se fermerait vite et nous ne serions pas loin derrière toi. Le bébé, nos vêtements et en avant la galère: direction sud-ouest.»

Les cris lointains du bébé parvinrent jusqu'à eux. «Peux-tu aller voir ce qui ne va pas encore?» lui demanda Viviane.

À grandes enjambées, il se rendit donner à l'enfant sa tétine, ce qui stoppa les hurlements. Il se réengageait dans l'escalier extérieur quand les cris recommencèrent. Il retourna vivement auprès de l'enfant et lui redonna sa tétine qu'elle avait à nouveau perdue, il la changea de position et lui parla doucement. Elle se tut. De retour à la sortie, il n'eut que le temps d'apercevoir la petite auto blanche qui disparaissait derrière les maisons. Il fixa la route, mais aussitôt, le visage de Viviane apparut de l'autre côté du fin treillis.

«Claudette te fait dire au revoir... Tu as réussi à calmer Caroline?» L'enfant, comme si elle avait entendu, se remit à hurler.

«Veux-tu essayer de l'apaiser?» demanda Viviane. «Je n'en peux plus de l'entendre. Elle crie depuis le jour de sa naissance.» La jeune femme marcha jusqu'à la table de la cuisine, s'assit et laissa tomber son front sur son avant-bras.

Alain retourna à l'enfant qui pleurait, la tétine au coin de la bouche. Il se pencha sur elle.

«Shhhhhhhhh!... Nous ne te voulons pourtant pas de mal! Pourquoi, toi, nous assassines-tu jour et nuit depuis que tu es née? Veux-tu nous faire payer de ne pas t'avoir désirée? Donne-nous donc la chance de t'aimer.» L'enfant regardait son père, grimaçait, hurlait, se tordait les petites mains. Alain sentit une boule trop grosse pour l'étroitesse de sa gorge et parla par à-coups: «Qu'est-ce que tu as donc? Le médecin dit pourtant que tu n'as rien. Tu as mal au ventre? Mais ça doit lâcher parfois les coliques... Est-ce que tu as faim? Pourtant Viviane complète ton allaitement avec du lait ordinaire et toi, tu rejettes la bouteille...»

●

«Qu'est-ce que tu as aux yeux?» demanda Viviane. «Tu as pleuré ou quoi?»

Il regardait la télévision depuis près d'une heure. L'on y présentait une rétrospective des événements de Dallas, dont c'était le premier anniversaire ce jour-là.

«Cet assassinat me bouleverse chaque fois que j'y pense. Et pourquoi donc? Peut-être parce qu'il avait de jeunes enfants. Je ne sais pas. Tu dois me trouver puéril?»

«Pourquoi un homme ne pourrait-il souffrir autant qu'une femme?

«Souffrir peut-être, mais pleurer...»

Elle haussa les épaules.

«Curieux,» poursuivit-il, «l'an dernier, ça m'avait mis en rage, je ne pensais qu'à haïr ceux qui lui ont pris sa vie, et je ressentais comme une sorte de besoin de le venger. Pourtant, aujourd'hui, je pleure. Et ce n'est pas sur lui puisqu'il a trouvé son épanouissement total... Alors pourquoi?»

Il regarda le cercueil sur l'affût de canon.

«C'est comme si les États-Unis s'étaient éloignés de nous depuis la mort de Kennedy.»

«Peut-être parce qu'il était catholique comme nous,» dit Viviane.

«Peut-être... mais il y a plus que ça.»

«Comme tu disais, à cause de ses enfants...»

«Mais il y a autre chose.»

«Parce que lui et sa femme avaient l'air jeunes, comme nous...»

«Tout ça et autre chose aussi... d'indéfinissable. C'est bizarre les changements qui se produisent dans l'image d'un homme après qu'il soit mort. Et quand cet homme est président de son pays, alors c'est l'image du pays qui change.» Il se coucha sur le divan. «Caroline dort?» demanda-t-il. Elle fit signe que oui.

«Depuis deux mois, on ne l'entend plus. Un ange. Par chance, sinon j'aurais claqué une dépression nerveuse.»

«Je la regardais tout à l'heure,» dit-il, «elle sera jolie, notre fille.»

«C'est pour ça que tu la prends dans tes bras plus souvent?»

«Depuis qu'elle sourit et que son intelligence s'éveille, je suis plus attiré vers elle.»

«Espérons que tu le seras assez pour ne pas la faire passer après tes parties de cartes!»

«Que j'aille jouer aux cartes ne veut pas dire que je l'abandonne!»

«Évidemment, puisque ta servante reste à la maison et s'occupe d'elle!»

«Tu cherches par tous les moyens à me clouer entre les quatre murs de la maison,» dit-il avec une moue dédaigneuse.

«J'y suis clouée bien plus que toi. Tu passes toutes tes journées à l'extérieur. Le moins que tu pourrais faire serait de rester un peu à la maison le soir. Est-ce trop demander pour une servante?»

«Le jour, je gagne ma vie à l'extérieur et le soir, il m'arrive d'avoir besoin de voir du monde...»

«Si tu restais à l'année longue entre les quatre murs de la maison, tu trouverais ça invivable.»

«Je ne t'enferme pas à clef.»

«L'entretien de la maison et du bébé, on ne fait pas mieux comme cadenas.»

«Quand tu t'ennuies, habille le bébé et va faire un tour.»

«Pour aller où? Nous vivons dans un vrai village fantôme.»

«Va voir les femmes que tu connais: Lucette, Marie, Solange...»

«Pour me faire dire en revenant que je perds mon temps à placoter ici et là? Merci! Chaque fois que l'une d'elles vient ici, tu te fâches.»

«Je ne me fâche pas parce qu'elles viennent ici, mais parce que vous ne cessez pas de dire du mal des autres. Et si ça se passe chez elles, au moins je n'entendrai pas. Est-ce le fait d'être trop renfermées dans vos cuisines qui vous rend si agressives les unes envers les autres? Et dis-toi bien une chose, c'est que toi aussi, tu passes sur le gril quand tu n'es pas avec elles...»

«Tu exagères...»

«Un bon soir, je vais vous enregistrer et vous faire écouter la bande par la suite.»

«Je n'ai pas eu la chance comme toi d'aller à l'université pour parler de choses savantes.»

«Tiens, nous y revoilà! Encore une discussion qui ne nous mènera nulle part! Nous en sommes rendus à une par jour maintenant.»

«Je suppose que c'est encore de ma faute. C'est toujours moi la coupable. Évidemment, je n'ai pas les mots qu'il faut, moi, pour me défendre. L'instruction, ça donne raison!»

«Et voilà que çà tourne à la guerre: attaque, défense...»

«On devrait plutôt parler de monsieur et de sa servante...» Viviane se leva et sortit en claquant la porte du salon après avoir lancé: «Quand tu te conduiras comme un homme, ça ira mieux dans cette maison.»

Il tourna la tête vers le téléviseur et laissa les images tournoyer dans ses yeux, mais sans les regarder vraiment. Un commercial sur une nouvelle marque de cigarettes prit fin et une vue panoramique du cimetière d'Arlington apparut à l'écran. Quelques minutes plus tard, Viviane revint, plus calme, et elle s'assit, le regard fixe et froid, silencieuse.

Se sentant obligé de faire le pas suivant, il dit: «Quand nous aurons notre maison, je pourrai bricoler, m'occuper du terrain, faire du jardinage. Il y aura toujours quelque chose à faire. Mais ici, je suis condamné à regarder éternellement la télévision. C'est tout à fait normal que je retrouve les amis une ou deux fois par semaine pour jouer une petite partie de poker.»

«Parlons-en de notre maison! Ton salaire ne nous permet même pas d'échanger l'auto. Nous devons faire attention jusqu'à la viande que nous achetons.»

«Passe-moi une cigarette, mon paquet est vide,» dit-il, se redressant. Il alluma d'un geste rituel et mécanique, sans cesser de parler: «Je me ferai transférer à St-Grégoire. L'an prochain, tu pourras travailler. Et nous ramasserons un petit capital pour notre maison.»

«Moi, je pense qu'on ne s'en sortira jamais.»

«La vie nous attend! Nous n'avons que vingt-deux ans. Nous allons nous battre et y arriver, tu verras.»

«C'est entre nous que ça cloche, je me demande si...»

Il l'interrompit: «Tout le problème vient de ceci: tu dois comprendre que je ne bâtirai jamais rien en restant assis dans la maison.»

«Ni en jouant aux cartes avec tes amis non plus!»

«Et voilà que ça recommence! Ne trouves-tu pas que c'était assez pour ce soir? On n'en parle plus, tu veux? Depuis que nous sommes mariés, nous tournons éternellement en rond. Toujours les mêmes problèmes: l'argent, les cartes, l'ennui. Je ne veux plus rien entendre ce soir.» Il se leva brusquement, tourna le bouton du téléviseur, se dirigea vers la chambre à coucher.

Muets, ils s'endormirent péniblement.

Pourquoi avait-il la tête si grosse? Rêvait-il? Pourquoi tout ce vacarme? «Martel, Martel,» criait-on à l'autre bout de l'univers. Il roula lourdement sur l'autre côté de son corps pour ne pas se réveiller. «Martel, réveille-toi!» crut-il entendre moins indistinctement. «Martel, lève-toi, il y a du feu!» Alors son âme prit conscience. Il ouvrit les yeux, sentit, constata que la pièce était remplie de fumée. Il poussa Viviane et dit: «Le feu est dans la bâtisse, lève-toi, vite. Moi, je vais chercher Caroline.»

Au passage de la cuisine, il cria au sauveteur: «Nous sortons, nous sortons.» Inquiet, il s'approcha du lit de l'enfant. Elle oscillait de la tête à gauche et à droite, comme elle le faisait toujours avant de s'endormir. Le père sourit.

«Viens la prendre. Moi, je vais nous chercher des vêtements,» cria-t-il à Viviane, qui le suivait. Il lui mit l'enfant dans les bras.

«Laisse faire les vêtements,» dit-elle.

«Si nous sommes encore vivants, il nous reste bien encore une minute pour nous quérir de quoi nous mettre sur le dos. Il fait froid à ce temps-ci de l'année. Tu as ta robe de chambre, alors va t'en tout de suite chez mon frère avec la petite afin qu'elle ne prenne pas froid.»

Viviane sortit. Elle attendit son mari en haut de l'escalier. Quelques minutes plus tard, il la rejoignit, les bras chargés de vêtements. Ils se rendirent chez un frère d'Alain qui demeurait à quelques maisons de là.

Une heure plus tard, la bâtisse entière brûlait, emportant tous leurs biens.

« Que ferez-vous ? » demanda l'un.

« Nous cracher dans les mains et recommencer à neuf ! » dit Alain au nom du couple.

« Comme ces jeunes sont courageux ! » dit l'autre.

Ils finirent la journée chez la mère de Viviane où ils discutèrent.

« Nous ferons garder l'enfant et nous travaillerons tous les deux, » dit Viviane.

« Je pourrais garder Caroline, » dit la mère.

« Le travail dans la région est rare et peu payant, » objecta Alain. « J'irai en ville, » dit Viviane avec détermination.

« Nous serons séparés tous les trois, » dit-il.

« Alain, tu pourrais demeurer ici avec Caroline, » proposa la mère.

« Et moi, je viendrai toutes les quinzaines, » dit Viviane.

Les décisions furent prises au nom d'un avenir meilleur, des nécessités de la vie, du partage des tâches, du bon sens, de l'esprit de sacrifice, de l'amour.

« Tout ça parce que je n'avais pas les moyens de me payer des assurances dans cette bâtisse-là ! » conclut-il.

1965

Lorsque sa femme partit pour la ville, il pleura. Mais en même temps, l'effleura un vent d'espoir qu'il ne put s'expliquer et dont il eut honte. Alain eut honte aussi, dans les semaines qui suivirent, de rire aux premiers mots de Caroline, aux espiègleries de ses élèves, aux gags de la télévision.

La honte finit par disparaître. Elle fit place à de la peur: peur de se sentir heureux. Ce n'était pas logique de pouvoir, chacun de leur côté, tous les deux, être heureux. Il devait sûrement y avoir une erreur quelque part en eux-mêmes, et cette malformation était inavouable! Et pourtant les faits étaient là: ils souffraient d'être séparés, ils s'ennuyaient l'un de l'autre, mais vibraient intensément chaque fois qu'ils se retrouvaient. La séparation d'une quinzaine multipliait leurs joies: joie d'être réunis tous les trois, joie de se parler d'avenir comme au temps des fiançailles, joie de faire l'amour, joie d'être libérés des contraintes financières. Tous deux avaient retrouvé les rêves, les espoirs et le désir. Chacun pensait — mais ne l'avouait pas à l'autre — qu'ils devraient profiter de l'occasion pour ramasser le capital nécessaire à l'achat d'une maison.

Néanmoins, dès le départ, un problème sexuel, causé par l'utilisation de la méthode du calendrier, se présenta. Cette méthode, parce qu'elle était la seule permise par leur religion, força Alain à une longue réflexion. Une fin de semaine, il en parla à Viviane.

«Le problème est le suivant,» exposa-t-il méthodiquement. «Un: notre sexualité est une valeur positive. Deux: les circonstances ne nous permettent pas d'avoir un autre enfant tout de suite. Trois: les circonstances ne nous permettent pas, non plus, d'utiliser la méthode du calendrier. Conclusion: tu vas prendre la pilule anticonceptionnelle, à moins que tu n'aies d'autres raisons de la refuser que les exhortations de la religion. Tu en parleras à un prêtre à Montréal. Semble-t-il qu'en ville, ils sont plus compréhensifs qu'ici! Ensuite tu iras voir un médecin.»

«Alain, j'en ai déjà parlé à un prêtre et il n'a rien voulu entendre. Pas question d'absolution, a-t-il dit.»

L'homme entra dans une fureur noire, comme cela lui arrivait parfois quand il sentait du non-sens expéditif s'opposer à une argumentation qu'il avait bâtie sur des assises multiples, avec toute la bonne volonté qu'il avait pu y injecter.

«Il t'a dit quoi?» demanda-t-il, les yeux ronds et durs.

«Qu'il fallait être catholiques ou ne pas l'être... que l'Église défend l'usage de la pilule... des choses du genre.»

Les muscles de ses mâchoires saillirent. Il mordit dans son exposé comme il l'aurait fait dans une plaque d'acier.

«Alors je vais régler moi-même le problème. Je vais te dégager de la question de religion. La prochaine fois que tu iras au confessionnal, dis-leur que ton mari t'oblige à prendre la pilule, ce qui sera la vérité, car à partir d'aujourd'hui, plus de sexualité entre nous si tu ne la prends pas ou que tu n'emploies un autre moyen contraceptif efficace. Ainsi, ton âme sera en paix. Quant à la mienne, je m'arrangerai bien avec! J'en ai marre d'une religion de favoritisme. Si nous avions de l'argent qui nous permettrait de vivre ensemble, nous pourrions utiliser la méthode Ogino-Knaus et nous aurions l'âme en paix. Nous pourrions même avoir d'autres enfants puisque nous aurions de quoi les faire vivre. Au diable cette religion qui ne donne l'absolution qu'aux riches! D'ailleurs, j'ai pas mal réfléchi sur nos croyances religieuses depuis quelque temps et je pense qu'on s'est fait drôlement avoir dans le passé. Ces gens-là ont toujours entretenu en nous, volontairement ou non, des peurs malsaines et morbides, jusqu'à la peur de cette valeur sans doute la plus positive qui soit en nous: la sexualité. On nous tourmente depuis notre enfance en nous menaçant des tourments de l'enfer. Un Dieu infiniment parfait condamnerait-il une de ses propres créatures à la peine éternelle simplement parce qu'elle suit ses impulsions naturelles positives dont il est lui-même l'Auteur? Ça n'a aucun sens! Avec toute ma méchanceté d'homme, je ne ferais jamais une chose pareille. Le ferais-tu, toi? Et qui le ferait? Sommes-nous donc meilleurs que Dieu? Non! Dans ce cas, tout est distorsionné: cette religion nie la nature humaine. Partout dans le monde, des enfants sont mis dans la misère noire parce que cette religion crapuleuse défend la contraception. Au nom de quoi? Au nom de la vie, disent-ils. Car ils ont le front, obèses de richesses qu'ils sont, d'appeler la vie ce que vivent des millions d'enfants du Tiers-Monde et souvent même des enfants d'ici. Je te prédis que dans moins de dix ans, plus personne ne voudra rien savoir d'âneries pareilles. Ils diront alors bêtement, vicieusement, comme ils l'ont toujours fait: les temps changent et l'Église s'adapte. Et ils entortilleront les crédules que nous sommes d'une autre manière.

« Ne faites pas ceci, ne faites pas cela, sinon vous brûlerez éternellement. C'est une religion de vengeance, de haine, de chantage, de menaces. Le mot pardon lui-même se trouve à être galvaudé puisqu'il présuppose la culpabilité chez le faible. Car c'est toujours le petit qui est coupable! Quoi de positif dans cette religion? Même les rites sont ennuyeux. À l'avenir, je passerai mon temps de messe à admirer la grande nature et à réfléchir mes rapports avec mon Créateur, sachant que Dieu ne peut pas se faire le complice de ces marchands d'indulgences, semeurs de menaces, seuls détenteurs de la vérité, penseurs publics au service des riches, car si Dieu est derrière tout ça, alors avec toutes les ressources de mon âme, je veux me passer de Lui. »

« Alain, tu devrais te calmer un peu et me laisser placer un mot. Je sais que tu es convaincu, mais tu n'as pas besoin d'en dire autant pour me convaincre. Tout d'abord, j'ai envoyé promener le prêtre, et ensuite, je me suis fait prescrire la pilule par un médecin. Deuxièmement, nous ferions mieux de continuer à pratiquer notre religion comme si de rien n'était. Si maman apprenait que je prends la pilule et que nous ne pratiquons plus, elle pourrait refuser de continuer de pensionner Caroline. Et toi aussi, évidemment. »

« Tu veux dire qu'il nous faudra faire les hypocrites pour éviter des problèmes? »

« Toute vérité n'est pas bonne à dire! »

Les paroles de Viviane avaient jeté une douche froide sur l'esprit d'Alain. Il se ravisa et changea de ton.

« D'accord, je ferai semblant puisqu'il le faut! Mais dès que je le pourrai, je me débarrasserai de ce carcan que je subis avec un sourire d'imbécile depuis trop longtemps. Si j'avais eu l'idée de réfléchir à tout çà avant l'âge de vingt-trois ans! Mais non! J'ouvrais la bouche et je gobais comme une grenouille. À partir de maintenant, je vais me faire une idée par moi-même sur les choses et sur la vie, avec mes forces positives, en essayant de ne détruire personne. Quant aux prêcheurs, ils ne me reprendront plus. »

« Ne parlons plus de cela. Je n'aime pas quand tu t'énerves de cette manière. De toute façon, le problème est résolu. Retournons à la maison. Allons nous coucher. Viens... »

●

Prenant exemple sur l'humanité, Alain s'était convaincu que son bonheur et celui des siens ne pouvait passer par un autre chemin que celui de la réussite matérielle. Se méfiant désormais des grands exemples, il s'était autoanalysé et cette réflexion avait raffermi sa décision de réussir. Il percevait en lui-même le goût des grandes entreprises, c'est-à-dire, pour lui, à la dimension de son petit patelin.

Ses lectures de livres américains avaient confirmé ses théories quant aux clefs de la réussite et, par conséquent, du bonheur: des amis, du capital, du travail, des idées. Ses boîtes à beurre avaient brûlé, mais il gardait ses plans bien nets en mémoire. Il avait donc des idées. Quant au travail, il se répétait que le meilleur homme ne pouvait disposer que de vingt-quatre heures dans une journée. Lui serait productif pendant seize heures. Il se mit donc en quête d'amis, présumant, pour ce qui était du capital, qu'une heureuse combinaison des trois autres, idées-travail-amis, y pourvoirait.

Il rayonna tout d'abord auprès de ses élèves, leur consacrant beaucoup de temps et d'énergie. Activités para-scolaires, organisation de soirées d'amateurs, de fêtes, de concours, venaient régulièrement s'ajouter à ses originalités pédagogiques. Sa popularité grandit. Constamment entouré d'une meute d'étudiants qui se chargeaient de lui créer une agréable réputation auprès des gens de St-Hubert, l'on ne tarda pas à le rechercher pour des travaux bénévoles dont, le plus souvent, personne ne voulait.

Le député en profita pour se débarrasser de la tâche d'organiser une soirée folklorique pour la télévision. Il la présenta comme un cadeau et c'est ainsi qu'Alain en accepta la charge. Quadrillant la paroisse à la recherche de danseurs, gigueurs et chansonniers, il eut tout d'abord du mal à convaincre les gens de participer; mais quand la roue se mit à tourner, il y eut au moulin plus d'eau que nécessaire, plusieurs offrant leur coup d'épaule et insistant pour le donner, à un moment où l'entreprise se serait bien passée d'eux.

Comme il fallait sélectionner les amateurs les plus typiques et les plus aptes à bien balancer une émission de télévision, Alain fit appel à l'animateur lui-même et une soirée éliminatoire eut lieu. Dans la semaine qui suivit, il avisa ceux qui avaient été choisis. Alors des bruits lui vinrent aux oreilles, voulant qu'il eût fait du favoritisme et soutenant que l'animateur de la télévision n'avait pu, logiquement, faire un tel choix. Alain s'en défendit avec tant de force qu'il réussit à convaincre tout le monde qu'il était réellement coupable. Jusqu'aux élus qui lui pardonnaient volontiers son patronage en le gratifiant de paroles et de sourires complices qui le rendaient chaque fois mal à l'aise.

Diction et gesticulation eurent l'heur de faire s'estomper les ragots derrière son miroir au cours des derniers jours avant l'émission.

Le grand soir du quinze mai arriva enfin. L'animateur de la télévision avait lui-même organisé son tableau du terroir en désignant sa place à chaque amateur dans le studio à décor rustique.

« En avant la musique! » cria-t-il cinq secondes avant le début de la télédiffusion. Notes de violon et accords de piano, d'emblée, inondèrent le petit studio d'accents typiquement québécois: vifs, enjoués, centenaires, familiers.

Pour combattre le trac, Alain se laissa aller à des divagations sociologiques. Il recherchait des éléments indiquant que son peuple avait le goût des choses rapides: ce rythme folklorique si nerveux, le hockey sport de vitesse, la façon de travailler des Québécois, leur façon de conduire sur les routes, leur façon, — au dire des prêtres et de bien des femmes — de faire l'amour...

Quelques secondes après que la lumière rouge se fût allumée sur la caméra, l'animateur entra dans le champ de vision, et dit:

« Bonsoir amis du folklore, et bienvenue à cette grande soirée canadienne. Ce soir, nous allons visiter les gens de St-Hubert d'Etchemin et nous allons assister à leur fête au village. Ne nous quittez pas, nous vous revenons pour une première chanson tout de suite après ce message de Federal Packing, fabricant des meilleures saucisses à hot dogs au Québec. »

Alain poursuivit sa réflexion sur les richesses du terroir dans lesquelles il s'était littéralement baigné ces dernières semaines. « Les Américains nous battent peut-être en bien des choses, mais en folklore, ils ne nous arrivent pas à la cheville, » se dit-il. Dans son esprit, défilèrent pêle-mêle des dizaines d'images folkloriques: gigueurs aux jambes ensorcelées, chanteurs de chansons à répondre, danseurs de quadrilles, joueurs de « ruine-babines », violonneux, danseurs en petit bonhomme, accordeurs du pied, joueurs de cuillers, « calleurs » de sets canadiens...

Alors il frissonna, fier de son peuple.

« Nous avons une langue, une culture, du talent, un peuple travailleur, un pays riche. Que nous faut-il de plus? La touche des affaires... Comme l'éducation commence à se répandre, ça viendra bientôt. L'avenir est grand, merveilleusement grand, ici même, au Québec, chez nous... »

« Tu veux-tu, tu veux-tu tu pas, s'écria Maxime le cœur plein d'estime; tu veux-tu, tu veux-tu tu pas... » Madame St-Pierre, une femme entre deux âges, avait, sur un signe de l'animateur, entamé sa chanson à répondre. Elle rata quelques notes aiguës, mais reçut quand même de chauds applaudissements. Et Alain pensa à cette façon qu'avaient les siens de se tendre la main quand le malheur frappait l'un d'eux. « D'autant plus qu'on n'a pas toujours les moyens de se prendre des assurances... » soupira-t-il.

« Voilà, chers téléspectateurs, c'était madame St-Pierre qui nous chantait Maxime. Et on fait suite avec une petite chanson interprétée par madame Auclair. Où est-ce qu'elle est, madame Auclair? Approchez-vous madame Auclair. » Une jeune femme timide rejoignit l'animateur devant la caméra. « Madame Auclair, qu'est-ce que vous allez nous chanter ce soir? »

« Viens dans ma grange, » répondit-elle à mi-voix.

« Cré diable! tout de suite, madame Auclair, » dit l'animateur. Les amateurs rirent copieusement; la jeune femme sourit vaguement, d'un simple rictus, d'un seul côté du visage.

« Les musiciens sont accordés; madame Auclair nous amène dans sa grange; en avant la musique... »

« Je suis une fermière, je reste à St-Hubert, je viens vous raconter ce qui m'est arrivé. Tam di dilam, tam di dilo, dilo, dilo... »

Pendant que la voix fluette, s'accompagnant de gestes gauches, poursuivait sa chanson, Alain retourna à sa réflexion folklorique. Au cours de ces dernières semaines il avait entendu plusieurs de ces vieilles chansons importées de France ou issues des débuts de la colonie. Il n'y avait trouvé que du rire: on y chantait amants, maîtresses, fêtes, noces, danses, boire, manger, amour, gauloiseries... Aussi se demanda-t-il avec amertume comment la religion avait bien pu s'infiltrer dans cette culture et en arriver jusqu'à rendre les gens malheureux de leur propre nature. Il regarda le prêtre assis à une table au centre du studio, fumant religieusement sa pipe, et il se dit: « Pourtant, vos influences négatives diminueront un jour! »

Il redonna vite son attention aux artistes amateurs, désireux de chasser de son esprit ses pensées agressives.

La chanson égrillarde de madame Auclair fut suivie d'un set canadien que les danseurs avaient pratiqué tous les soirs pendant les trois dernières semaines. Puis ce fut une chanson à répondre interprétée par une enfant. Puis une chanson sans rythme ni accompagnement dite par un vieux. Puis une danse à claquettes. Puis une danse en petit bonhomme. Alain aurait voulu retenir le temps, mais le temps lui poussait dans le dos. Et, sans rémission, son tour arriva.

Il commenta un court métrage tourné sur St-Hubert, puis présenta deux couplets d'une chanson à répondre. Lorsqu'il retourna à sa place, il tenta vainement de se souvenir de ce qu'il venait de faire. L'énervement avait bloqué sa mémoire, l'empêchant d'emmagasiner des images.

« Comment c'était ? » demanda-t-il à voix basse à une jeune fille juste à côté de lui.

« Parfait, » dit-elle sans bouger la tête, car son tour arrivait. Elle obéit au signe de l'animateur, se rendit chanter et revint à sa place.

« Comment c'était ? » demanda-t-elle.

« Excellent ! » répondit-il.

Après que le curé, le maire et un couple de vieillards eurent été interviewés, l'émission tirait à sa fin. L'animateur dit : « Nous allons maintenant inviter l'organisateur de cette magnifique soirée, monsieur Alain Martel, à s'avancer pour recevoir ce très beau trophée de marque RZ fabriqué dans notre région, soit à Notre-Dame des Bois. Comme vous l'avez vu tout à l'heure, l'organisateur de ce soir est un tout jeune homme, mais il sait faire les choses : comme quoi la valeur n'attend pas le nombre des années. »

Alain s'approcha sous les applaudissements, et l'animateur, après lui avoir serré la main, poursuivit : « Monsieur Martel, merci beaucoup de votre excellent travail. Au nom de nos téléspectateurs et au nom de la station de télévision, nous vous décernons ce trophée souvenir. Encore une fois bravo et félicitations ! »

Prenant la parole, Alain dit, sur le ton de l'improvisation, un texte qu'il avait néanmoins répété des dizaines de fois : « Je voudrais remercier tout le monde, tous nos talents de St-Hubert : chanteurs, danseurs, musiciens, mais aussi les notables qui ont bien voulu nous accompagner ainsi que le poste de télévision et vous-même, monsieur Thibodeau, de nous avoir si bien accueillis. J'accepte ce trophée au nom de tous ceux qui ont participé. Merci, merci à tous ! » Il prit le trophée et retourna à sa place.

« Félicitations encore une fois à tous nos artistes de St-Hubert et bon voyage de retour... » L'animateur fit son laïus de fermeture, après quoi les musiciens attaquèrent un set canadien sur un rythme endiablé.

Ce rythme se transporta sur l'autobus lors du voyage de retour à St-Hubert. Le joueur de ruine-babines, une caisse de bière entre les pieds, donna la note pendant tout le trajet et son instrument ne se taisait qu'enterré par les voix de tous, répondant aux chansons conduites par un homme particulièrement boute-en-train ou encore par le cri d'un danseur : « Qui veut une bière ? »

« Par chance que le curé et les notables ont pris leur voiture particulière, » dit Alain à sa voisine de siège, » sinon ce serait moins fringuant dans l'autobus. »

« Par chance ! » dit-elle.

●

Une semaine plus tard, à la porte de ce vieux couvent où il enseignait, Alain fut accosté après son travail, par un homme du village, Philippe Morin, qu'il connaissait depuis toujours.

L'homme s'était souvent mêlé d'organisation politique à tous les paliers de gouvernement. Cependant, devenu fonctionnaire syndiqué en 1960, il n'avait plus, par la suite, tâté activement l'organisation électorale, mais il gardait un certain goût pour les affaires publiques dont il suivait d'une façon aussi passive que passionnée les flux et reflux. Alain l'avait entendu raconter maintes choses durant leurs communes parties de poker.

Au seuil de la quarantaine, père de douze enfants, Morin s'était formé lui-même, à la dure école de la forêt: la grande école de sa génération et des précédentes. Par complexe, il était respectueux des diplômes; par conviction, des autorités civiles; par nécessité, des autorités religieuses; par nature, du travail. Si les circonstances l'avaient fait premier ministre, sans doute eût-il été meilleur que bien d'autres, car il était un excellent manieur d'hommes, à l'écoute autant de son flair que de sa faculté de raisonner, mais aussi parce qu'il montrait beaucoup de facilité à concilier le blanc et le noir chez les humains. Il croyait aux idées nouvelles, mais pas aux idées neuves. Nouvelles, mais quand même essayées ailleurs, éprouvées quelque part au Canada ou bien aux États-Unis. Par contre, il se méfiait de l'originalité qu'il jugeait trop dangereuse.

« Le fiston, ça va en classe? » demanda-t-il.

« Pas trop mal, » dit Alain. « Ses notes se sont améliorées ces derniers temps et il a de meilleures chances de réussir son année. »

Morin mordit avec fracas le bouquin de sa pipe et dit: « Il n'est pas le plus travaillant de mes enfants. »

« De ce temps-ci, il n'est pas mal, » dit Alain avec réserve.

« Quand il faut s'occuper de douze à la fois, on fait ce qu'on peut pour chacun. En tout cas, je ne suis pas venu pour te parler de Ghislain... As-tu une demi-heure libre que nous puissions jaser? »

« J'allais justement au restaurant. Allons prendre un café ensemble. »

Ils marchèrent vers la rue.

« Je veux t'entretenir de quelque chose qui rejoint un peu ton travail d'enseignant, » dit Morin. « Comme professeur, t'es bien aimé, ici, à St-Hubert. Les jeunes ont une haute opinion de toi... »

« Je fais mon possible, rien de plus, » dit Alain, mal à l'aise d'être fier.

« Plusieurs dans la vie font bien moins que leur possible, » reprit l'autre. Il changea sa pipe de coin de bouche et poursuivit: « Tu aimes t'occuper des jeunes, tu sais t'y prendre avec eux, que dirais-tu de faire partie de l'Œuvre des Terrains de Jeux? Tu ferais du bon travail là-dedans. L'été arrive et les jeunes de St-Hubert n'ont pas grand chose pour s'amuser. Ici, nous avons moins d'équipements sportifs qu'à St-Maurice ou même qu'à St-Basile. »

« L'O.T.J. fonctionne mal ou quoi? »

« C'est de ça dont je veux te parler. »

Ils traversèrent lentement la rue, entrèrent dans le restaurant, s'assirent à une table isolée.

« Vois-tu, l'O.T.J. est formée de personnes âgées qui n'avancent pas trop vite. Ces gens-là essaient avec toute leur bonne volonté, mais ne réussissent pas. Ce qu'ils font ne prend pas. L'an passé, ils ont présenté au public une fête à la tire, une tire de chevaux, des parties de cartes: échecs par-dessus échecs. Mauvaise organisation! Tu vois ce que je veux dire? Toujours est-il que la semaine dernière, ils ont tenu une réunion et ont tous démissionné. Ils ont remis les livres au curé, disant qu'il fallait du sang nouveau dans l'organisation. Le curé m'a donné rendez-vous et il m'a demandé de reprendre tout ça en mains.

Répondre non avec douze enfants à la maison?... Alors, j'ai décidé de prendre une semaine de réflexion. Je me suis dit que j'accepterais la présidence si je me trouvais un bon secrétaire: quelqu'un de jeune, qui n'a pas peur de l'ouvrage et qui soit dynamique. En d'autres mots et en bref, j'ai pensé à toi.» Et l'homme s'esclaffa. D'un rire plein, complice, honnête.

Sérieux, Alain dit: «Au départ, je ne suis pas intéressé de travailler dans une organisation qui utilise des vieilles recettes comme des fêtes à la tire ou des parties de cartes.»

«Voilà ce que je dis! Il faut du sang neuf, des idées neuves, des énergies nouvelles.»

«Je vais prendre le temps d'y penser,» dit le jeune homme.

«C'est normal. Je te donne rendez-vous ici, à la même heure, demain. Ça marche?»

«Je vais me faire une idée d'ici là.»

L'autre continua son travail de conviction jusqu'à la fin de sa pipée de tabac dont la puissante odeur tuait celle du café fumant.

Vingt-quatre heures plus tard, assis au même endroit, ils reprirent leur discussion.

«Je t'avoue que ton offre ne m'intéresse pas beaucoup et pour les mêmes raisons que je te donnais hier,» dit Alain entre deux gorgées de café brûlant.

Le visage de Morin tourna au cramoisi. Il mâchonna nerveusement le bouquin de sa pipe.

«Si c'est pour n'être que secrétaire de l'O.T.J., je ne l'accepte pas,» dit Alain. «Perdre mon temps dans l'application d'idées poussiéreuses ne me dit rien. Je dirais oui à condition de savoir à l'avance que l'organisation prendra de l'ampleur et vite. Je veux embarquer dans un gros bateau, pas dans une simple chaloupe...»

«Il n'y a même pas de chaloupe,» jeta Morin.

Alain haussa les épaules.

«Comme tu voudras. Chacun est libre de ses actes,» dit Morin avec fracas.

«Attention, je ne dis pas non et je m'explique,» dit Alain. «J'ai une idée en tête, un projet qui me trotte dans l'esprit depuis deux ans, et je ne deviendrai secrétaire que si l'O.T.J. accepte d'avance de le réaliser au cours de l'été.»

«Normalement, il faut adhérer à une organisation avant de lui demander d'endosser un projet,» lança Morin d'un ton sec.

«Je te l'ai dit: je n'ai pas de temps à perdre,» répliqua Alain sur le même ton.

L'autre se radoucit: «Écoute, explique-moi ton idée. Ces jours-ci, je tâterai le terrain chez les gars qui veulent que l'O.T.J. soit relancée. Et on se reverra.»

«D'accord. Je ne te donnerai que les grandes lignes...»

Il exposa à gros traits son plan de foire agricole, argumentant sur les atouts que possédait St-Hubert pour en faire une réussite.

«Mais il nous faut de grandes structures. Rêver grand comme disent les Américains. Nous devrons mobiliser une centaine de personnes, créer une douzaine de comités d'organisation, viser tous les publics,» dit-il avec emballement.

«Une exposition agricole comme à Québec ou Sherbrooke,» jeta simplement Morin.

«Davantage comme les foires d'État américaines. Nous mettrons l'accent sur bien des choses parmi lesquelles l'agriculture. Il y aura: exposition d'animaux, spectacles, concours divers, carnaval ambulant, kiosques d'amusement, élection d'une reine, exposition de produits industriels, expositions artisanales... »

« Et du monde pour organiser tout ça ! »

« Un bon cent bénévoles. Et c'est d'ailleurs un truc pour nous assurer une meilleure assistance. Nous veillerons à ce que chacune de ces personnes nous en amène dix autres, ce qui nous donnera le jour de l'exposition, un fond de mille personnes sur le terrain. »

« Que mille personnes viennent sur le terrain de l'O.T.J. cet été pour assister à quelque chose et je jetterai mon chapeau au ruisseau, » crâna Morin.

« Pas mille, trois mille, » dit Alain, resplendissant. « Le mille dont je te parlais n'est que la base. »

« Commençons par mille, » dit l'autre en vidant bruyamment sa pipe dans un cendrier. « Si je comprends bien, tu accepterais d'être secrétaire à condition que ton idée d'exposition agricole soit acceptée d'avance par une organisation qui n'existe pas elle non plus ? »

« C'est à peu près ça ! »

« Dans ce cas, rappelle-toi de tout ce que tu m'as dit aujourd'hui. Mets ton projet par écrit. Établis une liste de tes comités d'organisation. Dresse les structures sur papier. Dans quarante-huit heures, je te donne des nouvelles... probablement positives. Et lundi prochain, nous remettrons l'O.T.J. en marche. La première résolution concernera la tenue d'une exposition agricole à St-Hubert cet été. »

« Nous l'appellerons foire comme en France. Pas exposition, » insista Alain.

L'autre regarda au loin. Ses yeux ne dépassèrent pas une certaine hauteur.

●

Alain se retrouva ainsi, quelques jours plus tard, devant son premier grand défi à relever. Il aurait enfin l'occasion de se prouver à lui-même qu'un de ses projets tenait debout. Avec toute l'énergie de sa jeunesse, il plongea à corps perdu dans le travail d'organisation.

Il fallait commencer par convaincre les gens. Il entreprit de le faire en utilisant des moyens publicitaires, tandis que Morin, répondant mieux à l'âme du milieu, travaillait dans l'ombre, mais avec beaucoup plus d'efficacité, par du bouche à bouche auprès des individus. Cependant, les deux crédibilités naturellement complémentaires abattaient de jour en jour les doutes et les hésitations. Mais il ne leur fallut pas moins se contenter d'une vingtaine de bénévoles au lieu de la centaine escomptée par Martel dans son plan de base. Par contre, les agriculteurs ne se firent pas prier, ce qui permit aux organisateurs de consacrer ailleurs leurs efforts.

Ils avaient établi leur quartier-général dans une petite bâtisse située à une extrémité du terrain de l'O.T.J. et qui, l'hiver, servait de refuge aux patineurs. Alain y passait le plus clair de son temps à planifier, rédiger, compiler, anticiper, équilibrer.

Morin puisait auprès de son secrétaire sa motivation, car l'enthousiasme du jeune homme était délirant. Quant aux idées, son expérience de la chose publique lui commandait d'en reporter la moitié à plus tard, accusant le manque de temps et de travailleurs. En réalité, il lui répugnait de déroger au plan de base et il restait méfiant face aux idées de grandeur de son secrétaire.

Auprès des gens, Alain employait le style direct, sans passe-droit envers qui que ce fût. Il, s'attirait ainsi la sympathie des jeunes qui trouvaient à ses tranchante de répondre à leurs doléances et ils prirent l'habitude de faire appel à la souplesse et à la diplomatie complice de Morin qui coordonnait, arrangeait les choses, réparait les pots cassés, souriait, manipulait.

C'est ainsi que Morin, donnant de multiples feux verts, dérogea à plusieurs reprises au plan de base dans la répartition des espaces aux exposants industriels et commerciaux. La plupart d'entre eux obtinrent néanmoins satisfaction, mais l'un d'eux ayant posé une exigence susceptible de déranger tout le monde et à laquelle Morin ne put répondre, menaça de se retirer lors d'un appel téléphonique à Martel.

Alain rapporta l'appel à son chef: «Campeau m'a appelé pour me dire qu'il va se retirer s'il n'obtient pas un corridor du côté nord.» Avec un peu de malice, le jeune homme ajoute: «Si nous avions donné moins de permissions spéciales, ça n'arriverait pas.»

«Campeau?» s'écria Morin. «Il veut se retirer? Qu'il le fasse! C'est un éternel mécontent dont il vaut mieux être débarrassé. Donne-lui tous les corridors pour cinquante dollars et il ne sera pas encore satisfait. Sans les changements que nous avons permis, sept ou huit exposants se seraient sentis mal à l'aise, tandis que maintenant, il n'y en a qu'un seul et nous pouvons aisément le remplacer.»

«Deux poids, deux mesures: c'est mauvais au départ!»

«Je ne te le dis pas comme un reproche, mais mon opinion est la suivante. Quand tu administres quelque chose, chercher à tout prix à diviser en parts égales pour chacun, même si c'est juste en principe, donne toujours des résultats désastreux. Car la même chose qui satisfait l'un déçoit l'autre! Tu peux offrir des chances égales au départ comme tu l'as fait avec ton plan de base, mais ensuite, laisse les gens négocier entre eux...»

Alain coupa: «Mais souvent, deux ou trois fins finauds finissent par manger la laine sur le dos des autres.»

«La majorité des gens sont moins bêtes que tu ne le penses. S'ils ont chance égale au départ, ils sauront bien négocier ce qui fait leur affaire. Quand on est jeune, on est porté à vouloir sauver le monde, mais on oublie que les gens préfèrent se sauver eux-mêmes. Un plan de base, ça s'applique avec prudence et souplesse.»

«Tu sembles pourtant y tenir sérieusement au plan général de la foire!»

«Évidemment! Mais c'est un plan d'organisation, pas un plan de distribution. Dans un plan organisationnel, il faut que tu saches où tu vas et que tu ne changes pas trop souvent d'idée; autrement, tu n'arriveras jamais à rien. Mais dans un processus distributif, ceux qui assurent la distribution doivent rechercher la justice, mais ne doivent pas essayer de l'imposer, car, dès lors, le mécontentement devient général, plus personne n'ayant son mot à dire.»

«Tu parles comme un professeur de philosophie.»

«À chacun son école, dans la vie! Sur certaines choses, à parler avec les gens, on peut en apprendre plus que...»

«Qu'à l'université,» coupa Alain. «Ma femme me dit souvent cette phrase!»

«En tout cas, on pourra reprendre cette discussion après la foire. Parle, parle, jase, jase, avec la journée qui nous attend...»

«Et surtout celle de demain. La grande journée!» soupira Alain.

●

Il se leva tôt ce matin du vingt août. Son premier geste fut de jeter un coup d'œil au ciel. Le temps était clair, même si la météo avait annoncé la veille des nuages et des risques d'averses.

« Les réponses à toutes les questions sont données, reste à savoir quelle sera la grande réponse : celle du public, » se dit-il.

Il ne fut pas le premier à se rendre au lieu de la foire. Morin l'y avait précédé de deux bonnes heures.

Vers neuf heures, les camions remplis de bêtes commencèrent d'arriver. Également ceux des exposants divers.

Deux heures plus tard, le préposé au comité d'exposition des animaux entra dans la cabane qui servait de bureau temporaire à l'exécutif de l'O.T.J.

« Tout le monde est là ! » s'exclama-t-il, la mine réjouie. « Enfin quand je dis tout le monde, je veux dire tous les animaux. » Et il s'esclaffa, les yeux presque clos, enfouis derrière la graisse rose de son visage double.

« Je vais jeter un coup d'œil, » dit Alain. Et il sortit.

Alignés comme des soldats indisciplinés, le long d'une clôture, se trouvaient toutes les bêtes de l'exposition. Les unes mâchouillaient du foin qu'on leur avait généreusement distribué, tandis que les autres se répondaient dans un concert à deux instruments : celui des hennissements et celui des beuglements. Génisses, poulains, vaches, juments, taureaux, étalons voisinaient, selon leur appartenance. Alain ne distingua pas les races. Il aurait volontiers confondu Holstein, Ayrshire ou Canadienne ; et les Herefords ne lui auraient dit rien de moins que les fameux Charolais, ces prestigieux immigrants français de fraîche date. Il avait bien appris en sa jeunesse à traire les vaches et à nourrir les porcs ; mais, chez lui, les animaux n'avaient pas de nom. Ni propre ni de race. Ailleurs, chez les vrais cultivateurs, chez ceux qui aimaient leurs bêtes, chacune avait son nom de baptême, sa propre litière, ses manies particulières. Chaque enfant avait son groupe de bêtes et pleurait quand il fallait envoyer l'une des siennes à l'abattoir. En ce matin de foire, Alain aurait bien échangé quelques cœurs gros d'enfance pour faire mieux que de différencier une génisse d'un poulain.

Il tourna la tête du côté des exposants industriels et commerciaux : tous les corridors étaient remplis. Plus loin, depuis la veille, les manèges multicolores du carnaval ambulant n'attendaient plus que les cris des enfants. Au centre, l'enclos du jugement, dessiné par de la sciure de bois, avait une forme vaguement rectangulaire qu'on avait précisée à l'aide d'un câble bien ancré. Au fond, sur la gauche : les kiosques d'amusement et à mangeaille, prêts à fonctionner. Ici et là : des bénévoles à l'œuvre.

Le jeune homme leva la tête vers l'ouest, l'œil inquiet d'y voir poindre des amoncellements nuageux. Son regard lécha la flèche de l'église, jusqu'au coq indiquant la direction du vent. Puis il rentra dans la cabane.

« Combien de personnes aurons-nous cet après-midi ? » demanda-t-il à l'homme joufflu.

« Entre mille et quinze cents, » répondit l'autre avec autorité. « Prenons comme base les fêtes annuelles importantes des paroisses d'alentour et ça donnera au maximum dix-huit cents. »

« C'est ce que prévoit Philippe Morin. Pour ma part, je prédis vingt-cinq cents. »

L'autre s'étouffa dans son rire gras. « Vois-tu ça : vingt-cinq cents patients qui viennent regarder dix ou douze vaches et une dizaine de chevaux ? Ce serait le scandale du siècle à St-Hubert. »

Réticent, Alain fronça les sourcils et rétorqua : « Premièrement, il y a bien plus d'animaux que tu ne le dis, et tu le sais. Deuxièmement, la foule cherche la foule. La publicité leur donne l'impression que tout le comté va se réunir ici aujourd'hui et chacun voudra venir aussi. Troisièmement, que la moitié des gens de St-Hubert viennent, et déjà nous aurons douze cents personnes sur le terrain. »

L'homme se « dérhuma » copieusement et dit : « Il reste que le motif pour déplacer tout ce monde ne sera quand même qu'une cinquantaine d'animaux dans un enclos. »

« Je ne connais pas grand-chose à l'agriculture, mais je suis intéressé d'assister au jugement de belles bêtes comme celles-là, » protesta Alain.

« C'est vrai qu'il y a de bons éleveurs dans la région ; mais des vaches, ça reste des vaches ! » dit l'homme.

« Pas pire des vaches que des produits industriels, » dit Alain. « Il n'y en a pas deux identiques. De plus, il faut des mois de soins intensifs pour préparer une bête, c'est pas du fabriqué à la chaîne. »

L'homme toisa Alain d'un sourire paternel, mais il ne poussa pas plus avant le sujet.

« Veux-tu me préparer deux copies propres de cette liste que les juges pourront utiliser cet après-midi ? Je passerai les prendre tout à l'heure. » Et il sortit.

Alain se remit fébrilement au travail entre les visites des organisateurs et travailleurs bénévoles, et les appels téléphoniques. Au son de l'angélus, il retourna dehors afin de jeter un autre coup d'œil au ciel. En rangs serrés, à l'horizon, les nuages finissaient par se disperser à mesure qu'ils s'approchaient ; ils passaient, immobiles, au-dessus du terrain, très haut.

Une de ses élèves, qui lui était particulièrement dévouée et qui était déjà à son travail dans un kiosque-restaurant, prit sur elle de lui apporter un sandwich et un Coke. Bien qu'il ne sentait pas la faim, il les avala aussitôt. Après ce repas vite fait, il pensa qu'il n'avait même pas remercié l'adolescente et qu'il avait accepté son lunch comme un dû. Attirer l'attention de la jeune fille ne lui donna aucun mal car, mine de rien toutes les trois minutes, elle regardait dans sa direction, l'œil un peu triste de n'avoir pas eu droit à une récompense morale plus explicite. Alain envoya la main et sourit. L'adolescente fit un léger signe de tête et, timidement, battit des paupières, réprimant à peine un sourire rougissant. Il rentra dans sa cabane.

Les collecteurs entrèrent chercher leurs billets ainsi que les tabliers à poches qui devaient contenir l'argent ramassé. Puis les hommes de la circulation et du stationnement vinrent réclamer leurs épinglettes d'identification officielle. À leur tour, les uns après les autres, les préposés aux divers kiosques vinrent quérir leurs tabliers contenant la base de monnaie requise pour faire démarrer leurs activités respectives.

Dans le tohu-bohu du va-et-vient où personne ne se faisait annoncer ni ne frappait à la porte avant de pénétrer dans le bureau, Alain ne remarqua pas l'arrivée de Jean-Paul Campeau. L'homme s'approcha et frappa trois fois, sèchement, de son majeur maigre recourbé sur le bureau, dit d'une voix pleine de menaces : « J'arrive avec mon camion rempli de trayeuses et qu'est-ce que je vois ? Mon corridor qui est loué à quelqu'un d'autre. Comment peux-tu expliquer ça, mon jeune homme ? »

« Mon cher monsieur, c'est vous qui l'avez voulu, » répondit Alain d'une voix incertaine. « Vous m'avez dit au téléphone que vous n'étiez pas intéressé d'exposer à moins d'être du côté nord. Je vous ai dit que si c'était possible, je vous rappellerais. Or, nous n'avons pas pu vous déplacer. Donc, nous avons conclu que vous ne viendriez pas et nous avons loué votre espace à quelqu'un d'autre. »

« Mon petit gars, tu penses qu'avec ton instruction, tu vas venir disposer des choses à ta manière ! Tu vas t'apercevoir que les affaires, ça ne marche pas comme ça! Mon camion est là, rempli de marchandise et tu vas me donner mon corridor.»

«Vous n'aurez aucun corridor, ni aucune place sur le terrain. Les décisions furent prises autant par Philippe Morin que par moi-même. Remballez vos exhibits et revenez l'an prochain... De plus, rendez-vous compte par vous-même que je n'ai pas le temps de discuter avec vous.»

«Tu te prépares un gros orage sur la tête, mon petit gars.»

«Si vous voulez plus de détails, voyez Philippe Morin. Pour ma part, je n'ai plus de temps à perdre.» Et Alain fit mine de s'intéresser à autre chose.

Blême, rageur, hésitant, l'autre finit par tourner les talons. Il sortit avec une infinie lenteur sans ajouter un seul mot.

Quelqu'un entra chercher une carte d'officiel; quelqu'un d'autre de la monnaie; un troisième, des billets pour une candidate au concours de la reine. Morin entra et marcha nerveusement de long en large, frappant vigoureusement des talons.

«Au bas mot cinq cents personnes sont déjà sur le terrain et il n'est que midi et vingt. À ce rythme-là, nous aurons deux mille personnes à l'heure de pointe, vers quinze heures.»

«Tant mieux,» fit Alain. «Tu as parlé à Campeau?»

«Non. Je l'ai vu sortir d'ici, mais il m'a évité. Qu'est-ce qu'il voulait?»

«Il m'a drôlement engueulé pour son corridor...»

«On n'a pas le temps de s'amuser avec lui aujourd'hui. S'il revient te baver, tu me l'enverras ou fais-moi venir. Ses petites crises pour impressionner tout le monde ne m'effraient pas beaucoup...»

«O.K.,» fit Alain. «Où en étais-je? Ah oui! Les gens de la radio sont-ils installés?»

«Oui. J'ai parlé avec eux. Tout est prêt et la radiodiffusion commencera comme prévu à treize heures. Quant au reste, tout marche comme sur des roulettes. J'ai eu un petit problème avec le propriétaire du carnaval ambulant, mais c'est rien! Il nous exige cent dollars pour mettre ses machines en marche. Tu te rappelles qu'on lui avait promis des bénévoles?..»

«J'ai complètement oublié de m'en occuper!» s'exclama Alain.

«Pas grave, c'est arrangé!»

«Je lui aurais dit de foutre le camp,» dit Alain. «Pingre comme il est, il ne serait pas parti.»

«Plutôt de faire du grabuge...»

«Le petit vingt-cinq pour cent qu'il nous donne sur ses recettes moins cent dollars, il ne restera pas grand chose.»

Un homme qui venait d'entrer dit sur le ton de la confidence: «Les gars, il nous faudrait un homme avec une pelle dans l'enclos du jugement. Vous comprenez, les animaux, ça n'avertit pas toujours...»

«Un autre détail important qu'on a oublié,» dit Morin. «Je vois mal les juges se promener dans la bouse de vache.» Il s'apprêta à sortir.

«Peux-tu revenir dans quinze ou vingt minutes pour tenir le bureau que je puisse aller passer l'interview pour l'émission de radio?» demanda Alain. «À moins que tu ne veuilles la faire toi-même,» ajouta-t-il, amusé, sachant que c'était la dernière chose au monde que Morin eût consenti à faire.

«Merci pour le micro!» marmonna l'autre. Il ouvrit la porte d'une main et, de l'autre, changea sa pipe de coin de bouche.

Trois jeunes filles vinrent se planter devant le bureau du secrétaire. Elles se regardaient, riaient et se poussaient des coudes.

«Dis-lui, toi,» fit l'une.

«Non, toi,» dit l'autre.

Les deux premières se tournèrent vers la troisième.

« Dis-lui, toi, » firent-elles ensemble.

« Ça semble grave et important, » dit Alain.

« On a une grosse faveur à vous demander, » dit la troisième. Elle regarda les deux autres et s'esclaffa. « Nous voudrions travailler dans les kiosques. »

« Malheureusement, notre personnel est complet. »

« Juste pour remplacer quand les autres iront souper. »

« Des remplaçants sont prévus... Mais s'il survient quelque chose je vous ferai signe. »

« Je vous l'avais bien dit qu'il était trop tard ! » dit l'une des jeunes filles. Elles se dirigèrent vers la sortie.

« Merci quand même, » dit gauchement l'une. « Merci, » dit rapidement l'autre. « ..rci, » dit la troisième avec un chat dans la gorge. Elles sortirent, jacassant et ricanant.

Quelqu'un frappa contre le grillage protégeant la vitre de porte. Avec force gestes des mains, il fit savoir à Martel que, selon les collecteurs, au moins mille personnes étaient déjà sur le terrain. Alain fit signe au visage carreauté qu'il avait compris.

« J'ai besoin d'un jeu de dards, » dit un garçon aux cheveux moutonneux.

« Attends une seconde, je vais derrière, dans l'entrepôt et je reviens tout de suite. »

Quand l'adolescent frisé ouvrit la porte pour s'en aller avec ses dards, Alain remarqua la musique de foire jaillissant des haut-parleurs, annonçant ainsi le début de l'émission de radio. Dans l'espace de quelques secondes, le bureau s'emplit.

« L'annonceur te demande pour l'interview, » dit l'un.

« Les musiciens pour la danse de ce soir sont à l'entrée et veulent savoir où mettre leurs instruments, » dit l'autre.

« L'exposant du corridor trois voudrait une toile, t'aurais pas ça dans l'entrepôt ? »

« Faudrait un responsable qui empêche les enfants d'aller jouer dans les pattes des chevaux. »

« Il n'y a pas de papier dans vos toilettes... »

« Je viens juste pour te féliciter. Tu me reconnais ? »

« Une auto s'est presque renversée dans l'entrée numéro deux, veux-tu faire venir un camion-remorque ? »

Morin rentra et dit : « Va pour ton interview ; le jugement des animaux commence dans moins de dix minutes. »

Alain sortit du bureau et grimpa sur la plate-forme où étaient les radiodiffuseurs.

« Cette ébission vous est présentée avec les hobbages de l'hôtaêl du Dobaêne, propriété de bonsieur et badabe Patrice Roy, des gens sympathiques qui vous offrent un service d'hôtaêllerie par excellence. » L'annonceur avait une curieuse, cocasse, mais fort peu radiophonique propension à prendre les m pour des b et à traîner sur les e ouverts. Il présenta Alain et lui posa diverses questions sur l'organisation de la foire et le programme des activités de la journée.

Quand l'interview fut terminée, Alain se recula afin de voir les gens affluer par les trois entrées. Il évalua la foule à plus de trois mille personnes et le flot semblait interminable. Alors, il connut pendant quelques secondes un triomphe complet. À la fierté d'avoir affirmé sa personnalité à la radio s'ajoutait en lui la joie d'avoir réussi de façon brillante à réaliser l'un de ses projets ; à cette satisfaction vint se greffer un regain de foi et de confiance en ses autres plans et en l'avenir ; à cet espoir vint s'additionner l'illusion d'être aimé des gens de St-Hubert pour leur avoir gratuitement donné deux mois de ses efforts mais surtout de ses capacités de penseur et d'organisateur.

Il retourna au bureau afin de continuer de répondre aux requêtes de chacun. La réalité chassa vite le goût de la victoire, d'autant plus qu'il ne la jugeait pas complète. Encore faudrait-il que le public et les participants retournent chez eux satisfaits; ce n'est pas à moins, que la foire deviendrait une fête annuelle, se disait-il.

Quand les hommes de la radio eurent quitté, le secrétaire retourna sur la plate-forme, au microphone, afin d'aider l'annonceur local qui ne s'y retrouvait pas toujours dans les textes publicitaires hâtivement rédigés. Il avait fini la lecture de quelques messages lorsqu'une main le toucha à la jambe et qu'un homme, en bas, lui fit signe de s'approcher. Il se pencha.

« Je vous ai apporté deux poches de moulée pour donner en prix, » dit l'homme avec un sourire éblouissant.

« Ça nous fait bien plaisir, monsieur Lessard. »

« Seulement, j'aimerais que tu l'dises trois ou quatre fois dans l'radio... »

« Malheureusement, les gars de la radio sont partis. Mais je peux le mentionner ici sur le terrain, si vous le désirez. »

« Non, non ! Je voudrais que tu l'dises dans l'radio, » insista l'homme.

« L'émission de radio est terminée, vous comprenez ? »

L'homme le regarda, incrédule. « J'viens de débarquer de mon char, pis j'vous entendais dans l'radio. »

« Voyez-vous, une émission, ça finit par finir, » dit Alain, mi-moqueur, mi-paternel.

« Ah ! l'programme est fini ? » dit l'homme.

« Oui, » fit Alain.

« Pourquoi que tu me l'disais pas ? » mâchouilla l'homme en même temps qu'une allumette de bois. « Dans ce cas-là, peux-tu me l'annoncer dans ton micro icitte ? »

« Je vais en parler deux ou trois fois, » dit Alain avec un geste complice à poing fermé.

L'homme souleva sa casquette à longue palette pare-soleil et se la recala à l'arrière de la tête, presque sur la nuque. Il ferma un œil et se l'enterra quasiment de son sourcil broussailleux.

« Va falloir que tu l'dises au moins cinq ou six fois. C'est deux poches de moulée que j'vous donne... »

« Monsieur Lessard, je vais faire tout mon possible. Maintenant, si vous voulez m'excuser, je vais retourner au micro. »

« Comme ça, dans l'radio, c'est fini ! »

« Fini ! » dit Alain qui retourna à la table du microphone. L'homme cria : « Fais-moi une belle annonce. »

Alain lui consacra une minute, improvisa sur son commerce de meunerie et son cadeau à l'organisation de la foire. Compte tenu de la valeur de la moulée, en faire plus eût été du favoritisme, mais il se promit néanmoins de répéter l'annonce un peu plus tard.

Quand il descendit de la plate-forme, le meunier l'attendait et lui dit : « Tu parles pas beaucoup de moé. »

« Mais je n'ai pas fini. Dans une vingtaine de minutes, je vais revenir faire la lecture de plusieurs autres messages et je parlerai à nouveau de vous. »

« Oublie moé pas. Tu diras ben que c'est deux poches de moulée... »

« Promis ! » fit Alain en se dérobant. Il rentra au bureau ou l'attendaient une dizaine de personnes.

« Des gens qui veulent de la publicité sur le terrain, » dit Morin.

« Je vais prendre vos commandes, si vous voulez passer à tour de rôle... » Il commença à écrire.

« Il manque de marchandise au kiosque dards et ballons, » vint dire un adolescent.

« Va voir Philippe Morin. Pour le moment, je n'ai pas le temps, » dit Alain.

« Il ne nous reste pas de chapeaux de cowboys, » dit un autre.

« Va derrière, Philippe t'en donnera. »

Caméra en bandoulière, un inconnu dit : « Je suis venu pour les photos ; quelqu'un peut-il venir m'indiquer quoi photographier ? »

« Attends une minute, Philippe Morin va s'occuper de toi. »

« Les femmes du souper canadien ne sont pas trop contentes, » dit un commissionnaire, « aucune n'a une clef de la salle et elles attendent dehors depuis une heure. »

« Va t'arranger avec Philippe, derrière. »

« Ils ont besoin de Coke au kiosque à rafraîchissements, » dit une jeune fille.

« Les réserves sont derrière, Philippe t'en donnera. Tu ferais mieux de te trouver un homme pour transporter les bonbonnes. »

« Je suis venu te féliciter, mon p'tit Martel. Je t'ai entendu à la radio tout à l'heure. T'as bien fait ça pour un jeune. Je t'avais vu à la télévision ce printemps et je m'étais dit... »

Accompagnant ses regards de sourires et de signes de tête, Alain continua son travail jusqu'au moment où il aperçut Campeau, son mécontent du matin, qui entrait, une bouteille de bière à la main. Martel frémit et se rendit aussitôt derrière, dire à son chef de venir, tel qu'entendu. Celui-ci s'amena, le visage rouge et la pipe nerveuse. « Tiens, si c'est pas Jean-Paul Campeau, » s'exclama-t-il. « Je voulais justement te parler. Viens dehors, on va discuter. » Il passa sa main dans le dos de l'homme ivre et l'entraîna à l'extérieur tout en le gratifiant généreusement d'amicales tapes à l'épaule.

Le téléphone sonna. Alain décrocha.

« Pourriez-vous faire venir Joseph Gagné au téléphone ? » demanda la voix d'une puissance à faire sauter un tympan.

« Difficile, madame, il y a quatre mille personnes sur le terrain. »

« Faites-le chercher, » ordonna-t-elle.

« C'est vraiment urgent, madame Gagné ? »

« Je pense bien ! Il devait venir il y a une demi-heure pour nous emmener à la foire agricole et on ne l'a pas vu. »

« D'accord, madame, on va lui faire votre message. »

Il raccrocha et continua la rédaction de ses textes, mais dix minutes plus tard, la femme rappela.

« Je lui ai bien fait votre message et il vient de partir vous chercher. » satisfaite de ces paroles, la femme raccrocha, mais pas Alain.

Et ses minutes continuèrent de s'écouler ainsi : serviles, loufoques, comiques, exigeantes, mesquines. Il n'en conçut pas de ressentiment, se disant que le pourcentage des brailleurs était quand même relativement faible.

Vers les seize heures, des nuages, pesants ceux-là, s'amoncelèrent dangereusement. Alain qui venait de lire une série de messages au microphone, en fit la remarque à l'annonceur.

L'homme, un marchand général, s'était vu institutionnaliser speaker local, depuis quinze ans qu'à la moindre festivité paroissiale, on lui confiait la tâche du microphone.

« Mes chers amis, » annonça-t-il, « nous avions demandé à monsieur le Curé d'insister auprès de son grand patron afin qu'il nous accorde une belle température aujourd'hui. Vous admettrez avec moi qu'il s'est bien acquitté de sa tâche, n'est-ce pas? Certains s'inquiètent à cause des nuages qui nous menacent, mais encore une fois, nous allons demander à monsieur le Curé d'intercéder pour nous autres et de nous protéger de la pluie, n'est-ce-pas monsieur le Curé?»

Le prêtre, confortablement assis sur la tribune, un peu plus loin, occupé à surveiller de près les animaux qui défilaient devant les juges, leva bien haut sa bouffarde croche en signe d'acquiescement.

Alain souhaita que la pluie commence à tomber pour faire mentir au bon moment ce qu'il considérait comme une superstition puérile.

Quelques minutes après les expertises, vers les dix-sept heures, une averse, aussi abondante que brève, chassa tous ceux qui flânaient encore sur le terrain.

Réfugié sous la plate-forme, l'annonceur, d'une voix forte, avec un sourire baigné de croyance, dit à Alain: «Juste au bon moment pour faire partir les gens vers la salle, au souper canadien. Il est fort, notre curé, il est vraiment très fort.»

«Vraiment très fort!» reprit Alain, songeur.

•

La reine de la foire essuyait encore ses larmes lorsque le curé fut invité à prendre la parole. La salle paroissiale qui, cinq ans plus tôt, avait inquiété Alain, était encore une fois bondée; mais les réparations qu'on y avait effectuées depuis, la rendaient aussi solide que le pasteur de la paroisse lui-même.

Les pouces accrochés à sa ceinture de soutane, l'homme s'approcha lentement du microphone. Geste noble, sûr, mille fois répété du père qui va livrer la vérité. Visage rond, lunettes épaisses, cheveux minces et gris, bedonnant, il donnait l'impression de n'avoir jamais été autre chose que curé.

Sa voix grave, riche, posée, paternelle, tonna. Il n'utilisa aucun truc pour capter l'attention de son auditoire, car, depuis toujours, dès ses premières paroles, il baignait la foule de sécurité et de paix. Il était comme une maison canadienne, pièce sur pièce, âgée mais solide, imposante mais chaude, réservée mais accueillante, solitaire mais protectrice, et avant tout indiscutablement institutionnalisée.

«...comme je vous le disais, une réussite comme celle d'aujourd'hui restera gravée dans les annales de St-Hubert.» Il parlait péremptoirement. «Au départ, en tête de tout ça, il y a eu quelqu'un qui ira loin dans la vie, un petit gars de la paroisse, décidé à mettre toutes ses énergies au service d'une bonne idée. Quand je pense qu'il y a trois mois, l'O.T.J. n'existait pour ainsi dire plus, et que ce soir, cette organisation est plus vivante que jamais grâce à l'idée d'un jeune homme, alors je me dis qu'il faut toujours, dans la vie, donner à la jeunesse la chance de montrer de quoi elle est capable. Bien sûr, seul, Alain Martel n'aurait pas pu faire grand-chose. Il fallait une énorme collaboration et une extraordinaire participation de tous. Mais il a su miser sur ces choses, sachant très bien que les gens de chez nous sont capables, plus que ceux de n'importe où ailleurs, de se donner la main. Et il a eu raison, car voici, ce soir, une réussite sensationnelle.

«Est-il possible de nommer, sans en oublier plusieurs, tous ceux qui ont aidé à la préparation de cette foire agricole? Évidemment non! Des gens de tous les métiers et des quatre coins de la paroisse ont donné leur coup de pouce, et c'est grâce à eux si aujourd'hui, ce soir, nous sommes le point de mire de toute la région. Nous sommes fiers d'avoir désormais, nous aussi, notre fête annuelle qui, à n'en pas douter, sera la plus importante du comté. Car même St-Grégoire, toute ville qu'elle soit, n'en a pas de semblable. Je dis annuelle, car il ne fait pas de doute, après le succès d'aujourd'hui, que la foire agricole de St-Hubert, grâce à ceux qui l'ont créée cette année, se répétera l'an prochain et les années à venir. Vous savez, l'histoire de notre paroisse est riche de... »

Alain cessa d'écouter le pasteur. Assis sur la tribune d'honneur, jambes et bras croisés, les yeux rivés sur un point inexistant au fond de la salle, il n'avait pas bougé d'une ligne lorsque le prêtre avait parlé de lui. Il avait bien senti une bouffée de chaleur derrière la nuque, mais rien de plus. Cependant, son immobilité, qui l'avait protégé des lectures indiscrètes d'un public curieux, commençait à lui peser. Pour s'en décrocher, il lui eût fallu aussi se décrocher de toutes ces pensées axées sur son triomphe personnel. Car il se sentait bien plus qu'un simple enseignant de la campagne québécoise, puisqu'il avait sauté la barrière difficile qui sépare les exécutants des leaders. Désormais, il serait lui aussi un penseur public, capable de décider pour les autres, comme les prêtres, les politiciens, les chefs d'entreprise, les patrons, les chefs syndicaux.

Excédé d'avoir la tête droite et les muscles raides, sa pensée se tourna vers l'argent de la foire qu'il faudrait compter le lendemain et qui, d'ici là, dormirait au presbytère dans le coffre-fort du curé. Il se rappela de la brève discussion de l'après-midi sur le choix d'un lieu sûr où déposer l'argent pour la nuit. L'un avait proposé le coffre-fort du notaire, l'autre celui de la caisse populaire: aucune des deux idées n'avait soulevé d'objections ni d'enthousiasme non plus. Cependant, l'unanimité avait fini par éclater autour de la suggestion de Philippe Morin de faire coucher l'argent chez le curé.

Après cette réflexion, Alain put enfin décroiser la jambe. Il sentit des picotements, du genou jusqu'au talon. Quelques minutes plus tard, le prêtre terminait son allocution aux applaudissements nourris d'une assistance chaleureuse.

Une fois encore, le curé avait misé juste dans son discours, comme il le faisait toujours, mais jamais avec préméditation. Il avait tout simplement l'instinct des masses canadiennes-françaises. Dans chaque sermon, il exaltait le nationalisme paroissial en parlant abondamment du passé, en mettant le doigt sur l'injustice comme un mal présent ailleurs et venu d'ailleurs, en bénissant un certain repli sur soi et, pour cimenter la crédibilité de tout ça, en basant chaque prêche sur un consensus du moment, qu'il s'agisse d'une émotion commune face à un fait divers soit un accident mortel ou un désastre naturel, qu'il s'agisse de lever une corvée pour rebâtir la maison d'un sinistré ou bien, le plus souvent, qu'il s'agisse de travaux de fabrique. Mais, ce soir-là, le consensus avait porté sur Alain Martel dont la jeunesse, la pureté publique et les malheurs récents — perte de ses biens et mort de son père — faisaient un fils chéri de la paroisse. Une fois de plus, le curé avait deviné, sans chercher à le faire, et consacré le consensus.

Alain réfléchissait à ces choses et il en conclut que le seul reproche, somme toute, qu'on puisse faire au prêtre, était son silence, complice d'une religion négative. Mais, à l'instar de tous, il admirait, au-delà de cette faiblesse sans doute forcée par l'époque, le grand leader matériel qu'il percevait en cet homme dont la force de caractère et l'esprit de justice semblaient augmenter avec l'âge.

●

Au centre de la longue table brune aux pattes stylisées noires il y avait une montagne de tabliers bleus bourrés d'argent. Philippe Morin mit la main sur le tas et dit: « Monsieur le Curé, à combien évaluez-vous nos recettes d'hier ? »

« Bien malin qui pourrait le dire ! » s'exclama le prêtre, hochant la tête, puis levant les yeux au ciel dans un signe évident de satisfaction.

« Que penseriez-vous de cinq mille dollars ? »

« J'aurais plutôt tendance à dire sept mille, si je pense au nombre de personnes qui sont venues hier, » dit le curé, expert des foules.

« Il ne faut pas oublier que les enfants ne payaient pas à l'entrée, » souligna Alain.

« Et toi, Alain, quel est ton avis ? »

« Je pense comme monsieur le Curé. Je dirais quatre mille pour les entrées, mille de revenus de kiosques, mille du souper canadien et mille de revenus divers... »

Morin éclata de rire et jura: « S'il y a sept mille dollars là-dedans, je lance mon chapeau en l'air, je le laisse retomber par terre et ensuite je l'écrase avec mes deux pieds joints. »

Le prêtre se leva et marcha lentement vers la porte, statuant: « Et tu mériteras bien de prendre cinq dollars sur le tas pour t'acheter un chapeau neuf. » Tous rirent et le curé ajouta en quittant la pièce: « Je vous envoie monsieur le Vicaire qui vous aidera à faire vos comptes et vous servira de témoin, comme vous l'avez requis. »

Morin, quand il avait demandé au curé d'être présent pour le calcul des recettes, avait oublié que le prêtre ne touchait jamais à de l'argent et qu'il n'avait, aux messes, dans le passé, fait la quête lui-même qu'une seule fois, en 1956, lors de la grande rénovation du presbytère.

« On y va, » dit Morin lorsque le vicaire freluquet eut pris place à la table.

« Vous devriez mettre tous les tabliers sous la table et vous servir du dessus pour déposer vos liasses de billets et la monnaie, » suggéra le jeune prêtre.

« Bonne idée ! » lança Morin. Il éclata de rire et alluma sa pipe. « D'autant plus qu'on ne peut pas faire autrement, » dit-il avec malice entre deux énormes bouffées d'une fumée aussi épaisse que puante.

Cherchant à camoufler sa bourde, le prêtre s'exclama: « Ça ne sait pas travailler ! » Et il expulsa un long rire juvénile et sonore, narines battantes, comme s'il avait henni.

Le travail commença, tablier par tablier, soigneusement, laborieusement. Alain enregistrait les sommes selon leur provenance dans un cahier noir. Chaque tablier avait dans l'une de ses poches un petit bout de papier indiquant son origine: entrée numéro trois, kiosque à crème molle, kiosque dards et bouffons...

Dans certaines poches, l'on trouva des rouleaux minutieusement divisés selon la valeur des coupures. Quelques tenanciers avaient même inscrit le total sur leur papier d'identification. Dans d'autres, les billets froissés en boulettes côtoyaient de la monnaie pêle-mêle, des billets d'entrée déchirés, des allumettes, des pinces à cheveux.

Les tabliers les plus légers étaient souvent les plus surprenants. Avant de faire le décompte de chacun, l'un des trois hommes s'amusait à proposer une évaluation de son contenu, invariablement trop basse, sans doute à dessein, afin d'éviter la déception. Et les heureuses surprises s'enchaînaient sans répit, de minute en minute, de poche en poche, d'heure en heure.

Quand le dernier dollar fut déposé sur la table, que le dernier tas de pièces de monnaie fut mis en rouleaux et que la dernière entrée fut faite dans le cahier noir, les trois hommes se plurent à proposer une évaluation globale.

« Huit mille, » dit Martel. « Sept mille, » dit Morin. « Neuf mille, » dit le jeune prêtre.

« Compte-nous ça final, » dit Morin à son secrétaire. Celui-ci dédaigna à nouveau la machine à calculer que lui offrait le vicaire et s'éloigna pour se caler dans un profond fauteuil de cuir noir.

« Ça y est ! » dit-il bientôt gravement. Il leva les yeux et fit une moue désolée. « Nous nous sommes trompés tous les trois, » dit-il sans sourciller. Il se leva et déposa le cahier devant le prêtre qui jeta un coup d'œil sur le chiffre global encerclé et souligné de plusieurs traits. Le vicaire comprit la raison de l'attitude grave d'Alain et dit sans broncher : «C'est pas mal différent de ce que nous avions pensé... pas mal différent. »

En l'espace de quelques secondes, Morin changea quatre fois sa pipe de coin de bouche. C'est vers un visage tout à fait cramoisi que le prêtre avança le livre noir.

« Jésus-Christ ! » laissa échapper Morin quand il posa les yeux sur le chiffre sans penser que son juron puisse gêner l'homme en soutane. Mais celui-ci n'avait pas entendu puisqu'il enterrait les paroles de l'autre, et tout autre bruit d'énormes éclats d'un rire cristallin, et qu'il bougeait sans arrêt le corps d'avant en arrière pour accompagner chaque saccade de sa gorge. Il était fou de joie d'avoir compris la complicité demandée subtilement par Martel et du tour ainsi joué à l'autre.

« Onze mille huit cent cinquante-deux ! Je ne peux pas le croire, » dit Morin.

« J'ai calculé à deux reprises, » dit Alain.

« Je le crois mais... mais je ne peux pas le croire. »

Sans rire, bloqué par une charge émotionnelle intense. Alain articula lentement : « Les chiffres sont là ! »

« Ça vaut bien un café, » dit le prêtre. « Je vais demander à la bonne de nous en servir un. » Et il sortit.

Alain regarda longuement les liasses de billets attachées par des bandes élastiques. Il rêvassait : « Une idée plus du travail plus de la collaboration égale du capital. Voilà ce que disait le livre américain, voilà ce que je pensais, voilà qui est logique. Et la preuve en est sur cette table en beaux billets de vingt, de dix, de cinq, de deux, de un dollar et en monnaie... »

Morin perçut une lueur dans les yeux du jeune homme et il dit avec malice : « Si tout cet argent était à nous autres, hein ? »

Martel leva les yeux et les bras en signe de résignation détachée. Il appuya son menton sur ses mains jointes et porta à nouveau son regard songeur sur la table garnie.

●

Deux mois plus tard, lorsque les travaux d'après foire furent achevés-livres mis à jour, dettes payées, marchandise entreposée, comptes à recevoir perçus — à une assemblée régulière de l'O.T.J., Alain démissionna.

« La foire est lancée, les structures sont là, l'O.T.J. est plus vivante que jamais, mon travail est terminé, » déclara-t-il.

L'on crut qu'il s'agissait du cas fréquent de celui qui tient à se faire confirmer dans ses fonctions. Il insista alors sur le caractère définitif de son geste.

L'on crut qu'il s'agissait du cas fréquent de celui qui veut se faire prier. Il répéta qu'il ne reviendrait pas sur sa décision.

L'on conclut alors qu'il s'agissait du cas fréquent de celui qui, une fois l'époque du bénévolat terminée, demande, sans le dire explicitement, un salaire. On lui offrit donc de l'argent.

« Je n'ai jamais fait mon travail de secrétaire pour de l'argent et le salaire que vous pourriez m'offrir ne m'intéresse pas. Je dois, pour un temps du moins, m'occuper de mes propres affaires. J'ai plusieurs projets en tête et je veux m'y consacrer. Je suis jeune, j'ai de l'ambition. Je sais que vous devez comprendre cela. En conséquence, ni pour or ni pour argent, je ne reviendrai sur ma décision. Si la foire devait mourir à cause de mon départ, peut-être changerais-je d'avis, mais ce n'est pas le cas ; le bébé est né, il est sain, il a tout pour survivre. À d'autres maintenant le soin de le faire grandir, car j'ai d'autres plans en gestation et d'autres entreprises à faire naître. » Alain avait parlé simplement et calmement et, cette fois, l'on comprit que sa décision était inébranlable.

Le curé, qui assistait à l'assemblée, se leva et se dirigea vers la sortie. « C'est écœurant, » dit-il avant de claquer la porte derrière lui.

●

1966

L'hiver se tordait de tiédeur et s'écoulait rapidement dans les ruisseaux et rivières. Les glaces de l'Etchemin s'étaient dépêchées de courir vers le nord pour y trouver du froid. Elles avaient dû se résigner à mourir, en aval de Rivière-du-Loup, noyées.

Ayant toujours vécu sur les hauteurs, Alain n'avait pas été habitué à vibrer aux événements de la débâcle du printemps. Les gens de la vallée, eux, s'étaient battus depuis toujours contre la rivière, mais sans succès. En fait, il ne s'agissait pas de batailles, mais bien de retraites, au surplus fort honorables puisqu'on cédait le terrain pouce à pouce, à quelques pieds seulement de l'eau montante.

Chaque printemps faisait rejaillir sur les riverains les gloires de l'Etchemin. Au fond de son cœur, chacun espérait une attention spéciale de la part des glaces et de l'eau. Et, chaque année, la rivière consacrait ses héros. Les riverains de première ligne gagnaient des médailles.

En 1917, c'est la maison de David Roy qui avait flotté sur une distance de trois milles jusqu'au pont de Belleville. En 1937, deux granges firent de même. En 1957, toute une rue de Belleville avait subi des dommages. Et, une fois par quart de siècle, la rivière ménageait un orgasme collectif, emportant un pont public ou bien noyant sur son parcours, ici et là, des portions de la route.

C'était congé les jours de débâcle et les femmes laissaient leurs hommes se réunir dans les bars pour en discuter. Il fallait bien un coupable pour justifier les dommages, et on aimait trop la rivière pour l'accuser. Quant à ceux qui s'entêtaient à coucher trop près du lit de la fougueuse maîtresse, ils étaient des courageux, des fiers, des forts. Restait, comme toujours, le gouvernement dont on criait l'incurie entre deux verres de caribou. Il envoyait bien parfois des dynamiteurs d'embâcles, ce gouvernement, et des ingénieurs pour étudier le problème, mais il ne réglait jamais la question une bonne fois pour toutes.

La débâcle de 1966 fut la plus tragique de toute l'histoire de l'Etchemin. Parce qu'elle ne causa aucun dommage et que, d'autre part, elle fut assombrie par la nouvelle de la construction imminente d'un barrage en amont de St-Grégoire, ce qui éliminerait dorénavant tous les risques de dégâts. Le gouvernement ne s'était pas contenté, comme toujours, de ne rien faire; cette fois, il avait carrément trahi les riverains en les privant d'une de leurs plus grandes émotions annuelles: la descente des glaces, devenue pour eux depuis longtemps une institution de la nature.

Alain venait d'apprendre cette nouvelle dans le journal local qu'il lisait toujours en retard. Et il se sentit heureux de constater l'efficacité de ce gouvernement, style américain, qui, aux grands maux, appliquait de grands remèdes. « Malgré que Mao a réussi à dompter le fleuve jaune, » se dit-il aussi, en prenant place devant une table qui sentait les jours de fête.

C'était en effet jour de Pâques, et, même si son anniversaire datait déjà de quelques jours, il savait qu'on le soulignerait ce soir-là puisque toute la petite famille, Viviane, Caroline et lui, se trouvait réunie.

Marquant ainsi son enthousiasme à la fête, d'un souffle, il éteignit les vingt-quatre chandelles du gâteau que lui avait fabriqué Viviane. Puis il embrassa chaleureusement son épouse, la remerciant de ce cadeau trop bien emballé qu'elle avait acheté à Montréal dans la semaine.

Il défit le paquet et trouva un briquet sophistiqué, le petit dernier cri annoncé à tour de bras, au goût des fumeurs nord-américains. Viviane n'aurait pas pu miser plus juste, car depuis qu'il avait perdu le sien, depuis les fêtes, il courait sans cesse des allumettes.

Le repas finit tard. Viviane et Alain se retirèrent dans leur chambre afin de discuter. Ils se couchèrent tout habillés. La tête sur la poitrine de son mari, elle recevait sa réflexion.

« Notre compte de banque nous permet de recommencer notre vie de ménage, » dit-il. « J'ai obtenu mon transfert pour enseigner à St-Grégoire. Nous prendrons le mois d'août pour nous y installer. Dès le mois prochain, il me faudra regarder pour trouver à nous loger. »

« J'espère qu'il y a des logements plus convenables à St-Grégoire qu'à St-Hubert, » dit-elle.

« À St-Grégoire, il y a huit fois la population de St-Hubert. Le nombre de logements doit y être proportionnel. »

« J'espère bien que nous trouverons quelque chose du côté est, St-Grégoire-Ouest ne me dit rien qui vaille, » dit-elle avec une moue dédaigneuse.

« Je n'ai aucun préjugé là-dessus : côté est, côté ouest, ça ne me dérange pas. Ce sera comme tu voudras. L'idéal serait d'entrer dans notre propre maison, bien à nous, bâtie au lieu de notre choix... »

« Plus facile à dire qu'à faire, » soupira Viviane.

« Une autre année de séparation et ce serait possible. De la façon dont notre épargne s'accroît, nous disposerions d'un bon dix mille dollars, ce qui voudrait dire nos meubles, nos menus effets et une bonne somme à donner comptant sur la maison. »

« Ça n'aurait aucun sens ! » s'exclama-t-elle. « Les gens diraient que nous sommes séparés définitivement... »

« Évidemment ! Je parle pour parler ! D'autant plus que c'est toi qu'il faut plaindre dans tout ça, car tu es séparée de ta petite famille. »

« Ce n'est pas grave ! Je veux dire que si je l'ai fait pendant quinze mois, je peux bien le faire encore douze mois... pour réaliser notre rêve. »

« En nous installant dès cette année, il nous faudra gratter longtemps la dernière cenne pour épargner le montant requis pour notre maison que nous ne pourrons pas faire bâtir avant cinq ou six ans... »

« C'est peu un an pour être chez nous ! » dit-elle, songeuse. « Tandis que traîner nos savates pendant six ans dans les logements des autres... »

« Si c'était seulement possible, » soupira-t-il. « Tout ce qu'on a rêvé à St-Hubert, tu te souviens ? Tout ça devant nous, tout près de nous, à un an à peine de nous... »

« Je ne sais pas si ma mère vous pensionnerait encore, toi et Caroline ? »

« Probablement ! Après tout, elle aime les enfants et, de plus, nous la payons bien... Or, elle non plus ne fait pas partie des gens qui détestent l'argent. Pour ma part, je dérange peu puisque je ne viens que le soir. Le principal problème vient d'ailleurs, du fait qu'il est anormal pour des gens mariés de vivre séparés... »

« Alain, plus j'y pense, plus je crois que l'idée n'est pas si mauvaise. Une chose est sûre, c'est qu'avant de prendre un logement, nous en reparlerons. »

Ils avaient commencé à se caresser tout en discutant. Bientôt, ils se déshabillèrent et se glissèrent entre les draps.

●

Visiblement l'homme cramoisi n'avait pas d'instruction; mais il faisait montre d'un pouvoir de persuasion différent, original. De l'enthousiasme naïf de ses propos se dégageait un cachet de vérité laissant peu de place aux doutes chez son auditoire.

« S'il avait de l'instruction, il deviendrait riche vite, » se dit Alain en écrasant nerveusement une cigarette.

« Si vous avez des questions sur les produits, je pourrai y répondre tout à l'heure. Pour l'instant, à l'aide de mon tableau, je vais vous parler de quelque chose de fameusement intéressant, soit le système de distribution de la compagnie Nethome. Ouvrez bien grandes vos oreilles. Au départ, ça semble compliqué, mais, au fond, c'est simple comme bonjour.

« Mes amis, avec Nethome, vous faites de l'argent de deux façons. Un: en vendant les produits; deux: en recrutant d'autres vendeurs. Vous savez comme moi que dans la vente au détail ordinaire, plus il y a de vendeurs, plus la concurrence devient forte et plus le travail de chacun devient difficile. Mais avec Nethome, plus vous faites de recrutement de vendeurs, plus vous gagnez d'argent. Vous devenez le premier maillon d'une chaîne sans fin. Je m'explique davantage... »

L'homme continua d'exposer la méthode de vente pyramidale de sa compagnie.

Habitué de réfléchir sur divers projets, Alain capta du premier coup ce mode de distribution qu'il trouva fort ingénieux. Lorsqu'en d'autres mots, l'homme répéta son exposé, il le grava dans sa mémoire. Puis il chercha vainement l'attrape-nigaud du système, mais il ne put, au premier abord, rien trouver qui clochât.

Il y avait sûrement anguille sous roche, s'était-il dit un moment, et il avait présumé qu'il devait s'agir du montant à investir. Alors il s'était rappelé de cette fois, du temps de son enfance, où son père avait investi cent dollars, d'un argent qui valait beaucoup plus à l'époque, dans des valeurs minières émises par une compagnie ontarienne qui avait fait faillite peu de temps après, ce qui avait augmenté chez lui la méfiance envers le fait anglais.

« Vous vous inquiétez de savoir combien il faut investir pour devenir distributeur Nethome? Et vous avez raison, » dit l'homme cramoisi. « Si je vous disais cinq mille dollars, vous me poseriez de nombreuses questions avant de signer, et avec raison. Si je vous disais deux mille dollars, vous prendriez bien des précautions avant de vous décider, n'est-ce pas? Chers amis, une compagnie qui vend un produit de qualité, selon un mode de distribution risquant d'enrichir ceux et celles qui n'ont pas peur du travail, pourrait-elle se permettre d'exiger un investissement initial de mille ou de cinq cents dollars? Je dis que oui! Mais la qualité du produit et la valeur de la méthode de vente chez Nethome sont tellement supérieurs que la compagnie n'exige même pas cent dollars comme mise de fonds, ni cinquante, ni même vingt. Croyez-le ou non, pour devenir distributeur Nethome, il suffit de deux dollars. Eh oui, deux malheureux, ou devrais-je dire deux heureux dollars! Et si jamais un distributeur malhonnête essayait de vous dire autre chose... »

Alain avait aimé les paroles de l'homme, bien que l'emphase de l'exposé l'eût fait sourire un brin. « Il fait du mieux qu'il peut avec ses mots à lui, » songea-t-il paternellement.

L'homme fini d'expliquer sa méthode de vente, puis il cita des exemples de couples et d'individus devenus d'importants distributeurs. Et ces gens n'avaient pourtant commencé qu'à temps partiel. Des chiffres de revenus annuels de cinquante mille dollars et plus émaillèrent le discours, accompagnant les citations de noms et d'adresses de ces heureux nouveaux riches dont les photos furent exhibées comme pièces à conviction. Alain avait remarqué que les noms étaient anglais et les adresses américaines. Il s'en inquiéta. Ou bien, se dit-il, a beau mentir qui vient de loin comme l'avaient fait les Ontariens aux valeurs minières de son enfance, ou bien le produit est tout à fait nouveau au Québec, et même au Canada, puisque les adresses n'étaient qu'américaines. Pour se faire l'avocat du diable, il demanda la parole:

« Ils viennent de loin, les gens qui font beaucoup d'argent là-dedans! Ne pourriez-vous nous citer quelqu'un de plus près?.. »

« Bonne question! » fit l'homme qui avait l'habitude de dire cela chaque fois qu'on lui posait une question dont il connaissait la réponse. « Voyez-vous, Nethome est tout à fait nouvelle au Canada. Le premier distributeur, un homme de Sherbrooke, n'a commencé qu'il y a huit mois. »

« Paroles fort intéressantes, » rumina Alain. Ainsi un produit américain s'implantait au Québec d'abord et venait juste de commencer à se répandre. Le champ d'action était donc immense, soit le Canada tout entier. Être l'un des premiers maillons d'une telle chaîne de distribution offrait toutes les garanties de rentabilité, raisonna-t-il. Il lui restait à vérifier la qualité des produits et à déterminer si les prix étaient compétitifs; aussi s'intéressa-t-il particulièrement à la suite du discours de l'homme.

À ce stade de l'exposé, les femmes de l'assistance posèrent de nombreuses questions. Car si la plupart avaient montré, par leurs attitudes distraites ou ennuyées, qu'elles n'avaient rien saisi aux chaînes de distribution, en revanche, sur ce terrain familier du nettoyage de la maison, elles purent s'exprimer, montrant par là qu'elles avaient compris bien plus que de fait.

Alain se concentra jusqu'à photographier les paroles dites afin d'en vérifier plus tard la véracité.

Après l'exposé, il s'avança pour jeter un coup d'œil aux produits, mais, comme les femmes prenaient toute la place autour de la table d'exposition, il préféra attendre. Il s'approcha du tableau gonflé de chiffres et se réexpliqua à lui-même la chaîne de distribution.

« Alors mon ami, tu embarques? » demanda l'homme à la peau rouille, d'un ton complice et clignant de l'œil.

« Pas ce soir! » répondit Alain. « J'ai l'habitude de réfléchir plus longuement mes décisions... Mais je suis grandement intéressé. »

« Et pourquoi pas ce soir? » dit l'homme avec autorité.

« Je tiens à vérifier par moi-même la qualité de vos produits et à comparer les prix avec d'autres semblables. »

« Mon cher ami, Nethome est une grosse compagnie américaine, jeune, mais qui prend de l'expansion à une vitesse incroyable dans tous les États... La qualité? Indiscutable! »

« Mon idée est faite! » dit fermement Alain. « Je suis très intéressé, mais je dois prendre une semaine pour faire quelques vérifications. »

« Parfait! J'aime les gens qui savent ce qu'ils veulent et ce qu'ils font. C'est eux qui deviennent de gros distributeurs. Bien plus que ceux qui plongent tête baissée sans comprendre trop dans quoi ils s'embarquent. »

« Je ne suis pas mieux qu'un autre, mais j'aime réfléchir avant d'agir. »

« Merveilleux, merveilleux! » dit l'homme en croisant les bras. Il recula d'un pas, scruta son tableau d'une façon qui puisse faire comprendre à l'autre qu'il se soumettait définitivement à sa volonté et ne lui ferait plus d'avances. Alain comprit son geste et se sentit plus à l'aise.

« Je voudrais bien avoir vingt ans de moins et de l'instruction, je ramasserais l'argent à pelletée. Pas que je me plaigne puisque j'embarque à plein temps d'ici trois mois! Mais je rêve et je m'imagine capable d'utiliser les mots qu'il faut pour convaincre les gens, expliquant le système de distribution... Je me vois jeune, instruit, capable de fournir une grosse journée d'ouvrage... » L'homme dut s'interrompre pour répondre à une femme.

Avant de quitter, Alain compta les produits exposés. Il en dénombra quarante-deux. Il s'en procura sept au hasard, se disant qu'un tel échantillonnage suffirait à faire passer à l'ensemble le test de la qualité. Le soir même, il en fit cadeau à sa belle-mère, lui demandant d'être sévère dans son jugement à leur égard.

Dans la semaine, il compara les prix avec d'autres produits courants à même usage et ne remarqua aucune différence notable. Lorsque le jugement de sa belle-mère sortit, il signa sa formule d'adhésion et l'expédia, accompagnée de deux dollars, à son recruteur. Quelques jours plus tard, lui parvint le livre du parfait distributeur, qu'il étudia à fond.

Au cours de la fin de semaine, il en parla avec enthousiasme à Viviane et n'eut pas trop de mal à la convaincre que, loin de nuire à leur épargne-maison, son adhésion à la chaîne Nethome avait toutes les chances de la doubler ou davantage.

« Mais au départ, il nous faut régler un problème qui pourrit, c'est le cas de le dire, depuis longtemps, et c'est celui de l'automobile. Elle est ruinée, cancéreuse, gangrenée jusqu'à la moelle ; les ailes tombent dans le chemin et elle ingurgite plus d'huile que d'essence, » dit-il sur un ton définitif.

Il lui fit comprendre par des calculs prometteurs sur d'éventuels revenus avec Nethome que l'échange de l'auto n'exigerait pas de toucher à leurs épargnes. Puis il lui montra des cahiers publicitaires illustrant les derniers modèles des diverses compagnies américaines.

« Pourquoi une auto neuve ? » s'inquiéta-t-elle. « Une usagée ferait bien l'affaire. »

« Tu veux rire ? Et recommencer dans un an ? Frapper un citron, un cancer ? Aucune garantie ? Je ne veux pas jeter mon argent dans le chemin, je veux m'acheter une auto. »

« Ce modèle me plairait, » dit Viviane en désignant la couverture d'un cahier.

« C'est pas mal ! Mais il y a également celui-ci. » Et il lui montra une plus grosse voiture dans un autre cahier.

« Tu es malade, c'est bien trop gros ! »

« J'ai réagi comme toi... sur le coup ! Mais ensuite, je me suis renseigné. Connais-tu la différence de poids entre elle et l'autre que tu montrais ? Non ? Quatre cents livres. Et la différence de prix ? Non ? Quatre cent dollars. C'est peu, réparti sur trois ans. Quinze dollars de plus par mois, pas davantage. »

« Il me semble que nous pourrions nous contenter de l'autre. »

« Quand on veut faire de la vente, convaincre les gens, il faut quasiment une grosse voiture. Le gars qui te voit arriver là-dedans se dit malgré lui : Cet homme fait de l'argent. Pas pour rien que les vrais hommes d'affaires, ceux qui réussissent, ont une grosse voiture. C'est malheureux que les gens se basent là-dessus pour juger, mais c'est comme ça !... »

Quelques jours plus tard, il échangea son tacot contre une Chrysler neuve. Quand il ne resta plus dans la négociation que vingt-cinq dollars de différence pour en arriver à une entente, le vendeur lui proposa en prime d'achat de garder sa vieille Pontiac.

Par la suite, il se rendit chez son maître-distributeur Nethome et acheta pour plusieurs centaines de dollars de produits qu'il étala dans un petit bureau-magasin loué à St-Hubert.

« Une vraie aubaine que ce petit bureau ! » dira-t-il plus tard à Viviane.

Et il partit à la conquête de son premier dix mille dollars avec la confiance du néophyte. Il organisa des soirées de démonstration des produits ainsi que des meetings de recrutement, s'intéressa tout d'abord à son entourage immédiat car, avait dit le livre américain: « On rayonne d'abord autour de soi. »

Mais à chaque rencontre, le scepticisme de l'auditoire lui coupait les ailes. En fait, le professeur prenait le pas sur le vendeur. C'est ainsi que pour un manque d'attention de quelques personnes, il concluait que la démonstration avait été ratée. Alors il avait tendance à se replier sur lui-même, se disant: « Le système est bon, le produit est bon, si vous voulez gagner beaucoup d'argent, venez à moi. » Faute d'exercer une certaine pression, de mettre la touche finale, il ratait le principal: l'adhésion des gens à sa chaîne. La moitié de ceux qu'il avait contactés et formés finissaient par signer avec quelqu'un d'autre.

À chaque meeting, des femmes lui tendaient des pièges quant à l'usage des produits. Il ne se sentait ni la compétence ni le goût de répondre à leurs questions. Pour lui, une seule réponse: le produit était de qualité. En ces moments-là, la présence de Viviane à ses côtés lui manquait et son absence lui faisait comprendre pourquoi les gros distributeurs américains étaient toujours des couples. « Aux hommes les affaires, aux femmes le ménage, » avait-il fini par conclure. Mais heureusement, d'autres femmes de l'auditoire le sortaient toujours de ses impasses. Ce qu'il prenait au début pour une aide généreuse lui apparut bientôt, de par le ton utilisé entre elles, comme une guerre en sourdine, et il finit par savoir utiliser ces flèches souriantes qu'elles se lançaient mutuellement en abondance.

C'est sa personnalité que les gens auraient été disposés à acheter, mais seul son produit était à vendre.

Le premier mois, il se bâtit une chaîne de dix vendeurs. Le deuxième, il en fit signer deux autres; mais de toutes ces adhésions, il évalua qu'une seule avait des chances d'être productive. Le troisième mois, il organisa des meetings au loin à Québec et à Montréal. Mais il était incapable de communiquer sa conviction à des étrangers, d'autant plus que cette foi tiédissait sérieusement. Pas dans le produit ni dans le système de vente, mais en lui-même.

Un soir, il fit le bilan de son expérience. La courbe des ventes et des adhésions ayant sans cesse décliné, il décida d'abandonner. Il liquida sa marchandise, mais garda son bureau car, en assistant à la deuxième foire agricole, un autre projet plus conforme à ses aspirations et aptitudes avait germé en son esprit.

En dépensant de la menue monnaie dans les kiosques d'amusements qu'il avait conçus et montés l'année d'avant, il se dit qu'il serait possible, d'octobre à mai, de tenir dans différents endroits de la province, des kermesses de fin de semaine, en collaboration avec un organisme public de chaque endroit, moyennant un partage des recettes.

S'il lui était difficile de vendre une bouteille de nettoyeur liquide, il n'en serait pas de même d'une idée comme celle-là. Une vente par semaine suffirait; de plus, il s'entendrait mieux à discuter avec des habitués comme lui d'organisations publiques.

Mais il fallait un associé. Il ne chercha pas longtemps puisqu'en un de ses amis de vieille date lui apparut le candidat idéal: jeune marié, à la recherche d'une évasion justifiée, ayant le goût de l'entreprise, à l'affût d'un revenu supplémentaire.

Ils en discutèrent longuement, rédigèrent des plans soignés, s'entendirent. Ils commenceraient à travailler sur le lancement du projet quinze jours plus tard, histoire, entretemps, de prendre des vacances qu'ils trouvaient méritées.

Alain et Viviane partirent en voyage. Ils visitèrent la région du Lac-St-Jean dont des proches leur avaient dit beaucoup de bien. Ils furent agréablement surpris de trouver en ce pays isolé des attraits touristiques nombreux, fournis autant par la main de l'homme que par la nature.

« Et pourtant, dans notre région de l'Etchemin, traversée par l'importante route touristique Québec-Boston, nous n'avons rien d'autre à offrir aux milliers d'Américains qui vont y déferler l'an prochain à l'occasion de l'exposition universelle, que des comptoirs à hamburgers, » songea Alain.

Cette pensée le harcela pendant toute la durée de son voyage, mais particulièrement quand il visita, dans un village perdu, un musée de la faune canadienne constitué de six cents exhibits d'animaux sauvages empaillés. Il trouva le travail du taxidermiste si restaurateur de vie qu'il fut sur le point d'oublier que, pour empailler les bêtes, il avait d'abord fallu les tuer.

Néanmoins, il décela chez le taxidermiste un grand respect de la vie animale. Cet homme, âgé et sans enfants, lui expliqua qu'il avait rarement tué plus d'une bête de la même sorte. Il raconta que, bien souvent, des enseignants venaient chez lui avec leurs étudiants afin de donner des leçons de sciences de la nature, et qu'il en profitait pour glisser aux jeunes un message sur le respect de la vie sauvage.

« Votre musée n'est-il pas à vendre ? » avait demandé Alain.

« Je n'y ai jamais songé, » avait répondu l'homme.

« Je ne pourrais pas vous en donner sa valeur réelle, mais, soit dit sans vous offenser, nous pourrions beaucoup mieux dans l'Etchemin qu'ici, le faire voir à des milliers de touristes américains chaque année. »

L'argument avait eu l'heur de plaire au taxidermiste.

Sur une carte, Alain avait montré à l'homme le circuit probable de la plupart des touristes américains visiteurs d'Expo 67 : entrée au Canada par l'État de New York, visite de l'exposition, visite de Montréal et Québec, rentrée aux U.S.A. par la route du Maine, via l'Etchemin.

« Ou bien le circuit inverse, naturellement, » avait-il ajouté. « Pensez à votre prix et songez à la mise en valeur de votre travail si le musée se trouvait sur le grand circuit. »

Alain retourna chez lui et plongea dans l'organisation de kermesses. Lui et son associé vendirent facilement leur idée aux deux premiers organismes à qui ils s'adressèrent. Leur première fin de semaine leur rapporta quatre-vingt-huit dollars net. Elle avait requis à chacun trente-huit heures de travail. La seconde donna cent douze dollars. Alain résuma alors le bilan de l'expérience devant son partenaire.

« Compte tenu du temps de préparation, nous travaillons pour approximativement trente-cinq cents de l'heure. On nous a fait passer pour des voleurs aux deux endroits où nous avons travaillé et chaque fois, ce sont leurs bénévoles qui nous ont volé... J'abandonne, » dit-il.

« Le rodage n'est pas encore fait, » dit son partenaire. « Une affaire à ses débuts, qui n'enregistre aucune perte, est déjà une affaire prometteuse, » souligna-t-il pour inciter Alain à continuer. Mais celui-ci demeura inflexible car son esprit était déjà décroché. Il voyait plus loin et plus grand. Il se sentait pressé, stimulé par la fabuleuse année soixante-sept qui courait vers le Québec.

Il enseignait maintenant à St-Grégoire. Chaque soir après le travail, il parcourait la route menant à la frontière américaine, spéculant sur divers sites possibles pour le musée de la faune canadienne, rêvant à ce flot d'Américains qui, l'été suivant, surgiraient des passes du Maine et envahiraient le Québec à la recherche fébrile de quelque chose de différent, de neuf.

●

1967

Au plus fort du froid, il reprit contact avec le taxidermiste du Lac St-Jean par une longue lettre dans laquelle il insista sur l'argument qu'il avait senti pesant.

Il n'attendit pas longtemps la réponse qu'il reçut aussi sous forme de lettre et dans laquelle l'homme avait fait son prix. Alain calcula le coût total, y compris terrain et bâtisse et fit des prévisions quant aux frais d'opération. Après plusieurs jours de réflexion, utilisant des probabilités pessimistes, il conclut qu'il suffirait à un pour cent des touristes américains passant par là, de s'arrêter visiter le musée pour que celui-ci se paye de lui-même en dix ans. Au-delà de ce un pour cent, l'affaire ferait des profits, ce qui ne tenait pas compte des touristes québécois susceptibles d'arrondir les revenus.

Ce chiffre lui apparut un objectif non seulement réaliste, mais facile à atteindre car, se dit-il, par définition, un touriste visite n'importe quoi pourvu qu'on lui fasse savoir que la chose est touristique.

« À plus forte raison si l'attrait est valable comme ce musée, » pensa-t-il et exprima-t-il à Viviane pour la convaincre qu'il faudrait reporter d'une année la construction de leur maison.

« Tu vas risquer ce que nous avons gagné de peine et de misère ? » s'indigna-t-elle.

« Mais c'est ça le capitalisme ! » rétorqua-t-il.

« Combien de projets as-tu tenté de réaliser ces dernières années et jamais rien n'aboutit. Tu fais des promesses, tu rêves et tout tourne toujours en queue de poisson. »

« Que je sache, nous n'avons pas perdu un sou dans ces expériences ! Je n'y ai perdu que mon temps et encore. Comprends que je n'avais pas le grand moyen d'avancer, le grand moyen d'aller au bout : le capital. Maintenant, je l'ai... Nous l'avons. »

« Nous n'avons jamais ce qu'il faut pour acheter et installer ce musée, » dit-elle.

« Mais j'ai la base, le vingt-cinq pour cent requis. Il y a quatre banques à St-Grégoire, une caisse populaire et une institution prêteuse ; j'y trouverai bien les soixante-quinze pour cent qui manquent. »

« Et notre projet de maison ira encore chez le diable, » grimaça-t-elle.

« Vois-tu, nous avons le choix entre deux scénarios d'avenir. Le premier : nous bâtissons notre maison à l'été et nous nous embarquons dans une pénible petite vie de consommateur constamment criblé de dettes, attendant toujours la prochaine paye et incapable d'investir dans quoi que ce soit. Le deuxième : nous prenons un logement et nous investissons l'épargne-maison dans une affaire où il n'y a même pas de risques de perdre car elle conserve sa valeur de revente, mais qui pourra nous rapporter jusqu'à vingt-cinq mille dollars annuellement et qui, par surcroît n'exigera même pas que je quitte l'enseignement. Par conséquent, si nous prenons cette route, dans un an, au plus tard deux, nous aurons notre maison, plus une très belle affaire entre les mains. Si nous prenons la première voie, c'est la maison tout de suite et l'égorgement ensuite. À toi de choisir : la misère ou la sécurité. N'oublie pas que du capital, ça peut valoir bien des diplômes. »

Après maintes questions et beaucoup de réticence, elle opta pour le second scénario.

« Si j'ai pu convaincre Viviane de sacrifier sa maison, j'arriverai bien à persuader un gérant de banque de soutenir l'entreprise, » rêva-t-il.

Viviane lui avait rappelé ses propres paroles quant aux difficultés d'emprunter, mais il avait rétorqué que les temps n'étaient plus les mêmes et que, maintenant, les banques se battaient pour prêter. À preuve, leurs campagnes de publicité.

Il choisit de rencontrer un gérant au fils duquel il enseignait. L'accueil fut surprenant, étourdissant. Il fut invité à s'asseoir, à fumer, à prendre un café, et surtout à prendre tout son temps pour s'expliquer. La conversation alterna de la valeur du fils en classe au projet de musée dont les garanties offertes se résumaient en cinq points principaux : faible prix payé, augmentation certaine de la valeur de revente, apport touristique important, investissement de ses propres épargnes, rentabilité plus que certaine, chiffres prévisionnels à l'appui.

Le gérant parla avec enthousiasme du bon sens de l'affaire et demanda trois jours pour en faire l'étude.

Et trois jours plus tard, il convoqua Alain.

« Le bureau-chef considère les exhibits comme de l'inventaire ; or, sur inventaire, nous ne prêtons pas jusqu'à ce pourcentage, loin de là, » lui dit-il d'un air profondément désolé.

« Mais ce n'est pas un stock à écouler, » objecta Alain. « De plus, les permis délivrés par le gouvernement défendent une vente de musée autrement qu'en bloc... »

« Mon pauvre ami, je voudrais bien pouvoir te dire autre chose, mais crois-moi, le bureau-chef a pris ta demande en de très sérieuses considérations. Quant à moi, tu comprends, la banque ne m'appartient pas. Si ce n'était que de moi, je ferais plus, mais... »

Alain n'insista pas et se rendit voir un gérant de caisse populaire qui soutint que la charte de leurs institutions ne permettait pas des prêts à l'investissement mais seulement à la consommation.

Il porta ses papiers à une autre banque dont le gérant l'accueillit froidement et ne l'écouta qu'avec peu d'attention, d'une humeur méprisante. Avant même d'essuyer un refus qu'il anticipait, il demanda combien de temps mettrait le bureau-chef à étudier le projet. Le gérant lui répondit qu'un prêt aussi petit, pour la banque, ne valait pas d'être soumis au bureau-chef et que, de toute façon, lui-même n'avait aucune confiance en la rentabilité de l'affaire.

Le troisième gérant qu'il rencontra lui parla de bilan.

Alain grommela : « Comment produire un bilan puisque l'affaire n'est pas encore lancée ? »

« Pas de bilan, pas d'argent ! » se désola l'autre. « C'est ainsi que font les banques ! »

Le quatrième fut le plus expéditif de tous. Il soutint que des restrictions au crédit ne permettaient tout simplement pas, pour le moment, d'étudier le projet.

De guerre lasse, le jeune homme se rendit exposer son plan devant les responsables d'une caisse d'épargne et de crédit. Il insista surtout sur le développement de l'industrie touristique dans l'Etchemin et dont le musée pourrait être l'étincelle provocatrice.

Subtilement, à travers de multiples sourires, le gérant et son préposé au crédit lui parlèrent du peu de confiance dont jouissaient les enseignants auprès des institutions prêteuses. Il les qualifia de consommateurs à la petite semaine, plus intéressés par les congés que par le travail. Ces paroles furent enrobées d'éléments rassurants pour Alain, qu'en vertu de ses antécédents d'organisateur-fondateur de la foire agricole d'Etchemin, ils ne le considéraient pas comme un professeur ordinaire. Néanmoins, il se sentit institutionnalisé par les deux hommes, et au sortir, un réflexe lui fit porter la main au front pour y chercher le sceau d'enseignant qu'ils y avaient plaqué.

On lui téléphona la réponse de la commission de crédit.

« Les garanties sont trop minces, » disait-on laconiquement.

Il se demanda alors où, ailleurs qu'en ces endroits, l'épargne des gens pouvait se trouver. Il ne restait que les compagnies d'assurances.

« Ce sont des compagnies anglaises ou américaines qui ne réinvestissent pas au Québec, » lui dit un de ses amis, vendeur pour l'une d'elles. « Hormis que tu ne veuilles un prêt sur hypothèque, alors... »

Alain ferma le dossier du musée. Il retourna au taxidermiste sa promesse de vente. Il annula les démarches entreprises pour l'obtention des permis gouvernementaux requis.

●

Les Martel visitèrent rapidement l'exposition universelle.

La présence de tous ces pays collés les uns aux autres, aux sourires officiellement fraternels, et cette excessive manie nord-américaine de toujours chercher à savoir lequel est le meilleur, poussèrent Alain à comparer les valeurs présentes, miroirs des pays qui les montraient.

La créativité ne semblait pas moins présente chez les pays de l'est, ni l'esprit scientifique, ni les grandes réalisations humaines. Il le savait avant, mais c'est l'exposition que le lui fit accepter.

Il sortit sombre du site d'Expo 67, assailli par de nombreux doutes sur les valeurs occidentales, par le seul fait, pourtant, qu'elles avaient décrié depuis toujours et sans objectivité, celles des pays de l'autre bloc.

Il retourna en Etchemin, fit bâtir maison et le couple reprit vie commune après trois années de séparation.

Alain ne mit pas longtemps à trouver les payes de plus en plus rares et petites. Il dut s'atteler à la tâche de rechercher un équilibre budgétaire. Mais au chapitre de l'épargne, il ne put trouver qu'un montant fort limité et le consacra à de l'assurance-vie. Il lui fallait trouver un revenu d'appoint pour être en mesure de capitaliser un peu et aussi pour dégager la famille des servitudes budgétaires excessives.

Il se demanda souvent pourquoi il avait trouvé si facilement un prêt-maison, alors que toutes les portes lui avaient cinglé au nez quand il avait cherché du capital pour son projet de musée.

« Dans mon propre pays, dans un système capitaliste qui dit aux gens d'épargner et d'investir, dans une démocratie où l'on affirme: servez-vous de votre liberté pour créer, comment se peut-il qu'une idée originale, offrant toutes les garanties de succès soit retournée du revers de la main aussi simplement ? » se dit-il souvent avec amertume. « Pourquoi les prêts à la consommation sont-ils si faciles à obtenir et ceux à l'investissement si difficiles ? Ça sent l'exploitation, ça sent le contrôle. Ça sent la mise en servitude sous des dehors de grands principes de liberté. Qui tire les ficelles ? » Son esprit bouillonnait sans cesse, plus agité que l'impétueuse rivière Etchemin, cherchant des réponses, inlassablement. Et ces réponses provoquaient de nouvelles questions.

« Faut-il libérer le Québec du capitalisme anglo-américain ? Pourquoi donc cette effervescence de la jeunesse à travers le monde et aux États-Unis : ce château-fort du système capitaliste ? »

Il se mit à observer autour de lui, le capitalisme et ceux qui s'y adonnaient. La constante flagrante qui sautait aux yeux était l'exploitation des travailleurs par le patronat.

Il songea à son père qui avait été pauvre toute sa vie et qui avait toujours travaillé comme forgeron de chantier à l'emploi de grosses compagnies américaines. « S'il avait moins souffert de l'exploitation des grandes entreprises capitalistes, si on lui avait consenti de meilleurs salaires, j'aurais pu faire des études plus longues, qui me permettraient aujourd'hui de m'en sortir, » se disait-il souvent. « Est-ce que je mérite moins dans la vie que ces fils de riches, dont le père a fait son argent par favoritisme politique ou sur le dos de ses employés, en leur consentant des salaires de famine et des conditions de travail pitoyables ? »

Il finit cependant par se dire que toutes ses réflexions sur le système étaient issues de ses frustrations et de son dépit de n'avoir pas encore réussi. Il évalua qu'il manquait un atout majeur dans son jeu : l'expérience.

« Des gens qui réussissent dans la vingtaine sont rares ! » constatait-il. « Tout n'est pas si mauvais après tout. Faisons preuve d'imagination et surtout de patience. »

●

Il touchait si rarement aux boissons alcoolisées que la bière l'émoussa vite ce soir-là. Alain et son collègue discutaient encore de ce projet para-scolaire qui les avait tenus occupés une partie de la soirée. Mais l'intérêt avait quelque peu tiédi, miné par un désir grandissant d'aller dormir. Vers deux heures du matin, Alain quitta le bar et monta dans son auto. Cent pieds plus loin, une voiture-patrouille de la Sûreté du Québec lui coupa la route. Un policier s'approcha et lui braqua sa lumière de poche dans les yeux fatigués.

« Tes papiers, » ordonna-t-il rudement.

D'un calme contrôlé, Alain trouva et présenta son permis de conduire ainsi que le certificat d'immatriculation du véhicule.

« Il est saoûl, clama le policier. Il est tout à fait incapable de conduire. »

« Ai-je commis une faute au volant ? » demanda Alain pour contester poliment les paroles du policier.

« Sors de là, » coupa sèchement l'agent. Alain obéit.

Sur un ton plus réservé, le policier dit à son collègue qui approchait : « Veux-tu stationner l'auto et faire venir une remorqueuse ? »

« Puis-je poser une question ? » demanda Alain. Le policier fit la sourde oreille.

« Puis-je savoir ce que vous faites et ce qui va arriver ? » insista le jeune homme.

L'agent prit des notes dans un carnet, puis il ouvrit la portière arrière de l'auto-patrouille.

« Monte ! » fit-il. Alain obéit. On le conduisit à l'hôpital local où on lui fit faire une prise de sang. Par la suite, la direction qu'emprunta la voiture des policiers quittant St-Grégoire, lui fit deviner qu'on l'emmenait à la prison du comté, à vingt milles de là.

À son collègue qui tenait le volant, le policier, d'une voix assez basse pour attirer l'attention du passager mais assez élevée pour qu'il puisse entendre, confia :

« Le chef en voulait trois pour ce soir ; avec celui-là, ça fait le compte. »

Alain s'approcha du dossier de la banquette avant et, extrayant tout ce qu'il put de ses plus profondes réserves de politesse, demanda : « Si vous m'escortez jusqu'à la prison de St-Janvier, accepteriez-vous, en route, de me laisser téléphoner à ma femme afin qu'elle ne soit pas trop inquiète? Il y a des appareils publics à Belleville.»

L'agent, dans un sourire de mépris, mit sa main en forme de panier, lui appuya sur le visage et poussa.

«T'as rien à savoir ni ta femme non plus! Couche-toi, cochon!»

Alain recula et demeura coi. Ce qui avait d'abord été de l'impatience était devenu de l'exaspération qui, à son tour, se muait en une colère sourde. Il s'énuméra tous les problèmes que cette affaire pourrait lui causer, à commencer par l'inquiétude et le mécontentement de Viviane. «J'ai pris quelques bières,» raisonna-t-il, «mais je n'étais tout de même pas un danger public. Je n'avais qu'un mille à faire en pleine nuit, à un moment où la circulation est presque nulle...» Et, mains crispées: «Ces policiers sont des semeurs de violence et non des aides, comme on tente depuis toujours de nous le faire croire.»

La bière froide avait de violents effets sur ses intestins. Il entreprit sa vengeance en faisant sentir sa présence aux policiers. Ayant fait l'effort de se retenir depuis l'hôpital, ses réserves de munitions étaient respectables.

«Christ d'écœurant!» blasphéma l'agent quand il perçut l'odeur nauséabonde. Alain répondit par une deuxième attaque, mais plus violente que la première, et sonore celle-là. Furieux, le policier fit signe à son collègue d'arrêter la voiture. Il descendit, ouvrit la portière arrière et dit à mi-voix: «Descends.» Alain obéit et, dès qu'il fut debout, reçut une rude poussée à l'épaule. Il trébucha, mais ne tomba pas. À peine s'était-il retourné afin de se mettre sur la défensive qu'il plia net en deux sous un brutal coup de poing que le policier venait de lui administrer au creux de l'estomac.

«Ça va faire sortir le mauvais,» ricana l'agent pendant que l'autre cherchait à retrouver son souffle.

«C'est... c'est... la premiè... fois que j'ai affai... à un chien enragé,» dit Alain péniblement. Il fut aussitôt saisi par un bras et vivement projeté contre la portière qu'il heurta du genou et du thorax.

«N'y va pas trop fort,» dit le conducteur.

Alain s'allongea vite sur la banquette et ne bougea plus. Après avoir refermé les deux portières, l'agent rétorqua aux paroles de son collègue: «Il est complètement saoûl, il tombe partout.»

Au comptoir de la réception, à l'entrée de la prison, Alain dut vider toutes ses poches. Il n'observa personne, absorbé qu'il était par une irrésistible envie de dormir. Un garde le conduisit à une cellule et lui dit avec bienveillance: «Dors un peu, ça ira mieux demain.» Il s'affala sur une couchette dure qu'il trouva d'un confort inespéré.

Quelques heures plus tard, le même garde le réveilla.

«C'est l'heure de passer à la cellule commune,» dit-il. Il déverrouilla la porte grillagée et, par un signe de la main, fit comprendre au jeune homme de le suivre.

Tout en marchant, Alain se demandait s'il ne rêvait pas; mais il se dit que cette interrogation elle-même trahissait un refus de regarder la réalité en face car le garde armé était bien vivant, le couloir de béton tout à fait palpable, et la cellule commune des plus authentiques. Quand la grille fut refermée sur lui et que le garde eut quitté, il prit conscience, pour la première fois, de la présence de deux autres prisonniers, pas plus imaginaires que lui-même. Il s'assit sur un banc de bois, adossé à une cloison de blocs de béton. Aucun des deux prisonniers ne l'avait encore regardé, chacun ne manifestant d'intérêt que pour ses propres réflexions, les yeux rivés sur le plancher de ciment. L'un: cinquante ans, grand, chauve; l'autre: trente ans, visage réservé, cheveux bruns.

« T'aurais pas une cigarette ? » murmura l'un d'eux entre ses dents. Sur le coup, Alain ne put savoir lequel avait parlé ni à qui la voix s'était adressée. L'homme brun releva lentement la tête, et, fixant deux yeux éteints sur la fenêtre grillagée, répéta la question : « T'aurais pas une cigarette ? »

« Je regrette, mais ils m'ont tout enlevé, » répondit Alain.

« C'est comme moi, » jeta l'homme simplement. Il pencha la tête à nouveau et n'ajouta rien.

Alain jeta un coup d'œil autour de la pièce : pièce nue. Plancher : ciment. Murs : béton. Fenêtre : grille d'acier. Porte : barreaux d'acier. Derrière la porte : un couloir en arc de cercle. Impossible d'en voir l'extrémité.

Alors une sensation nouvelle, étrange, envahit son esprit tout entier. Qu'était-ce ? De la peur ? De l'abattement moral ? De la tristesse ? De la rage ? Rien de tout cela ! L'impression en était une de rétrécissement mental, comme si son âme avait rapetissé comme une peau de chagrin. Il chercha à se comparer à un enfant étroitement surveillé par ses parents, victime d'injustice et d'agression, mais son parallèle n'eut rien de rassurant puisqu'il n'avait jamais été cet enfant. Il avait bien, comme tous les jeunes de cette époque, essuyé plusieurs taloches injustifiées ainsi que deux ou trois coups de pied au derrière de la part de son père, mais jamais il n'avait senti de limites lourdes à ses gestes. Il avait toujours respiré un air de liberté qui l'avait parfois conduit jusqu'à mettre en péril sa propre santé. Mais comme il n'eût pas changé de place, à cette époque, avec ceux de ses petits compagnons dont chaque geste était à l'avance décidé par les parents ! Après avoir réfléchi à toutes ces choses, l'impuissance et la dépendance du prisonnier enveloppèrent son âme d'une épaisse couche de ciment armé.

« Je ne suis pas libre, » dit-il amèrement, sans voix. Fixant des yeux l'aveuglante lumière blanche qui tombait de la fenêtre, il sentait grandir en son cœur une soif insatiable, énorme, de savoir et de faire.

« Une cigarette, comme ça serait bon ! » dit l'homme aux cheveux bruns.

Alain ne répondit pas, mais profita de la porte ouverte pour se renseigner : « On m'a arrêté parce que j'avais pris un coup ; as-tu une idée... »

« C'est comme moi, » coupa l'autre sans lever la tête.

« As-tu une idée de ce qu'on doit faire pour sortir d'ici ? »

« Impossible avant dix heures, » dit l'homme laconiquement.

Alain fit le geste de consulter sa montre. Elle n'était plus à son bras. « Pourquoi dix heures ? » demanda-t-il.

« Parce que le juge de paix ne travaille pas avant dix heures. »

« Quelle heure peut-il bien être ? »

« Neuf heures, neuf heures et demie... »

« Je ne m'offenserai pas quand ils me rendront ma liberté. L'atmosphère n'est pas trop réjouissante ici... »

« C'est comme j'pense... Faudra que quelqu'un signe pour toi. »

« Comment ça ? Ils ne nous laissent pas sortir à dix heures ? »

« Si quelqu'un signe pour toi et dépose un cautionnement de cinquante dollars. »

« Mais comment quelqu'un peut-il signer pour moi puisque pas un chat dans tout l'Etchemin ne sait où je suis en ce moment ? »

« Tu téléphones. »

« Tu téléphones ? »

« Oui ! Quand tu entends la porte s'ouvrir au fond du corridor, tu jappes. Le gardien viendra et tu lui demandes pour téléphoner. »

« T'es venu ici plus souvent que moi ? » s'enquit Alain en souriant.

« J'ai pas mal d'expérience dans le bout, » dit l'homme sans broncher.

Alain s'approcha de la grille d'entrée et attendit plusieurs minutes, tapotant nerveusement des doigts les barreaux froids. Quand la porte, à l'autre bout, s'ouvrit, il héla.

« Il faudrait sans faute que je téléphone chez moi, » dit-il quand le gardien se fut amené.

L'homme ouvrit tranquillement la cage qu'il ne referma pas. D'un geste professionnel, il lui indiqua de le suivre et le conduisit à l'autre bout du corridor où il lui désigna l'endroit du téléphone juste à côté du comptoir de réception.

« Je n'ai pas de monnaie... » Il n'avait pas achevé sa phrase que le gardien avait déjà trouvé une pièce dans l'enveloppe contenant ses effets personnels et lui tendait.

« Viviane, » dit piteusement Alain quand il eut obtenu qu'on décroche à l'autre bout.

« Tiens, voilà que les morts ressuscitent ! » dit-elle.

« Écoute, il m'arrive une petite aventure... à vrai dire, une mésaventure... »

« Où es-tu donc ? Où as-tu passé la nuit ? »

« C'est justement là qu'est l'aventure. Tu vois... après le travail à l'école, hier soir, Yvon et moi sommes allés prendre une bière... et en sortant du bar, la police m'a arrêté... »

« Tu as fait un accident ou quoi ? »

« Non, non, ce n'est pas ça ! On m'a arrêté parce que j'avais pris quelques bières, tu comprends ? »

Nerveuse, elle demanda : « Mais où es-tu ? Où est l'auto ? »

« L'auto... c'est vrai... attends une seconde. » Il mit l'écouteur sur sa poitrine, mais n'eut pas à poser la question que le gardien répondait : « L'auto sera au garage Morin, à St-Grégoire. Ta femme n'a qu'à s'y présenter et payer les frais de remorquage... »

« Le garage Morin ? »

« À côté de l'Auberge des Fleurs. »

« Viviane, tu vas prendre un taxi et te rendre au garage Morin, juste à côté de l'Auberge des Fleurs, paye les frais de remorquage et viens me chercher. Et tâche de ne pas perdre de temps en chemin ! »

« Mais il faudrait bien que je sache où aller te prendre ? » dit-elle avec impatience.

« À la prison... à la prison de St-Janvier... »

« Quoi ? » hurla-t-elle.

« Ne t'inquiète pas, j'ai dormi en toute sécurité... derrière les barreaux. On a bien pris soin de moi... »

Elle ne rit pas. « Quand je serai là-bas... »

« Entre par la porte principale ; on te dira quoi faire. »

« J'y vais, mais je voudrais bien savoir... »

« Ne pose pas de questions, je t'expliquerai tout à l'heure. Salut ! »

« O.K.... » Il crut qu'elle voulait encore questionner et raccrocha, jugeant préférable qu'elle digère un peu ce qu'il lui avait dit.

Il demanda pour aller aux toilettes. Le gardien en signe d'acquiescement, lui en indiqua la porte. Il chercha la cause de sa douleur sous le bras, se découvrit à hauteur des côtes une longue marque rouge à la peau pelée. Il sortit, chemise déboutonnée, afin que le gardien puisse voir ses ecchymoses. L'homme y jeta un coup d'œil aussi rapide qu'indifférent.

« C'est ce qu'on appelle de la brutalité policière, » dit Alain.

« Il paraît que tu as fait une chute, » dit le gardien en haussant les épaules.

« C'est ce qu'ils disent... »

« Il y a d'un côté deux policiers à jeun et de l'autre... Qui croire? » dit le garde.

« Évidemment, vous vous tenez tous! » protesta faiblement Alain.

« Mon pauvre ami, j'ai appris à ne croire que ce je vois. Viens, je dois te ramener à la cellule commune. »

En marchant d'un pas nonchalant, le gardien laissa échapper d'un ton détaché: « Faut bien avouer que les gars arrêtés par certains policiers sont plus malchanceux que d'autres; ils font davantage de chutes... »

Alain réintégra la cellule, le visage souriant. « Puis-je savoir les noms des agents qui m'ont arrêté? » demanda-t-il.

« Celui qui t'intéresse s'appelle Crête, Régis Crête. » Sur ce, le garde tourna les talons. Il ne s'était jamais arrêté à aucun de ses gestes, comme s'il avait voulu faire comprendre à l'autre qu'il ne lui faisait pas de cadeau.

« Mes excuses pour les paroles de tout à l'heure, » cria Alain.

L'homme continua comme si de rien n'était.

« Espérons que çà ne coûtera pas trop cher, » dit Viviane sur le chemin du retour.

« Je risque de perdre mon permis de conduire, mais je n'aurai qu'à me rendre à l'école à pied. Et quand nous devrons aller quelque part, tu conduiras. Ils ont changé combien pour le remorquage? »

« Quinze. »

« Quoi? » s'écria-t-il. « Mais ailleurs, c'est dix dollars. On sait bien, ils en profitent... »

« Comment le sauras-tu pour ton permis? »

« Je vais me rendre chez un avocat dès cet après-midi. »

●

Une main de plomb s'abattit sur son épaule et des yeux perçants plongèrent dans les siens.

« Mon cher ami, ne te laisse pas manger la laine sur le dos par ces gens-là. Défends-toi à la mort, » dit l'avocat.

« En faisant quoi? » coupa nerveusement Alain.

« Tout d'abord, assieds-toi confortablement, on va discuter un peu. »

Alain prit place sur une chaise de bois sans bras, d'un côté du bureau jonché d'une multitude de dossiers, tandis que l'avocat s'assoyait dans sa chaise PDG. L'homme de loi compensait pour son physique freluquet par une énergie débordante, servie par un regard d'acier, un nez moueux et des sourcils inextricables. Il déclama:

« Premièrement, que tu le veuilles ou non, faudra que tu comparaisses en cour. Tu auras deux choix: plaider coupable ou non-coupable. Dans le premier cas, tu devras payer cent dollars d'amende et tu perdras ton permis de conduire pour trois mois. Et aussi, par la suite, tu auras l'obligation de tenir ton véhicule assuré pendant trois ans. »

L'avocat cherchait la moindre réaction dans le visage de son client, mais celui-ci demeurait impassible.

« Et si je plaide non-coupable, ça voudra dire un procès? »

« C'est ça! »

« Et si je perds mon procès, ça revient au même que si j'avais plaidé coupable! »

« C'est ça! »

« Donc je ferais mieux de plaider coupable? »

« C'est ta décision. Si tu penses que tu étais trop saoûl! »

« J'avais pris à peine quelques bières. »

« Alors plaide non-coupable. »

« Et je présume qu'ils vont se baser sur ma prise de sang au procès ? »

« C'est ça ! L'analyse est faite à l'institut médico-légal à Montréal. Ils vont déterminer le taux d'alcool et le juge va se baser là-dessus. »

« Comment prendre une décision sans connaître le résultat du test ? »

« Minute mon ami, je peux m'arranger pour connaître d'avance les résultats et s'il n'y a rien à faire, tu plaideras coupable. »

« Et si je gagne mon procès, ça ne me coûte rien ! »

« C'est ça ! » jeta l'autre en souriant. « Sauf bien entendu tes frais d'avocat. »

« Ce qui voudra dire ? »

« Cent dollars, pas une cenne de plus ! »

« Pour résumer tout ça : on m'arrête, on remorque mon auto au garage, on me traîne en prison sans avertir ma femme, on me brutalise, on me fait perdre au moins trois jours de mon temps — arrestation, comparution, procès — et si, en fin de compte, on me trouve non coupable, je devrai payer cent dollars de frais d'avocat pour coiffer toute l'affaire ! »

L'homme leva les bras. « Si tu préfères te défendre toi-même. C'est ton droit et ça ne te coûtera rien. »

« Et alors je risque de perdre parce que je n'y connais strictement rien en justice. Donc je suis perdant quoi qu'il arrive ! »

« Cent dollars d'honoraires d'avocat, c'est moins pire que tout le reste : amende, permis, assurances. »

« Quant à ça, je peux me passer de mon permis sans trop d'inconvénients... Et l'auto, elle était assurée de toute façon... »

« Sauf que ça te coûtera pas mal plus cher pour tes assurances, » jeta négligemment l'avocat.

« Quoi ? » s'inquiéta l'autre.

« Tu ne le savais pas ? Tu seras forcé de tenir ton véhicule assuré et tu deviendras automatiquement un mauvais risque pour les compagnies. Donc, augmentation substantielle des primes. »

« Ce qui veut dire ? »

« Je ne sais pas... deux, trois cents dollars supplémentaires chaque année pendant trois ans. Téléphone à ton courtier. »

« Mais ça n'a aucun sens ! » s'écria Alain.

« Les compagnies profitent de la loi. Elles soutiennent que les mauvais assurés doivent payer pour leur faute et que les bons conducteurs etc... » Percevant que son client était bien plus sensible à l'augmentation de ses primes qu'à la perte de son permis de conduire, l'avocat devait, par la suite, revenir à plusieurs reprises sur cette question qu'il avait vaguement abordée au début.

« Pour résumer le tout, je m'occupe de connaître le résultat de l'analyse de ton sang et si on le peut, on tape dans le tas. Qu'est-ce que t'en penses ? »

« Et pour les blessures ? »

« Pour ça, on ne peut rien. Comme disent les vieux, il faudra que çà se règle entre toi, le policier et le bon Dieu qui t'entend. Tu comprends ? »

« Trop bien ! »

C'est de son habituelle poignée de main accompagnée de son regard lourd que l'avocat accueillit de nouveau Alain dans son bureau, trois semaines plus tard.

« L'affaire est belle, » s'exclama-t-il. « Tu as d'excellentes chances de t'en sortir. Le taux d'alcool est juste sur la ligne, ce qui veut dire que le juge peut te condamner mais qu'il peut aussi t'acquitter. Bien des gars ont gagné leur cause avec un taux plus élevé. »

« J'ai des chances ? »

« Comme je viens de te le dire : excellentes. Tu es ce qu'on appelle un cas d'espèce et c'est là-dessus que nous allons plaider. Tu m'as dit que tu avais fait une grosse journée d'ouvrage et que tu étais plus fatigué que saoûl. Le juge est capable de comprendre ces choses-là. »

« En plus que c'était en pleine nuit et que je n'étais sûrement pas un danger public... »

« C'est çà ! Alors, nous allons... »

L'avocat exposa son plan de défense, soulignant à chaque hésitation de son client tous les inconvénients d'une condamnation et surtout l'augmentation des primes d'assurances.

Alain sortit le cœur léger, soulagé d'avoir frappé à la bonne porte, celle d'un avocat solide. Cette image d'un juge humain, tenant davantage compte de l'esprit de la loi plutôt que de la lettre, jeta un vent d'espoir en son esprit confiant.

Le procès eut lieu. La poursuite cita comme témoins à charge les deux policiers qui accablèrent le jeune homme d'indices accusateurs : blancs des yeux rougis au moment de l'arrestation, pupilles dilatées, forte odeur d'alcool, véhicule zigzaguant, titubation du suspect.

Sur un bout de papier, Alain releva trois éléments de contradiction dans les deux témoignages et les fit voir à son avocat qui lui glissa à l'oreille, lui serrant le bras de sa poigne de fer : « Laisse-moi faire ! »

Alain fut littéralement abasourdi par la défense produite. Son avocat parlait faiblement, servilement, comme s'il quémandait. Il fit comparaître le compagnon d'Alain du soir de l'arrestation, puis un médecin de Québec appelé à titre d'expert aux fins de démontrer qu'en vertu de la fatigue, que les policiers avaient prise pour de l'ivresse, le cas de l'accusé devrait être traité comme un cas spécifique.

Quelque temps après, au cours d'une même journée, l'intimé reçut la copie du jugement de cour ainsi que la facture d'honoraires de son avocat. Ayant perdu son procès, il était condamné à payer cent dollars d'amende, quatre-vingt dollars de frais de cour, et son permis de conduire serait suspendu pour une période de trois mois.

Sachant qu'il devrait aussi verser cent dollars au médecin de Québec, il prit un bout de papier et calcula tout ce que l'affaire lui coûterait y compris l'augmentation de ses primes d'assurances pendant trois ans et au sujet desquelles il avait obtenu des renseignements précis. Il entoura le chiffre et le souligna : mille quatre cent cinquante-cinq dollars.

Il s'indigna contre son avocat. « S'il avait été moins mou en cour, s'il avait soulevé les contradictions comme je voulais qu'il le fasse... Et il faudra en plus que je lui crache cent dollars pour toute sa merde... » Alain agrippa le téléphone et composa le numéro de son défenseur.

« Mon cher ami, j'ai des choses à te dire... »

Mais l'autre l'interrompit immédiatement : « Avant que tu n'ailles plus loin, Alain, je veux te dire à quel point j'ai été déçu, démonté, débiné de ce jugement. C'est la première fois qu'une chose pareille m'arrive... Au fond, pour être honnête avec toi, je m'y attendais depuis le jour du procès... »

« Et comment cela ? »

« Le juge, mon ami, le juge ! Je ne pensais pas que tu frapperais ce juge-là. Et quand j'ai vu que c'était lui... »

« Qu'est-ce que ça y change ? »

« Tout, absolument tout ! Ce juge-là prend un coup pas mal fort, c'est bien connu. Quand il a levé le coude la veille, il ne faut pas le lendemain, que les choses traînent en longueur. J'ai vu au premier coup d'œil qu'il relevait d'une cuite et c'est pour ça que j'ai procédé le plus vite possible. Pour ne pas l'indisposer. Tu comprends? Mais ça n'est rien. Le pire c'est que depuis un an, depuis l'accident de son fils, il est très sévère pour les cas de facultés affaiblies au volant… »

« Quel accident? »

« Tu n'es pas au courant? Son garçon s'est tué l'an dernier lorsque son auto a capoté. Il était bourré de drogue. Autant le juge était magnanime avant, autant il est dur maintenant. Il ne laisse plus rien passer dans les cas de facultés affaiblies. Comme de raison, c'est un être humain… »

« Très humain, je vois ça! » s'exclama Alain. « L'affaire va me coûter le quart de mon salaire net annuel. Quand on a une famille à faire vivre, c'est plaisant d'avoir affaire à des juges aussi humains que tu le dis. »

« Ah! je te comprends! Mais en ce qui me concerne, je me suis débattu comme un diable dans l'eau bénite. J'ai fait des démarches auprès de l'institut médico-légal, auprès du médecin-expert de Québec, je t'ai reçu plusieurs fois à mon bureau et j'ai plaidé. Que veux-tu de plus? »

« Quant à ça… » hésita Alain.

« Dans un cas comme le tien, un détail pouvait faire pencher la balance d'un côté comme de l'autre. »

« Tu admettras que le coût total de cette affaire est disproportionné par rapport à la faute commise. »

« Sûrement dans ton cas! Tu as mal frappé: autant du côté des policiers que du juge. »

« Il ne me reste qu'à annoncer la bonne nouvelle à ma femme. Elle arrive justement à la maison, j'entends l'auto. Je t'enverrai ton chèque par la poste sous peu. »

« C'est ça! Et bonne chance, là! »

Viviane entra. S'il lui expliqua longuement les circonstances de sa condamnation, il lui cacha l'augmentation des primes d'assurances. Il lui annonça qu'il irait le jour même emprunter à une compagnie de financement le montant requis pour couvrir les frais divers, et cela pour un versement de vingt-trois dollars par mois seulement.

« Soixante-dix pour cent des hommes boivent plus que ce montant chaque mois, » conclut-il.

●

1968

Il avait garé son auto près de la résidence des religieuses, mais en retrait, derrière un bouquet d'arbres. Il ne tenait pas à y être aperçu en compagnie de cette jeune sœur avec laquelle une amitié profonde s'était engagée depuis un an.

Joyeux, il l'était; mal à l'aise, encore plus! Joyeux d'avoir retrouvé sa voiture, instrument de libération, et d'avoir à ses côtés cette religieuse qu'il aimait intellectuellement pour discuter avec elle pendant des heures, sans jamais se lasser, de tous les sujets possibles mais surtout de bonheur humain. Cependant, chez elle, l'amour avait dépassé les frontières intellectuelles. Et c'est cela qui causait son malaise à lui.

L'isolation du lieu, les arbres et la nuit cacheraient leur présence. Cette pensée le réjouit et pour cause. La directrice de leur école, également religieuse, mais à l'âge des regrets inutiles et tardifs, avait pris la fâcheuse habitude de lui adresser des reproches qu'Alain jugeait injustifiés et qu'il attribuait plus à l'amitié particulière qui l'unissait à la jeune et jolie sœur qu'aux fredaines qu'il s'était toujours permises comme enseignant, face à des règlements qu'il trouvait tatillons.

Il consulta sa montre, dit: « Nous avons une heure devant nous, de quoi parlerons-nous ? »

« Du cœur de l'homme ? » interrogea-t-elle en souriant.

« N'est-il pas aussi tendre que celui de la femme ? »

« Sûrement... je le croirais... oui... selon les circonstances ! » Elle pencha légèrement la tête.

« Ça dépend de quel homme il s'agit... et de quelle femme, » dit Alain, songeur.

« Peut-être aussi de la communication qu'il y a entre les deux, » dit-elle, à son tour devenue songeuse. « Le bien n'invite-t-il pas le bien? L'amour ne favorise-t-il pas l'amour ? »

« Oui... oui ! Mais l'amour n'engendre pas l'amour... pas nécessairement je veux dire. Vois-tu, Marie, il y a souvent entre deux êtres de l'attachement réciproque, mais de l'amour dans un seul sens. »

Il sentait venir cette confrontation qu'il avait toujours prudemment évitée ou éloignée. Mais cette fois, l'attaque avait été directe, presque brutale. Elle le forcerait à mettre son cœur à nu et il ne le voulait pas. Mentir ? Et après ? Ne risquerait-elle pas de briser ses vœux, de quitter sa communauté, non pas pour lui, mais pour rompre une entrave la séparant de l'amour humain ? Chercherait-elle à établir une liaison dont il n'avait pas envie ? Lui dire la vérité, lui faire du mal ? Elle était pourtant bien assez malmenée avec toutes ces remises en question sur elle-même et sur la vie, et sur sa vie. Quoi faire ? Il avait décidé de garder intact leur attachement moral, d'éviter la confrontation amoureuse, de laisser grandir le désir qu'elle avait de savoir, en espérant qu'un jour, leurs routes se séparent avant qu'ils n'aient eu l'occasion de se révéler l'un à l'autre.

Et il s'était dit : « Elle a le cœur au sacrifice puisqu'elle est religieuse ; elle doit donc enfouir à jamais en un recoin de son âme l'idée que j'ai sacrifié l'amour au devoir. Le mieux qui puisse arriver, c'est que je devienne pour elle un doux et douloureux souvenir. »

Habilement, il avait toujours su faire dévier la conversation, ou bien il avait donné des opinions évasives quand le sujet devenait trop chaud, risquant de le compromettre. Aussi, le temps et les circonstances étaient souvent venus à son secours.

Ils avaient partagé les mêmes travaux, la même table mais par-dessus tout, chacun avait assisté aux combats violents que se livraient en eux d'un côté, leur sens du devoir et leur fidélité à de vieux engagements, et de l'autre, leur soif de liberté. Chacune de leurs âmes cherchait son identité propre sans pourtant réussir à concilier liberté et devoir, aspirations et engagements. Elle voulait devenir une religieuse libérée; lui voulait devenir un homme marié libre. Eux y croyaient à travers leurs doutes, mais pas la société.

Ils s'étaient merveilleusement rencontrés pour toucher du doigt la plaie, cette plaie commune, désespérante parfois. Pour elle, cette rencontre avait fait naître l'amour; pour lui, l'amitié. Mais si elle avait dormi chaque nuit près d'un corps chaud et affectueux, comme lui le faisait, et s'il avait vécu ses nuits dans la solitude, comme elle, pour qui cette rencontre spirituelle aurait-elle dégénéré en amour et pour qui serait-elle demeurée de l'amitié? Il mourrait sans connaître la réponse, mais il se sentait mieux de s'être au moins posé la question.

« L'amour réciproque, l'amour à sens unique, » dit-elle doucement. « Le Christ a aimé à sens unique... » Elle avança la main et flatta légèrement la cuirette du tableau de bord. « Est-ce que ça existe, le véritable amour réciproque? » demanda-t-elle d'une voix nuageuse.

Il ne répondit pas sur le coup, soupirant et hochant la tête. Il fouilla dans sa poche de chemise, sortit son paquet de cigarettes qu'il déposa sur le tableau de bord. Il finit par dire comme à regret: « Je l'ai cru, je l'ai déjà cru. »

« Et... plus maintenant? »

« Dans un sens, oui; dans l'autre, non. »

« Déçu de la vie? »

« Jamais! Et tu le sais bien, Marie... Non, pas jamais, rarement. »

« Tu es content de ce que tu vis? Je veux dire chez toi? »

« Content... non... » Il tapota son paquet de cigarettes. « J'ai soif de quelque chose, mais je ne peux pas dire ce que c'est exactement. » Il ouvrit son paquet. « Sûrement que c'est de liberté, mais de quelle sorte? Comment la définir cette liberté? Difficile! Des journées, je sais ou je crois savoir. Le lendemain, je ne sais plus. »

Elle battit des cils en soupirant, comme fatiguée de chercher à savoir sans jamais y parvenir.

« Pas content et pourtant pas déçu; que comprendre d'un tel langage? »

« La vie est riche. On peut la saisir à pleines mains et en ce sens-là, je ne suis pas déçu; mais je m'y prends mal pour en extraire les richesses et là, je ne suis pas content. »

« Il est possible que tu t'en prennes trop à toi-même, comme si tu étais responsable de l'humanité. Peut-être que tu cherches trop en toi-même? Peut-être que ce sont les autres qui t'empêchent d'accéder aux richesses de la vie? Ce sont peut-être les autres qui t'empêchent aussi de découvrir les plus grandes qui soient: les tiennes, tes propres richesses intérieures. »

Le fond sentimental des propos de Marie était tendre, mais en touche d'avant-plan, la première phrase avait eu la teinte de la douceur, la deuxième, celle de l'impatience voilée et la dernière, celle du reproche éthéré.

« Cela est possible, cela est vraiment possible. Je veux le savoir. Je cherche. La réponse à une si profonde interrogation ne se trouve pas en deux temps trois mouvements. Je cherche. Je pense et je cherche. »

« Mais jamais tu ne pourras avoir de certitude... Tu exiges trop de preuves, d'évidence... »

« Pas de tout ! Quand j'aurai trouvé, je le sentirai et j'agirai en conséquence. »

« À qui penses-tu en parlant de tout cela ? Qui t'empêche d'arriver à toi-même ? »

« C'est toi, qui as dit cela Marie. »

« Ne crois-tu pas que les autres soient des obstacles dans le chemin qui te conduit à toi-même ? »

« Oui, mais c'est quand même, à travers eux que j'y arriverai... que je dois y arriver. »

« Nous tournons encore une fois en rond et autour du pot. »

La remarque faillit le désarçonner.

« Cela n'est-il pas préférable ? » dit-il.

« Mais un bon jour, il faut plonger dans le pot et regarder la réalité bien en face, » dit-elle, impatiente.

Il alluma une cigarette et aspira plusieurs bouffées sans parler. Les rayons de lune rendaient grâce au visage angélique de la jeune femme. Ses yeux lumineux buvaient aux moindres gestes de l'homme. Pourtant, il s'appliquait à obscurcir chaque attitude, chaque mot. Elle n'osait poser de questions directes ; il ne pouvait donner de réponses nettes. Il fuma si vite que la cigarette devint brûlante. Il contempla les lueurs de lune flottant dans l'air, charriées par les volutes de fumée.

« Peut-être devrions-nous changer de sujet. Pas que celui-ci ne m'intéresse pas, mais du fait que tout est embrouillé dans ma tête... et surtout ce soir... »

« As-tu l'impression que je te pousse dans le dos ? Tu sembles impatient tout à coup ! Ça me paraît bon signe quand tu dis : surtout ce soir. Qu'y a-t-il derrière cette parole ? »

Elle lui déchaussait le cœur, l'obligeait à prendre une direction ou bien l'autre.

Il pensa : « Il est vrai que ce « surtout ce soir » trahit mon malaise d'être coincé, mais il ne cache aucun sentiment amoureux comme elle le voudrait, comme elle l'espère. Comment ai-je pu me fourrer dans un pareil pétrin ? »

Il se remémora dans un rapide tourbillon de souvenirs l'ensemble des gestes et paroles de la jeune sœur ces dernières semaines, et il déplora de s'être, en fin de compte, laissé cerner comme un enfant maladroit. Pourquoi n'avait-il pas mis un frein aux avances camouflées de la jeune femme sentimentale ? Pourquoi ne lui avait-il pas retiré cette complicité tacite qui peut faire partie autant de l'amitié que de l'amour ? Mais il ne l'avait pas fait. Par goût de la flatterie ? Par manque de courage ? Pour ne pas la briser ? Par gratitude ? Pour toutes ces raisons sans doute !

Il disait vrai quand il affirmait mal connaître ses propres contours et ne pouvoir définir ce qu'il cherchait. Et les contradictions dans les valeurs l'empêtraient encore davantage. C'est ainsi que les gens, les autres, ne le forceraient jamais à accepter l'hypocrisie ; mais, d'un autre côté, Marie, tout admirable qu'elle fût, ne l'obligerait pas à la blesser.

« Je dois mentir, » se dit-il. « Je ne peux faire autrement. Mais alors je mentirai le moins possible. »

Il alluma une cigarette avec le mégot de la précédente, mais l'écrasa aussitôt, nerveusement. Il approcha sa main du poing fermé de Marie et l'enveloppa fort, prenant une longue inspiration. Il ramassait son mensonge de façon qu'elle puisse croire qu'il ramassait son cœur. Alors, brusquement, il hocha la tête.

« Marie, regarde-moi... Oui, comme ça, droit dans les yeux. Tu me connais bien. Tu connais ma vie. T'ai-je déjà menti ? Mais pourquoi me poses-tu des questions auxquelles, tu le sais, je ne peux pas répondre, auxquelles je n'ai pas le droit de répondre? Nous avons chacun notre route à suivre. L'avenir de nos routes est tracé d'avance par leur passé et elles divergeront inexorablement; voilà notre destin, Marie... »

Cette main chaude sur son poing, ce premier contact physique avec Alain, cette libation sublime au corps de l'homme injectèrent dans les veines de la jeune femme des jets incontrôlables d'une folie brûlante.

« Dieu peut-il demander à deux cœurs de se briser? » fit-elle avec détresse. Ses yeux s'emplirent de larmes. Elle était maintenant sûre de l'amour de son ami. Il ne lui manquait plus qu'un « je t'aime » franc et net et elle l'obtiendrait, dût-elle dire le sien d'abord.

« Ils ne se briseront pas si nous sommes forts! » dit-il, serrant son poing plus fermement. « J'ai une femme, un enfant, un foyer, une vie et c'est à cette vie-là que je me dois. Tu as ta communauté, tes engagements et c'est à cette vie-là que tu appartiens. Nous bâtirons chacun de notre côté, gardant bien au chaud, dans une cellule secrète du fond de nos cœurs, un doux souvenir, un pur souvenir. Oui, c'est cela: un souvenir que nous aurons bâti doux et pur. Il faut qu'il en soit ainsi, Marie. Ne te soumets-tu pas chaque jour à la volonté de quelqu'un d'autre chaque fois que tu dis ainsi soit-il?

« Je n'ai jamais pensé au sens profond de cette parole... ni de bien d'autres d'ailleurs. Mais Alain, tu crois en Dieu; or sa volonté a fait que nous soyons ensemble, ici, en cet instant précis; n'est-ce-pas là un signe que nous devons disposer de ce moment de notre vie à notre guise, sans que n'intervienne directement ou indirectement la volonté de quelqu'un d'autre? »

« Si Dieu avait voulu que les choses soient comme tu dis, il n'aurait pas seulement permis le moment présent, mais il aurait fait le passé différent. Ce moment qu'il nous donne est justement une occasion pour nous d'exercer un contrôle, comme seulement des êtres humains peuvent le faire, d'exercer un libre choix, comme des gens qui ont vécu peuvent le faire. Voilà pourquoi cette conversation sera la dernière, car nous ne pouvons pas aller au-delà. Oh! bien sûr, nous pourrions nous laisser aller, ne serait-ce qu'une heure, mais il nous faudrait trop sacrifier d'autres valeurs... À commencer par notre propre sens du devoir. »

« Faut-il pousser le sacrifice si loin que nous devions nous quitter comme cela... sans rien de plus... ? »

« Oui, car nous avons des devoirs, des destins, des futurs différents. Pour les trois mois qu'il nous reste à travailler ensemble, je te rencontrerai sans te rencontrer, je te verrai sans te voir, je te parlerai sans te parler, comme les gens le font entre eux, dans la vie de tous les jours. Et à l'automne, nos routes divergeront d'elles-mêmes: tu t'en iras aux études à Québec et je resterai ici. »

« Ne te manque-t-il rien? N'y a-t-il pas un immense vide en toi? Nous quitterons-nous, mettrons-nous un point final sans au moins avoir cherché à combler ce vide? »

« Je ne veux pas te savoir avide de quelque chose de cette façon triste. Je veux te voir forte, logique, comme peu de femmes peuvent l'être ou savent l'être, mais comme tu l'as toujours été depuis que je te connais. »

« Il est possible que la logique d'une femme suive le dessèchement de son cœur... »

« Aucun cœur de femme ne se dessèche jamais... ni aucun cœur humain non plus. Du moins je le crois... je l'espère. »

« Le mien était devenu bien sec avant... avant toi. »

« Marie, tu es folle! Au contraire, il était plein mais fermé, et je n'ai fait qu'entrouvrir sa porte. »

« Pour qu'elle se barricade plus sûrement après, » dit-elle, amère.

« Marie... Marie... Marie, ne dis pas de choses pareilles ! Tu devras continuer de l'ouvrir toute seule cette porte, et de l'ouvrir toute grande. »

Il lui offrit un papier-mouchoir dont elle essuya ses yeux d'une seule main, gardant le chaud contact de l'autre.

« Pourquoi faut-il donc que les choses soient ainsi? Je ne le veux pas et toi non plus... »

« Shhhhhhh ! Il fit un lent mouvement vers elle et lui mit un doigt sous le menton afin qu'elle relève la tête. Apeurée, vulnérable, triste, elle soupira sombrement et déclencha la portière d'un cran.

« Approche, » dit-il. Elle ne bougea pas. Alors, d'un geste rapide et léger, il avança la tête et, dans une sorte de frôlement angélique, il déposa sur ses lèvres un baiser véniel.

« Va ! Va et vis ! » ajouta-t-il avec une infinie tendresse dans la voix mais une fermeté inébranlable dans la poigne de sa main. Alors, prestement, il retourna à sa place, lâcha son poing et tourna les yeux vers la nuit. Marie déclencha le second cran et poussa de l'épaule dans la portière qu'elle retint pendant plusieurs secondes, ravalant sans cesse et cherchant, sans y parvenir, à dire quelque chose. Il fit tourner le moteur sans bouger la tête. Dans un élan subit, vivement, elle sortit en criant à voix étouffée, avant de claquer la portière : « Je t'aime ! » Et elle s'en fut en courant.

L'auto avança et roula furtivement devant la résidence des religieuses.

Alain se dit tout haut : « Ainsi soit-il ! »

●

Il s'assit près du bureau de la directrice et sortit son stylo pour signer au plus vite son rapport d'appréciation. Dès la fin de sa lecture, il remit son stylo dans sa poche. Il reprit la feuille en mains, repassa les trois lignes laconiques, lourdes.

— Relations avec les étudiants : semblent bonnes.

— Relations avec les collègues : manque de solidarité.

— Relations avec les autorités : pas de collaboration.

« Je m'excuse, ma sœur, mais je ne signerai pas ce rapport, » dit-il en jetant la feuille devant lui.

« Vous me direz bien pourquoi ? » demanda-t-elle sèchement.

« Parce que son contenu est faux. Je ne signe pas de faux chèques et n'apposerai pas ma signature au bas de ce document qui risque, par surcroît de me couper le cou. »

« Vous devez être au courant, monsieur Martel, de vos propres agissements. Dans ce cas, expliquez-moi en quoi ce rapport est faux. »

Le jeune homme garda tout juste son calme. « Je vous en prie, je vous en prie. Il ne m'appartient pas de démontrer la fausseté de son contenu, mais il vous revient à vous d'en prouver les avances. »

« Et de quelle manière suggérez-vous que nous le fassions ? » dit-elle, rougissante.

« En écrivant des faits précis. Sur la foi de quoi, par exemple, affirmez-vous que mes relations avec les autorités sont mauvaises ? Pourquoi dire aucune collaboration ? »

La petite religieuse au sourire rigide, accroché derrière des lunettes à montures métalliques, ricana nerveusement. Avec un geste d'évidence de la main, elle répondit : « Vous ne portez jamais de cravate, défiant ainsi le règlement de cette école. Un professeur digne de ce nom porte toujours sa cravate.

Non seulement vous désobéissez à l'autorité, mais en plus, votre attitude jette du discrédit sur vos collègues, ce qui démontre votre manque de solidarité.»

« Pourriez-vous me citer d'autres faits précis ?»

« Mais très certainement, monsieur,» fit-elle en haussant les épaules. « Il n'est pas digne non plus de boire du Coke dans la bibliothèque, ce que vous faites tous les jours.»

« Autre chose ?»

« Vous recevez souvent les mêmes étudiants, ou devrais-je dire étudiantes à votre bureau, en privé... Ai-je besoin de vous signaler que vous leur faites ainsi perdre un temps précieux de leurs cours réguliers ? Ai-je besoin de vous dire que les professeurs s'en plaignent ?»

« Continuez, je vous prie.»

Elle s'impatienta :

« Écoutez, monsieur Martel, je n'ai pas tout noté ce que vous faites régulièrement de travers !»

« Mais il aurait fallu, ma sœur, car je ne signerai pas un rapport contenant des généralités alors que vous n'avez à me reprocher que des banalités.»

« Vous niez les faits ?»

« Pas nécessairement ! Il est vrai que je ne porte pas la cravate comme le stipule le règlement, que je bois du Coke où vous croyez qu'il ne faut pas et que certains étudiants reviennent souvent à mon bureau...»

« Mais alors ?...»

« Ces babioles que vous me reprochez effacent-elles le reste de ma collaboration avec l'autorité ? Par exemple, est-ce que mes notes sont remises à chaque bulletin scolaire ?»

« Oui.»

« Mes étudiants flânent-ils en des lieux où ils ne le devraient pas ?»

« Non.»

« Est-ce que j'ai des retards injustifiés ?»

« Non.»

« Alors quoi, vous dis-je à mon tour ?»

« Vous défiez l'autorité en ne respectant pas les règlements... par exemple concernant l'habillement.»

« Mais c'est un règlement stupide ! Et puisque nous parlons de la question vestimentaire, vous ai-je déjà dit que votre costume de religieuse me déplaît souverainement ? Non, car je respecte votre habit. Par contre, je demande que vous respectiez le mien. Est-ce que je manque aux règles d'hygiène ? Est-ce que je pue ?»

« Un homme qui ne porte pas de cravate a l'air débraillé.»

« C'est là une question d'opinion ; d'autres disent qu'il a ainsi l'allure sportive.»

Alain se leva, marcha jusque derrière sa chaise, s'appuya les mains sur le dossier. « Cessons de discuter dans le vide. Quelle importance que je porte ou non une cravate ? L'important n'est-il pas l'enseignement que je donne à mes étudiants ? Est-il valable, cet enseignement ?»

« Je ne suis pas une étudiante, moi !» dit-elle d'une voix pincée.

« C'est pourtant là-dessus que devrait porter un rapport d'appréciation et non pas sur les détails sans importance que vous me reprochez.»

« Mon cher monsieur, quand on néglige les détails, on ne s'occupe pas mieux du principal.»

« Les notes de mes étudiants sont-elles mauvaises ?» s'enquit-il.

« Je ne sais pas. Mon travail à la direction de cette école étant très absorbant, je n'ai pas le temps de suivre les notes des huit cents étudiants.»

«Je vais donc répondre pour vous. Elles sont très convenables. D'autre part, j'ai d'excellentes relations avec eux. Est-ce qu'il m'arrive de vous envoyer des étudiants indisciplinés ou paresseux?»

«Non.»

«Et vous savez pourquoi?»

«Non.»

«C'est que je n'en ai pas, tout simplement.»

«J'ai bien écrit que vos relations avec les étudiants sont bonnes.»

«Vous avez écrit semblent bonnes. Ce qui implique un doute... Quant à dire que je manque de solidarité envers les collègues parce que je ne porte pas la cravate, elle est bien bonne...»

«Il ne s'agit pas seulement de cela,» coupa-t-elle. «J'ai aussi des plaintes de la part de certains de vos collègues.»

«Nous y voilà: le chat vient de sortir du sac. On s'arrête à la délation...»

«Je vous préviens qu'il est inutile de me demander l'origine de ces plaintes.»

«Je ne vous en demande pas tant. Mais je vous conseille bien de ne pas vous laisser berner par ces gens qui font de la délation et de la calomnie, car ils le font aussi envers vous.»

«Tout ce que je peux vous dire c'est que vos attitudes ne vous rendent pas très populaire auprès de vos collègues.»

«Réglons alors une autre question, soit celle de mes amitiés particulières avec certains étudiants ou bien devrais-je dire comme vous, certaines étudiantes. Pourquoi ces soupçons à peine voilés? Un enseignant n'est-il pas aussi professionnel et responsable qu'un psychiatre ou un médecin pour que l'on doute ainsi de sa conduite? Je m'excuse de la violence des propos qui vont suivre, mais puisqu'il faut le dire, croyez-bien que s'il m'arrivait de coucher avec une étudiante ou même de la toucher, je ne le ferais sûrement pas dans votre école... Au-delà de toutes ces questions, il y a un point que vous n'avez pas osé soulever et qui explique sans doute bien davantage le contenu de ce rapport, et c'est l'amitié que sœur Marie et moi avons l'un pour l'autre...»

«Ne parlons pas de cela,» coupa la religieuse en crispant les poings. «Çà n'a rien à voir avec votre rapport qui est déjà pas mal chargé.»

«Mais c'est vous qui le chargez,» s'écria Alain. «C'est vous qui voulez appliquer à la lettre des règles tatillonnes. C'est vous qui écoutez les délateurs. C'est vous qui entretenez des soupçons injustes et malveillants.»

La religieuse se leva abruptement et arracha la feuille qu'il avait reprise dans ses mains. Furieuse, elle la déchira en plusieurs morceaux qu'elle jeta à la poubelle.

«Faites-le vous-même votre rapport!» lança-t-elle avec rage.

«Certainement et merci,» dit-il en se dirigeant vers la porte. «Et je tâcherai d'être honnête, croyez-le bien.»

Il se rendit à son bureau et il écrivit:

— Relations avec les étudiants: saines.
— Relations avec les collègues: satisfaisantes avec certains.
— Relations avec les autorités: 1- respecte les autorités qui le respectent.
2 – se moque de certains règlements dont celui du port de la cravate.
3 – boit trop de Coke.

Il signa sa feuille et retourna la déposer sur le bureau de la principale. Quand elle l'aperçut revenir, elle changea de pièce.

●

Quelques jours plus tard, il fut convoqué au bureau du préposé au personnel de la commission scolaire, un personnage coloré qui, à l'instar de plusieurs des nouveaux instruits québécois, avait jeté le froc aux orties.

Homme de panache, impressionnant, grand, droit, large d'épaules, voilà tel qu'apparut encore une fois, aux yeux d'Alain, ce personnage populaire auprès des enseignants. Mais ce jour-là, le jeune homme le détailla un peu plus: visage sanguin, cheveux fauve, front rond, fuyant et lisse. Tout le magnétisme se logeait dans les yeux: proéminents, en forme d'amandes, malicieux, posés. Il avait tout d'un lion, mais sa voix était humaine: forte, solide, grave. Quand il parlait, il prenait allure de géant. « Mais un géant bienveillant et juste, » s'était dit Alain en s'asseyant.

« J'ai lu plusieurs fois ton rapport et je dois t'avouer que je n'ai pas compris. Ce n'est pas toi, ça, Alain Martel. Veux-tu bien m'expliquer ce qui se passe ? »

« C'est pourtant bien moi puisque je l'ai rédigé moi-même. »

« J'ai su cela ! Mais j'ai aussi la copie de l'autre que tu as refusé de signer et, je te le répète, je n'en reviens pas. »

« Tu en as discuté avec la principale ? »

« J'pense bien ! Je n'aurais jamais accepté un tel rapport sans poser de questions. »

« Elle t'a parlé de notre rencontre ? »

« Elle m'a tout raconté. »

« À sa façon ? »

« À sa façon, à sa façon... à la façon dont les choses se sont passées. »

« Ce qui veut dire que tu ne veux pas entendre ma version ? »

« Si tu veux ! » dit l'homme en haussant les épaules. Il jeta son crayon sur le bureau, recula sur sa chaise à bascule et se croisa les bras de façon condescendante. « Vas-y, je t'écoute ! »

Alain raconta son altercation avec la religieuse. Quand il eut terminé son récit, l'homme-lion reprit sa posture de départ: coudes appuyés sur le bureau, poitrine frôlant le rebord, tête à la fois renfrognée et projetée vers l'avant, comme il était le seul à pouvoir le faire, sans doute à cause de ses épaules énormes.

« Tout concorde avec ce qu'elle m'a dit et ça me surprend drôlement de ta part. Je te croyais plus sérieux que ça, Alain. »

« Toi aussi, Benoît, tu me surprends passablement. Est-ce que tu acceptes un jugement global à partir de faits aussi insignifiants que ceux qu'elle me reproche ? »

« La question n'est pas là. » L'homme rougit et sa voix monta d'un ton. « Tu dois tout de même savoir, sacrifice, qu'un règlement, c'est fait pour être appliqué et respecté. Quand tu établis toi-même une règle en classe, acceptes-tu que les étudiants la violent aller-retour ? Acceptes-tu que chacun fasse à sa tête ? Non, je sais que tu es meilleur professeur que ça. »

« Benoît, quand je fais un règlement, je tâche de le faire intelligent... »

« Tiens, tiens, tiens, monsieur est tout seul à posséder l'intelligence. Les autres sont des imbéciles, je présume ? »

« Dans une école, tout comme dans la société, un règlement qui régit les moindres détails est imbécile parce qu'il empêche les jeunes de s'épanouir en les encadrant trop. Ils ne deviennent pas eux-mêmes et ne développent pas leur propre personnalité. Ils deviennent des numéros sans identité propre, tous formés à un même moule, à une même image. C'est encore pire quand on s'adresse à des enseignants adultes. Que l'on demande à un professeur une tenue convenable, d'accord ; qu'on décide de la couleur de ses bas, non. »

L'homme sourit avec morgue. « Tu ne veux pas comprendre, mais il va pourtant falloir que tu comprennes... »

Alain, à son tour, monta le ton d'un cran. « Comprendre que la religieuse a automatiquement raison parce qu'elle détient l'autorité ? Jamais ! C'est là une raison drôlement insuffisante. Va falloir que quelqu'un se serve de sa tête un bon matin... »

La phrase fut coupée par un formidable coup de poing sur le bureau, et l'homme-lion se leva d'un bond, le feu au visage, rugissant : « Ah ! sacrifice, mon gars, tu vas t'apercevoir que c'est pas de même que ça marche. Si tu ne plies pas, mon gars, tu vas tout simplement casser. A-t-on déjà vu ça, des employés qui se mêlent de dire : ça, ça fait mon affaire, je le prends ; et ça, ça ne fait pas mon affaire, je ne le prends pas ? Ah ! ah ! ah ! ah ! mon gars, tu ne nous monteras pas sur la tête. Si tu n'es pas content, à la fin de l'année, prends tes guenilles et va enseigner ailleurs... »

« O.K., O.K., j'ai compris ! Ne te mets pas en colère, j'ai compris. Si tu tiens absolument à ce que je lui fasse plaisir à ta vieille chipie, je vais me procurer deux douzaines de cravates. Par contre, demande-lui donc à elle, la vieille fille enragée, d'enlever son costume suranné... qui lui donne l'air d'une retardée mentale...

Reprenant un peu son calme et hochant la tête, l'homme laissa tomber : « Ce que tu peux être baveux, Alain Martel, ce que tu peux être baveux ! »

« Tu permets que je fume ? »

« Si tu veux ! » L'homme se rassit en soupirant et alluma la cigarette que l'autre lui avait offerte.

« Tu sais bien Benoît, qu'il n'y a pas là de quoi fouetter un chat. J'aurais pu faire un grand sourire et dire : oui ma sœur, je ne recommencerai pas. Le problème aurait-il été réglé ? Elle veut ma peau parce que je suis proche de sœur Marie. Elle me niaise depuis plusieurs mois avec des détails ; tu vois bien tout le chiard qu'elle fait pour des questions de poignées de portes. Ah ! je comprends ton attitude ! Entre autorités il faut se protéger ; à tout le moins ne faut-il pas se couler ! Mais laisse-moi donc repartir avec l'idée que tu es plus compréhensif que tu ne le laisses voir et je tâcherai de corriger la situation du mieux que je pourrai. »

« Compréhensif, compréhensif... facile à dire ! Nous autres, il faut être compréhensifs et vous autres, vous prenez tous vos aises. »

« Je ne cherche à détruire personne à l'école, je veux simplement être moi-même avec les étudiants, un point c'est tout. »

« Tu te vantes pas mal d'être bon professeur. Tu prétends pouvoir éduquer les jeunes et tu n'es même pas capable de donner l'exemple : toi et ton esprit rebelle. Laisse-moi te dire qu'une attitude comme celle-là me fait douter... Et puis, qu'est-ce que ça peut bien t'apporter, Alain Martel, cette manière d'agir ? C'est pas de même que tu vas te tailler une place dans le monde de l'éducation. Il va se construire plusieurs polyvalentes et tu as le potentiel pour devenir principal-adjoint et même principal un jour. Pourquoi alors ne travailles-tu pas dans le bon sens ? Veux-tu me le dire ? »

Doucereux, Alain rétorqua : « Entre nous deux, Benoît, je suis prêt à porter une cravate pour éviter des problèmes, mais au-delà, je ne marcherai pas. Je ne ramperai jamais pour obtenir un poste de direction... »

« T'as pas à ramper pour obtenir un poste... »

« Abdiquer sa personnalité, c'est quoi au juste ? »

« Tu es plus fou que je ne le croyais. Prends moi : je suis le plus jeune préposé au personnel de toutes les commissions scolaires régionales de la province ; j'ai des responsabilités, une sécurité, un bon salaire et un avenir intéressant. Tu n'as qu'à travailler sérieusement, main dans la main avec tes directeurs et, bien plus vite que tu ne le penses, tu seras toi-même directeur. »

« Merci pour le conseil, Benoît. Le prix à payer serait tout de même trop élevé. Je préfère travailler du côté des étudiants. Il y a déjà suffisamment d'enseignants qui n'ont qu'une ambition: se débarrasser au plus vite de leurs élèves en courant les promotions. »

« Libre à toi, mon gars! Tu vas peut-être changer d'idée un jour. En attendant, tu veilleras à ne plus causer de problèmes au travail. Là-dessus, je vais devoir écourter notre rencontre; je dois assister à une réunion dans quelques minutes. »

« J'espère que je n'aurai pas trop à subir, à souffrir les frustrations d'une principale qui n'a pas la force morale de diriger. »

« Tu n'as qu'à rentrer dans le rang et tu n'auras aucun problème, » dit l'homme-lion.

« L'avenir le dira! Avant de partir, je voudrais te souhaiter que la vie continue d'être bonne pour toi, Benoît. »

« Elle est bonne pour ceux qui le veulent, mon cher Alain... Mais il faut le vouloir. »

L'homme tendit la main en souriant, heureux d'avoir réglé un autre cas problème.

●

Au cours du mois suivant, Alain isola son âme pour réfléchir en profondeur. On le crut distant et il l'était. Il fit une longue et exhaustive recherche sur les principaux volets de sa vie.

Lorsque ses bilans furent complétés, une grande et universelle réponse lui vint en clair. Le mal, c'était le système. Ses problèmes, ceux de la société, ceux de l'humanité toute entière y trouvaient leur dénominateur commun.

Des années d'événements et de recherche en lui-même et autour de lui avaient contribué à la gestation difficile de cette réponse. Il se sentait heureux, libéré, qu'enfin elle ait abouti.

Cependant, il la tritura des centaines de fois dans son esprit avant de l'accepter. N'était-elle pas issue de ses nombreuses frustrations? Il répondit non à la question. Il savait que sans sa logique positive pour l'éclairer, il n'aurait pas cédé à sa haine de monstrueux complices du système et dont il avait reçu des coups durs à encaisser. Il avait eu beau rager contre eux, sur le moment, et aller jusqu'à vouloir secrètement les démolir, jamais il n'aurait voulu se savoir dominé et conduit par de tels sentiments.

Il se répétait que sa réponse à toutes les questions était logique puisqu'elle s'exprimait par les fondements psychologiques des systèmes, y trouvait sa justification. Tout était là! Le capitalisme, s'appuyant sur les mauvais penchants de l'homme, son désir de dominer, son égoïsme foncier, son narcissisme ne pouvait donner comme résultats que le mensonge, la malhonnêteté, la tricherie, l'exploitation, la répression. Par contre, le socialisme marxiste-léniniste, faisant essentiellement appel aux côtés nobles de l'humain, son désir d'égalité, son goût de la fraternité, son acceptation du mérite des autres, ne pouvait donner qu'un bilan positif fait de partage et de communication entre les hommes, et de contrôle et de mise au pas des mauvais penchants de l'âme.

Prendre carrément position, se donner à l'idéal de contribuer, dans la mesure de ses moyens, à abattre ce système pourri lui aurait donné l'impression d'être mal synchronisé par rapport à son temps et à l'évolution de pensée des gens de son milieu. Et d'autre part, d'une autre façon, cela l'aurait rendu mal à l'aise, comme s'il subodorait la carence de certains éléments à son argumentation. Paradoxalement, il se sentait trop sûr de ses conclusions pour prendre à fond, fait et cause contre le système, car autant les certitudes des autres lui tapaient sur les nerfs, autant il se méfiait des siennes propres. Alors, quoi faire? Attendre? Ne pas bouger? Une force incontrôlable le poussait à agir, ne serait-ce que pour empêcher son cerveau d'éclater.

L'occasion se présentait. Des élections fédérales venaient d'être déclenchées. Il pensa entrer dans l'organisation d'un parti et chercher à attirer l'attention sur les pourritures du système. Il savait qu'on l'enverrait promener; d'autant plus que les organisations politiques elles-mêmes lui paraissaient être des formes d'infection du système.

Après plusieurs journées de réflexion, il décida de poser sa candidature. Accrocher son nom à une campagne électorale le ferait connaître aux quatre coins du comté. Il ne serait pas cru, mais il intriguerait les gens. Il n'aurait pas de mal à laisser planer l'idée d'un complot des libéraux, ce qui pourrait contribuer à empêcher leur candidat, le moins valable des quatre selon lui, d'être élu.

Mais il profiterait de l'élection, de cette chance de s'exprimer que lui laissait le système, pour l'attaquer. Dans ses déclarations publiques, il s'afficherait capitaliste: mais, en même temps, se désolerait des failles du système et de ses sous-produits nauséabonds parmi lesquels le financement des caisses électorales, les abus des multinationales, l'exploitation des travailleurs, la corruption politique.

Aussi, il dénoncerait le socialisme, mais en profiterait pour l'expliquer, car les quatre-cinquièmes des électeurs de l'Etchemin auraient été bien embêtés de répondre à la question de savoir si le Canada était un pays capitaliste ou socialiste. En mettant une étiquette de droite sur une boîte à contenu gauchisant, il garderait en mains tous les atouts. On ne se rendrait même pas compte de son esprit révolutionnaire, mais pourtant il tâcherait d'être, en Etchemin, la première goutte. Au fond de lui-même, il se réclamait du bouillonnement international de 1968.

Pourtant, il ne désirait pas s'embarquer, sans espoir de retour, dans une galère où il n'aurait été qu'un rameur parmi d'autres, car il se sentait incapable d'une foi aveugle, qu'elle soit religieuse ou bien révolutionnaire. C'est pourquoi il n'avait pas contacté le parti communiste canadien dont il détestait l'extrémisme borné.

Il emprunta quatre cents dollars et fit sa campagne en suivant fidèlement sa ligne de pensée initiale. Jour après jour, il essuya quolibets, injures, questions malveillantes, appels anonymes d'invectives et de menaces. Toutes ces choses n'avaient de motivations que purement électoralistes et rien jamais ne concernait son message politique de fond, comme si personne en Etchemin ne voyait autre chose dans une campagne électorale, qu'un match. Il voilait pourtant à peine ses intentions véritables par deux titres: « le capitalisme est le meilleur système » et « méfiez-vous de la pensée socialiste qui s'infiltre. »

Il récolta trois cents votes.

Aux ricanements de ceux qui soulignaient le nombre de ses voies par rapport à celles du candidat vainqueur qui en avait obtenu treize mille, il répondait à la blague:

« Bien des révolutions ont commencé avec moins de douze personnes. »

●

« Ha ha ha ha ha ha ha heheu heheu ! » Cette réponse d'Alain avait fait s'étouffer de rire le propriétaire-gérant de la station de radio locale où il s'était rendu pour adresser à la population ses remerciements d'usage, le lendemain du scrutin.

L'homme au visage de bouledogue, yeux perdus dans d'énormes poches graisseuses, tête renfoncée dans des épaules carrées, peau rose, cheveux blancs neige avait été mis sur le chemin de la fortune par son père. Et il n'avait pas eu besoin que l'on continue à lui tenir la main pour s'y diriger tout droit. À quarante-cinq ans, selon l'expression populaire, il était riche à craquer.

Il était de tous les excès. Ivre-mort deux jours par semaine, il travaillait les quatre journées suivantes près de vingt heures d'affilée, et consacrait sa septième journée à rire. Il possédait la plus luxueuse maison du comté, roulait Cadillac et disposait d'un chauffeur privé ainsi que d'une gouvernante pour ses enfants. Il était consommateur au point de se payer des actes de charité qu'un entourage servile se chargeait de mettre en évidence.

À lui seul, il représentait tout ce qu'Alain haïssait du système: l'exploiteur-gaspilleur-bouffeur qui avait assis ses affaires sur le dos des travailleurs grâce à l'héritage paternel et à la corruption politique.

En ses journées consacrées au rire, l'homme recherchait l'originalité chez les gens, et c'est dans cette veine qu'il avait perçu Alain Martel.

« Tu ne le croiras pas, mais j'ai voté pour toi, » dit-il d'une voix forte et traînante. Guettant une réaction qui ne venait pas, il ajouta: « J'ai trouvé que c'était toi qui avais la plus belle voix sur les ondes et ça m'a fait pencher de ton bord, ha ha ha ha ha ha ha heheu heheu... »

« C'est une raison comme une autre pour un Québécois de donner son vote, » dit Alain en haussant les épaules.

Convaincu d'avoir insulté l'autre, l'homme se ressaisit. Il plissa le front comme au plus fort de ses journées sérieuses. « Non, non, tu peux être certain que j'ai voté pour toi ! Les autres candidats, c'était de la « junk ». Et puis c'est vrai que tu as une belle voix sur les ondes... Même que si tu voulais venir travailler ici comme annonceur, ça nous intéresserait peut-être. Pas tout de suite mais peut-être que dans deux ou trois mois... T'es professeur ? Tu pourrais continuer à enseigner tout en travaillant pour nous autres après l'école et aussi les fins de semaine et pendant les vacances... »

« Je ne dis pas non, » dit Alain en souriant.

« Tu iras voir mon frère, c'est lui qui engage. Mais ne lui dis pas que l'idée vient de moi, il aime mieux penser que c'est lui qui pense ha ha ha ha ha heheu heheu... »

« Je reviendrai peut-être vous voir au temps que vous dites. » Alain serra la main tendue et quitta la station de radio.

Ainsi donc, dès le lendemain de l'élection, sa campagne électorale commençait à porter des fruits. Il risquait déjà d'obtenir une ligne d'appoint lui rapportant plusieurs milliers de dollars par année en supplément de ses revenus réguliers ; mais, par la même occasion, il vivrait plusieurs heures par semaine dans un centre névralgique de formation de l'opinion publique. Il pourrait, de semaine en semaine, de mois en mois, glisser sa pensée politique, utilisant ses méthodes d'enseignement pour familiariser les gens avec le renouveau politique qu'il préconisait, répétant sans jamais se lasser les messages bien enrobés qu'il se proposait de livrer, semant de nombreuses graines aux quatre vents.

Il pourrait filtrer les nouvelles quand il serait lui-même en ondes et même composer des nouvelles fictives bien anodines, mais d'autant plus agissantes. Se gênerait-il pour tricher face à des tricheurs ?

Il se dépêcha d'arriver chez lui pour annoncer la nouvelle à Viviane. Il en profita pour lui rappeler ses nombreux reproches quand il avait décidé de se porter candidat.

Deux mois plus tard, il retourna à la station de radio et se fit embaucher.

1969

Il consacra son premier mois de travail à se familiariser avec les divers aspects de la radiodiffusion.

On lui avait partagé un horaire de trente heures entre de l'animation de fin d'après-midi, de samedi et de dimanche, et une simple fonction de surveillant trois soirées par semaine, la mise en ondes étant alors assurée par le réseau français de Radio-Canada.

Il fureta dans les dossiers de tous les acheteurs de publicité afin de connaître leurs préférences. Il renoua avec la musique commerciale qu'il avait perdue de vue pendant plusieurs années, car l'adolescent maniaque de palmarès qu'il avait été, s'était mué en auditeur indifférent et distrait après son mariage.

Il fit une écoute rapide de tout ce qu'il trouva en discothèque et cota chacune des pièces selon son appréciation personnelle. Ainsi, passa-t-il en revue, presque simultanément, les diverses sections de la discothèque et découvrit-il les richesses et les agréments de chacune. Il vibra au folklore québécois, aux orchestres français, aux instrumentistes sud-américains, aux groupes anglais, aux airs westerns américains, à la chansonnette française, au rock and roll. Cette variété ajoutait à son plaisir d'entendre chaque style, et il se demanda pourquoi des gens se bornaient à ne trouver de valeur que dans un seul genre. Il s'inquiéta aussi à la pensée de vivre dans un État dirigiste où un ministre de la culture à esprit borné fermerait les frontières aux cultures étrangères. Il s'était rendu compte qu'il aimait bien la production québécoise honnête, mais il pensa que de ne pouvoir écouter rien d'autre l'aurait très vite blasé, écœuré.

Ce goût de la pluralité l'amena à concevoir certaines de ses émissions en conséquence. Et, sur les ondes, en ces heures où il avait libre choix, il faisait alterner: Johnny Cash, les Beatles, Ginette Reno, Paul Mauriat, James Last, Nana Mouskouri, Bob Dylan...

En cette époque, même les groupes qui chantaient l'esprit collectif ne subsistaient pas. Leurs membres semblaient préférer mettre en jeu leur part de gloire et de fortune de l'ensemble pour faire une carrière solo. « Le désir de s'éprouver soi-même, de rencontrer l'obstacle seul est-il plus naturel que l'esprit de groupe, que l'esprit collectif? » s'était-il demandé. « Individualisme d'artistes farfelus, » s'était-il répondu.

Son exploration radiophonique porta aussi sur son propre tempo de mise en ondes. Il adopta ce qu'il baptisa la courbe cloche: départ lent et rythme léger, puis accélération jusqu'à un point maximum avec chansons très rythmées et voix plus forte à l'animation, ensuite il décélérait et retournait graduellement à l'atmosphère plus paisible du début.

Sa curiosité le poussa aussi à analyser la rentabilité de la station de radio. Le résultat le surprit fort, compte tenu de la petitesse du milieu. Il posa des questions pour vérifier ses évaluations.

« C'est la station de radio la plus rentable au Québec en dehors des principales villes, » dit l'un.

« C'est le meilleur commerce de la région, » dit l'autre.

« Évidemment, puisque les investissements de départ sont minces, que le personnel est réduit, que les salaires sont bas, que les dépenses d'opération sont faibles et les revenus des plus élevés!» s'exclama un troisième, comme si la chose était universellement connue.

Par contre, il constata que les services donnés au public étaient pourris. Personnel réduit au strict minimum, rédaction publicitaire assurée sur le pouce par la réceptionniste, pas de service de nouvelles organisé, une sonorité mauvaise en ondes à cause d'un équipement d'un autre âge, choix musical limité, n'utilisant pas un pour cent des possibilités de la discothèque. Celle-ci l'avait ébloui au départ, par son contenu généreux, mais il avait appris que les disques étaient fournis presque gratuitement par les services de promotion des compagnies.

Un soir, il s'entretint de tout cela avec un collègue.

«Sors ton portefeuille et achète la station si tu penses que tu pourrais faire mieux que les propriétaires,» avait dit l'autre avec ironie.

«Belle réponse!»

«Dans ce cas-là, tu n'as rien à dire. Le privilège de l'entreprise privée, c'est de faire le plus d'argent possible.»

«Mais le droit au bénéfice des ondes est au départ collectif. Il doit sûrement s'y rattacher des devoirs puisqu'on octroie à l'entreprise privée ce privilège d'exploiter un bien qui, en principe, appartient à tous.»

«Tu n'as qu'à te demander un permis,» avait dit l'autre avec un sourire paternel.

«Les patrons ne se refusent pas grand-chose...»

«La moitié des investissements de toute la bâtisse fut consacrée au confort de leurs bureaux et je ne les en blâme pas,» avait dit l'annonceur.

«Et tu approuves la radiodiffusion qui se fait ici?» avait demandé Alain.

«Le public est bien trop imbécile pour se rendre compte de ça. Fais-leur des messages publicitaires pourris, ils les trouvent drôles et les achètent. Diffuse trente, quarante messages à l'heure: ils aiment ça, ils en mangent. Un service de nouvelles ici? Il y a toujours un imbécile de servitude pour nous communiquer les nouvelles locales, pourquoi payer pour les obtenir? Quant aux nouvelles nationales, nous leur donnons ce que le téléscripteur nous envoie. Qui dit mieux? Même chose pour les nouvelles internationales... De toute manière, ces pauvres auditeurs de l'Etchemin ne font même pas la différence entre Mexico et Moscou. Un choix musical meilleur? Vois ce qu'ils veulent aux demandes spéciales: les mêmes vieilles pièces depuis quinze ans. En radiodiffusion ou en télédiffusion, rien ne sert de se saigner pour le public. De toute façon, les gens prennent ce qu'on leur offre sans poser de questions. Connais-tu le niveau mental d'un auditeur moyen de la radio ou de la télévision en Amérique du Nord?»

«Seize ans, je présume.»

«Niveau mental, niveau mental...»

Alain avait haussé les épaules.

«Huit ans, mon ami, huit ans. Cette conclusion a été tirée par un groupe de chercheurs d'une université américaine.»

Alain s'était gratté la tête. «C'est peut-être que les diffuseurs ne font rien pour contribuer à le hausser, ce niveau mental; d'autant plus qu'une bonne radiodiffusion ne diminuerait pas les revenus, bien au contraire,» avait-il rétorqué.

«Quand on a dans les mains une formule gagnante, pourquoi la transformer? Coke ne change pas sa recette à tout moment, le colonel Sanders non plus...»

« Toi pour qui l'argent est si important, ne trouves-tu pas que les salaires sont plutôt bas ici... »

« Ceux à qui ça ne fait pas l'affaire n'ont qu'à s'en aller. »

« Justement, comment se fait-il que tu restes? » avait demandé Alain.

« Quand tu te tiens proche d'une table bien garnie, tu as de bonnes chances de toujours manger à ta faim. »

« Il faut quand même que tu attendes le bon plaisir du maître. »

« Quand on est valet, on n'est pas roi. »

•

La secrétaire-comptable de la station, une vieille demoiselle aux démangeaisons chroniques était devenue le miroir des deux frères propriétaires. Elle leur servait de trait d'union. Son bureau donnait sur chacun des leurs, tout en les séparant. Et c'est, de fait, par son entremise que l'entreprise était gérée. Elle rapportait méticuleusement à ses patrons tout ce qu'en disaient les employés, allant jusqu'à provoquer ceux-ci en disant elle-même du mal des frères Arsenault.

Quand l'un était saoûl, elle prenait un coup; quand l'autre prenait sa lyre, elle adoptait une attitude tatillonne. Elle riait et jurait, d'une demi-heure à l'autre, au gré des frères.

Alain lui servait régulièrement des histoires gauloises, sachant qu'elle les appréciait fort. Était-ce pour cette raison, ou pour une autre qu'il n'avait pas comprise, qu'elle s'était mise à le consulter, sans en avoir l'air, sur les problèmes de régie interne? Tout ce qu'il savait, c'est qu'elle soutenait son point de vue auprès des patrons. Il prenait soin, cependant, de ne pas les critiquer devant elle.

Quand il arriva à la cafétéria cet après-midi-là, elle l'attendait.

« J'ai une nouvelle à t'apprendre, » dit-elle en se grattant la base d'un sein. « La discothécaire a démissionné hier et, ce midi, j'en ai engagé une nouvelle. » Elle se gratta l'intérieur du genou. « Tu me diras ce que tu en penses. Viens que je te la présente. »

Ils n'eurent pas le temps de changer de pièce puisque la nouvelle employée entra. Jeune fille rondelette, poitrine généreuse, sourire à peine esquissé, légère cicatrice au front. « Quel air canaille! » se dit Alain.

La secrétaire se gratta l'intérieur d'une cuisse et dit: « Voici Monia et voici Alain. J'espère que vous vous entendrez parce que vous devrez travailler ensemble. »

« Ça me fait plaisir, » dit Alain.

« Bonjour, » dit faiblement la jeune fille.

« Comment la trouves-tu? Elle est jolie, n'est-ce pas? » dit la secrétaire, mine de rien.

Alain aurait eu à cœur de mettre de l'enthousiasme dans sa réponse, mais il se contint afin de ne pas indisposer la vieille fille.

« Tu as beaucoup de goût, » fit-il avec réserve.

La jeune fille ne broncha pas. Alain perçut dans ses yeux gris une lueur chaude. Sachant qu'il ne devait montrer aucun intérêt pour elle devant l'autre, il s'excusa poliment et, sous prétexte d'avoir à préparer son émission, il sortit et se rendit à la discothèque où il auditionna de nouveaux disques. Puis il prit tout ce dont il avait besoin, disques, livres et cahier de notes et il se dirigea vers le couloir conduisant au studio de mise en ondes. Dans la porte d'entrée de la discothèque, il croisa Monia et lui barra la route. Il darda sur elle des yeux vifs.

« Je tenais à te dire personnellement qu'elle a beaucoup plus de goût, dans le choix de ses discothécaires... enfin de certaines... que je ne l'ai laissé voir tout à l'heure. Et... je crois que ce sera plaisant de partager le même bureau que toi. »

« Je l'espère, » dit-elle faiblement. Elle baissa les yeux. Il continua sa route.

Tout au long de son émission, le visage de Monia lui trotta dans l'esprit. Au lieu de chasser l'image, il s'en laissa fasciner. À dix-huit heures, il brancha la console de mise en ondes au réseau français de Radio-Canada et retourna à la discothèque. Il fut surpris d'y trouver la jeune fille en blouse rose, occupée à classer des disques, puisque normalement, tous les employés, sauf lui, quittaient les lieux à dix-sept heures.

« Vaillante, » fit-il.

« J'avais oublié l'heure, » dit-elle en consultant sa montre.

« Le temps passe moins vite le soir, » soupira-t-il.

« On m'a dit que je travaillerais le mardi et le dimanche. »

« En effet ! Pour ma part, j'ai le mercredi, le vendredi et le samedi. »

« Qui a les deux autres soirs ? » s'enquit-elle.

« Le technicien. » Alain se vida les bras de disques et il prit place près d'un petit comptoir d'audition. « Au fait, as-tu appris le fonctionnement de la console de mise en ondes ? »

« Je suis venue hier soir, mais je ne me souviens de rien, » dit-elle, navrée.

« Je te comprends. Le technicien, comme bien des professeurs que je connais, parle non pas pour montrer quelque chose, mais pour montrer qu'il sait quelque chose. Je n'ai moi-même strictement rien appris de lui, et il a fallu que je m'instruise à force d'erreurs. Ne va pas croire que j'abaisse l'autre pour me relever, mais c'est que, vois-tu, montrer, c'est mon métier et que d'autre part, je sais comme il est énervant d'apprendre le fonctionnement de la console. Alors si ça te chante, viens passer une heure avec moi vendredi soir ou bien samedi et je vais... disons t'initier. »

« J'allais te le demander, » dit-elle avec un mince sourire.

« Et j'espère que tu aimeras cette initiation, » dit-il, amusé, inquisiteur et défiant. Monia baissa les yeux sans répondre.

« Je connais bien du monde à St-Grégoire, mais toi, je ne te connaissais pas. Est-ce que tu viens d'ici ? » demanda-t-elle doucement.

« De St-Hubert. Je ne reste à St-Grégoire que depuis un an. »

« Tu enseignes à l'école St-Esprit, à ce qu'on m'a dit ? »

« Exact ! »

La conversation porta sur les élèves d'Alain que Monia connaissait pour la plupart. Ils bavardèrent plus d'une heure avant qu'elle ne parte. Alors il la raccompagna jusqu'à la sortie.

« Tu as une clef ? » demanda-t-il. « Le patron exige qu'après dix-sept heures, la porte reste toujours verrouillée. Même s'il y avait du feu, quand les pompiers seront entrés, tu devras fermer la porte à clef sur eux. »

À travers un sourire énigmatique, elle demanda :

« Je pourrais me faire initier dès ce soir ? »

« Avec grand plaisir, » lança-t-il en même temps que de gros regards ronds.

« Je reviendrai dans une heure et je suis sûre que mon initiation sera meilleure que celle d'hier soir. » À ces mots, sans se retourner, elle avait inséré sa clef dans le trou de la serrure.

« Le technicien est un vrai bon gars, mais il manque de... technique, » dit Alain juste au moment où elle refermait sur elle la lourde porte vitrée. Dans son volte-face pour tourner la clef dans l'autre sens, elle enveloppa le jeune homme d'un regard presque langoureux qu'elle enroba de son demi-sourire ésotérique.

Une heure plus tard, elle entra au studio de mise en ondes. Alain l'attendait.

« Allo, » dit-elle sans lever les yeux.

« Le professeur est fin prêt. Est-ce que l'élève l'est aussi ? »

En guise de réponse, elle se rendit s'asseoir devant un microphone annexe, servant aux personnes interviewées, sur la droite de la console, derrière un petit comptoir utilitaire.

« Tu veux te faire interviewer ? » demanda-t-il.

« Non ! » dit-elle, hochant sympathiquement la tête.

« Pas sur les ondes, mais seulement de toi à moi. »

Elle sourit à demi et ne répondit pas.

« Voyons, quelle pourrait être la première question ? Quel est donc ton sujet de conversation favori ? Comme tout le monde : l'argent ? Hummmm, non ! Tes yeux n'ont rien de métallique... même s'ils sont d'un très beau gris. De musique ? Nous aurons bien le temps d'en parler plus tard. Alors de... »

Elle l'interrompit abruptement : « Tu es marié ? »

Désarçonné un moment, il se ressaisit vite et passa à la contre-attaque.

« Tu serais déçue si je disais oui ? »

« Dis toujours et on verra, » exprima-t-elle sans sourciller.

« Je suis marié, » dit-il sans parvenir à cacher son inquiétude.

Il craignit un moment que l'absence de réactions chez Monia n'indiquât un refus de poursuivre ce flirt qu'il avait commencé avec tant de plaisir. Mais elle coupa une bonne part de son malaise quand elle dit :

« Je suis prête pour mon initiation. »

Il se leva. « Alors il faut que tu viennes ici et que tu prennes la place du maître. » Elle s'approcha et s'assit devant la console, sur la chaise à roulettes, face au microphone principal. Il demeura tout près d'elle, debout, et parla sérieusement. Il lui donna des notions théoriques qu'ensuite il lui fit appliquer en circuit fermé.

« Le technicien t'a-t-il montré à préparer un disque sur une table tournante ? »

« C'est la seule chose dont je me souvienne. »

« Alors, prépare-toi des deux côtés. »

Quand elle eut terminé l'opération sur la table de droite, elle se déplaça vers la gauche et sa cuisse rencontra le genou d'Alain. Il frissonna et pourtant il sentait une chaleur magnifique envahir sa poitrine. Ce contact provoqua un intense regard de chacun dans les yeux de l'autre. Elle se laissa pénétrer par les yeux de l'homme et esquissa son curieux demi-sourire qu'il trouvait à la fois si inquiétant et si plein de promesses.

« Je m'excuse, » dit-il. Et il s'écarta.

Elle prépara l'autre table, puis roula sa chaise jusqu'au micro. Alain restait debout derrière. Il détailla son corps, savourant longuement chaque image. « Comme cette peau rosée doit retenir une chair ferme ! » pensa-t-il. « Comme elles doivent être douces à caresser, ces épaules généreuses ! Que cette poitrine doit sentir doux quand la femme sue et que des gouttes perlent entre ses seins ! Comme sa taille sera chaude quand je... » Il désira effleurer de ses lèvres mouillées les minces replis de la nuque pleine. Il s'imagina les doigts en train d'explorer la naissance des cheveux fous, courant trépidement sur l'épiderme soyeux, remontant vers l'oreille dans une recherche fébrile d'un frisson magique. Et quelle joue invitante, prélude aux lèvres d'abondance, lèvres rondes, lèvres neuves, lèvres de femme, lèvres de vie...

Elle se retourna vivement: «Je suis prête,» fit-elle.

À son tour, il composa un demi-sourire et dit sur un ton auquel il injecta une infinie douceur: «Et moi aussi!» Il se pencha au-dessus d'elle et toucha une clef, profitant de l'occasion pour sentir l'odeur envoûtante des cheveux propres, fraîchement lavés.

«Mets le bouton de contrôle du volume de la table de droite au centre, et actionne le levier de commande de la table.» Ce qu'elle fit. «Et maintenant, regarde l'aiguille témoin qui t'indiquera si ton volume signifie une bonne sonorité. C'est tout comme un système commercial...»

Il poursuivit ses explications, lui faisant manier toutes les clefs de contrôle, celles des microphones, des lecteurs de cartouches, des magnétophones à ruban, des circuits téléphoniques, des circuits de service. La jeune femme ne fuyait jamais les rapprochements, les légers frôlements, les efflleurements à peine perceptibles, mais combien électrisants.

Au bout d'une demi-heure, il jugea préférable de mettre un terme à la leçon pour qu'il restât des choses à rôder et qu'elle pût avoir motif à revenir.

«Auras-tu le temps de venir vendredi?» demanda-t-il.

Elle opina.

«Maintenant, viens près de l'appareil qui contrôle la tour émettrice, nous allons réduire la puissance. Tu savais qu'il fallait passer à cinq mille watts le soir?»

«Le technicien m'en a parlé.»

Elle se plaça devant l'appareil. Il resta derrière elle.

«Il paraît que c'est pour ne pas empiéter sur le territoire américain avec nos ondes. Sais-tu que ce n'est pas drôle, de couper la puissance d'une tour émettrice juste quand il fait noir?» lui souffla-t-il en confidence.

«Tout dépend à qui appartient la tour,» répondit-elle du tac au tac et sans broncher. «Comment ça marche, ce robot? Je sais qu'il faut signaler sur le cadran téléphonique et jouer de la clef à gauche et à droite, mais j'ai oublié les détails.»

Il leva ses mains vers le cadran et la clef situés à un peu plus de six pieds du plancher. De la sorte, ses bras passaient de chaque côté de la tête de Monia. Il se rapprocha d'elle le plus possible, sans la toucher toutefois, estimant qu'il avait fait son bout de chemin, espérant qu'elle fasse le pas suivant. Il accompagna ses explications des gestes qu'il fallait et dit: «Tu signales quatre et tu pousses la clef à gauche. Ensuite cinq et encore une fois à gauche. Puis six et cette fois la clef à droite. Enfin sept et la clef encore à droite. Ensuite, tu prends la lecture de ce cadran en appuyant sur ce bouton-ci, ce qui te permet de savoir si tu es revenue en ondes. Et c'est tout!»

Sans parler ni bouger, pendant quelques secondes, il garda ses mains appuyées à l'appareil. Ce qu'il attendait se produisit: Monia recula de quelques pouces et tout l'arrière de son corps rencontra le devant du sien. Cheveux d'orge caressant son cou, dos chaud touchant sa poitrine; contact valant un siècle, mais d'une durée de trois secondes, et dont la troisième lui fit comprendre que le geste n'était pas uniquement accidentel.

«Je m'excuse,» murmura-t-elle.

«À moi de m'excuser!» dit-il.

Il tourna les talons et se rendit à la porte qu'il ouvrit pour laisser passer la jeune fille. Il s'engagea à sa suite dans le corridor menant à la discothèque. Quelqu'un venait dans la branche latérale du couloir. Il fut surpris de croiser au tournant la vieille secrétaire. Alors il oublia volontairement Monia et rebroussa chemin pour jaser avec l'arrivante. Il l'accompagna jusqu'à son bureau où elle l'invita à s'asseoir.

« T'as l'air en forme ce soir, Yvonne. »

« Pouah ! je ne suis pas de très bonne humeur ! » grogna-t-elle.

« C'est pour ça que t'as les yeux si brillants ? »

« Non, c'est que je les ai lavés avec de la Murine. »

« D'une façon ou de l'autre, ça te donne de l'éclat au visage. »

« La nouvelle semble travaillante, terriblement travaillante, » s'exclama-t-elle, aussi curieuse qu'incrédule. « C'est rare qu'on voit cela chez les jeunes ! »

« Elle n'est pas mieux qu'une autre. Mais je pense qu'elle fera une bonne discothécaire et je crois que tu as eu raison de la choisir. Elle n'est pas une reine de beauté, mais elle aime bien la musique et la connaît. Elle a bonne volonté. Comme tu aimes ça chez les gens ! Et c'est pour çà qu'elle est venue ce soir. Tu sais comme c'est agaçant d'aborder la console de mise en ondes ? Tu connais le technicien ? Il lui a donné un cours hier soir et, naturellement, elle n'a rien compris ni rien retenu. C'est pourquoi elle m'a demandé de lui donner plus d'explications... »

« Je n'ai pas de misère à te croire. Je me vois, assise devant la console, avec le technicien comme professeur : il me ferait sécher. Pas mêlant, je deviendrais folle comme le balai... Comme je le suis pas mal d'avance... »

« Pas mal quoi ? »

« Pas mal folle, » gueula-t-elle. « Mon doux ! tu n'es pas vite sur tes patins aujourd'hui, Alain. Aurais-tu une cigarette, j'ai encore oublié les miennes. »

Il lui en offrit une.

« Tu penses donc que Monia fera l'affaire ? Tu prendras garde, tu sais que tu es marié, mon petit Alain, » chantonna-t-elle.

Il sourit à cette blague et répondit : « Même si j'étais homme à tromper ma femme, ce que je ne suis pas, elle n'est pas mon genre. En plus qu'elle a l'air d'une petite fille bien tranquille. Elle ne parle pas beaucoup et ne s'énerve pas pour des riens. »

« Ah, ah, ah, méfiez-vous des eaux dormantes ! Prends juste lui, à côté, » dit-elle, désignant la porte d'un des patrons, « ça ne paraît pas, mais, avec les femmes, il est bien plus entreprenant que l'autre. Pourtant, il est marié, infirme, père de famille, il va à la messe tous les dimanches et il passe pour l'un des plus respectables citoyens de St-Grégoire. Mais que veux-tu, il n'a pas autre chose à penser dans la vie. »

« Le fait d'être entreprenant avec les femmes n'enlève pas de respectabilité à un homme, n'est-ce pas ? »

« À ses propres yeux, non, mais aux yeux des autres et surtout ici dans l'Etchemin, oui. »

« Tu dis qu'il ne travaille pas fort ? »

« Pas fort ? » s'écria-t-elle. « Moins que ça, il n'a jamais levé une épingle de toute sa vie. Il n'est pas fort de santé, mais pas fort à l'ouvrage non plus. »

« N'est-ce pas lui l'administrateur principal ici ? »

« Lui administrer ? » cria-t-elle d'une voix étouffée par la fumée. « Il laisse les autres travailler à sa place. C'est l'autre qui administre toutes les affaires. »

« Mais que fait-il donc dans son bureau à longueur de journées ? »

« Il se prend le cul, » s'écria-t-elle en râlant de rire. « Non, mais c'est tout comme : il regarde la télévision, sirote un cognac et cherche des puces. »

« Des puces ? »

« Oui, des niaiseries... pour faire enrager quelqu'un. »

« Il est infirme de naissance ? »

«Depuis qu'il est jeune! Il a dû trop se masturber.» Elle émit un autre rire à demi étouffé par la fumée. En même temps, elle pencha l'épaule et, la main sous son bureau, se gratta vigoureusement à un endroit qu'Alain eut assez d'imaginer sans chercher à le connaître. «Le vois-tu en train de se masturber? Pas vite comme il est, ça doit bien lui prendre une demi-journée à venir.»

Les rires d'Alain stimulèrent la femme, si bien que les larmes lui vinrent aux yeux. «Mon Dieu, je suis en train de pisser dans mes culottes.»

«Tu me fais penser que j'en ai envie moi aussi,» dit Alain. Il se leva.

«Je voulais justement te dire de t'en aller; j'ai du retard dans ma comptabilité et c'est pourquoi je suis venue ce soir.»

«Je m'excuse de t'avoir dérangée.»

«Y'a pas de faute!... Sauf que tu m'as fait pisser dans mes culottes.

«Mais je n'ai rien dit,» protesta-t-il.

«De toute façon, pense au patron la prochaine fois que tu feras çà,» dit-elle en insistant sur le ça.

«Je suis marié, moi. Je laisse çà aux célibataires comme toi.»

«Ah! mon petit gars, tu sauras que j'ai pas besoin de ça pour vivre!» dit-elle catégoriquement.

«Salut!» dit-il.

En parcourant le couloir, il se félicita d'avoir provoqué un changement d'humeur chez la vieille fille, mais surtout d'avoir endormi ses inquiétudes sur Monia. Il se dit qu'il devrait manœuvrer dans le même style auprès de Viviane quand il aurait à lui parler de la nouvelle discothécaire.

Monia était sur le point de quitter quand il arriva à la discothèque.

«Tu pars déjà?»

«Il faut bien, regarde l'heure.»

«Je voulais t'agacer. Contente de ton initiation?»

«C'était O.K.»

«À vendredi soir pour la suite et, cette fois, directement sur les ondes.»

Elle acquiesça, sourit et ajouta: «Bonsoir, là!»

Il la suivit jusqu'à la sortie, baignant ses yeux aux courbes délicieuses.

Quand elle introduisit sa clef dans la serrure, il lui dit malicieusement: «Sois pure, c'est la clef du succès.»

Elle se retourna vivement, fut sur le point de dire quelque chose, mais se contint. Elle sortit à demi et, gardant un genou dans l'entrebâillement de la porte, prit un ton plein d'assurance pour dire, avec un regard intense: «Je suis toujours pure.»

●

De retour chez lui, pas loin de minuit, au lit, il parla de Monia à Viviane.

«Timide, si tu savais à quel point!» dit-il avec insistance. «Elle parle toujours à voix basse, comme si elle craignait qu'on la batte. Polie, réservée, mais, comme le disait Yvonne, pas trop vite sur ses patins.»

«Comment ça?»

«Il a fallu que je lui enseigne le fonctionnement des tables tournantes et de la console. Elle a mis du temps à comprendre!»

«Ce qui veut dire?»

«Ah! je ne sais pas! Certainement quinze ou vingt minutes.»

«Et... quel âge a-t-elle?»

«Tiens, je ne lui ai pas demandé son âge. Une vingtaine d'années, je présume. Oui, elle peut avoir l'air de vingt ans, mais elle est grosse: visage d'un bébé gavé, tu comprends? Ah! fallait pas s'attendre à ce qu'Yvonne engage une reine de beauté ! La Yvonne, elle est jalouse sur les bords ; comme s'il fallait qu'elle demeure le centre de son univers de mâles. Il paraît que c'est typique aux femmes d'un certain âge au travail ; elles deviennent, au féminin, des coqs de basse-cour... Là-dessus, je pense que je vais me laisser aller à dormir puisque j'aurai une grosse journée demain. » Il se retourna et dit : « Bonne nuit. »

Viviane ne répondit pas et passa son bras autour de la taille de son mari. Elle commença à le caresser doucement.

Elle avait pris cette habitude depuis qu'il avait double emploi et qu'il se couchait, le plus souvent, épuisé.

Elle grattait légèrement, du bout du doigt, pendant plusieurs minutes, les organes génitaux. À chaque tournoiement, il sentait dans tous ses membres, l'injection d'une somnolence bienfaitrice. La tension s'écoulait, les muscles se relâchaient, le corps se réparait. Quand la détente l'avait pénétré de toutes parts, il se tournait sur le dos. Viviane se couchait la tête sur son épaule sans diminuer sa caresse sur le sexe endormi. Il se concentrait sur un fantasme et l'érection qu'elle espérait ne tardait pas à venir. Alors elle lui enlevait son vêtement et le masturbait à peau nue ; et bientôt, il se sentait saisi d'un violent désir de lui faire l'amour.

Il lui rendait ses caresses, prenait le temps requis pour l'amener au bord de l'orgasme, souvent le provoquait. D'une façon ou de l'autre, il attendait toujours son signal avant de la pénétrer. Il trouvait curieux qu'en général, elle soit prête aussi rapidement et, un soir, il avait osé l'interroger.

« Il m'arrive de lire certaines revues qui traînent à la station de radio et l'on dit toujours que les hommes sont trop rapides ; pourtant, quand je te caresse, ça ne prend pas une éternité avant que tu ne sois prête... »

« C'est simple : le temps que je te caresse, le désir augmente en moi et ainsi, je me trouve à me préparer autant que je te prépare. »

Si leur sexualité était bonne, leurs conversations sur le sujet avaient toujours été restreintes, limitées, tendues. Et c'est ainsi que pendant l'acte, ils ne se parlaient jamais.

Ce soir-là, Alain fit un effort pour retenir son esprit sur des banalités avant de le laisser s'ouvrir à des fantasmes provocateurs. Une érection trop rapide aurait pu être révélatrice de cette violente attirance physique qu'il avait sentie toute la journée pour Monia.

Mais c'est à Monia qu'il fit l'amour par le corps de Viviane, bien qu'il eût cherché sincèrement à lutter contre les désirs neufs qu'il sentait grandir en lui.

●

Il croisa Monia dans l'entrée.

« Déjà fini ta journée ? » s'enquit-il.

« Rien qu'une dernière course à faire pour le patron. »

« Chanceuse. Moi, je commence la mienne... Non, je ne travaille que jusqu'à dix-neuf heures. Vers dix-sept heures cinquante, à mon émission, je vais faire tourner un disque d'accueil pour toi. M'écouteras-tu ? »

« Sûrement, » fit-elle sans élan.

À l'heure prévue, il présenta le disque : « Nous accueillons aujourd'hui une nouvelle et gentille discothécaire. Elle s'appelle Monia. Nous avons choisi, comme disque d'accueil, ce fameux souvenir de l'année dernière, la chanson de Michel Cogoni : Monia. »

Le chœur entama : « Mo o nia, Mo o nia, Mo o nia, Mo o nia. »

Et l'interprète d'une voix traînante et grave : « Je t'aime, Monia, je t'aime, je t'aime, je t'aime... et je t'aimerai jusqu'à la fin du monde... »

Après la dernière note, Alain ajouta: « C'était Monia, un merveilleux souvenir. Quoi de mieux pour accueillir notre nouvelle discothécaire dont vous aimerez certainement le choix musical puisque, comme vous, elle adore la musique? Bienvenue, Monia au sein de l'équipe de Radio-Etchemin, le poste qui, tout comme le vin, prend du goût en vieillissant... »

•

« Tu es prête pour ta dernière leçon? » Elle fit signe que oui. « Malheureusement, tu arrives un peu tard pour pratiquer directement sur les ondes. »

« Je sais. Mais je n'aurai pas besoin de le faire. »

« Tu veux dire que tu n'as plus besoin de leçons? »

« Pas du même genre! » Et elle l'enveloppa intensément de son ineffable sourire. Elle dit onctueusement: « Je suis venue pour jaser et c'est pourquoi j'ai attendu que ton émission tire à sa fin. »

Ces paroles lui cajolèrent le cœur. Toute la journée, il avait réfléchi aux attitudes de la jeune fille, mais surtout aux réactions qu'elle avait eues à ses phrases tests. Chaque fois, le demi-sourire avait été absent. Cela voulait-il dire qu'il ne pourrait pousser le flirt plus loin? Pourtant, elle aussi avait fait des pas. Mais ce qui l'électrisait lui, n'était-il pas qu'anodin pour elle? Ne cherchait-elle pas tout simplement à plaire à tout le monde? Elle pouvait n'être qu'une jeune fille timide, caméléon sur les bords, comme le sont un peu toutes les femmes... Pourtant, il y avait ce sourire canaille et ces yeux...

Tous ses doutes disparurent quand il sut qu'elle était venue pour jaser, car une rencontre d'aussi fraîche date, n'ayant pu logiquement avoir fait naître l'amour, ne pouvait donc être qu'une réponse à son message sexuel. « À moins qu'elle n'aime jouer avec le feu, » pensa-t-il. « Le cas échéant, elle en aura pour son argent. »

« Mais si elle a bien compris le message, ce qui est probable car nous sommes en 69 et non en 59, alors que ferai-je? Tromperai-je Viviane?... J'ai bien fait l'amour hier soir, avec, dans mon désir, l'image de Monia, mais de là à tricher pour de vrai... Si Viviane l'apprenait? Et elle l'apprendrait sûrement... Elle le lirait dans mes yeux. Et puis, où donc pourrais-je faire l'amour avec Monia? Ici, dans la discothèque? Non. Dans un motel? Viviane connaît mon horaire de travail et se demanderait d'où je viens comme ça, de nulle part... Tiens, si j'échangeais une soirée de travail avec le technicien et que je dise ensuite qu'il me faut le remplacer? Pas bête! Mais si Viviane appelait justement le soir de l'échange? Merde!.. »

Avant de bouger la clef de mise en ondes de son microphone, il dit à Monia sur le ton de la confidence: « Nous en avons des choses à nous dire. »

Elle répondit par un léger signe de tête.

Sur le même ton, il dit aux auditeurs: « Nous terminons avec une magnifique pièce de Simon and Garfunkel: « Bridge over troubled water». À tous nous souhaitons une nuit calme et reposante, et surtout de beaux rêves. Et si, d'aventure, avant la nuit, la réalité, pour vous, se transforme en un rêve merveilleux, alors bravo! Au revoir, Sylvie! Au revoir, Lucie! Au revoir, Danielle, Lise, Carole, Marie et Monia. Au revoir à tous... À la prochaine! »

Il adressa un vif clin d'œil à la jeune fille et céda l'antenne à la voix suave de Paul Simon. Il ramassa ensuite ses disques en piles et rangea les cartouches publicitaires. À soixante secondes de l'heure exacte, il réduisit le volume de la pièce et fit démarrer la cartouche de fermeture tout en prêtant l'oreille à la fin de l'émission de Radio-Canada sur un moniteur spécial. Il mit ensuite les doigts aux clefs qu'il fallait et attendit.

Il pencha la tête pour jeter un langoureux regard à Monia qui esquissa à peine un sourire aussitôt réprimé. À son tour, il laissa naître une joie aux coins de ses lèvres, mais avec une infinie lenteur, une fraction de seconde à la fois, à chaque millimètre de contraction des muscles du faciès, comme si ce sourire devait durer toujours.

« Ici Radio-Canada, » dit-on sur le moniteur. Il ne broncha pas.

Monia non plus. Elle était restée debout derrière le microphone annexe.

Vibration par vibration, il laissa grandir la tendresse sur son visage, désirant qu'elle y réponde, ce qui leur permettrait de se trouver un degré d'accrochage complice: ce point significatif de rencontre de deux sourires qui l'avait parfois mis sur la piste d'un cœur. Et le sourire monta, monta. Sans bouger la tête ni aplanir son sourire, il coupa le son de la cartouche de fermeture et mit Radio-Canada en ondes, dans un geste mécanique, des centaines de fois répété.

La jeune femme plissa les yeux et sortit vivement la langue dans une grimace affectueuse, éclatant d'un rire aussi bref que mélodieux. Et elle sussura: « Merci pour le disque d'hier. »

« Tu as écouté ? »

« Je te l'avais bien dit ! »

« Cette chanson reste magnifique après un an. Aussi belle que celles dont elle porte le nom après... disons vingt ans ? »

« Vingt-deux, » dit-elle. « Tu veux que je t'aide à apporter tout ça ? »

« D'accord ! »

Les bras pleins, ils se rendirent à la discothèque où ils classèrent les disques sur les rayons. Ils finirent ensemble leurs piles respectives et, pour la première fois, Alain remarqua les vêtements qu'elle portait: un pantalon café crème et un chemisier à prépondérance flamme. Il la regarda amoureusement, lécha son corps de ses yeux en appétit et soupira: « J'ai une grande envie de quelque chose. » Et il recommença sa lente exploration du regard, s'arrêtant aux cuisses lisses, aux hanches rondes, à la taille forte, mais surtout à la poitrine qu'il imagina veloutée sous le chemisier de feu.

« Oui, j'ai bien envie de te dire quelque chose, » répéta-t-il.

Elle baissa les yeux et murmura: « Je t'écoute. » Puis elle prit place sur la chaise pivotante derrière le bureau, faisant ainsi dos à son compagnon. Elle jeta un coup d'œil oblique au fond de la pièce et redit: « Je t'écoute. »

« J'ai envie de te dire que tu es belle et désirable comme... comme pas une femme n'est capable de l'être. » Il s'approcha et lui toucha doucement les épaules. « Tes yeux sont d'un éclat... Et ton corps, c'est le plus beau du monde. » La main tremblante, il palpa la nuque tant désirée. Son appétence décupla, mais il se retint d'aller trop vite. De ses doigts repliés, il flatta harmonieusement, d'un geste qui ne puisse les décoiffer, les cheveux fins. Puis ses doigts folâtrèrent derrière les oreilles, dans le cou, vers les épaules.

« Les hommes mariés ne doivent pas toucher aux jeunes filles, » ronronna-t-elle.

« Mais si un homme marié et une jeune fille désirent tous les deux se toucher, à qui cela peut-il bien faire du mal ? »

« À personne... »

« Comme j'aurais voulu te crier ta beauté hier ! »

« Tes yeux ont tout dit. »

Alain ordonna à ses paumes d'être tendres et leur laissa masser les épaules, puis descendre en tournoyant vers les coudes. Mais il n'eut aucune prière à faire à ses yeux pour qu'ils se laissent couler dans l'échancrure de la blouse chargée. Il pencha la tête jusqu'à sentir la peau chaude de la nuque, et il commença une douce promenade, se refusant à son désir d'être furieux dans son exploration divine. Il se rendit mouiller le lobe de l'oreille, puis l'arrière du pavillon, lorsqu'à son tour, son odorat eut faim. Il le nourrit aux cheveux doux, effleurant la tête d'une bouche fébrile, en arc de cercle jusqu'à l'autre oreille qu'il mordilla avec tendresse. Ému à mourir, il haleta: «Tu es une femme merveilleuse.»

Elle leva les mains et lui agrippa les avant-bras qu'elle serra fort. Il perdit contenance. Son rythme cardiaque et celui de ses poumons s'emballèrent. D'une mouillure tiède, follement, il fouilla la tempe et la joue, progressant vers les lèvres qu'il sentait venir à sa rencontre. Au même instant où leurs bouches rondes, voluptueusement, s'épousèrent dans une folie furieuse, incontrôlable, désordonnée, Alain remplit ses mains de la poitrine glorieuse qu'il pétrit, entoura, envahit. La main suivit le chemin des yeux dans la blouse lâche et elle trouva les bonnets débordants; elle ne réussit à palper les montagnes fermes qu'un temps désespérément court, puisque le bruit de la barrière du couloir de l'entrée l'obligea à reculer dans un sursaut.

«Le vendredi soir, la paix est fragile ici,» murmura-t-il. «Tout chacun a quelque chose à venir prendre, ou bien à rapporter. Dommage que nous ne soyons pas samedi, il n'y vient jamais un chat.»

La voix de l'arrivant le fit reconnaître: «Alain, Alain,» cria-t-il, «viens m'aider une minute.»

Alain répondit sur le même ton: «Dans un moment. Où ça?»

«Dans mon bureau,» cria l'autre.

«Je reviens tout de suite,» dit Alain à mi-voix à Monia.

«Il fallait que je parte quand même. De plus, je préfère qu'il ne me sache pas ici...»

«Alors, à dimanche... À moins que demain soir...»

«Si c'est aussi tranquille que tu le dis...»

«Ah! oui, oui, oui!»

Elle acquiesça du geste.

•

L'émission qu'il préparait ne serait jamais diffusée, car personne d'autre que lui et Monia n'entendraient, dans cet ordre-là, ces disques-là. Il choisissait minutieusement, une à une, les pièces, toutes sentimentales, qu'ils écouteraient à travers leurs baisers et leurs caresses. Pour choisir une pièce, il en mettait dix de côté. «Je vous aime aussi,» leur disait-il, «Mais ce soir, ce n'est pas le moment.»

Et sa pensée alterna de Monia à Viviane. Choisir les bras de l'une, ce soir-là, serait-il le rejet de l'autre? Viviane et lui ne s'étaient jamais trompés, il le savait. En tout cas, pas d'une vraie tromperie, avec caresses sur les parties sexuelles et pénétration. Chacun, de son côté, avait bien flirté, mais ils se l'étaient avoué en minimisant la chose. Chacun savait aussi que la peur chez l'autre l'aurait inévitablement empêché d'aller plus loin.

«À quel moment trompe-t-on son partenaire? Où cela commence-t-il? Serai-je moins propre d'avoir eu un contact physique avec Monia? Aimerai-je moins Dieu, de poser avec une femme un geste qu'elle et moi désirons de tout notre cœur et de tout notre corps? Le mal, c'est de briser. Qu'est-ce que je briserais à faire l'amour avec Monia? Viviane aurait bien le droit de faire de même de son côté, mais cela est une autre histoire. La sexualité d'un homme et celle d'une femme sont différentes. Mais alors, Alain, Monia n'est-elle pas une femme? Ah! oui, et Dieu sait... non seulement Dieu... Dieu et moi savons comme elle en est une vraie! D'un autre côté, Monia n'est pas mariée et elle sait que moi, je le suis; donc, il y a fair-play. D'autant plus que je ne l'ai pas embobinée puisque nous venons à peine de nous connaître. Elle le veut. Je le veux. Et ça ne fera de tort à personne. Le mal serait bien plus grand si nous nous refusions à nos désirs...

« Ferons-nous l'amour ici, dans la station de radio? Et si par hasard quelqu'un venait? Et puis non, je ne pourrais pas le faire ici: je serais bien trop nerveux.

« Je me dis que Monia le veut, mais le veut-elle? Entre flirter et aller au bout, il y a une marge qu'elle ne franchirait peut-être pas? Elle semble si réservée... »

Assis en Indien, tirant et repoussant les disques, il ne vit pas quelqu'un venir derrière lui. Le cœur lui sauta quand il sentit soudain deux mains se plaquer sur ses yeux.

« Devine qui? » dit Monia sans rien faire pour changer sa voix.

« La beauté faite femme, » répondit-il.

Elle se pencha vers lui et appuya sa poitrine dans son dos. Il dut se garantir contre les rayons pour ne pas tomber.

« Hey, hey! » fit-il en riant.

Elle colla sa joue contre la sienne et dit: « J'avais envie de te voir. »

« Et moi, j'étais en train de préparer notre soirée. Regarde la pile de disques sur le bureau. Comment es-tu habillée ce soir? »

« En mini, mini, mini... »

« De quelle couleur? »

« Bleu vif. »

« J'ai envie de voir. »

Elle se releva et recula d'un pas. Alain tourna la tête et leva les yeux pouce à pouce, afin de mieux goûter chaque détail du galbe fabuleux de ce corps de nymphe, plus sensuel encore que la veille, surtout d'un tel point de vue. À petites gorgées, ses yeux burent aux jambes rondes, aux genoux dodus, aux cuisses pleines qui montaient si haut, si haut. Et cette robe qui n'en finissait pas d'être courte... Et tout là-haut, les seins puissants, tentateurs, invitants... Elle écarta les bras dans un geste d'offrande et de question.

« Tu es, tu es, tu es, tu es... Je n'ai plus de mots, » répondit-il. Il se releva d'un bond et la prit dans ses bras. « Je veux un baiser, un long baiser, un bon baiser, de tes lèvres belles, un baiser qui restera gravé dans l'histoire de l'amour humain... »

Il ne put terminer sa phrase qu'elle colla sa bouche à ses lèvres. Les langues se rencontrèrent, les corps s'emboîtèrent. Évitant soigneusement les endroits chauds pour ne pas gaspiller la montée du désir qu'il espérait encore plus haute que la veille, Alain folâtra du bout des doigts sur les bras de Monia, dans son cou, dans ses cheveux.

Le haut-parleur de la discothèque coupa leurs élans puisqu'une identification de Radio-Canada commandait une identification locale. Il courut au studio de mise en ondes et revint bientôt, un peu essoufflé. Il verrouilla la porte de la discothèque.

« Personne en vue, » demanda-t-elle.

« Il ne vient jamais personne le samedi soir.. sauf, parfois, un des patrons... Mais il emprunte toujours son entrée privée et reste dans son bureau insonorisé à l'autre bout. Quand il lui arrive d'avoir affaire à moi, il téléphone. Nous avons donc notre soirée bien à nous deux; et aussi la discothèque, de la bonne musique, nos cigarettes, nos désirs et tout, et tout... Viens voir les disques que j'ai choisis. »

Il lui entoura la taille et la conduisit au bureau où il prit, pour les lui montrer, un à un, les disques d'une pile dont il en faisait une deuxième juste à côté.

« Si tu veux choisir, » dit-il après quelques-uns.

« Celui-ci, » désigna-t-elle.

Il se rendit le déposer sur la table tournante qu'il mit en marche. C'était de la musique instrumentale, très douce, où la guitare égrenait des notes gorgées de sensualité. En guise d'invitation à la danse, il ouvrit les bras et Monia le rejoignit.

Il ne connaissait la jeune femme que depuis trois jours et pourtant, il avait l'impression de la connaître depuis toujours, tant leurs âmes s'étaient soudées l'une à l'autre, dès la première seconde. Et malgré cela, elle restait neuve, vierge à son désir quelle qu'ait pu être sa vie sexuelle antérieure. La question avait d'ailleurs à peine frôlé son esprit qu'il lui avait répondu en se disant qu'elle aimait trop l'amour pour n'avoir pas d'expérience. Passé, futur et monde extérieur disparaissaient quand ils étaient ensemble. Il ne restait plus qu'eux deux et ce désir, total, pur, qui les baignait de sa force prodigieuse.

Et, depuis trois jours, ses vieilles frustrations s'étaient endormies. Ses tendances agressives somnolaient elles aussi. Jamais, plus que maintenant, il ne s'était senti plus aimant envers Viviane, et il lui prenait souvent le goût de remercier Dieu de lui donner ces moments de joie inaltérée.

Ils dansèrent simplement, très près l'un de l'autre, sans parler, enveloppés l'un par l'autre. Conservant presque leur enlacement, ils s'approchèrent de la table et changèrent le disque qui venait de s'achever. Ils mirent un long-parcours et retournèrent à leur danse.

Une tendre ébauche d'un nouveau désir naquit bientôt du frôlement lascif de leurs corps. Sur la chair offerte des épaules et du cou de la femme, Alain déposa cent souffles chauds qu'il façonnait amoureusement de ses lèvres rondes. Il baignait son esprit d'images désirées et anticipées de la grâce divine du corps nu de Monia. Il fit de sa bouche un nid de mouillures dont explora les moindres recoins du décolleté ainsi que pour tirer d'elle des soupirs d'aise qu'elle accompagnait d'oscillations de son bas-ventre avide. Il butina ainsi jusqu'à son oreille où il murmura : « C'est ce soir que... »

« Que... quoi ? » chuchota-t-elle.

« Tu sais bien ce que je veux dire. »

« Il faut me le dire. »

« Que nous faisons l'amour. »

« Ici ? »

« Non. Vers minuit, nous irons quelque part. »

« Pas ce soir, Alain. Je ne le peux pas ; ce n'est pas le bon temps. Un petit problème féminin. Nous attendrons. »

« Je comprends. » Il fut à la fois déçu parce que son désir devrait prendre le quart, et soulagé car une retenue inexplicable le bloquait encore. C'était une réticence connue, familière, comme quelque chose d'ajouté, de superficiel, d'artificiel. Il sentait le besoin de quelques jours pour y réfléchir.

Il s'inquiéta.

« Nous vivrons quand même de bonnes minutes ce soir. ? »

« Ne sommes-nous pas sur la bonne route ? » fit-elle d'une voix de velours.

À la troisième pièce, le seul mouvement qu'ils voulurent exécuter fut de frotter le sexe de l'autre, chacun avec sa cuisse. À travers cette tiédeur vague dont tous ses membres s'imprégnaient, cette pleine indolence dont certaines caresses expertes de Viviane s'étaient souvent faites le ferment, Alain, les yeux mi-clos, chercha la tête chérie qu'il toucha avec respect de ses dix doigts ouverts en panier, afin de l'emprisonner délicatement et de goûter à la bouche rosée.

Le doigt agile de la jeune femme s'introduisit entre deux boutons de la chemise et chercha sans jamais trouver, toucha sans jamais s'arrêter, se fit fleur et papillon, arc-en-ciel et folichon. Sa main gauche coula fémininement le long de l'épaule mâle, le flanc, la hanche, puis batifola le long du bassin jusqu'entre les jambes. Elle trouva la dureté qu'elle décupla, toisant, pressant, promettant d'une paume généreuse, la délivrance du prisonnier enchaîné.

« Éteignons la lumière, » ordonna-t-elle avec bienveillance.

Gardant leur étreinte, ils s'approchèrent du commutateur qu'il abaissa avec ses dents.

« Allons à la chaise derrière le bureau, » ordonna-t-elle encore. Et ils bougèrent à petits pas, glissant des pieds afin que demeure la soudure de leurs corps, tâtonnant pour ne pas tomber, dans un noir absolu rempli de mille feux d'un concert sensuel.

« Assieds-toi ! » dit-elle.

« M'asseoir ? »

« Nous nous sommes promis de bons moments, n'est-ce pas ? » Elle le poussa gentiment à s'asseoir, puis elle fit le tour de la chaise afin de lui masser les épaules et le cou.

Il soupira bientôt : « C'est bon... c'est bon... mais toi ? »

« Ne t'inquiète pas pour moi. » Du fin bout des doigts, elle tâta le cuir chevelu, tapota délicatement le front, les tempes, les joues.

« La semaine prochaine, nous ferons l'amour comme des fous. Tu le voudras ? »

« Sûrement, » murmura-t-elle.

« J'ai hâte de voir ton corps, de boire à tes seins, de mouiller ton ventre, de caresser tes cuisses avec ma bouche, ma joue, mes cheveux... je le veux... j'ai hâte... si hâte. »

Les doigts actifs dévalèrent des épaules à la poitrine qu'elle gratouilla, pressa des paumes, agaça des ongles, mais qu'elle laissa pantelante, car le voyage devait se poursuivre. Une brève escale aux cuisses : juste le temps d'annoncer à l'organe l'arrivée imminente des mains magiques.

Une éternité plus tard, elle plongea dans le sexe de l'homme, glissant à mains étendues, étreignant à pleines mains : mains balladeuses, alertes, angéliques, diaboliques, en étroit synchronisme avec les mouvements chercheurs de la bouche goulue, céleste ventouse dans le cou mâle : succions, mordillements, mouillures, caresses des lèvres, titillements du bout du nez, souffles brûlants.

« Jamais je n'ai été caressé de cette façon, tu es incroyable, » dit-il entre deux halètements. Encouragée, elle fit glisser la fermeture-éclair. Alain sentit naître un raz-de-marée de volupté juste derrière sa nuque, et la vague furieuse courut le long de son échine pour atteindre son sexe tressaillant au même moment que la main de la femme.

« Mon Dieu, mon Dieu, mais ne puis-je moi aussi te prodiguer une caresse ? »

« Plus tard, la semaine prochaine. Ce soir, laisse-toi aller. » D'un geste brusque, elle fit pivoter la chaise d'un demi-tour et s'agenouilla entre ses jambes.

« Que fais-tu ? » Elle répondit en lui débouclant la ceinture d'un geste vif. Puis, d'une légère pression, elle lui signala de soulever ses hanches pour qu'elle puisse faire glisser le pantalon et le sous-vêtement.

Il sentit une douce fraîcheur caresser son corps brûlant, tandis que la pièce musicale s'achevait. Pendant un court moment, l'on n'entendit plus que le souffle léger de la climatisation.

« Va-t-elle ?... » pensa Alain. « Se peut-il que... » Jamais personne ne lui avait fait... cela. Jamais il n'aurait osé demander une telle chose à Viviane !

Jamais il n'eût cru possible qu'une femme, d'elle-même, pratique sur lui la fellation, sans qu'il n'ait à quêter le geste ! Il lui arrivait de plus en plus souvent de pratiquer le cunnilingus sur Viviane. Il pouvait, car il était un homme, faire l'amour oral à une femme, mais le contraire n'eût-il pas été de ravaler la femme au rang de la bête ? N'eût-ce point été un affront aux mouvements de libération de la femme ? Mais alors, le sexe masculin serait-il moins respectable et moins propre que le sexe féminin ? se dit-il.

Des doigts fureteurs coupèrent délicieusement sa réflexion par une invasion publienne, habile et suave.

« Oui ! Oh oui ! Quelle femme tu es ! » soupira-t-il.

Après de longues caresses autour des organes, elle sussura : « Tu aimerais que je te fasse l'amour… avec… ma bouche ? »

« Oh ! oui ! Je le désire ! Je le désire plus que tout ! »

« Je vais peut-être le faire… mais peut-être pas. » Elle provoqua un mouvement de frisson dans ses mains qu'elle promenait sur les environs des points chauds, les évitant malicieusement. « Cela dépendra de toi, » ajouta-t-elle.

« Et que dois-je faire pour que tu le fasses ? »

« Je te le dirai dans quelques minutes, tout à l'heure… »

Il sent tout son cœur, toute son âme, tout son corps osciller près des doigts qui pianotent sans arrêt autour de la tige suppliciée. Mais ils s'arrêtent et se croisent, et les paumes de la fée se rapprochent, il le sent, et l'étau moelleux va se resserrer sur sa chair. Il l'imagine madone en prière, amoureuse, généreuse, écrasant délicatement, bougeant lentement la hampe noueuse de haut en bas, roulant latéralement… Elle touche, mais abrège la prière. Elle ne fait qu'effleurer. Alors ses doigts reprennent leur travail et jouent une autre gamme céleste, frôlant sans trêve, ne frôlant plus. Deux doigts souples entourent l'organe et l'enfièvrent, distendent la peau, reculent, découvrent le gland qui heurte le creux chaud de la main légère.

« Que dois-je faire pour que… »

« Tu n'as qu'à me dire que tu le désires plus que tout. »

« Mais je te l'ai dit… »

« Tu dois le désirer davantage, à en hurler. Mais il ne faut pas que tu cries ici. Tu le crieras à voix basse et je saurai… je comprendrai.

« Je le veux, je le veux. Prends-moi dans ta bouche. Je t'en supplie prends-moi… »

« Il faut que tu le désires encore plus… » dit-elle

Il ouvrit la bouche pour crier, mais il n'en sortit qu'un souffle spasmodique puisqu'au même moment, il sentit sur son membre une chaude emmitoufflure.

« Oh ! mon Dieu ! Oh ! mon Dieu ! » haleta-t-il.

La bouche onctueuse entame une longue tétée, langoureuse mais légère, presque aérienne. Sa langue se fait lit, mouille, presse, fignole, polit ; mais quand elle fuit et que les lèvres ne font plus qu'emboucher la pointe, alors il faut qu'Alain retienne ses reins : ne pas céder à leur recherche, contrer la cambrure quémandeuse jusqu'au retour de la fleur fraîche et brûlante.

Monia ne répétait jamais longtemps le même geste afin que le délice d'une minute ne se transforme pas en irritation de la minute suivante.

Elle plaque son bras gauche sur le bas-ventre, en arche autour du pubis et laisse marauder des doigts sous le scrotum, tandis que son pouce et deux doigts de l'autre main, en équipe avec les lèvres butineuses, engagent sur la hampe gonflée un va-et-vient qui va chercher aux profondeurs les gouttes de vie. La dextérité et l'aplomb des trois mouvements tirent de l'homme une suite ininterrompue d'onomatopées souffleteuses dont l'écho lui revient et lui fait prendre conscience que le disque est fini et que la seule musique dont il se régale maintenant est celle, à peine perceptible, combien discrète mais combien divine, de la bouche gourmande consacrée à son œuvre de délivrance.

La mélodie prit un bref répit bien que les mains poursuivaient leur harmonieux travail. Alain se demanda d'où pouvait donc venir cet ange, capable de donner pour donner, aussi gratuitement, amoureusement, sans restrictions ni frustrations, sans arrière-pensées, avec précaution, minutie, art et respect. Il se sentit tout à coup délivré de cette réserve qui, une demi-heure plus tôt, jetait encore son ombre sur leur relation, car il en saisit d'un coup l'origine. Elle était d'ordre culturel. Mais assise dans la fange d'une fausse culture de laquelle la logique et la nature étaient exclues, toutes deux galvaudées, zigouillées par des normes issues tout droit de la partie malade, diabolique du cerveau humain. Y a-t-il plus éminemment humain qu'une sexualité qui fait appel à la variété et à la nouveauté? Et, au contraire, n'est-elle pas animale la sexualité qui souffre de règles ajoutées, la rapprochant de l'acte de la bête: prédéterminée, commandée d'ailleurs? Faire vite, dans le noir, en cachette, honteusement, toujours au même endroit, toujours de la même façon... avec toujours le même partenaire n'est-il pas faire injure à l'imagination créatrice de l'être humain? «D'où viennent donc d'aussi curieuses questions?» se demanda-t-il soudain, quelque peu apeuré. Mais il ne put y répondre, car la bouche ardente injectait maintenant aux quatre coins de son corps et jusqu'aux tréfonds de son cerveau le désir irrésistible du suprême élan.

Il s'écria à mi-voix: «Je veux éjaculer, Monia. Je veux éjaculer dans ta bouche... Si tu le veux... Et je voudrais que toute l'humanité le sache...»

Elle va déposer un brin d'humidité profondément sur la tige; le gland touche à la chair lointaine de l'arrière-palais; l'antre de velours prend un léger recul; les narines reprennent le souffle perdu. Les doigts accélèrent, accélèrent et... loin... très loin... la source explose... au ralenti...

«Je le veux, oui, oui. Merci mon Dieu d'avoir déposé en moi d'aussi grandes sources de plaisir... Merci de la vie... Merci de Monia...»

La bouche continue d'être douce, jacinthe butineuse, touche de perfection des doigts maintenant furibonds, pourvoyeurs, dispensateurs de vibrations énormes que les lèvres raffinent patiemment, magnifiquement, totalement. Le plaisir est plus-que-parfait car la femme est femme.

Il crispe les muscles de sa région génitale afin que la montée du sperme libérateur soit plus vive, car maintenant, il veut, irréversiblement, mourir à son désir et naître à son plaisir.

«Monia... je viens... je viens... Nous ferons l'amour... Je meurs. Oui... J'aime... J'aime... Continue... Encore... Monia.»

Il resta arc-bouté sur les coudes et le bout des pieds, contractant encore et encore le muscle pompeur afin de donner à Monia jusqu'à la dernière goutte de sa vie. La langue exquise lécha jusqu'au dernier spasme, parachevant divinement le chef-d'œuvre de l'artiste.

Pantelant, il retomba sur sa chaise, rejeta l'air de ses poumons pleins dans un bruit de ballon crevé. Il regarda la nuit, écouta la paix et laissa tout son corps sombrer dans la détente. La jeune femme ne bougea point.

«Tu n'as rien pris pour toi-même,» dit-il enfin.

«Ah oui! beaucoup plus que tu ne penses!» murmura-t-elle à mi-voix.

●

«Si je t'ai fait venir à mon bureau avec Yvonne ici présente, c'est parce que nous avons confiance en toi et que nous tenons à consulter nos employés responsables quant aux décisions à prendre dans l'administration de cette station de radio.»

La grosse tête blanche globuleuse émergeait d'un immense bureau noir, comme si elle en avait fait partie. L'homme avait aussi deux bras et ils parlaient plus que la tête. Alain se demanda s'il avait quelque chose de plus. Un tronc? Des jambes? Des pieds?

Le respect qu'il avait pour cet homme, qui avait dû passer presque toute sa vie en compagnie d'un corps atrophié à cause d'une maladie d'enfance, l'avait amené à lui pardonner d'être riche et, comme le soutenaient les employés de la station, de n'avoir jamais rien fait d'utile. Le temps lui permettrait d'établir un jugement plus éclairé sur ce patron à tête d'enfant et à voix de curé.

«Yvonne, sers-nous donc quelque chose,» fit le vieil homme de sa voix traînante. «Un cognac pour moi. Qu'est-ce que tu prends, Alain?»

«À ton choix, Yvonne,» dit Alain.

«Il nous faut t'annoncer pour commencer, que nous avons dû nous séparer de la nouvelle discothécaire.. à notre vif déplaisir.» dit l'homme sans sourciller mais toisant singulièrement son employé d'un profond regard.

Le choc fut violent, mais le jeune homme n'en laissa rien paraître, comme s'il avait été prémuni par de vagues pressentiments, suite à cette étrange sensation d'avoir été vus lorsque Monia lui avait fait l'amour, et aussi à cause de l'absence de la jeune fille quand il était rentré à l'ouvrage.

Alain rompit le silence qui s'était fait: «Je dois vous dire carrément et sincèrement que c'est malheureux pour tous car elle aimait son travail et le faisait bien. Son choix musical était excellent et je n'ai recueilli sur elle que des témoignages favorables de la part des auditeurs. À moins qu'elle n'ait eu un défaut caché, je dois vous avouer que je ne comprends pas.»

«Tu as parfaitement raison sur toute la ligne, Alain. Elle avait effectivement toutes ces qualités mais aussi le malheureux petit vice caché auquel tu fais allusion...»

Yvonne distribua les verres et retourna s'asseoir tout en parlant: «Pour une fois que nous en avions trouvé une bonne...»

Alain sentit un curieux malaise envahir son échine. Il pensa aux événements du samedi soir et se dit que les esprits étroits du milieu pourraient bien lui pardonner à lui, un homme, sa sexualité, mais qu'on ne tolérerait jamais celle de Monia. On irait jusqu'à qualifier de prostitution les agissements de la jeune fille. Mais était-ce pour ces raisons qu'elle avait été renvoyée? Sinon, pourquoi l'avaient-ils fait venir lui, pour lui en parler?

«Puisque je te connais maintenant comme un homme responsable, je vais te faire une confidence. Chaque fois que nous engageons un nouvel employé, nous nous assurons par nous-mêmes de son honnêteté. Nous l'avons fait à ton sujet et nous avons constaté avec plaisir que tu passais le test avec un résultat de cent pour cent puisque jamais, chaque fois que nous avons fait une vérification, nous n'avons constaté que tu avais touché à l'argent des demandes spéciales. Reprocheras-tu à un patron de faire passer un tel test à ses nouveaux employés? Intelligent comme je te connais, tu vas répondre non. Mais, malheureusement, la petite Landry a tout à fait raté le sien. Et je vais maintenant laisser Yvonne te raconter comment ça s'est passé.»

La vieille demoiselle parla: «Tous les midis de cette semaine, lundi, mardi et aujourd'hui, monsieur Arsenault a lui-même vérifié à l'heure du dîner le contenu de la boîte des demandes spéciales. Combien y avait-il d'argent, monsieur Arsenault?»

«Je l'ai soigneusement noté sur le papier qui est ici, devant moi et que tu peux vérifier par toi-même, Alain. Lundi midi, il y avait $4.75; mardi, $6.50;

aujourd'hui, $8.25. À dix-sept heures, après le départ de la petite Monia, et juste au moment où toi-même commençais ton émission, nous prenions la peine de bien vérifier, Yvonne et moi, le contenu de la boîte. Résultats: lundi, il marquait $1.50, mardi, $1.75 et aujourd'hui, $2.50...»

«Il peut s'agir de n'importe qui d'autre et même de moi,» objecta Alain.

«Justement, puisque, d'une part, personne n'a pu avoir accès à la boîte et que, d'autre part, tous nos autres employés sont honnêtes, il ne peut donc s'agir que de la petite jeune fille ou de toi. En dépit du test que tu as passé, je me dois de te poser la question. Est-ce toi, Alain?» demanda le patron avec autorité.

«Non!»

«En ce cas, force nous est de conclure qu'il s'agit de la petite Landry. Remarque bien que je n'avais pas à te poser la question pour garder ma confiance en toi. La preuve, c'est que nous avons pris dès ce midi la décision de nous passer des services de la petite jeune fille.»

«Bon! Alors disons que c'est bien elle et que je ne cherche pas à la protéger,» dit Alain. «Mais pour vous rendre service à vous, me permettriez-vous une ou deux suggestions?»

Le vieux scruta une immense peinture derrière Alain et dit: «C'est pour ça qu'on t'a fait venir, Alain. Mon frère Antoine, Yvonne et moi-même sommes heureux de t'avoir pris à notre service, car tu as un bon jugement. Je t'écoute avec attention.»

«Il y aurait moyen de garder Monia en faisant trois choses: premièrement, l'avertir serré; deuxièmement, je peux prendre à ma charge de la surveiller étroitement; troisièmement, la réceptionniste pourrait ouvrir elle-même les lettres des demandes spéciales et contrôler ainsi l'argent, ce qui ne lui coûterait pas plus de cinq minutes par jour.»

L'homme se toucha le front des deux paumes et dit: «Alain, qui vole un œuf vole un bœuf! Aujourd'hui, c'est deux dollars, mais dans un mois, il pourra s'agir de vingt dollars.»

Le jeune homme objecta: «Il n'entre même pas cinquante dollars par semaine aux demandes spéciales et plus de la moitié de cet argent arrive dans la journée du samedi et du dimanche alors que Monia ne travaille pas. Et il ne circule pas d'autre argent dans la bâtisse...»

«Il n'y a pas que de l'argent qu'elle peut voler, il y a aussi les disques,» dit le vieux.

«Monsieur Arsenault, avec notre système de classement, il serait assez difficile de prendre des disques. De plus, les jeunes ne sont pas du tout intéressés par autre chose que les nouveautés. Or, si quelqu'un les chipe à mesure qu'elles nous arrivent, nous le verrons tout de suite puisqu'il nous faut faire entendre régulièrement les nouveaux disques sur les ondes...»

«Alain, tu n'es pas un administrateur; soit dit sans t'offenser.» L'homme sourit paternellement et enchaîna de sa voix grave: «Les professeurs n'ont pas la réputation de trop s'y entendre dans les questions administratives. Strictement à ce plan-là, nous ne pouvons garder à notre service un employé malhonnête.»

«C'est justement à ce plan-là que je réfléchis. Que Monia prenne quelques «peanuts» ici et là, si, d'autre part, elle fait un travail de première classe comme discothécaire... N'est-ce pas plus rentable pour vous que de garder une incompétente honnête?»

L'homme sonda Alain du regard et dit avec plus de lenteur encore qu'auparavant: «Alain, nous cherchons des personnes comme toi, à la fois compétentes et honnêtes. Je sais qu'à notre place tu garderais Monia Landry; mais, vois-tu, nous autres, avons été formés à une autre école, sur les vieux principes comme on dit. Et, quoiqu'il en coûte, nous ne gardons pas d'employés malhonnêtes à notre service.»

Le jeune homme sourit faiblement. «Je ne vois plus très bien pourquoi nous continuons à discuter puisque nous n'avons pas les mêmes longueurs d'ondes.»

«Il n'est pas facile de trouver quelqu'un. N'aurais-tu pas des suggestions à nous faire?»

Alain raidit de tous ses muscles. «À brûle-pourpoint, je n'ai aucune idée,» coupa-t-il, impatient.

«C'est tout à fait normal. Tu as bien le temps d'y penser. Disons d'ici à demain après-midi? Tu communiqueras tes suggestions à Yvonne.»

Alain cala son verre et se dirigea vers la sortie. «Je vais y penser. Je dois cependant vous dire encore une fois que je comprends mal pourquoi vous ne gardez pas Monia Landry.»

La vieille secrétaire prit la parole: «Écoute, une personne capable de voler peut aussi bien mentir, lancer des cancans sur monsieur Arsenault, sur moi, sur toi. Nous en parlions justement, avant que tu n'arrives. Tu sais que j'aime bien les histoires épicées et que parfois, je me chamaille un peu avec celui-ci ou celui-là; tout ceci ne m'empêche pas d'être toujours à ma place avec les hommes. Pourtant, quelqu'un de la station a déjà répandu des bruits sur mon compte...»

Alain l'interrompit et jeta avec un haussement d'épaules: «Puisque vous ne pouviez pas faire autrement! Comme on dit: le patron, c'est le patron. Il y a des décisions qui n'appartiennent qu'à vous.»

«Ce qui ne nous empêche pas de consulter nos employés comme je te le signalais au début de notre entretien. De plus, nous savons reconnaître les qualités de nos gens. Tiens, toi par exemple, tu as bien des petites idées politiques, comme on dit gauchisantes, mais ce n'est pas bien grave. Tant qu'un homme n'est pas lui-même patron, il se tient plus à gauche, ce qui est tout à fait normal. De toute façon, en Amérique du Nord, la terre pousse mieux à droite qu'à gauche...» Et l'homme s'esclaffa.

«Les temps changent, monsieur Arsenault, les temps changent. Mais vous vouliez en venir à quoi au juste en me parlant de mes idées politiques?»

«Simplement te signaler que je comprends tes messages politiques cachés... Mais surtout, je voulais t'agacer un peu.»

«Qu'est-ce que cette histoire de droite et de gauche?» demanda Yvonne. Aucun des deux hommes ne lui répondit.

«Là-dessus, je vais te laisser aller travailler et je te rappelle qu'Yvonne et moi comptons sur tes suggestions...»

«Je ferai de mon mieux,» dit Alain.

«Ah! j'oubliais. Je voulais te dire, avant que tu ne partes, qu'il vaudrait mieux tenir privé cet entretien, ceci dit dans l'intérêt de tous. D'une part, je ne voudrais pas faire de tort inutilement à la jeune Landry au cas où elle voudrait aller travailler ailleurs; d'autre part, ça ne regarde personne d'autre que nous trois ici présents ainsi que mon frère Antoine. Je compte sur toi pour ne pas laisser la jeune fille revenir ici. Nous ne pouvons tolérer qu'une employée congédiée remette les pieds dans la station de radio. Ça va comme ça, Alain? Et je te remercie à l'avance pour tes suggestions de demain...»

Le jeune homme quitta, songeur, et quand il rencontra Yvonne un peu plus tard, mine de rien, noyant sa question parmi d'autres, il demanda: «Qui vérifiait le contenu de la boîte à argent à l'heure du dîner?»

«Monsieur Arsenault et la réceptionniste,» dit rapidement la vieille secrétaire dont tout l'intérêt ne tournait plus maintenant qu'autour de son ongle incarné.

Plus tard, Alain reçut un bref appel téléphonique de Monia qui lui demandait un rendez-vous. Il le fixa au lendemain soir.

Le lendemain après-midi, il s'entretint avec la réceptionniste. À travers des banalités, il dit machinalement: « As-tu souvent les patrons sur le dos ces jours-ci ? »

« Antoine ? Il ne met jamais les pieds à la réception. Et je n'ai pas vu l'autre depuis des semaines. Tu me fais penser: depuis trois jours, à l'heure du dîner, il se tient dans le bout de la discothèque. Je me demande bien ce qu'il farfouille par là... »

•

Monia et lui ne s'étaient rien dit d'autre que le bonsoir depuis qu'elle avait monté dans sa voiture au voisinage du pont traversant l'Etchemin, au cœur de St-Grégoire. Alain choisit une entrée de champ le long d'une route peu fréquentée, y stationna l'auto.

« J'ai bien hâte de savoir enfin la vérité. Qu'est-ce qui s'est passé ? » s'enquit-il.

« Le patron m'a fait des avances et je n'ai pas marché. Et me voilà en chômage... Et je craignais que la même chose ne t'arrive. Voilà pourquoi je tenais à te voir. »

« Est-ce indiscret de te demander de me raconter ? »

« Pas du tout puisque ça te concerne aussi. »

« Je t'écoute. »

« Dimanche soir, après mon émission, à vingt heures, j'ai reçu un appel à la discothèque. Le père Arsenault me demandait de passer à son bureau. J'y suis allée. Il m'a offert une consommation et m'a invitée à m'asseoir. Il m'a parlé un bout de temps de choses et d'autres: si j'aimais mon travail, si je m'entendais bien avec tout le monde... Ensuite, il a fait le joli cœur, essayant de me faire le tour de la tête, m'envoyant des fleurs... Après quoi il a commencé à parler de sexe. Il tournait autour du pot, mais laissait facilement deviner où il voulait en venir. Il m'a tendu des pièges que j'évitais tout en restant polie. Il avait l'air d'avoir bu fort et je me suis dit qu'il me fallait m'en sortir habilement, comme une femme doit parfois savoir le faire dans la vie. Et j'ai réussi à m'en aller après avoir étiré le temps jusqu'au quinze minutes de mise en ondes locale, en fin de soirée. Tout de suite après, sans tambour ni trompette, je me suis éclipsée en douce.

« J'aurais voulu t'en parler lundi, mais tu étais en congé. Et mardi, tu te souviens, nous n'avons pas pu parler ; Yvonne était toujours sur nos talons. Et mardi soir, mon petit gars, j'y ai goûté. À vingt heures, le téléphone de la discothèque se fait entendre. Puisque c'est le signal intérieur et que j'ai vu son auto stationnée en avant, je fais comme si de rien n'était et ne réponds pas. Une heure plus tard, je dois me rendre au studio de mise en ondes pour faire une identification et, comme de bonne, quand je sors, sa porte est grande ouverte. »

« Monia, Monia, » crie-t-il.

« Je ne peux m'esquiver et j'entre. Il m'offre un verre, m'invite à m'asseoir, commence à parler. Je lui signale qu'il me reste beaucoup de travail à la discothèque. Il répond que le travail peut bien attendre et qu'il n'aura, le lendemain, qu'à donner l'ordre à un autre employé de m'aider. Il va se servir un cognac et en profite pour fermer la porte de son bureau. La conversation se poursuit. Mais à partir de là, il parle directement de sexe, les yeux dans la graisse de bacon. J'évite ses pièges et cela le rend agressif. D'une main, il prend appui sur sa canne et de l'autre... je ne sais pas, mais ça regarde curieux. Il me parle ensuite de ma cicatrice au front et multiplie les jeux de mots par rapport à mon sexe. Un peu plus tard, il me demande de lui servir un autre cognac. Je vais au bar remplir son verre. Alors il pivote sur sa chaise et me demande de lui apporter sa consommation par le côté au lieu que par devant. Je le vois mal à cause de la fameuse colonne au coin de son bureau. J'arrive devant lui et qu'est-ce que j'aperçois: monsieur a la bébelle sortie, bien droite en l'air.

Il me dit, le visage contrefait: « Il faudrait bien que tu fasses plaisir au petit soldat. »

« Monsieur Arsenault, vous m'excuserez, il faut que je parte, » lui dis-je.

« Le petit soldat est au garde-à-vous et ne voudrait surtout pas que tu le déçoives, » qu'il dit.

« Tenez votre cognac, monsieur Arsenault, je m'en vais maintenant. »

Il élève la voix: « Le petit soldat n'aime pas attendre, il est fort impatient. »

« Monsieur Arsenault, ce n'est pas bien ce que vous faites, » dis-je.

« À genoux, » dit-il.

Je fais signe que non.

Alors il projette sa canne en l'air, en saisit l'extrémité et, d'un geste vif comme l'éclair, passe le bout arrondi autour de mon cou.

« Monsieur Arsenault, on ne force pas les gens à faire ce qu'ils ne veulent pas... »

« Je ne veux rien de plus que ce que tu as fait au petit Martel samedi soir dernier, » qu'il dit.

Dans l'énervement, sur le coup, sans réfléchir, j'en arrive presque à te soupçonner d'avoir parlé et je lui demande ce qu'il veut dire.

Il fait un signe de tête et dit: « Regarde ça. c'est mon système d'intercommunication. Il me permet d'entendre voler une mouche n'importe où dans cette bâtisse. Le petit Martel, tu lui as bien tiré une pipe, samedi soir? Ton nom, c'est bien Monia? Tu ne lui as rien demandé en retour pour lui gruger le concombre au son de ma musique, dans ma bâtisse, sur du temps payé au petit Martel avec mon argent. Ce soir c'est au tour du petit soldat de se faire payer la traite. À genoux fifille et grignote. »

Il tire sur sa canne. Je fais comme si j'obéissais et j'avance un peu. Rendue assez près, je fais semblant de trébucher dans le tapis et lui renverse tout sur la bébelle, le verre de cognac avec les glaçons. Il laisse tomber sa canne que je ramasse et appuie contre la colonne, tout en m'excusant. Il me dit de m'en aller sans lever les yeux ni bouger.

Hier, en fin d'après-midi, il me convoque et m'annonce froidement que j'étais congédiée.

« Pour la raison que vous et moi savons, mademoiselle Landry, nous ne pouvons vous garder à notre emploi. La secrétaire vous fera parvenir par la poste votre chèque final si vous avez l'obligeance de lui remettre votre clef avant de partir. Veuillez ne rien oublier en nous quittant et bonne chance. »

« C'est à peu près ce qu'il m'a dit. J'ai laissé ma clef sur le bureau d'Yvonne et je suis partie. Comme tu peux le voir, le vieux s'est régalé à nos dépens samedi. Ce qui veut dire que tu risques d'avoir des ennuis toi aussi. Comment t'ont-ils expliqué mon départ? »

« Quoi?... Ton départ? » fit Alain en hésitant. « Rien, absolument rien. J'ai su que tu étais partie, rien de plus. »

« Ils l'ont sûrement dû donner une raison? »

« Tu sais, je ne suis pas tellement dans les confidences des grands patrons. Yvonne m'a dit que tu étais partie et elle n'a rien ajouté de plus. Je n'aurais pas cru que le bonhomme soit un pareil fumier. Il est pourri jusqu'à la mœlle... comme les autres de cette société de pourris.»

«S'il fallait que tu perdes ton emploi à cause de moi, je ne me le pardonnerais jamais.»

«Ne crains rien, Monia, ne crains rien pour moi: je fais trop bien leur affaire. Je suis du «cheap labor» et je bouche bien les trous. Mais ne t'en fais pas, ils creusent tous leur tombe, lui et ses pareils de capitalistes infects. Je vais sûrement mettre ma goutte au verre qui va peut-être déborder plus vite qu'ils ne le croient. Arsenault ne mourra pas sans payer...»

«Ces gens-là finissent toujours par s'en sortir. Bah! ce n'est pas grave!» dit-elle en haussant les épaules. «Tout ce que j'espère, c'est qu'il ne t'arrive rien à toi.»

«Ne t'inquiète pas pour moi. Et toi, que feras-tu?» demanda-t-il.

«Aucun problème! J'ai deux ou trois bonnes possibilités... Je me demande bien quel mensonge ils vont inventer pour justifier mon départ?»

«Probablement que tout va mourir là! En ce qui me concerne, je ne veux plus en parler, je me contenterai d'agir.»

Il s'approcha de Monia et l'embrassa.

«Merci pour tout... pour tout,» insista-t-il. Et il l'écrasa sur son cœur.

Il se dit à lui-même: «Oh! non, ma belle chouette, jamais je ne te dirai le mal qu'il a inventé sur toi! Tu es trop pure et trop généreuse pour souffrir d'une telle saloperie. Tu ne sauras jamais, toi; mais moi, je saurai toujours.»

Ils ne firent pas l'amour ni ne se caressèrent, car ils n'avaient, ni l'un ni l'autre, de goût pour les choses sexuelles.

Une heure plus tard, ils se quittèrent.

Sur des espérances...

•

Le lendemain, Alain dénicha une fille eczémateuse, pataude, écœurée de l'école et frustrée. Il suggéra son nom à Yvonne qui la rencontra et l'embaucha.

Il avait voulu se venger de son patron en lui coupant, par son choix dégoûtant, ses envies de faire des avances. Il se trompait sérieusement puisque des années durant, par la suite, il entendit la fille se plaindre des entreprises du vieux qu'elle devait repousser en parlant de ses menstruations ou de son ami qui l'attendait à l'extérieur.

Alain devait garder longtemps au cœur l'aspect révoltant de l'épisode Monia. Sa détermination de lutter contre le système devint plus pratique, plus agissante.

Il conçut une émission à idées, et qui ferait appel au sens critique du public, au goût des gens de participer et à leur désir de gagner quelque chose. Il en profiterait pour glisser chaque jour, sous des dehors anodins, des messages politiques enrobés d'enveloppes rassurantes. Il dénoncerait le système à partir d'exemples de corruption, d'exploitation, d'abus de pouvoir. Il véhiculerait des idées marxistes en ayant l'air de faire le contraire. Et son action utiliserait la chose la plus capitaliste de tout l'Etchemin: la station de radio. Il serait un agitateur intellectuel, frère des agitateurs des usines et de ceux des syndicats...

Des idées nouvelles émailleraient l'émission et des sujets variés l'étofferaient: régimes alimentaires, santé, phénomènes rares, découvertes scientifiques, potins sur les vedettes. Un concours permettant au public de gagner des livres lui offrirait la possibilité d'aiguiller certains auditeurs vers des lectures d'auteurs engagés, puisque c'est de lui dont relèverait le choix des prix. Le contenu musical — il le composerait lui-même — ferait voisiner des pièces relaxantes ou joyeuses avec ses commentaires sur la grandeur des entreprises collectives; par contre, des pièces agressives pour l'oreille et plus difficiles d'écoute accompagneraient ses critiques acides sur le système.

Sans faire allusion à son éventuel contenu politique, il soumit son projet d'émission à la direction. Quant on sut qu'il n'y aurait pas de déboursés, le feu vert fut donné sans poser de questions.

Alors, de jour en jour, avec le zèle du néophyte, il livra le fruit de ses réflexions et ses convictions. Le capitalisme devint, selon les émissions, cause de stress, d'obésité, de racisme, de criminalité, d'intolérance, de divorce, de pollution, de destruction de la nature, d'alcoolisme et même de calvitie. Chaque jour, il soulignait un aspect du gaspillage américain, le rapprochant de la misère des habitants du Tiers-Monde. Aux récits des extravagances des vedettes de Hollywood succédaient ceux sur les atrocités au Vietnam.

Ne se sentant aucun goût pour donner des coups d'épée dans l'eau, il recueillit, au fil des jours, des éléments d'appréciation des résultats. Trois mois plus tard, lors d'une discussion avec un vieil ami, il en profita pour faire le point.

Devant une bière, dans un petit bar, il abordèrent plusieurs sujets dont celui des grandes politiques et de leur influence sur la vie de tous les jours. Alain décelait en Guy un autre lui-même mais vieux de cinq ans, à l'enseigne de ses idées de 1965.

Il jeta tout à coup: «Tu es l'homme du rêve capitaliste, tandis que moi, je suis l'homme de la réalité capitaliste.»

«Que veux-tu dire?» demanda l'autre.

«Tu crois — et je ne te le reproche pas car j'ai moi-même passé par cette étape — qu'à partir de rien, tes grands projets pourront devenir des réalités, rien qu'à force de le vouloir. Mon pauvre ami, l'histoire du self-made man est si exceptionnelle et si accidentelle qu'il ne vaut strictement pas la peine de se baser là-dessus pour juger du système. D'ailleurs, tout le battage publicitaire dont on entoure toujours ces hommes constitue bien la preuve de leur rareté. Chance égale pour tous dans ce système? Quelle farce! Qui naît pauvre crève pauvre. Et les exceptions ne font que confirmer la règle.»

«Attends et tu verras,» dit l'autre. «Laisse-moi seulement le temps de monter mon spectacle.»

«Bonne chance!» fit paternellement Alain.

«Parlant de spectacle, sais-tu que ton «show» de fin d'après-midi sur les ondes est pas mal bon. Je dirais même que c'est fort. Je te félicite; tu fais du bon travail. Ça doit exiger beaucoup, la préparation de tout ça. J'imagine que tes patrons ne doivent pas te fournir grand matériel. On les connaît pour être plus receveurs que donneurs, style tondeurs d'œufs.»

«Le travail est bien intéressant, mais la réceptivité du public est archimauvaise. C'est à croire que les gens n'écoutent pas la radio et ne font que l'entendre.»

«Qu'est-ce qui te fait dire une chose pareille?»

«Depuis le début, je glane toutes sortes d'échos ici et là, par téléphone, de vive voix, par mes proches parents, par mes élèves. Et je constate, après une centaine d'émissions, que les gens ne comprennent à peu près rien. Ils retiennent certains détails pourvu qu'ils soient originaux, mais jamais ne te rappelleront les sujets sérieux dont tu leur as parlé. Dis-leur qu'on évalue à cinquante ou cent millions le nombre de rats à Montréal et ils te demanderont d'où viennent tes chiffres; mais montre-leur, par des chiffres, que les salaires de telle catégorie de citoyens sont indécents et ils ne se souviendront de rien. C'est à n'y rien comprendre! Que le public est terre-à-terre!

Parle-leur des dépenses folles d'un millionnaire et tu soulèveras leur admiration; décris les conditions douteuses dans lesquelles doivent travailler les mineurs de l'amiante et ils te diront que ceux-ci n'ont qu'à se débrouiller pour sauver leur peau. Dis-leur que les multinationales se sont infiltrées en Amérique latine et créent des besoins artificiels pour mieux exploiter les travailleurs ainsi que les richesses du pays, et l'un te demandera ce qu'est une multinationale tandis que l'autre te répondra que les Sud-Américains n'ont qu'à faire comme nous: se retrousser les manches et travailler.

Je me demande de plus en plus si les gens ne doivent pas être secoués à coups de bombes. Peuvent-ils se réveiller autrement, ou bien leur faut-il des coups de pied au cul?»

« Alain, jamais tu ne poseras de bombes nulle part. Tu n'es pas de ceux qui brisent. Tu es un bâtisseur, pas un démolisseur. »

« Je l'espère bien! Malgré que souvent je me demande... »

« Je suis convaincu que tu as fortement augmenté la cote d'écoute de fin d'après-midi... »

« Probablement, mais ils n'écoutent que la musique et certaines idées un peu farfelues. Quant au sérieux, ça leur passe cent pieds par-dessus la tête. »

« Alain, il se passe à peu près ceci. Les gens ont bien assez de problèmes; ils ne veulent tout simplement plus s'en faire jeter d'autres au visage quand ils écoutent la radio ou la télévision. Les émissions purement à idées ne les intéressent pas; elles sont trop onéreuses pour leur cerveau. D'un autre côté, il faut que tu penses qu'une idée met des années à faire son petit bonhomme de chemin. C'est la vieille histoire du clou: il faut le temps pour l'enfoncer complètement. Patience et longueur de temps... »

« Quand les événements provoquent, les idées évoluent vite... »

« Tu cherches à prouver quoi au juste? Tu veux sauver l'humanité ou quoi? »

« Je tiens seulement à bâtir quelque chose de propre. Je veux que la société de demain soit meilleure que celle d'aujourd'hui. Je veux faire ma mini-part pour la libération de l'homme... »

L'autre haussa les épaules et rétorqua avec un sourire paternel: « Quand le peuple voudra se libérer, il le fera bien. D'ici là, je sauve ma peau. »

« Guy, discuter ensemble, c'est tourner en rond. Tes idées ressemblent à celles que j'avais il y a cinq ans et les miennes d'aujourd'hui ont cinq ans d'avance. Donc dix ans nous séparent. »

« Alors prenons une autre bière et parlons des femmes. »

« Bonne idée! »

Amusé, Guy dit: « C'est curieux, Alain, mais en ondes, tu n'as pas du tout l'air d'un gauchiste... Waiter... Waiter... »

•

« L'abbé Tanguay vient souper à la maison. Qu'est-ce que tu avais prévu pour le repas? »

Viviane leva la tête, l'air surpris. « Depuis quand es-tu en amitié avec les curés? »

« Je ne l'ai pas invité parce qu'il est prêtre, mais parce que c'est un bon ami avec qui je travaille à préparer le party de fin d'année des professeurs. »

« J'ai du poulet sur le feu. S'il y en a pour trois, il y en aura bien pour quatre. »

Alain ouvrit la porte du réfrigérateur. « Question religion, sais-tu que les choses ont drôlement évolué depuis quelques années? Le fait de ne plus pratiquer nous a empêchés de suivre les transformations, mais je te jure que tout a changé de poil là-dedans... »

« Ce qui veut dire? » interrogea-t-elle. Et sur un autre ton: « Alain, ne gâte pas ton souper; ferme la porte du réfrigérateur. »

« Je ne veux qu'un Coke ». Il en trouva un qu'il décapsula prestement avant de s'asseoir dans sa berceuse. « Ce qui veut dire que ce n'est plus la grosse religion sévère, noire, triste, qui impose ses idées et ne parle que d'argent. Les prêtres sont plus libres, plus positifs. Ils sont proches du peuple et ils ont le sens de l'équipe et l'esprit communautaire. Même les rites ont changé. Les gens participent collectivement maintenant. On sent qu'il y a plus de fraternité, plus de compréhension, plus d'égalité dans leur affaire. J'ai bien hâte que tu connaisses Tanguay, tu verras. »

Elle approcha une chaise d'une armoire et grimpa pour sortir la vaisselle de fête. « À t'entendre, on croirait que tu es sur le point de retourner à la messe. »

« Je ne dis pas non! Notre fille grandit; si nous ne voulons pas qu'à l'école elle se sente trop à part des autres... Je te jure que les niaiseries autour de la pilule, ça fait bien rire l'abbé Tanguay. Il dit que les moyens anticonceptionnels, c'est l'affaire de chacun. C'est pas un gars de la deuxième guerre; il vit de son temps. Il flirte même un peu avec les jeunes filles. J'aime ça de même. Tu vois que c'est un homme et pas un robot conditionné, complice d'un système pourri. Il est capable de faire des farces et ne pense pas seulement à l'argent. Des fois, je me demande ce qu'il fait pour rester prêtre avec le groupe de vieux bornés qu'il y a là-dedans... Parce que tu sais qu'ils ne sont pas tous morts, les vieux croulants de l'autre époque... J'irai peut-être faire un tour de temps à autre à l'église. Pas par foi: ce serait ridicule de ma part, mais pour partager avec d'autres, pour participer à quelque chose de communautaire. »

Viviane descendit de la chaise. « Tu pourras y aller seul. Pour ma part, la messe et ces choses-la, çà ne m'intéresse plus. J'ai appris à vivre sans cela avec ton aide. Je n'ai pas envie de retourner en arrière. »

Alain avala une gorgée de Coke et dit, la voix un peu grasse: « Je ne te demande pas de me suivre. Je disais çà comme ça. »

« Tu veux que je te dise, Alain? Tu t'emballes vite, mais avec toi, les choses ne durent que le temps d'un feu de paille. Je t'assure que depuis six ans, tu m'en as fait voir de toutes les couleurs. Tu es du genre plutôt difficile à suivre. »

Il protesta: « Quand je commence quelque chose, d'habitude je vais jusqu'au bout. »

« Souvent le bout n'est pas loin! » jeta-t-elle malicieusement.

« Quand je me rends compte qu'il est inutile de me battre, je rebrousse chemin et c'est tout à fait normal. »

Elle s'approcha de la table et dit: « Viens m'aider à agrandir la table. »

Il s'approcha à son tour et agrippa les rebords.

« Tiens, » dit-elle, « prends ton émission de radio: tu étais tout feu tout flammes et pourtant, tu n'en parles jamais plus. Comme si ton enthousiasme était complètement mort! Tire encore un peu; le panneau ne passe pas. »

« C'est vrai que je saute moins en l'air, » dit-il en mettant le panneau de rallonge à sa place, « mais je la continue, mon émission. Et si je saute moins haut, c'est que les gens ne comprennent rien. »

« Tu ne te mets pas à leur portée... »

« Ce n'est pas ça! » coupa-t-il. « C'est que les gens sont bornés. »

« Tu dois parfois te sentir seul chez les non bornés? »

« Sacrifice, tu ne comprends rien toi non plus. » Il referma sans douceur les panneaux coulissants et retourna s'asseoir.

« Tu es difficile à comprendre quand tu pars avec tes lubies de socialisme et tout le reste... Tout le monde à égalité, ça ne marchera jamais ces idées-là. »

Il leva la main. « Voilà bien la femme que j'ai mariée. N'as-tu pas assez servi les riches dans ta vie ? »

« Tu me l'as dit mille fois que je n'avais pas d'instruction ; pas besoin de me le répéter encore. »

« Ce n'est pas ton manque d'instruction que je te reproche, c'est ta mentalité de servante. Tu me fais penser aux esclaves noirs qui ne voulaient pas être libérés. C'est pourtant pour des gens comme vous autres que des gars comme moi et bien d'autres se battent tout partout à travers le monde... »

Viviane raidit de la nuque et sa voix durcit : « La servante est bien utile pour préparer le souper du maître, n'est-ce-pas ? C'est peut-être de ce maître-là qu'elle devrait commencer pas se libérer, ta servante. »

« Tu mêles tout et tu ne comprends jamais rien. Tu es comme la plupart des gens : tu aimes te traîner à genoux. »

Elle prit une nappe de dimanche dans une armoire et l'étendit avec de grands coups tapageurs entre lesquels elle parlait : « Veux-tu bien me dire... Alain... ce que tu cherches dans la vie... Tu n'es jamais... content de rien. Tu critiques sans arr... sans arrêt. »

« Ce que je voudrais, c'est que les gens se réveillent et qu'on se dirige sans révolution, sans faire couler le sang, vers un changement de ce système pourri pour un autre plus juste. »

Elle se mit à disposer la vaisselle sur la table. « Le système, le système, c'est quoi ? »

« C'est la patente qui nous conduit tous, tous les jours, et qui fait que les mentalités sont ce qu'elles sont... et qui fait que les lois sont ce qu'elles sont, et qui fait que la vie de tout le monde est mal vécue. Cette patente-là s'appelle le capitalisme, une affaire diabolique grâce à laquelle un certain pourcentage de gens sont riches, tandis que les autres les servent ou bien crèvent. »

« Pouah ! j'ai travaillé chez des gens riches et ils ne sont pas plus heureux que nous. Et pourtant... »

Il l'interrompit : « C'est justement ce que je t'ai dit ! Ce maudit système ne rend personne heureux. Un faible pourcentage des gens en ont trop, ce qui, finalement, les rend malheureux ; quant aux autres, ils n'en ont pas assez... Ce n'est pas la faute des riches, mais c'est la faute au système qui permet les inégalités et le gaspillage. »

« Ces choses-là seraient toutes changées que tu critiquerais toujours. C'est de toi-même, Alain, dont tu n'es pas satisfait. »

« Y'a de quoi ! Passer une vie avec un entourage familial et professionnel de gens qui ne se tiennent pas debout. »

« Si tu es si fin et si intelligent, prépare-le ton maudit souper. »

« Tu vois bien que s'il y a quelqu'un de négatif ici, c'est toi. Je suis arrivé en parlant de l'abbé Tanguay et je n'en disais que du bien. Je ne disais que du bien aussi de la religion renouvelée. Par contre, toi, tu m'as dit, sans même y réfléchir, que tu ne voulais plus rien savoir de la religion, me traitant de haut parce que je m'y intéressais. Ensuite tu m'as accusé de me penser fin tout seul avec mon émission. Puis tu m'as dit que j'étais instable. Et maintenant tu m'envoies au diable avec le souper au moment où s'en vient un invité. Tu trouves que c'est endurable pour un homme ? »

« C'est que tu me pousses à bout avec tes idées pas comme tout le monde. »

« Une auto s'arrête dans l'entrée, » dit-il. « Ce doit être Tanguay. »

« On soupera vers dix-huit heures... Pourquoi ne m'as-tu pas avertie, j'aurais pu faire un peu de ménage dans la maison ? »

Alain se dirigea vers la porte et répondit: « Je n'ai pas pu. Je l'avais invité depuis longtemps. Et, cet après-midi, il m'a pris au mot sur une histoire d'échange de bandes magnétiques. Je lui ai dit qu'il devrait se contenter de ce que tu aurais préparé pour nous trois. Il ne s'attend à rien de spécial et m'a d'ailleurs répondu qu'il mangeait de tout, pourvu que ça se mange. Tu prendras le temps qu'il te faudra. Je vais le conduire au salon et nous prendrons une bière en attendant. »

Il ouvrit la porte au jeune prêtre et l'accueillit. Les présentations furent faites et les deux hommes se rendirent au salon. Quand le repas fut servi, Viviane les invita à s'approcher.

D'une vive gorgée à même la bouteille, le prêtre vida sa bière. Il commença ensuite à se servir sur l'invitation de Viviane, sans réciter une formule de prière, ce qui surprit agréablement son hôte.

« C'est ta fille? T'as une belle grande fille? » dit le prêtre en jetant un regard intensif à l'enfant. Tous sourirent.

« Rodrigue, je disais à ma femme tout à l'heure à quel point la religion s'était renouvelée depuis quelques années... »

« Je pense bien! » coupa l'autre. « Autrement, ils auraient perdu un joueur... et sans doute pas rien qu'un. »

Alain sourit d'entendre confirmer ses opinions à la fois sur la religion et sur le prêtre qui se mit à parler de fraternité humaine au moment où Viviane prenait place à la table.

« Ce qui compte dans la religion renouvelée, c'est l'esprit communautaire, l'esprit d'entraide. Ainsi, je ne fais pas de mal à prendre une bière avec vous autres ce soir. Nous communiquons, nous dialoguons. Par exemple, si nous étions à une soirée, est-ce que je ferais du mal à danser avec Viviane? Qu'est-ce que t'en penses, Alain? »

« Évidemment, ce n'est pas parce que tu es prêtre que tu dois t'arrêter de vivre, » dit Alain.

« Comment comprendre les gens, si tu ne partages pas leur vie de tous les jours, si tu restes en haut d'une tour d'ivoire, à vivre dans un autre monde et à prêcher de haut? »

« Je soutenais cela il y a cinq ans et je t'assure que je me faisais regarder de travers, » dit Alain.

« Aimez-vous les uns les autres, a dit le Christ. Et à ses heures, il a pris du vin avec les gens. Et il paraît qu'il ne détestait pas parler aux jolies femmes... » Tanguay fit un clin d'œil à Martel et adressa un large sourire énigmatique à Viviane.

Alain hocha la tête. « Si nos bons curés d'autrefois t'entendaient, Rodrigue... » s'exclama-t-il.

Le prêtre arrosa généreusement son poulet de sauce brune et commenta: « Dans la religion catholique, les valeurs d'autrefois et celles d'aujourd'hui ne sont pas les mêmes. Par exemple, avant, c'était la paternité qui comptait; aujourd'hui, c'est la fraternité. Le bon curé disait, en se frottant le ventre: écoutez, c'est moi qui parle. Aujourd'hui, entre le prêtre et les fidèles, c'est le dialogue, d'égal à égal. Les divers membres de l'Église forment une communauté où les valeurs fondamentales sont la fraternité et l'esprit d'entraide... »

L'amicale discussion ne prit fin que longtemps après le dessert, sur les félicitations du prêtre adressées à Viviane. Gonflant l'estomac et le caressant d'une main rotative, il dit: « Excellent repas, excellente cuisinière! Je te félicite, Alain, tu as une fort jolie femme. Qu'en plus elle sache si bien s'y prendre avec des chaudrons et ça donne une combinaison rare. Anciennement, on appelait ça une perle et on avait, sur ce point en tout cas, bien raison. »

Viviane ne broncha pas, ni aux paroles du prêtre ni à ses regards intenses. Lorsqu'il fut parti, elle dit, songeuse: «Ses paroles ressemblent à du chantage de pomme.»

«C'est que tu ne le connais pas. C'est son genre tout simplement. Il est comme ça avec toutes les femmes.»

«Il doit faire tourner la tête de bien des jeunes filles. Il a belle apparence... Je veux dire pour un prêtre.»

«Je ne suis pas dans la peau d'une adolescente. Vois-tu, ce que j'aime de lui, c'est qu'il est sympathique et qu'il a l'esprit moderne, et surtout jeune.»

●

Alain marchait lentement dans ce long couloir de l'école St-Esprit qu'il avait si souvent parcouru, pas toujours utilement. Il vit à l'autre bout Josette Rameaux qu'il appelait en son cœur sa belle Parisienne.

Il se rappela de cette première fois où il avait aperçu Josette, en septembre. C'était à la cafetéria de l'école. Cabaret en mains, perdue dans une longue filée d'étudiants, elle attendait timidement de prendre, à son tour, une nourriture qu'elle n'aimerait probablement pas.

«Regarde, Alain, c'est elle, la Française,» lui avait dit un voisin de table.

«Bon Dieu, qu'elle est belle!» s'était-il exclamé.

D'habitude, il ne détaillait pas trop une personne; il se contentait d'un coup d'œil général et ne s'arrêtait qu'aux deux ou trois traits les plus caractéristiques. Mais cette fois, il ne put s'empêcher d'examiner à la loupe la jeune Européenne.

Courbes légères, délicieuses. Corps droit. Ses cheveux en toque rallongeaient le cou et déshabillaient deux petites oreilles huppées. Quelques mèches blondes, échappées, insolentes, se balançaient avec grâce. Et ces yeux! Ah! ces yeux: quelle réserve, quelle robe, quel appétit de rire! Nez frondeur, délicat. Peau rosée de pêche pâle. Front étroit. Oh! oh! oh! les mignonnes pommettes assorties! Comme les jambes semblaient frêles sous la jupe frissonnante! Des épaules de grâce, d'aise, et qui sait, de consentement peut-être!

Puis il avait mis de l'ordre dans son expertise, depuis les cheveux en descendant. Il y avait ajouté une poitrine fine, une taille fragile et des hanches rassurantes, assez généreuses pour promettre...

Quand elle s'était assise juste en face de lui, à la seule place disponible à la table des professeurs, il avait rajouté aux éléments du chef-d'œuvre: les lèvres régulières, ni humbles ni agressives, et les mains graciles aux doigts souples. La femme, d'ailleurs, ne touchait pas les choses, elle les effleurait; elle ne marchait pas, elle bougeait comme une fleur fragile; elle ne riait pas, elle vibrait comme du cristal.

Quelqu'un les avait présentés. Elle avait dit simplement: «Bonjour» et baissé les yeux.

Trop accroché par l'image de cette femme neuve qu'il aurait voulu baptiser poésie, Alain n'avait pas répondu sur le coup. Il avait cherché un mot, une phrase qui puisse traduire son émotion sans la trahir. La réponse lui était venue par son voisin de table qui avait souligné les origines parisiennes de la jeune femme.

Alain avait commenté avec chaleur: «Jamais je n'aurais cru qu'un jour Paris puisse dîner juste en face de moi.»

Elle avait interrogé son sourire tendre, compris, ignoré l'allusion et rétorqué:

« Oh ! vous savez, Paris, ce n'est qu'une ville ! Une ville comme une autre ! »

Il avait toujours trouvé exquis cet accent de la femme française, mais, cette fois, il l'avait trouvé divin. Il s'était cependant réservé le plaisir d'y goûter davantage plus tard, car la réponse avait créé le besoin d'un sérieux rattrapage.

« Pour un Québécois qui n'a jamais mis les pieds plus loin que Montréal, Paris est la ville de rêve. »

« Oh ! je ne vous souhaite pas d'y vivre, monsieur Martel. Les Parisiens sont impatients, nerveux, gueulards, et j'en passe. Voilà, à tout le moins, ce qu'affirment les autres Français. Et vous savez, entre nous, je crois bien qu'ils ont raison. »

« Vous me parlez des Parisiens, mais moi je vous parle de Paris. Paris, pour moi, c'est la ville-lumière... »

Par demi-cuillèrées, elle avait entamé délicatement et sans passion son potage.

« En ce cas, gardez bien cette image en tête en tâchant de ne pas y aller. »

« C'est une fameuse idée ! Et comme ça, chaque fois que j'en rêverai, c'est l'image d'une belle Parisienne qui enveloppera mon esprit. »

Elle avait souri un brin et continué de manger, silencieuse.

« Dieu, il a presque fallu que je sois indécent pour qu'elle accepte ma fleur ! » avait-il pensé. « Est-elle donc comme, au dire des Québécois, sont les Français : prétentieuse et obstinée ? »

Au tableau de leur attachement mutuel, cette question devait être la seule ombre et elle n'avait pas tardé à se dissiper.

Après le dîner, ce jour-là et les jours suivants, ils avaient jasé plus d'une heure. Il l'avait trouvée généreuse dans le moindre geste, la plus brève parole. Ni piège, ni marchandage, ni ostentation. Que de la joie et du respect ! Elle avait toujours le mot qu'il cherchait, la nuance qu'il négligeait de faire, la touche féminine qui lui manquait et cette montagne de culture qu'il violait avec tant de joie.

Un soir, il s'était demandé pourquoi il ne l'avait jamais désirée physiquement. Pourtant, de toutes les femmes qu'il côtoyait, Josette, était l'une des plus désirables. Mais chaque minute en sa compagnie était trop riche pour laisser du temps au désir physique et son admiration pour elle trop prenante pour laisser de la place aux choses de la sexualité. Il aima la France qu'elle lui avait fait découvrir. Il se refusa à voir les côtés plaisants de lui-même qu'elle paraissait aimer lui réfléchir avec tant de tact et de mesure pourtant.

Mais quel complément, avait-il fini par se dire, si, en guise d'adieu, en juin, quand elle quitterait le Canada pour son pays, ils s'échangeaient une dernière fleur, un souvenir complice !

En novembre, il avait proposé sa nomination au sein du conseil des professeurs. Elle avait tout d'abord refusé au nom de son incompétence. Alors il lui avait un peu forcé la main, apaisant ses dernières réticences en soulignant que la compétence en cette matière était affaire de tête et de cœur et que, si dans les deux cas, la Sorbonne elle-même n'avait jamais pu attribuer de diplômes à qui que ce soit, lui, Alain Martel, aurait pu en décerner un très haut à Josette Rameaux de Paris, professeur coopérant, stagiaire au Canada.

Tous ces souvenirs, plus des pas qu'il rallongea à dessein le rapprochèrent vite de la jeune femme qui souriait délicatement.

« Monsieur Martel, comment allez-vous aujourd'hui ? »

« Pas mal. Surtout que le soleil vient de se montrer. »

« Pas trop de gauchisme en tête ? »

« Pourtant, je parle rarement de politique lorsque nous bavardons ! »

« C'est que je vous écoute à la radio, vous savez. »

« Vraiment ? »

« Régulièrement. Enfin les jours où mon mari n'est pas là, car lui est un mordu de musique classique et il déteste la radio. Ces jours-là, je dois donc vous sacrifier. »

« En ce cas, vous devez être la seule que je connaisse à comprendre le véritable sens de mes messages. »

« Je ne sais pas, » fit-elle avec un mouvement de tête gracieux.

« Vous n'êtes pas engagée politiquement ? »

« Oh ! non, je suis beaucoup trop égoïste pour cela ! » avoua-t-elle avec un léger sourire.

« L'égoïsme, c'est la dernière chose que je croirai de vous. »

« Je crois qu'il faut beaucoup de courage pour mener une action comme la vôtre dans un tel milieu, et je ne me sens pas du tout ce courage. D'ailleurs, si je l'avais, j'aurais pris votre défense hier et je ne l'ai pas fait, » dit-elle avec un filet de regret dans la voix.

« Me défendre ? Et de quoi donc ? »

« Des mesquineries à votre sujet au conseil des professeurs. Ne me prêtez pas un plaisir mesquin à vous rapporter la chose, mais je crois fermement que vous ne méritez pas ces attaques sournoises. Car ne pas vous donner l'occasion de défendre votre propre cause m'apparaît comme une chose très malhonnête... »

Alain mit doucement la main dans le dos de la jeune femme et dit : « Ne restons pas plantés au milieu du couloir, venez. Allons prendre un café à la salle de conférences où il n'y a généralement personne à cette heure-ci. » Ils marchèrent côte à côte, parlant de la pluie et du beau temps.

Quand ils furent assis, séparés par une table basse où ils avaient déposé leur café, Alain ne tarda pas à renouer avec le sujet inquiétant.

« L'on me rend service à mon insu ? » interrogea-t-il.

« Je vais vous dire le plus exactement possible comment les choses se sont passées. Je sais que vous ferez bon usage de mes paroles... et que vous ne le prendrez pas comme de la délation. »

« Josette, je sais faire la différence entre de la délation et la fidélité à une amitié que je crois très profonde. »

Elle raconta : « Il fut tout d'abord discuté d'un prétendu mauvais esprit qui régnerait dans l'école chez certains étudiants qui sont en contact fréquent avec certains professeurs. Plusieurs faits, si anodins que je ne perdrai pas de temps à vous les redire, furent soulignés. Le plus grave fut celui des briseurs d'élection. Alors vous imaginez... »

« Vous voulez dire Auclair et compagnie et leur campagne pour inciter les étudiants à ne pas voter à l'élection du président de l'école ? »

« C'est cela. Et on a soutenu que ces actes de rébellion contre l'autorité sont encouragés et même provoqués par certains enseignants soucieux de leur popularité et manquant de solidarité envers leurs collègues. »

« Bon, voilà que ça sent ce qu'on m'a fait subir l'an passé. Vous savez, ce fameux rapport d'appréciation dont je vous ai déjà parlé ? »

« Justement, quelqu'un a mentionné le fait en fin de réunion. Car au début, on ne citait pas de noms ; les efforts portaient surtout à donner du relief à la situation dans l'école afin d'en faire ressortir la gravité. »

« Y a-t-il eu consensus ? Bien sûr, vous exceptée ? »

« Quant au mauvais esprit, oui. Cependant, lorsque votre nom fut cité comme principal agitateur, il n'y eut que le professeur d'histoire et le principal-adjoint pour émettre des commentaires. Les autres se sont abstenus.

Mais la chose remarquable dans tout cela, c'est que la porte avait été ouverte par monsieur l'aumonier car, après coup, je me suis rendu compte que c'était lui qui avait mené toute l'affaire. Oh! discrètement et subtilement, mais c'était lui quand même!»

«Quoi? Rodrigue Tanguay? Vous n'êtes pas sérieuse?»

«Tout à fait sérieuse! Et croyez bien qu'il manipule avec une main de maître, au nom de la solidarité et aussi au nom du bien des étudiants. Il se sert de son charme naturel et de son prestige de prêtre. Il a bien affiché de la grandeur d'âme au départ en refusant de nommer quelqu'un — ce qui a ajouté à sa crédibilité — mais lorsque les cerveaux furent suffisamment lavés, au nom de la jeunesse, il s'est déclaré forcé de citer des noms.»

Alain hocha la tête, attristé.

«Je vous crois, mais je n'arrive pas à le croire. Je parle souvent avec lui et je n'ai jamais senti qu'il désapprouvait ma conduite. Je comprends maintenant pourquoi mon dossier fut si chargé l'an dernier; ce fut sans doute grâce à ses bons offices. Pourtant, je lui aurais donné l'absolution sans confession. Qu'a-t-il donc à gagner par un tel agir?»

«Peut-être protège-t-il ses propres intérêts? Sa conduite avec les jeunes, qui n'a pourtant, à nos yeux, rien de répréhensible, chatouille-t-elle un certain conservatisme des autorités et s'en défend-il en détournant l'attention dans une autre direction? Remarquez qu'il ne s'agit là que d'une hypothèse qui vaut ce qu'elle vaut.»

«C'est possible! Quelqu'un a-t-il émis des objections aux choses agréables que l'on disait à mon endroit?»

«Il me faut avouer que les sympathies ne vous étaient vraiment pas acquises. Quant à moi, j'ai demandé que l'on vous donne l'occasion de plaider votre propre cause devant le conseil, mais, sous prétexte de vous faire le moins de tort possible, il fut décidé de remettre le cas entre les mains de la sœur principale qui, dit-on espérer, userait de sa diplomatie naturelle afin de vous faire rentrer dans le rang.»

Visage contrefait, cœur battant, Alain marmotta: «Je n'en reviens pas!»

«Oh! remarquez bien que la démarche de monsieur Tanguay fut très insidieuse et qu'il m'a fallu y réfléchir globalement, après coup, comme je vous le disais, pour me rendre compte que vous n'auriez pas du tout été cloué au pilori sans son habile manipulation. Par contre, la malhonnêté fut par la suite générale et je n'ai pas voulu y souscrire en me taisant. Voilà pourquoi je vous en parle.»

«J'étais encore sur le point de me poser des questions sur les motifs de leur attitude, mais à quoi bon? Il ne me reste plus qu'à ranger tout cela dans un recoin de mon âme...»

«Vous adoptez l'attitude sage que je prévoyais. J'ai pensé me taire pour vous éviter des tracas, mais j'ai fini par penser que vous en sortiriez grandi.»

«Je ne suis pas près de vous oublier, Josette. Comment vous, une étrangère...» Il prit un peu de café. «Vous qui pouvez porter un jugement de l'extérieur, croyez-vous que c'est dans la mentalité québécoise d'être couillon?»

«Vous dites?... Ah! oui, je comprends! Ah! vous savez, le fair-play n'a pas de frontières ni la sournoiserie non plus.»

Avec grâce, elle porta sa tasse à ses lèvres et but.

Alain regarda la jeune femme comme s'il ne la voyait pas, comme si son esprit voguait très loin. Il parla avec nostalgie: «Dire que dans un mois à peine, vous retournerez en France. Comme j'aurais aimé vous connaître plus... et autrement. Je veux dire ailleurs qu'ici. Si cela avait été possible...»

Elle pencha la tête sur le côté, sembla réfléchir très profondément. « Je dois vous reprocher une chose, Alain. »

« Allez, allez, nous ne nous sommes jamais disputés. »

« Vous ne prenez pas le temps de vivre. Vous courez sans arrêt entre votre domicile, l'école et la station de radio sans compter les soirées d'étudiants et les activités para-scolaires auxquelles vous participez. À ce rythme, vous vous détruisez vite sans avoir eu votre part. Dans un monde où chacun cherche à sauver sa peau, vous perdez la vôtre. Au fond, rien ne vous oblige à vous battre autant pour les autres. »

Il crut deviner ce que cachaient ces paroles et risqua : « Nous aurions pu nous connaître mieux... mais il n'y avait pas que le temps, il y avait aussi... votre mari... »

« Mon mari est fort compréhensif, vous savez. »

« Je l'ignorais. »

« Vous n'avez jamais cherché à le savoir non plus. »

« Mais puisqu'il est votre mari, je présume... Que voulez-vous dire par compréhensif ? »

La porte s'ouvrit. Elle ne put répondre. Le principal-adjoint vérifia le contenu des distributrices automatiques. D'un sourire double, il salua Josette et Alain. Puis il quitta, croisant des professeurs qui vinrent s'asseoir près du couple d'amis.

La conversation se refroidit en même temps que le café.

●

1969-1970

« Viviane, tu sais ce que je reçois par la poste ? Une lettre du directeur du personnel enseignant de la commission scolaire. Ma demande de transfert à la polyvalente de St-Maurice est acceptée. »

« Tu devais t'y attendre, » répondit-elle distraitement. Elle s'affairait autour d'une montagne de viande déjà découpée par le boucher, mais qu'elle partageait en portions individuelles et emballait dans des sacs de polythène. Elle et une belle-sœur avaient acheté un bœuf entier qu'elles s'étaient divisé selon les goûts de chaque famille.

« Mais je ne t'ai pas dit la meilleure. » Allongé sur le divan du salon, en tenue légère, il lisait en ricanant. « Viens ici pour entendre cela, » cria-t-il.

« Je t'entends d'ici, » répondit-elle sur le même ton.

« C'est la photocopie d'une lettre qui lui est parvenue de la part des trois directeurs de l'école St-Esprit. Écoute bien, je vais la lire. Cher monsieur, pour les raisons mentionnées dans la présente, nous vous recommandons et vous demandons instamment de retrancher monsieur Alain Martel de la liste du personnel attaché à l'école St-Esprit. Cet enseignant n'a pas l'esprit de solidarité professionnelle et cela au détriment de ses collègues. Il exerce une influence néfaste sur les étudiants et montre des attitudes négatives envers les règlements et les autorités de cette école. Après maints avertissements, il passe outre à certaines règles établies par la commission scolaire, particulièrement celle concernant les arrivées et départs, n'avisant jamais la direction de ses allées et venues en dehors de l'horaire régulier. Saisi de son cas, le conseil des professeurs ne s'est pas prononcé et s'en est remis à notre jugement et à nos décisions. Notre conclusion unanime est la suivante : nous vous conseillons et vous prions de trouver à monsieur Martel une tâche ailleurs que dans cette école. Nous vous prions etc... etc... Et c'est signé par les trois directeurs. Qu'est-ce que tu penses de ça ? »

« Après tout ce qui s'est passé cette année, il fallait que tu t'y attendes. »

« Tu veux que je te dise ? Cette lettre est le plus grand aveu de faiblesse que j'ai jamais lu de toute ma vie. Ils disent que le système d'éducation vise l'épanouissement individuel et quand une personne veut fonctionner selon ses propres normes, et se passer de leurs règles tatillonnes, ils guillotinent. Ils ne voient aucune valeur dans les gens qui ne pensent pas comme eux et qui refusent leur moule. »

« Alain, toi qui parles souvent de socialisme, tout en admettant que je ne comprenne pas grand-chose là-dedans, n'est-ce-pas ainsi que ça se passe dans ces pays-là ? Je veux dire que, des individualistes comme toi, ne s'en passent-ils pas, eux aussi ? Dans ces pays, n'est-ce-pas tout le monde égal, tout le monde dans le même moule, une pensée imposée à tous... sinon on coupe le cou d'une façon ou de l'autre à ceux qui ne sont pas d'accord ? »

« Qu'est-ce que tu dis, Viviane ? Viens donc au salon, je t'entends mal... »

« Je n'ai pas le temps, » protesta-t-elle. « Je n'ai que ma journée pour préparer ma viande, faire le repassage et finir mon sarclage dans le jardin. »

« Ils disent que je ne tiens pas compte des directives sur les arrivées et départs. Ce règlement n'est qu'une façon de nous faire fléchir le genou devant messieurs les directeurs. Ils nous prennent pour des enfants. Plutôt de nous juger sur notre travail, ils nous jugent selon l'horloge. Leurs capacités cérébrales ne leur permettent sans doute pas de faire autrement. Ils disent qu'ils veulent humaniser l'école et agissent comme si c'était une usine. Ils oublient de signaler toutes ces soirées que j'ai passées à enregistrer toutes sortes de choses pour celui-ci, celui-là... »

« Peux-tu venir et descendre un plat de viande au congélateur dans le sous-sol ? C'est trop lourd pour moi. »

Il s'amena, sa lettre à la main.

« J'espère que la direction de la polyvalente sera moins stupide. À quel bout du congélateur veux-tu que je mette tout ça ? »

« D'un bout ou l'autre, mais ne dépasse pas la moitié. Il faut que je garde de la place pour mes légumes à l'automne. »

●

Viviane avait passé une partie de la journée à équeuter et blanchir des haricots jaunes. La dernière chaudronnée fumait sur le poêle.

Alain arriva en trombe, comme c'était son habitude en fin d'après-midi. Sitôt dans la maison, il ouvrit la porte du réfrigérateur afin d'y prendre son souper : habituellement deux sandwiches et un fruit. Mais ce jour-là, il n'y avait pas de sac. Il referma la porte et soupira. « Je dois être à la station de radio dans quinze minutes et je n'ai rien à m'apporter à manger. »

« Je me fiais qu'il te restait trois quarts d'heure, comme toujours. Je me dépêchais de finir les haricots. »

Il grimaça.

« Bon, ça va, je t'en prépare, » fit-elle avec un filet d'impatience dans la voix.

Il consulta sa montre. « Laisse faire, je n'ai pas le temps. »

« Tu ne partiras pas sans ton souper. Assieds-toi ; dans dix minutes, ce sera prêt. »

Il marcha nerveusement, grommelant : « Je travaille de huit heures du matin à minuit le soir, sept jours par semaine. Je n'ai pas le temps de m'occuper aussi des repas... »

D'un ton retenu, elle répondit : « Alain, j'ai blanchi des haricots toute la journée à travers les autres travaux et, en guise de remerciement, je récolte des reproches. C'est décourageant d'être une femme dans la vie. »

Il haussa les épaules. « Elles sont bien à plaindre les femmes !.. Et puis, je n'ai pas à te remercier pour le travail que tu fais, pas plus que je ne te demande des remerciements pour le mien. Dans la vie, à chacun ses responsabilités. »

Elle ne répondit pas et entreprit de préparer le lunch. « Moutarde et laitue ? »

« Au diable la moutarde ! Fourre-moi tout ça dans un sac et ça presse ! » Il finit lui-même d'emballer les sandwiches et sortit aussitôt en claquant la porte.

Ce soir-là, il se coucha fourbu. Viviane aussi.

« Je m'excuse pour ton lunch, si j'avais su que tu étais si pressé... » fit-elle.

Il l'interrompit : « N'en parlons plus. J'étais un peu nerveux aujourd'hui. Tu sais, la première semaine d'école, c'est toujours plus stressant... S'habituer à une nouvelle bâtisse, un nouveau groupe d'enseignants, de nouveaux étudiants. Commencer avec un mois de retard, ça n'aide pas non plus. »

« Comment est la principale ? »

« La vieille sœur ? À date, je ne lui reproche qu'une seule chose et c'est qu'elle soit religieuse. À force de me faire manger de la merde, les sœurs et les prêtres ont développé en moi un préjugé contre eux. Ce qui est certain, c'est qu'elle ne me marchera pas sur les pieds. »

« Tu devrais faire plus attention qu'à l'école St-Esprit. Tu t'attires des ennuis pour rien. »

« Alors quoi ? Ramper ? Faire des courbettes ? Jamais ! Je respecte les autres, que les autres me respectent ! »

« On dit que cette religieuse a un faible pour les hommes... »

« Elle peut même en perdre connaissance si elle veut, quant à moi ! Elle pèse dans les deux cent cinquante et sa barbe est plus forte que la mienne. Elle marche balourde, les bras ballants. »

« Elle est barbue ? »

« Je pense bien ! Hirsute comme une clôture de barbelés ! Je me demande si elle se sert d'un grattoir ou bien d'un Philishave à têtes flottantes ? »

« Tu ne devrais pas te moquer ainsi. »

« Des farces, rien qu'entre nous deux ! Ça ne lui enlève pas ses qualités... si elle en a. As-tu fini tes haricots ? »

« Au complet. Mon congélateur est maintenant rempli : viande, légumes, fruits, compote, confiture. Nous sommes prêts pour l'hiver. »

Pendant quelques minutes, ils ne se parlèrent pas. Alain se mit à somnoler et à rêvasser. Il vit un homme préhistorique revenant à sa caverne où l'attend une femme à barbe au regard agressif. L'homo sapiens fait comprendre par grognements à sa femelle qu'il n'a rien pu rapporter de la chasse. Elle lui répond, par grognements, qu'il est mauvais chasseur et que si la situation perdure, elle l'enverra vivre dans une autre caverne. L'homme se retourne et Alain reconnaît Rodrigue Tanguay.

« Plus je suis fatiguée, plus j'ai envie de faire l'amour. »

Alain sursauta. « Quoi ? » dit-il.

« Je suis morte de ma journée et j'ai une plus grande envie que d'habitude de faire l'amour. »

« Ce n'est pas le cas de toutes les femmes. Il paraît même qu'une bonne partie d'entre elles misent sur la fatigue pour éviter l'acte conjugal. »

« Qu'en sais-tu ? »

« Oh ! par des lectures..., » hésita-t-il.

« J'aimerais jeter un coup d'œil sur tes revues. Pourquoi ne les apportes-tu pas ? »

« Ce n'est pas le genre qu'on peut laisser traîner à la maison. Tu ne les aimerais peut-être pas. »

« Parce qu'il y a des photos de femmes nues dedans ? »

« Bien... assez souvent... Mais ce n'est pas ce qui m'intéresse, » finit-il par ajouter avec empressement.

« Alors pourquoi ne les apportes-tu pas ? »

Cette ouverture d'esprit inattendue le stimula et, dès qu'elle le toucha, il lui en donna plein la main. Simultanément, l'idée lui était venue de lui demander qu'elle participe à l'amour oral. Quand les attouchements furent plus passionnés, il lui dit : « Tu aimes quand je te caresse avec ma bouche comme maintenant ? »

« Beaucoup, » fit-elle.

« As-tu l'impression que je me dégrade en le faisant ? »

« Pas du tout et je n'ai jamais eu cette impression. »

« Je me retiens depuis longtemps de t'en parler. Aurais-tu des objections à faire la même chose pour moi ? Cela te répugnerait-il ? »

« Je désirais le faire depuis longtemps, mais je n'osais pas. »

« On y va ? »

« D'accord. »

●

L'année scolaire fut emballante pour lui. Tout était nouveau, tout était à essayer, à expérimenter.

Néanmoins, le mécontentement fut général dans la nouvelle école. Pour l'un, le matériel audio-visuel n'arrivait pas assez vite. Pour l'autre, la carence de volumes de bibliothèque était intolérable. La plupart critiquaient leurs horaires. Certains disaient de la répartition des locaux qu'elle n'était pas fonctionnelle. D'autres en voulaient à la fréquence des interventions via le système d'intercommunication. Presque tous se plaignaient de retards chroniques dans leurs programmes scolaires.

L'insatisfaction était la seule forme d'unanimité dans la polyvalente. Sauf une minorité dont la principale et Alain Martel, tous maugréaient.

Sœur Jeanne était partout. À trois minutes d'intervalle, elle commandait des aiguilles pour l'atelier de couture et donnait des directives aux ouvriers de la construction qui parachevaient une aile de la bâtisse. Son goût inné des choses matérielles marié à une indomptable énergie faisaient d'elle une organisatrice de première force.

Alain se demanda quelle inspiration avait pu, d'aventure, amener les dirigeants scolaires à la choisir comme principale de la première école polyvalente de tout le territoire. « Un coup de chance comme en ont parfois ces administrateurs à l'aveuglette, » avait-il répondu.

Sœur Jeanne appliquait avec discernement les directives venues d'en haut et tenait compte du mieux que les circonstances lui permettaient, de la personnalité de chacun des enseignants. Voilà pourquoi, l'on ne tarda pas, de toutes parts, à crier à l'injustice. Et le mouvement devait s'amplifier jusqu'à conduire, deux ans plus tard, à la démission, fortement conseillée par la commission scolaire, de la religieuse.

Chez les étudiants, dans tous les secteurs de la vie de l'école naquirent des projets, prirent forme des initiatives: l'ingéniosité, la créativité fusaient de partout. Pour Alain, ce milieu d'insécurité était le ciel. Pas de sclérose, mais du mouvement perpétuel. Et pour sœur Jeanne, c'étaient, beaucoup plus que leur ensemble, des centaines de petits défis journaliers à relever.

Alain appliqua une nouvelle démarche pédagogique et reçut l'appui et l'encouragement de la religieuse. Cependant, une fois par quinzaine, ils se disputaient quant au règlement relatif aux allées et venues en dehors des cours, que, par principe, il n'avait jamais voulu respecter, arguant qu'un éducateur devait être plus autonome et jugé sur des critères plus sérieux, moins quantitatifs que l'horloge. Tous deux finissaient toujours par en rire, sitôt qu'après l'exposé de ses théories, il promettait de s'amender.

Sœur Jeanne utilisait la force que lui donnait son titre et son autorité pour casser des collusions naissantes ou pour contrer des mesquineries qu'elle jugeait trop publiques. Elle payait, à même son salaire, le dîner de plusieurs étudiants démunis et parmi lesquels des profiteurs. Ses propres deniers servaient souvent aussi à l'achat d'équipements sportifs ou électroniques utilisés par les étudiants. Alain avait appris toutes ces choses à travers les ragots scandalisés de certains enseignants qui ne digéraient pas qu'elle puisse gâter autant les jeunes.

Inquiet de savoir si son approbation de sœur Jeanne dans sa rigidité envers certaines personnes n'allait pas chercher en lui-même à une motivation semblable à celle qui avait poussé l'abbé Tanguay et compagnie à le couler à l'école St-Esprit, il ne trouva pas mieux que de piquer au vif la vieille sœur. Lors d'une conversation, il lui reprocha son favoritisme, ce à quoi elle répondit par des mots aussi simples que secs.

« Monsieur Martel, quand quelqu'un cherche davantage à détruire qu'à construire, je lui sers des taloches, si je le peux. »

« Vous ne m'en avez pourtant jamais servi... Si je me fie au nombre de claques que j'ai reçues ailleurs, il ne fait pas de doute que je dois en mériter ici également. »

« Monsieur Martel, vous êtes impulsif, entêté, insoumis, disputeur et bien d'autres choses encore, mais vous bâtissez autant à vous seul que deux personnes à tempérament docile qui, le plus souvent, s'endorment dans leur confort et leur sécurité. »

« Arrêtez, vous m'intimidez, » fit-il avec un rire mal contenu. « Tiens, je vais aller plus loin. Si je vous disais que je ne pratique aucune religion depuis plusieurs années, que j'aime beaucoup la sexualité, que je crois au divorce, que j'ai des préjugés contre les prêtres et les religieuses... »

Elle l'interrompit : « Vous savez, à mon âge, et de la façon dont j'ai été éduquée, je serais mal placée pour vous juger sur ces choses. Vos convictions religieuses ne regardent que vous. Et vous me faites rire avec vos prétendus préjugés. Je n'en crois pas un mot. Notre conversation prouve que vous n'en avez pas. D'ailleurs, vous doutez trop et vous cherchez trop pour être un homme à préjugés. Cette maladie n'atteint que les gens qui ont toutes les réponses aux questions... »

Décontenancé, il balbutia : « Je n'ai jamais reçu autant de fleurs en si peu de temps et cela m'intimide. Je n'étais absolument pas venu pour cela... »

« J'essaie de donner à chacun ce que je crois être son dû, » dit-elle.

« Vous ne croyez donc pas à l'égalité pour tous ? Pourtant, n'êtes-vous pas en communauté ? »

Elle pouffa : « L'égalité pour tous ? C'est de la blague ! Je n'ai jamais cru à cela. Des personnes sont faites pour posséder plus, d'autres moins. Moi qui vous parle, j'ai un budget personnel minime. »

Ce fait connu de tous alimentait bien des railleries.

« Pourtant, vous brassez pas mal d'argent, » fit-il.

« J'administre cette école et, dans ma communauté, il me passe par les mains plus d'un million de dollars par année. Et je suis loin de consacrer la moitié de mon salaire à des dépenses personnelles. Je ne dis pas ça pour me vanter. Je ne demande pas non plus que les autres fassent la même chose. Chacun a sa personnalité. Vous, par exemple, même sans famille, vous ne pourriez pas vivre avec mon budget. Vous êtes plus porté vers les vêtements, les grosses voitures... »

Alain sourit. Il avait souvent fait monter la religieuse avec lui, l'emmenant à St-Grégoire après les cours, en fin d'après-midi. Il redevint vite sérieux.

« Ne me dites-pas que vous approuvez le gaspillage des riches ? »

« À quel moment commence le gaspillage ? Qui va le déterminer ? Vous ? Moi ? Les politiciens ? Les chefs syndicaux ? Le gaspillage de l'un n'est-il pas la misère de l'autre ? Gaspiller, est-ce rouler Cadillac ou manger deux fois plus que ses besoins naturels. C'est peut-être aussi gaspiller sa santé et son argent en fumant comme vous le faites ? La moitié de ce que vous avez est du gaspillage aux yeux de celui qui n'a que la moitié de ce que vous avez... »

« Me voilà encore à parler de ces choses et pourtant, j'en ai un peu moins le goût, » dit-il songeur.

« Il n'y a pas que les choses matérielles dans la vie, monsieur Martel ; vous êtes assez intelligent pour savoir ça. Elles ne sont bonnes qu'en autant qu'elles restent accessoires sans devenir des buts à poursuivre. Comme on dit : il faut manger pour vivre et non vivre pour manger. »

« Oui, mais pour faire ce qu'on veut, il faut de l'argent. »

« Monsieur Martel, si vous voulez vraiment faire quelque chose, vous avez de bonnes chances d'y arriver... je ne parle pas de choses utopiques. »

« Ce que vous pouvez donc parler comme un certain livre américain que j'ai déjà lu ! Ah oui ! quand on veut arriver, on le peut, mais à quel prix ? Tricher ? Ramper ? Ou combiner les deux ? »

« N'êtes-vous pas satisfait de ce que vous faites dans la vie ? »

« Cette année, je suis assez heureux parce que dans cette école, ça bouge. C'est un peu comme de partir en voyage : les préparatifs et le départ constituent l'étape la plus emballante encore qu'un voyage réserve des imprévus en cours de route. Mais qu'adviendra-t-il ici, quand chacun aura trouvé sa petite place et sera confortablement installé dans ses petites habitudes. »

« Mon cher monsieur, nous sommes de la même trempe ; il nous suffira d'aller plus loin, ailleurs... toujours plus loin et toujours ailleurs... »

« Facile à dire et à faire pour vous ! Vous êtes seule dans la vie et vous avez un certain pouvoir entre les mains. »

« Je pense que vous avez entre les deux oreilles tout ce qu'il vous faut pour vous en sortir... »

Alain sourit, se leva, dit d'un air gauche : « L'on ne m'a jamais autant fleuri qu'aujourd'hui et pourtant, j'étais venu avec des arrière-pensées sinon méchantes, du moins un peu agressives. Ceux qui diront que le crime ne paie pas... »

La vieille sœur se frotta la barbe et dit avec une touche de malice au coin d'un œil et de sérieux de l'autre : « Quand une personne est sincèrement à la recherche d'elle-même, il lui faut souvent se faire dire des choses dures, mais parfois aussi des bonnes. »

Amusé et perplexe, il quitta le bureau, se demandant comment cette femme de régularité et d'habitudes enracinées pouvait, à ce point, juger et accepter les indisciplinés, contrairement à tous les dirigeants qu'il avait pu connaître et qui, tous, recherchaient leur propre image à travers leurs subordonnés.

« L'âge embellit-il les âmes ? » se demanda-t-il.

Dans les semaines qui suivirent, il se mit à l'écoute des vieillards et conçut pour eux une profonde admiration. Il aima leur détachement des biens matériels, leur tolérance, leur écoute des autres, leur amour simple de tout, leur cœur d'enfant mais libre d'égoïsme, et surtout cette aptitude merveilleuse à vivre avec eux-mêmes, avec leurs faiblesses.

•

La rentrée scolaire de septembre 1970 se fit sous de meilleures augures que la précédente pour ceux qui cherchaient une organisation rodée, reposante, sécuritaire.

La religieuse, qui avait essuyé tous les coups de la période organisationnelle, montra, par son laïus d'accueil qu'elle entendait déléguer plus de pouvoirs à son adjoint, un homme sympathique et souple.

Mécontents du bloc inamovible que la principale leur apparaissait, les leaders enseignants s'étaient tournés vers l'adjoint, Lucien Rouillard, avec qui une complicité tacite s'était forgée. L'homme était trop loyal pour critiquer la sœur, mais trop opportuniste pour se taire. Alors il laissait échapper des sourires, des silences, des gestes à peine esquissés, des haussements d'épaules et des hochements de tête qui parlaient sans le compromettre. Sa façon d'accueillir les confidences et doléances avait assuré la montée de sa popularité, tandis que celle de la religieuse avait proportionnellement décliné.

Alain et lui, de vieilles connaissances, s'étaient bâti, tout au long des années, plusieurs ponts. Leur plus solide : des aveux de faiblesse. Comme s'ils s'étaient glorifiés des contraires! Alain s'amusait des ambitions de Lucien et celui-ci souriait à l'esprit frondeur de celui-là. Tous deux avaient tenté de nombreuses fois, mais en vain, de cesser de fumer et ils s'en parlaient régulièrement. Leurs motivations respectives n'avaient pourtant aucune similitude: Lucien le voulait pour l'argent sauvé, Alain pour se libérer d'un esclavage. En tout, le pragmatisme de l'un s'opposait à l'idéalisme de l'autre.

« Sans doute pourrions-nous former une solide équipe comme celle de la foire agricole, si le système ne nous plaçait pas de chaque côté d'un mur, » se disait souvent Alain. « Pourquoi donc les hiérarchies doivent-elles être aussi anémiques, chacun recherchant en ses collaborateurs d'autres lui-mêmes plutôt de viser une complémentarité qui risquerait pourtant d'être bien plus féconde. »

Il réfléchissait à ces choses après le discours de la principale, juste avant la présentation par Rouillard des nouveaux enseignants de l'école.

Assis dans l'auditorium depuis plus d'un quart d'heure, les professeurs n'avaient bougé que pour applaudir copieusement à la mini-délégation de pouvoirs de la sœur. On avait hâte maintenant d'entendre le discours de Rouillard afin de connaître le ton de la nouvelle année.

« Après sœur Jeanne, j'ai, à mon tour, grand plaisir à vous accueillir dans cette école, vous de l'équipe chargée de mener à bon terme cette année scolaire qui, nous l'espérons tous, sera moins mouvementée que la précédente, » dit le principal-adjoint.

Des murmures fusèrent des quatre coins de l'assistance. Rouillard avait misé juste. Il poursuivit avec un sourire de satisfaction: « Pour mettre tout le monde dans le bain (entre parenthèses, un bain ne serait pas de trop avec la chaleur qu'il fait aujourd'hui...) »

Les nouveaux rirent de bon cœur; les anciens sourirent calmement; les vieux de la vieille, ceux d'une dizaine années d'expérience ne bronchèrent pas d'une ligne. Rouillard s'épongea le front.

« ...nous allons connaître ceux et celles qui viennent enrichir notre équipe cette année. En effet, douze nouveaux enseignants se joignent à nous. Chacun, à l'appel de son nom, est prié de bien vouloir se lever. Au hasard de ma liste, en sciences, André Beaudoin. »

L'homme se leva, salua d'un petit geste de la main. Grand, moustachu, cheveux minces, trente-deux ans environ... Alain ne put le détailler davantage; Rouillard poursuivit:

« Également en sciences, Charles Goulet qui nous vient de l'école St-Esprit. »

« Tiens, Goulet a été transféré à son tour, » pensa Alain.

Impassible, l'homme au teint cadavéreux se rassit aussitôt.

« En catéchèse, une jeune demoiselle de Belleville: Denise Martel. »

Souriante, la jeune femme se leva à son tour. Elle hocha la tête vers l'assistance et multiplia son sourire.

« Nous sommes peut-être parents, » se dit Alain, songeant que son grand-père originait aussi de Belleville où abondaient les Martel.

« En français, de St-Gilles, Henri Rodrigue. »

●

Alain emprunta le large escalier en forme de L. Au palier, entre les deux étages, il croisa Denise Martel. Il fit le geste de poursuivre sa route, mais elle l'accrocha de son sourire généreux.

« Je voulais toujours vous dire : vous portez un nom que j'aime bien, » fit-il en guise de salutation.

Elle pouffa : « Je pense que vous êtes le seul professeur à qui je n'ai pas été présentée au cours du mois. Mais on m'a dit que c'était vous la voix charmeuse des ondes en fin d'après-midi. »

Il ne sourcilla pas, comme si le compliment lui avait glissé sur le dos. Il poursuivit : « Mes ancêtres originaient de Belleville ; il se pourrait que nous soyons parents... Comme on dit : au moins de la fesse gauche. »

« Facile à savoir, de quelle lignée êtes-vous ? »

Il comprit qu'elle faisait allusion aux sobriquets de famille largement répandus par tout l'Etchemin, et qui servaient aux gens à démêler leurs liens et à évaluer en gros leur consanguinité.

« Les Babette, » dit-il.

« Et moi les Patoche. »

« Ce qui veut dire ? »

« Que si nous sommes parents, c'est de la troisième fesse gauche. » Elle éclata d'un long rire cristallin, plein, enfantin, communicatif, qu'Alain entendit résonner jusqu'au fond de son âme.

La voix plus légère, il demanda : « Professeur de catéchèse ? »

« Fraîche émoulue de l'école normale. »

« Mais pas trop fraîche, j'espère ? »

« Non, non, non, non, » répondit-elle avec un débit si rapide que les n se croisaient.

« Comment aimez-vous le métier ? »

« Énormément ! Je suis véritablement emballée ! »

« Tant mieux ! J'aimerais que votre enthousiasme soit communicatif. »

« Vous enseignez depuis longtemps ? »

« Dix longues années, » jeta-t-il laconiquement.

« Autant que ça ! Vous avez pourtant l'air jeune. »

« Mais je le suis, ma chère demoiselle. Voyez-vous, j'ai commencé dans le métier à l'âge de onze ans, ce qui me donne... voyons... attendez... vingt, dix-sept, vingt-huit ans. » Ils sourirent.

Elle interrogea : « Et l'enthousiasme diminue ? »

« On se rassit, en vieillissant... Comme du pain quoi ! L'an dernier, ici, j'ai bien aimé cela. Mais cette année, l'atmosphère est trop au beau fixe pour que ça ne m'ennuie pas. Il manque de vie. »

« On dit que l'an passé, ce fut une année de fous... » Elle se mit aussitôt la main sur la bouche. « Je voulais dire très mouvementée... »

Il coupa : « Ne vous excusez pas puisque c'est une opinion qu'on vous a dite. En effet, ce sont bien les mots qui, dans l'esprit de plusieurs, servent à qualifier l'année dernière. Quant à moi, j'ai bien aimé. L'action n'a pas fait défaut. Il y a eu le retard d'un mois au début, le rodage de tout, les pertes de temps et malgré cela, les résultats furent excellents. Ce qui prouve qu'en enseignement, ce n'est pas la quantité qui compte. »

« Comme dans tous les domaines. »

Il leva les yeux, prit un air de réflexion. « Sans doute qu'en usine, un déplacement de l'accent de la productivité vers la qualité aboutirait au désastre, mais nous ne sommes pas dans une usine. Et pourtant, ici, sur les pressions de la majorité, on est en train de faire un retour vers la productivité, ce qui est le cas, paraît-il, dans les polyvalentes un peu partout au Québec. Vous voulez une prophétie de malheur ? Je crois que ce système d'éducation à écoles polyvalentes va royalement manquer ses objectifs et que le jour où l'on s'en rendra compte, on va continuer de blâmer les bâtisses, les choses matérielles... Au lieu de grosses écoles, il aurait d'abord fallu rebâtir en profondeur toutes les têtes, depuis le simple enseignant jusqu'au ministre. Les têtes d'abord, les bâtisses après. Pour ma part, je n'ai jamais senti autant de créativité chez les jeunes et chez les enseignants qu'en cette fameuse année où j'ai enseigné dans un vieux couvent construit en 1918 et n'ayant rien de fonctionnel. Tout était à créer, donc la créativité pouvait s'exercer... »

« Vous êtes contre le modernisme ? »

« Ah, mais non ! Encore faut-il que ceux qui l'utilisent aient l'esprit de le faire. Et voilà justement le nœud du problème : ce modernisme qui eût dû rester accessoire, ce qui lui aurait conféré une énorme valeur, est en passe de devenir l'essentiel. Toutes ces choses matérielles que l'on court le ventre à terre ne sont utilisées que pour instruire plus et plus vite. On veut bâtir des cerveaux à la chaîne. Les gadgets visent le rendement alors qu'ils ne devraient être que des aides à des expériences de vie vécues par les étudiants eux-mêmes. »

Denise plissa le front. « Je pense que la principale n'est pas fameuse, n'est-ce-pas ? »

« À mon avis, elle est excellente. Elle est matérielle mais parfaitement consciente que le matériel est accessoire. Elle a pourtant dû se retirer psychologiquement. »

« Et monsieur Rouillard ? »

« Il aurait la souplesse... Mais la vague étant ce qu'elle est : surconsommation, quantité, productivité, esprit de compétition... Alors il penche du côté du vent. »

« Curieux comme vous ne parlez pas comme les autres. »

« Vous savez, je suis un peu dérangé sur les bords. »

« J'aime bien entendre des opinions différentes de celles de la majorité. »

« Ah oui ? Alors parlons donc de relations humaines. »

« J'ai si peu d'expérience dans ce domaine-là également ; je vous écoute. »

Il pérora longuement sur l'amour, le mariage, le divorce, les aventures extra-conjugales, prônant des idées très libérales pour l'époque et le milieu.

Elle contesta plaisamment. « Je veux m'en tenir à la conception traditionnelle, » finit-elle par dire avec hésitation.

« C'est que vous êtes sans doute fiancée. »

Elle obliqua la tête comme si elle se posait la question pour la première fois. « Pas loin, » dit-elle.

« Alors il vaut mieux que je vous laisse à vos illusions, » fit-il en consultant sa montre.

« Malgré mes illusions, c'est très intéressant de discuter avec quelqu'un qui a beaucoup réfléchi. »

« À mon âge, vous aurez sans doute parcouru bien plus de chemin que moi. Vous serez peut-être divorcée. »

« Il faudrait que je commence par me marier. »

« Ah, mais ça viendra très vite ! Vous avez le sourire pour en séduire plus d'un. »

Elle rit haut et clair.

« Là-dessus, je vous quitte, » dit-il en clignant de l'œil. « Il me reste à peine cinq minutes pour préparer mon prochain cours. »

« Nous en reparlerons, » dit-elle sémillante.

« Ça me fera plaisir ! »

Sur le chemin de son bureau, Alain toisa l'image que la jeune femme lui avait laissée. Type châtain clair, teint pâle, front large, nez légèrement dévié, cheveux longs et sans éloquence, seins louds. « Plutôt ordinaire, » pensa-t-il. Et il se dit qu'il ne ferait pas l'amour avec elle, mais il se ravisa, pensant avec un petit air perfide qu'une telle poitrine vaudrait bien la peine d'une exploration.

Mais cette pensée disparut bientôt, effacée par la chaleur du sourire de la jeune personne. Il finit par penser qu'il aimerait qu'elle soit l'une de ses sœurs.

•

Ces jours-là, le sujet de conversation occidental était le double enlèvement de l'attaché commercial britannique à Montréal et du ministre québécois du travail, suivi de l'assassinat de ce dernier.

À la cafétéria des enseignants, à la polyvalente de St-Maurice, chacun y allait de son commentaire, ce midi-là encore.

« C'est tout un manque de jugement d'avoir tué Laporte ; ils ont sabordé leur affaire, » dit Serge Poulin.

« Il fallait s'attendre à des choses du genre avec des régimes politiques comme ceux que nous avons, » rétorqua Charles Goulet.

« Mais de là à tuer, il y a toute une marge, » d'ajouter Denise Martel.

« Quand on pense qu'on se fait manger la laine sur le dos depuis deux cents ans, il fallait s'attendre qu'un bon jour, un frustré, quelque part fasse sauter quelque chose. Et c'est arrivé, » lança Goulet.

Le quatrième occupant de la table resta silencieux tout le long du repas. Il se contenta d'écouter et de sentir au plus profond de lui-même une sorte de culpabilité incessante.

En fin d'après-midi, à la station de radio, il déchira son dossier à idées marxistes et révolutionnaires. Quand il jeta les morceaux à la poubelle, il se dit tout haut : « Ce pays fournit bien des frustrations, mais il fournit bien des compensations aussi. »

1971

Viviane profiterait d'une visite à sa coiffeuse pour faire un crochet jusque chez sa mère. Elle ne reviendrait pas avant plusieurs heures.

Alain goûta à ce bien-être de se sentir seul et en congé: ni enseignement, ni radiodiffusion, ni soirée à produire de la musique avec son système de son.

Ils iraient défoncer l'année dans un petit bar à la sortie de la ville, comme ils le faisaient chaque trente-et-un décembre depuis qu'ils habitaient St-Grégoire. Mais il avait toute la journée pour se préparer; il l'étirait à flâner et à se parler à lui-même.

« Que sera l'année qui vient? » se demanda-t-il. « Comme celle qui se termine? Ou meilleure? Ou pire? Mais encore faut-il que je me rappelle 1971. À tout prendre, ce fut une bonne année... Malgré que... Tiens, je vais en profiter pour lire mon journal personnel aujourd'hui; ce sera la meilleure façon de faire le bilan. »

Il descendit au sous-sol, grimpa sur un établi et mit la main derrière une poutre. Il en sortit un petit livre format agenda qu'il avait utilisé toute l'année en guise de journal privé. Il retourna au salon, s'affala sur le divan et commença sa lecture des événements des douze derniers mois.

4 janvier

Retour à l'école ce matin. Les vacances furent trop courtes... encore une fois. Malgré que des vacances qui se prolongent m'amènent à tourner en rond. Félix Lemieux pense qu'il aurait été préférable qu'on recommence le trois afin de mettre la journée ainsi gagnée en réserve pour rallonger le congé de Pâques. En 69, il disait qu'il eût mieux valu ne pas recommencer avant le sept. Pauvre Félix: jamais satisfait, mais heureusement, pas trop bruyant...

12 janvier

Sommes allés au salon funéraire hier soir. Les quatre fers en l'air, la tante Alice. Je n'aime pas ça, veiller le corps. Ces yeux que font certains quand ils regardent le cadavre! Est-ce pour s'assurer qu'eux sont bien vivants qu'ils aiment tant le spectacle? Tiens, si j'achetais de l'équipement pour produire des films sonores et en couleurs sur les funérailles... Espérons que l'oncle Darius ne cassera pas sa pipe trop vite. Parce que d'aller au corps, c'est ennuyant à mourir...

24 janvier

Viviane et moi avons fait l'amour cet avant-midi, comme à tous les dimanches. Ce fut très bon... comme d'habitude.

25 janvier

Grosse tempête de neige aujourd'hui. Pas d'école et, comme c'était ma journée de congé à la radio, j'ai pu flâner. Espérons qu'il n'y aura pas d'école demain non plus. Je pourrai finir la construction de mon établi...

26 janvier

Pas d'école encore aujourd'hui, mais j'ai dû pelleter tout l'après-midi. Paraît-il que c'est mauvais pour le cœur quand une personne n'est pas trop en forme. Faudra que je fasse de l'exercice pour me débarrasser de mes trente livres superflues. Plus je travaille, plus j'engraisse; c'est à n'y rien comprendre!

3 février

À l'école, entre mon bureau et celui de l'administration, il y a trois cent quarante-neuf pas. Je les ai comptés aujourd'hui pour la xième fois. Comme je m'endors ce soir ! Il faudra bien que j'aille discuter avec Rouillard la semaine prochaine, malgré que je sais pas mal d'avance à peu près tout ce qu'on va se dire.

12 février

Il s'est raconté des histoires cochonnes comme jamais à la cafétéria des professeurs aujourd'hui. Denise Martel n'est pas trop farouche là-dessus. Faudrait bien qu'une bonne fois, je la tasse dans un coin, celle-là. Peut-être qu'elle ne demanderait pas mieux. Malgré qu'elle soit sur le point de se fiancer.

25 février

Le professeur d'histoire m'a dit sur un ton sarcastique que je lui avais appris beaucoup de choses à mon émission de radio d'hier. Et, comme d'habitude, la guenuche a enrobé sa démolition d'un sourire. Un bon jour, elle l'aura pourtant, sa claque. Dès que tu veux bavarder honnêtement, d'égal à égal, avec des gens de sa trempe, ils se mettent à te traiter de haut et essaient de te monter sur la tête. Petite snob ! Je dois bien avouer pourtant qu'elle me démontre chaque jour mon manque de courage puisque je reste, chaque fois, sur mon envie de lui donner un chien de ma chienne.

23 mars

Suis à la station de radio. J'écoute de la musique américaine et je rédige mon journal personnel... évidemment. Tiens, je remarque que je n'ai pas écrit depuis un mois. Il ne s'est rien passé. Quand y a-t-il des choses intéressantes dans ma vie ? Au fond, en y pensant bien, à tous les jours. J'aime l'enseignement, j'aime la radiodiffusion, j'ai un ménage qui marche. Donc tout va ! Mon compte de banque a atteint mille dollars aujourd'hui. J'ai bien des paiements de maison et d'auto, mais la plupart des gens en plus de ça, ont d'autres paiements et tirent la langue entre chaque paye.

Que ferais-je bien de ces mille dollars ? Les placer à long terme ? Au taux d'intérêt courant, si j'économisais mille dollars par année, dans vingt-cinq ans j'aurais bien un bon cinquante mille dollars de côté. Cinquante-quatre ans, cinquante-quatre mille dollars : intéressant. Mais nous serons en 1996 et que vaudront cinquante mille dollars alors. Probablement pas grand-chose !

Laisser dormir cet argent en attendant ? En attendant quoi ? Peut-être un voyage avec Viviane et Caroline l'été prochain ? Non, il faudrait un plaisir qui dure plus longtemps. Je vais sûrement acheter un lave-vaisselle à Viviane. Même si elle dit qu'elle n'en veut pas. Parfois je me demande si certaines femmes ne se donnent pas volontairement de la misère sous prétexte d'économiser, afin de se montrer plus indispensables. Bon, mais alors, le reste ? Tiens, pour le lave-vaisselle, je ne toucherai même pas au mille dollars ; je prendrai un plan de financement et le paierai sans m'en rendre compte. Et les autres meubles, nous pourrions peut-être les échanger ou en échanger quelques-uns comme chez Claude-Marie ? Mais à quoi cela servirait-il ? Ceux que nous avons fonctionnent bien.

Un petit chalet sur le bord du lac à St-Basile ? L'eau est si polluée qu'on pourrait difficilement s'y noyer... Et avoir constamment la parenté sur le dos... Non.

Un système de son pour le salon ? Bonne idée ! Je peux obtenir les disques au quart du prix de détail par les services de promotion des compagnies. Mais j'y pense, pourquoi pas un gros système ? Très gros. Et faire de la musique de danse ? Paraît que ça se fait partout aux U.S.A. Mais pour que les gens d'ici puissent s'y intéresser, il faudrait d'abord que la mode se répande dans les villes du Québec. Malgré que, grâce à mon travail ici, j'aurais toutes les facilités côté publicité. Triple emploi, les trois risquent d'en souffrir. Je pourrais me faire remplacer ici quand il me faudrait remplir des engagements. Je n'aurais qu'à payer la discothécaire. Je trouverai bien à emprunter de qui marquera pour le système. Je vais aller me renseigner chez le marchand cette semaine. Tiens, voilà que je suis en train de me rembarquer dans le système... Et aussi de faire des jeux de mots pas si drôles que ça...

7 avril

Viviane va certainement fêter mon anniversaire samedi. À moins qu'elle n'attende au souper de dimanche afin de pouvoir le faire chez ses parents, comme elle l'a toujours fait. Est-ce vraiment pour moi ou bien pour le plaisir que ça lui rapporte à elle, qu'elle me fête? Il y aura une chandelle de plus que l'an dernier sur le gâteau, un cadeau difficile à déballer et une photo. Si je lui dis de changer le scénario, elle se fâchera et me dira encore une fois que je ne suis jamais satisfait de rien.

8 avril

Ai fait mettre les pneus d'été avant de me faire arrêter avec les autres à crampons.

22 avril

Ai terminé mon programme sur le Japon aujourd'hui. Ce pays intéresse beaucoup les étudiants. Surtout son aspect humain. Au fond, c'est peut-être qu'il me fascine beaucoup moi-même.

24 avril

Hier soir, ai assisté à un match de hockey entre les équipes de St-Grégoire et Belleville. Bagarre générale. Il fallait s'y attendre. Comment des gens sérieux, voisins de paroisse, peuvent-ils en arriver à se crier tous les noms, à se haïr autant? Réponse à un vieil instinct guerrier? Quelle haine bizarre y a-t-il donc au fond des cœurs pour que l'on en vienne à utiliser le sport comme prétexte à s'invectiver et à se battre? Et, plus il y a de violence, plus il y a de monde! Et moi, que suis-je donc allé faire là?

26 avril

Quelle chaude discussion à la table ce midi! Denise Martel m'a déçu de tant se laisser embarquer avec toutes ces querelles de clochers à propos de hockey. Son opinion des gens de St-Grégoire n'est pas trop favorable; elle a cependant insisté pour me dire, après le repas, qu'ils ne sont pas tous mauvais. Heureusement pour moi! Ça m'aura tout de même donné l'occasion de constater que nos longueurs d'ondes se sont beaucoup rapprochées depuis le début de l'année scolaire. Peut-être est-ce dû au fait qu'elle et son ami se sont laissés? Commence-t-elle à prendre des leçons de la vie? Faut dire qu'elle est moins bornée qu'auparavant. Je lui ai dit qu'un homme n'aime pas moins sa femme parce qu'il a une aventure. Elle a penché la tête, mais elle n'a pas nié. Je lui ai demandé de me donner une seule bonne raison pour laquelle deux êtres qui se plaisent mutuellement ne pourraient avoir de relations sexuelles même s'ils ne sont pas mari et femme. Elle m'a répondu qu'elle était d'accord pour des célibataires... mais pas si l'un d'eux est marié.

28 avril

Quelqu'un m'a fait un coup dans mon bureau à l'école: tiroirs à l'envers, chaise renversée. Je parie que c'est Denise Martel.

29 avril

C'était bien Denise. Par chance qu'elle a ce sourire!

4 mai

Ai pris un associé dans le projet discomobile. Avons fait une tournée d'engagements. Avons contrats suffisants pour nous lancer.

16 mai

Ai demandé à Viviane de changer de recette pour le poulet frit. Elle s'est fâchée, disant que je critiquais toujours ses plats.

20 mai

Le nouveau poulet frit de Viviane n'était pas fameux. Je n'aurais pas dû le lui dire; elle s'est fâchée, me disant que c'était de ma faute si elle avait changé de recette.

27 mai

Avons mangé du poulet frit aujourd'hui. Du poulet à la Kentucky...

21 juin

Ai souhaité de bonnes vacances à Denise Martel et aussi bonne fête. Elle a vingt-deux ans. Je lui ai dit que les natifs des Gémeaux et du Cancer sont ceux qui ont le plus de propension au suicide et que, naturellement, ceux qui sont à cheval sur les deux signes sont des candidats parfaits. Elle a bien ri.

30 juin

Ai reçu le résultat de mon test d'hyperglycémie provoquée. Aucun diabète. Je l'aurais juré! À trois médecins, pas un qui ne pose le même diagnostic. Il a fallu que je me regarde l'orteil en faisant l'amour pour me rendre compte que cette tache foncée doit venir d'un traumatisme causé par l'empiétement du gros sur le suivant.

17 juillet

Noce d'un ancien élève aujourd'hui. Ai produit la musique. On dit qu'elle est enceinte. Et puis après? Ils sont tout de même bien jeunes pour avoir un enfant. Et puis après? Pas plus que nous!

8 août

Viviane et moi n'avons pas pu finir de faire l'amour cet avant-midi. Le téléphone et puis Caroline... Les gens de la foire agricole veulent que je m'occupe de leur publicité cette année. Déjà la septième foire à St-Hubert. Et ça marche de mieux en mieux, m'ont-ils dit. Ils ont gardé les mêmes structures...

7 septembre

Une autre année scolaire qui démarre. Aurais-je dû demander pour enseigner autre chose que la géographie? Toujours la même matière, ça devient... Pouah! ça crée moins de problèmes ainsi!

Denise Martel avait le visage drôlement rouillé. Je lui ai demandé si elle avait perdu sa virginité au cours de l'été. Elle a bien ri.

15 septembre

Viviane a-t-elle entendu dire que je parlais souvent avec Denise? Elle a curieusement posé bien des questions sur elle aujourd'hui. Je lui ai dit ce que je pense: que Denise n'est pas une beauté, mais qu'elle compensait par de belles qualités morales. Je pense qu'elle est restée sceptique. J'espère bien qu'elle ne mettra pas la main sur ce journal. Elle a tendance à fureter dans mes affaires. Si je le laisse caché au-dessus de l'établi, elle ne le trouvera jamais. Je me demande bien aussi pourquoi j'écris un journal personnel? N'est-ce pas une manie d'adolescent frustré... Moi, un vieux hibou de vingt-neuf ans...

29 septembre

Pour la dixième reprise, j'ai cessé de fumer. Ce qui me tue chaque fois, c'est la solitude. Quand ça bouge autour de moi, je résiste, mais quand je tombe seul à la station de radio, je ne tiens pas trois heures sans courir à la pharmacie du coin. C'est sans doute à cause de cette solitude vécue à la maison que les femmes ont plus de difficultés à mettre le tabac de côté.

3 octobre

Ai fumé un peu aujourd'hui ; mais seulement deux cigarettes. Espérons que demain, je tiendrai le coup.

20 octobre

Journée d'activités à l'école aujourd'hui. Ai accompagné un groupe en forêt. Avais de la misère à suivre ; ai le souffle court. Faut que je me mette à l'exercice physique si je veux perdre mes trente livres de surplus. La journée a été longue, d'autant plus que j'avais oublié d'apporter mes cigarettes.

21 octobre

Viviane a fini de remplir son congélateur pour l'hiver à la même date que l'an dernier.

25 octobre

Denise et moi avons un peu lutté aujourd'hui. Avons bien ri. Ai failli lui mettre la main sur la poitrine. Paraît qu'elle a un nouvel ami.

27 octobre

Le patron a encore essayé de serrer la discothécaire dans un coin hier soir. Elle est arrivée en sacrant cet après-midi. Il lui aurait dit qu'il aimerait descendre la fermeture-éclair de son pantalon avec ses dents.

29 octobre

Denise a lutté avec un professeur aujourd'hui. Je me demande bien pourquoi elle ne se fait pas respecter davantage ? Elle a eu beau être fille unique avec plusieurs frères... Les gens jasent dans notre petit milieu ; c'est un de leurs rares plaisirs. Pourtant, ils se plaignent tous de ragots dont ils sont eux-mêmes les victimes !

13 novembre

Déjà de la neige hier ! Le long enterrement qui commence. La misère noire... non... blanche. Le système discomobile accroché derrière l'auto, dans les côtes des hauteurs, à travers la tempête, à quatre heures du matin, ce sera beau !

17 novembre

Les travaux d'équipe des étudiants sur les États-Unis sont très bien. Malheureusement, ce sont toujours les mêmes qui produisent, et les autres profitent d'eux. Le travail d'équipe a ses grandeurs, mais hélas ! drôlement ses misères aussi.

1 décembre

Denise viendra à la station de radio ce soir pour un enregistrement. Elle est une femme vraiment active : elle fait partie d'une chorale, est responsable d'une boîte à chansons, anime le comité de relations sociales de l'école. Elle est une vraie Québécoise avec un bon jugement. Elle fera sans doute une bonne épouse au joueur de hockey, malgré que...

2 décembre

La lessiveuse est encore brisée. Ça coûtera bien dix dollars pour la faire réparer. Ça coûtera sept dollars juste pour faire venir le réparateur : ces gens-là n'ont pas de limites. Que je déteste m'occuper de ces choses-là !

3 décembre

Ai aidé Denise dans la planification du party du vingt-trois décembre. Les professeurs vont passer toute une soirée.

4 décembre

Viviane m'a encore demandé un surplus budgétaire. Je me demande bien ce qu'elle fait de tout son argent.

6 décembre

Denise m'a dit que Viviane était chanceuse d'avoir un mari qui lui donne un budget hebdomadaire de cent dollars.

7 décembre

Avons fait l'amour cet avant-midi, Viviane aime le sexe. Ses réactions sont toujours très fortes. S'il fallait qu'elle apprenne certaines choses... Que je désire caresser Denise et tout... Pouah ! je ne suis pas le seul à le vouloir ! Même les plus timides parlent de ses seins à l'école. Pourtant, j'y arriverai le premier...

26 décembre

Le party du vingt-trois fut une réussite. Denise recherche ma compagnie et Viviane n'a pas l'air de l'aimer trop. Il n'y a pourtant rien de dangereux ; je ne tomberai jamais amoureux d'une fille comme elle étant donné que... que... que l'amour, je ne crois pas à cela. Tiens, en janvier, je vais prendre une discussion avec Denise sur l'amour. Sur l'amour vrai ! Qu'est-ce c'est que l'amour vrai et qui aime vraiment.

La veillée de Noël fut la même que par les années passées ; mêmes chansons plates à la radio, éternels greli-grelots, rien de neuf à la messe de minuit, rien de spécial au réveillon. Pourquoi la vie m'impose-t-elle de tant bayer aux corneilles ?

29 décembre

Ai bricolé toute la journée pour terminer la salle de couture de Viviane. Si je le peux, avant la fin de l'hiver, je vais me finir un coin de sous-sol et m'en faire un petit bureau. Il est temps que j'aie mon lien bien à moi dans la maison.

« Voilà pour le journal de 1971, » se dit-il après la dernière ligne. « A tout prendre, si je me compare avec d'autres, ma vie n'est pas si pire. Charles Goulet n'a pas de maison. Gilles Mercier en a bien une plus belle que la mienne, par contre, il doit se serrer la ceinture sur tout le reste. Gaspard Gagnon mène la grande vie, mais faut dire que sa femme fait de gros revenus tandis que Viviane... Heureusement que j'ai mes deux « side-lines »... À force de se débattre, on finit par avancer un peu. Que sera 1972 ? »

À chaque page, il s'était arrêté pour réfléchir et tâcher d'aller au-delà de l'événement. Il avait cherché la trame de cette année 1971, un soutien, une corde qui puisse rattacher tous les faits. Il avait tenté, mais en vain, d'être cette filigrane. Il n'avait reconnu, comme acteur de ces trois cent soixante-cinq jours, qu'un homme masqué, rangé, normal.

Il avait mangé, fumé, engraissé, fait l'amour, fait ses paiements, avait bricolé, s'était exercé à la séduction, avait augmenté son compte en banque, s'était inquiété pour sa santé, avait lancé une petite affaire, avait beaucoup parlé de politique, de température, du dernier accident mortel, d'argent.

Il conclut, une ombre au front : « S'il fallait que 1972 ne soit aussi que cela ! Ce masque va-t-il s'épaissir et me coller définitivement au visage ? Que sera donc 1972 ? »

1972

Après l'amour, ils s'étaient rendus à la cuisine pour manger et fumer quelques cigarettes.

« Une ou deux rôties ? » demanda Viviane.

« Deux. Et tu me sortiras le jambon et la moutarde. »

« Voudrais-tu t'occuper des cafés ? »

« Dans deux minutes, le temps de finir ma cigarette. » Il tira plus fort et plus souvent sur sa Belvédère. « Pouah ! ça n'a plus aucun goût ! J'ai sans doute trop fumé aujourd'hui. D'ailleurs, quand je commence à entendre des râlements dans mes bronches, c'est le temps de m'arrêter pour la journée. Je ne devrais jamais dépasser dix cigarettes par jour et j'en fume je ne sais plus combien. »

Il écrasa, remplit d'eau la bouilloire, sortit deux tasses et le pot de café instantané dans lequel il plongea une cuiller. Une odeur de pain brûlé lui monta au nez. Il se retourna et aperçut de la fumée sortir du grille-pain.

« Merde, quelqu'un a mal réglé l'appareil. » Il fit sauter les rôties carbonisées et les souleva du bout des doigts. « C'est l'air que doivent avoir mes poumons et je suis trop crétin pour cesser de fumer, » lança-t-il. Il jeta les tranches à la poubelle.

Viviane referma la porte du réfrigérateur et apporta sur la table le jambon et la moutarde ainsi que le lait et le succédané du sucre pendant que son mari introduisait deux autres tranches dans le grille-pain qu'il réajusta.

« Je pense souvent que notre fille vieillit, Alain, et toi ? »

« Elle vieillit d'un an par année, comme tout le monde. »

« Nous pourrions peut-être parler à nouveau, puisque nos finances se portent mieux maintenant, de la possibilité d'avoir un autre enfant. » Elle s'assit et s'alluma une cigarette avant d'ajouter : « Je n'ai pas envie d'attendre à trente-cinq ans ou plus avant d'en avoir un autre. »

Il coupa : « J'y pense moi aussi à cette question. Et même très souvent ! »

« Et alors ? »

« Je ne suis pas prêt. »

« Mais notre budget nous le permettrait bien ! »

« Oui, mais c'est là-dedans que quelque chose accroche. » Il pointait sa tête du doigt. Il entreprit de beurrer les nouvelles rôties. « Vois-tu, le prochain enfant que nous aurons, je veux qu'il soit réfléchi. Et il me manque des éléments de conviction. Faire un enfant pour notre plaisir personnel, pour combler un vide dans notre vie ou bien pour retrouver notre propre image ? Voilà, du véritable égoïsme ! Mettons-nous dans la peau de celui qui va naître. Le risque est grand, actuellement, de plonger quelqu'un dans la vie. Qu'est-ce que demain réserve à l'humanité ? Surpopulation ? Faim ? Guerre ? Manque de tout ? Crois-moi, des plus intelligents que moi s'inquiètent. »

« Je m'excuse de te couper, mais ce ne sont là que des grandes idées. »

« Ah ! oui ? Dans ce cas, demande à ceux qui ont vécu dans les années trente si, à notre place, ils mettraient bien des enfants au monde sachant que ceux-ci devront vivre dans un dénuement de temps de crise économique. Les vieux sont pourtant conservateurs et tu serais surprise de leur réponse. Je me demande si le pire tour que l'on puisse jouer à quelqu'un, par les temps qui courent, n'est pas de lui donner la vie. Remarque bien que je ne ferme pas la porte, mais je vais devoir y réfléchir davantage avant de me décider.»

« Voudrais-tu m'apporter mes rôties, elles seront froides,» dit Viviane. Il jeta les tranches sur la table et en mit d'autres dans l'appareil.

«Je t'assure qu'aux heures de classe, quand vous êtes partis toi et Caroline, la maison est vide.»

« C'est ce que je disais: on fait des enfants parce qu'on s'ennuie. L'enfant est un bien de consommation comme le chien ou l'appareil de télévision.»

«Quand sauras-tu si tu en veux un autre?» demanda-t-elle entre deux bouchées.

«Je ne sais pas. Quand, dans ma tête, je pourrai faire un bilan positif pour lui, sans nécessairement anticiper le paradis. Mais je ne veux pas lui faire cadeau de l'enfer non plus.»

«Un homme peut-il comprendre qu'une femme puisse vouloir un enfant? Toutes tes grandes théories ne peuvent pas tuer l'instinct maternel.»

«L'humain est différent de l'animal en ce que son intelligence peut contrôler ses instincts. La reproduction humaine ne doit pas se faire uniquement parce que la nature nous y pousse comme elle le fait pour tous les animaux; elle doit être réfléchie. Pourquoi Dieu nous a-t-il donné l'intelligence si nous devons nous conduire comme des bêtes dans tout ce que nous faisons, à commencer par l'acte le plus fondamental, celui de la reproduction?»

«Si tu pouvais revenir les pieds sur terre de temps en temps...»

«Je ne suis pas sûr du tout que ce soit d'un enfant dont tu aies besoin. A tout être humain, il faut un projet, une occupation quelconque, et l'enfant est une solution première venue. Une femme peut s'occuper de tas de choses tout aussi épanouissantes, sinon plus. Si ton instinct maternel est si fort, plus fort que ta raison, alors prends des enfants en garde. Il n'y a justement pas de garderie à St-Grégoire et il pleut des femmes qui s'arrachent les cheveux pour faire prendre soin de leurs petits.»

«Ceux des autres, ce n'est pas la même chose,» dit-elle.

«Et on revient au point de départ! On veut un enfant juste pour le plaisir, et pour se dire: regarde comme il est beau, comme il ressemble à son père ou à sa mère, regarde comme il est intelligent comme ses parents. Et on rêve d'avance à sa place! Et on veut tout organiser pour lui sans tenir compte qu'il sera quelqu'un d'autre! On veut un enfant parce qu'on se recherche soi-même. On fait des enfants négativement, parce qu'on fuit quelque chose ou bien qu'on cherche à comprendre. Merci pour moi! Cette façon de me retrouver sur le dos de quelqu'un d'autre ne me dit rien qui vaille. Je suis peut-être dénaturé, mais je veux me trouver d'autres miroirs de moi-même, d'une façon moins égoïste. Avoir un autre enfant, peut-être, mais sûrement pas pour ces motifs-là! Quant aux autres raisons plus sérieuses, j'y réfléchis et je les cherche.»

Il beurra sa rôtie et commença à la manger tout en s'approchant de la table. Il dit:

«J'ai pensé aussi à ton problème. Je veux dire ton problème de solitude. Tu parles de temps à autre d'aller prendre des cours de haute couture à Québec, pourquoi ne te décides-tu pas? Au lieu d'avoir un enfant qui te clouera à la maison pour je ne sais combien de temps, va donc à l'école te chercher de la compétence, un diplôme. Mes revenus me le permettent. Je vais te gagner des études et, par la suite, tu me le rendras en travaillant toi aussi, ce qui me donnera la chance de moins courir dans la vie et de vivre plus normalement. Que penses-tu de cet échange? Et ce sera une belle sécurité pour toi car, avec ton mince bagage, si je mourais aujourd'hui pour demain, il ne te resterait que la possibilité de te chercher un petit emploi minable.»

Il s'était assis en gesticulant. Il avait placé deux tranches de jambon et de la moutarde entre ce qui restait de ses rôties et grignotait lentement.

« Irais-tu finir les cafés ? » demanda-t-il. Elle se rendit au comptoir, disant :

« Mais ça prendrait encore un an ou deux avant que nous ne puissions avoir un autre enfant. »

« Peut-être avant, peut-être jamais ! »

Elle revint avec les tasses. Il avala sa dernière bouchée et but une gorgée brûlante avant de s'allumer une cigarette.

« Pense aussi qu'avec mes trois emplois, je ne pourrai peut-être pas tenir le coup longtemps. Je t'assure que certains soirs, le cœur me bat en troisième vitesse. Passe-moi donc la saccharine ; il paraît que le sucre est bien mauvais pour la santé. »

Viviane soupira : « Encore trois heures du matin ! La levée du corps ne sera pas facile tout à l'heure. »

●

Alain et Denise avaient pris l'habitude de s'isoler au salon des professeurs de catéchèse, toujours désert à l'heure du midi, pour discuter.

Il regarda à travers la fenêtre le froid bleu qui mordait partout. Toutes les choses étaient recroquevillées, résignées : autant les grands arbres secs que les lampadaires bienveillants. Le village, à en juger par la fumée des cheminées, cherchait à s'enfuir vers le sud.

Denise lui tendit une tasse de café fumant. Du café filtre qu'elle faisait bon.

« Merci, ton café est une perfection, » dit-il. Et il s'assit.

« Ce n'est pas la seule chose que je fais à la perfection, » dit-elle avec de grands éclats d'un rire franc et chaud. « Non, non, non, non, c'est une farce. Je n'ai jamais rien fait de valable en cuisine, sauf le café. C'est ma spécialité... ma seule spécialité. » Elle s'assit à trois fauteuils d'Alain.

« Il paraît que ta femme est experte en cuisine ? » dit-elle.

« Je ne me plains pas. Regarde ma taille : trente livres de bons plats. Bien cuisiner est-il une qualité ou un défaut ? Ma mère était horrible en cuisine, mais mon père n'a jamais souffert d'obésité. Curieux, n'est-ce pas, les hommes en général glorifient leur mère de faire mieux la cuisine que leur épouse et moi, je glorifie la mienne de l'avoir faite plus mal. Décidément, par rapport à sa belle-mère, une pauvre femme a toujours tort. »

« C'est une belle qualité que de bien faire la cuisine. À ceux qui mangent de se contrôler, » dit Denise.

« Tu me trouves obèse ? »

« Pas obèse, mais tu as quelques livres en trop, et ce n'est pas très bon pour le cœur. »

« Ah ! mon Dieu ! le cœur, je l'ai solide ! Il est grand comme un train. Il y a beaucoup de place dedans... »

Elle fronça les sourcils et demanda avec une lueur indéfinissable dans les prunelles : « Des places vides ou remplies ? »

« J'ai dit : de la place et non des places. »

« Personne ne peut vivre sans amour, » risqua-t-elle en souriant.

« Quoi ? Répète un peu ça ! Sans amour ? Tu m'ouvres une belle porte, ma petite fille, parce que j'ai envie depuis un bon moment de savoir ce que c'est, pour toi, que l'amour. Diogène, avec sa lanterne, cherchait un homme ;

moi, je suis plus exigeant — ou moins — mais je cherche une personne qui puisse me dire ce qu'est l'amour. Et je serais bien prêt à m'acheter un fanal pour la trouver. Donne-moi ta définition à toi, Denise.»

Elle dit sans avoir l'air d'y réfléchir: «Pour moi, il s'agit du lien entre deux êtres qui se plaisent et marchent côte à côte.»

«Et tu peux m'en citer beaucoup de cas semblables chez des gens mariés depuis dix ans? Depuis cinq ans? Depuis trois ans? L'amour est un feu de quelques mois, le temps d'apprendre à se connaître, mais qui s'éteint vite et qui est suivi de froideur, d'indifférence, de cris, de larmes. L'amour des amoureux, c'est une vibration qui ne dure que le temps des roses et qui leur fait se manger les oreilles, tandis que les gens mariés s'arrachent les leurs parce qu'ils l'ont perdue.»

Elle donna un coup de tête afin de rejeter à l'arrière ses longs cheveux pâles. «N'est-ce pas parce que les hommes sont moins proches de leur femme quand elle est à leur disposition?»

«Réponse superficielle! L'homme se révèle plus facilement; mais la femme change autant à cause des maudites chaînes que le mariage met sur le dos des partenaires. Elle aussi se sent bien moins attirée, mais elle ne veut pas l'admettre et finit toujours par rejeter la responsabilité sur l'homme qui finit d'ailleurs souvent par se croire responsable. La vérité est pourtant toute simple: quand une chose est défendue, tu en as le goût; quand elle t'est imposée, tu en perds le goût. Voilà ce à quoi les inventeurs du mariage n'ont pas songé et que ses usagers oublient hélas, trop souvent...»

«Tu te souviens: nous avions parlé de mariage à cette époque où tu me disais vous? Tes idées ne sont pas bêtes sur le sujet. Mais l'amour, lui, doit bien exister en lui-même? Je veux dire sans égard au mode de vie des partenaires. Ne crois-tu pas?» questionna-t-elle autant des yeux que des lèvres.

Il ne répondit pas, se leva et regarda longuement la froidure extérieure. Silencieux. Inquiet.

•

«Je suis fatiguée de couver la maison toutes les fins de semaine que le bon Dieu amène,» dit Viviane.

«Que veux-tu que je te dise, hein?» demanda Alain. «Ou bien j'ai un «side-line» et nous ne pouvons pas sortir parce que je travaille ou bien je n'en ai pas et nous ne pouvons pas sortir non plus parce que nous manquons d'argent.»

«Autrement dit, il faut faire notre deuil des sorties de fin de semaine?»

«Tant que tu ne travailleras pas...»

«Mais il reste du temps, beaucoup de temps avant que je ne termine mes études.»

«Quelle est donc l'idée de vouloir sortir spécifiquement les fins de semaine? Parce que tout le monde sort? Pourquoi ne pas aller se distraire le mercredi soir ou bien le lundi?» Assis dans sa berceuse, il discutait avec sa femme et son esprit alternait entre ce qu'il disait et la pensée de ce lazy-boy qu'il avait vu dans la vitrine d'un marchand de meubles la veille, et qu'il se paierait peut-être avant longtemps afin de pouvoir, au moins le samedi avant-midi, relaxer un peu et se reposer de sa semaine avant d'entreprendre une autre fin de semaine de travail.

Viviane dressait la table. «Que faire à St-Grégoire, les soirs de semaine?» dit-elle.

« Quoi de mieux les week-ends et surtout en mars ? Tiens, je vais écrire toutes les possibilités. » Il prit dans sa poche un carnet et un stylo et il nota en abrégé ce qu'il récitait tout haut : « Visiter la parenté. Visiter les amis. Aller danser. Aller au cinéma. Assister à un match de hockey. Pratiquer un sport : quilles, ski de fond, ballon-balai... Activités culturelles : pièces de théâtre, expositions, concerts de chorales. Repas au restaurant. Et quoi d'autre ? Qu'est-ce que nous aimons assez dans cette liste, tous les deux, pour en prendre l'habitude à toutes les semaines ? Restaurant et cinéma. Ah ! j'oubliais : les soupers chez ta mère tous les dimanches. Alors voilà, nous n'avons qu'à sortir en semaine ; le steak n'est pas plus cher et le cinéma non plus. C'est logique, non ? »

« Ah ! toi et ton éternelle logique ! Ce n'est pas la même chose sur semaine ; il n'y a pas la même atmosphère. On n'a pas l'impression d'avoir sorti. De plus, le mercredi, je reviens tard et fatiguée de Québec. »

Alain jeta son crayon et son carnet et les laissa retomber par terre : « Alors, qu'est-ce que tu veux que je fasse de plus ? »

« Je ne te reproche rien, mais je trouve le temps long le samedi soir à la maison quand tout le monde sort. »

« Pourquoi vouloir toujours faire comme tout le monde ? Quelle sorte d'insécurité as-tu donc à être toi-même ? »

Elle déposait des plats fumants sur la table. « Tu ne comprends pas, » fit-elle.

« De toute façon, je ne comprends jamais rien et ça m'amuse. Tiens, que dirais-tu de venir passer la soirée à la station de radio ce soir ? Et après, nous irons prendre un lunch au restaurant. »

« O. K. » fit-elle sans conviction. « Viens manger maintenant. »

Elle n'avait jamais vécu à ses côtés une soirée de travail à la radio. Dès leur arrivée, il lui fit visiter tous les locaux non verrouillés puis la conduisit à la discothèque. Ils se dirent des banalités le temps qu'il choisit ses disques. Puis il l'emmena au studio de mise en ondes où il anima l'heure de radiodiffusion locale. Ensuite, ils retournèrent à la discothèque. Elle s'assit sur la chaise à bascule derrière le bureau. Alain prit place en biais, près du comptoir de la table tournante.

« Les soirées doivent être longues, seul, ici, » dit-elle.

« Je m'occupe. Je prépare des émissions ou des cours ; ou encore je fais des enregistrements publicitaires ou autres. Souvent, j'écoute de la musique en lisant un journal ou une revue. »

« Tu as de l'ordre dans tes tiroirs ? » fit-elle en tirant sur l'un d'eux. Il réfléchit rapidement pour se dire qu'il n'y avait rien de compromettant dans son bureau. Au surplus, il pensa que de l'empêcher de satisfaire sa curiosité serait la meilleure façon de créer en elle des soupçons. Elle ne trouva que des livres, des disques, des revues, mais aussi un ordre qu'elle n'avait pas anticipé et des publications érotiques qu'elle s'attendait d'y voir. Elle en sortit quelques-unes qu'elle jeta négligemment sur le bureau.

Consterné, il s'empressa de commenter : « Elles ne m'appartiennent pas. Je les ai empruntées au technicien un soir tranquille et je les ai oubliées dans mon tiroir. »

À travers un sourire amusé, elle dit : « Ce n'est pas grave. Tu peux les apporter à la maison, je te l'ai déjà dit. Je ne suis pas jalouse de revues : ce n'est que du papier. Tu m'avais dit que tu en apporterais... »

« C'est que certaines sont plutôt... osées... »

Elle mit les revues dans son sac. « Le technicien ne s'en souviendra pas, » dit-elle, moqueuse. « Possible qu'elles améliorent notre vie sexuelle.

Après tout, des livres de cuisine n'ont jamais nui à celle qui veut préparer des plats plus savoureux, n'est-ce pas ?»

Après le travail, ils filèrent droit à la maison afin de regarder le film de fin de soirée à la télévision. Quand ils furent installés devant l'appareil, elle n'écouta pas et mit son nez dans les publications érotiques. Alain jeta aussi son coup d'œil dans l'une d'elles, mais sans intérêt apparent. Plus tard, ils se couchèrent et firent l'amour avec une fougue inhabituelle.

Quand ils se relevèrent pour fumer et manger, elle le dévisagea joyeusement et lui confia: «Ne crois-tu pas que les revues nous ont aidés ?»

«Tu crois que c'est pour ça que...» dit-il distraitement.

●

«Salutations à madame Bruneau de Belleville de la part de sa fille Lucie. Aussi, pour souhaiter un bon anniversaire de naissance à mon fiancé André, c'est de la part de Suzie. Pour ces personnes, voici une magnifique chanson du groupe Chicago: Color my world.»

Deux notes voguèrent sur les ondes. Alain rajouta: «Aussi, pour ceux et celles qui savent communiquer. Le dimanche n'est-il pas la journée idéale pour cela ?» Il avait glissé ces mots dans le secret espoir que Denise Martel fût à l'écoute.

Quelques minutes plus tard, elle lui téléphona et demanda à le voir. Il lui donna rendez-vous pour la fin de l'après-midi, juste après la période de radiodiffusion locale.

Elle arriva le visage défait, spectral.

«Ce que tu peux être pâle !» s'exclama Alain. «Tu es malade ou quoi ?»

Elle hésita: «Pas physiquement. C'est là que ça ne tourne pas rond.» Elle pointait son front. Puis elle soupira: «J'ai tellement pleuré depuis hier soir. Il fallait absolument que je parle à quelqu'un. Oh ! pas à n'importe qui, mais à quelqu'un en qui j'ai confiance et qui puisse me comprendre.»

«Que pourrais-je donc t'apporter ?»

«Je passe un si mauvais quart d'heure,» fit-elle, le regard effondré.

«À ton âge, ce n'est pas la tête, c'est le cœur.»

Elle garda les yeux baissés, demeura silencieuse.

«Les amours avec le joueur de hockey sont finies ?» demanda-t-il.

«Non, pas encore... C'est que... Tu dois bien te demander pourquoi je ne suis pas avec lui, n'est-ce pas ? Il jouait à Rivière-du-Loup aujourd'hui.»

«Alors je sais ce que tu as...»

«Et...»

«Nostalgie du printemps, le soleil et tout.»

«Peut-être... mais il y a quelque chose de plus».

Elle l'avait accompagné au studio de mise en ondes.

«Tu ne t'asseois pas et moi, j'oublie de t'y inviter. Sois prévenue: je ne pense pas à ces formalités; avec moi, il faut qu'on se serve.»

Péniblement, elle tira une chaise et s'y laissa tomber.

«Tu ne t'ennuies pas de ton joueur de hockey ?»

«Pas du tout, bien au contraire. D'ailleurs, la fin de cette histoire est proche.»

«Voilà la plaie !» s'écria-t-il, les bras levés au ciel.

Elle nia catégoriquement: «Oh non ! Pas du tout !»

«Alors je ne comprends pas. Tu as ta jeunesse, un bon métier et le plus grand de tous les biens, ta liberté. Que tu augmenteras d'ailleurs si tu casses avec le hockeyeur... Tu as devant toi toutes sortes d'horizons des plus vastes. Que veux-tu de plus ?»

Son enthousiasme et sa conviction ne tirèrent de la jeune fille qu'une profonde inspiration. Elle leva les yeux et chercha à voir au fond de la pensée d'Alain.

« Devines-tu pourquoi je me suis décidée à t'appeler ?»

Il haussa une épaule, fronça un sourcil.

« C'est à cause de ta présentation en ondes de Color my world.»

« Les paroles sur la communication ?»

Elle fit un léger signe de tête, mais tint son regard inquisiteur. Alain baissa les yeux et frôla du regard la poitrine abondante qu'il convoitait si souvent. Il se dit que, puisque le chemin serait bientôt libre, un petit coup de pouce à la vérité ne nuirait à personne.

Sur un ton espiègle, il lança: « Je faisais allusion aux personnes qui communiquent en profondeur, pour de vrai... Et je dois te dire que je ne parlais pas dans le vague.»

« Tu visais quelqu'un en particulier ?»

« Eh oui !»

« Ah bon !»

« Un bon matin, je te dirai de qui il s'agissait... Ou mieux, un bon soir.» Il chercha dans une pile de disques et en choisit un qu'il mit à tourner sur la table de gauche, trop éloignée pour que Denise puisse lire l'étiquette.

« Et l'émission ?» s'enquit-elle.

Il plaisanta: « Laissons Radio-Canada au public et vibrons en circuit fermé.»

Dès les premières notes, Denise laissa échapper un long ah, suivi de: « Les larmes vont me revenir. Non, je n'en ai plus ; il m'en a trop coulé des yeux depuis hier.»

Il se désola: « J'aurais dû choisir autre chose que Color my world. J'en prends un autre.»

« Non, non, laisse ! Je veux l'entendre ici... ici,» insista-t-elle avec un sourire tendre dans ses grands yeux éplorés.

●

« Je me demande bien quel tour vont me jouer mes étudiants aujourd'hui ? Ils m'ont bien juré que tous leurs professeurs courraient le poisson cette année,» dit Denise.

Alain ne fit aucun commentaire. Depuis cinq minutes qu'il était assis dans le bureau de la jeune fille, il n'avait fait qu'écouter, avec un air noir.

« Tu n'es pas dans ton assiette ?»

« À vrai dire, pas beaucoup !»

« Mais, l'homme rieur et toujours optimiste, où est-il ?»

« Il a ses faiblesses.»

« Nostalgie du printemps, m'a dit quelqu'un il n'y a pas si longtemps !»

« Oh ! non, je sais exactement ce qui ne va pas ! Ce qui n'améliore rien du tout.»

« Mais alors, dis-moi... Je peux t'aider, comme tu l'as fait pour moi la semaine dernière ?»

« Je n'ai rien fait du tout.»

« Tu m'as écoutée et c'est déjà énorme. Parle, tu verras comme tu te sentiras mieux après.»

« C'est un problème psychologique tout à fait personnel.»

« Je ne veux pas être indiscrète par rapport à ton ménage. »

« Ça n'a rien à voir avec mon ménage, c'est personnel. »

Une expression tendre et confiante anima les yeux de la jeune femme. « Ne suis-je pas une amie ? » demanda-t-elle avec une infinie douceur.

« Peut-être que ça m'aiderait à surmonter la crise que de me confier à quelqu'un... » s'interrogea-t-il tout haut.

« Je veux t'aider comme tu m'as aidée. »

Il parla gauchement : « C'est que je prends très mal de me voir franchir le cap de la trentaine la semaine prochaine. C'est fou à dire, ce n'est tout de même que trente ans, mais je ne parviens pas à l'avaler. »

« Tu as des problèmes physiques ? »

« Non ! Rien de spécial. Mais, vois-tu, je fais le bilan de ma vie et je le trouve pauvre. Désespérément vide ! »

Elle fit des yeux intrigués.

Il poursuivit : « Ah ! bien sûr, j'ai une femme et un enfant, et aussi un métier, et des revenus supplémentaires, des biens matériels, une maison, une auto, un petit commerce, mais ça ne suffit pas. C'est comme si je n'avais rien fait encore de ma vie. Je voudrais avoir lancé de grands projets, avoir bâti quelque chose. Mais j'ai l'impression d'avoir perdu mon temps, de ne m'occuper que de balivernes. Plus je vieillis, plus je trouve que de répéter les mêmes choses d'une année à l'autre est une perte de temps et me fait une vie à la chaîne, à répétition, plate, sans épanouissement. Il ne se passe désespérément rien. S'il fallait que les vingt-cinq années à venir ne soient qu'un semblant de celle que je viens de vivre, pourquoi les vivre ? Autant mourir au plus coupant ! »

« Tu te plains, toi, Alain Martel ? Tu te plains avec tout ce que tu as fait jusqu'à maintenant dans la vie ? »

« Je ne me plains pas, je constate un fait. »

« Alors, faire quelque chose, c'est quoi ? Veux-tu me le dire ? »

Il se cala dans la chaise, croisa les doigts et les jambes et souffla : « Voilà la question ! » Il sourit. « Mais ce n'est sûrement pas ce que je fais. »

« En tout cas, je dois te dire sincèrement que je te trouve pas mal fort de passer à travers de la vie comme tu le fais. Oui, très fort... Comme peu d'hommes le sont. » Elle prit un crayon, le fit rouler entre ses doigts, y gardant les yeux rivés.

Il prit la flatterie comme un dû, ce qui se traduisit par un sourire à demi-enterré dans l'embarras.

« Ah ! mais je ne te montre que le beau côté de moi-même, » taquina-t-il. « Je ne t'ai jamais dit que j'étais profiteur sur les bords ? »

Elle secoua la tête. « Je n'en crois pas un mot, » nia-t-elle.

« Si c'est un défi, attention. »

Denise sourit largement et leva les bras au ciel pour dire : « Trente ans, le bel âge. Et monsieur se plaint. »

« Ne te moque pas, » dit-il sombrement.

« Non, non, non, non, c'était juste pour t'agacer. »

« Car si tu te moques de moi, je me vengerai la semaine prochaine. »

« Et comment donc monsieur s'y prendra-t-il ? »

« Je te forcerai à m'embrasser à l'occasion de mon anniversaire. Que dis-tu de ça ? »

Elle protesta : « Les jeunes filles n'embrassent pas les hommes mariés. »

« Même à l'occasion de leur anniversaire ? »

« Devant tout le monde peut-être. »

« Mais en privé, un bon baiser ? »

« Non ! »

« Un tout petit, long comme ça ! » Il écarta le pouce et l'index.

« Ce n'est pas bien, » dit-elle pudiquement mais avec un léger sourire.

Il chanta : « Ou tu as de vieilles idées, ou tu es en amour. »

« Ni l'un ni l'autre. C'est fini avec le joueur de hockey. »

Alain ne broncha pas. « N'était-il pas de ceux qui ont beaucoup de force morale ? » demanda-t-il.

Elle ricana : « Lui ? Un enfant ! Et l'autre d'avant aussi ! À l'époque, je croyais qu'ils étaient des hommes... imagine. »

« Pas le moindre souhait de bonne fête la semaine prochaine ? »

« Ton anniversaire est un samedi et je ne te verrai pas cette journée-là. »

Heureux qu'elle soit au courant de ce détail, il dit : « Alors le lundi ? »

« Il sera trop tard. »

« Tu devras donc te sauver de moi. »

Elle sourit.

Devenu songeur, il dit : « Malgré que je n'aime pas forcer les gens. »

Elle perdit son sourire. « De toute façon, tu seras si triste à cause de tes trente ans que tu ne voudras embrasser personne. »

« C'est bien vrai ! Si je le pouvais, j'effacerais cette date du calendrier. Malgré qu'un baiser me ferait peut-être oublier que je suis en train de vieillir. Tu sais : le démon du midi. Bah ! peut-être pas du midi, mais au moins de l'avant-midi ! »

Elle retrouva son sourire, leva les yeux, les épaules, les mains. Elle jeta son crayon sur le bureau, puis, dans une exclamation joyeuse, un rire d'enfant à peine retenu dans sa gorge, s'exclama : « On verra, on verra ! »

•

Sur le chemin de la maison, Alain se questionnait. Surpris que Viviane n'aille pas souper chez sa mère ce dimanche-là, d'autant plus que c'était le lendemain de son anniversaire, il se demandait si elle n'avait pas accédé à ce désir qu'il manifestait avec plus ou moins de conviction depuis deux semaines de ne pas être fêté.

Il se dit aussi que Viviane aimait trop souligner les anniversaires pour avoir pris son vœu au sérieux, mais que, d'un autre côté, elle avait peut-être compris son besoin de quelque chose de différent, hors traditions.

Il avait vécu sa part de journées sombres dans sa vie, mais jamais une période noire comme celle-là. Tout d'abord, il s'était cru souffrant d'un mal de printemps ; mais il avait constaté que sa neurasthénie accompagnait ce fameux bilan de vie que lui commandait l'approche de ce trentième anniversaire. Et, au-dedans de son âme, il s'était mis à piaffer à la venue inexorable du jour J.

Il avait peur d'être fêté tout autant que de ne pas l'être. Pourtant, il sut qu'il le serait lorsque sa petite fille, ayant surveillé son arrivée, sortit de la maison pour lui dire : « Tu dois entrer par la porte d'en avant. Viens. »

Frimousse radieuse, la petite blonde au visage de son père le prit par la main et l'entraîna jusqu'au salon. Elle le fit asseoir devant le téléviseur.

Enfermée dans sa cuisine, Viviane barbotait dans ses plats. Quelques minutes plus tard, l'enfant qui avait rejoint sa mère, entrouvrit la porte du salon pour dire d'un ton espiègle : « Viens papa, le souper est prêt. »

« Attends une minute, je finis d'écouter quelque chose, » dit l'homme.

L'enfant tourna la tête vers la cuisine, puis vers le téléviseur, puis vers son père, cherchant à comprendre. Elle insista : « Mais papa, le souper est prêt, viens. »

« Minute, minute, » fit-il, impatient.

L'enfant tourna les talons, leva les bras au ciel et frappa du pied. « Il ne veut pas venir, » s'écria-t-elle, mécontente.

« Laisse-le donc écouter son émission et viens t'asseoir, » ordonna Viviane. « Il le sait que le souper est prêt, tu viens de le lui dire. »

Alain finit par se lever pour se rendre à la cuisine. D'une voix atone et dans une exclamation commandée, il jeta : « Oh ! mon Dieu ! »

Tous les murs étaient couverts de ballons multicolores. En rosette à partir du centre du plafond, couraient vers les coins, des rubans de papier de soie joyeusement entortillés. Table chargée, vaisselle de fête, chandeliers dorés, nappe de Californie : Viviane, comme toujours, y avait mis le paquet.

Un bonnet-cône dans la main, la fillette s'approcha de son père, leva les bras et dit de sa petite voix flûtée : « Baisse-toi, papa. Je vais te le mettre. »

« Donne, je vais le mettre moi-même, » dit-il.

L'enfant jeta un regard à sa mère et n'insista pas. Elle retourna s'asseoir.

« J'ai décidé que nous fêterions ton anniversaire ensemble, rien que nous trois, cette année, » dit Viviane dans un sourire inquisiteur. « Comme tu n'es pas trop enchanté de tes trente ans, j'ai pensé que ça vaudrait mieux ainsi. » Ses yeux alternaient du visage d'Alain à la table. Ses mains tournoyaient rapidement à gauche et à droite le long de ses hanches : sa traditionnelle expression de joie devant une fête qu'elle avait préparée.

« Franchement, cette année... »

« Assieds-toi et dis-toi qu'il vaut mieux en rire, car le trente est là, que tu le veuilles ou non. » Elle le prit par les épaules, le guida. « Envoye, le vieux, assieds-toi. »

« Tu ne mets pas ton chapeau, papa ? » dit la petite fille aux yeux suppliants.

« Tout à l'heure, au dessert. » Il mit le bonnet sur la chaise inoccupée.

« Tu veux commencer par une bonne soupe aux légumes maison ? » demanda Viviane.

« Non. Sais-tu, je n'ai pas tellement faim. »

« Dans ce cas, je te sers le bœuf bourguignon. »

« Bah ! donne-moi quand même juste un peu de soupe, » dit-il distraitement.

Il mangea moins vite que son appétit ne le lui commandait. Quand il eut terminé son bœuf, elle apporta le gâteau.

« Comme tu vois, il n'y a ni chandelles ni chiffres. »

« Papa, est-ce que tu vas mettre ton chapeau ? »

« Caroline, je t'en prie, laisse-moi tranquille. Je n'aime pas porter ces fanfreluches. Je me sens ridicule avec ça ! »

« Maman, est-ce qu'on lui donne son cadeau ? » demanda l'enfant.

« Tu peux aller le chercher maintenant. » La filette courut à sa chambre d'où elle revint, tenant précieusement au creux de ses mains un petit paquet rouge qu'elle tendit avec un sourire radieux, les yeux écarquillés.

Entretemps, Alain avait dit à sa femme : « Tu couperas le gâteau toi-même ; tu sais comme je suis gauche dans ces choses-là. »

« Bonne fête, papa. Tiens, » dit l'enfant. Elle embrassa son père et lui donna le paquet qu'il déposa à côté de son assiette.

« Tu ne le déballes pas ? » demanda la fillette.

Las, il répondit : « Va me chercher les ciseaux ; les emballages de ta mère ne sont pas toujours faciles à défaire. »

Viviane lui en tendit une paire qu'elle avait mise toute proche sur le comptoir. Il devina que la boîte devait contenir un briquet puisqu'il avait encore une fois perdu le sien quelque temps auparavant.

Il eut raison et s'exclama sans grand élan: «Tu n'aurais pas dû. Je les perds tous.»

«Tu cherches toujours des allumettes,» dit-elle.

«C'est toi qui devras l'user, car je veux cesser de fumer. Et je me propose d'y arriver avant longtemps.»

«Pour le temps que tu t'en serviras.»

Après le repas, Alain retourna devant le téléviseur et se plaignit de crampes d'estomac une partie de la soirée. Quand ses travaux de cuisine furent terminés, Viviane le rejoignit.

Geignard, il dit: «Je vais aller marcher quinze minutes dehors; ça me fera digérer.» Il se dirigea vers la garde-robe de l'entrée.

Elle cria: «Habille-toi bien; il n'a pas l'air de faire très chaud dehors.»

●

Avec une satisfaction tranquille, il ouvrit l'enveloppe qu'il venait de trouver sur son bureau à l'école, se doutant qu'il s'agissait d'une carte de souhaits. Ce n'était qu'une carte blanche avec quelques lignes écrites à la main, mais qu'il trouva adorables. Il lut.

Au bout de ses gestes,
Il y a son cœur;
Au bout de son cœur,
Il y a sa vie;
Au bout de ses lèvres,
Il y a un désir;
Au bout de son désir,
Il y a une fleur.
Il a trente fleurs à respirer,
L'homme au cœur de pluie;
Il a tant de joies à espérer,
L'homme au cœur d'été.
Denise...

Sitôt qu'il fut assis dans le bureau de la jeune fille, ce midi-là, il lui serra la main et dit: «Merci beaucoup pour la poésie.»

«Quelques mots alignés; même pas des vers!»

«Fameusement bien alignés que ces mots-là! Quand on pense qu'ils s'adressent à un enfant qui a peur de vieillir!»

«Si tu es un enfant, Alain, alors où sont donc les hommes?»

«Au bout de son désir, il y a une fleur... Tu veux m'expliquer?»

Elle bougea des yeux chercheurs, puis se leva prestement et, toute légère, presque frissonnante, s'approcha de lui. Elle se pencha et lui effleura délicatement la bouche de ses lèvres fraîches. Féline, en souplesse, elle retourna aussitôt s'asseoir. Il ne réagit pas, tant le baiser avait été rapide.

«Son cœur est prêt et je n'ai plus qu'à cueillir la fleur,» pensa-t-il. «Mais elle doit savoir exactement ce que j'ai à lui offrir. Je ne veux ni sentiment ni grande passion et c'est pourquoi je ne répondrai pas à son baiser aujourd'hui.»

Il dit: «Je te remercie pour ce second poème; il est encore plus beau que le premier. C'est même le plus doux qu'un être humain puisse offrir à un autre.»

«Tu m'en veux?» demanda-t-elle sans lever les yeux. «Je veux dire... est-ce que tu risques de te le reprocher à toi-même?»

«Que vas-tu donc chercher là? Depuis quand les rapprochements physiques entre personnes consentantes doivent-ils être semeurs de remords? Dieu merci, je ne suis pas affligé de telles réactions maladives!» Il sourit. «La seule frustration qui puisse naître de ce baiser, c'est de ne pas assouvir entièrement le désir, à cause de sa légèreté et de sa brièveté. Il faudra aller au bout de cette fleur, n'est-ce pas?»

Elle allait dire quelque chose lorsqu'on frappa à la porte. C'était le président du comité des relations sociales de l'école qui venait leur rappeler la tenue d'une assemblée au salon de catéchèse, juste à côté. Ils le suivirent.

On leur confia le soin de préparer un montage audio-visuel humoristique devant servir de divertissement à la soirée d'adieu des enseignants qui aurait lieu le vingt-trois juin.

«Ça me donnera tout le temps d'arriver à son lit,» pensa Alain. «Mais aussi de mettre les cartes sur table...»

●

Pendant plusieurs semaines, il ne bougea pas, attendant un pas d'elle. Bien plus, il fit mine de s'éloigner. En fin d'après-midi, un dimanche, d'une cabine téléphonique proche de la station de radio, elle l'appela.

Dès qu'elle fut dans le studio de mise en ondes, il la prit dans ses bras, lui appuya le dos contre une porte et l'écrasa sans égards. Il sentit enfin, tout contre lui, la généreuse poitrine qu'il désirait depuis si longtemps.

D'un ton autoritaire qu'il ne se connaissait pas, il dit: «Nous ferons bientôt l'amour.»

Elle fit signe que non.

Il répéta avec un signe de tête affirmatif: «Nous ferons l'amour ensemble parce qu'il ne peut plus en être autrement. Nous sommes tous les deux enfermés dans une voiture dont les portes sont verrouillées de l'extérieur et nous dévalons une pente...»

«Mais... ta femme?»

«Ma femme quoi?»

«Tu ne l'aimes pas?»

«Tu sais ce que je pense de l'amour. De plus, faire l'amour, toi et moi, ne lui enlèvera rien à elle.»

«Où cela nous mènera-t-il?»

«Nulle part! Absolument nulle part! Et je ne voudrais pas de malentendu à ce sujet. Je veux une chaude amitié entre nous, rien de plus.»

«Alors pourquoi faire l'amour?»

«Par amitié. Comme si nous partagions ensemble un bon repas.»

Il lui caressa un sein. Elle s'inquiéta: «Je... je... je,» fit-elle, contrainte.

«Si tu te sens déçue de moi au fond de toi-même, c'est que tu n'es pas prête, par ton évolution de pensée, à vivre une telle situation. Notre longueur d'ondes n'est pas la même, car je crois à ce genre de relations.»

«Mais comment faire l'amour sans... sans amour?»

D'une voix très douce, il dit: «Avec son corps, son désir, son cœur, son goût de partager quelque chose de bon avec quelqu'un qui nous plaît, sans ce sentiment d'appartenance rien qu'à l'autre et que les gens appellent l'amour, cette chose, cette maladie qui s'appelle la possessivité.» Il lui caressa l'autre sein. «Je suis marié, tu es célibataire; nous pouvons vivre ensemble une très belle expérience. Appelons ça une aventure; mais ce sera une belle aventure.»

«Une aventure?»

«Oui.» Il plongea ses yeux dans la blouse lâche. «Tu as de très beaux seins,» dit-il.

«Oh! non, ils sont beaucoup trop gros!»

« Combien de femmes ne se plaignent-elles pas d'avoir une poitrine plate ? »

Il approcha ses lèvres.

« Donnons-nous notre premier vrai baiser, tu veux ? » Leurs bouches se soudèrent. La main de l'homme trembla jusqu'à la région génitale de la jeune fille.

Elle recula la tête. « Je ne sais pas ce que je suis venue faire ici. »

« Partager un bon plat avec un bon ami. »

« J'ai peur de tout ça. »

« Tu as peur de toi-même ? »

« Je crois que oui. »

« En ce cas, tu ferais mieux de partir tout de suite. »

« Mais c'est tellement différent de tout ce qu'on nous a dit au sujet de la vie ! »

« N'est-ce pas logique ? Est-ce négatif, destructeur ? Tu as fort probablement déjà fait l'amour, je n'en veux rien savoir. Mais si c'est le cas, tu as bien fait. Alors pourquoi ces réticences avec moi ? Parce que je suis marié ? Cela ne me rendra que plus attentif et plus délicat, autant chez moi qu'avec toi... »

« J'essaierai, mais j'espère que... »

Il secoua la tête, la rassura : « Il n'y aura que de la joie, que du partage. N'en sortiront brisés que ceux qui voudront se briser eux-mêmes. Or, tu ne le veux pas ni moi non plus... n'est-ce pas ? »

●

Sa victoire morale étant assurée, il perdit le désir physique. Il ne lui restait qu'à toucher le but et celui-ci lui paraissait moins attirant.

Il adorait les cheveux féminins, mais il trouvait que Denise ne prenait pas grand soin des siens. Il constatait qu'elle avait peu de talent pour s'habiller et regrettait qu'elle ne sût pas mieux se maquiller.

Il lui parla beaucoup de ses nombreuses occupations, ce qui, implicitement, justifiait l'immobilisme de ses avances.

La composition des textes du montage audio-visuel et la recherche en discothèque des pièces susceptibles de s'y marier occupèrent le plus clair de son temps de surveillance à la station de radio. Il fit comprendre à Denise que la rédaction de plus de quatre-vingts textes humoristiques exigeait énormément et qu'il devait y consacrer le peu d'heures libres dont il disposait.

Ce travail qu'il avait accepté pour des motifs extrinsèques le fascina. Il s'y donna à fond, glanant des renseignements auprès des enseignants, triant des diapositives, prenant des photos, fignolant ses textes.

Trois dîners d'affilée, il ne vit pas Denise à la cafétéria des professeurs. Intrigué d'abord, inquiet ensuite, il finit par créer l'occasion de lui parler.

« On ne te voit pas beaucoup de ce temps-ci ? »

« Avec le temps qu'il fait, je dîne rarement à l'école. »

« Tu apportes ton dîner ? »

« Oui, et je vais manger avec les gars. Nous faisons un pique-nique le midi. »

« Les gars ? »

« Jacques, Jean et Michel. »

Alain ne broncha pas bien que ces paroles lui eurent déplu. Il le prit de haut : « Mon Dieu, tu risques le viol ! Dans le bois avec trois hommes... »

« Aucun danger... D'abord, ils sont trois: et ensuite, je saurais me défendre. Malgré que je ne voudrais pas me retrouver seule avec l'un d'eux. Je t'assure que Jean passe une dure crise de ménage. »

Alain leva les mains et secoua la tête pour dire: « Je ne veux pas me mêler de ça... »

Elle lui toucha le bras. « Il faut que je t'en parle, viens dans mon bureau. »

Ils marchèrent lentement. Elle dit: « Je t'avoue que ça me fait un peu peur, cette histoire-là. Je sais que tu pourrais m'aider à comprendre et me dire quoi faire. Est-ce que tu as du temps? »

Il hésita: « Oui... oui. »

Ils continuèrent sans parler jusqu'au bureau de la jeune femme où, elle demanda: « Tu permets que je ferme la porte? »

« Bien sûr, quelle question! » fit-il.

Elle refusa la cigarette qu'il lui offrit.

« Avec l'air que tu fais, il a dû se passer quelque chose de très spécial, » dit-il. Ils s'assirent à leur place habituelle: elle, derrière son bureau et lui, entre le bureau et la porte.

« Çà s'est passé vendredi soir dernier. Après la classe, nous nous sommes réunis, tout un groupe, chez Denis Loignon. La fête a duré assez longtemps, soit de dix-sept heures jusque vers vingt-trois heures. Bien sûr, Jean était là. Il a pris un coup assez fort. Durant la soirée, il est venu s'asseoir à côté de moi et je te jure qu'il m'a fait avoir chaud. »

Elle s'arrêta de parler un moment et donna l'air de réfléchir, puis elle dit: « Je ne devrais peut-être pas t'en parler, après tout. »

« Écoute, Denise, je suis bien placé pour que tu te confies, non? »

« Je ne voudrais pas nuire à Jean, tu comprends? » Elle fronça les sourcils. « Sa petite femme est bien sympathique et je ne voudrais pas faire de tort à leur ménage. »

Alain sourit tendrement. « Comme tu es généreuse! » s'exclama-t-il.

« Si j'étais sa femme, je ne voudrais pas entendre raconter ces choses. Je peux compter sur toi pour n'en rien dire? »

« Tu dois me connaître sur ces questions. Je suis plus muet qu'une tombe. »

« Toujours est-il que Jean est venu s'asseoir près de moi et qu'il a commencé à me faire le joli cœur, mais surtout à pleurer sur son ménage. Quoi dire? Je l'ai laissé parler. Je te jure qu'à la fin, il voulait aller loin. Il m'a offert de le retrouver à Belleville en fin de soirée... Très entreprenant, le petit gars, je t'assure! »

Alain haussa les épaules. « Tu n'avais qu'à le laisser faire. Qu'as-tu répondu? »

« Des choses vagues. Je lui ai conseillé de parler davantage avec sa femme. À force de faire la conseillère matrimoniale, j'ai fini par m'en débarrasser. »

« À l'avenir, tu n'auras qu'à l'éviter. »

« Pour l'autre soir, j'ai réussi, mais il s'en promet pour le party de la semaine prochaine. Il dit qu'il n'emmènera pas sa femme et j'ai peur qu'il ne cherche à terminer la soirée avec moi. Je pense que je n'irai pas à cette fête. »

Stupéfait, Alain s'écria: « Tu es malade? Tu vas te priver d'une agréable soirée parce que monsieur Jean te court après? »

« Tu ne peux pas savoir à quel point c'est fatigant de se faire courir après par quelqu'un d'aussi entreprenant. »

« J'imagine bien! Mais alors, remets-le à sa place. Sonne-le! »

Elle secoua la tête dans un mouvement d'impuissance. « Je t'assure que ce n'est pas facile. Tu ne le connais pas : une vraie mouche, il ne lâche pas. »

« Peut-être pourrai-je régler ton problème. Il sera tout à fait normal que nous soyons ensemble pour la présentation du montage, ce qui prendra deux bonnes heures. Et par la suite, au feu de camp, tu te tiendras en ma compagnie. Il finira bien par comprendre et cessera de t'importuner. Qu'en dis-tu ? »

Elle s'interrogea : « Je ne sais pas, peut-être. » Puis songeuse, elle dit : « Ta femme ne sera pas là ? »

« Probablement pas. Elle doit aller à Québec deux ou trois fois la semaine prochaine et elle n'aime pas beaucoup ce genre de soirées. »

« Je ne voudrais surtout pas te mettre dans le pétrin pour sauver ma peau. » Elle secoua la tête tristement. « Le mieux pour moi serait de rester à la maison le vingt-trois juin. »

« Tais-toi ! Ne dis plus un mot et laisse-moi faire. Je vais essayer d'arranger les choses, d'accord ? »

« Mais Alain, s'il fallait qu'à cause de moi... »

Il l'interrompit, lui mit un doigt sur la bouche.

« Shhhhhhhhhh... »

•

« Viviane, tu viens à la soirée de vendredi ? »

« Peut-être ! »

« Ça me ferait plaisir que tu sois là. J'ai tellement travaillé sur le montage que j'aimerais bien que tu l'entendes. » Il remit son rasoir en marche et continua à se faire la barbe. « J'espère que tu ne seras pas trop fatiguée cette semaine, » dit-il avec bienveillance.

« Je tâcherai de m'arranger. »

« Si jamais tu ne venais pas, je pourrai te faire entendre plus tard les bandes magnétiques du montage et te faire voir les diapositives. »

« Nous sortons si peu souvent ensemble que je ferais bien d'en profiter. »

« C'est vrai. J'espère que la femme de Félix sera là pour que tu puisses passer la période du montage avec elle. Ce qui veut dire un bon deux heures. »

« Je me débrouillerai, » dit-elle distraitement.

Le lendemain, encore au moment de se raser, il dit : « Au fait, je me suis renseigné et il semble que les conjoints ne seront pas de la fête vendredi. Je veux dire : ce n'est pas une règle du comité de relations sociales, mais tous ceux à qui j'en ai parlé iront seuls, y compris Félix. Si tu veux m'accompagner quand même, à ton aise. Je dis ça pour toi, au cas où tu ne veuilles pas venir t'embêter là. Malgré que, pendant la présentation du montage, tu pourrais te tenir avec Denise Martel. Elle m'a fait voir qu'elle aimerait bien être avec toi. »

« Tu es sûr que les conjoints ne seront pas là ? »

« Ce ne serait pas la première fois. Mais ça n'a pas d'importance ! Viens quand même. De toute façon, ça ne durera pas longtemps : vers vingt-trois heures, nous serons de retour. »

« Je ne sais pas, je vais y penser... »

Il cria plus fort afin d'enterrer à coup sûr le bruit de son rasoir : « Viviane, sais-tu quelle sortie nous devrions faire ensemble en fin de semaine, et qui serait bien plus agréable que ce party de professeurs où chacun sera guindé ? Pour fêter en grand la fin de tes cours, nous devrions, dimanche soir, nous payer un de ces repas au nouveau restaurant « La Grillade ». Qu'est-ce que t'en penses ? »

« Dimanche ? » questionna-t-elle.
Il débrancha son rasoir. « Dimanche, » dit-il.

●

Chaque fois qu'Alain montait sur la galerie de la vieille maison, deux hirondelles agressives lui frôlaient la tête en d'énervants battements d'ailes. Les oiseaux, commandés par un instinct presque humain, défendaient leur nid contre les intrus.

Mais il fallait bien sortir de la maison les équipements nécessaires à la présentation du montage audio-visuel. Craignant qu'il ne manquât quelque chose, et avant que la clarté ne meure, Alain voulait vérifier si tout fonctionnerait comme prévu.

La bière roulait dans les verres et les gosiers. C'est elle qui comblait les vides laissés dans les cerveaux par l'émission abondante de paroles creuses qui inondent toujours la place lors d'une soirée à cachet social.

La naissance du soir apportait un brin de fraîcheur à ces hommes et femmes fatigués d'une année scolaire qui s'éternisait, mais qui, finalement, leur faisait déjà défaut.

L'écran fut monté contre la maison, entre les caisses de son. À quinze pieds de là, en face, Alain avait déposé le reste des équipements, magnétophones, projecteurs et bandes, sur deux tables collées.

Denise resterait à ses côtés. Il l'avait aisément convaincue par ses paroles : « La projection dure deux heures. Or, j'ai une vessie fort limitée. Avec toute la bière que je boirai, il faudra quelqu'un pour me remplacer au contrôle des machines. »

À dix pieds derrière le lieu de projection, naissait une butte au flanc de laquelle les assistants pourraient s'asseoir.

Depuis le moment où il avait accepté la tâche de préparer ce montage, les choses avaient tourné rond pour lui. L'imagination n'avait pas cessé d'être fertile dans la rédaction des textes ; toutes les collaborations lui avaient été aisément acquises. Malgré le grand nombre d'heures qu'il y avait mis, il avait travaillé sans efforts, comme ça lui arrivait chaque fois où il faisait œuvre de création.

Après avoir vérifié le fonctionnement des appareils, il sut que le succès serait complet. Plein de conditions favorables se rencontraient : c'était la fin de la troisième année scolaire à l'école polyvalente et, de ce fait, chacun y avait trouvé une relative sécurité. Par contre, l'esprit de clan y était encore faible. Et la sclérose pas trop épaisse ! Le lieu invitait à la fête : maison retirée, à l'abri des indiscrets et permettant à un groupe d'enseignants d'être à son naturel. Tout était fonctionnel pour une projection et un feu de camp. La chaleur du jour baissait et l'air, qui se fait souvent crû en ces dernières soirées de juin, ne devint que frais.

Dès que le noir et la lune eurent commencé à parler aux choses, Alain donna le signal d'attention, et les machines se mirent à travailler.

Dès les premières diapositives, l'humour se fit mordant et tous comprirent que chacun passerait sur le gril. Chacun aurait l'occasion de vibrer à trois plaisirs : celui d'entendre les autres se faire épingler, celui du suspense d'attendre son tour et celui de la détente consécutive à son moment de vedettariat.

Alain avait minutieusement calculé chaque coup de griffe, libérant le plus d'acide envers les autorités qui ne seraient pas là. Il s'était dit que les absents supportent mieux un massacre et libèrent les présents de la peur casse-pieds d'être victimes de première ligne.

Le succès fut sans bavures. Alain y goûta à plein à travers les félicitations qui pleuvèrent après la projection. Il n'était pas imbu de lui-même, connaissant bien ce sentiment pour s'y être adonné à maintes reprises lors de congratulations non méritées en d'autres circonstances, mais il vivait plutôt la joie de se sentir l'origine d'un mouvement: il avait fait bouger les âmes et les cœurs.

En ces minutes de triomphe, sa foi en la richesse et en la valeur de la créativité décupla, traînant cependant avec elle l'affliction d'une pensée vers l'esprit des écoles-usines, assassin de la créativité.

Un immense goût de liberté lui baigna le cœur; cette liberté ferment de la créativité et qu'il placerait désormais le plus haut possible dans son échelle de valeurs. Et elle serait à gagner, cette liberté, à construire, à atteindre.

La bière aidant, il sentit le désir de coiffer ses joies d'une victoire personnelle. Il serait, dans les faits, un homme libre, du moins pour quelques heures. Aussi, quand le signal du début du feu de camp fut donné, il se tourna vers Denise qui discutait avec un groupe de professeurs et lui fit signe de s'approcher.

« Tu viens au feu de camp ? » lui demanda-t-il.

Ils quittèrent la maison et coururent dans le foin vers la rivière. Le feu crépitait déjà à la base de la pyramide.

« Allons nous asseoir de l'autre côté, » lui murmura-t-il à l'oreille.

« Qu'est-ce que les gens diront si nous restons ensemble ? »

« Que Denise Martel est une célibataire libre et qu'Alain Martel est un homme marié libre. Mais, dans leur bouche, ça donnera ceci. Quel scandale ! Ces deux-là pourraient au moins se cacher ! Je me demande bien quand Alain va laisser sa femme pour aller vivre avec Denise ? C'est terrible, un homme marié, père de famille, avec la petite vache de Denise Martel ! Et patati et patata. Viens, et au feu les jaloux ! »

Il la prit par la main et l'entraîna en un point d'où ils purent voir les autres, le feu, la rivière, la lune. Dès qu'ils furent assis, il l'embrassa sur la joue, moitié par plaisir, moitié pour observer les réactions des gens. Mais personne n'avait l'air d'avoir vu. Il aperçut Jean et sa femme.

« Jean ne devait-il pas venir seul ? » demanda-t-il à Denise.

« Il l'avait pourtant bien dit. Sa femme aura décidé de le suivre malgré lui. »

« Tu n'auras aucun problème, » dit Alain, et il rit à même sa joie et il but à même sa bouteille. « Sauf moi, car je ne te lâcherai pas de la nuit. »

La jeune fille sourit, les yeux pétillants de la lueur du feu, ou peut-être bien de celle de la lune.

Des accords de guitare traversèrent la pyramide enflammée et une voix guida les cœurs vers des chansons connues, chaudes, gaillardes.

Chaque air imprimait en son âme un nouveau ravissement, tant, qu'à la quatrième chanson, Alain se surprit à embarquer dans l'allégresse générale, sans cette retenue gênante lui ayant toujours barré la route des plaisirs collectifs.

Bras dessus bras dessous, chantant, dansant, tous fraternisèrent jusqu'aux petites heures devant un feu sans cesse renouvelé, près d'une rivière qui fuyait sans bouger, sous une lune éternelle.

La fatigue s'infiltra peu à peu dans les yeux et leur éclat déclina tout comme celui du feu de plus en plus mal nourri.

« Allons à l'auto, j'ai des sandwiches et des gâteaux, » dit Alain.

« Tu penses à tout ! »

Ils marchèrent dans l'herbe longue et humide jusqu'à l'auto stationnée en retrait et ils se cachèrent sur la banquette arrière pour manger et se caresser. Ils s'embrassèrent, longuement, sans jamais assouvir tout à fait leur désir. Alain mit sa montre dans un rayon de lune et la consulta.

« Quatre heures et demie, il faut partir. Mais nous ferons quelques arrêts en route. »

« Moi, je suis libre. Mais que dira ta femme ? »

« À cette heure-ci, Viviane dort comme un bébé. »

« Et quand tu rentreras ? »

« Elle dira que je suis un homme libre, mais dans sa bouche, ça donnera à peu près ceci. D'où sors-tu à une heure pareille ? Tu devais revenir à minuit. Je suppose que tu as pris un coup ? Avec qui t'es-tu tenu ? »

Ils changèrent de banquette et partirent. « J'exagère un brin, » dit-il. « Vois-tu, je vais m'en aller directement à la station de radio puisque c'est moi qui dois faire l'ouverture ce matin et, comme ça, nous n'aurons qu'une seule engueulade à la maison. »

Il conduisit prudemment malgré ses griseries, mais aussi dans l'espoir de les étirer le plus possible. Derrière Belleville, sur une hauteur dominant la vallée, il repéra une entrée de champ camouflée et s'y arrêta.

Il avait le cœur à faire l'amour à toute l'humanité. Il se libéra du volant, s'approcha gauchement de Denise, prit délicatement sa tête entre ses mains et la coucha sur sa poitrine. Explorant langoureusement les bonnets enflés du soutien-gorge, sous la blouse lâche, il murmura : « Tu te souviens de notre promesse ? »

Elle l'interrogea : « De ? »

« De faire l'amour. »

« Ici ? »

Il rit. « Je le voudrais de toutes mes forces que je ne le pourrais pas. Je me contente de le vouloir de tout mon cœur et de te caresser de toutes mes mains. Ce sera comme un avant-goût, comme de prendre un apéritif avant le repas. »

Elle soupira : « Il ne sera pas facile de nous voir pendant les vacances : le camping, le voyage. »

« Tu pars à quelle date ? »

« Départ le dix-sept-juillet. Retour le sept août. »

« Je crois que je vais m'ennuyer de toi. »

« Et moi de toi. »

« Si je pouvais donc partir avec toi ! Que tu es chanceuse d'être libre ! Tu boiras tout ton saoûl au soleil d'Espagne pour moi et tu m'en rapporteras de grandes gorgées dans tes valises. Profite bien de la liberté et surtout, tâche de la garder toujours. »

« Mais Alain, tu me dis souvent qu'un être humain peut se libérer quelle que soit sa prison ? »

« Oui, je le crois. En théorie. Mais dans la pratique, on ne peut pas le faire comme ça, d'un seul coup. Il faut gagner sa liberté, pouce à pouce. La prendre sans attendre qu'on vous la donne ! Mais on ne peut pas briser les autres pour y arriver et c'est cela le plus difficile. Se construire, se libérer soi-même sans briser les autres : voilà la grande question ! »

Il lui grattait doucement l'entre-jambes.

« Cette grande question est un défi que nous pouvons relever, n'est-ce-pas ? »

« Je le crois, » murmura-t-elle.

Denise bougea un peu afin qu'il puisse introduire plus aisément sa main derrière la fermeture-éclair déjà dégrafée depuis leur départ de St-Maurice. Il suivit inlassablement le sillon à travers la culotte, tapotant des doigts, tournoyant de la main.

« Quel soir de la semaine pourrons-nous nous voir ? » s'enquit-elle.

« Le jeudi. »

« Ça ira chez-toi ? »

« Il est grand temps que j'aie une soirée de liberté bien à moi, en dehors du travail et de la maison. Je crois que dans chaque couple, les partenaires devraient prendre du temps libre, chacun de son côté. Ça mettrait du piquant dans leur vie d'individus et de couple. Toujours ensemble — car savoir ce que l'autre fait c'est tout comme être avec lui — est archi-mauvais pour deux partenaires ; ça tue le désir de se retrouver. Ah ! et puis j'arrangerai tout cela en temps et lieu. Ne pensons qu'à aujourd'hui, qu'à la minute présente. »

Il donna plus de pression à sa caresse et ferma les yeux. Quand il les rouvrit, l'aube pointait. Il regarda naître la vallée brumeuse. Lourds d'humidité, les feuillages accrochaient leurs verts à celui de l'herbe. Et loin, très loin, il crut déceler les contours vaporeux des montagnes américaines, mais cela ne se pouvait pas à cause de la distance. Alors il ramena ses yeux vers les prés mouillés et les bois environnants et il eut une impression d'Eden.

« Belle oréade, nous souviendrons-nous éternellement de cette nuit ? »

« Plus qu'éternellement, » dit-elle.

Il chuchota : « Tu es une rose frêle. »

Elle murmura : « Tu es un arbre grand. »

« Ta mère ne te posera-t-elle pas certaines questions quand elle verra l'heure de ta rentrée ? »

« Je m'en vais au terrain de camping dès cet avant-midi ; elle n'en aura pas la chance. »

« Et moi, je te retiens ici. Les jeunes auront un moniteur aux yeux pesants à leur première journée. »

« Je me reprendrai ce soir. Sous la tente, le sommeil est profond et reposant. Et surtout, je rêverai à mon arbre. »

« Attention, il y a beaucoup d'autres arbres sur un terrain de camping. Sois prudente. Fais la grande fille sage. »

Ils rirent.

●

En fin d'avant-midi, Alain tricota longtemps dans les rues de la petite ville avant de s'engager dans la sienne. Il descendit lentement de l'auto, prit deux longues respirations, banda ses muscles et entra vivement. Il fila droit à la chambre de bain, entrevoyant à peine l'extrême pâleur du visage de Viviane. Il n'eut que le temps d'enlever sa chemise qu'elle se montra dans l'embrasure de la porte.

« J'ai pensé que tu avais eu un accident ; aussi ai-je écouté la radio très tôt ce matin. Mais comme c'est toi qui annonçais, je me suis dit qu'il ne devait pas s'agir d'un accident mortel, » ironisa-t-elle à faible voix.

« De mauvaise humeur parce que je ne suis pas venu coucher ? Le party a fini si tard que j'ai décidé d'aller manger, puis de filer tout droit à la station de radio. Je ne tenais tout simplement pas à te réveiller. »

« Ah bon ! » réfléchit-elle. « Beaucoup de plaisir à ta soirée... à ta nuit ? »

« Le montage fut un succès. Quant au reste... » Il haussa les épaules. « Tu connais le genre ? »

« Tu étais avec qui cette nuit ? » lança-t-elle.

« Avec tout le monde. » Il prit une débarbouillette qu'il mouilla et savonna.

« Et avec qui.. en particulier? »

« Avec le groupe habituel, » dit-il, impatient. « Les professeurs de sciences humaines, ceux de catéchèse... »

Elle l'interrompit: « De catéchèse? »

« Oui... parmi d'autres. » Il se plaqua le linge humide sur le visage et marmonna à travers les fibres: « Aurais-tu quelque chose à insinuer? Je présume que tu as mal dormi et que tu t'es inquiétée, et aussi que tu t'es monté la tête? Tu as un vrai visage d'enterrement. »

« Denise Martel avait-elle aussi un visage d'enterrement? »

Par le miroir, il scruta le visage de Viviane. Il cherchait à deviner sa pensée. « Cesse de tourner autour du pot, » dit-il. « Si tu as quelque chose à me dire, alors vas-y. Je t'avais offert de venir et tu as refusé. Maintenant que tu vois que le party a fini tard, tu le regrettes et tu cherches à me chicaner. »

« Ou tu as été très intime avec mademoiselle Martel ou bien quelqu'un là-bas ne doit pas trop t'aimer, car j'ai reçu un appel anonyme vers quatre heures. On m'a dit de ne pas m'inquiéter puisque tu te trouvais en excellente compagnie. »

Alain ne broncha pas et continua de s'éponger la figure.

« L'on t'a dit autre chose? »

« C'était bien suffisant, tu ne trouves pas? »

« Comment as-tu réagi? »

« Je n'en ai rien cru et j'ai raccroché. Ensuite, je me suis mise à trembler comme une feuille. Les minutes duraient des heures et toi, tu n'arrivais pas. Vers quatre heures et demie, j'ai commencé à m'inquiéter sérieusement. À cinq heures, je me suis mise à avoir des doutes. Et à six heures, j'ai fait une crise de larmes. Quoi qu'il se soit passé cette nuit, Alain, tu aurais pu me téléphoner. » Elle commença à pleurer et ajouta avec une grimace et des soubresauts des épaules: « Pourquoi ne m'as-tu pas téléphoné? »

« J'étais d'un groupe de personnes qui chantaient autour d'un feu de camp et je ne pensais pas que tu puisses t'inquiéter autant. Tu savais pourtant que j'étais à une fête, pas à la guerre du Vietnam. Quant à cet appel qui t'a tant bouleversée, je sais exactement qui l'a fait et pourquoi. Car ce devait être la voix d'un homme, n'est-ce pas? »

Elle fit signe que oui sans lever les yeux qui coulaient abondamment.

« C'est Jean Bélanger de Belleville et je vais t'expliquer pourquoi. Il court après Denise Martel, mais hier, il a raté son coup puisque sa femme est venue le chercher. Denise, pendant le feu de camp, s'est tenue dans notre coin. Il y avait Paul, Félix, Constance, Lise, Jacques et les autres... et même l'aumonier et aussi un des directeurs de l'école. Il aura pensé qu'elle était avec moi puisqu'elle avait dû s'occuper des machines au cours de la présentation du montage quand je devais m'absenter. Et d'ailleurs, il n'aura pas digéré le succès du montage. Pas plus tard que la semaine dernière, il a fait des avances à Denise et c'est pourquoi elle le fuyait hier soir. Ça l'aura frustré... d'autant plus que sa femme, comme je te l'ai dit, est venue le chercher. »

« La Denise Martel, on dit qu'elle se tient proche des maris des autres. »

« Je t'en prie, Viviane, nous ne sommes pas en 1962. Une fille qui parle avec un homme marié, ça ne veut pas dire, tout de même, qu'elle couche avec! »

« Je trouve qu'elle a l'air pas mal vache... »

« Tu l'as à peine entrevue. Comment peux-tu la juger? »

« Une femme n'a pas à prendre des mois pour se rendre compte de certaines choses chez une autre femme. »

« Vous vous fiez aux apparences et vous vous trompez. Votre fameuse intuition, elle vaut ce qu'elle vaut. Moi, je préfère connaître davantage une personne pour ne pas risquer d'être injuste envers elle. Et je connais assez bien Denise Martel pour te rassurer. Elle n'est aucunement dangereuse pour toi. De toute façon, avec l'apparence qu'elle a... »

Avec une moue dédaigneuse, Viviane commenta: « Ça, tu peux le dire! Elle s'habille assez mal! »

Il exagéra ses gestes de flacotage dans le linge mouillé.

« Sois honnête tout de même! Tu la remarques parce que tu étudies la couture. J'admets qu'elle est un peu dépenaillée, mais elle n'est pas pire que tous les jeunes d'aujourd'hui. »

« N'importe qui avec les yeux ouverts le verrait. »

Il se lava la poitrine, les aisselles. Il se frotta ensuite vigoureusement les mains.

« Je te résume la situation par quelques évidences, » dit-il. « Un: Denise Martel est une bonne amie tout comme Constance, Lise ou les autres et elle ne présente aucun, mais absolument aucun danger pour toi. Elle ne m'attire pas du tout. Tu conviens d'ailleurs toi-même qu'elle n'a rien pour attirer un homme. Deux; si tu t'inquiètes quand même, c'est que tu es une femme jalouse... »

Elle coupa: « Je ne suis pas jalouse! »

« Ah! çà? » fit-il, songeur. « Trois: tu vas apprendre à me laisser vivre un peu. J'avais, depuis longtemps, l'intention de me prendre une soirée bien à moi chaque semaine, mais avec ta réaction pour hier, la vie ne sera pas facile dans de telles conditions. »

« Un soir de plus ou de moins... Pour le temps que tu passes à la maison dans ta semaine... »

« Tu vois? Ça commence! Faut bien que je travaille pour gagner cette sacrée vie et c'est pourquoi j'ai presque trois emplois. Le reste du temps, je suis à la maison. Mais il me semble que j'aurais quand même droit à un peu de liberté de temps à autre. On n'est plus en 1955. Tiens, en 63-64, au début de notre mariage, je prenais au moins une soirée par semaine, et maintenant, qu'est-ce que je fais? Je travaille! Or, il m'arrive d'étouffer parce que j'ai connu la liberté pendant ces années où nous avons été séparés... »

« Je suppose que tu veux sortir avec Denise Martel? »

Il jeta sa débarbouillette avec violence. L'eau éclaboussa le miroir et le plancher.

« Ce que tu peux être casse-pieds! Je veux me libérer de certaines chaînes... comme je l'ai fait hier. Être seul parfois sans toujours me sentir comme Caïn, poursuivi par l'œil de Dieu, ton œil. Et toi, tu penses que je vais aller m'enchaîner ailleurs? Dors tranquille. J'ai besoin de voir du monde, c'est tout. Je me fatigue de voir toujours les mêmes visages. »

Viviane n'insista pas, tourna lentement les talons et retourna à son fer à repasser.

Il termina sa toilette et se coucha.

Elle se remit à pleurer.

Il s'endormit.

•

Quelques jours plus tard, dans un bureau de la station de radio, Alain et Denise vécurent leur première relation sexuelle. Qu'elle ne fût pas vierge l'intrigua moins que son apparente tiédeur physique. Il regretta de n'avoir pas rallongé les préliminaires et utilisé certaines caresses orales à effets magiques sur le corps de Viviane. Mais il n'avait pas voulu brusquer les choses avec Denise, comptant bien que les étapes de leur adaptation seraient vite franchies puisqu'elle était de cette génération dont l'ouverture d'esprit en ce domaine donnait toutes les garanties d'un futur agréable.

À leur deuxième rencontre, ils se rendirent dans un motel. « Une soirée pleine de promesses, » se dit Alain quand il embrassa la pièce du regard. Ici, pas de stress du lieu, de l'heure, de la nouveauté, des risques d'oreilles indiscrètes. Mais un lit moelleux, une chaude reclusion et les attraits d'un corps toujours neuf.

Dans la première demi-heure, ils se dirent des banalités, étendus côte à côte, tout habillés. Puis, il proposa qu'ils se dévêtissent.

« Tout à fait ? » demanda-t-elle.

Il hésita, mais devant son inquiétude, dit : « Gardons nos sous-vêtements. » Il s'éclipsa discrètement dans la chambre de bain pour la retrouver, quelques minutes plus tard, allongée sur le ventre. Il la rejoignit après avoir, à son tour, enlevé ses vêtements.

« Tu veux éteindre une lampe ? » demanda-t-elle.

Il s'étira le bras et débarrassa la pièce d'une lueur excessive, indiscrète. Sa main rejoignit l'autre sur le dos de la femme. Ses doigts savourèrent un long plaisir à voyager sur la chair chaude, frôlant avec délicatesse la peau soyeuse. Les longs cheveux d'or, fraîchement brossés, fins, caressaient voluptueusement le lit vertébral et Denise tenait fermés ses yeux adorables, laissant, pensait-il, son corps boire aux fluides frais des mains mâles audacieuses.

« Guide ma caresse. Je veux être au service de ta joie, » fit-il.

Elle ne répondit pas.

« Tu veux ? » insista-t-il.

Elle bougea légèrement la tête en signe d'acquiescement.

« Je veux que notre plaisir soit total, et toi ? »

Elle fit signe que oui.

« Tourne sur le dos, tu veux ? »

Elle obéit.

Alors les yeux de l'homme, tendrement, épousèrent toutes les courbes, depuis le nuage de cheveux flottant sur le drap jusqu'à la fine pointe des pieds. Quand il eut exploré, balayé, vu, ses doigts emboîtèrent le pas aux yeux chercheurs et se firent prodigues de pressions souples et d'attouchements délicats.

Les mains montent, descendent, contournent, tournoient. Elles touchent et relâchent. Les doigts s'écartent, s'appuient, et se resserrent, tirant des profondeurs des chairs des jets de détente, préparant ainsi le corps pour le dur et merveilleux exercice de l'amour.

« J'ai hâte, tu sais, de voir tes seins. J'ai bien hâte de les toucher, de les embrasser... »

Elle sourit un brin. Il a envie que les deux corps se touchent, se brûlent ; alors il s'allonge sur elle, arc-bouté pour ne pas l'écraser trop. Mais elle lui fait perdre l'équilibre. Il tombe sur elle. Et ils se soudent longuement. Quand ce désir-là est un peu rassasié, il s'éloigne à nouveau et reprend ses multiples caresses du bout des doigts, des paumes et des lèvres sur tout le corps foncé par le soleil de juin.

Il cherche des indices de l'éveil du désir, détache le soutien-gorge, insère ses doigts sous le tissu. Les mains tournent en rond, reviennent, cherchent les mamelons, les trouvent, leur parlent. Ils répondent. Il enlève le vêtement, mais il n'ose regarder : il gonfle son désir, gorge sa fièvre. Il touche. La chair est molle, mais neuve et différente. Mais si abondante qu'il manque de mains pour l'aimer d'un seul coup ; alors il s'aide des yeux, puis de ses lèvres, puis de ses mouillures, puis de sa langue. Résolument et avec tout l'art qui lui naît au bout des doigts et des lèvres, il pétrit.

Ses lèvres nagent dans les rondeurs, s'arrêtent, butinent, pressent, aspirent. Il passe la main sous l'élastique de la culotte, à la recherche du sexe qu'il imagine déjà fiévreux. Il touche. Un peu plus loin. Un peu plus au centre. Un peu plus en avant. Mais le sexe ne brûle pas ; il n'est pas chaud ; le sang n'y a pas afflué, pas encore... Le défi est plus grand qu'il ne l'eût cru. Pour le mieux relever, il enlève la culotte devenue gênante.

Il entreprend de lui faire des mouillures par tout le ventre, disant à chacune : « J'aime, j'aime ton corps, j'aime, j'aime ta peau. » En même temps, ses doigts s'insinuent dans les replis de la chair tendre ; ils étirent un brin, écartent, pressent et parfois, sans crier gare, enferment avec autorité et délicatesse. Mais la chair, la respiration, les hanches restent au repos. La femme ne vibre pas.

« Je vais lui annoncer les choses pour qu'elle les espère, » pense-t-il.

Il murmure : « Denise, je vais te caresser avec mes lèvres. Je vais boire à toi, à ma douce fleur, tu veux ? »

Elle émet un oui bref.

Il garde un doigt sur le clitoris et, de sa bouche humide, dépose cent souffles chauds sur tout le triangle de soie. Il cherche à créer de petites frustrations génératrices de folie sexuelle. Sa bouche approche, tournoie, s'ouvre ; la langue touche, presse, attaque. Elle ne retourne chez elle que pour refaire ses forces, que le temps d'un éclair, et elle revient, reprend sa course folle le long du sillon, frappe à l'entrée, entre un peu et retourne en arrière. La bouche alors se fait gourmande ; elle enveloppe tout, goulûment, elle lape, entrouvre les pétales, s'active.

La femme ne bouge toujours pas.

Alors l'homme combine, coordonne, organise. Il multipliera les points de contact : sa poitrine couvrira le ventre, une main cajolera la cuisse, l'autre se tiendra sous l'autre cuisse, prête à relever sporadiquement la bouche et la langue de leurs mouvements fébriles. L'attaque reprend, se prolonge ; l'homme espère, désespère.

Une idée naît, issue d'une jonction de souvenirs. Elle reçoit sans donner ; en conséquence, pense-t-il, je deviens un simple masturbateur. Or, elle s'est masturbée des centaines et des centaines de fois dans sa vie, et connaît à fond son propre corps ; d'où, à côté de son habileté, je fais figure d'incompétent. Je ne peux donc rien tirer d'elle. Il faut qu'elle participe ou du moins désire le faire. C'est la seule façon ! Elle doit s'extraire de son sexe de masturbation pour vivre une sexualité de participation, comme celle que nous vivons, Viviane et moi.

Grâce à lui, Denise naîtrait à une autre dimension de sa sexualité. Il l'éduquerait tout comme Viviane et lui s'étaient mutuellement formés. « Sa richesse de cœur et son ouverture d'esprit m'ouvriront vite toutes les portes, » se dit-il. « De toute façon, les femmes faisant l'amour les bras croisés ne méritent pas de jouir et finiront bien par être mises en quarantaine un jour. » Mais Denise ne serait pas de leur nombre, car il lui enseignerait davantage que le nom et la fonction des organes que font connaître bien des formes d'éducation sexuelle, se targuant ainsi de justifier leur nom. Il l'éduquerait au plaisir.

« Chérie, tu peux me toucher, » fit-il.

« Tu dis ? »

Il releva davantage la tête : « Si tu en as l'envie, tu peux me toucher. »

Elle le regarda, incrédule, et souffla : « J'ai envie que tu viennes sur moi... en moi. »

« Tout de suite ? » fit-il avec un léger sourire.

« D'accord. »

Fatigué des caresses prodiguées, pénis ramolli, inquiet de ne pouvoir la pénétrer, il se coucha sur elle et attendit que son érection revienne. Il goûta le contact des corps, huma l'odeur des cheveux, exerça des pressions pelviennes, mais toutes les caresses n'étaient plus qu'un retour en arrière, comme si, à mi-chemin d'une côte qu'il lui aurait péniblement fait monter, elle eût manœuvré pour qu'il la dévale jusqu'au bas et doive recommencer à grimper afin d'essayer de la rejoindre. C'est ce qu'il pensait, mais, en vérité, en dépit de tous ses efforts, elle-même n'était pas à mi-pente. Dans sa dégringolade, il ne l'avait simplement que rejointe en bas.

C'est ainsi que l'orgueil d'Alain en prit un bon coup, conscient qu'au pied de la côte, un homme ne peut pas faire l'amour, tandis que sa partenaire le peut.

« Si, au moins, elle voulait m'aider un peu ! Juste me toucher du bout des doigts, » pensa-t-il. « Si j'avais su, je l'aurais pénétrée sans trop de préliminaires, et ainsi, je n'aurais pas perdu mon érection. Juste sa main enveloppant mon pénis et je monterais au septième ciel. De quoi a-t-elle donc peur ? Mon corps lui répugne-t-il ? »

« J'espère que tu ne seras pas trop déçue. Tu dois comprendre que je suis marié depuis dix ans et que j'ai fait beaucoup de chemin... en sexualité, je veux dire. Sans ton aide, je peux avoir du mal à finir. » Il avait déposé les mots à son oreille avec infiniment de douceur, mais elle réagit violemment. Elle prit une longue inspiration et enveloppa son visage de ses deux mains.

« Comme ce n'était pas le moment de me parler de ton mariage ! Si tu savais quel effet terrible cela peut me faire ! Pourquoi, Alain, pourquoi ? » gémit-elle entre ses doigts.

« Je m'excuse, Denise. Oh ! comme je m'excuse ! Tu comprends, je suis si mal à l'aise de ne pas pouvoir te pénétrer. J'ai cherché une culpabilité en dehors de moi-même et je t'ai rejeté la faute sur le dos. Pardonne-moi, tu veux ? Tiens, il me vient une idée. »

Il prit son pénis entre ses doigts et le frotta sur l'entrée vaginale. En même temps, il concentra son esprit sur le souvenir des lèvres de Monia. Le membre se tendit. Il le mit en position et poussa, mais la mouillure de l'entrée n'étant que les restes de sa propre salive et les parois n'ayant point lubrifié, il sentit une lacération sur le bout de la verge. Il avait eu cette même sensation de brûlure la première fois, mais alors, il en avait accusé le manque de préparation.

« Que se passe-t-il donc ? Elle n'est pas vierge et je suis bâti tout à fait moyen ? » se questionna-t-il.

Peu après le début du va-et-vient, les douleurs disparurent, indice qu'elle avait sécrété. Grâce à la faiblesse de son désir, il n'eut aucun mal à contrôler la montée éjaculatoire. Il prit tout son temps pour faire durer le mouvement, faisant alterner les brèves pauses aux accélérations agressives, elles-mêmes suivies d'un rythme plus lent.

Elle avait grimacé quand il l'avait pénétrée. Puis elle n'avait plus bougé. Son corps frémissait, mais c'était de recevoir les poussées de l'homme. Sur son visage, il n'y eut rien pendant longtemps. Puis une légère moue de désagrément.

Désagrément aussi sur le gland, car la brûlure renaissait.

Alors il poussa le rythme au maximum, se disant qu'après tout, il avait fait son possible. Bientôt, il sentit son pénis vibrer comme à la fin d'une masturbation. Le sperme jaillit, mais de l'organe seulement : pas du ventre, ni de l'échine, ni du cerveau comme dans l'orgasme total qu'il connaissait toujours avec Viviane.

Il voulut se laisser tomber à côté afin de relaxer, mais Denise le retint sur elle, dans cette position qu'il trouvait aussi excédante après l'acte qu'agréable pendant.

« Je suis heureuse. Que je suis heureuse ! »

Il s'inquiéta : « Mais tu n'as pas eu d'orgasme ? »

« Ce n'est rien. Et toi, comment c'était ? »

« Un peu de mal au départ. Ensuite... »

Elle perdit son enthousiasme et dit : « Mais pas plus que ça ! C'est meilleur chez toi ! »

« C'est normal puisque Viviane et moi avons une adaptation et une évolution de plusieurs années. Mais, toi et moi, çà viendra ! Ayons confiance ! »

« C'est difficile pour une femme de sentir que l'homme a l'esprit ailleurs... même si c'est avec sa propre femme. »

« Mais j'avais l'esprit ici, » protesta-t-il.

Elle tourna la tête tristement.

« Quand tu m'as dit que tu étais marié depuis dix ans, j'aurais voulu mourir. »

« Écoute, Denise, ce soir, ce n'était que la deuxième fois entre nous deux. Dans six mois, nous serons des champions. Tu te laisseras guider et tu verras. »

« Dans six mois, tu ne me regarderas peut-être même plus. »

« Qu'est-ce que tu vas donc chercher là ? Tout ce qu'on a vécu ensemble, tout ce qu'il nous reste à vivre... disparaître ?... Non. Si je croyais à l'existence de l'amour, je te dirais que je t'aime. »

Elle tourna la tête et sourit, les yeux pétillants. De ses doigts en ciseaux, elle lui pinça les joues.

« Grand fou, » fit-elle, en lui donnant un vif bec à pincettes.

Elle chercha à le retenir de ses mains et de son soupir pour qu'il reste sur elle. Mais il força doucement l'étreinte de ses bras et s'allongea sur le lit, juste à côté d'elle. Il s'appuya la tête au creux de son épaule et se laissa gagner par la relaxation.

Il se jugea injuste d'avoir prêté à Denise une sorte d'égoïsme sexuel, car il se rappela qu'il n'y avait pas de femmes frigides, mais seulement des hommes maladroits.

Il pensa : « Les étapes d'une éducation sont multiples. On ne sait pas tout dès le premier jour. Je dois lui donner du temps. Nous apprendrons à connaître nos longueurs d'ondes. Je lui aiderai. Je... »

●

L'auto s'avança dans le sentier bordé de sapins jusqu'à une petite clairière. Alain savait, pour y être souvent allé de jour avec Denise, qu'il pourrait y faire demi-tour facilement. Il stationna la voiture dans une pente afin qu'ils puissent mieux voir le ciel. Ils y seraient seuls au monde. L'endroit n'était connu que de quelques bûcherons et de rares amoureux.

« Notre dernière soirée et je me sens triste, » dit-il.

« Eh oui ! Demain soir, dix-sept heures et demie : vvrrroooooom ! C'est le grand départ en 747, » fit-elle.

« Tu es heureuse et je suis content pour toi, mais je me sens triste, incroyablement triste. »

« Pourquoi donc ? Tu seras avec moi tout le long du voyage. Tu seras dans ma tête, dans mon cœur et dans un petit coin de mes valises. »

« Oh ! non, je serai enchaîné à deux tables tournantes, derrière un microphone, à tourner en rond avec les disques et à rêver en me disant que j'aimerais, moi aussi, prendre l'avion pour l'Espagne. »

Elle rit et l'embrassa sur la joue.

« Tu te débrouilleras bien pour ne pas t'ennuyer. Tu es capable d'être heureux dans toutes les circonstances. »

« Quand il y a du changement, oui. Mais quand c'est toujours la même maudite rengaine chaque jour que le bon Dieu amène... »

« Tu écouteras « Without you » pour nous deux. »

« L'écouter ? Non, je vais le manger. Et pourquoi ne pourrais-je pas préparer mes bagages, moi aussi, ce soir ? »

« Je rapporterai tout le voyage dans mes valises et je le déballerai devant toi. Tu pourras ainsi en vibrer chacune des journées. » Elle pencha la tête d'un côté, puis de l'autre et minauda : « Nous vois-tu, Alain, faire l'amour et la farniente sur les bords de la Méditerranée ? »

« À trente ans, je n'ai jamais mis les pieds beaucoup plus loin que Montréal. Imagine comme je peux être épais ! »

« Shhhhhhh, je vais penser à toi chaque jour et je t'enverrai des tas de cartes postales. »

« J'espère. Malgré que tu auras d'autres chats à fouetter là-bas. J'espère aussi que tu ne feras pas trop la chatte avec les Espagnols. Il paraît que ces hommes-là ont le sang plutôt chaud. »

Elle éclata d'un long rire, vif, pétillant.

« Grand fou ! » s'exclama-t-elle en l'embrassant sur le bout du nez.

Inquiet de voir partir ainsi deux femmes célibataires, pour des vacances dans un pays très latin, il poussa d'une façon plus sérieuse son inquisition morale.

« Je me demande bien pourquoi tu as choisi l'Espagne. Je n'ai rien contre ce pays, mais tu ne connais pas la langue. J'aurais choisi la France afin de communiquer avec les gens ou bien les États-Unis ou l'Angleterre parce qu'un Québécois arrive toujours à se débrouiller en anglais ou encore la Belgique ou la Suisse car on y parle français... »

« Tu te trompes, je connais déjà quatre mots d'espagnol : ! muchas gracias ! et ! buenos dias ! » Elle rit de bon cœur.

« T'aurais-pas eu envie d'aller quelque part où tu puisses communiquer avec les gens ? »

« Je vais en Espagne pour me reposer ? »

« Ça coûte cher seulement pour se reposer. Une relation humaine peut valoir cher, mais pas une relation avec une plage ou le soleil... »

« L'argent, on ne le traîne pas dans sa tombe. Il faut vivre quand c'est le temps. Et puis, chacun son choix. Toi, c'est une maison, une famille, des cours payés à ta femme. Tu as d'autres joies que je n'ai pas. »

« Tu veux me narguer parce que j'ai justement un grand besoin d'évasion de ce temps-ci ! »

« Non, non, non, non, ce n'est pas ce que j'ai voulu dire. Mais tu ne peux pas me reprocher de vivre. On a si peu ce qu'on voudrait avoir dans la vie. »

« Tu dois vivre et je suis heureux pour toi, avec toi. Notre discussion vient du fait que nous n'avons pas les mêmes priorités quant aux pays à visiter, mais ce n'est pas grave. On ne peut pas s'entendre sur tout, n'est-ce-pas ? »

« Malheureusement ! » soupira-t-elle. Elle déboutonna la chemise de son compagnon et fit tournoyer son doigt dans les poils de son estomac. Cette caresse avait toujours sur lui un effet quasi-hypnotique. Il laissa tomber sa tête sur la poitrine de la jeune fille et ferma les yeux, s'abandonnant au rêve et à la nostalgie.

« J'espère que l'Espagne ne sera pas entre nous deux, mais bien avec nous à ton retour, » murmura-t-il, inquiet.

« Ta femme risque bien davantage de nous séparer que l'Espagne. »

« C'est dans ta tête qu'elle est entre nous deux, pas dans la réalité. »

« Je me le demande bien. Dans trois semaines, l'Espagne, pour moi, ce sera chose du passé, mais ta femme, elle, sera toujours là. »

« Tu la détestes ? »

Denise sursauta, s'écria : « Es-tu malade ? Mais pourquoi la détesterais-je ? »

« Parce que je suis son mari. »

« Je ne déteste pas les gens pour qui tu as du sentiment. De plus, je me vois mal critiquer ta femme : elle a tant de belles qualités. Je me sens très petite à côté d'elle. »

Il fureta de son haleine chaude dans le long cou laiteux de sa maîtresse.

« Pourquoi donc te déprécies-tu de cette façon ? Tu as tes qualités et elles sont merveilleuses. Et puis, j'ai plusieurs longueurs d'ondes qui se rapprochent bien plus des tiennes que des siennes. Tiens, par exemple, nos goûts ! Et nos tempéraments, hein ? Elle est très matérielle, et nous deux, toi et moi, sommes des intellectuels. Le pire, c'est qu'elle a cette maladie qui afflige la plupart des femmes : elle est possessive. Elle n'avale pas que je sorte le jeudi soir et, chaque fois que je rentre, elle pose une série de questions. Un de ces soirs, je lui fournirai un état détaillé de mon emploi du temps par écrit. Ah ! les femmes ! »

Denise fronça les sourcils. Elle reprit son mouvement du doigt qu'elle avait interrompu et dit en hésitant : « Alain, les femmes ne sont pas toutes comme ça. Mes frères sortent quand ils le veulent, sans frictions à leur retour à la maison. Je suis la première à dire que ta femme a de grandes qualités sur toute la ligne, mais je crois que tu mériterais quand même un peu plus de liberté. Tu n'es tout de même pas un ivrogne ou un drogué et tu gagnes honorablement ta vie, ne comptant ni ton temps ni tes efforts... Et comme te le disais, tout homme a besoin d'évasion... »

« J'ai manqué de fermeté avec elle dans le passé. Mais à l'avenir, elle ne touchera pas à mes jeudis. D'ailleurs, elle le sait. » Il se releva, sortit ses cigarettes. « Mais revenons à l'Espagne... Tu veux une cigarette ? »

« Je voulais justement t'en demander une. Tu sais, je ne peux plus m'arrêter de fumer. »

« Je n'aime pas te voir t'abonner pour ta vie à cette horreur-là. Combien en fumes-tu par jour ? »

« Dix, douze. »

Il hocha la tête en allumant les cigarettes. « Tu devrais t'arrêter immédiatement... avant qu'il ne soit trop tard. »

« Et toi, tu en fumes combien ? »

« Je ne les compte pas. Au-delà de deux paquets par jour. Mais j'achève ! Je finirai bien par avoir le dessus. Quand je crèverai, personne ne dira qu'une petite cochonnerie comme ça aura été plus forte que moi dans la vie. »

« Le tabagisme coûte cher chez vous. »

« Trois cartons par semaine, pas moins. »

« Tu pourrais t'en payer des voyages en Espagne avec tout cet argent.

« Oui ! Et c'est bien plus intelligent d'aller en Espagne que de fumer... »

« Quand je reviendrai, nous essaierons d'arrêter ensemble, tous les deux. »

« Peut-être, on verra ! »

Elle s'avança vers le pare-brise et regarda le ciel. « Tu as vu le paquet d'étoiles ? Nous devrions descendre et marcher un peu dans le sentier. »

Alain acquiesça. Ils descendirent. Main dans la main, sur le petit chemin désert, ils marchèrent lentement, la tête levée vers le firmament.

« J'ai une idée, » dit-il. « Nous devrions nous choisir une étoile. Elle nous appartiendrait pour toujours, rien qu'à nous deux. C'est toi qui vas la choisir. Que voulez-vous, ma reine ? Le ciel est à votre disposition. Vois comme il y en a... Trente-neuf mille visibles à ce que j'ai lu. C'est un supermarché d'étoiles et nous sommes seuls dedans. »

« Je voudrais que tu la choisisses toi-même. »

« Si tu veux. Et nous la garderons toute notre vie, et quand l'un regardera cette étoile, où qu'il soit et quoi qu'il fasse, il pensera à l'autre. Elle sera notre complicité du ciel, rien qu'à nous deux, pour toujours. »

« Tu es poète, » dit-elle, moqueuse.

« Tu veux que je la choisisse dans la constellation du Cygne ou du Grand Chien ou d'Orion ? »

« Oh ! comme tu t'y connais en astronomie ! »

« Eh oui, je suis un poète astronome.« Rieur, il ajouta : « À vrai dire, j'ai lu ces noms quelque part et ce sont les rares que je connaisse. Mais je connais aussi la petite Ourse et l'étoile polaire, et toi ? »

« Non. »

« Alors, suis mon doigt. Tu vois là, quatre étoiles formant un carré presque parfait avec une queue de trois autres ? »

Elle fit signe que oui.

« La dernière de la queue, c'est l'étoile polaire. Nous ne la choisirons pas, elle me donne froid. Nous allons prendre sa voisine. »

« Et nous allons sceller ce cadeau d'un baiser. » Elle le prit dans ses bras et l'embrassa.

« Quel nom lui donne-t-on ? »

« Tu l'as choisie, alors tu la baptises. »

« Tu me laisses tout le travail, » dit-il, espiègle. Ils continuèrent leur marche au clair de lune dans la clairière. Silencieux, il réfléchissait.

Il finit par dire : « Je te propose trois noms et tu en choisiras un. Mais ne ris pas de mes idées... »

« Juré ! Promis ! »

« Martelos, à cause de notre nom à tous les deux et parce que le son os est espagnol. Futuros, parce que le futur nous promet à tous les deux beaucoup de choses à vivre ensemble. Et le plus beau, Denalos, pour Denise, Alain plus os, le son espagnol. Ce nom voudra dire que l'étoile et l'Espagne nous rapprocheront, nous colleront, nous souderont. »

Elle médita sur ses choix, les yeux levés au ciel. « Je n'aime pas trop le son os, ça fait... squelettique. Je voudrais quelque chose qui parle du futur et de toi, mais pas Futuros... Je vais combiner deux de tes idées et je pense que ça ira, écoute bien : Futural, pour futur et Alain. »

« D'accord pour Futural, notre étoile éternelle. »

« Ça me donne un peu à penser, » fit-elle, en dodelinant de la tête.

Il lui ébouriffa les cheveux et dit avec un brin de malice : « À quoi donc, ma fée des étoiles ? »

« Après l'Espagne, si nous continuons ensemble, qu'adviendra-t-il de nous ? » Elle releva la tête vers le ciel. « Je veux dire : où tout cela nous mènera-t-il ? »

« Selon l'optique traditionnelle, nulle part en particulier, mais selon la nôtre, vers une forme d'épanouissement, vers un partage, une complicité. »

« Ne risquons-nous pas de nous faire du mal ? »

« Mais non puisque nous laisserons le temps tout arranger. Nous vivrons notre romance dans la joie et la paix. Graduellement, le temps atténuera nos sentiments jusqu'au jour où il ne restera plus qu'un doux souvenir. »

Elle soupira : « Les choses pourront-elles être aussi faciles ? »

« À condition de le vouloir, oui. Nous le voulons, n'est-ce-pas ? »

« Oh ! je ne voudrais rien briser dans ta vie, tu le sais bien ! »

« Alors aimons-nous... avec toutes les réserves que j'associe à ce mot-là. Aimons-nous ! Car c'est un droit sacré pour deux êtres de se rencontrer et de cueillir ensemble des fleurs, tant qu'ils ne détruisent personne. »

« Mais Alain, tu as déjà commencé à mentir. »

« C'est la possessivité naturelle de Viviane d'une part, et la culture que nous avons reçue qui encourage cette possessivité, d'autre part, qui m'ont forcé à le faire. Et je devrai lui mentir tant qu'elle ne sera pas libérée et de l'une et de l'autre. »

Denise scruta son amant de ses prunelles brillantes et inquiètes. Elle dit : « Et à moi, tu mentiras ? »

« Je n'ai pas à le faire parce que toi, tu es libérée. Je ne te dirai pas toujours tout. Il faut garder en soi-même des recoins mystérieux, secrets, pour attirer l'autre, mais je ne te mentirai pas. »

Ils ne se parlèrent plus tout le tour de la clairière. Et ils retournèrent s'asseoir dans l'auto.

« Serre-moi bien fort dans tes bras. Il faut maintenant que nous partions. »

« Déjà ?

« Tu comprends, nous partons assez tôt pour Montréal demain. »

« Je comprends. »

Ils se jetèrent dans les bras l'un de l'autre et s'écrasèrent, sous l'œil indifférent de Futural.

●

Vingt-quatre heures après, seul, affalé sur une chaise de parterre, devant sa demeure, Alain regardait les étoiles s'allumer une à une, tandis que les derniers nuages de feu se noyaient au fond de la vallée.

Il concentra jusqu'à la plus petite parcelle de ses forces cérébrales et lança un message télépathique : « Je m'envole avec toi vers l'Europe, vers la liberté, vers la vie. »

Viviane arriva en auto. Caroline vint offrir à son père une crème glacée molle qu'il n'avait pas demandée. Il tourna les yeux vers sa maison, puis vers la petite ville illuminée. Enfin, vers le ciel pour regarder intensément Futural.

« Je t'aime ! » murmura-t-il, les yeux luisants.

●

Le samedi suivant, Alain eut à remplir un engagement avec son système de son. C'était la noce, à St-Hubert, d'un de ses anciens élèves, à ce même endroit où la sienne avait été célébrée neuf ans auparavant.

Lors de la deuxième intermission, il prit place à cette même table où buvait, l'après-midi de son mariage, en 1963, ce vieux célibataire qu'il avait plaint paternellement et dont il avait cru, à l'époque, deviner les pensées.

Quand les époux, quelques minutes plus tard, quittèrent les lieux pour aller se changer de vêtements, il se dit que c'est de lui-même dont le jeune marié devait aujourd'hui évaluer et plaindre les pensées. Perpétuel recommencement, se dit-il aussi. Après tout, les réflexions du vieux célibataire de 1963, mort déjà depuis longtemps, ne devaient pas être bien différentes des siennes aujourd'hui, en cette fin de juillet 1972, et possiblement de celles du jeune marié lui-même quelque part vers les 1980.

Il médita.

— La jeune fille pure, angélique, blanche comme son voile, deviendra, après s'être changée de vêtements et de personnalité, une femme mariée authentique dont le visage disparaîtra derrière le ventre, dont les hochements de tête ou d'yeux pour les autres hommes feront place à la rigidité d'une nuque classée, dont les hésitations et les doutes seront remplacés par la sécurité des décisions masculines. Pour elle, l'espoir du lendemain dégénérera en une nécessité d'aujourd'hui parfois entrecoupée d'une nostalgie d'hier. Elle s'enfermera entre ses quatre murs du mariage : la maternité, la fidélité, la soumission et la domesticité. Quant au rêve et à la robe de mariée, ils se partageront une même garde-robe d'entreposage. Et, toute sa vie, elle cherchera vainement sa jeunesse.

Le jeune homme pur, sans tache comme son habit noir, héroïque, deviendra un homme marié authentique, dont le visage disparaîtra derrière les lunettes, dont les regards honnêtes feront place à ceux de la convoitise, dont les hésitations et les doutes doubleront d'avoir à décider pour deux ou plus — et au surplus devra-t-il les cacher —, dont l'espoir du lendemain se changera en nécessité du moment. Il s'enfermera entre ses quatre murs du mariage : paternité à vivre, fidélité à afficher, stress décisionnel à cacher, réussite à tout prix. Quant au rêve et à l'habit de noces, ils s'useront au même rythme, en quelques mois. Et, toute sa vie, il cherchera vainement sa jeunesse.

Atteignant aujourd'hui son point maximum, leur amour n'a plus qu'à s'éteindre, plus ou moins vite, soit par une usure lente d'avoir à trop se frotter aux murs de leur union ou bien par une dégringolade plus rapide aboutissant à une rupture officielle.

Ce jour de leur mariage est le premier d'un long assassinat mutuel, parsemé de joies fausses, de rires douteux, et de drogues passagères que sont les biens de consommation devenus des buts à atteindre plutôt que des compléments agréables, comme au temps de leur jeunesse.

S'ils parviennent à s'entendre et que leur mariage dure, alors ils se paieront une maison de rêve, des meubles de rêve, des voyages de rêve, des autos de rêve, plein de gadgets de rêve, et sans doute quelques enfants de rêve. Mais rien de tout cela ne leur fera jamais retrouver le grand rêve perdu, figé sur la pellicule des photos, entreposé avec la robe de mariée, usé avec l'habit de noces : l'espoir de la jeunesse.

•

Chaque jour de l'été, jusqu'au retour de Denise, Alain écrivit. Chaque après-midi, il écoute « Without you. » Chaque soir de temps clair, il regarda Futural.

Viviane sentait les changements qui s'opéraient dans l'âme de son mari et elle chercha à le distraire. Elle lui fit acheter un poêle au charbon de bois, un équipement de tennis plus moderne. Elle lui fit consentir à un voyage d'une semaine en Gaspésie, pendant ses vacances du mois d'août.

La veille de la date prévue pour son retour, Denise revint d'Europe. Elle téléphona à son amant. Il se laissa aller à une joie d'enfant et lui demanda de venir au plus vite à la station de radio. Elle entra, vêtue d'un poncho vert, le visage rose vif.

« Buenas tardes, » dit-elle.

« Bonsoir, » fit-il, cachant son émotion.

Il ne put s'approcher d'elle. Le technicien rôdait dans les divers studios. Et Alain devait, de toute façon, poursuivre sa mise en ondes. Il fit signe à Denise de s'asseoir et courut fermer à clef la porte extérieure avant que son disque ne prenne fin.

« Tu ne m'as pas inondé de cartes postales, » lui reprocha-t-il quand il eut regagné sa place derrière son microphone.

« Je craignais d'arriver en même temps qu'elles. »

« La seule que j'ai reçue m'est parvenue trois jours après son oblitération en Espagne. »

« Si j'avais su... »

« Pas grave ! Pourvu que tu sois là.. et complète ? » dit-il, les yeux inquisiteurs.

« Alain, ce fut un voyage merveilleux parce que tu m'as suivi, là, dans mon cœur. »

« Partout ? »

« Presque, » fit-elle avec un clin d'œil taquin. « Tu ne peux deviner ce qui m'est arrivé dans une discothèque de Barcelone. Nous étions assises, Aline et moi, et, quelle chanson entends-je ? » Elle secoua la tête. « « Without you » ; j'aurais voulu mourir. »

« Et je parie que cela t'a portée à parler de nous deux à ta compagne. Moi, j'aurais voulu crier nos sentiments au monde entier. »

Exhubérante, elle dit : « C'est exactement ce qui s'est passé ! »

« J'espère que tu lui as dit... ce que je vais te dire tantôt ! »

« Quoi donc ? »

« Ce n'est pas le moment... encore. »

« Et toi, qu'as-tu fait de bon cet été ? »

« J'ai perdu mon temps devant des steaks sur charbon de bois. Mais je t'ai parlé et je t'ai écrit des choses. »

« Montre-moi. »

« Tout à l'heure ! »

« Il va s'en passer des choses tout à l'heure ? »

« Plus que tu ne crois, » fit-il d'un air sérieux.

« Tu m'inquiètes. »

« Et tu as raison. C'est un peu inquiétant, je dois te l'avouer. » Il s'interrompit, le temps de lire un message publicitaire et de présenter le disque suivant. « Raconte-moi ton voyage. Je voudrais te dire tout d'abord que le déraillement du train Madrid-Cadix m'a énervé. Tu risquais d'être dedans. C'était le lendemain de ton arrivée là-bas. »

« Mon père aussi s'est inquiété quand il a entendu la nouvelle, mais, tu vois, je n'ai pas déraillé... » Elle rit. « Je te résume le voyage en peu de mots. Nous sommes allées à Madrid, Séville, Barcelone, la Costa del Sol, en Andorre et à Paris. Rien ne s'est passé comme prévu et nous avons fait ce que tu dis qu'il faut faire en voyage : parler aux gens, communiquer plutôt que de visiter des monuments et des villes et de rester dans de grands hôtels. Nous avons si vite traversé les villes que je ne peux même pas t'en parler. Nous nous sommes fait chauffer la couenne pendant trois jours sur la Costa del Sol, puis nous avons rencontré un ophtalmologiste d'Andorre. Tu connais l'Andorre ? »

« N'est-ce-pas une province du sud de la France ? »

« Pour un professeur de géographie... » Elle fit une moue taquine. « C'est un pays indépendant, infiniment petit. Donc nous avons rencontré Pierre et nous avons passé le reste de nos vacances, sauf notre journée à Paris, chez lui. Nous avons fait des choses formidables: nous sommes allés pêcher la truite, nous sommes allés dans des discothèques, nous avons visité la station de radio du pays. Comme j'aurais voulu que tu sois là! Ce fut un voyage extraordinaire! Et regarde-moi comme j'ai la peau corsée: j'ai pris huit livres.»

Cette narration décupla le désir d'Alain de livrer son cœur à la jeune fille, mais aussi, il souffrit imperceptiblement de l'existence de ce Pierre. Il devrait l'enterrer royalement sous une charge de sentiments.

L'arrivée du technicien dans le studio empêcha Denise de poursuivre. Quand il sut qu'elle revenait d'Espagne, il l'entretint longuement de son propre voyage au Mexique, l'hiver d'avant. Il finissait de détailler chacune de ses journées sur la plage quand Alain termina son émission, après quoi il conduisit Denise à la discothèque. L'autre homme quitta les lieux.

«Le TOUT À L'HEURE est arrivé,» dit-elle bientôt.

«Je le crois.» Il s'approcha doucement et la prit dans ses bras.

«Nous n'avons pas encore pu nous embrasser,» dit-elle.

«Là-bas, au studio, j'aurais voulu sauter dans tes bras par-dessus les tables tournantes. J'aurais bien dû! Déjà la tête me tournait passablement.»

Il la regarda intensément au fond des yeux comme pour lui imprimer à jamais dans l'âme ces mots «je t'aime» qu'il brûlait de lui crier depuis qu'elle était partie. Ensuite, il ferma les yeux et chercha à se décrire mentalement le baiser le plus violemment tendre qui puisse être, et il tâcha précautionneusement de le déposer sur la bouche de Denise. Après de longues secondes, il recula la tête, le temps de souffler un «je t'aime», puis rengagea son baiser. Quand il reprit son souffle et que s'atténuèrent un peu les convulsions exquises, il entendit la jeune fille murmurer: «Comme j'avais peur que tu ne les dises jamais, ces mots merveilleux!»

Leurs intensités décuplèrent.

Un peu plus tard, ils scellèrent un autre pacte: celui de cesser de fumer.

1973

Il rentra très tard de sa soirée avec Denise. Viviane achevait le repassage de la semaine. À son visage tuméfié, il comprit qu'elle avait encore pleuré. Il savait d'expérience qu'il valait mieux ne pas lui parler en ces moments-là puisque, de toute façon, elle ne manquerait pas de se vider le cœur avant qu'ils ne se couchent.

Plutôt de laisser planer le long silence habituel, il décida de délencher la crise afin d'être libre au plus tôt pour aller dormir.

« À ton air, je présume que tu as reçu un autre appel de gens qui nous aiment et veulent nous rendre service ? » questionna-t-il rudement.

« Aurais-je dû en recevoir un ? » s'enquit-elle calmement.

« Si tu bases ta vie sur la jalousie, oui. »

« Parce que tu as passé ta soirée avec quelqu'un en particulier ? »

Il s'assit à la table de cuisine et sortit un crayon. « Tu veux un rapport détaillé ? » dit-il d'un ton désagréable.

« Je te demande simplement où tu étais. Pourquoi ne pas me répondre ? Est-ce si terrible de chercher à savoir où son mari passe ses soirées et ses nuits ? »

« Oui, c'est terrible, et aussi longtemps que tu t'obstineras à me le demander, je ne te le dirai pas. »

« Parce que tu as des choses à cacher ? »

« Parce que ça ne te regarde pas, tout simplement ! »

« Et moi, je reste ici à me morfondre, à repasser tes vêtements, à travailler pour toi... »

Il l'interrompit : « Je fais ma part dans la vie. Il est ridicule de recommencer à mesquiner là-dessus. »

« Tu vas finir par t'arranger tout seul avec tes affaires, » fit-elle, orageuse.

Il ne répondit pas et se rendit à la chambre de bain où il s'enferma. Il avait adopté cette attitude chaque fois qu'elle augmentait le ton à un degré qu'il trouvait insupportable. En fait, il savait que le silence dont il s'entourait alors était agressif et désapprobateur, mais il refusait d'alimenter la guerre avec des réponses qui arrivaient très vite à dépasser sa pensée. Il n'avait rien trouvé de mieux pour se calmer que de siffloter, ce qui doublait la hargne de Viviane, mais, pensait-il, coupait de moitié la durée de l'altercation.

Elle lui cria à travers la porte : « Jamais tu ne me sors de cette maudite maison, mais toi, tu prends tous tes aises. Aucun homme dans tout St-Grégoire n'agit comme tu le fais... Si tu continues, tu vas me perdre. Je sais que ça ne te dérangera pas, mais tu vas perdre aussi ta fille. J'ai fini d'endurer. La semaine prochaine, tu vas trouver la soupe chaude... »

Elle faisait un arrêt entre chaque phrase, cherchant à obtenir une réaction qui ne venait pas. Alain sentait pourtant la pression augmenter en lui à cause de l'utilisation de l'enfant comme monnaie d'échange pour l'empêcher de vivre.

Elle se mit à sangloter.

« Tu sais bien, Alain, que ma santé n'est pas très bonne de ce temps-ci. Avec la maison à entretenir, les études au loin et cette douleur incessante dans le côté... Pourquoi n'es-tu pas plus raisonnable ? »

Il serra les dents et pensa : « La petite victime commence le chantage de la maladie et des larmes. »

Elle ne parla plus tout le temps qu'il finit sa toilette. Il en profita pour préparer son argumentation qu'il lui répéterait pour la dixième fois. Était-il un fainéant? Buvait-il? Fumait-il? La privait-il à cause de ses sorties? Ne l'avait-il pas forcée d'accepter un lave-vaisselle en cadeau à Noël pour lui faciliter la tâche?

« Ah! et puis non! » pensa-t-il. « Plus je parlerai, plus elle voudra me cerner dans un coin. Elle cherche précisément à me faire parler, mais elle ne réussira pas. En tout cas, pas ce soir. »

Il reprit son calme, sortit et fila tout droit au lit. Il se coucha sans hâte, bientôt suivi de Viviane.

« Pourquoi ne dis-tu rien quand je parle? »

Il ne répondit pas.

« Réponds-moi donc une bonne fois! »

« D'accord, puisque tu veux absolument le savoir, » dit-il, impatient. « Ce soir, je suis allé à une réunion de gens qui s'occupent de la télévision communautaire et, par la suite, Guy et moi sommes allés prendre une bière dans un bar. Satisfaite? »

« Tu ne sens pas la bière. »

« Parce que j'ai pris un Coke. On m'a dompté, tu te souviens, à ne pas toucher à l'alcool quand je dois conduire après. »

« Pourquoi ne me l'as-tu pas dit avant de partir ou bien en revenant? On dirait toujours que tu es coupable de quelque chose. Et moi, je pleure et j'enrage... »

« C'est simplement que je veux un petit coin de vie bien personnel, est-ce trop demander? »

« Je m'excuse pour mes paroles de tout à l'heure, mais j'étais si stressée, tu comprends. »

Il ne répondit pas. Quelques minutes plus tard, elle s'approcha, passa son bras par-dessus lui et le caressa de son doigt magique, tournoyant, frôlant, chlorofor... endor...

●

« Allons courir, » dit Denise.

Les amants avaient profité de leur après-midi de congé pour s'évader dans la nature. Ils descendirent de l'auto et marchèrent sur la route déserte.

Soudain, elle grimpa sur le banc de neige du bord du chemin et se laissa tomber sur les genoux. Comme un petit animal, elle se creusa un trou et ôta une mitaine afin d'y plonger la main qu'elle retira aussitôt et porta à sa bouche.

« La neige est bonne, » fit-elle.

« Tu risques d'être malade; cette neige est malpropre. »

« Jamais de la vie! Ils ne mettent jamais de sel sur cette route et la neige est blanche comme... comme de la neige. »

Ils rirent en chœur.

« Et comme elle a bon goût? » s'exclama-t-elle. « Hummmmmm! elle goûte le froid. Viens, monte ici. Je te fais une toute petite place, juste à côté de moi. »

Il grimpa à son tour et s'accroupit en petit bonhomme. Elle plongea la main dans le trou et lui offrit un peu de neige fondante de ses doigts raides et rougis qu'il lécha en ronronnant. Elle lui mit alors le pouce sur le bout du nez et dit: « Tu es mon gros « nounours » ! »

Il sourit l'incertitude, contrarié par ces mots.

Elle ajouta: « Non, tu es toi et je suis moi, et aujourd'hui, nous sommes ensemble. »

« J'aime beaucoup mieux comme ça ! »

« Je t'agaçais. »

« C'est mieux. Tu veux que je te dise pourquoi je t'aime ? »

« Tu me l'as dit pour la première fois quand je suis revenue d'Espagne, tu te souviens ? Et tu m'as dit aussi que tu avais recommencé à utiliser le mot aimer parce que tu en savais maintenant le pourquoi. »

« Et depuis ce temps-là, j'ai trouvé plein de raisons qui expliquent cet amour, » dit-il.

« L'amour n'a pas besoin d'être compris et justifié. »

« Les amours qui ne s'expliquent pas logiquement ne durent pas et se transforment vite en possessivité. Pour avoir raison d'aimer, il faut avoir des raisons d'aimer. Et j'en ai de nombreuses. »

« Alors, raconte ! »

« Nous rions, nous jurons aux mêmes choses, nous réagissons de la même façon aux gens et aux choses, nous sommes d'un milieu social semblable, nous avons même langage et souvent, même longueur d'ondes, et, de par notre profession commune, nous pouvons partager les mêmes problèmes. Et nous avons jusqu'au même nom. Comme on dit, nous sommes faits pour nous entendre. Tu m'as fait redécouvrir la poésie, mon esprit d'enfance, mes joies d'adolescent. Tu m'as fait prendre conscience de tout ce qu'il y a eu de beau dans mon passé. Grâce à toi, je me suis libéré de l'esclavage du tabac et j'ai retrouvé un nouveau souffle. Merci, merci pour tout, Denise, ma chérie... non, chérie. »

« Elles étaient là, en toi, toutes ces richesses. J'ai simplement mis ma main sur ton visage et dit : « Arrête. » Puis j'ai mis devant toi un miroir pour que tu redécouvres le beau qu'il y avait en toi. »

« Nous devrions aller fêter tout ça dans un bon lit chaud. »

« Oui, c'est une bonne idée, » fit-elle, ravie.

Ils se rendirent à leur motel du jeudi soir. Quand ils furent nus sous les couvertures, ils se collèrent l'un contre l'autre.

« Merci pour tout, » dit-il. « Merci pour ton corps, pour ton cœur, pour ta poésie, pour ta jeunesse. Si un jour nous prenons chacun notre route, me reprocheras-tu d'avoir pris tout cela de toi ? »

« C'est mon choix. Je le fais librement chaque fois que j'accepte d'être avec toi. Je ne suis plus une enfant. Je sais ce que je fais et ce que je veux. Toi, en retour, tu m'apportes beaucoup : tes heures, ta force morale, ta réflexion profonde sur les gens et sur les choses. C'est pour cela que je t'aime. Et puis, je n'ai pas besoin, moi, de m'expliquer pourquoi : pourvu que je t'aime. » Elle rit à gorge déployée.

« Denise ! » fit-il, menaçant.

Elle lui souffla dans les cheveux : « Tu savais que je t'aime ? »

Il lui frôla les épaules du bout de ses doigts. « Tu veux que je te caresse ? »

Elle fit signe que oui.

D'un geste brusque, il rejeta le drap au pied du lit.

« Brrrrrr... » fit-elle en croisant les bras.

« Tu n'auras pas froid longtemps parce que je vais te réchauffer. »

Il s'assit à l'indienne et entreprit un massage lent et ferme, ponctuant chaque pression d'un mot de relaxation : « Tout doux. Ferme tes yeux. Bois à mes doigts. Je t'aime. Ta peau est douce. Peau veloutée, peau satinée. Ton corps est chaud. Je te désire. Tu es une fleur. Belle. Exquise. Neuve. Folle. Shhhhhhhh. Je vais t'effleurer. De mes doigts. De mes mains brûlantes. De mes lèvres mouillées. Tu es une femme. Une vraie. Merveilleuse. Douce. Gentille. Généreuse. Parfois. Ne ris pas. Je t'adore. J'adore t'adorer. Je suis à toi. Je t'ai choisie. Librement. Relaxe. Mais ne dors pas. Je veux m'unir à toi. Je veux être en toi. Tu m'envelopperas. Tu m'absorberas. Je me répandrai en toi. J'irai mourir en ton corps, sur ton corps, sur tes seins. Pour renaître à la vie, à la liberté, à l'amour... »

Ses mains se font tour à tour: ondulantes, mordantes, chatoyantes, savantes, invitantes, souvent agaçantes et parfois méchantes. Il ne s'arrête qu'à son troisième désir violent de goûter à son corps.

Obéissant aux frissons qui lui parcourent l'échine, il refait le même chemin de ses lèvres capricieuses et sa main opressante enveloppe l'entre-cuisse. Il porte son doigt à sa bouche, le mouille pour ne pas irriter la chair et porte sa caresse au clitoris. Elle ne bouge pas. Il ne s'éternise pas. Il sait que ce n'est pas la bonne façon. Alors c'est son majeur qu'il enveloppe de salive. Il dépose sa main sur le triangle, cherche la vulve, approche, délicatement, trouve l'entrée, écarte un peu les chairs et enfonce doucement le doigt pour que le pouce reste à hauteur du clitoris. Commence alors un mouvement de va-et-vient qui anime davantage le pouce que le doigt enfoui. Sa bouche attend sur le pubis, guette, et parfois, si nécessaire, noie la sécheresse.

Alain n'écoute pas son poignet qui se meurt de fatigue. Il lui répond en accélérant le rythme et la pression. Imperceptiblement, les hanches commencent à bouger, puis se soulèvent, puis cherchent le pouce en tournoyant légèrement de bas en haut et de gauche à droite. Le second signal ne tardera pas. L'avant-bras de l'homme, son poignet, son pouce l'espèrent. La respiration de la femme augmente, augmente...

« Continue, continue, » souffle-t-elle.

Alors il double le rythme et la pression; il écrase avec toute la force qu'il peut. Il bouge le pouce à droite et à gauche, craignant de briser, de déchirer, mais les hanches se lancent en avant à la recherche des doigts fouisseurs, cherchant une délivrance qui retarde. Un doigt pistonne, l'autre broie. Le corps de la femme tressaille, ondoie, s'agite en soubresauts. Une longue plainte en jaillit: « Ahhhhhhhhhh, » se transforme: « Ohhhhhhhhhh, » se calme: « Vfiououououououou... »

Alors seulement, il fait grâce à ses doigts. Sa main se retire laborieusement, un doigt mouillé d'un liquide clair, l'autre tenaillé à sa base par un mors d'acier, le poignet traversé par une crampe douloureuse. Il ne les masse que deux secondes de peur qu'elle ne sèche et il se dépêche de se coucher entre ses jambes pour la pénétrer. Il prend son pénis entre ses doigts, frotte son gland contre les chairs tièdes et se concentre sur un désir qu'il a ressenti dans l'avant-midi pour une collègue de Denise. La raideur vient, il s'introduit. Le gland lui brûle. Une idée fixe: l'éjaculation. Il a trop souvent échoué de rechercher le plaisir de cette manière.

Avec Viviane, il chevauche, trotte, s'arrête, passe au galop, revient au petit trot; le rythme varie, mais le désir et le plaisir augmentent parallèlement, sans se lâcher, comme deux skis sous des jambes expertes, et le sprint final est une avalanche qui dévale, tonne, envahit tout et ne laisse que le plaisir pur.

Mais là, il faut commencer dans un galop avancé et passer tout de suite au sprint; autrement, ce serait l'échec et la frustration. Il contracte son pénis, en fait une pompe à vide, prend de formidables élans, force le sperme à venir, vide.

Et il se rejette à côté avant qu'elle ne le retienne sur elle.

Il ne parla point, se demandant pour la trentième fois comment elle pouvait supporter une telle sexualité: cette caresse épouvantable qu'elle l'avait amené à lui prodiguer et sans laquelle elle ne pouvait atteindre l'orgasme.

Trois fois il lui a demandé de s'ouvrir à une autre forme de plaisir, d'embarquer dans une sexualité de participation-et, espérait-il qu'elle en saisisse le corollaire et lâche ses fixations masturbatoires —, mais, chaque fois, elle lui a répondu qu'il lui faudrait du temps pour s'habituer à cette idée, lui rappelant qu'elle n'était pas mariée depuis dix ans. Après sept mois, elle n'a pas encore touché à son corps. Il n'ose pas lui dire qu'elle rate un convoi géant formé de don et de prise de possession, de reprises, de montée graduelle du désir, d'excitations mutuelles, de cris, de halètements, de torsions, de tortures, d'agressions douces, d'exhubérance incroyable, de pleurs, de feux impossibles à endurer, de folie furieuse, de soulagement total: de plaisir légitime à deux. Il n'ose, car pour le faire, il devrait forcément parler d'une autre femme.

« Pourquoi cette tiédeur? Pourquoi ce torticolis du pouce et du pénis, ces masturbations hors-propos? Elle ne devrait pourtant jeter qu'un simple « je veux » pour faire le pont entre le chemin désertique et le riche convoi. Qu'attend-elle donc pour vouloir? »

Toutes ces questions devraient finir par trouver leur réponse: le grand oui que toute femme, désirant jouir vraiment, doit dire un jour. Il se dit qu'il lui parlerait discrètement, indirectement, par de petites revues françaises d'avant-garde mais dignes... à tout le moins pour ceux qui ont la logique de croire que le sujet puisse être traité dignement, à découvert.

Elle n'aurait qu'à lire ces revues dont il soulignerait les passages importants pour leur vie sexuelle.

●

Sept des douze chaises étaient occupées par les membres du conseil de l'école polyvalente. Denise, Alain et trois autres professeurs avaient pris place un peu en retrait, près d'un rayon à demi-rempli de la bibliothèque.

« Cinq fumeurs sur sept, la partie sera dure, » se dit Alain.

Pendant que la discussion portait sur des carences en matériel audio-visuel, il repassa un à un les arguments qu'il croyait susceptibles de toucher son auditoire.

Il sortit de ses réflexions lorsque le président aborda la question.

« Quelqu'un a demandé que soit discuté le point suivant, à savoir: doit-on continuer de laisser fumer les étudiants à l'intérieur de l'école? Je le soulève et le propose à vos commentaires et réflexions. » Il avait parlé sans se départir d'un léger sourire au coin des lèvres, palpant ses poches tout au long de ses phrases. À la fin, il trouva son paquet et s'alluma une cigarette.

Une petite bonne femme de religieuse, le sourire rigide, reculée sur sa chaise depuis le début, s'avança le corps vers la table et s'appuya les coudes.

« Laissons donc la parole à celui qui a suggéré que cette question soit débattue même s'il n'est pas membre du conseil. Je pense que nous pourrions faire exception aujourd'hui et lui demander de se joindre à nous afin d'exposer ses idées, car, d'habitude, des idées, il en a... »

Tous sourirent.

Le directeur Rouillard, qui avait gardé son menton dans sa main gauche, dans une position de bras croisés, laissa échapper un rire à deux éclats étouffés.

« Des objections? » demanda distraitement le président. « Aucune?... » Alors si Alain Martel veut s'approcher de la table et se joindre à nous? Nous sommes prêts à l'écouter. » Et il consulta sa montre.

Alain approcha, toisa du regard tous les assistants. Il ne décela d'intérêt véritable que chez la religieuse.

Pour débuter en douce, il dit: «Je crois que nous pourrions pérorer longtemps sur les devoirs de notre tâche et sans doute qu'il y aurait toujours matière à discussion, donc à mésentente; mais je pense que cette question soulevée aujourd'hui fera l'unanimité puisqu'il s'agit de la santé de nos jeunes. Mon intervention vise tout d'abord à protéger les droits des non-fumeurs. Il faut faire disparaître cet encouragement à fumer dont sont l'objet de façon permanente les étudiants de cette école, et créer de multiples incitations à ne pas le faire...»

Charles Goulet, sans lever les yeux, le visage sombre bien que très pâle, maugréa: «Je me demande de quelle façon les droits des non-fumeurs sont si mal protégés ici. Fume qui veut et s'abstient qui veut. Après tout, les étudiants ne fument pas dans les salles de cours.»

«Le problème vient du fait que les non-fumeurs doivent souffrir la fumée des autres dans les locaux de récréation et que...»

Il fut interrompu par Goulet qui éleva le ton sans lever les yeux: «Ceux qui ne sont pas contents n'ont qu'à passer leur récréation dehors.»

«Ce n'est pas à eux de le faire, c'est à ceux qui fument,» protesta Alain.

Goulet haussa les épaules et hocha la tête en même temps qu'il sortait son paquet de cigarettes dont il se servit pour faire, avec son autre main, un cornet sur sa bouche. Il chuchota à son voisin, mais assez fort pour qu'Alain puisse entendre: «S'il veut mettre les fumeurs dehors aux récréations, il s'occupera lui-même de les faire sortir. On verra bien s'il réussira ou même s'il essaiera.»

Alain rétorqua: «Il faut la collaboration de tous et, pour cela, des décisions doivent être prises à cette table.»

«Personnellement,» dit Rouillard,» je ne vois pas le tort fait aux non-fumeurs par la fumée, si ce n'est évidemment celui d'être incommodés. Bien sûr, se faire «boucaner» n'est agréable pour personne...» Il troqua les mots pour une moue de contestation.

«Bon Dieu, Lucien, chaque semaine, des journaux ou des revues rapportent des résultats d'études sur la nocivité d'une atmosphère polluée par les émanations du tabac, autant pour les non-fumeurs que pour les fumeurs.»

«Soyons sérieux, Alain, et ne prenons pas pour l'évangile tout ce que rapportent les journaux et les revues. Mon grand-père a fumé jusqu'à l'âge de 92 ans et il est mort pour avoir trébuché sur de la glace... Et ce n'est pas un mégot de cigarette qui l'a fait tomber...» Rouillard provoqua un rire unanime, bruyant.

Alain perdit un peu contenance: «Lucien, comment peux-tu me plâtrer avec un argument aussi clairement sophiste?...»

«Sophiste, sophiste, qu'est-ce que c'est que ça?» interrompit le président.

«Ai-je besoin de citer tous les éléments nocifs contenus dans l'air vicié par la fumée du tabac?» Alain ouvrit une chemise qu'il tenait dans ses mains.

Rouillard dit: «Fais-nous grâce de tes statistiques, Alain. Tout le monde sait bien que le tabac est mauvais pour la santé. Ceci dit, revenons les deux pieds bien sur terre et envisageons le problème sous son angle pratique. Penses-tu sérieusement que nous puissions arriver demain matin devant douze cents gars et filles du secondaire et leur dire: à partir d'aujourd'hui, il est défendu de fumer à l'intérieur. Peux-tu seulement imaginer tous les problèmes, toutes les protestations, toutes les contestations?»

«Cette parole en est une de démission,» répondit Alain. «À Montréal, il y a sous terre une sorte de train mû par l'électricité et qui s'appelle métro...»

«Change de ton, Alain, il nous arrive à nous aussi d'aller à Montréal,» dit Rouillard en habillant son agacement d'un vague sourire.

« Mes excuses pour le sarcasme. Dans le métro circulent des milliers et des milliers d'adultes tous les jours, et personne ne fume. Et vous croyez sincèrement que soixante-quinze enseignants qui le voudraient ne pourraient pas faire respecter une directive par douze cents étudiants? Qu'est-ce que nous faisons donc ici? »

« Alain, » dit le président, « les professeurs sont drôlement mal placés pour parler. La plupart fument. Et plusieurs pendant leurs cours. »

« Ils devraient cesser pendant leurs cours, ce qui ne les empêcherait pas de fumer dans leurs bureaux. D'autre part, pourquoi ne se serviraient-ils pas de leur propre expérience en tabagisme pour prévenir les jeunes des inconvénients graves de cette habitude? Prêcher par l'exemple ne veut pas nécessairement dire montrer une belle image de soi. Si je dis à mes étudiants: je fume, c'est là un esclavage de chaque jour, de chaque heure, qui me fait tousser, qui accélère mon rythme cardiaque, qui affaiblit ma résistance aux maladies, qui me coupe le souffle, qui diminue l'acuité de tous mes sens, qui peut m'amener cancer, emphysème, maladies cardio-vasculaires, qui me coûte une petite fortune et qui va peut-être réclamer sept années de ma vie, je suis aux prises avec ce problème, je voudrais m'en libérer et je vous déconseille fortement de vous y laisser entraîner, croyez-vous qu'ils me traiteront de fou de ne pas cesser de fumer? Peut-être! Mais au moins, ils pourront dire: celui-là, il sait de quoi il parle. Et ils prendront conscience qu'il n'est pas facile de cesser, ce qui les incitera à ne pas commencer. »

« Tu le faisais quand tu fumais toi-même? » demanda un autre foutriquet membre du conseil.

« Dès que j'eus suffisamment d'information sur le tabagisme, comme nous en avons tous maintenant, je l'ai fait régulièrement. Et je crois que mes paroles avaient plus de poids. Dire aux étudiants les dommages causés par le tabac, même si l'on fume soi-même, n'est pas un aveu de faiblesse, bien au contraire. »

« Nous n'avons aucune pression sur la question de la part des parents, » dit le principal-adjoint.

« Et après? » dit Alain. « Les parents non-fumeurs ne sont pas conscients des dangers. Quant aux autres, ils font les autruches et disent: comment puis-je défendre à mes enfants ce que je fais moi-même? Mes amis, au-delà de l'apathie générale, l'école a des devoirs à remplir... »

« Pour ma part, je trouve que nous perdons notre temps à discuter de détails n'ayant pas l'importance qu'on veut leur donner, » dit le président en consultant sa montre.

« Détails? Mais Pierre, si les arguments concernant les droits des non-fumeurs à leur air pur ne te touchent pas, si ceux qui regardent la santé te laissent indifférent, réagiras-tu au moins à la question d'argent? Tu es pourtant généralement pointilleux à ce sujet. Un jeune qui vient apprendre à fumer dans cette école devra payer, selon les prix actuels, coût des cigarettes plus intérêts, au bas mot vingt-cinq mille dollars dans sa vie de fumeur. Trouves-tu qu'il s'agisse là d'un beau diplôme à lui décerner? »

L'autre répondit: « Alain, puisque tu aimes les chiffres, pense à ceci: si le coût de la vie est de vingt-cinq mille dollars par année comme prévu après l'an 2000, et qu'un fumeur écourte sa vie de sept ans, comme tes études le prétendent, alors il économisera six fois vingt-cinq mille dollars soit cent cinquante mille dollars dans sa vie par rapport au non-fumeur... »

Tous les assistants s'esclaffèrent, au désespoir de Martel. Rouillard, jugeant le moment opportun, sortit son paquet de cigarettes et en offrit une à Alain, disant: « Fais-nous plaisir, tire une bonne touche. Sais-tu, je vois mon paquet et ça me rappelle que c'était justement ta marque! »

L'adjoint, dont les épaules sautaient de rire, ajouta: « En plus que mourir d'un cancer dans vingt-cinq ans d'avoir fumé à l'intérieur ou bien d'une pneumonie tout de suite d'avoir fumé dehors par nos grands froids... »

De nouveaux éclats de rire fusèrent de toute la tablée. Alain se leva. Il se forgea un sourire, mais il ne put contenir son amertume.

« Je vous remercie de m'avoir écouté. Peut-être restera-t-il quelque chose de ces minutes perdues comme le disait notre ami Pierre. Mentez, il en restera bien quelque chose, disait Voltaire. Doit-il sans doute rester davantage quand une personne dit la vérité! Il est difficile de se regarder dans un miroir; cela viendra peut-être un jour. Je vous laisse à des sujets plus sérieux et, pour ma part, je vais m'occuper à une autre forme de pollution: celle des ondes par de la musique rock... À tout le moins, est-ce-là l'opinion de bien des adultes sages qui s'inquiètent davantage des oreilles de leurs enfants que de leurs poumons parce que ça fait bien leur affaire dans les deux cas. Je continue d'espérer malgré vos propos facétieux et je vous dis au plaisir! »

•

« Ding »

La minuterie venait d'annoncer la fin du temps qu'Alain mettait chaque soir à parcourir les six milles qu'il s'était donnés comme objectif sur sa bicyclette fixe. Mais, depuis deux mois qu'il s'acharnait à pratiquer cet exercice sur place, la balance refusait obstinément de bouger et lui faisait lire, inexorablement, le même poids chaque matin.

Il était couvert de buée et la sueur lui tombait à grosses gouttes du visage. Il mit sa tête sur son avant-bras, cherchant à retrouver son souffle. Son rythme cardiaque se lisait sur ses tempes folles.

« A-t-on déjà vu un mois de mai aussi chaud et humide? » haleta-t-il.

« Tu as toujours mal supporté la chaleur, » dit Viviane.

« Que veux-tu? Avec trente livres de merde en trop sur la carcasse. »

« Tu exagères tout de même un peu. »

La petite fille qui s'amusait avec des bonhommes de carton voulut renchérir à l'expression de son père.

« Tu sais de quoi tu as l'air sur ta bicyclette, papa? D'un gros cochon. » Un rire de cristal jaillit en cascade de sa bouche d'enfant. Ses yeux brillants cherchaient dans ceux de son père récompense à sa finesse.

Blessé dans son orgueil, atteint dans son point le plus vulnérable, il dit avec mépris: « Puisque tu es incapable de parler avec le peu de cervelle que le bon Dieu t'a donné, va te reposer un peu dans ta chambre. »

« Mais papa, qu'est-ce qu'il y a... »

« Dans ta chambre et tout de suite, » coupa-t-il.

La fillette s'accroupit afin de ramasser ses bonhommes de papier éparpillés çà et là sur le plancher.

« Ta chambre et tout de suite, » insista-t-il, rageur.

L'enfant se releva et se dirigea vers sa chambre, les fesses serrées, jetant au passage de la cuisine un regard désemparé à sa mère.

« Je vais aller arranger ça, » dit Viviane et elle suivit l'enfant. Elle laissa la porte ouverte et dit d'une voix douce, mais assez ferme pour qu'Alain puisse entendre: « Caroline, on ne dit pas des choses pareilles à son papa... » La petite fille explosa en sanglots. « Il a quelques livres de trop, mais ce n'est pas parce qu'il est paresseux. Tu sais comme il travaille dans la vie pour nous deux. Il a beaucoup de misère tous les jours à pédaler sur sa bicyclette, il faut l'encourager et non lui dire des paroles blessantes. »

« Je... je... je ne voulais pas... le faire fâcher. »

« C'est que tu n'as pas assez réfléchi avant de parler. Couche-toi quinze minutes et maman va aller vous préparer un bon souper à tous les deux. »

« Est-ce que tu vas ramasser mes bonhommes de carton ? »

Viviane se rendit à la chambre de bain, mouilla une débarbouillette et retourna auprès de son mari dont elle épongea la figure et le corps. Elle chuchota : « Tu tâcheras de la consoler au souper, elle a beaucoup de peine. »

« Il y a tout de même des limites de se faire traiter de gros cochon par une enfant de huit ans. Qu'est-ce que ce sera quand elle en aura vingt ? »

Viviane retourna à ses chaudrons. Lui se calma à l'écoute de « Hawaï Five-O ». Quand il s'approcha de la table, l'enfant était déjà là, tête basse, yeux bouffis, cœur gros.

« Si je t'ai fait pleurer, Caroline, c'est que tu m'as agressé avec ta parole irréfléchie. L'on n'agresse pas les autres, surtout ses parents, de cette manière. Je ne suis pas un de tes copains de classe, moi, tu comprends ? »

Les yeux rivés sur une tasse, la bouche ramassée et projetée en avant, l'enfant jeta : « Ouais ! »

Tout juste avant une cuillèrée de soupe, Alain porta à sa bouche un morceau de pain beurré qu'il avait déchiré de sa tranche.

« D'après ta réponse, je me demande si tu vas comprendre, mais je vais essayer de t'expliquer quand même, » dit-il.

« Tu ne manges pas Caroline ? » demanda Viviane.

« J'ai pas faim, » dit sèchement l'enfant.

« Mange ta soupe, » dit Alain sur un ton ferme. Il se beurra une deuxième tranche de pain tout en parlant : « On ne dit pas gros cochon à son papa quand il est en train de se crever à faire des exercices dans le but de maigrir. Ça, c'est une première chose... »

« Mais papa, tu as dit toi-même que tu avais trente livres de... de... sur le dos, » protesta-t-elle.

Il se rappela de son mot et convint au fond de lui-même qu'il avait été trop dur envers elle. Aussi ajouta-t-il sur un ton très doux, presque suppliant : « La deuxième chose, c'est que ton papa n'est pas si gros que cela. Des hommes de trente ans et de ma grandeur et qui pèsent plus de deux cents livres, il y en a à la tonne. Après tout, je ne pèse que cent quatre vingt-dix. »

« Tu veux cette plaque de steak ou bien celle-ci ? » demanda Viviane en montrant deux morceaux de viande.

« Donne-moi le gros, j'ai l'estomac creux ce soir. Tiens, je vais me reprendre un plat de soupe en attendant. » Il se servit, continuant à discourir à l'adresse de la gosse qui mangeait du bout des doigts. « Un gros cochon, ça ne travaille pas, ça se laisse vivre et ça se laisse engraisser. » Il se prit une autre tranche de pain. « À ton âge, c'est facile de parler, tu n'as pas de problèmes de poids, mais un jour, ce sera ton tour. Tu veux du beurre ? »

L'enfant fit signe que non.

« En plus que si j'étais un gros cochon comme tu le dis, je fumerais encore comme un cochon. »

Viviane activa le steak dans la poêle et jeta, en même temps qu'un sourire de coin : « Je te remercie pour tes bonnes paroles. »

Embarrassé, il dit : « Toi, c'est moins pire, tu ne fumes qu'un paquet. Moi, je dépassais chaque jour les deux paquets. J'ai voulu dire que si j'ai réussi à cesser de fumer, j'arriverai bien à maigrir. Est-ce que mon steak avance ? »

« Il est prêt, je te l'apporte. » Elle mit l'assiette sur la table et, tenant la poêle haute de l'autre main demanda : « Encore de la sauce ? »

« O.K. », fit-il allègrement. Elle vida le mélange de jus de viande, de beurre et de consommé sur le steak, Alain se servit ensuite une portion de purée de pommes de terre et en offrit du geste à la petite fille.

« Je m'en prendrai moi-même, je ne suis plus un bébé, » dit-elle, gardant la bouche en cul-de-poule.

Alain garnit son assiette de pois verts et entreprit de découper sa viande.

« La semaine prochaine, je vais doubler la tension sur la bicyclette. À force de pédaler, je finirai bien par atteindre la graisse. »

« C'est dur pour le cœur ce que tu fais, » dit Viviane.

« C'est sûr que c'est dur, mais c'est ce qu'il faut pour perdre du poids. C'est comme pour cesser de fumer, ça prend des efforts... Et, dans le fond, c'est bien moins dur pour le cœur que de fumer. »

« Ton steak est-il à point ? » demanda Viviane.

« Ah ! oui, parfait ! »

« Tu en désires un autre morceau ? »

« Non, ça va, merci. » Il avait parlé la bouche pleine et sa réponse fut enterrée par le bruit du ventilateur de la hotte du poêle et du grésillement d'un autre steak.

« As-tu dit que tu en voulais encore ? »

Il fit signe que non et dit, en consultant sa montre : « Je me dépêche, une émission importante commence à la télévision et je ne voudrais pas la manquer. »

« J'ai un bon dessert : du « short-cake » aux fraises, en prendras-tu ? »

« Je commence à être plein. Pouah ! avec tout l'exercice que je fais, je dois bien pouvoir me permettre un dessert de temps en temps, surtout du « short-cake » aux fraises. Donne m'en et je vais l'apporter devant l'appareil de T.V... Viviane, j'ai calculé cela et je fais maintenant mon quarante minutes d'exercice par jour : vingt minutes de bicyclette, dix minutes d'extenseurs, dix minutes d'haltérophilie. Et cet été, je vais faire un peu de tennis... Je devrais peut-être m'acheter de l'équipement pour le golf. Les golfeurs marchent beaucoup dans une journée. Çà doit être bon pour le ventre. Je vais y penser sérieusement. »

●

« On lui a fait son curetage hier et elle est revenue à la maison dès ce midi. Elle avait si peur que je sorte seul pendant qu'elle serait à l'hôpital qu'elle a décidé elle-même de quitter avant son temps. » Il parlait par saccades, levant les mains du volant à chacune de ses phrases. « Bon Dieu, des fois je me demande si elle n'a pas un sixième sens pour choisir les moments où m'encarcaner. »

« Est-elle seule à la maison ? » demanda Denise.

« Oui, mais elle n'a qu'à faire venir sa sœur qui est infirmière et reste à deux pas, ou encore sa mère qui se fait toujours un grand plaisir de répondre à ses invitations. Mais je suis assuré qu'elle n'en fera rien et ça lui permettra de jouer au drame quand je rentrerai en fin de soirée. »

« Il ne peut rien lui arriver de sérieux ? »

« Absolument pas ! Il ne s'agit que d'un curetage. Mais encore une fois, elle a trouvé un moyen de me culpabiliser. De toute façon, elle a le téléphone, elle pourra s'en servir en cas de besoin. Elle n'est pas une enfant ; elle a trente ans. »

« Aurait-il fallu que tu te sacrifies encore ? »

« C'est ça ! Elle en veut à ma liberté et prend tous les moyens qu'elle peut imaginer pour la briser, mais elle n'y arrivera pas, dussé-je passer pour un monstre. Elle n'avait qu'à être raisonnable et passer la nuit à l'hôpital comme prévu, mais non. S'il fallait que son objet de mari parte à l'aventure ! »

« Pourquoi ne lui dis-tu pas tout ça ? Pourquoi ne pas lui parler comme tu le fais maintenant ? Les choses changeraient peut-être. »

« Sincèrement, elle m'a tant poussé à bout que j'en suis à me demander si je suis tellement intéressé à ce que les choses changent. Je t'en parlerai davantage plus tard. Pour le moment, oublions tout ça. Toi et moi, nous sommes ensemble et nous y allons enfin à notre pièce de théâtre. Et ce soir, pour moi, c'est tout ce qui compte. »

« Comme ce serait merveilleux si nous pouvions passer la nuit ensemble à Québec, après le théâtre ! » soupira Denise.

« Je sais bien, mais nous ne pouvons tout de même pas dépasser certaines limites. »

« Oh ! je disais ça comme ça !. »

Deux personnages de la pièce « La nuit des Rois » de Shakespeare accueillaient le public à l'entrée de la salle de présentation.

Si la façade de la bâtisse avait plongé Alain un siècle en arrière, cet accueil des acteurs aux accords de luth le dépaysa de trois siècles et demi. Il se laissa porter par l'évasion. Le chatouillement que lui causait la maladie de Viviane disparut vite.

Main dans la main, ils entrèrent dans le vieux théâtre du vieux Québec.

« Nous devrions venir plus souvent, » dit Denise quand ils furent assis.

Il sourit. « J'ai hâte de voir le personnage d'Olivia. »

« À qui le dis-tu ? » fit-elle.

« Est-ce dans le personnage d'avoir cet air snob que tu avais sur tes photos en Olivia ? »

« Elle ne rit pas parce qu'elle est en deuil. Faut dire aussi qu'elle est d'un certain rang social... »

« Tu avais quel âge quand tu as joué ce rôle d'Olivia ? Dix-neuf ? »

« Oui. »

« Heureusement que tu n'es pas en deuil, car avec cette touche de snobisme à ton visage... », taquina-t-il.

« En deuil ? Mais je le suis souvent... De ta présence près de moi. »

Il lui chuchota à l'oreille : « Je t'aime. »

« Mais tu n'es pas là souvent ! »

« Je fais mon possible. »

« Tu en es sûr ? »

« Ne suis-je pas là ce soir ? Si j'avais écouté quelqu'un d'autre, « La nuit des rois » se déroulerait sans nous. »

« Je t'approuve d'avoir tenu ton bout... »

« Je ne veux pas la détruire, mais je ne veux pas qu'elle m'assassine non plus. Trop d'hommes se laissent étrangler par leur femme. J'espère que tu ne feras pas la même chose quand ce sera ton tour. »

« Non, non, non, non, parce que le mariage, ce n'est pas pour moi. »

« Tout le monde le dit, mais un jour ou l'autre, chacun se fait prendre, et rares sont ceux qui s'en sauvent. Certains pensent y échapper parce qu'ils n'ont pas signé de contrat devant le curé et le notaire, mais ils se comportent exactement comme des gens mariés : chacun cherche à faire de l'autre son « nounours », son objet. »

Le rideau se leva. Alain put constater, à mesure que se déroulait la pièce, que l'amour n'avait pas changé ces quatre cents dernières années.

À l'entracte, Denise lui demanda ses impressions.

« Pièce très plaisante à tous les points de vue, bien montée, bien interprétée... » Il réfléchit. « Mais je suis sûr que tu devrais être meilleure dans le rôle d'Olivia, car avec tes talents de comédienne... » Il lui adressa un clin d'œil malicieux.

« Ce sont de dangereux talents chez une femme, » renchérit-elle.

« Et naturels surtout ! De sorte que ces pauvres hommes... »

« Les femmes se défendent comme elles le peuvent. »

« Mais leurs armes de défense sont si efficaces qu'elles gagnent toutes les guerres. Pourtant, la faiblesse des hommes est si grande que les femmes n'auraient pas besoin d'ajouter la comédie à leur arsenal, ne trouves-tu pas ? »

« Même quand elles utilisent leurs armes pour construire ? » interrogea-t-elle.

« Qui sait quand il construit, qui sait quand il détruit ? L'un ne va jamais sans l'autre. »

« Tu philosophes, Alain. Est-ce Shakespeare qui t'inspire ? »

« C'est toi. C'est ton éclat de ce soir. » Il mit ses mains en cornet sur sa bouche et murmura à l'oreille de la jeune fille : « J'ai observé toutes les femmes de la salle, tu es jalouse ? » Elle fit signe que oui et sourit. « C'était pour me rendre compte que tu étais la plus jolie de toutes. »

La pièce finit au-delà de minuit. Deux heures de route les attendaient. Avant de traverser le fleuve Saint-Laurent, Denise s'exclama en soupirant : « Si nous pouvions donc finir la nuit ensemble ! »

Il prit sa main, la serra doucement et la porta à ses lèvres. Tout en parlant, il lui mordilla les doigts : « Nous pourrions faire l'amour jusqu'à l'aube. »

Elle renchérit avec chaleur : « Et ensuite nous pourrions dormir jusqu'à midi. »

« Je vais y réfléchir, et arranger quelque chose une bonne fois. »

Elle soupira, hésita, bougea. « Ça n'irait pas si tu n'entrais chez toi que demain matin... Je veux dire avec ta femme ? »

« Il vaudrait mieux pas, Denise, Viviane a tout de même subi un curetage et il paraît que c'est assez dur pour une femme. »

« C'est justement, elle doit sans doute dormir, tu ne penses pas ? »

Il lui serra à nouveau la main. « Une autre fois, c'est promis. La soirée ne fut-elle pas magnifique ? »

Elle ne répondit pas.

Sitôt le pont de Québec franchi, la pluie se mit à tomber et, quelques milles plus loin, tourna en véritable déluge. Il fallut ralentir à trente milles à l'heure et faire travailler les essuie-glace à haute vitesse. Ce genre d'orage, trop violent pour durer longtemps, lui était familier et, calmement, il tint la vitesse sur plusieurs milles d'affilée. La pluie ne se lassait pourtant pas et tombait parfois si dru que le champ de vision devant l'auto se réduisait à une vingtaine de pieds.

Chacun des nombreux tournants tirait un long soupir à la jeune femme. Elle finit par dire, lasse : « Pourquoi ne pas nous arrêter afin de laisser passer l'orage ? »

« Ça ne donnerait absolument rien puisque nous roulons depuis trois quarts d'heure et que la pluie n'a pas lâché une seule minute. »

« Mais tout de même ! » fit-elle en hochant impatiemment la tête.

« À cette vitesse, nous n'arriverons pas avant trois heures et demie ; alors imagine si nous nous arrêtons une heure sans même savoir si la pluie diminuera d'intensité... »

« Mais pourquoi es-tu si pressé de retourner chez toi ? »

« Pressé ? Mais je vais à trente milles à l'heure. Par contre, il vaut mieux avancer que d'attendre sur le bord de la route... »

« Tu as plus d'attachement envers certaines personnes que tu ne le laisses paraître. Autrement, nous prendrions une chambre dans le prochain motel. »

« Denise, tu n'es pas raisonnable, » dit-il avec un peu de reproche dans la voix. « C'est tout de même un être humain qui m'attend à l'autre bout. Je ne devais pas céder au chantage de la maladie, mais, au-delà, il y a la simple question humanitaire, et cela n'a rien à voir avec le sentiment. Je comprends ta réaction, mais de ton côté, tu dois comprendre que j'ai des devoirs à remplir. »

« Évidemment, je n'ai aucun droit sur toi ! » jeta-t-elle.

« Elle non plus ni personne. Mais toute la liberté du monde me laissera toujours des devoirs à remplir. J'avais prévu retourner à la maison à deux heures et je n'y serai pas avant quatre heures : c'est suffisant comme ça. »

Denise retira sa main et ne parla plus sur une longue distance. Puis elle cassa la glace : « Je m'excuse pour tout à l'heure, mais j'ai tant besoin de toi et je te sens tellement à une autre qu'il m'arrive de dire des bêtises. Je suis égoïste ; je voudrais te garder pour moi toute seule. »

« Donne-moi ta main et parle-moi de la pluie. »

Triste, elle répondit : « Surtout pas de la pluie ! »

« Alors de fleurs, d'enfants, de joie, de beauté. Tiens, maintenant que j'ai vu la pièce, dis-moi comment tu as vécu ta « Nuit des Rois » à l'époque. »

●

Peu après quatre heures. Il rentra chez lui. Couchée sur le divan du salon, Viviane attendait. Elle ne dormait pas.

Il prit les devants : « Qu'est-ce que tu fais debout à une heure pareille ? Après ce que tu as subi, tu devrais dormir... »

« Et toi, qu'est-ce que tu fais sur la route ? »

« Encore des comptes à te rendre ? J'arrive de Québec. »

« Je le sais, tu me l'as répété pendant une semaine que tu allais te chercher de l'équipement supplémentaire pour ton système de son. Tu en as acheté beaucoup ? »

« Il n'y a rien de mieux à Québec qu'ici. Je me suis fait charroyer d'un côté et de l'autre et j'ai couru tous les magasins d'électronique de la ville, mais je n'ai rien trouvé d'original par rapport à ce que nous disposons ici à St-Grégoire. Il faudra que j'aille à Montréal ou bien aux États-Unis. »

« Tout ce voyage pour rien ? »

« Je ne pouvais pas deviner d'avance. »

Elle persifla : « Finalement, en comptant que tu es reparti de Québec à la fermeture des magasins, il t'aura fallu sept heures pour revenir. Par chance que tu n'as pas passé droit à St-Grégoire, tu aurais pu te retrouver à Boston d'ici à un mois. »

« Écoute, » fit-il impatient, « je vais te faire mon rapport. Tout d'abord, tu as entendu l'orage... »

« Oui, et ça dure depuis minuit. »

« Dans la région de Québec, depuis plus longtemps. Je suis sorti du dernier magasin passé vingt-et-une heures et je suis allé au restaurant d'où je suis sorti vers vingt-deux heures et demie. Je n'étais pas rendu au petit pont temporaire de St-Isidore que la pluie tombait effroyablement. J'y suis arrivé aux environs de minuit, mais je n'ai pas voulu traverser parce que l'eau passait pardessus le tablier. Et je n'étais pas le seul puisque toutes les autres voitures rebroussaient chemin aussi. J'ai donc fait plus de quatre-vingt milles à vingt milles à l'heure. La pluie n'a pas lâché de tout le trajet et ça tombait, tu peux me croire. Calcule tout çà et tu obtiendras le sept heures qu'il m'a fallu.»

«Mais il y a pourtant tout le long de la route des possibilités de téléphoner. Pourquoi ne m'as-tu pas appelée? Juste pour me rassurer un peu. J'étais morte d'inquiétude... surtout dans l'état où je suis.»

«Bon, bon! Il fallait bien que je sois coupable de quelque chose, n'est-ce-pas? Si tu me faisais davantage confiance dans la vie, je t'aurais sans doute appelée. Que j'aurais donc aimé arriver à la maison et te trouver endormie! Pour une fois au moins! Mais non, tu m'attends afin de scruter à la loupe mon emploi du temps.»

Viviane haussa le ton, mais sa faiblesse physique donna un air faussement autoritaire à sa voix: «Je voudrais bien te voir à ma place, malade, ton conjoint parti pour Québec et ne rentrant que le lendemain matin avec, dehors, un orage comme nous n'en avons pas eu de pareils depuis dix ans. Et pourtant, un simple coup de fil aurait pu arranger tout cela...»

«D'accord, je suis coupable!» jeta-t-il. «La prochaine fois, j'appellerai. Maintenant, viens te coucher et te reposer. Nous aurons les idées plus claires demain et nous en discuterons.»

Il se rendit à la chambre de bain et fit sa toilette.

Savates traînantes, Viviane s'approcha lentement. «Tu prends tous tes aises, Alain. Tu te prends pour un roi...»

Il sortit son visage de la débarbouillette mouillée et se regarda dans le miroir. Avec une pointe de sadisme au coin de l'œil, il dit très haut: «Parce que tu t'imagines, malgré tout ce que je t'ai raconté, que j'ai passé une nuit de roi?...»

●

Une auto passa sur la route. Ils ne s'en inquiétèrent pas. Ils s'étaient bien camouflés derrière un bouquet d'arbres. L'herbe avait poussé dans le tracé du petit chemin bordé de sapins balsamiques. Les amants s'y étaient étendus sur une couverture. Le soleil n'était que bon, que chaud, que doux; mais ni harassant, ni pesant. Pourtant, juillet avait plombé ces trois dernières semaines.

«D'accord, j'ai mes torts! Mais ça ne change rien au fait qu'elle m'écœure chaque fois que je mets le nez dehors. Un homme finit par en avoir marre de se faire houspiller à propos de tout et de rien...» Le ton changea, devint plus résolu: «Je vais me libérer de son agression perpétuelle».

«Que veux-tu dire?»

«Que j'ai pris de grosses décisions.»

«Comme?»

«La séparation! D'ici deux ans. Je veux vivre libre. Pas comme un objet entre les mains d'une femme. Elle voudrait tout contrôler: mes gestes, mes sorties, mes pensées. Quand ça n'est pas directement ou violemment, c'est subtilement et en douce. Mais son but est le même. Moi, je suis né pour la liberté...»

Elle coupa: «Tu vivras seul?»

«Pour un bout de temps, oui. Cependant, libre ne veut pas dire sans amour ou bien automatiquement seul. Si je rencontre une femme, toi ou une autre, qui sache vraiment respecter ma liberté, alors je ne ferme pas la porte à d'autres essais de vie à deux.»

«Est-ce que tu serais plus sévère à mon égard?»

« Certainement ! Tu connais, toi, les résultats de s'attaquer à la liberté d'un homme. »

« Tu vas laisser ta maison ? »

« Je vais ramasser du capital. J'ai une bonne équité sur ma maison ; je vais l'hypothéquer et me mettre à la recherche d'une petite affaire. Et dans deux ans, je liquiderai tout. Je diviserai moitié moitié avec Viviane et nous prendrons chacun notre route. »

« Ce sera moins facile que tu ne le penses... Je veux dire à cause des lois. »

« Je ne divorcerai pas. Nos lois sont trop stupides. Imagine la farce plate : aujourd'hui, en 1973, il faut que tu prouves que ton conjoint a commis l'adultère pour obtenir ton divorce. L'adultère : une pareille niaiserie généralisée... Cette chère justice cherche ses fondements dans les idées les plus aberrantes... Tiens, je pense que nous ne nous sommes pas encore embrassés. Viens me voir. »

Elle ne se fit pas prier et se colla. Le visage éclatant, elle chanta : « Tu as vu les belles petites fleurs rouges près des sapins ? »

« Ce sont des... des... Je ne le sais pas, » dit-il. « Je ne sais rien, ni des fleurs ni de la forêt. Comment pourrais-je savoir puisque j'ai passé toute ma jeunesse à l'école ? Pouah ! ce ne sont pas leurs caractéristiques qui comptent, mais leur beauté. C'est de savoir vibrer à elles comme je vibre à toi. Et ça, école ou pas école, c'est à notre portée. »

Elle le prit dans ses bras et l'embrassa. Puis, soucieuse, elle s'enquit : « Tu vas quitter la radio ? »

« De toute façon, je végète en radio. Ça ne vaut pas le coup : ni pour l'argent ni pour l'intérêt de l'emploi. Je prépare un rapport contenant des propositions pour améliorer notre radiodiffusion et si, à sa suite, rien ne bouge comme depuis toujours à cette station, je quitterai. Je suis fatigué de bourrer le public avec une médiocrité perpétuelle. Que par mon rapport, l'on change une médiocrité par une autre, au moins on aura essayé. Mais bon Dieu, on aura essayé ! » Il réfléchit un moment et ajouta : « En enseignement, c'est pareil. On bourre les étudiants de connaissances qu'ils assimilent mal et qui, à la plupart, ne seront probablement jamais utiles, alors qu'il y aurait tant de choses plus valables à leur communiquer. Je vais donc décrocher aussi du monde de l'enseignement. »

Amusée, elle demanda : « Est-ce le soleil qui te rend aussi noir aujourd'hui ? » Il soupira. Elle poursuivit : « Si tu décroches de tout, tu vas t'accrocher à quoi ? »

« J'ai envie d'aller vers l'entreprise privée. Être mon propre maître. Ne plus pouvoir m'en prendre à l'humanité si je suis malheureux. J'ai déjà essayé, mais je n'étais pas assez mûr. Oh ! je sais que tout ne sera pas parfait là non plus ; mais, au moins, je ne serai pas une sorte de complice forcé comme je le suis dans l'enseignement. »

Elle hésita : « Bien sûr, si... tu n'es pas heureux chez toi, devras-tu suivre... le chemin de ton cœur. Mais il te faudra une vie professionnelle. Et, où que tu travailles, tu auras des problèmes. »

« Oui, il y aura des chaînes partout, mais je veux choisir les miennes. Ne pas me sentir forcé de me les mettre sur le dos. Réfléchir avant de les accepter. Je ne pourrai sauver l'humanité, mais je vivrai dans un milieu qui permet d'agir par soi-même plutôt que d'être un exécutant lampiste au bas d'une hiérarchie immuable et sclérosée. Malgré tous les problèmes socio-économiques, si je vis à ma mesure, je vivrai positivement. Tandis que maintenant, je sens qu'on m'assassine de tous côtés. »

« Te paraîtrai-je égoïste si je te demande ce qu'il adviendra de moi dans tout cela ? »

« Toi et moi, nous continuerons, si tu le veux, d'être ce que nous avons toujours été l'un pour l'autre: un poème, une évasion, un épanouissement. Et si nous en arrivons à vivre ensemble un jour, cela voudra dire que nous sommes vraiment faits l'un pour l'autre. Mais aucun des deux ne devra jamais étouffer l'autre... »

« Je te jure que je ne t'étoufferai pas, » coupa-t-elle. « Même si je t'écraserai souvent dans mes bras. »

Allongés sur le dos, côte à côte, les yeux plissés par le soleil, chacun vibra à son rêve. Denise ne rompit le charme que longtemps après.

« Je t'ai toujours trouvé d'une extrême patience de vivre ce que tu vivais chez toi. Je me suis toujours demandé, et certaines de mes amies qui te connaissent aussi, comment tu faisais pour passer à travers de tout cela. »

« En tout cas, dix ans d'essai, ça suffit, » soupira-t-il.

« En somme, tu as tout un programme à remplir d'ici deux ans: un commerce à créer, ton problème de ménage, quitter la radio et l'enseignement... »

« Et aussi le milieu, » dit-il. « Il faut trop s'identifier aux autres ici. » Tu ne peux pas être marginal, être toi-même. Tu dois être une photocopie, que ça fasse ton affaire ou pas. Et cela ne m'intéresse pas. Tiens, je viens de trouver l'image. Viviane, les gens de la radio, ceux de l'enseignement, ceux du milieu veulent tous faire de moi une photocopie dont eux seraient l'original et je le refuse. J'ai beau gueuler contre eux, les affubler de tous les noms, ce n'est pas à eux de se transformer parce que ça ferait mon affaire. C'est à moi de laisser tomber. La situation est aussi simple que cela. Je refuse l'absorption, alors je dois m'en aller. »

« Ne trouves-tu pas que tu mets les échéances courtes pour ton programme ? »

« Il me faut longtemps pour prendre des décisions, mais quand c'est fait, j'avance vite. »

« Mais si les choses ne tournent pas comme tu le prévois? Par exemple, si ta femme changeait ses attitudes à la maison ? »

« Je verrais. Mais ce n'est pas dangereux. Elle est malade de possessivité et je me demande si c'est une maladie curable chez une femme. »

« Ma mère se demande bien où je m'en vais dans la vie, » soupira Denise.

« Et toi, ça t'inquiète ? »

« Oh! non, je ne suis pas de l'époque où une fille devait se caser à tout prix. Je suis trop amoureuse de ma liberté pour m'embarquer dans une relation étouffante comme le mariage ou... »

Alain sourit tendrement. « Comme nos idées se croisent! Comme j'aurais voulu te connaître il y a dix ans ! »

« Tu aurais ri, » dit-elle.

Le soleil continua longtemps de leur envelopper le corps et d'engourdir leur esprit. Parfois une auto passait, discrètement, au loin...

« Et il paraît que tu n'es pas fameuse pour faire cuire un steak... » dit-il beaucoup plus tard.

●

Le téléphone sonna. Alain, mu par un pressentiment, répondit lui-même, ce qu'il faisait rarement quand Viviane était là.

« C'est Denise, » dit la voix.

« Oui, » fit-il. Son visage devint écarlate. Il savait qu'il balbutierait, dirait des choses bizarres, s'empêtrerait et mettrait ainsi Viviane sur la piste des soupçons. Et il ne désirait pas qu'elle apprenne maintenant qu'il avait une maîtresse. Il s'était donné une tâche à accomplir avant que le temps de la vérité n'arrive: il devait d'abord travailler à l'émancipation de sa femme. Il amènerait Viviane à vivre par elle-même, pour elle-même, au lieu de la laisser continuer à s'accrocher, selon son expression, à sa queue de blouse. Denise ne devait donc pas l'appeler chez lui; il l'avait avertie de son inaptitude à jouer la comédie. Mais cette fois-ci, elle avait tout prévu.

«Ne réponds que oui ou non,» dit-elle. «Tu m'as raconté cette semaine que tu avais un problème d'assurances. Alors dis à ta femme que ce sont les gens du bureau des assurances qui te demandent d'aller les voir. Je suis au garage pour l'achat de mon auto et j'aimerais bien que tu viennes.»

«Que je m'y rende?»

«J'ai envie d'insister. J'aimerais tant que tu me donnes ton idée. Pourrais-tu venir tout de suite?»

«C'est d'accord, j'y vais.»

«Je t'attends.»

Il raccrocha et dit à Viviane qu'il devait se rendre au bureau des assurances afin d'y régler l'affaire dont il lui avait parlé quelques jours plus tôt.

«J'espère que çà va s'arranger,» dit-elle quand il sortit.

Il examina sans sourciller la voiture qui tentait Denise. Elle lui demanda ce qu'il en pensait.

«Je n'ai aucun conseil à te donner.»

«J'ai voulu que tu viennes justement pour me donner ton avis,» protesta-t-elle.

«C'est difficile. Je ne suis ni ton mari ni ton frère. Et le vendeur est là qui nous observe.»

Elle s'inquiéta: «Tu n'as pas l'air d'aimer le modèle, n'est-ce-pas?»

Il s'éloigna et lui fit signe de le suivre dans un coin en retrait où le vendeur se serait senti impertinent de rester à leur écoute. Il dit à voix basse: «Le modèle est ordinaire. C'est une excellente marque. Je fus le premier à te conseiller de t'acheter une auto pour que tu puisses te libérer de certaines servitudes, mais je crois que tu devrais attendre encore un peu. Dans à peine deux mois, les nouveaux modèles seront mis en vente et tu pourras économiser sur la dépréciation par rapport à celui-ci, et surtout, tu auras beaucoup de choix, tandis que celle-ci est la seule 1973 qu'il leur reste.»

«Le vendeur affirme que les 74 seront plus chères.»

«Ils le disent chaque année à ce temps-ci. C'est pour se débarrasser de ce qu'ils ont à écouler; ainsi, ils n'ont pas à rabattre sur le prix.»

Denise réfléchit un moment puis marcha, indécise, vers le vendeur. Elle discuta un moment et revint trouver Alain.

«Il soutient que ça ne changera rien quant à la dépréciation si, au moment de l'échanger plus tard, je le fais au même temps de l'année.»

«Alors il ne reste que la question de choix. En réalité, tu n'as pas le choix, c'est la seule. Tandis que dans deux mois...»

«Donc tu la prendrais?»

«J'attendrais, mais c'est une question de goût. J'aime bien quand il y a plusieurs éventualités.» Il cligna de l'œil et sourit.

«Tu sais, mon père m'a conseillé de l'acheter, et comme c'est lui qui endosse mon emprunt...»

«Mais alors, je n'ai plus rien à dire. Fais-lui plaisir. C'est sa marque. C'est son garage. Il est ton endosseur. L'auto lui plaît. Et toi, tu as envie de l'acheter. Que te faut-il de plus?»

« Puisque tu es d'accord, je me décide. Il me faudra bien une demi-heure pour régler tout ça. Veux-tu m'attendre? J'aurais à te parler de quelque chose d'important. »

« Je serai dans mon auto, à l'autre bout du stationnement, » dit-il.

Elle le rejoignit un peu plus tard.

« Heureuse ? » s'enquit-il simplement.

« Aux oiseaux... pour l'auto... » Elle devint songeuse.

« Parce qu'il y a autre chose ? » demanda-t-il.

« Ah ! ça me déprime tellement, cette histoire-là ! »

« Tu m'inquiètes. Ça nous concerne ? »

Elle soupira : « Malheureusement oui ! »

« Dis-moi vite, je me sens mal à l'aise. »

« Ma mère a reçu un coup de téléphone anonyme. Quelqu'un, une femme, lui a parlé de moi. Ma pauvre mère, qui n'a pas le cœur trop fort d'avance, a failli en mourir. »

Il leva les bras et hocha la tête en signe de désespoir et de rage. « Mais pour lui dire quoi, bon Dieu ? » s'écria-t-il.

« Bien des choses déplaisantes. Tu connais la mentalité de mes parents : pas besoin de leur en dire trop pour qu'il se désespèrent. »

« Quelles choses ? »

« De voir à s'occuper de leur fille qui n'était qu'une coureuse de maris. Que je devrais sortir avec les célibataires. Que je devrais laisser les hommes mariés tranquilles... »

« Une commère du village ! »

« Non, c'était une jeune femme... enfin, d'après la voix. Et probablement d'ailleurs que de Belleville puisqu'elle a parlé de professeurs. »

« D'après toi, quelqu'un de St-Grégoire ou de St-Maurice ? »

Elle fit une moue de demi-approbation. « J'ai bien hésité avant de t'en parler. Je sais ce que tu penses de ces appels. »

« Ça me fait vomir des choses pareilles et j'aurais envie de boucler mes valises demain matin et de quitter pour toujours ce milieu. »

« Je me demande bien qui ça peut être ? » soupira Denise.

« Inutile de chercher : c'est l'histoire de l'aiguille dans la botte de foin. »

« Quant à ça, je crois bien que tu as raison. »

La jeune femme passa un doigt sur le dessus du tableau de bord et dessina un cœur dans la poussière.

« Tu es un gros paresseux qui ne prend pas soin de son auto. »

« C'est que nous allons souvent sur des routes non pavées et que l'auto, tout comme moi, commence à vieillir. »

« Pour en revenir à l'appel, il doit sûrement s'agir de quelqu'un qui nous a vus ensemble jeudi soir... ou encore qui savait... » dit-elle.

« Personne ne nous a vus... »

« Tu ne trouves pas ça curieux, un appel comme celui-là, soudainement, en plein vendredi avant-midi ? Crois-tu vraiment que ce puisse être n'importe qui ? » demanda-t-elle en détruisant le cœur de poussière.

« Quant à ça... Je connais assez les gens pour savoir qu'il a fallu à quelqu'un un motif tout chaud, tout récent pour poser un tel geste. » Il réfléchit un moment. « Tes idées sur les rencontres hommes-femmes étant ce qu'elles sont, c'est-à-dire assez libérales, n'aurais-tu pas parlé quelque part à un homme — comme tu m'as raconté que tu le faisais parfois dans les restaurants ou ailleurs — dont la femme n'aurait pas trop appré... »

Elle l'interrompit : « Alain, il n'y a absolument rien eu de ce genre ces derniers temps. »

« Alors la femme d'un des professeurs avec qui tu voyages de l'école à chez toi ? »

« Impossible, je leur ai souvent parlé au téléphone, ma mère aussi. Aucune d'elles n'aurait pris un tel risque ; d'autant plus qu'elles n'ont aucune raison de le faire... Si tu voyais comment je traite leurs maris... »

« Je ne vois pas beaucoup de solutions... À moins qu'il ne s'agisse d'une de tes propres amies, un peu jalouse sur les bords... On ne sait jamais, ça s'est déjà vu, des choses comme ça. »

« Tu penses à Gaétane ou Aline ou Ginette ? Pauvre Alain, si tu les connaissais comme je les connais... »

« On ne connaît jamais les profondeurs de l'âme humaine. »

Elle secoua la tête et dit d'un ton résolu : « Aucune possibilité, je t'en donne ma parole. Je mettrais ma main au feu... »

« Alors je nage en plein mystère, » fit-il en se mordant une jointure.

« Mais... de ton côté... je veux dire... »

Il l'interrompit : « Tu penses qu'il faudrait que je cherche autour de moi ? »

« Peut-être, » dit-elle, désolée.

Il réfléchit un long moment, puis regarda Denise au fond des yeux. « Je crois que j'ai trouvé. » Son visage s'éclaira, mais celui de la jeune fille resta impassible.

Il dit : « Ça ne peut être que la petite secrétaire qui travaille avec moi à la station de radio. Premièrement, elle te connaît pour t'avoir vue souvent avec moi là-bas ; deuxièmement, elle me court après depuis longtemps ; troisièmement, jeudi, quand nous nous sommes parlés au téléphone, quelqu'un a décroché quelque part dans un des bureaux. C'est donc elle. Et crois-moi, la petite vache est bien capable d'une chose pareille. »

Denise hocha négativement la tête et fit une moue incrédule : « Ça me surprendrait beaucoup ! » dit-elle.

« Mais alors, qui veux-tu que ce soit d'autre ? »

Elle pencha la tête et tira sur un petit fil qui sortait du dossier de la banquette. « Tu es absolument certain qu'il ne peut pas s'agir de quelqu'un de ta parenté ? » dit-elle sans sourciller.

« Mais Denise, qui veux-tu que ce soit ? Aucune de mes belles-sœurs ne sait que nous nous voyons... Ah ! tu voudrais dire Viviane ? »

« Non... oui... tout à coup... »

« Viviane est bourrée de défauts, mais elle ne ferait jamais une chose pareille. Et d'ailleurs, je n'avais même pas pensé à elle. Elle est violente, mais c'est à moi qu'elle s'en prend. D'autre part, elle a trop souffert d'appels anonymes elle-même. Finalement, elle ne se doute de rien à notre sujet. Elle croit ou veut croire, et je l'encourage à le faire, que je joue aux cartes le jeudi soir, comme je le faisais au début de notre mariage. Et pour coiffer tout ça, je te jure que j'aurais décelé quelque chose dans son attitude jeudi soir. Quand je suis arrivé, elle a un peu rechigné, mais elle n'a pas tardé à s'endormir. »

« Je disais ça comme ça ! Mais puisque tu es sûr d'elle... »

« Comme tu m'as dit tout à l'heure pour tes amies : aucune possibilité et je mettrais ma tête à couper. »

« Dans ce cas... » Elle cessa de jouer avec le fil tiré et jeta un coup d'œil vers la vitrine du garage où l'on s'affairait autour de sa nouvelle auto. « Je n'aurai pas ma voiture avant demain. Ils doivent la préparer ; pourras-tu me reconduire chez moi tout à l'heure ? »

« Bonne idée ; j'aimerais bien en parler à ta mère de cet appel anonyme. »

Elle hocha brusquement la tête. Son visage reflétait l'horreur. « Es-tu fou ? Ne fais jamais une chose pareille. Tu veux la faire mourir ou quoi ? Avec toutes les questions qu'elle m'a posées hier soir, il n'y aura plus aucun doute dans son esprit à notre sujet.»

«Ne sait-elle pas que nous nous voyons souvent?»

«Mais de là à savoir que nous sommes des amants.»

«À vingt-quatre ans, as-tu encore des comptes à rendre à tes parents?»

«C'est que je reste encore à la maison...»

«Il faudra que tu te prennes un appartement. Des parents, tu sais... Ils voudraient tout régler dans la vie de leurs enfants, jusqu'à leur mort. Et, malheureusement, les enfants ont tendance à rechercher, auprès d'eux même dans les reproches inacceptés, une sorte de sécurité rarement épanouissante. Comme s'ils avaient besoin de l'approbation du passé pour bâtir leur futur... Je m'éloigne du sujet, mais ne pourrais-tu pas lui poser toi-même quelques questions quant à l'appel?»

«Elle m'a tout dit et je ne tiens pas à aborder à nouveau le sujet avec elle, cela l'affecte trop.»

Il s'exclama, impuissant: «Ah! les larmes des parents: que de chantage!» Il hésita un moment, puis, comme s'il se libérait de quelque chose, lança: «Pouah! ne cherchons plus! Puisque le mal est fait... On nous a rendu service car, à l'avenir, nous serons doublement prudents.»

Denise redevint songeuse. «Ce qui me chicote, vois-tu, c'est l'heure de cet appel. Si c'était la secrétaire qui travaille avec toi, pourquoi n'aurait-elle pas appelé dès jeudi soir? Pourquoi attendre vendredi avant-midi?»

«Vers quelle heure?»

«Tout près de dix heures.»

«Je reviens à Viviane: elle aussi aurait appelé dès jeudi soir si elle avait su quelque chose pour nous deux. Et elle ne serait pas allée à Québec vendredi. Tiens, ça me fait penser que vendredi avant-midi, elle était en pleine classe à Québec, ce qui rend plus certain encore le fait qu'elle ne soit pas l'auteur de l'appel.»

«Pas que je veuille insister, Alain, mais il est plus facile encore d'appeler depuis Québec.»

«Pour régler la question, je vais te décrire le scénario de ce qui se serait produit si Viviane avait su que nous sortions ensemble jeudi. En supposant qu'elle n'eût pas réagi sur le coup, ce qui est fort peu probable, elle serait restée à la maison, n'aurait pas fait un pouce de travail sur cette robe de mariée qu'elle est en train de créer et qui l'absorbe à cent pour cent, aurait fumé trois paquets de cigarettes, bu une demi-bouteille de vodka et m'aurait attendu, en robe de chambre, cheveux raides, assise à l'indienne dans la cuisine, afin de m'agresser une partie de la nuit suivante...» Il se mit en position de conduire et sortit de sa poche son trousseau de clefs. «La solution est simplement du côté de la secrétaire de la station de radio, car tout concorde...»

«Si tu penses,» fit Denise méditativement.

1974

Il termina son étude vers la fin de l'année 1973 et il en soumit un exemplaire à chacun des deux nouveaux directeurs de la station de radio.

Ceux-ci n'avaient pas voulu rompre avec la tradition de leurs prédécesseurs et avaient tenu à donner une réception à leurs employés à l'occasion de Noël. Pour démontrer que l'administration, désormais, serait différente, ils avaient teinté la fête d'une allure démocratique grâce à un laïus où chacun avait insisté sur la collaboration que la nouvelle direction voulait très étroite avec les employés, et par lequel également ils se déclaraient ouverts à toutes les suggestions pertinentes.

Alain avait ri dans sa barbe à ce discours, se disant que les nouveaux directeurs seraient pris au mot et devraient prouver leur ouverture d'esprit, car son étude apportait des jugements sévères quant à l'esprit professionnel de l'ancienne direction. Elle démontrait, preuves à l'appui, que la station de radio de St-Grégoire offrait beaucoup moins au public que d'autres comparables au Québec. Au-delà de ces critiques acerbes, l'analyse comportait une série de propositions aptes à bonifier la radiodiffusion en Etchemin.

Après avoir relu une dernière fois son texte final, il se l'était mentalement résumé: « Ramassez les profits, mais faites appel à la créativité du public, celle de la jeunesse surtout. »

Un mois plus tard, il fut convoqué au bureau de l'un des patrons. L'homme lui serra la main et le remercia de l'intérêt qu'il portait à la radiodiffusion. Il lui dit d'un ton fortement désolé qu'une étude des chiffres de l'année 1973 démontrait, hors de tout doute, que l'accent à court terme, soit en 1974, ne devait porter que sur l'augmentation des ventes. Habitué depuis cinq ans à cette chanson sur les impératifs budgétaires, Alain se contenta d'un sourire paternel.

L'homme, néanmoins, y alla de quelques commentaires sur le document soumis, le jugeant hautement intéressant, mais trop avant-gardiste pour être réaliste. Alain lui dit regretter de constater que tout naissait toujours quelque part aux États-Unis et déplora en termes généraux le manque d'audace et d'esprit d'aventure des Québécois. L'homme termina l'entrevue par l'annonce de changements alourdissants dans l'horaire de travail d'Alain, ce qui ne diminuerait pas son salaire, mais l'empêcherait de remplir des engagements avec son système de son.

À moins de ramper, il n'avait plus qu'à démissionner, ce qu'il fit le lendemain.

Il téléphona à Denise et lui annonça la nouvelle.

Le jour suivant, elle lui dit qu'elle en avait été affectée au point de pleurer une partie de la soirée.

•

Au printemps, Alain vendit son système de son et se mit en quête d'un commerce.

Un agent immobilier lui proposa un restaurant-bar, situé sur la grande route, en dehors de la ville.

Casse-croûte au départ, la bâtisse avait subi de nombreux agrandissements pour devenir finalement un ramassis de racoins. Les équipements étaient trop âgés, les aménagements mauvais, l'endroit malpropre.

Alain ne s'arrêta qu'aux avantages: situation stratégique quant au tourisme américain, immense terrain, investissements raisonnables. Mais, prioritairement, l'endroit lui permettrait de s'évader de ses prisons: le foyer et ses servitudes, l'enseignement et ses habitudes, le milieu et ses contraintes.

Lors de la visite du lieu, il prévut des aménagements, rêva d'agrandissements. Il ne remarqua point qu'au-delà des problèmes de nettoyage et d'équipement, risquaient de lui donner des maux de tête: la plomberie, l'électricité, la climatisation, le toit, l'isolation, le système de chauffage, les égoûts, la cour, l'approvisionnement en eau potable et, suite logique, l'aspect financier.

Les difficultés d'organisation doublèrent de son peu de talent dans sa façon d'acheter. Il se vit vendre des équipements peu fonctionnels, trop dispendieux pour les besoins et à prix fort. Il rencontra dans tous les domaines des profiteurs pressés à lui vendre et fort peu enclins à le guider raisonnablement. Il se fiait au sérieux des marchands, abdiquant trop souvent à sa propre responsabilité décisionnelle.

Quelques semaines après la réouverture du restaurant-bar sous son administration, la prise de conscience fut brutale, car elle blessa sérieusement son amour-propre.

Un soir que la clientèle se faisait rare, il entendit quelqu'un s'amuser avec une voiture dans la cour. À consulter sa montre, il reconnut aussitôt l'un des clients réguliers du bar qui, réglé comme une horloge, tous les lundis, mardis et mercredis venait engloutir deux Bloody Mary et se vider des agressions de la journée, subies chez lui et à son travail.

L'homme gris entra en chantonnant selon son habitude, car sa tournée des grands ducs incluait plusieurs autres bars avant celui-là. Quand il fut devant son verre plein, il raconta comment il avait montré, ce jour-là, à son patron et à sa femme de quel bois il se chauffait.

À l'écoute de ce client type des bars de l'Etchemin et des autres rats de « stools » comme il les désignait, Alain découvrait de jour en jour, de plus en plus, son peu d'affinité pour le métier de barman.

Depuis qu'il lui parlait, l'homme ne cessait de le désigner sous le nom de monsieur Douglas. Les jours précédents, il l'avait appelé l'homme aux larges épaules. Un autre soir, le jeune cousin.

« Je vous rappelle un certain monsieur Douglas ? » dit Alain pour alimenter la conversation et savoir quelle intention se cachait derrière ce nouveau sobriquet dont l'homme l'affublait.

L'autre semblait attendre la question. Comme s'il y avait réfléchi depuis longtemps, il répondit: « Le monsieur Douglas à la télévision. Vous avez l'air plus intellectuel que barman. Mais c'est surtout d'avoir acheté pareille bâtisse et d'y mettre autant d'équipement. Les vendeurs vous appellent monsieur Douglas. »

Alain essaya de se composer un sourire. Il était tiraillé entre le respect du client et son envie de l'assommer.

« N'est-ce pas plutôt vous qui avez cette opinion ? » demanda-t-il.

L'homme se mit à chantonner et détourna la conversation. Il ne revint pas sur le sujet malgré toutes les tentatives de l'autre. Et il quitta en disant: « Bonsoir monsieur Douglas. »

Alain chassa les paroles de cet homme qu'il qualifiait maintenant de vieux frustré. Sans cesse pourtant, elles revenaient harceler son esprit. Aussi, dans les jours qui suivirent, fit-il une étude de rentabilité et réfléchit-il à chaque pièce d'équipement dont plusieurs avaient été achetées à tâtons. Force lui fut de constater que l'aventure du restaurant-bar s'avérait fort dangereuse et qu'il risquait d'y engloutir toutes ses économies plus l'équité de sa maison, donc de perdre tous ses efforts de capitalisation des dernières années.

Ne jugeant possible aucun retour en arrière, la seule solution logique lui parut d'avancer. Avec beaucoup de précautions et en redoublant d'efforts, mais d'avancer.

Il prit diverses décisions. Lui-même s'occuperait à l'avenir de tout ce qui touchait l'entretien et les réparations. Il ignorait tout de l'électricité, mais il apprendrait. Il connaissait peu de choses en construction, mais il se ferait guider par un vieil oncle, ouvrier retiré qui, moyennant repas copieux et bière abondante, lui enseignerait sur place. Il demanderait à Viviane de suspendre temporairement ses cours pour prendre en charge la bonne marche du restaurant, économisant ainsi un salaire. À cours de capital, il miserait sur son bon crédit auprès des fournisseurs et sur leur désir de faire de bons profits à ses dépens afin d'obtenir tout le matériel nécessaire à la construction d'un agrandissement qu'il estimait devoir le sauver. Cette expansion lui permettrait de transformer son bar en discothèque, la première de St-Grégoire, espérée par bien des gens depuis longtemps. De plus, il changerait automatiquement de clientèle, se débarrassant de ses rats de « stools » méprisants et méprisés.

Il se donna un mois pour l'exécution du plan et ferma les lieux pour agrandir. L'année scolaire s'achevant, il pourrait y travailler plein temps.

●

Viviane sursauta. « Il n'est pas question que je suspende mes cours pour aller travailler dans ta cabane. »

Il haussa les épaules et fit une moue de résignation. « Je ne puis m'en sortir... nous en sortir autrement. »

« Tu as fait à ta tête comme d'habitude et tu l'as acheté ton bar, débrouille-toi avec, » jeta-t-elle.

« Comme tu l'entendras. Note bien que je ne pourrai pas continuer à payer tes cours et que je devrai reprendre en charge le budget de la maison. »

De négatif qu'il était, le ton devint résolu et Viviane dit : « Je ne peux laisser tomber mes cours au moment où je les achève. »

« Fais-moi rire. Un an, me disais-tu, la première année. Ensuite j'ai compris ton désir d'une seconde année. Perfectionnement, soutenais-tu. Pour je ne sais quelle raison, tu as fait une troisième année et voilà que tu rôdes autour du pot depuis quelque temps, me parlant d'une éventuelle quatrième année. Est-ce que ces cours sont une annale religieuse à laquelle tu aurais pris un abonnement à vie ? Dans ma conception de la vie, la femme aussi a ses responsabilités au niveau des revenus de famille ; or, à ce moment-ci, sans ta collaboration, pas ton aide, ta collaboration, nous ne passerons pas et nous risquons de perdre ce qu'il nous a fallu si longtemps à gagner. »

« Pourquoi l'as-tu achetée ta barraque ? »

Alain leva la toile de la cuisine et regarda au loin, quelque part, dans la nuit. « Il ne sert à rien de pleurer là-dessus ; ceux qui ne font jamais rien dans la vie ne font jamais d'erreurs. L'avenir, c'est demain. Il nous faut non seulement réparer les pots cassés, mais les tourner à notre avantage et pour cela, je dois être plus rigide envers tout le monde, y compris toi. »

Elle avait commencé à pleurer. « Je fondais tant d'espoir sur mes cours, » dit-elle.

« Pour sauver la barque, il faut que toi aussi, tu rames. Tu n'es ni malade ni infirme ? En ce cas, fais ta part. Quand je pourrai ramer seul à nouveau, tu reprendras tes études. »

« Dis ce que tu voudras, je ne laisserai pas tomber mes cours. » Cette objection lui parut davantage une question. Il se dit que Viviane avait besoin de sentir qu'elle n'avait pas le choix.

« Ce ne sont pas tant les cours qui te tracassent que le travail au restaurant... »

« Alain Martel, je ne perds pas mon temps dans la vie, » protesta-t-elle nerveusement.

« Tu travailles, oui, mais tes efforts ne portent pas sur les bonnes choses au bon moment. Tu es mal synchronisée. Au lieu de passer des journées à coudre des créations pour Caroline ou à ébouillanter des légumes ou à frotter ta verrerie, tu vas mettre tout ça en veilleuse et venir m'aider à sauver le bateau. »

Alain retourna s'asseoir derrière la table ronde, juste en face de sa femme et lui dit tout doucement mais fermement: « Ton problème, c'est celui de bien des femmes qui s'emplâtrent à couver la maison. Elles en viennent à ne plus vouloir sortir, sinon pour s'occuper aux mêmes ritournelles chaque semaine. Je crois que plusieurs vont jusqu'à vouloir un enfant pour s'éviter de sortir du foyer. Or, couver la maison pendant trop d'années n'est pas bon pour la santé mentale. J'aimerais bien l'essayer un jour... »

« Mais justement, je vais à Québec chaque semaine... »

« C'est devenu une ritournelle. »

« Qu'est-ce qui n'est pas une ritournelle pour toi ? »

« Une vie professionnelle, des défis à relever, des organisations à s'occuper, du monde à rencontrer, des études à plein temps et quoi encore... Il est mauvais de passer tout son temps dans un même milieu de vie. Ah ! c'est un piège qui invite à la facilité. Les maîtresses de maison en viennent à avoir peur du monde extérieur... Pas toutes, mais plusieurs. Et elles se cimentent dans des habitudes... »

« Dans les familles normales où il y a des enfants... »

Il l'interrompit: « Tiens, encore le paravent qui apparaît. » Il leva les bras au ciel. « Viviane, tu ne te cacheras pas encore... » Il ramena ses mains sur la table. « De toute façon, tu n'auras plus à te cacher derrière cette excuse parce que nous n'en aurons pas d'autres. J'ai réfléchi pendant des années à la question et je sais maintenant que je n'en veux plus. »

« Mais les autres en ont tous deux ou plus ! »

« Au diable les gens, je suis moi. Et pour moi, c'est: un enfant. La règle en cette matière, c'est le libre-choix individuel, pas la mode.

« À toutes les raisons que je t'ai déjà expliquées s'est ajoutée celle-ci qui a fait pencher la balance vers ma décision et la voici: comme on ne peut pas présumer de l'avenir en tant que couple, qu'un autre enfant nous condamnerait à vivre au moins seize ans ensemble, je préfère laisser à d'autres, à des plus jeunes la perpétuation de l'espèce. Si à vingt ans, je pouvais, avec désinvolture, prendre des décisions qui engagent ma vie entière, à trente-deux ans, je ne le peux plus. »

« Par chance que Caroline n'a que dix ans, ça nous laisse six ans de répit avant le divorce. »

« Ce que j'ai dit ne s'applique pas dans le cas de Caroline car elle fut faite à une époque où c'est la vie qui décidait à notre place... Et ta réflexion me rappelle que je me demande souvent si les enfants ne correspondent justement pas à un désir secret des femmes de posséder davantage leur mari. Une sorte de chaîne de sécurité, tu comprends ? »

L'œil triste, elle jeta: « De toute façon, c'est ton choix, pas notre choix. »

« Je sais bien que dans l'esprit des gens c'est celui des deux qui veut un enfant qui a raison. Leur raconter ce que je viens de dire, ils me traiteraient de tous les noms. Et pourtant, je réfléchis à la question à tête reposée depuis très longtemps avec toute la sincérité dont je suis capable. Malgré cela, ton choix de maternité devrait-il l'emporter sur mon choix de non-paternité? Non, madame! Alain Martel ne se laisse plus embarquer par ce que tout le monde pense.»

«Tu as l'air peu sûr du lendemain en ce qui nous concerne?»

«À mon avis, un mariage doit être repensé chaque cinq ans et quand les échelles de valeurs cessent de correspondre, alors les partenaires n'ont pas seulement le droit, mais le devoir de se quitter.»

«Et la cinquième année, pour toi, c'est cette année?»

«Tant de choses ne dépendent pas de moi,» dit-il, songeur.

«Comme le fait que j'aille ou non travailler à ton restaurant-bar?»

«Celui-là et bien d'autres.»

●

Résolue d'attendre pour connaître le prochain geste de son mari, Viviane n'annonça aucune décision. Il devina qu'elle avait parlé à sa mère et à ses sœurs et que leur verdict avait été négatif. Il résolut d'attendre lui aussi.

Un après-midi qu'il travaillait seul dans son agrandissement, il reçut un appel de sa maîtresse qu'il invita à venir le retrouver. Il lui indiqua un endroit où cacher sa voiture, pas très loin du restaurant.

Quand elle fut entrée, il verrouilla toutes les portes. Il lui faisait voir ses travaux lorsqu'arriva une auto dans la grande cour avant. À l'instant même, il ne s'inquiéta pas, mais quand des voix féminines lui parvinrent à travers la porte, il eut un pressentiment qu'il s'agissait de Viviane et de sa sœur. Il demanda à Denise de sortir par la porte arrière et de l'attendre dehors au cas où.

Pour donner le change, il frappa du marteau à deux reprises avant d'aller répondre aux coups répétés frappés à la porte avant. Il déverrouilla: c'était Viviane, sa mère et sa sœur. Alors il multiplia les sourires gauches et les gestes incohérents, ce qui eut l'heur de mettre la puce à l'oreille aux trois femmes.

Elles achevaient de visiter le bar quand Alain pensa que Denise avait dû malencontreusement laisser sa veste dans la cuisine. Il ne se souvenait pas qu'elle l'eût prise en sortant. Il ne trouva rien de mieux à dire qu'il avait oublié d'éteindre un rond du poêle. Et il se rendit précipitemment à la cuisine. Il empoigna la veste et la jeta par la porte arrière. La seconde qu'il prit à le faire lui permit de se rendre compte que Denise n'était plus là. Il referma juste à temps. Viviane arrivait.

«J'y pense,» dit-il gauchement, «il faut absolument que j'aille acheter du matériel de plomberie avant que la quincaillerie ne ferme. N'oublie pas de déclencher le loquet de la porte en quittant; je ne serai pas de retour avant une bonne heure.»

Il sortit en hâte, monta dans sa voiture et fit le tour de la bâtisse. Jetant des regards furtifs vers le restaurant, il ramassa la veste et s'en fut retrouver Denise à quelque distance à l'abri d'arbres fournis.

●

La table était dressée et les assiettes remplies attendaient dans le four ajusté à une température de réchaud.

«Tu es en retard pour le souper,» dit Viviane lorsque son mari entra.

« Il fallait que je finisse de réparer la pompe, » répondit-il sans lever les yeux. Il fila tout droit à la chambre de bain où il se lava discrètement la figure, les mains et les dents. En fait, il étirait le temps et sifflotait.

« Comme d'habitude, tu as oublié d'appeler, » cria-t-elle.

« J'étais à quatre pattes sous la bâtisse à travailler sur une pompe à l'eau et, dans ces moments-là, on ne prend pas le temps de téléphoner. J'ai autre chose à faire de ma vie que de la perdre au téléphone... »

Cette allusion la piqua au vif, elle lança d'un ton acide : « Tu n'as pas vu trop de rats ?... Vu que ce n'est pas trop propre dans cette bâtisse-là. »

« Si les rats rôdent encore là-bas, alors il y en a à foison dans toutes les bâtisses de la ville. Tout a été nettoyé de fond en comble, au pouce carré, dératisé, désinfecté. Il nous a fallu je ne sais combien de jours pour faire le tour, et d'ailleurs, tu le sais très bien. »

Viviane ne répondit pas sur le coup. Elle attendit qu'il vienne prendre sa place à la table pour rengager la conversation.

« Je pensais qu'il pouvait rester des coins capables d'attirer les rats étant donné qu'il y en avait un avec toi aujourd'hui. Pour dire la vérité, c'était un rat femelle... Les rates sont peut-être moins sensibles aux désinfectants. » Elle avait parlé sur un ton plus que désinvolte, presque amusé.

Alain prit son souffle, durcit ses traits de figure et questionna : « Que veux-tu dire par là ? »

« Qu'il y avait une femme avec toi au restaurant cet après-midi. Et elle n'était pas une cliente puisque c'est fermé. À moins que tu ne lui aies servi une pointe de contreplaqué ou peut-être une bouteille de colle à tapis. On dit que les rats mangent n'importe quoi. »

« Une femme ? Il y en avait même trois, » répondit-il pour gagner du temps.

« Avant notre arrivée, » fit-elle calmement.

Il haussa les épaules.

Elle sourit : « Ce que tu peux être hypocrite ! »

« Moi hypocrite ? Qu'est-ce qu'il ne faut pas entendre ? C'est le seul défaut que tu ne me prêtais pas encore. Que dis-je prêter ? Donner serait plus exact... »

« Tu avais l'auto et tu ne t'es pas méfié. Tu sais bien que je n'adore pas mettre les pieds à ton restaurant. Et tu t'es fait prendre. »

D'un ton nerveux mais faussement ralenti, il dit : « Et qu'est-ce qui te fait croire une chose pareille ? »

Viviane s'appuya les deux mains sur le dossier d'une chaise et dévisagea son mari. « Peux-tu me dire en pleine face que tu étais seul ? J'aimerais bien, par ta réponse, savoir à qui j'ai affaire. »

Il pensa très vite : « Ou bien elle sait avec certitude et je fais mieux d'avouer ou bien elle n'a qu'un doute et je ferais mieux de nier catégoriquement. » Il n'eut pas le temps de peser le pour et le contre de chaque possibilité.

Elle le pressa : « Réponds ! Tu étais seul ou non ? »

« Si je te dis que j'étais seul, est-ce que ça fera passer ton doute ? Certainement pas ! Ce qui veut dire que pour moi, il n'y a aucune issue : je suis condamné d'avance. Autant te dire qu'il y avait quelqu'un puisque soutenir le contraire ne ferait qu'augmenter tes soupçons. Ton idée est déjà faite. Tu es comme certains juges que je connais : tu regardes le visage et tu rends ton verdict avant même que le procès ne commence... »

Il se demanda comment il avait pu trouver ce piège. Pour un instant, il se trouva soulagé. Il put baisser les yeux.

« Alain Martel, je ne veux pas de détours. Étais-tu seul, oui ou non ? »

« À quoi ça servirait... »

« Oui ou non ? »

Il devait risquer. Se disant qu'elle n'avait qu'un doute, il joua le tout pour le tout et répondit, accentuant chacune de ses syllabes : « J'étais seul au restaurant cet après-midi. » et il insista des yeux.

Elle reprit avec morgue : « C'est tout ce que je voulais savoir. »

« Tu vois, je te l'avais bien dit que ma réponse ne réussirait pas à te convaincre. Tu veux savoir. Tu espérais de façon morbide que j'avoue. Tu cours les problèmes. Comme disent les Français : tu es maso. »

Elle recula une chaise et s'assit à la table pour dire : « Ton problème, il courait vite derrière le restaurant cet après-midi. »

Il sentit une chaleur lui monter derrière la nuque. « Que veux-tu dire ? » demanda-t-il.

« Que ta petite amie a les jambes longues, » dit-elle avec un sourire amusé.

Il haussa les épaules, hocha la tête en signe d'incompréhension.

« N'essaie pas de camoufler, ma sœur l'a vue s'enfuir toute effarouchée. »

« Ta petite vache de sœur ne cherche qu'une chose : mettre du trouble dans les ménages des autres. Comme si elle n'en avait pas assez dans le sien ! »

« J'aurais pu ne pas la croire, elle, si je ne t'avais pas vu, toi, ramasser la veste si rapidement derrière le restaurant. O.K. mon petit garçon ? Alors dis-moi encore en pleine face que tu étais seul, » fit-elle avec nargue.

Il réfléchit un instant avant de jeter, l'air vaincu : « Que veux-tu que je te dise ? »

Elle redevint sérieuse et haussa le ton : « Si tu as une maîtresse, il est temps que je le sache afin de pouvoir organiser ma vie en conséquence. »

« Une maîtresse ? Une maîtresse ? Mais as-tu perdu l'esprit ou quoi ? Ah ! mais je vois tout venir : je vais passer pour en avoir une. Tout ça à cause du petit démon de la jalousie qui te ronge comme il ronge toutes les femmes. Et aussi à cause de l'esprit étroit de ta parenté. Ils ont une très mauvaise influence sur toi. Ils se fourrent le nez dans tes affaires et te montent contre moi. Et tu marches comme un imbécile parce que tu es jalouse et possessive. »

Alain commença à manger en mastiquant vigoureusement, visiblement satisfait d'avoir riposté par une brillante contre-attaque.

« C'est vrai qu'ils tentent de m'influencer, mais je ne marche pas, comme tu le dis, puisque je suis encore ici à te demander des explications. Si je les avais écoutées, je serais chez un avocat à l'heure qu'il est. Mais je suis ici... n'est-ce-pas ? »

Il laissa tomber ses ustensiles et croisa les mains qu'il appuya sur sa bouche. « Dans ce cas, puisque tu n'as pas tout brisé tout de suite, puisque tu es moins bornée que le reste de la famille, je vais mettre les cartes sur table. »

« Toutes les cartes ? »

« Toutes les cartes, » dit-il. Il réfléchit quelques secondes. « Tout à l'heure, je t'ai menti, mais, et tu l'as bien vu par mon attitude de cet après-midi, je suis incapable d'improviser des mensonges. Il faut que je les réfléchisse à l'avance, que je les prépare minutieusement, et le moindre accroc me désarçonne et, que je le veuille ou pas, je reviens toujours à la vérité. Deuxièmement, si j'ai cherché à te mentir tout à l'heure, c'est que je ne veux pas que notre ménage soit brisé par une chose de si peu d'importance. »

« Une autre femme, seule avec toi dans un restaurant fermé au public, et qui s'enfuit comme un voleur quand j'arrive : tu appelles ça une chose de peu d'importance ? »

« Peu d'importance dans ma tête, » fit-il en se pointant du pouce sans décroiser les doigts, « mais grave dans la tienne et dans celle des gens peu évolués comme ceux de notre milieu... C'est leur mentalité qui m'a forcé à mentir parce qu'ils font une montagne avec des riens. Qu'est-ce qui est le plus à condamner de mon mensonge ou de l'esprit borné des gens ?»

« Viens-en au fait, Alain. Qui était cette femme et que faisait-elle au restaurant ?»

Il prit un ton paternaliste un peu narquois : « Ne va pas t'imaginer le pire ; elle n'avait enlevé que sa veste. La température intérieure était plutôt élevée, comme tu as pu le remarquer. Elle n'était là que depuis à peine quinze minutes, mais ça ne l'aurait pas empêchée, je présume, d'en ôter davantage s'il y avait eu quelque chose entre nous. Le problème vient du fait que les gens ne peuvent croire qu'il puisse y avoir une certaine amitié, tout à fait anodine, entre deux personnes du sexe opposé. Pourquoi devrais-je nécessairement coucher avec toutes les personnes avec qui je parle seul à seul ?»

« C'était probablement ta Denise ?»

« Ma Denise, ma Denise... C'était Denise Martel. Je l'avais invitée, comme bien d'autres, il y a je ne sais combien de temps, à venir faire son tour. En passant, elle a vu mon auto et elle s'est arrêtée... »

« Mais son auto n'était même pas là ! »

« Étant donné que le restaurant est fermé, je l'ai envoyée stationner sa voiture dans le petit chemin d'en bas, afin d'éviter les cancans. »

« Alors pourquoi s'est-elle donc sauvée comme une malfaisante ?»

« Quand j'ai vu que ta mère et ta sœur t'accompagnaient, sachant comme elles sont vicieuses pour provoquer de la chicane, je lui ai demandé de partir pour m'éviter des problèmes. Si elle avait été ma maîtresse, elle serait restée là et nous aurions joué le jeu... Mais, vois-tu, quand on ne sait pas mentir, on ne s'en sort pas. Les menteurs s'en sortent toujours, eux, dans la vie. »

« C'est difficile à avaler tout ça avec les problèmes que ta Denise m'a donnés dans le passé et avec les bruits qui courent sur elle... »

« Écoute, je ne suis pas du tout responsable de tout ça et je ne tiens pas à payer pour. Ce qui s'est passé, je vais te le répéter. Je la côtoie régulièrement à l'école... comme tout le monde. Je l'invite, et pas seulement elle mais plusieurs autres, à venir au restaurant. N'est-ce pas normal pour un restaurateur ? Par hasard, elle passe. Mon auto est là. Elle s'arrête. Parce que le restaurant est fermé, dois-je l'envoyer au diable ? Ou lui dire : s'il fallait que ma femme arrive, n'entre pas, reviens une autre fois ? L'aurais-tu envoyée promener à ma place ? Elle entre. Je verrouille. Et comme par hasard, ta mère et ta sœur sont avec toi. Ce n'est tout de même pas moi qui ai créé toutes ces circonstances malencontreuses. Tu ne viens jamais au restaurant. Aurais-je pu douter que tu puisses y venir ? Et en plus avec ta bigote de mère et ta cagote de sœur ? Et précisément à cette heure-là ?»

« Il y a beaucoup de contacts entre toi et Denise Martel. Avec tout ce qui se dit sur son compte... »

Il secoua la tête. « C'est bien ce que je te disais sur le milieu. Les gens sont si vicieux eux-mêmes que, dès la minute où ils aperçoivent un homme et une femme se parler, ils les voient immédiatement au lit. Ah ! et puis, ça n'a pas d'importance ! » Il ouvrit les mains, fit un signe de rejet et reprit ses ustensiles. « J'aimerais bien savoir ce que tu venais faire là-bas aujourd'hui. »

« J'allais voir comment organiser le travail puisque tu me forces à m'occuper de ton restaurant. C'était un beau commencement. »

Il leva sa fourchette d'un geste menaçant. « Je ne te force à rien du tout. Je t'ai exposé une situation où je dois faire appel à ta collaboration, mais tu es libre d'accepter ou bien de refuser. Je présume que tu vas refuser maintenant, suite aux excellents conseils que tu as dû recevoir ?»

Viviane s'alluma une cigarette et prit un ton ferme : « Elles me trouvaient folle d'avance d'accepter de travailler là. Après ce qui s'est passé, elles vont me renier de la famille si je le fais. Mais je vais le faire... Pour collaborer comme tu dis!..»

Il brandit sa fourchette, la secoua négativement et coupa: «Je ne veux pas te voir là si tu es sur l'impression que je t'y traînes par les cheveux. Je ne veux pas non plus que tu le fasses pour négocier sur mes agissements personnels. Comme tu l'as vu le mois passé, le bar va me coûter beaucoup de liberté, mais je refuse que tu te serves du fait que tu m'aideras pour m'en couper toi aussi. Que cela soit bien clair entre nous dès le départ! Je suis bien content que tu viennes m'aider, mais si tu ne le fais pas, quelqu'un d'autre viendra.»

«Comme Denise Martel?»

«Oh! mon Dieu, c'est bien la dernière que je verrais derrière mon bar!» Il ajouta, impatient: «Et puis, pourquoi me reviens-tu toujours avec elle?»

«Parce que tu es trop souvent avec elle,» dit Viviane en imprimant à sa cigarette un mouvement rotatif à travers les déchets du cendrier.

«Tu penses que je recherche sa présence, n'est-ce-pas?»

«Sans t'en rendre compte peut-être, mais c'est cela.»

«Ah oui? Eh bien, je vais te donner une preuve du contraire. Savais-tu que j'avais demandé mon transfert et qu'à l'automne, j'enseignerai à St-Grégoire à la nouvelle polyvalente et non plus à St-Maurice?»

«Et Denise Martel aussi, je suppose?»

«Non, madame! Ça t'en bouche un coin, n'est-ce-pas? Et ça veut dire qu'en septembre, nous travaillerons chacun de notre côté. Si elle était ce que tu penses pour moi, je serais resté à St-Maurice.»

Viviane ne sourit pas, mais Alain constata qu'elle fumait de façon plus détendue. La discussion se poursuivit sans accrocs. Il se mit à jubiler à la pensée que la tempête, loin d'avoir détruit, au contraire, était venue servir ses plans.

Au cours de la soirée, il se demanda pour la dixième fois comment il s'y prendrait pour annoncer à Denise la nouvelle de son transfert probable.

●

Il avait longuement réfléchi à cette demande de changement de lieu d'affectation et trouvé plusieurs raisons pour la faire. Il y avait les raisons pratiques: sa maison, la polyvalente de St-Grégoire et le restaurant formaient un triangle dont chaque point n'était séparé que de dix minutes d'auto, tandis que de se rendre à St-Maurice grugeait quarante-cinq minutes à son horaire quotidien. En second lieu cela contribuerait à apaiser chez Viviane des soupçons qui devenaient trop pointilleux. Ce transfert servirait aussi à renforcer son lien avec Denise. Il la jugeait négative depuis quelques mois. Il ne la sentait pas heureuse et croyait que la principale cause en était leur présence constante, l'un près de l'autre, sur les lieux de leur travail. «Une présence exagérée qui tue le plaisir de se retrouver», pensait-il.

Il se disait: «Puisque le temps de la grande romance est fini, chacun doit trouver de son côté son propre épanouissement pour que les partenaires, quand ils se retrouvent, puissent se raconter, s'enrichir, partager. Pour se rapprocher, il faut savoir se séparer.»

Mais Denise le prendrait-elle de cette façon? C'est pourquoi il avait remis, de semaine en semaine, la nouvelle de sa demande de transfert. D'ailleurs, lui dirait-il seulement qu'il l'avait lui-même demandé ce changement? Ou bien ferait-il semblant qu'on le lui avait imposé?

Dans la semaine qui suivit, il dut affronter la réalité. Entre deux courses, il rencontra sa maîtresse sur la rue et vit, au premier regard, qu'elle n'allait pas.

« Tu as vu le diable ou quoi, tu es toute pâle ? » lui demanda-t-il.

« Pire que cela, » fit-elle tristement.

« Dis-moi ce qui se passe encore, » dit-il, taquin.

« Encore ? » soupira-t-elle. « Comme si j'étais un problème perpétuel... »

« C'est que tu te crées des troubles inutilement. »

Elle regarda méditativement au loin, vers le pont et jeta : « Tu crois ? »

« Tu m'as montré que le bonheur se trouvait au jour le jour, dans les plus petites choses et pourtant, tu sembles l'avoir perdu de vue. Tu es comme les prêcheurs, tu ne mets pas en pratique toi-même ce que tu enseignes si bien aux autres. »

« Avec ce qu'on m'a dit tout à l'heure : je pensais mourir. »

« Ça t'arrive souvent de penser mourir et tu es toujours là. Qu'est-ce que l'on t'a donc encore dit ? » Il essayait sans succès de la dérider, assuré maintenant qu'elle avait su.

« Tu ne t'en doutes pas ? »

« Un peu, » fit-il.

« Le gros Bernier m'a dit que tu enseigneras à la polyvalente de St-Grégoire à l'automne. »

Il pencha la tête, réfléchit un instant, jeta une œillade à sa maîtresse.

« Viens, allons marcher le long de la rivière, sur le trottoir de la jetée. »

Il l'entraîna.

« Je ne peux pas le croire, Alain, je ne peux pas le croire, » dit-elle d'une voix à peine audible.

« C'est bien vrai. Je l'ai appris il y a un mois et je ne savais pas comment te l'annoncer. Je devais le faire ces jours-ci... Tu vois comme dans notre petit milieu, les nouvelles voyagent vite... »

« Mais pourquoi Alain ? »

« Tout d'abord, l'on m'a imposé ce changement. Et, comme je demeure à St-Grégoire, je ne pouvais pas refuser. Mais il faut voir le beau côté des choses. Je ne veux penser qu'aux avantages que cette situation signifiera pour nous et je vais t'en parler. »

« Autant dire que nous ne nous verrons plus. La seule façon dont nous pouvions nous rejoindre, nous rencontrer facilement depuis que tu as ton restaurant, c'était à l'école. Qu'est-ce qu'il va maintenant advenir de nous deux ? »

Il mesura ses mots pour être le plus persuasif possible, car trop d'enthousiasme eût pu trahir le fait qu'il avait tout combiné, et pas assez aurait indiqué une indifférence qu'il ne sentait pas. « Tu parles depuis longtemps de te prendre un appartement à St-Grégoire ? C'est le temps de le faire. Nous pourrons ainsi nous retrouver tous les après-midis, après le travail. Chacun ira de son côté chercher son épanouissement et nous nous retrouverons ensuite pour partager, comme si nous étions mariés, mais d'un mariage sain... »

Elle l'interrompit : « Mais quand, Alain, quand ? »

« Je viens de te le dire : en fin d'après-midi, après l'école. Et même certains soirs comme auparavant. Pas les mêmes, bien sûr, puisque le bar, étant devenu discothèque, sera ouvert du jeudi au dimanche. Mais nous pourrons nous voir certains soirs du début de la semaine. »

« Mais nous passerons toutes nos journées chacun de notre côté ! » dit-elle amèrement.

« Pour le bien de notre amour, pour notre avenir, les choses seront mieux ainsi. »

« Quel avenir ? »

« Notre avenir à tous les deux, ensemble. »

« Je ne comprends pas, » dit-elle en scrutant la grisaille de l'Etchemin qui roulait ses eaux sales et lourdes des dernières pluies diluviennes.

« Je veux dire que dans ma tête et dans mon cœur, il y a des projets d'avenir pour toi et moi. Si tu le désires, bien sûr. »

« Plus le temps passe et plus nous sommes séparés. Avant que nous ne soyons ensemble, il va en couler de l'eau dans cette rivière. »

« Denise, ce qui arrive nous rapprochera. L'amour véritable ne consiste pas à être toujours ensemble; ce n'est là que de la romance et ça meurt vite. L'amour, c'est de partager les richesses de l'autre comme le font les fiancés. Mais il faut que l'autre puise ses richesses quelque part ailleurs. Si nous ne voulons pas tarir, nous assécher, il faut bien faire le plein autrement qu'éternellement l'un à l'autre. Le moyen le plus sûr de tuer notre amour, c'est de nous regarder dans les yeux et de ne plus voir personne. Pour que l'intérêt demeure à l'intérieur d'un couple, chacun des partenaires doit vivre sa propre vie de façon autonome... »

Elle l'interrompit: « Tu pourras plus facilement voir à tes affaires personnelles en travaillant à St-Grégoire. »

« Je dois l'avouer: ce sera avantageux à ce point de vue là également. »

« Et tu pourras dîner avec ta femme tous les midis. »

Il secoua la tête. « Tu n'es pas gentille, Denise, après tout ce que je t'ai dit concernant notre avenir. J'aurais pourtant cru que cela te fasse plus d'effet. On pourrait croire que tu cherches une rupture. »

Elle protesta: « Mais non et tu le sais bien. Je désire plus que tout au monde que nous soyons ensemble, mais les événements nous éloignent de plus en plus et c'est pourquoi j'y crois de moins en moins. »

« Pour qu'une chose comme notre avenir à deux arrive, il faut la vouloir de tout son cœur et y croire de toutes ses forces. J'ai fait des projets et ce transfert ne les contrecarre pas. Mon grand plan avance et la seule chose qui s'y soit ajoutée, c'est que j'envisage maintenant de vivre avec toi au lieu d'aller vivre seul. Pourquoi faire une tête pareille ? »

« Alain, mon chéri, la nouvelle de ton départ de l'école m'a bouleversée. Laisse-moi un peu de temps pour m'y habituer. »

« Oh ! tu sais, mes reproches sont bien plus affectueux qu'agressifs. » Il aurait aimé lui serrer fort la main, mais il se retint. « Fais-moi confiance, aie confiance en l'avenir. Sois positive: c'est la clef du bonheur. Broyer du noir ne sert à rien. S'en prendre à la vie encore moins. Tu ne riras pas toujours. Tu connaîtras des journées creuses. Mais quand tu feras le bilan à la fin de la semaine ou de l'année, tu pourras constater qu'à tout prendre, le total vaut le coup de rire. Et par-dessus tout, rappelle-toi de cette chose très importante: pour être heureuse avec moi, tu dois pouvoir l'être sans moi. »

●

Les Martel passèrent plus de la moitié de l'été à rénover le restaurant-bar. Ils le transformèrent en discothèque tel que prévu. L'erreur, qu'il avait maintenant cessé de se reprocher, l'achat de ce commerce, devint une école de tout: plomberie, électricité, construction, décoration, rembourrage, climatisation... Aussi, la veille de l'ouverture, ils se dirent, pour s'encourager un peu, que les connaissances acquises vaudraient, dans l'avenir, bien plus que les mauvais risques initiaux.

« Il ne manque plus que du monde, » dit-elle.

« Ce n'est pas ce qui va manquer, » dit-il.

Il voyait juste. Dans les mois qui suivirent, chaque soir d'opération, ils durent refuser de nombreux clients. Autant il avait pu espérer le succès cependant, autant il s'en méfiait maintenant. Plutôt de suivre les conseils de ceux qui lui suggéraient d'agrandir à nouveau, il ne bougea point et se contenta de chercher une consolidation de ses dettes.

●

Le bar était désert par ce torride après-midi. Alain finissait de remplir un refroidisseur à bière lorsqu'entra un homme qu'il ne reconnut pas sur le coup. Le client, que des pupilles inadaptées à la noirceur forçaient d'avancer à tâtons, finit par prendre place au comptoir-bar.

« Un rat de stool, » se dit Alain en le détaillant.

L'homme portait cheveux longs et malpropres, barbe hirsute et mal entretenue, chemise truquée par d'inutiles pièces, breloques agressives.

« Une bière, » ordonna-t-il sèchement avant qu'Alain n'eût pu s'approcher.

Sans se presser, se donnant des airs de barman aguerri qui ne lui convenaient pas, Alain chercha en ses souvenirs l'endroit où il avait bien pu, déjà, rencontrer l'autre. L'accoutrement ne trompait pas: ce devait être un intellectuel nouvelle vague. L'âge, l'allure et tout. Alain flaira qu'il devait s'agir d'un ancien élève comme il lui arrivait souvent d'en rencontrer sans pouvoir les identifier, car si les visages demeuraient gravés dans sa mémoire, par contre, les noms ne restaient pas tous.

Il versa la bière dans une énorme chope anglaise frissonnante, geste qui dégelait invariablement les clients.

L'homme plissa les yeux et dit d'une voix forte et enjouée: « Comment ça va, toi, Alain ? »

« Enlève ta barbe et je te verrai le nom écrit sur le menton, » dit Alain avec l'assurance du comédien. « Je sais que nous nous sommes très bien connus, mais tu te caches si bien derrière tes poils. » La barbe du client servait d'alibi à sa mauvaise mémoire et il pensa comme non seulement certains barbus pardonnent à ceux qui ne les reconnaissent pas, mais encore, et pour cette raison, combien ils sont fiers de leur masque.

L'autre s'esclaffa: « C'est Serge... »

Alain se frappa le front. « Ah ! si c'est pas Serge ! Comment ça va ? » Il tendit la main. « Ce que tu peux avoir changé, c'est incroyable ! Ça fait combien d'années qu'on ne s'est pas vus ? »

« Proche sept ans, » fit l'autre en serrant la main tendue.

Même s'il cherchait toujours le nom de famille, Alain risqua: « Sans ta barbe, je t'aurais replacé tout de suite. »

« Te souviens-tu de l'année où tu m'as enseigné ? C'était après l'Expo 67, » dit Serge.

« Bien sûr, en 67-68, » dit Alain. « Je m'en souviens comme si c'était hier. »

« J'ai entendu dire que tu t'étais lancé dans le commerce et j'ai décidé de venir faire mon tour. »

« Ça me fait grand plaisir. Qu'est-ce que tu fais de bon ? »

« Crois-le ou non, je suis devenu professeur. Eh oui, je commence ma deuxième année d'enseignement à l'automne. »

Alain, sans perdre le fil du sujet, tâchait de se rappeler les étudiants du nom de Serge qu'il avait connus ; mais il n'arrivait pas à faire correspondre à ce visage-là un ensemble formé du prénom Serge et d'un nom de famille. « Serge B... Blais ? Non. Boulanger ? Non plus. Serge C... Caron ? Non. Cliche ? Non plus... »

« C'est toute une surprise, ça, » fit Alain. « Tu aimes le métier ? »

« Oui, beaucoup'. Et ça marche bien avec mes élèves. Faut dire que je me sers souvent des idées que tu m'as toi-même communiquées, et aussi de ta façon de procéder dans le temps... Ça marche à tout coup. Chaque fois que j'ai un problème à résoudre, je me demande comment tu t'y prenais. »

« C'est flatteur et tu m'intimides, » protesta faiblement le barman.

L'homme rit à grands éclats. « La flatterie, ce n'était pas ton fort. Je me rappelle quand tu avais quelque chose à dire : tu ne prenais pas de gants blancs. C'était franc, direct, sans fioritures. »

« Je suis moins comme cela aujourd'hui, » dit Alain.

« Ah, ah, c'est que le feu diminue, que la conviction faiblit ! » s'exclama Serge en levant l'index vers le plafond.

« Peut-être que la sève de la jeunesse commence à se diluer. Tu sais, j'ai si souvent affirmé des choses dans lesquelles je croyais dur comme fer et qui se sont avérées pas mal moins vraies par la suite que j'ai appris à me méfier de moi-même. »

Sur le ton du reproche et de la taquinerie, Serge dit : « Tu es en train de ramollir, mon vieux. »

« À l'époque, je m'emballais vite. Mais à force de déchanter, je suis devenu plus incrédule, plus sceptique... »

L'homme sourit et jeta un long regard circulaire sur la discothèque. « D'après ce que je vois, tu t'emballes encore assez vite. Tu as dû investir beaucoup et pourtant, tu pourrais être mieux situé par rapport au centre commercial de St-Grégoire. »

« Un cheval rétif reste toujours nerveux même si la vie le dompte, » rétorqua Alain.

« J'espère bien que tu continues de croire en certaines choses comme ce fameux cours que tu nous avais donné sur les systèmes. Tu te souviens ? C'était sur les fondements psychologiques du capitalisme et du socialisme. Jamais je ne l'oublierai... »

Le front nuageux, Alain coupa : « J'allais au-delà de ma pensée et je me servais souvent du bistouri de l'exagération pour vous extirper vos préjugés... » Il réfléchit un moment. « Mais je dois dire quand même que j'avais des penchants assez nets pour les idées marxistes à cette époque. »

« Et ce n'est plus le cas ? » questionna l'autre entre deux petites gorgées de bières.

« Avec les années, l'esprit a creusé dans la réflexion. »

« Voyons, voyons, » protesta l'autre avec autorité, « me feras-tu coller que tu es vraiment devenu capitaliste et que tu approuves l'exploitation à ton tour ? Jamais je ne croirai cela de toi ! D'accord, tu as un commerce, mais c'est qu'il faut bien vivre, n'est-ce pas ? »

« Bien sûr que je suis contre l'exploitation des faibles par les forts. Mais n'est l'à qu'un résidu du capitalisme, un effet secondaire corrigible. »

« Quand tu disais que le capitalisme faisait appel à certaines forces relevant du mauvais de la nature humaine comme le désir de dominer et l'égoïsme, et que ces forces utilisaient naturellement le mensonge, la tricherie, la corruption, n'étais-tu pas sincère ? Et quand tu disais que le socialisme a pour substrats les meilleurs penchants de la nature humaine, acceptation du principe d'égalité, de la fraternité, reconnaissance du mérite des autres, exposais-tu alors vraiment le fond de ta pensée ? »

« Absolument ! Et je le crois encore. »

« Mais alors ? »

« C'est qu'à l'époque, je dissociais dans l'homme les notions de bon et de mauvais. Je faisais de l'angélisme comme en font les marxistes et, comme nous sommes tous portés à en faire dans nos grands élans de jeunesse. Ces deux notions, que nous devrions d'ailleurs appeler valeurs positives et valeurs négatives, sont non seulement mariées et inséparables mais encore interpénétrées. C'est de leur combinaison que surgissent à la fois le bien et le mal. Le bien ne vient pas du bon de l'homme et le mal ne vient pas du mauvais de l'homme... »

« Attends un peu, » coupa l'autre en se grattant la tête, « veux-tu me répéter cela? »

« Notre âme n'est pas bâtie avec du bon juxtaposé à du mauvais. Elle est faite de bon-mauvais et c'est cet amalgame qui fait agir l'humain. Ce postulat, pourtant très facile à saisir puisqu'il suffit de s'observer soi-même et d'analyser un peu les autres, pour qu'il nous saute aux yeux, a été distorsionné par notre culture et notre religion, de sorte que nous l'avons perdu de vue. On nous a habitués à rejeter nos mauvais penchants, à lutter contre eux au lieu de les utiliser comme des forces vitales. C'est dans ce sens-là que les films westerns, la religion et le socialisme sont psychologiquement sur la même longueur d'ondes... »

« Si John Wayne t'entendait, il te tuerait... »

« Les trois identifient, personnalisent, polarisent le mauvais et cherchent à l'abattre à travers une vision manichéenne de l'âme humaine. Or, ce mauvais, ces valeurs négatives sont un puissant moteur de l'homme. Celui qui réussirait à extirper tout à fait ses mauvais penchants deviendrait un imbécile au visage bienheureux, incapable de progrès et très vulnérable, sans réactions donc incapable d'actions. Le capitalisme fait appel à ces forces négatives, mais aussi, à cause de la liberté individuelle qu'il suppose, aux forces positives de l'homme. Car l'homme laissé à lui-même est capable de faiblesse, mais aussi de grandeur. C'est à l'homme complet, celui dont les valeurs négatives sont motrices et les valeurs positives conductrices que fait appel le capitalisme. J'admets que dans la pratique, cet équilibre est loin d'être toujours réalisé dans tel ou tel individu, mais il est théoriquement possible et c'est justement sa poursuite qui crée de merveilleux défis générateurs de bonheur humain. Tandis que dans le socialisme où le système supplante l'homme et agit à sa place, l'on brime les forces négatives en forçant la bonté, l'égalité. On tâche de tuer le mauvais de l'homme. On en refuse même l'expression verbale. Bref, c'est la négation même de la véritable nature humaine. La base de l'édifice socialiste est une absurdité psychologique, soit le mariage impossible de ces deux mots: bonheur forcé. »

« Tes théories sont belles, mais elles ne solutionnent pas les problèmes concrets de l'exploitation de l'homme par l'homme. »

« À mon avis, il est simpliste de vouloir assurer le bonheur de tous en divisant également les biens matériels. Que dans un pays, au départ, un minimum vital soit assuré à tous, d'accord! Mais au-delà, il faut comprendre que le bonheur de l'un ne s'accomode pas des mêmes choses que le bonheur de l'autre. N'est-il pas préférable de vivre la misère et les difficultés financières dans un pays qui laisse l'espoir de bâtir quelque chose et le loisir d'inventer et d'essayer de réaliser toutes sortes de plans, aussi farfelus puissent-ils être, pour tâcher de s'en sortir, à une égalité ennuyeuse, tueuse de créativité? Le bonheur, c'est autant, sinon davantage, l'aspiration que la réalisation ou la satisfaction. »

« Si tu avais de la misère à manger trois fois par jour, tu chanterais une autre chanson. » Serge toussota avant d'ajouter: « Je ne veux pas t'insulter, Alain, mais je crois que tu as une attitude un peu démissionnaire face à l'exploitation des travailleurs... »

« On tourne en rond parce que, pour toi, le bonheur se trouve dans la consommation, dans la quantité de biens matériels. »

Agacé, le jeune homme demanda: « Tu as beaucoup réfléchi, semble-t-il, au bonheur, Alain. Donne-moi donc ta définition. »

Le barman soupira, jeta son torchon sur une tablette. « Ah, c'est beaucoup de choses ajoutées les unes aux autres comme la liberté, la santé, l'initiative, la créativité, le désir, la maîtrise de ses forces négatives, la découverte de ses propres richesses morales et celles des autres. C'est déguster les choses matérielles au lieu de les dévorer. Or, la consommation excessive de biens matériels entre en contradiction avec tout ça puisque trop manger et trop boire apporte des problèmes de santé, de l'obésité, une perte d'esthétisme, puisque trop consommer de gadgets exige de se tuer à les gagner, puisque l'argent est antidésir, puisque l'argent pour la consommation est anti-ingéniosité, anticréativité, puisque chaque bien possédé crée des servitudes. Tiens, tu seras en mesure de te rendre compte, avec les années, que l'utilisation non mesurée de choses matérielles en enseignement nuit, en fin de compte, à l'apprentissage au lieu de l'aider, car elle crée des interférences tueuses de concentration... »

L'autre coupa, scandalisé: « Mon Dieu, tu devrais faire la leçon aux habitants de tous les pays capitalistes développés. »

« À mon avis, dans les années 80, nos populations vont chercher davantage des richesses morales que matérielles. Les gens vont moins courir la planète, désabusés et se mettront plus sur la piste de leurs richesses intérieures. Je crois qu'ils vont utiliser leur liberté pour créer, c'est-à-dire qu'ils vont investir vers les plaisirs apportés par la créativité, remplaçant en cela ceux de la consommation. Ils vont, par exemple, recycler leurs voitures, restructurer leurs demeures pour en faire des lieux plus productifs et générateurs de bonheur authentique, rebâtir leur pays, leurs espaces verts, leurs rivières, leurs forêts. Je crois qu'ils vont exercer leur esprit d'initiative dans la construction du Tiers-Monde non seulement par des projets collectifs, apanage de l'État ou d'organismes, mais aussi par des réalisations de groupes restreints ou même d'individus isolés. Et je crois que nos peuples vont se donner une culture nouvelle, à la mesure de leurs nouvelles valeurs. »

« Mon cher Alain, tu rêves en couleur. Tu crois vraiment que les peuples des pays développés vont s'atteler à la construction du Tiers-Monde après l'avoir tant exploité à leur profit? »

« Ce ne sont pas les peuples qui sont les responsables, c'est le capital qui dévore ceux qui le laissent faire. Vorace, ingénieux, incroyablement efficace mais pas indomptable, ce capital ne doit pas être étouffé, mais capturé et apprivoisé. »

Le jeune homme barbu secoua la tête. « Alain, toi, un gars sérieux, si favorable aux changements, rétrograder... retourner à de si vieilles idées... »

Le barman s'enflamma: « Je suis de ceux qui sont favorables aux changements, mais dans la prudence, la patience et souvent même la souffrance, dans les concessions, le compromis et souvent même le mensonge, dans la liberté, la créativité et souvent même le défi, dans les tentatives, les essais et souvent même les erreurs. Mais je suis aussi de ceux qui réprouvent les changements qui se font dans la haine, la destruction, les frustrations injustifiées et qui amènent la platitude planifiée. Je suis de ceux qui ne veulent pas vivre dans un pays où tout est pensé par d'autres, qui veulent penser eux aussi, pour qui le bien le plus précieux est la liberté de pensée et d'action qui crée en eux le désir, le rêve, l'espoir. Je suis de ceux qui contestent la révolution parce qu'elle est essentiellement liberticide. Je donnerais tout ce qui est au-delà du minimum vital pour vivre libre. La tragédie par excellence que pourrait se permettre l'humanité serait la disparition de la liberté. Un individu pour être créatif et productif a besoin d'un environnement qui le lui permette: il doit pouvoir déménager, circuler, vendre, acheter, investir, avoir libre-choix, avoir liberté de parole, liberté culturelle, liberté civile, liberté sexuelle, liberté religieuse... »

L'autre coupa: « Liberté de polluer, d'exploiter les autres, d'assassiner dans les rues, de gaspiller... »

« C'est vrai que la liberté individuelle conduit à des excès, mais la liberté collective née de la démocratie, s'exprimant par l'utilisation du droit de parole, du droit d'association, du droit de vote, du droit de concurrence permet de contrer les abus individuels. Bref, poussée suffisamment loin, la liberté porte en elle-même ses propres limites, ses propres contours. »

Serge sourit malicieusement et dit: « Alain, tu dois souvent écouter l'émission les Arpents verts à la télévision parce que, comme monsieur Douglas, tu as perdu le sens des réalités. »

Le barman rétorqua avec un sourire plus malicieux: « Parce que ton angélisme révolutionnaire est plus réaliste que mon rêve d'évolution rapide? Peut-être! Je crois quand même que ce rêve d'évolution est bien plus agréable que les mille frustrations cultivées par ceux qui optent pour l'esprit révolutionnaire. Je suis heureux de faire partie d'un groupe de fous réactionnaires et démodés; mais ceux qui ne le sont pas sont tellement tristes et si souvent enragés que je préfère la folie joyeuse à leur désarroi réaliste. »

L'arrivée d'un client empêcha la poursuite de la discussion sur le même sujet.

« Je me sauve, Alain, » dit Serge un peu plus tard. « Ça m'a fait plaisir de venir jaser avec toi, bien que le professeur, encore une fois, ce fût toi. »

« Comme en 1968, » dit Alain.

« Au plaisir, Alain Martel! »

« Au plaisir, Serge... »

L'homme sortit. Alain pencha la tête. « Je ne sais toujours pas son nom de famille, mais, bon Dieu, c'est pas que je n'ai pas essayé de le retracer, » se dit-il.

Il ramassa la bouteille restée sur le comptoir et se mit à la recherche de son torchon qu'il perdait sans cesse.

●

La serveuse revint à la cuisine et dit à Viviane: « À la table numéro quatre, il y a des Américains qui ne parlent pas un seul mot de français. Je pense qu'ils veulent des explications sur les mets et je suis incapable de leur en donner. »

« Va avertir Alain au bar, » dit Viviane.

La jeune fille obéit et Alain se rendit à la table indiquée.

« Can I help you? » demanda-t-il. L'homme à qui il venait de s'adresser, d'environ soixante ans, avait tout du touriste américain moyen, ce qu'Alain constata d'emblée sans toutefois l'avoir détaillé.

« Hi sir! You're the boss here? » demanda l'homme d'une voix exagérément forte.

« Yes, » fit Alain.

« I'm reading the menu and I need... explanations. What is this? »

Alain se pencha et lut: « Bœuf ménagère. It's a kind of beef stew... A special recipe... an old Quebec recipe. »

« And this? »

« Le pâté vieille maison: it's a meat pie. »

« What kind of meat? Beef, pork, veal or... »

« Beef and pork... and special seasoning. »

« All is special here, » fit l'homme sans rire.

« We have only Quebec food. »

« But why don't you serve things like club sandwiches, hot chicken sandwiches or beefsteak or... »

Alain l'interrompit : « Because it's a typical Quebec restaurant. » Il ajouta avec condescendance : « Then, we offer typical Quebec food. »

« I think it would be better for your business to serve what people want, don't you think so ? ».

Froissé, Alain se retint d'insulter l'Américain. Il s'était toujours dit que s'il devait un jour visiter un autre pays, il y ferait des expériences gastronomiques typiques et ce raisonnement avait prévalu dans l'établissement du menu de son restaurant. Il s'était dit qu'un touriste, par définition, va à l'étranger pour voir, sentir, entendre, goûter, voire toucher des choses qu'il n'a pas chez lui. À quelqu'un qui s'était objecté à cette idée, il avait rétorqué qu'un touriste ne pourrait pas trouver ce qu'il cherchait, c'est-à-dire du dépaysement, si on lui offrait, dans sa langue, à sa manière, tout ce qu'il pouvait trouver au coin de sa propre rue dans sa propre ville américaine. Il avait eu tort et s'était rendu compte chaque jour, depuis l'ouverture du restaurant que le légendaire esprit d'aventure américain était fortement anesthésié, du moins chez les touristes passant par là. Qu'ils n'aiment pas la nourriture locale, il l'eût compris, mais qu'ils ne daignent même pas l'essayer le renversait.

Et celui-là était la synthèse de tous les autres ; il résumait à lui seul toutes les frustrations du restaurateur. Alain avait rêvé d'initier des centaines d'Américains à la savoureuse cuisine québécoise, mais on lui demandait des hamburgers.

Il regarda intensément l'Américain et garda pour lui-même cette pensée : « Si tu te recherches toi-même, pourquoi dépenses-tu de l'énergie, ton temps, tout un attirail à te donner des airs ? Reste donc chez toi et réfléchis, ce qui t'évitera de courir chez ton psychiatre à ton retour de vacances. »

« We hoped to please to our customers by offering them something different, » dit-il.

« I think it's a mistake ! » déclara l'Américain, sûr de lui. Puis il demanda : « What do you propose ? »

« All those dishes are very good... maybe ragoût de boulettes... or jambon à l'érable... »

« Thank you very much, we'll think over. »

« A votre service ! » dit Alain. Et il tourna les talons.

Un peu plus tard, la serveuse revint à la cuisine avec sa commande. « Un pâté à la viande pour lui. Elle ne veut rien d'autre qu'un martini sec, » dit-elle.

Alain fit une moue d'indifférence et retourna derrière son bar où le retrouva, une quinzaine de minutes plus tard, la jeune serveuse qui lui dit : « À peine a-t-il touché à son pâté. Il n'a rien voulu d'autre. Je lui ai donné sa facture... »

« Il nous prend pour des fricasseurs sans même chercher à savoir, » dit Alain. « Il n'a pas confiance parce que les plats et les recettes ne sont pas américains. »

La jeune fille aperçut ses clients qui venaient vers la caisse et s'y rendit pour recevoir le paiement de la facture. Cependant, elle revint aussitôt auprès de son patron.

« J'ai encore besoin de ton aide. Je dois leur charger l'escompte sur l'argent américain et il ne comprend pas ce que je veux dire. »

Alain s'approcha et le touriste lui demanda : « Do you accept U.S. money ? »

Alain fit signe que oui avec un sourire professionnel, ce qui fit réagir le touriste.

« Oh ! oh ! they like our money ! » dit-il à sa femme.

« You must pay five percent for the discount on your money, » dit Alain.

L'homme présenta un billet de vingt et la serveuse lui remit sa monnaie moins un dollar pour l'escompte. Il ramassa l'argent en ayant l'air de réfléchir. Soudain il demanda : « Can't you give me back U.S. money ? »

La jeune fille comprit et se rendit chercher de l'argent américain dans une autre caisse, mais elle omit de lui rendre la part d'escompte qui se trouvait ainsi à lui revenir. L'homme ne la réclama point.

À la suggestion de la femme, les Américains décidèrent de faire le tour de l'établissement et ils se rendirent au bar où ils prirent place au comptoir derrière lequel travaillait Alain. Ils commandèrent des consommations.

« That's a nice bar, » dit l'homme en même temps qu'il jetait un coup d'œil circulaire. « If you agree, I'll take a photo. »

« As you wish, » dit Alain.

Une musique d'après-midi, à volume réduit, avait été programmée sur le système de son de la discothèque.

« Are you from New England ? » demanda Alain pour alimenter la conversation.

L'homme sourit. « Oh no ! I'm from Wisconsin. »

« Milwaukee ? » demanda Alain.

« Oh no ! Madison ! »

« It's the first time that you visit Quebec ? »

« Yes. And I must tell you that it's a nice country. »

« Really ? »

« Oh yes ! just like Europe ! »

« You visited Europe ? »

« I spent two years there. »

« Really ? »

« During World War Two. »

« You're a veteran. »

« Yes. »

« Did you go to Europe afterwards ? »

« Oh no ! never ! »

« And you think that there's a similitude between... »

L'homme l'interrompit : « You have nice music... »

« Thank you. »

« Very nice... But don't you have the famous song Lily Marlene ? » demanda l'Américain.

« Could you repeat ? » dit Alain.

« Lily Marlene. It was famous during World War Two. You must not remember that. »

« Oh yes ! I know... even if I don't remember, » fit Alain. « I have many records on which there is German music. Maybe... »

« It was sung by Marlene Dietrich, a star of that time. »

« I heard about her, » dit Alain. « Incidently, she went back to the showbusiness. Last week, she gave a recital in Las Vegas. »

« Oh no ! she gave up the showbusiness a long time ago. She was a star in the forties, you understand ? »

Alain n'insista pas.

« You know, my wife is fond of good music and she knows the matter. Where is the juke-box ? » demanda l'homme.

« We have no juke-box ; only a sound system. It's a discotheque... »

« We can't choose the records by ourselves ? » fit l'homme, incrédule.

« My waitress will show the records to your wife who will be able to choose... » dit Alain. Il fit signe à la serveuse et lui demanda d'accompagner la femme à la cabine de contrôle du système sonore.

L'Américain secoua la tête. « You know, in the United States, we have big music boxes. You put a coin and you select the records of your choice. We call that a juke-box. Why don't you buy one ? It would be very good for your business. Big profits, you know. » Il glissa un clin d'œil complice.

Alain rit mentalement, se disant : « Ou il est complètement stupide ou bien il se moque de moi. Je préfère m'en tenir à la première partie de l'alternative. »

Lorsque les deux femmes revinrent de la cabine de contrôle, la serveuse fit un signe à son patron lequel la suivit en retrait.

« Quand je lui ai redonné son change, j'ai oublié de lui rendre son escompte, » dit-elle.

« Ah ! oui ? Je vais m'en occuper, » dit Alain avec une pointe de sadisme au coin des yeux.

« Sir, you have forgotten to claim back your discount on the U.S. money that the waitress gave you back. Here it is. » Et il étala soixante-douze cents sur le comptoir. « I don't want to steal your money, » ajouta-t-il avec une touche de mépris dans le timbre de sa voix.

L'homme rit et secoua la tête. « Oh ! no, keep it for yourself ».

« I insist, » dit Alain avec un sourire malicieux. « These are Canadian coins ; give them to your grand children and tell them that it's a souvenir from a man who has been very happy to know their grandfather, and, above all, to learn from him a lot of fascinating things... »

L'homme rit plus fort et ramassa l'argent. Il déposa un billet de cinq dollars sur le comptoir et dit : « That's a good idea, but let me give you a five dollar bill. That's a tip... for the photos. Are you ready ?... I would like to take one of you and your waitress behind your bar. I'm going to get my camera. »

Alain fit signe que oui et l'homme sortit. Il revint bientôt et dit, triomphant, arborant son appareil : « It's a Polaroid. You get your photos very quickly... »

« Really ? » s'exclama Alain l'air faussement émerveillé. « I heard of that on the Ed Sullivan show. »

« Are you ready for the photo ? » demanda l'Américain.

« I'm going to get my wife and I come back, » dit Alain. Il revint pendant que le touriste ajustait sa caméra et fit placer Viviane et la serveuse, l'une de chaque côté de lui. Il essaya alors de composer sur sa figure un sourire comme celui des singes du film « La Planète des Singes », penchant la tête, ouvrant grand les yeux, bombant le torse, projetant vers l'avant sa lèvre inférieure.

« Je cherche la pose, » dit-il à la jeune serveuse au rire facile. Elle plissa les yeux, jeta un coup d'œil à Viviane et les épaules commencèrent à lui sauter pendant que l'Américain et sa femme discutaient de l'ajustement de l'appareil.

« Soyons sérieux, » dit Alain. « Le monsieur est en train d'apprivoiser le petit oiseau et va bientôt nous le montrer. Et vous savez quoi ? Dans soixante secondes, nous verrons les photos. Ah oui ! je vous le dis, elles seront développées. Le monsieur a une PO LA ROID comme dans les émissions d'Ed Sullivan... en 1958. »

» Tu es fou, » dit Viviane, un peu intimidée.

« Comme lui, » dit Alain.

« Ready ? » dit l'Américain.

« Ready, » dit Alain. Il bomba le torse et chercha à composer à nouveau son sourire de singe. L'homme braqua sa caméra et appuya sur le bouton. Le même manège se répéta à plusieurs reprises, le touriste ayant décidé de photographier sa femme avec Alain, Viviane avec sa femme et la serveuse, sa femme avec Viviane seule et sa femme avec Viviane et Alain.

Quand tout fut terminé, l'homme admira son travail et fit voir ses photos à tout le monde. Ensuite il multiplia les remerciements et les salutations avant de quitter les lieux.

Sitôt qu'il fut parti, les femmes pouffèrent.

« Quelle sorte d'énergumène est-ce ? » demanda Viviane.

« Bon Dieu, ils vont me faire sécher ces Américains, » s'exclama Alain en se frappant le front. Le regard fixé sur la porte, il réfléchit un instant. Alors il dit : « Tu sais ce que je vais faire ? Une pancarte que je vais accrocher au chemin et sur laquelle il y aura : NO AMERICANS. »

« Tout de même, Alain, ils ne sont pas tous comme lui... » dit Viviane.

« Depuis que nous sommes ouverts, je n'en ai pas vu un seul qui soit agréable. Ils se font voir et s'écoutent parler. Bon Dieu, j'aurais dû le jeter dehors. »

« Mais qu'a-t-il donc fait de si terrible ? » demanda Viviane.

Il raconta par le détail ce qui s'était passé. Le ton qu'il emprunta renchérit sur la réalité.

Viviane écouta attentivement. À la fin de la narration, elle fit un clin d'œil à son mari et dit : « Ils ont au moins une qualité ces Américains : ils jouent franc-jeu, et avec eux, on sait sur quel pied danser. »

Elle tourna aussitôt les talons. Tout le temps qu'elle se dirigea vers la cuisine, jusqu'à ce qu'elle eût disparu par la porte battante, Alain, l'air hébété, la regarda aller.

●

Dès les premiers airs du temps des fêtes il laissa deviner à sa femme qu'il passerait la nuit de Noël à dormir, soutenant que les traditions lui apportaient bien plus de désagréments que de joies. « Trop longtemps répétées de manière identique chaque fois, les meilleures choses s'usent et deviennent ennuyeuses à vivre, » disait-il. Elle n'avait pas pris au sérieux cet avertissement et, jusqu'à la dernière minute, elle agit comme si de rien n'était. Cependant, dans l'après-midi du vingt-quatre, elle dut bien envisager la réalité.

« Tu ne me laisseras tout de même pas aller réveillonner toute seule chez mes parents ? » demanda-t-elle, inquiète.

« Certainement ! Je te l'ai dit il y a un mois et je suis décidé plus que jamais. »

« Mais ça n'a aucun sens, que diront mes parents ? »

« Ce qu'ils voudront ! »

Elle ne comprenait pas qu'une chose aussi sacrée que le réveillon de Noël chez ses parents fût remise en question par son mari. Aussi, chaque interrogation qu'elle posait, chaque objection qu'elle apportait traduisaient sa totale incrédulité.

« Mais puisque tu n'es pas malade ? »

« Je vais te l'expliquer pour la dixième fois et j'espère que tu vas comprendre pour de bon. Le scénario de la nuit de Noël et tout ce qui entoure cette fête ne me conviennent plus. Je trouve la messe de minuit ennuyeuse et je n'y vais d'ailleurs pas. Pour moi, le réveillon n'est rien d'autre qu'une bouffe d'aliments riches qui restent sur l'estomac et font engraisser. La distribution des cadeaux est une autre bouffe. Mais celle-là, de gadgets pour la plupart indésirés et payés trop cher. Et tout ça se fait en pleine nuit alors que tous sont fatigués. Dérangés dans leur sommeil, les enfants font un vacarme d'enfer tandis que les adultes s'entretiennent de banalités en sirotant une consommation, retenant leurs rots et leurs gaz, avec le secret espoir que tout cela finisse au plus vite. Tout ça ne vaut pas le coup. Qu'on change la tradition, qu'on fasse preuve d'imagination et après, je verrai. En attendant, je me couche. Ah! et deuxième point: je suis contre l'orgie de consommation du temps des fêtes. L'an dernier, j'ai coupé l'envoi des cartes de souhaits; cette année, je coupe l'histoire du réveillon et l'an prochain, plus de cadeaux. Quand j'aurai tout à fait extirpé de moi-même la notion de Noël, alors je choisirai peut-être Noël tel qu'il se pratique, mais peut-être pas non plus. De toute façon, une tradition qui me choisisse ne m'intéresse pas; je veux choisir mes traditions et pour ça, il faut que je m'en libère d'abord. Si tu veux embarquer avec moi, je t'invite; sinon, va à la fête avec ta parenté. Je te laisse ta liberté, laisse-moi la mienne.»

«Ma mère s'est fatiguée depuis trois semaines pour préparer tout cela pour nous tous...»

Alain secoua la tête, interrompit: «Et moi, je lui fais plaisir depuis dix ans en assistant à son réveillon ennuyeux. À son tour de me faire plaisir en m'en dispensant sans passer de remarques. Qui, mieux qu'elle, puisqu'elle est catholique jusqu'au bout des ongles, peut comprendre une brebis perdue dans mon genre?»

«Tu as envie de te faire remarquer.»

«Je me suis posé la question. Mais je ne le crois pas, car je n'ai rien à prouver aux autres par ce geste; c'est à moi-même que je veux prouver quelque chose.»

«Moi, j'y vais pour Caroline. Noël, c'est la fête des enfants.»

«Tiens, le paravent qui apparaît. Tu te laisses assassiner par ton enfant puisque tu te sacrifies afin qu'elle puisse participer à une orgie.»

«Tu es malade ou quoi? Tu sais bien que les enfants adorent Noël!»

«Plus on est jeune, plus on aime les choses matérielles. J'accepte cela puisque c'est un trait de la nature humaine. En ce cas, pourquoi pas un Noël repensé, bâti à la fois pour les enfants et pour les adultes: une fête vraiment humaine? Dans le partage! Dans l'équilibre! Tu veux leur faire une proposition de ma part, à tous ceux de ta famille qui prétendent aimer tout ce bazar, mais qui, au fond, s'adressent des sourires de satisfaction factice?»

«Je t'écoute puisque tu es si intelligent.»

«Voici le scénario que je propose. L'an prochain, au soir du vingt-quatre, tout le monde se couche normalement. Le lendemain, tout le monde se lève en forme, y compris les enfants. On passe un avant-midi de fraternité en famille. Puis c'est le repas: menu différent des autres années histoire de faire un peu changement. Des gâteries? Oui... il en faut bien de temps à autre. Après le repas: distribution des cadeaux... sans cadeaux. Je m'explique. Le père Noël ne fait que montrer les photos, gravures ou diapositives illustrant les cadeaux que les gens se feront les uns les autres... en janvier. Tu trouves que c'est une idée farfelue?»

«Mais je n'ai pas dit un mot!»

«Ton sourire en dit long. Je continue quand même; je suis habitué de faire rire de moi avec mes idées. Les avantages de cette façon de faire seront multiples. Un: voir l'image et ne pas voir le cadeau créera le désir. Deux: chacun pourra acheter ses cadeaux en janvier et paiera ainsi au moins vingt pour cent meilleur marché. Trois: chacun pourra donner son opinion personnelle sur les choix faits pour lui, ce qui évitera des surprises indésirables et des sourires préfabriqués. Quatre: tous verront ce que chacun va recevoir, ce que le temps du déballage ne permet pas dans une distribution traditionnelle. Quant aux enfants capricieux, pour leur fermer la trappe, l'on pourra leur faire des cadeaux symboliques de faible valeur et qui les contenteront dans l'attente des vrais.»

Viviane haussa les épaules. « Ce n'est pas pour demain, ton affaire. »

« Je sais bien. Il faudra d'abord que la mode naisse quelque part aux U.S.A. Comme toujours, nous allons attendre que tout le monde le fasse — ça ou autre chose de logique — avant de nous décider. Et d'ici là, on se dit que le contraire est censé puisque tout le monde le fait. »

« Tu rêves, Alain, tu rêves. »

« Et je vais poursuivre mon rêve. Écoute bien. Quand la distribution d'images sera terminée, chacun prendra un montant égal à vingt pour cent à ce qu'il a investi en cadeaux pour constituer ainsi un pot qui sera envoyé aux enfants d'une famille du Tiers-Monde. Et c'est ainsi que nos enfants pourront acquérir un certain sens du partage. Et ta chère mère et tes chères sœurs toutes si catholiques seront aux petits oiseaux d'une telle générosité... »

« Il n'est pas nécessaire de te moquer d'elles. Si tu es convaincu de tes idées, alors viens donc les convaincre toi-même. Ce n'est pas en te retirant que tu vas les amener à des idées pareilles... »

« Dès que j'ouvre la bouche, avant même que je ne dise un seul mot, ta mère et tes sœurs disent HET. Si je proposais des idées semblables l'on me qualifierait de malade, sonné, etc... Merci! Supporter leurs sarcasmes avec les enfants qui jappent et les chiens qui braillent? Merci! Si je reste ici, Viviane, c'est que j'ai des convictions, et aussi pour ne pas que quelqu'un ait honte de moi... »

« Denise Martel, je suppose? »

« Qu'est-ce qu'elle vient faire là-dedans, celle-là; je ne l'ai pas vue depuis des mois... Pas Denise, Alain Martel. »

« C'est donc ton dernier mot? Tu ne viendras pas ce soir? »

« C'est définitif! »

« J'espère que tu dormiras bien. »

Il hocha la tête et ne répondit pas.

•

Il pensait à tous ceux et celles qui, de par le monde, se sentent seuls la nuit de Noël. Pourtant, lui, avait au cœur ce goût de liberté qu'il affectionnait tant: cette joie d'être un peu plus lui-même. Combien de traumatismes physiques et mentaux ne s'était-il pas créés par ses nombreuses démissions devant l'exercice de son libre-choix dans un système qui, pourtant, tolère la marginalité. Il avait toujours fait comme le voulaient les autres: ses parents, les prêtres, les éducateurs, les leaders politiques ou syndicaux, ses patrons, sa femme, sa maîtresse, le milieu, la mode. En cette nuit de Noël, il faisait à sa tête une chose qu'il trouvait logique, et cela le rendait heureux.

Il pensa: « Ce n'est que le commencement. Je ne veux pas mouler le bonheur des autres à ma manière, mais, bon Dieu, je vais pourtant bien façonner le mien comme je le voudrai. »

Cheveux en broussaille, barbe de deux jours, il s'était allongé sur le divan du salon pour réfléchir sur les événements de l'année, sur son évolution psychologique et sur son avenir.

Le bilan qu'il fit lui apparut, à prime abord, négatif. Toute l'année, il s'était senti mis en quarantaine. En janvier, par les patrons de la station de radio. Au printemps, par les profiteurs de la ville. À l'été, par les touristes américains. À l'automne, par la direction de la nouvelle école où il enseignait. Viviane et même Denise s'étaient éloignées. Un seul succès: le disco-bar. Mais encore là, s'il ne trouvait pas une consolidation de ses dettes au début de 1975, il risquait de le perdre.

Il ne parvint pourtant pas à détester son 1974, et il se demanda bien pourquoi. Comment un ensemble de situations négatives pouvait-il avoir rempli son âme d'optimisme? Laborieusement mais sans stress, par une simple réflexion heureuse et soutenue, il chercha et trouva des réponses.

En premier lieu, il avait osé secouer sa sclérose professionnelle. Il avait quitté la radio, changé d'école, plongé dans un nouveau métier.

Aussi, il s'était émancipé de Viviane et Denise.

Il avait retrouvé ce vieux rêve américain si longtemps refoulé, jamais réalisé. En cette nuit paisible, il l'identifia encore une fois: liberté était son nom, authenticité son tremplin. Il n'en savait pas moins qu'il devrait mentir encore et souvent, mais il s'en accommodait mieux maintenant, convaincu que ce sont les autres qui le forceraient à le faire.

L'aventure du restaurant lui avait montré que la situation la plus noire peut être stimulatrice, génératrice d'effets positifs puisqu'elle fait jaillir du fond de soi-même des valeurs cachées, des talents insoupçonnés.

Par-dessus tout, il s'était passé quelque chose en cette année-là. Il y avait eu changement, évolution dans sa vie. Et c'est en cela qu'il voyait la plus grande richesse de ces douze mois qui s'achevaient.

En conséquence, il fit de l'évolution son objectif premier pour 1975. Il précisa en son esprit les choses vers lesquelles il tendrait. Au plan physique, il rebâtirait son corps par une alimentation plus équilibrée et par le conditionnement physique. Au plan professionnel, il quitterait l'enseignement. Au plan affectif, il choisirait entre Viviane, Denise ou une vie solitaire, c'est-à-dire entre son devoir, son amour et sa liberté.

Sur un bout de papier qu'il devait cacher en un compartiment de son portefeuille, il inscrivit de petits signes qui lui rappelleraient ses objectifs à la fin de 1975.

Il se fit aussi la promesse ferme d'effacer de son esprit, parce qu'il les en expulserait, une foule de notions acquises et une grande part de l'échelle traditionnelle de valeurs afin de pouvoir exercer son libre-choix dans le plus grand nombre de domaines possible. Il ferait d'abord maison nette des vieux meubles, puis reprendrait ceux lui apparaissant conformes à sa nature, complétant l'ameublement de son âme avec du neuf.

Il ne souhaita pas que 1975 lui épargnât des problèmes de cœur ou d'affaires; il ne se souhaita pas non plus un gros lot ou de belles opportunités. Mais il demanda à Dieu de la santé, promettant en retour de prendre soin de son corps, car il eût trouvé indécent de requérir une telle chose s'il avait fumé ou s'était adonné à d'autres excès ruineux.

Enfin, il dit à Dieu que pour le reste, il n'avait pas besoin de ses interventions.

Avant de fermer les yeux, il se dit que Dieu n'interviendrait pas, non plus de toute façon, pour la question de la santé. Et il sourit, se disant qu'au fond, c'était beaucoup mieux comme cela.

Et il s'endormit profondément.

1975

En Etchemin, quand l'hiver parle, tout le monde se tait. Il faisait une de ces tempêtes à faire rêver Alain d'un exil permanent. Quand cette sensation de coupure d'avec le reste de l'humanité faisait rage avec trop de violence dans son âme, son imagination débordait les murs de la poudrerie et le conduisait à des étés romanesques d'un pays à bâtir.

Il arrivait rarement au bout d'une rêverie car Viviane essayait sans cesse de le ramener à elle en le ramenant à la réalité. Et cela aussi, il le lui reprochait.

Il avait ouvert les rideaux du salon pour regarder le néant de la rage hivernale.

Son rêve de ce jour-là se termina abruptement sur ces mots de Viviane: « J'espère que je ne manquerai pas mon cours demain. »

Il ne répondit pas et soupira doucement. Il se rappela le compromis qu'ils avaient fait et qui avait permis à sa femme de combiner le travail de maison, sa participation à la tenue de la discothèque et la poursuite de ses cours de couture à Québec une fois par semaine.

La décision d'Alain de n'opérer le commerce qu'aux fins de semaine après la saison touristique devait solutionner plusieurs problèmes: lui permettait de rencontrer plus facilement sa maîtresse, empêchait ses deux occupations d'enseignant et de restaurateur de se nuire, dégageait Viviane d'une partie de sa servitude.

« De la façon où vont les choses, je pourrai faire quelques mois d'étude l'automne prochain afin de compléter mon cours de coupe, » dit-elle. Elle avait affirmé interrogativement et Alain sentit qu'elle revenait encore à la charge afin qu'il lui laisse faire une autre année de cours.

« Essaies-tu de me dire qu'il te faudra continuer encore un an à Québec ? »

« Je tiens bien la maison et je fais mon travail à la discothèque. »

« Le problème n'est pas là, » dit-il sans se retourner. « J'essaie de te faire comprendre depuis longtemps qu'il faut que tu te bâtisses une vie professionnelle. Je veux que tu puisses te débrouiller par toi-même dans la vie, parce que demain je peux crever, parce que demain nous pouvons nous séparer. Je veux que tu te prennes une assurance-avenir, une vraie. Pourquoi ne te bâtirais-tu pas une vie professionnelle à ton goût et selon tes aspirations ? Pourquoi les femmes doivent-elles attendre d'avoir des coups sur la tête pour s'inquiéter de l'avenir ? Pourquoi ne misent-elles pas sur l'avenir au lieu de se cacher derrière des faux-fuyants d'obligations familiales ? Elles me font rire avec leurs mouvements de libération ; ce n'est pourtant pas de l'homme dont elles doivent se libérer, mais d'abord d'elles-mêmes... »

« Écoute Alain, il y a quantité de femmes qui ont une vie professionnelle... »

« Je parle des femmes d'intérieur et tu le sais bien. »

« À t'écouter parler, c'est à croire que tu veux divorcer demain matin. »

« Je veux pouvoir me dire que tu peux affronter l'avenir quoi qu'il se passe. Je ne devrais pas dire affronter, mais vivre sans amertume, heureuse, avec ou sans moi. Je veux que tu deviennes autonome et que tu puisses te passer de moi. »

« Je ne tiens pas à me passer de toi dans la vie ! » s'exclama-t-elle, inquiète.

« Il faudra pourtant que tu sois capable de le faire. »

« Une question qui m'a toujours tracassée: comment prendrais-tu la vie, si je mourais demain matin ? » demanda-t-elle.

Il se tourna lentement et décroisa les bras. Viviane regardait vaguement à l'autre bout du divan sur lequel une migraine l'avait clouée depuis le matin. Il fit le geste de tourner la page d'un livre. Comme elle regardait ailleurs, il dit: « De cette façon, » et il répéta son geste.

« Je meurs et tout sera dit le lendemain ? »

« L'hier est déjà vécu, Viviane. C'est demain qu'il me faudra vivre et je m'y prépare mentalement dès aujourd'hui. Tu meurs ? Caroline meurt ? Je tourne la page, car la vie, c'est demain. Et voilà ! »

Il marcha jusqu'au divan et s'affala à l'autre bout.

« Je ne suis pas bâtie comme ça, » dit-elle avec amertume.

« Tu ferais exactement pareil par la force des choses, mais sans t'y être préparée. Et tu le ferais dans l'anarchie, le désordre, les airs désemparés et les pleurs inconsidérés. Tu guérirais vite, tout comme moi. Comme tout le monde en fait ! Observe les gens: ils se remettent plus vite de la perte de leur conjoint que d'une amydalectomie. On t'a éduquée à la dépendance et tu crois trouver ta liberté sous l'aile de quelqu'un d'autre. Et tu te dis que le monde s'écroulerait si cet autre disparaissait. C'est pour cette même raison que tu espères gagner du temps en poursuivant tes études: au fond, tu as peur de t'émanciper, de voler de tes propres ailes dans la vie. »

« Suis-je pire qu'une autre que tu me rejettes constamment ? Je fais mon possible et tu n'es jamais content. »

« Je voudrais que tu en finisses avec les études et que tu lances un petit commerce. Je t'aiderai à t'organiser. Je te financerai. Je partirai ta comptabilité. Je préparerai ta publicité. Tu commenceras lentement mais sûrement. Tu auras des clientes comme ça ! La femme du député, à elle seule, te créera toute une clientèle ; chaque mois, elle te téléphone pour savoir si tu as fini tes cours. Il est si rare que l'on frappe des gens positifs... à toi d'en profiter ; elle va te faire du nom. Te faut-il une cinquième, une sixième, une septième année ? Un bon matin, il faut bien prendre le taureau par les cornes... »

Viviane scruta son mari du regard, cherchant à lire au fond de son âme. « Alain, plus ça va, plus je pense que ça ne durera pas entre nous deux. »

« L'avenir le dira, » fit-il, énigmatique.

Des larmes pointèrent sous les paupières de la femme. Elle dit: « Si notre vie était plus normale, comme celle des autres. »

« Je suis d'accord sur le fait que je ne doive pas t'imposer mon entendement de la vie. Et justement, je te pousse à vivre pour toi-même. Mais, de ton côté, tu ne dois pas m'imposer ta façon de voir sous prétexte qu'elle est plus conforme aux normes établies. Ou bien j'embarque dans ton bateau — et je ne le ferai pas — ou tu embarques dans le mien — et tu refuses de le faire. Que reste-t-il comme solution ? Chacun doit démantibuler sa propre embarcation et, avec les morceaux, participer à la construction d'une neuve qui convienne aux deux partenaires. Rappelle-toi bien cependant que saborder son bateau, ça fait très mal, très très mal. »

Viviane écoutait, fumait et pleurait doucement.

●

C'était une journée clémente de février. La neige s'alourdissait, somnolait sous la tiédeur du vent.

Alain ne cacha pas sa voiture comme d'habitude avant de se rendre à l'appartement de sa maîtresse. Il ne le faisait plus depuis deux mois. Pourtant, cet après-midi-là, il avait fait le geste d'aller la garer parmi celles des employés de la clinique médicale, de l'autre côté de la rue. Mais quelque chose, une sorte de prémonition malicieuse, l'avait retenu et il la braqua en travers au beau milieu de la cour du bloc-appartement où logeait Denise.

Il monta, passa son heure habituelle d'avant souper avec la jeune fille, puis retourna chez lui. Dès qu'il mit le pied dans la maison, Viviane, le visage défait, l'apostropha: « D'où sors-tu? » demanda-t-elle.

« De l'école, » dit-il, feignant la surprise.

« Tu n'es qu'un menteur, » dit-elle simplement en appuyant sur chaque mot. Elle n'ajouta rien de plus, s'habilla et sortit. Une demi-heure plus tard, elle revint avec une douzaine d'œufs. Et la soirée se passa comme des centaines d'autres: lui, au salon devant le téléviseur et elle, dans la cuisine à ses travaux domestiques. Dans l'esprit d'Alain, il ne faisait plus de doute qu'elle avait découvert le pot aux roses et il sentait venir une forte tempête dont les signes annonciateurs étaient cette détermination mêlée de rage dans les gestes de la femme.

Il espérait la tempête; il la souhaitait.

Il finit par se dire, d'après l'attitude de Viviane, que tout ne se passerait que le lendemain, ce jeudi vingt février 1975.

Et il se mit à avoir hâte au lendemain.

Il reçut un appel téléphonique de Viviane alors qu'il était à son travail, à l'école: cas exceptionnel. À cause d'un rendez-vous avec un dentiste de la clinique médicale, elle lui demandait de venir directement à la maison.

Sitôt rentré, il fila droit à son bureau du sous-sol où il entreprit de ramasser ses idées. Un dénouement se préparait, mais c'est lui qui tirerait les boucles. À tout le moins, s'y disposait-il.

Une heure plus tard, elle était de retour. Quand il l'entendit descendre l'escalier menant à son bureau, il prit un crayon et se mit à écrire calmement. Viviane trouva un cendrier et s'accoupit dans un coin jusqu'à s'asseoir franchement par terre. Elle tira longuement sur sa cigarette et rejeta nerveusement la fumée.

« Alain Martel, pourquoi m'as-tu fait cela? »

Il releva la tête et dit froidement: « Fait quoi? »

D'une voix rageuse et douloureuse, elle cria: « Tu as une maîtresse, vas-tu le nier? »

Sans changer de ton, il répondit: « Non, je ne le nierai pas. Je mens depuis trop longtemps. C'est vrai, j'ai une maîtresse. »

Elle éclata en d'insoutenables gémissements. « Pourquoi, Alain, pourquoi? »

« C'est une chose personnelle, privée, tout comme mon courrier ou les papiers que je mets dans certains compartiments de mon portefeuille ou dans les tiroirs de ce bureau. Je suis un être humain individualisé, capable de penser, capable de se conduire, capable de prendre lui-même ses décisions et qui a décidé, un beau jour, de se prendre une maîtresse. »

Hochant la tête contre le mur, cherchant vainement à chasser sa douleur intolérable, elle dit: « Mais ça ne se peut pas, je rêve. Le monde entier s'écroule autour de moi... »

« Le choc sera dur, mais tu te relèveras... » Il se fit un moment de silence. « Personne n'est inconsolable en ce bas monde, et puis je vais t'aider... »

« Je ne veux pas de ton aide, tu n'es qu'un salaud! » cria-t-elle.

« Ne sois pas violente, Viviane, » dit-il doucement. « Qu'aurais-tu à y gagner? En premier lieu, voudrais-tu me dire d'où tu viens? »

« De chez ta putain, à son appartement où j'ai vu ton auto hier à mon retour de Québec. »

« Tu l'aurais découvert tôt ou tard. J'espère bien que tu ne savoures pas une petite joie morbide à m'avoir démasqué? Cela non plus ne t'avancerait à rien. Au fond de moi-même, j'avais hâte que le chat sorte du sac et, maintenant que c'est fait, je me sens bien plus libre. »

Elle écrasa sa cigarette. « Alain, il faut que je sache une chose: as-tu eu des relations sexuelles avec elle? »

Il hésita un moment. « Ça ne te regarde pas. »

« Je dois savoir. »

Il haussa les épaules et jeta: « Puisqu'elle était ma maîtresse! »

« Oui ou non? »

« Évidemment que j'ai eu des relations sexuelles avec elle! »

À travers des sanglots désordonnés, elle gémit: « Qu'est-ce que j'ai donc fait au Bon Dieu pour qu'une chose pareille m'arrive? »

« Ma pauvre enfant c'est tout simplement que tu n'y comprends rien, ni à la vie ni aux hommes, comme la plupart des femmes. » Il jeta son crayon et recula sur sa chaise. « Tu as voulu faire de moi un objet possédé. Or, je suis un être humain, pas une chose, pas ta chose. Ton malheur, c'est que je suis plus tête de pioche que ceux qui se laissent posséder. Depuis des années tu m'agresses pour tout et pour rien; je ne dis pas que tu es pire qu'une autre, non. Tu es une femme normale, c'est tout. Mais je ne veux pas d'une femme normale. Tu cherches à contrôler ma vie; tu fais du chantage en menaçant de partir avec Caroline; tu vis accrochée à moi. Pas plus tard qu'il y a un mois, je t'ai dit pour la xième fois de t'épanouir à ta façon, de vivre pour toi-même d'abord, de te bâtir toi-même, sans toujours te réfugier sous mon aile pour m'agresser, me picorer, me culpabiliser. J'ai essayé de te faire comprendre tout çà positivement, mais tu n'as rien voulu savoir. Tu t'obstinais à ne rien voir, à faire l'autruche, à fermer les yeux sur mon besoin d'air. J'ai pioché pendant des années pour te faire comprendre que j'avais besoin de ma liberté, de mon épanouissement à ma manière. Et j'essayais de t'amener à cette idée-là pour toi-même, mais tu n'as pas voulu avancer d'un seul pouce. C'est tout cela qui a fait qu'une simple aventure avec Denise Martel s'est transformée en liaison. Une femme qui cherche à étouffer son mari le pousse dans les bras des autres, car un homme, à moins de nier sa propre nature, a besoin de grands espaces... »

« Tu veilleras à choisir entre elle et moi et ça presse! »

« Non, Viviane, ce n'est pas ta loi qui va prévaloir dans cette partie, mais la mienne, comme ça, il n'y aura pas maldonne. Tu te ferais une grande illusion de croire que je vais laisser Denise Martel demain matin. Elle est ma maîtresse depuis quatre ans et nous avons des projets d'avenir. »

« Mais tu es fou, complètement fou. Et ta maison, et ta fille? Tu vas me mettre dehors et lui donner ma place? Grand Dieu de grand Dieu, que va-t-il advenir de moi? » Elle écarta les bras et hoqueta à travers ses sanglots désordonnés: « Mais je t'aime, Alain, je t'aime. Je ne veux pas vivre sans toi. Ne m'abandonne pas! Dois-je t'implorer? Je suis prête à tout pour que tu me reviennes. De grâce, laisse cette fille. Effaçons tout! Recommençons à zéro... Comme je souffre, Alain, c'est incroyable comme je souffre... »

« Si tu étais en ce moment, et si tu avais été dans le passé moins préoccupée de ta petite personne d'une façon négative, tu ne souffrirais pas autant. Je suis désolé pour toi, mais tes larmes ne m'émeuvent en aucune manière. »

« Mais qu'ai-je donc fait, Alain, dis-moi, dis, dis... »

« Je viens de tout t'expliquer; faut-il que je le répete encore une fois? »

« Mais pourquoi donc avoir eu des relations sexuelles avec elle, pourquoi? » demanda-t-elle horrifiée.

« Réglons tout de suite ce cas, si tu veux. Avoir eu des relations sexuelles avec elle, c'est la même chose dans mon esprit, que d'avoir partagé une bouteille de vin avec elle. Je ne crois pas en la fameuse sexualité du mariage : tu es mon bien pour toujours, je suis ton bien pour toujours. Tu es toi et libre de ton corps ; je suis moi et libre du mien. Sincèrement, si nous nous séparons pour la question sexuelle, je vais en rire le reste de ma vie, car le seul point de notre mariage qui a toujours bien marché, c'est justement celui-là. J'ai vécu une sexualité ailleurs parce que c'est différent, parce que je crois qu'il est naturel pour un être humain de connaître une certaine variété dans tous les domaines. Car si Dieu nous a donné l'intelligence d'étendre nos horizons dans tout, il devait s'attendre à ce que les humains s'en servent pour bonifier des choses déjà bonnes en elles-mêmes au départ. Et il doit sûrement se désoler de voir à quel point les humains se servent peu de leur tête pour rechercher la variété sexuelle. J'ai vécu une sexualité ailleurs pour ne pas me sentir chasse gardée d'une seule personne et qui sait, peut-être pour t'apprécier davantage. »

« Mais je ne comprends pas, c'était si bon la sexualité ensemble ! »

« C'est bien ce que je viens de te dire. Je n'ai pas eu une maîtresse pour le sexe, mais pour mon épanouissement personnel, pour un partage... »

« Qu'est-ce qui va m'arriver quand tu ne seras plus là ? »

« Que je sache, je ne suis pas encore parti. Je vais t'aider à te relever et quand nous nous quitterons, tu seras forte. Tu te seras rebâtie toi-même, sans moi, et tu souriras à nouveau. Je ne te laisserai pas dans la rue. Et si tu es d'accord, nous essaierons de ne pas nous laisser avoir par des avocats... »

Elle l'interrompit, comme si elle n'avait rien écouté. « Tu ne m'aimes donc pas, Alain ? »

« Selon ta définition de l'amour, non. Pour toi, l'amour est possessivité et pour moi, c'est la libération de l'autre. Vois-tu, ce qui pousse les gens au mariage ce n'est pas l'amour, mais une romance dans laquelle il y a un intense désir de posséder l'autre rien que pour soi. Cette chose est de la possessivité et elle n'a rien à voir avec l'amour. Elle ne dure d'ailleurs que le temps des roses. »

Reprenant un peu son calme, elle dit : « L'amour, ça se passe entre deux personnes, pas trois. »

« L'amour ne doit pas comporter le rejet pur et simple, ni non plus le rejet sexuel des autres ; autrement, cet exclusivisme devient de l'égoïsme à deux, de la possessivité mutuelle, génératrice de jalousie, d'étouffement, de drame, de divorce et, d'un bout à l'autre de la vie, d'agression. »

Viviane leva un genou et dit sur le ton de la protestation : « Tu peux donc te permettre d'aller coucher avec n'importe qui ? Quelle belle mentalité ? »

« Je ne deviens pas dévergondé parce que je deviens libre, au contraire. L'on croit rendre les gens raisonnables en les enchaînant. Libre et équilibre sont deux concepts qui s'apparentent bien mieux que chaînes et équilibre ! »

Elle fit tourner un mégot de cigarette dans son cendrier et regarda Alain brièvement, à deux reprises. C'était la première fois qu'elle posait son regard sur lui depuis qu'elle était là. « Est-ce que tu aimes Denise Martel ? » demanda-t-elle sèchement.

« Je pense que oui ! » dit-il simplement.

« Mais elle te possède à son tour. Ne vois-tu pas clair dans son jeu ? »

« Viviane, nous allons commencer par le commencement et tu vas me dire ce qui s'est passé lors de ta rencontre avec elle. J'en ai déjà trop dit et je ne veux pas que tu m'arranges les choses à ta manière. Je t'écoute. »

Elle essuya ses larmes avec le revers de sa main, puis se mit à fixer des yeux un point inexistant du plancher.

« Je t'écoute, » insista Alain.

« J'y suis allée avec ma sœur. »

« Quel besoin avais-tu donc d'elle ? »

« On ne prend jamais assez de précautions. »

« Et ensuite ? »

« J'avais obtenu son adresse exacte en appelant chez ses parents aujourd'hui, ce qui d'ailleurs m'a confirmé que tu étais bel et bien avec elle hier. »

« Et qu'espérais-tu en allant la voir? De la battre ? De lui faire peur ? »

« Il fallait que je le fasse, mais je n'aurais pas dû. Comme tu l'as souvent dit, ce qu'on ne sait pas ne fait pas mal. Et maintenant, j'en sais trop, beaucoup trop. »

Elle cessa de parler et rejeta ses épaules contre le mur, comme si elle cherchait son souffle.

« Continue. Que s'est-il passé ensuite ? »

« J'ai sonné, elle m'a répondu... »

« Saute les détails. Qu'est-ce que vous vous êtes dit ? »

« J'ai dit qu'elle était une petite putain et qu'elle devrait s'ôter le nez de mon ménage. Mademoiselle lisait son journal. Dédaigneusement. Elle m'a dit: je l'ai eu par mon intelligence, je vais le garder par mon intelligence. Je lui ai dit ce que c'était que de tenir maison, d'élever un enfant, de travailler à la discothèque. Je lui ai dit que nous sommes mariés depuis douze ans et qu'elle n'avait qu'à s'intéresser aux hommes célibataires. Elle a rétorqué que je ne te laissais jamais tranquille, que tu travaillais quinze heures par jour à l'année et des choses semblables. Je lui ai dit que je ne me tournais pas les pouces pendant que tu travaillais, que je restais à la maison à repasser tes pantalons, à préparer tes repas. Finalement, elle t'a fait passer pour une petite victime... »

« Ne la juge pas sur ce qu'elle t'a dit. Il semble qu'elle n'a fait que répéter les problèmes dont je lui faisais part... »

« C'était donc si terrible de vivre avec moi ? »

« Terrible ? Oui. Surtout depuis trois ans. »

« Depuis que tu as une maîtresse ! » conclut Viviane.

« Tu sembles croire qu'elle m'a mis le grappin dessus et qu'elle me montait contre toi. Tu te trompes. Je ne suis pas son objet. Elle respecte ma liberté et ne m'a jamais poussé dans le dos pour que je te quitte. »

Alain réfléchit un moment à ces paroles qu'il venait de jeter et quelque chose lui gratouilla le cerveau. En fait, il voulait que Denise respecte sa liberté, mais il s'était rendu compte qu'elle trépignait de plus en plus et que lui, de plus en plus, prenait ce grand rêve pour une réalité. Une réalité qui n'avait pas duré plus que leur première année de liaison. S'il se droguait de cette illusion, le plus souvent, il en riait ou encore se trouvait des raisons d'espérer que Denise pût changer quand il vivrait avec elle. Ce qui, avant tout, le poussait à planifier son avenir davantage en fonction de sa maîtresse plutôt que de sa femme, c'était de penser que Viviane avait eu sa chance pendant dix ans, alors que Denise n'avait pas eu l'occasion de prouver qu'elle puisse être une compagne libérée. Et Denise le lui rappelait souvent. Et ces nombreuses fois où il s'était lassé de sa liaison, l'habitude avait pris la relève des attitudes hargneuses de Viviane pour le faire continuer.

Il pensa à la conversation qui avait opposé les deux femmes et se dit, non sans une certaine fierté qui le fit sourire mentalement: « Tiens, tiens, voilà deux femelles qui se dispurent farouchement un bien. »

« S'est-il parlé d'autre chose ? » demanda-t-il.

« La même chose que tu me chantes souvent: que je devrais sortir de ma coquille et me cultiver. Elle m'a dit que vous aviez des goûts semblables et les mêmes buts dans la vie et que je n'y pourrais rien changer. Elle m'a dit aussi que vous aviez des projets d'avenir. »

« Mais toi, que lui as-tu dit ? »

« Je ne me souviens pas de tout... »

« En allant la voir, tu avais bien l'intention de lui dire quelque chose ? Tu avais bien dû formuler des phrases à lui débiter, depuis vingt-quatre heures que tu y pensais. »

« Je voulais la démasquer, lui faire savoir que je voyais clair dans son petit jeu, dans votre petit jeu ; mais ça ne s'est pas passé ainsi... »

« Parce qu'elle t'a fait prendre conscience que je ne suis plus ta chose ! » dit-il en fronçant légèrement les sourcils.

Viviane alluma une cigarette et posa à nouveau ses yeux égarés sur un point fixe du plancher.

« Je lui ai demandé où elle allait dans la vie avec un agissement comme le sien. Elle m'a répondu qu'elle vivait au jour le jour. Je lui ai demandé si ses parents étaient au courant de son petit manège. Elle a fortement réagi, m'a dit de laisser ses parents en dehors de tout ça. »

Viviane continua sa narration, mais Alain n'écoutait plus. Il se remémorait cet appel anonyme que la mère de Denise avait reçu il y avait déjà plus d'un an. Sa maîtresse avait essayé de diriger son doute vers Viviane, mais il avait carrément nié la possibilité « psychologique » d'une telle action de la part de sa femme. Il se rappela aussi que Denise avait réagi de façon bien réticente à son hypothèse voulant que ce fût une secrétaire de la station de radio qui, par jalousie... Mais la secrétaire — il l'ignorait à l'époque — était elle-même à ce moment-là la maîtresse d'un homme marié et devait, peu après s'en aller vivre avec lui. Alain n'avait pourtant jamais plus pensé à cet appel et voilà que les mots de Viviane concernant les parents de Denise lui remettaient tout cet événement en tête. Car le mystère s'épaississait. Viviane avait spontanément donné des preuves de comportement, bien involontairement, à l'effet qu'elle n'avait rien eu à voir avec cet appel. Un tel geste aurait inévitablement accompagné d'autres tempêtes concernant Denise Martel. Que Viviane agisse d'une façon aussi violente pour ensuite s'endormir ou presque, jusqu'au jour où elle découvre sa liaison, aurait relevé de la plus pure fantaisie, digne d'un téléroman, pensa-t-il.

« Autre chose ? » dit-il distraitement.

« Tout revenait toujours au même. Elle... »

Il cessa d'écouter. À peine était-il revenu à sa réflexion sur l'appel que la lumière éclata en son cerveau, provoquant à ses lèvres un sourire à peine réprimé. Il se demanda comment il avait pu être bête et aveugle au point de soupçonner tout chacun avant de mettre le doigt sur la vraie coupable. Denise, elle, avait saisi tout de suite qu'il ne pouvait s'agir que d'une personne très proche de toute l'affaire et c'est pourquoi elle avait immédiatement soupçonné Viviane. Mais puisqu'il n'y avait aucune chance que ce fût Viviane, alors la coupable, — Alain en avait maintenant la certitude — était la mère de Denise qui avait elle-même inventé toute cette histoire. Il savait pourtant depuis longtemps tout ce que des parents peuvent machiner pour que leurs enfants marchent dans le bon sillon, c'est-à-dire le leur, mais cette idée ne lui avait même pas effleuré l'esprit au moment de l'appel. Il avait bien essayé de sortir Denise des griffes de sa parenté, comme il l'avait fait avec Viviane, mais il n'aurait jamais osé penser, à l'époque, qu'une mère puisse donner dans des actions aussi violentes pour couver son enfant, même une adulte de vingt-quatre ans.

Il soupira mentalement : « Que voulez-vous, quand une femme vit à l'année longue ses frustrations, seule, derrière ses chaudrons... »

Cette idée de chaudrons le ramena à la réalité et lui fit prendre conscience qu'il avait faim. Comme il présuma que ce n'était pas le bon jour pour demander si le souper était prêt, il dit: « Tu vas m'excuser dix minutes, je vais aller manger quelque chose. »

Elle dit: « Quand je suis revenue tout à l'heure, j'ai rapporté du poulet frit à la Kentucky et je l'ai laissé dans le four pour qu'il se garde chaud. »

Il la regarda incrédule, réfléchit une seconde, pensa à ce complexe de la poule couveuse chez la femme, complexe admiré des gens mais en fait relent de possessivité. Il se dirigea vers l'escalier.

« Tu as pris des dîners ou une boîte économique ? »

« Des dîners. »

« Dans ce cas, je vais descendre ma boîte ici... »

« Laisse la mienne dans le four, je n'ai pas faim. »

Elle s'alluma une cigarette avec le mégot de la précédente et recommença à pleurer. Quelques minutes plus tard, Alain revint en grignotant. Il rabattit le couvercle sous sa boîte et la déposa sur son bureau.

« Tu devrais aller faire souper Caroline et en profiter pour faire un peu le point sur les événements, » dit-il. « Autrement, tu risques d'en perdre des bouts. » Il avait gardé son ton ferme, mais tâchait de lui injecter une touche de bienveillance.

Viviane, dont les idées s'étaient sans doute pas mal bousculées pendant l'absence de son mari, écrasa vivement sa cigarette et se leva en maugréant. D'un pas nerveux, elle se rendit à l'escalier, en gravit quelques marches et s'arrêta. « Ce soir, tu vas rester à la maison et nous poursuivrons cette discussion, » ordonna-t-elle.

« Je n'avais pas l'intention de sortir, mais tu me fais décider à le faire. Je ne serai donc pas disponible pour une discussion... ou bien demande-le sur un autre ton. » Il se lécha les doigts.

Elle pencha la tête et se fit plus douce, presque suppliante: « Tu veux donc me faire ramper à tes pieds ? »

« Non, au contraire, c'est moi qui ne marcherai plus par l'agression. »

Du doigt, elle gratta nerveusement le tapis et d'un ton retenu, sans lever les yeux, demanda: « Veux-tu rester à la maison ce soir afin que nous puissions discuter ? »

« Je resterai, » répondit-il. Et il plongea une patate frite dans la sauce brune.

•

Il finit de manger sans réfléchir. Il tenait à reposer son esprit de tout, comme s'il venait d'avoir un orgasme, se libérant aussi, du même coup, d'une forte envie d'uriner. Il se sentait soulagé de ce qui n'avait été pour lui ni un poids ni une douleur, mais un immense désir retenu, devenu une fixation détestable. Il avait enfin posé les bons gestes, dit les bonnes paroles, eut les bonnes attitudes, vibré à ses profondes convictions, pour conquérir une des grandes libertés de sa vie: il avait abattu les murs de son mariage et cela le rendait incroyablement heureux.

Quand il eut disposé des restes de son repas, il leva les yeux vers une mini-bibliothèque au-dessus de sa tête, sur le mur, et il se choisit un livre. Il en parcourut plusieurs pages, sans suite, ici et là. Chacune lui rappelait tout le contexte d'un chapitre puisqu'il avait déjà lu ce volume à plusieurs reprises: cas d'exception. Plus tard, longtemps après, il le remit à sa place.

Il essaya alors de prévoir la suite de la discussion. Viviane tenterait de lui démontrer qu'il avait tort. Elle ferait des menaces, pleurerait, ferait du chantage. Elle parlerait d'amour et passerait aux promesses. Elle utiliserait sans doute au complet l'étonnant arsenal féminin. Mais il ne bougerait pas d'une ligne et il n'avait même pas besoin d'en prendre la décision, il le savait tout simplement, froidement, à l'avance.

Plus tard, Viviane revint s'asseoir au même endroit qu'avant le souper. Elle enleva le papier-cellophane d'un paquet de cigarettes neuf et le bruit qu'elle fit pouvait signifier que c'est elle qui donnerait les cartes. L'expiration de sa première bouffée accentua ce qu'il jugeait comme une intention de sa part. Elle déposa lentement la cigarette sur le rebord du cendrier et, le visage dur, demanda: «Pourrais-je savoir à quoi m'en tenir quant à notre avenir?»

«Ton avenir t'appartient et je n'ai pas à en décider à ta place,» répondit-il. «Au plus, puis-je me permettre des suggestions. En ce qui me concerne, la vie continuera exactement comme elle était, sauf, bien sûr, que je vais laisser les choses évoluer à leur rythme.»

«Tu vas continuer de rester ici et, à la semaine longue, charroyer chez ta maîtresse? Et tu crois que les choses pourront fonctionner longtemps de cette manière?»

«C'est exactement ce que je pense! Et si cela ne te convient pas...» Il termina sa phrase par un haussement d'épaules.

«Tu voudrais bien que je quitte la maison, n'est-ce-pas?» dit-elle.

«Ce n'est pas ce que je désire.»

«Si tu me veux et que tu veux l'autre aussi, ça ne pourra jamais aller. Tu ne peux pas nous vouloir toutes les deux à la fois.»

«Je ne te veux pas, je ne veux pas Denise non plus, car vouloir quelqu'un, c'est déjà le traiter en objet.»

Elle l'interrompit: «Ce que tu cherches, c'est que je laisse la maison pour tout garder pour toi.»

«Tiens, tiens, appelle donc tout de suite un avocat!» Il décrocha puis raccrocha le téléphone. «Si tu veux refuser mon aide, libre à toi. Mon idée est la suivante: tous les deux, nous allons continuer de vivre ensemble. Tu vivras ta vie à ta manière et tu me laisseras vivre la mienne. Je ne te rendrai plus de comptes, même indirectement, comme c'était souvent le cas lorsque tu m'inondais de questions subtiles. Nous n'essaierons pas d'embarquer l'autre dans des projets qui ne lui conviennent pas et, s'il choisit de les vivre, il le fera en parfaite liberté. Chacun prendra ses propres décisions pour lui-même d'abord, car dès qu'au nom de cette chose qu'on appelle l'amour, l'on s'oublie pour l'autre, commence la mesquinerie qui devient vite frustration, qui devient agression, qui devient possessivité.»

«On ne peut pas ne pas tenir compte de l'autre.»

«C'est, à mon avis, ce qu'il faut faire justement. Quand une personne est heureuse avec elle-même d'abord, elle peut rayonner sur son entourage: c'est la vérité la plus simple et la plus oubliée et aussi la plus galvaudée par la religion et notre culture qui l'associent sommairement à de l'égoïsme.» Il secoua la tête et continua: «C'est dans ce sens-là, qu'après mûre réflexion, je t'annonce que je vais quitter l'enseignement cette année et que, d'ici deux ans au plus tard, j'aurai quitté ce milieu.»

«Tu es certain que tu n'es pas en train de tourner fou?»

«C'est exactement ce que je suis en train de faire. Mais, vois-tu, les gestes qui te le font supposer ne suffiraient pas à me faire interner,» fit-il, narquois. «En conséquence, tu devras tenir compte de ces données-là pour prendre tes propres décisions, celles qui t'apparaîtront les plus aptes à te rendre heureuse. Donc nous vivrons ensemble dans le respect l'un de l'autre, mais pas dans la soumission. Je vais t'aider à t'en sortir, car tu n'es pas encore prête à le faire. Et sache bien que ce n'est pas là de la grandeur d'âme, mais bien plutôt un devoir à remplir, et un devoir tout à fait égoïste, car je vivrais sans doute mal avec moi-même de te plaquer sans faire pour toi tout ce que je peux, raisonnablement. Finalement, quand nous prendrons chacun notre route, nous ne serons, ni l'un ni l'autre, démunis, tant sur le plan psychologique que sur le plan professionnel. Quant aux biens matériels, nous en ferons le partage à égalité, sans mesquiner, prenant pour acquis définitif que chacun a fait sa juste part.»

«Ta maîtresse ne pense pourtant pas ainsi; à l'en croire, tu fais tout et je ne fais rien.»

«Elle n'a sûrement pas utilisé ces mots-là. Elle a simplement voulu dire que tu tournes en rond dans la vie. Si nous commençons à fendre les cheveux en quatre dans le rôle et la tâche de chacun, nous n'en sortirons jamais. Ni l'un ni l'autre n'avons été des fainéants, même si je t'ai souvent reproché de mal utiliser ton temps et de donner trop à la tenue de maison au lieu de préparer ton avenir... Mais tu voulais tant te rendre indispensable...»

«Ce n'est pas ça...»

Il l'interrompit: «Ne revenons pas sur cette question...»

À son tour, elle l'interrompit: «Tu devras bien choisir entre elle et moi: un mariage à trois, ça ne se peut pas.»

«Si tu penses qu'il s'agit d'un mariage à trois, alors ça va exister, parce que je n'ai nulle intention de laisser Denise ni de quitter la maison non plus.»

«Tu crois vraiment que je vais tolérer cela?»

«Sinon, va faire tes bagages.»

Elle s'impatienta: «Mais tu ne peux tout de même pas coucher avec deux femmes à la fois...»

Il perdit contenance. «Laisse donc le sexe en dehors de tout ça. Enfin, donne-lui la place qui lui revient. C'est une autre histoire, connexe peut-être, mais secondaire. Je vais garder ma maîtresse et ce que je ferai avec elle ne regardera que moi. J'irai avec elle quand bon me semblera... Rassure-toi, je tâcherai de rester discret, car le milieu pourri ne tarderait pas à te jeter sa cruauté au visage.»

Elle leva les mains au ciel, crispa les poings et dit: «Une situation semblable est intolérable, que diront les gens? Quelle femme endurerait une chose pareille?»

«Toujours ce que peuvent dire ou faire les autres! Pense donc une bonne fois dans ta vie pour toi-même et au diable la famille, les voisins. D'accord, tâche d'éviter leur merde, mais ne t'en crée pas à cause d'eux.» Il y eut un court moment de silence au cours duquel il se ressaisit. «Après un an, j'aviserai. Si tu changes complètement ta façon de voir la vie, librement, pour toi-même et non pour essayer de me repêcher, alors je verrai. Il faudra que tu brises les chaînes avec lesquelles tu cherches à me retenir; il faudra que tu rompes les liens d'influence qui t'attachent à ta parenté; il faudra que tu te libères de l'esclavage des biens matériels tout en apprenant à les utiliser avec mesure; il faudra que tu te détaches de ton passé et de ton milieu; il faudra que tu cesses de pleurer sur toi-même; il faudra que tu cesses d'accuser le monde entier de tes malheurs alors que l'ennemi est en toi-même; il faudra que tu regardes la vie et l'avenir avec optimisme. Si tu fais tout cela, alors peut-être pourrons-nous trouver ensemble des projets d'avenir communs.»

Elle replia ses genoux et s'y appuya le menton. «Tes projets sont déjà faits... ailleurs, avec ta maîtresse.»

«Des projets? Des intentions générales? Oui! Mais aucune décision d'arrêtée. Elle aussi a bien des choses à changer... Mais cela ne te regarde pas.»

«Tu veux donc nous mettre en compétition?»

Il fit une moue d'indifférence. « Si tu le prends de cette manière ! »

« Avec peu d'espoir pour moi ! »

« L'espoir, il est en toi-même. Je te préviens : si tu en fais une compétition, tu as toutes les chances de perdre, car un objectif de compétition est toujours un trophée, un bien à posséder. Et je n'en serai jamais un. Hormis que tu ne veuilles compétitionner avec toi-même, pour te libérer ; là, je serais d'accord. »

Comme si elle n'avait pas écouté, Viviane dit : « Contre elle et sa grande intelligence, je suis perdue d'avance. »

« Tu as tes qualités ; elle a les siennes. Mon problème à moi c'est de savoir laquelle est la plus positive, la moins possessive. D'ici un an, je saurai. Et si je constate que chacune est incapable d'être heureuse par elle-même sans avoir besoin d'arborer un panache d'homme dans son living-room, alors je m'en irai vivre seul. »

Viviane secoua la tête et affirma rageusement : « Dans un an, tu vas prendre tes affaires et aller vivre avec ta maîtresse... »

« C'est bien possible. »

La jeune femme serra les poings et grimaça. Des larmes abondantes roulaient sur ses joues. Elle ravalait sans cesse, cherchant à absorber tous les coups qu'elle avait reçus depuis deux jours. Mais toutes ses révoltes se heurtaient à un mur que l'homme avait bâti, pierre par pierre, depuis des années, depuis dix ans. Ce mur, il l'avait fait, défait, refait, y avait travaillé la nuit, l'hiver, dans la peur, les remords, la torture morale ; mais il l'avait armé de toute sa sincérité et cimenté de tous ses rêves. Personne ne le détruirait plus ; il était inexpugnable.

Elle siffla entre ses dents : « Pourquoi m'être tant dévouée dans cette maison ? »

« Tu recommences à mesquiner. Le partage des tâches et des mérites ne se fait pas avec une balance. Dans la vie, on ne travaille pas pour acheter l'amour, la fidélité, l'attachement de quelqu'un, on travaille d'abord pour soi-même, pour son propre épanouissement et c'est cet épanouissement qui attire l'attachement. Voilà ce qui se passe quand deux jeunes se rencontrent ; mais leur attachement, à cause de la nature humaine possessive et de la conception traditionnelle du mariage qui structure cette possessivité, se transforme invariablement en négociation entre les partenaires : si tu fais ceci, je ferai cela etc... Même le vocabulaire des amoureux pourrit très vite : je te veux, je t'aime, je veux rester toujours avec toi, tu es la seule que j'aime, tu es la plus belle, je ne pourrais vivre sans toi, marions-nous, ma femme, mon mari... Et le sous-entendu de ces mots : tu es ma chose et je veux te garder rien que pour moi. Cette possessivité est un faux-semblant de l'amour, relevant d'un amalgame bon-mauvais de l'âme, où c'est le mauvais qui mène. Cette possessivité est trompeuse car, dans ses débuts, elle fait naître la romance, la fameuse petite ou grande vibration des fiancés sur laquelle on engage une vie entière et qui, par définition, ne peut pas durer. Que se passe-t-il quand elle a disparu, peu de temps après le mariage ? Les hommes la cherchent plus ou moins discrètement ailleurs et les femmes se plongent dans la consommation ; et ça nous donne la société de fous-courants dans laquelle nous vivons. C'est le monde de l'orgie au lieu d'être le monde de l'équilibre. Nous avons d'incroyables valeurs entre les mains et pourtant, nous ne savons pas nous en servir. C'est de tout cela dont je veux me sortir sans trop briser autour de moi. »

« Comment-veux-tu que je... que je puisse répondre à tout ce que tu attends d'une femme puisque tu ne m'en as jamais parlé ? »

« Je te parlais comme je le pouvais, à mesure que je découvrais les choses, et en utilisant d'autres mots que ceux d'aujourd'hui. Tu t'entêtais à garder espoir que je change et devienne un mari ordinaire. Telle que je te connais, si je l'étais devenu, tu n'aurais pas été davantage satisfaite. Ta mère, toute rongeuse de balustres qu'elle fût dans sa vie, a toujours trouvé moyen, selon ce que tu m'as toi-même avoué, d'agresser ton père chaque semaine. Mes parents, pourtant aussi catholiques que le pape, se sont bagarrés toute leur vie. Je n'aime pas généraliser, mais de là à croire que c'est le hasard qui a fait se rencontrer deux personnes comme nous, nées de parents incapables de communiquer dans l'entente ?... » Il fit un geste d'incrédulité et ajouta : « Que les psychiatres disent ce qu'ils voudront, ce phénomène d'agression perpétuelle à l'intérieur d'un couple n'a pas de justification fondamentale ! »

Il y eut un long silence au cours duquel le cœur de Viviane et l'esprit d'Alain reprirent leur souffle. Comme si chacun attendait le signal de l'autre pour se remettre à l'action. Comme s'ils sentaient que tout était dit et répété. Comme s'ils savaient que la discussion n'apporterait plus rien de neuf. Comme si chacun chargeait ses batteries pour revenir à la charge avec les mêmes arguments, en des mots différents, espérant intuitivement que l'autre puisse avoir oublié ses raisonnements.

Viviane s'alluma une cigarette, mécaniquement : autre geste cent mille fois répété depuis sa jeunesse, inutile, destructeur, à la fois profondément et si peu humain.

« Je ne pourrai pas vivre avec toi sachant que dans l'heure d'avant, tu étais avec une autre, dans les bras d'une autre. Ça serait révoltant. »

« Et pourtant, ce n'est pas cela qui est grave. Il est bien pire de désirer être avec quelqu'un d'autre au moment où je suis avec toi. »

De sa main libre, Viviane s'enveloppa le front. « Ce que je peux avoir mal ! » s'exclama-t-elle. Puis elle secoua la tête. « Pourquoi cette fille est-elle venue se mettre le nez dans notre ménage ? »

« Elle ou une autre... »

« Oh ! je sais bien : les hommes ne sont jamais contents de ce qu'ils ont chez eux ! »

« Et c'est normal. Et c'est la même chose pour les femmes, sauf qu'elles le disent par l'agression, par la jalousie, par la possessivité. »

Elle se fit plus douce, communicative : « Alain, il n'y a plus grand espoir pour moi, n'est-ce pas ? »

« Viviane, tout est dit. Je n'ai plus rien à ajouter. Parlons d'autre chose ; nous sommes tous les deux fatigués du sujet. »

Ils restèrent longtemps silencieux. Chez la jeune femme, les périodes de larmes alternaient avec celles de crispation rageuse. Alain demeura impassible, écrivant les mots clefs de ses raisonnements, les alignant comme un vieux comptable eût mécaniquement disposé de ses chiffres.

●

Beaucoup plus tard, elle dit doucement : « Allons nous coucher et faisons l'amour une dernière fois, veux-tu, Alain ? Je ne te l'impose pas, je te le demande. »

« D'accord ! » dit-il simplement. Il fut intrigué par ces paroles qu'il crut qu'elle avait choisies à dessein. Pourquoi avait-elle donc combiné « une dernière fois » et « je ne te l'impose pas » ? Comme si elle fermait une porte et, en même temps, l'ouvrait.

Ils montèrent et se couchèrent.

Sous la lueur d'une lampe en veilleuse, il regarda les larmes rouler doucement sur les joues de sa femme. Pensant alors au sadisme inné de chaque être humain, il se demanda si le sien n'avait pas un degré excessif. Il se répondit que non puisque la joie qu'il éprouvait devant la souffrance de Viviane ne relevait pas de son côté morbide à lui, mais naissait de voir enfin les choses bouger en elle. Brutalement, mais elles bougeaient!

Elle était là, démolie, les yeux perdus et intarrissables. Il pensa qu'elle devrait descendre encore plus creux et que toutes ces larmes qu'elle avait encore à verser sur elle-même, devraient sortir pour laisser la place à la joie, à l'optimisme, à l'ouverture aux autres, à l'avenir, à la vie.

Alors il se surprit à prier. « Mon Dieu, je sais que je suis le bon médecin pour son âme. Cette prière, puisque c'en est une, pourrait vous sembler un doute, un manque de confiance en moi-même, mais vous savez qu'il n'en est rien. Vous savez aussi que les plus grandes erreurs sont commises par les gens les plus sûrs d'eux-mêmes. Vous savez comme je me méfie des politiciens et des prêcheurs qui se prennent pour la voie, la vérité et la vie. Mais puisque vous avez mis en moi tous les éléments, et semé sur ma route tous les événements pour que j'en arrive à une aussi grande certitude morale, si je me trompe pour Viviane, pour Denise et pour moi-même, alors je vous en voudrai. Ce n'est pas une menace que je vous fais, c'est une façon de vous dire que j'avais besoin du dernier élément qui manquait encore à ma conviction: que ma logique m'assure que vous êtes de mon côté. Tant de gens ont soutenu que vous les approuviez et pour des motifs si souvent douteux que vous me pardonnerez bien de vous dire une fois dans ma vie non pas éclairez-moi, mais plutôt: si mes propres lumières m'aveuglent, aidez-moi et faites en sorte qu'elles diminuent d'intensité. Au fond... je sais bien que vous n'interviendrez pas, car ce serait une contradiction de vous-même... »

Il s'interrogea sur la nature du désir physique de Viviane. Est-ce qu'elle souhaitait des préliminaires longues ou courtes? Ou quoi? Elle avait dit qu'elle voulait faire l'amour et pourtant, elle restait immobile. Pour savoir, il fit un geste direct, ce qui ne signifiait plus pour eux une indélicatesse. Presque aussitôt, elle lui fit un signe qu'il connaissait bien en lui tirant sur le bras.

« Viens en moi, » dit-elle.

« Tout de suite? Si vite? »

« Je te veux en moi... une dernière fois. »

De la sentir aussi prête lui donna une érection ni violente ni faible: de celles qui lui permettaient un meilleur contrôle.

Il prit position, mais ne fit que des caresses. Brusquement, elle le saisit par les épaules avec une violence qu'il n'avait jamais connue et, hochant la tête, respirant en saccades, elle réussit péniblement à dire, à travers ses sanglots: « Alain, viens en moi. »

Il plongea, gardant ses coudes arc-boutés, De la sorte leurs corps ne se touchaient que par le bas-ventre. Hochant toujours la tête à gauche et à droite, elle lui exerça une forte pression sur les épaules afin qu'il se soude à elle. Quand il eut obéi à son attente, elle l'enveloppa de ses bras nerveux et douloureux.

Elle hoqueta:

« Je t'aime et je ne sais pas ce que je ferai pour vivre sans toi. »

« En la période du désir, les choses nous apparaissent toujours plus belles qu'elles ne le sont en réalité. Il en est de même des événements sombres. On les anticipe toujours plus terribles qu'ils n'arrivent en fin de compte. Tu verras qu'on s'habitue à tout. »

Elle poussa ses hanches vers lui et dit: « Je n'ai jamais autant vibré de toute ma vie. »

Il ne parla point et entama un léger mouvement de va-et-vient. Il finit par dire: « Cette vibration nouvelle que tu as, vient peut-être du fait que l'on ne prend véritablement conscience de ce qu'un être représente dans notre vie qu'au moment où on envisage de le perdre. Alors tout ce qui le concerne prend une dimension nouvelle et démesurée.»

«Tu veux m'embrasser?»

Il l'embrassa tout en bougeant les hanches juste un peu plus vite. À nouveau, il leva son corps et s'appuya sur les coudes.

«Si jamais nous divorçons, ça ne sera sûrement pas parce que notre vie sexuelle est un échec. Jamais nous n'avons fait deux actes identiques. Même quand nous avons raté notre coup, nous avons appris quelque chose. Même nos douleurs morales et nos inquiétudes, plutôt que de les tuer, ont coloré nos expressions sexuelles. Tu sais pourquoi tout ça? Parce que la sexualité est une chose essentiellement positive et que nous l'aimons tous les deux pour de vrai, et aussi que nous avons cherché à évoluer en ce domaine, sans avoir peur... Non, il faut dire que nous avons eu peur souvent, mais nous sommes allés d'avant et ça nous a bien payés...» Il s'interrompit un moment, puis ajouta: «Quand nous serons chacun de notre côté et que nous voudrons une bonne séance de sexe, nous pourrons toujours nous téléphoner.»

Il rit et Viviane sourit à travers ses larmes.

«C'est bon,» soupira-t-elle. «C'est bon comme ça ne l'a jamais été.»

«Tu vois bien que d'avoir fait l'amour avec une autre ne nuit pas à notre plaisir. Et tu verras, dans les mois qui viennent, que ma sexualité ailleurs t'apparaîtra comme tout à fait secondaire. Divorcer à cause de cela serait une incroyable manifestation de possessivité: une monstruosité.»

«Mais Alain, c'est notre dernière fois, la dernière, la dernière...» Elle crispa ses doigts dans les épaules de son compagnon et d'autres larmes brûlantes jaillirent. Son désespoir, sa douleur, son impuissance, son plaisir, tous ces sentiments mélangés, désordonnés, incompréhensibles la tuaient. Elle mourait d'une mort merveilleuse et effroyable.

Alain accéléra son rythme. «Tu sais bien que ce n'est pas notre dernière fois,» murmura-t-il à son oreille.

●

L'homme empocha les billets de banque qu'Alain venait de lui donner.

«Si tu es d'accord, je vais quitter,» dit-il.

«C'est pour que tu puisses partir immédiatement que je te paye,» dit Alain.

L'homme s'habilla et sortit du restaurant-bar, suivi, quinze minutes plus tard de Viviane et d'Alain. La discothèque avait fermé une heure plus tôt que d'habitude, faute de clients, refoulés chez eux par la poudrerie du blizzard de mars.

Sur le chemin du retour, Alain demanda: «Est-ce que notre placier t'a encore renseignée sur mes allées et venues avec Denise Martel?»

«Il se fait un devoir de me rapporter tout ce qu'il sait... mais il a fait mieux cette semaine.»

«C'est-à-dire?»

«Qu'il a passé aux avances directes.»

«Comme?... En fait, ça ne me regarde pas, mais il est toujours intéressant d'observer le comportement de ceux qui s'affichent comme des amis.»

«Il n'a pas l'air d'aimer beaucoup Denise Martel. Il a passé la soirée à me dire que je devrais te rendre la pareille en me permettant moi aussi une aventure. Et il a fini par ajouter, que, le cas échéant, il serait disponible. Il a mélangé de l'humour à ses paroles et longtemps tourné autour du pot, mais c'est ce que ça voulait dire.»

Alain haussa les épaules et donna un inutile coup de pied sur la pédale d'accélération. Les roues arrières patinèrent.

« Qu'il te fasse la cour s'il le veut, je ne m'y oppose pas; autrement, je n'aurais qu'à le congédier. Mais qu'il le fasse sur mon dos, cherchant à me détruire, voilà qui est dégueulasse ! »

« Vas-tu le renvoyer ? »

« Oh ! non ! son cas est bien trop intéressant à étudier... »

« Je profite de l'occasion pour me renseigner sur ta maîtresse. »

« Et tu as su quoi ? »

« Que tu n'es pas le seul sur sa liste. Claude l'observe agir à l'école de St-Maurice... et il dit que tu n'es pas le seul homme à se rendre à son appartement. »

Alain avança les épaules et fronça les sourcils, comme si, de cette façon, il pouvait mieux scruter la route qui, dans la bourrasque, apparaissait de plus en plus incertaine.

« J'espère que tu ne dis pas cela pour me provoquer. Tu connais mes opinions là-dessus ; Denise est aussi libre que toi de faire sa vie. Je sais qu'elle sort régulièrement avec d'autres, mais je ne m'en formalise pas et je ne lui pose jamais de questions. Ce n'est pas à me dire qu'il y a d'autres hommes dans sa vie que tu vas me détourner d'elle. »

« Je ne le disais pas pour ça ; je veux juste comprendre ses agissements. D'autant plus que dans les paroles de Claude, j'en prends et j'en laisse. »

« On ne voit pas loin en avant cette nuit. Ça me rappelle cette fois où j'étais revenu de Québec sous un orage excessif... »

Viviane l'interrompit : « Tu devais être avec Denise cette nuit-là, n'est-ce pas ? »

« Tu sais bien que je ne te répondrai pas. »

« Quelle différence puisque tu vis ta vie et que ton avenir est ailleurs ? » insista-t-elle.

« Mon avenir n'est pas nécessairement ailleurs, comme tu le prétends. Tout dépendra... »

« Quelle fut sa réaction de voir que nous avons continué ensemble ? Qu'a-t-elle dit la première fois que tu l'as vue après ma rencontre avec elle le mois passé ? »

« Elle m'a raconté votre petit entretien... Vos deux versions ne se sont pas contredites. Mais elle ne t'a pas accablée... Tiens, voici le chasse-neige ; nous ne resterons pas enlisés. »

Alain se rappela que Denise avait en effet dit peu de choses de sa rencontre avec Viviane. Elle lui avait demandé de ne pas trop la questionner, soutenant qu'elle préférait oublier tout cela. Ses commentaires avaient été davantage non verbaux : hochements de tête, soupirs, haussements d'épaules.

Mais ces gestes avaient suffi à lui faire comprendre qu'il avait bel et bien été un objet dont deux femelles se disputent la possession. Il avait ri et s'était dit qu'elles finiraient probablement nez à nez dans leur course, mais à zéro, car il ne serait pas la chose ni de l'une ni de l'autre.

« Pour en revenir à Claude, » dit-il, « je ne serais pas du tout surpris qu'il joue le même jeu avec Denise Martel étant donné qu'ils se voient tous les jours. »

« Tu vas la questionner pour savoir ? »

« Absolument pas ! Je sais que jamais elle ne se laissera influencer par lui. Elle a toujours condamné sa façon de détruire systématiquement tout ce qui ne convient pas à son entendement ; elle ne digère pas cette démolition verbale que s'entendent à faire lui et son ami Charles Goulet... »

« Tant mieux pour toi si c'est vrai, » dit Viviane avec une indifférence composée.

« Quand deux personnes se font confiance, le reste n'a pas d'importance, » dit-il avec nargue.

Elle ne parla plus de tout le trajet, mais une tache rouge colora sa joue jusqu'à la tempe.

●

Denise faisait nerveusement courir l'aiguille rouge sur la bande A.M. et cherchait une musique non parasitée pendant qu'Alain arpentait le petit salon où ils se retrouvaient tous les jours, depuis près d'un an, pour rêver, jaser, discuter de choses et d'autres et se raconter la vie des écoles: celle de St-Maurice pour l'un et de St-Grégoire pour l'autre.

Le sujet, ce soir-là, s'avéra brûlant, tout comme l'avait été la température du jour.

« Denise, nous détournons la question depuis trop longtemps. »

« Si je peux retrouver ce poste, » fit-elle.

« Nous faisons l'amour depuis trois ans ensemble, » poursuivit-il avec douceur et discrétion, « à raison d'une fois par semaine ou à peu près. Pourtant, c'est comme si nous ne l'avions fait qu'une fois... je veux dire sexuellement parlant. Il n'y a pas eu d'évolution. Je m'en suis pris à moi-même pendant longtemps, mais je crois maintenant que ça va chercher beaucoup plus loin que le simple cliché: il n'y a pas de femmes frigides, il n'y a que des hommes maladroits... »

Elle se leva et retourna au divan, épaules basses. Elle dit à faible voix: « Mais Alain, j'ai fait ce que tu m'as demandé: je te caresse... comme tu voulais que je le fasse. »

Il fit une moue d'incrédulité et, gardant les yeux rivés sur le système de son, ajouta: « Oui... oui... mais d'un geste mécanique, obligatoire. On dirait que tu ne le fais que pour moi, dans une sorte de résignation... »

« Je n'ai pas douze années d'expérience, » fit-elle sèchement.

Il s'affala sur un fauteuil et croisa la jambe. « Je n'accepte plus cette objection et pour plusieurs raisons qui se ramènent toutes à la suivante: tu donnes l'impression d'avoir peur du sexe. Quand j'aborde la question, tu changes le sujet. Je t'ai souvent apporté des revues depuis deux ans et j'ai même souligné certains passages traitant de la participation féminine, mais je crois que tu ne les as même pas lues. Au début de 1974, j'avais fait une émission de radio précisément sur ce sujet-là. À la dernière minute, tu t'es trouvé une bonne excuse de ne pas l'écouter. Denise, on dirait que tu ne veux pas évoluer dans la vie sexuelle. Comment ça se passe? Je te masturbe jusqu'à l'orgasme pendant que tu me touchailles un peu comme si mon sexe était le diable. Et ensuite, je me masturbe dans ton vagin jusqu'à l'éjaculation. Car ça ne mérite pas le nom d'orgasme. Il faudra que tu sortes de tes peurs et de tes dégoûts et que tu vives plus intensément ta sexualité dans la recherche du plaisir. On dirait que tu vis notre sexualité uniquement parce que c'est comme ça, parce qu'il faut bien, parce que tu ne veux pas te sentir anormale de ne pas la vivre. »

La jeune fille avait pris une position de bras croisés et cherchait, d'une main restée libre, du bout des doigts, de petites mousses sur l'autre manche de son gilet.

« Tu m'accables, Alain, » dit-elle tristement. Elle gardait la tête basse et parlait à voix à peine audible. « Quand nous faisons l'amour, je t'assure qu'il n'est pas facile de penser que l'autre sera dans les bras de sa femme une heure plus tard. »

Il secoua la tête. « Denise, Denise, c'est une autre excuse. Au même titre que cette variété que tu réclamais, soutenant qu'elle te ferait vibrer. Nous l'avons fait dans le salon, dans un fauteuil, dans le bois, dans l'auto, mais nous sommes toujours revenus au lit. » Il secoua la tête davantage. « Tu veux que je te dise : pour que ça soit bon dans le bois, il faut que ça commence par l'être sur un lit. »

Denise pencha la tête davantage.

Il ajouta : « Pour que le sexe soit bon sur un lit, il faut que les deux embarquent... »

« Alain, la deuxième fois que nous avons fait l'amour, tu m'as fait sentir la présence de ta femme dans ta vie... C'est une marque difficile à effacer. Surtout qu'elle est toujours entre nous. »

« Je t'avais dit cela par peur mâle. Il fallait bien que j'explique cette érection perdue. Je sais que j'aurais dû employer d'autres mots comme : je suis dans la trentaine et ma libido n'est pas aussi vive qu'auparavant, et il en faut davantage pour éveiller mon désir qu'une femme qui écarte les jambes et se laisse faire. Que ces paroles aient créé un traumatisme chez toi, peut-être ! Mais il faut bien, un jour, en revenir de ses traumatismes ; il faut s'en servir pour lutter, pour s'améliorer. Il faut collaborer à la bâtir cette sexualité entre deux personnes sans avoir une idée fixe au sujet des tiers. Tu es restée comme figée depuis le départ. Le seul geste que tu as ajouté, c'est de me toucher à peine du bout des doigts depuis tout récemment. »

Elle se fit sèche : « Il n'y a pas que le sexe qui compte dans la vie. »

« Oh ! pour ça, je le sais fort bien ! Si quelqu'un en est conscient, c'est bien moi. Autrement, je serais parti depuis belle lurette. Denise, ce n'est pas mon plaisir physique que je défends, mais j'ai peur de ton attitude figée, de ton incapacité d'évoluer. Tu critiques les autres de s'emplâtrer et pourtant, tu ne secoues pas ton propre ciment. Tu cherches des responsables en dehors de toi-même. »

« Tu vas loin, Alain. »

« D'accord tu n'en es pas là, mais tu risques d'y arriver si tu n'apprends pas à rentrer en toi-même. »

Boudeuse, elle dit : « Je pense que nous allons devoir nous séparer. »

« Pourquoi donc cette solution négative ? Ne devrions-nous pas commencer par identifier l'ennemi en chacun de nous avant d'adopter cette mesure définitive et extrémiste ? L'amour de soi vient de notre partie animale, mais l'auto-critique est éminemment humaine, logique. »

« Je veux dire une séparation temporaire... pour recommencer ensuite sur de nouvelles bases. Nous allons profiter de mon voyage aux U.S.A. pour réfléchir chacun de notre côté. »

« Ce n'est pas à courir le monde qu'on apprend le plus sur soi-même. C'est en explorant d'abord sa petite planète psychologique située là, entre les deux oreilles. » Il se pointa la tête et poursuivit : « Courir le monde et les psychiatres sans avoir d'abord cherché à se connaître par soi-même est une combinaison de super-consommation et de fuite de la réalité. »

« Si tu avais la chance... » dit-elle sur un ton de reproche. « Comprends Alain, qu'il me faut changer d'air. Tu te vantes si souvent de pouvoir expliquer les attitudes des autres... »

« Il y aurait tant à découvrir en toi-même ! »

« Pour ce que je peux être intéressante ! »

« C'est ça la fuite de la réalité... Nous sommes encore en train de dévier du sujet. »

Elle l'interrompit: « Alain, j'ai le moral à terre de ce temps-ci; pourquoi ne finirions-nous pas la soirée autrement que de cette façon? Ne pourrions-nous pas utiliser mieux le peu de temps que nous avons à passer ensemble ? »

Il secoua la tête. « Et retarder encore la discussion? Non. Ne gâtons pas complètement la soirée en restant tous les deux sur nos frustrations. Allons au fond du pot. »

Comme si elle venait d'être prise par surprise, Denise consulta sa montre d'un geste brusque et dit: « Nous reprendrons la discussion dans quelques minutes. Je devais appeler maman à cette heure-ci. Tu ne le prends pas comme une fuite, j'espère ? » questionna-t-elle en se levant pour se diriger vers l'appareil de téléphone dans la cuisine.

Il fit le signe d'un non certain.

La conversation téléphonique dura une dizaine de minutes au cours desquelles Alain ressassa ce qu'il avait dit à Denise concernant leur sexualité. Il la forcerait à bouger, comme il l'avait fait pour Viviane au domaine de la possessivité. Elle devrait prouver, par une certaine évolution sexuelle, sa capacité d'évolution tout court. Il s'allongea sur le divan pour relaxer et tâcher de penser plus juste. Denise le rejoignit bientôt. Il se rassit.

Elle se colla à lui et murmura à son oreille: « Couche ta tête sur ma poitrine, je vais te détendre. »

Il fit un signe négatif. « Non, pas tout de suite. Tout à l'heure, quand notre abcès sera au moins incisée sinon vidée. »

« Ça ne nous empêcherait pas de parler, » protesta-t-elle.

« Oh si ! » affirma-t-il.

« On pourrait croire que tu cherches la guerre, ce soir, » fit-elle en s'éloignant.

« Et toi la paix ?... Il n'est pas question de paix, de guerre ou d'agression; il est question de changer une situation qui perdure. »

Ses rides précoces rendirent son front plus nébuleux encore que son âme ne l'avait ordonné. Elle se tourna vers lui afin d'observer ses réactions à l'aveu suprême qu'elle entama doucement: « Alain, je ne te l'ai pas dit, mais je suis allée voir un gynécologue afin de savoir si j'avais quelque chose aux organes. Il n'a rien trouvé à son premier examen, mais il semble que je devrai en passer d'autres. »

« Tu aurais une malformation ou quoi ? »

« J'ai souvent de la douleur quand tu me pénètres. »

« Denise, j'ai une belle-sœur qui a des problèmes sexuels depuis son mariage, il y a quinze ans. Elle a subi cinquante examens, espérant qu'on lui trouve quelque chose, mais elle n'a strictement rien aux organes. Son problème, c'est qu'elle n'a jamais vraiment essayé de jouir de son corps quand elle fait l'amour. Elle ne veut pas de la sexualité pour elle-même; elle est bourrée de réticences; elle freine tant, qu'elle a même peur des farces sur le sujet. Tu es saine de partout et comme par hasard, tu aurais des troubles génitaux ? J'en doute. Surtout qu'un examen a déjà montré que tu n'as rien. »

« Tu en sais des choses sur ta parenté... »

« Quand on écoute parler, on en apprend... »

« Mais que veux-tu donc que je fasse ? »

« Cesse de te retenir et injecte une dose de sexe dans l'acte d'amour. Cette chose-là ne peut pas toujours être enveloppée de romance et de sentiments; autrement, on ne ferait l'amour qu'une fois par année. Libère ton esprit; dis un grand oui à la sexualité non romantique. Quand ce pas sera franchi, les recettes du plaisir viendront d'elles-mêmes, avec ou sans livres sur les techniques sexuelles. »

À son tour, Alain avait guetté les réactions de sa compagne. Elle n'avait pas bronché et elle resta silencieuse pendant plusieurs minutes.

Air sombre, voix contrainte, elle dit: « Je crois que je serai toujours bloquée par l'ombre de ta femme. Je me demande si... si... tu ne devrais pas cesser tes relations sexuelles avec elle. Tu sais, cela lui donne une forte emprise sur toi, sans même que tu ne t'en rendes compte. »

Alain n'ordonna qu'une chose aux muscles de son visage et ce fut de réprimer un sourire de totale impuissance qui montait en son âme.

« Je vais y penser, » dit-il à deux reprises. Il resta silencieux pendant quelques secondes, puis sourit à sa prochaine phrase. « J'aimerais coucher ma tête sur ta poitrine. Le veux-tu encore ? »

« Mais oui ! » fit-elle avec un papillottement amoureux des deux paupières. Il la laissa lui détacher, un à un, les boutons de sa chemise et ferma les yeux. Elle entreprit de lui gratter doucement l'estomac.

Il médita: « Non, Denise, je ne cesserai pas mes relations sexuelles avec une autre; le mal n'est pas là. Jamais je ne marcherai dans pareille marchandage de ton corps... S'il fallait que tu sois de celles qui négocient leur corps toute leur vie ! Je garde espoir malgré tout... Ah ! et puis... Bon Dieu, pourtant, je ne te demande même pas, comme tu sembles le croire, de me donner quelque chose; je voudrais simplement que tu prennes pour toi-même. Dis donc oui à ton corps une bonne fois ! Pourquoi freiner, freiner, freiner, encore et toujours... »

●

L'un avait multiplié les menaces et les invectives; l'autre, les attaques.

Alain finit par dire à l'homme-lion: « Fais rédiger ma lettre de démission par ta secrétaire; j'ai déjà trop abusé de ton précieux temps. »

L'autre retrouva son sourire et sortit aussitôt. Pendant sa brève absence, Alain se remémora les événements de l'année scolaire qui l'avaient, à toute fin pratique, forcé à démissionner. Il y avait eu cette campagne anti-tabac qu'il avait menée beaucoup plus durement qu'à la polyvalente de St-Maurice, ce qui avait particulièrement déplu aux autorités. Puis ce pamphlet qu'Alain avait rédigé et distribué et dans lequel il dénonçait l'esprit de clan grandissant dans l'école. Les deux fois, il avait été chaudement congratulé par les enseignants, mais il avait fini par se rendre compte qu'aucun d'eux n'approuvait quoi que ce fût de ses avances.

Le responsable des enseignants revint et déposa la lettre sur le bureau. Alain, entretemps, s'était machinalement approché de la petite fenêtre par laquelle il regardait la petite ville.

« Ne t'arrive-t-il pas de t'ennuyer à l'année longue entre ces quatre murs ? » demanda-t-il.

« Je dois t'avouer que les journées sont plus longues de ce temps-ci; il fait si beau dehors. Mais on se reprend après le travail. Je pratique beaucoup le golf, » dit l'autre détendu et souriant.

« Quel âge as-tu maintenant, Benoît ? Tu dois bien frôler la quarantaine ? »

« Eh oui ! »

Le professeur promena son regard sur le mur et dit, comme s'il réfléchissait tout haut: « Ce sont tes enfants sur ces photos ? Comme ils sont charmants ! Que de rêves et d'espoirs dans des têtes d'enfants ! Dommage qu'ils doivent être déformés par l'école ! Bon, alors je vais signer cette lettre et nous serons soulagés tous les deux. » Il s'approcha lentement du bureau. « Je dois te dire que je vais apposer la plus coûteuse mais sans doute aussi la plus heureuse signature de ma vie. »

Pendant l'acte du signature, l'homme-lion consulta sa montre pour la dixième fois depuis le début de leur entretien. Il s'alluma nerveusement une cigarette.

« Voilà ! » s'exclama Alain. « Et maintenant, il va falloir que je trouve des revenus pour vivre. Ceux de la discothèque ne suffisent pas encore. »

« Je ne suis pas en peine pour toi, » fit l'autre.

L'ex-professeur se mit une main sur la bouche, la retira. Il fouilla fébrilement dans ses poches à la recherche de cigarettes. Alors il se souvint qu'il ne fumait plus depuis près de trois ans. Il soupira : « Ça fait drôle de plonger ainsi. »

L'autre ramassa la lettre, s'épongea le front du revers de la main gauche et il tendit la droite, disant : « Là-dessus, je te dis bonne chance. »

Alain plissa les yeux et regarda intensément son vis-à-vis.

« S'il arrive un jour de la pagaille au Québec, elle sera enfantée par le monde de l'éducation. » Après ces mots, il tendit la main à son tour.

L'homme-lion retroussa un coin de lèvre et sourit, incrédule.

●

Le téléphone sonna.

Somnolent, Alain Martel se dirigea vers l'appareil en pensant : « Qui peut bien appeler ici à quatre heures et demie du matin ? »

« Monsieur Martel, venez à votre restaurant, il y a du feu, » dit la voix. Alain fut presque soulagé ; il s'attendait à pire : quelqu'un de mort dans la proche parenté ou bien un accident survenu à Denise quelque part aux États-Unis.

« J'y vais tout de suite, » répondit-il avant de raccrocher.

Viviane s'était levée. « Que se passe-t-il donc ? » demanda-t-elle.

« Du feu à la discothèque. Appelle les pompiers pendant que je m'habille. »

Elle n'avait pas raccroché qu'il partait. En route, il se demanda quelle pouvait être la gravité du sinistre, et surtout comment cela avait pu se produire puisque Viviane et lui venaient de quitter les lieux quelques heures plus tôt. « Sûrement un problème d'électricité ! » se dit-il. « Il aurait fallu qu'elle soit entièrement refaite. »

Sur une hauteur d'où il pouvait voir l'établissement, il aperçut une colonne de fumée sortant de l'arrière de la bâtisse ainsi que les flammes qui commençaient à lécher le rebord du toit. Il sentit la réaction qu'il avait toujours eue avant une extraction dentaire : une crispation muette et froide, cet exceptionnel sang-froid de celui qui est au bord de la panique et réussit à se retenir, jugeant sa réaction enfantine et inappropriée.

Quand il arriva, il fut surpris de constater que tant de gens puissent courir sur les lieux d'un incendie à pareille heure. Était-ce cette même hypnose qui les attire sur les lieux d'un accident de la route ? Ce goût de la catastrophe qui bouscule un peu la platitude de leur vie ? Il ne put répondre à la question puisqu'en descendant de sa voiture, il fut abordé par plusieurs et dut faire maints commentaires et soulever bien des hypothèses.

Un sapeur lui montra le foyer d'incendie et lui en expliqua les causes présumées.

« Le feu sera maîtrisé dans moins de dix minutes, » ajouta-t-il. « Il faudra que tu rénoves entièrement l'intérieur ; c'est d'une calcination complète. »

Deux heures plus tard, Alain se retrouva seul dans la bâtisse dont il fit le tour. Section restaurant : calcination. Section cuisine : équipements récupérables. Section bar : dégâts importants. Remise arrière : entièrement détruite. Discothèque : calcination, équipements perdus. Dommages au toit et à une cloison arrière.

Il sortit chercher une caisse de bois dans une remise extérieure et revint s'asseoir en un point d'où il pouvait voir tout l'intérieur.

Il essaya d'ordonner ses pensées. Le montant des assurances couvrirait les pertes matérielles, mais sûrement pas les pertes de revenus le temps qu'il faudrait pour rénover. La clientèle se disperserait ailleurs et il faudrait la rebâtir. Il se retrouvait donc sans gagne-pain, au pire de ses relations avec Viviane comme avec Denise. L'échéancier qu'il s'était donné l'année d'avant était complètement remis en question par ce malencontreux imprévu. Pourtant, il ne se sentait pas abattu, comme si d'être à zéro le stimulait.

Un bruit de pas attira son attention. Puis une voix claire, qu'il reconnut aussitôt, se fit entendre derrière lui: « Mon pauvre vieux, qu'est-ce qui t'arrive ce matin? »

Alain se retourna pour répondre: « Simplement qu'il va falloir que je me crache dans les mains et que je recommence à neuf. »

« Complètement ruinée cette bâtisse, » affirma le visiteur.

« Oh non! Raynald, » s'exclama Alain, « presque toute la charpente est bonne, aussi le toit. L'équipement est en partie récupérable. »

« À la condition que tu te retrousses les manches très haut, très très haut... » dit l'homme.

« C'est la vie, n'est-ce pas? »

« Avec tout l'ouvrage que tu auras ici, nous ne pourrons plus faire beaucoup de jogging ensemble le matin. »

« Probable! »

« Bonnes assurances? »

Alain répondit par un signe de tête affirmatif et ajouta: « Mais je n'ai rien pour couvrir les pertes d'opération. »

« Je te plains, car ça risque d'être long. »

« Long? »

« J'ai réglé plusieurs cas de ce genre et je t'assure que les compagnies d'assurances ne sont pas des plus empressées... »

Intrigué, Alain demanda: « Les gens sont-ils obligés de se prendre un avocat pour se faire payer leur dû par les compagnies d'assurances? »

« Assurément! À ton âge, tu as sûrement déjà entendu parler des compagnies d'assurances, voyons, Alain. Dans un cas de perte partielle comme celui-ci, tu n'es pas sorti de leurs pattes. Ces gens-là vont t'envoyer des agents de réclamations le plus vite possible et essayer de te faire signer des déclarations et des acceptations. Je suis surpris que l'agent ne soit pas encore là. Ensuite, ils vont traîner le paiement tant qu'ils le pourront. » L'avocat fit quelques pas vers la discothèque et tourna lentement la tête. Il arc-bouta son coude sur sa poitrine et appuya son menton en galoche sur son poing à demi fermé. La langue entre les dents, il fit plusieurs « TSTTT ». « T'es vraiment pas chanceux, Alain, toi qui viens de démissionner de l'enseignement. »

« Tu me fais rappeler: je t'avais raconté ma démission la dernière fois que nous avons fait du jogging. »

« Que vas-tu faire maintenant? »

« Quoi faire d'autre, sinon relever le commerce, hein? »

« En espérant que tu n'aies pas trop de problèmes avec tes assurances... Quelle est la cause de l'incendie? » s'enquit l'avocat.

Alain fit un signe de tête. « Difficile à dire: à une heure, nous quittions et à cinq heures, il y avait le feu. »

L'ami d'Alain plissa les yeux en signe de désolation. « Mon pauvre ami, tu n'es vraiment pas sorti du bois: enquêtes policières puisqu'il n'y a pas eu de témoins et ensuite, enquête des assureurs. Tu ne pourras pas rouvrir avant un an. »

Interloqué, Alain protesta: « Mais çà n'a pas de sens ! »

« Tu verras bien comme les compagnies d'assurances se moquent du bon sens. Ce qui les intéresse, c'est l'argent. Ce sont des compagnies américaines, immenses, sans cœur et sans âme. Tu dois savoir cela autant que moi ; tu connais leur réputation. » L'homme fit quelques pas et multiplia les secousses de la tête. « Je te jure qu'à la nouvelle de ton incendie à la radio, j'ai tout de suite pensé au pire. Mais je vois que c'est pire que pire parce que tu n'as pas eu la chance que tout brûle. Je ne voudrais pas te décourager ; il y a solution à tout, comme je te l'ai souvent entendu dire. Mais dans ce cas-ci, tu n'es pas sorti du bois, mon vieux. »

« Évidemment, je n'ai jamais eu affaire aux compagnies d'assurances, sauf pour payer des primes... » soupira Alain.

« Ces gens-là vont essayer de te manipuler, je les connais depuis longtemps. J'espère que tu ne te laisseras pas faire. Quand ils voient que le gars ne connaît pas trop son affaire, ils en profitent. »

« Que ferais-tu à ma place ? »

L'homme sourit et fit quelques pas. Il frappa fort des talons, s'arrêta sec, s'enveloppa la joue d'une main, donna l'air de faire une difficile expertise mentale : « À ta place, je fermerais ça le plus vite possible et je prendrais un mois de vacances. »

« Facile à dire ! »

« Facile à faire ! Prends ton auto et va te reposer quelque part sur le bord d'un lac. Profite de ce qui t'arrive et paye-toi un congé bien mérité. Ensuite, tu chercheras un emploi. » Il pencha la tête et sourit. « Et je pense même que j'aurais un tuyau... Quelque chose dans tes cordes, intéressant et payant. Et je suis bien placé pour faire les pressions qu'il faut. »

« Dans quoi ? »

L'homme fit osciller son nez raboteux à droite et à gauche et, de deux doigts, il se frotta le lobe d'une oreille tout le temps qu'il parla :

« Je ne peux t'en parler aujourd'hui, étant donné que ce n'est pas officiel, mais dès que je le pourrai, je te lâcherai un coup de fil. Plus j'y pense, plus je crois que tu serais l'homme qu'il faut pour cet emploi. En tout cas, pour en revenir à ton affaire d'ici, advenant que tu partes te reposer, je peux m'occuper de tout si tu ne veux pas être dérangé. J'appellerai les compagnies. Je m'arrangerai aussi avec les enquêteurs de la brigade des incendies. Et si tu as des problèmes financiers, je pourrai même te donner un coup d'épaule... Qu'en penses-tu ? »

« Je n'ai aucun problème financier actuellement. J'avais obtenu une consolidation de dettes le mois passé et j'étais à l'abri. De plus, la discothèque fonctionnait à plein régime... »

L'avocat l'interrompit : « Ah ! je sais ! Et ça me fait d'autant plus de peine que tu risques d'être fermé longtemps. » Il consulta sa montre. « Bon, je dois maintenant aller travailler. » Il marcha vers la sortie, ses talons donnant à son corps frêle une importance qu'il n'avait pas.

« Tu viendras faire ton tour cette semaine puisque tu n'auras rien à faire ici. Nous allons prendre une de ces discussions sur les médias ; çà va te changer les idées. Quant à moi, ça va me reposer de toute la ratatouille qui passe à mon bureau. Et ensuite, on ira prendre une consommation quelque part... Je vais t'attendre. »

« Je ne dis pas non, » répondit Alain.

•

Il décrivit les dommages à Viviane, puis il mangea un peu. Le téléphone sonna. C'était l'agent de réclamations qui désirait se rendre le plus tôt possible sur les lieux du sinistre.

Alain retourna siroter son café et dit à sa femme: « Raynald est venu. D'après lui, il n'est pas facile d'être payé par les assureurs. Il paraîtrait qu'ils sont pressés de te faire accepter ceci ou cela, mais que, par la suite, ils sont fort longs à payer. »

« Qu'allons-nous faire en attendant ? »

« Attendre ! » fit-il. « Raynald va peut-être me trouver quelque chose » Alain soupira: « Il ne manque plus qu'une histoire de meurtre à ce restaurant-là et nous aurons eu tous les problèmes imaginables. »

« J'aimerais aller avec toi pour voir les dégâts. »

« Habille-toi autrement. Il y a plein de suie partout. »

Au restaurant-discothèque, un homme assis dans sa voiture les attendait. Il se présenta comme l'agent de réclamations.

Alain esquissa un sourire et dit tranquillement: « Service rapide ! »

« Nous faisons tout pour que les choses se règlent le plus vite possible et quand il y a des retards, cela est dû, dans la plupart des cas, à la brigade des incendies. Nous, du bureau des expertises, faisons notre rapport au plus tôt et le fournissons aux assureurs qui voient à payer dès qu'ils ont reçu celui de la brigade des incendies. »

L'homme un peu timide, à la voix douce, le nez à la Karl Malden n'inspira aucune confiance à Alain, justement parce qu'il avait toutes les apparences d'un homme à qui on peut faire confiance.

Ils entrèrent et l'agent posa une longue série de questions. Puis il demanda un rapport sur les pertes en ameublement, équipement et inventaire.

« Chaque détail devra y figurer, » dit-il, « Même les boîtes de cure-dents. N'oubliez rien, car le paiement de cette partie des dommages sera basé sur ce rapport. Bien sûr, la vaisselle récupérable ne doit pas y être mentionnée, malgré qui vous puissiez réclamer un certain montant pour son nettoyage. Tout ce qu'on vous demande, c'est d'être honnête. »

Quand l'homme eut quitté les lieux, Alain demanda à Viviane: « Comment trouves-tu les dégâts ? »

Elle répondit les larmes aux yeux: « Tout ce travail que nous avions fait ici... »

« Il reste à recommencer... pour ceux qui en ont le courage. Et moi je l'ai, » dit-il avec confiance.

« Si tu recommences, je suis prête à te donner mon aide. »

« J'aurai besoin de toute l'aide qu'on voudra me donner. Tu peux même commencer immédiatement en rédigeant le rapport des pertes d'inventaire. Prends un crayon et un papier et note tout ce qui a été perdu, même le papier hygiénique. Quant à moi, je vais voir l'avocat... Ne crains rien, je ne vais pas en profiter pour aller voir Denise Martel. Elle est en voyage aux États-Unis... »

Alain sortit et se rendit au bureau de son ami Raynald Boisvert qu'il connaissait depuis l'époque de la radio. Ils avaient discuté à quelques reprises au sujet des moyens de communication de masse. Au printemps, ils s'étaient retrouvés dans un groupe de joggers et se voyaient depuis lors, un ou deux matins par semaine.

« Entre Alain et viens t'asseoir ici, » lui cria l'avocat quand il l'aperçut dans la salle d'attente.

Alain obéit.

« Avec ma grande gueule, j'ai failli te demander comment ça va, » dit Boisvert. « Ce n'est pas trop le temps d'une pareille question, n'est-ce pas ?

Déformation professionnelle, mon vieux. Je travaille trop et j'en suis rendu à prendre les amis pour des clients.»

«L'agent de réclamations vient de partir d'avec moi, là-bas. Un peu plus il serait venu avant l'incendie!» s'exclama Alain.

«Qu'est-ce que je t'avais dit!» s'écria l'avocat. «Et je suppose qu'il a voulu te faire signer des formules?»

«Rien d'inquiétant! Mais c'est sa manière de fouiner partout qui est gênante.»

«Il a dû mesquiner un peu sur tout... jusque sur la vaisselle...»

Surpris, Alain fit signe que oui.

«Ça ne me surprend pas, ça ne me surprend pas!» s'écria l'avocat.

«Depuis notre conversation de ce matin, je me demande comment les compagnies d'assurances pourraient s'y prendre pour refuser de me payer.»

«Facile! As-tu relu ta police? Il y a sûrement dedans une clause où l'on parle de négligence grossière. C'est généralement écrit en petit. Comme tu étais absent au moment du sinistre et qu'il n'y avait personne dans la bâtisse, ils vont chercher à établir qu'il y a eu négligence. Par exemple, y avait-il, pas loin du foyer d'incendie, des substances accélérantes: essence, diluant à peinture ou autres choses du genre?...»

Le visage d'Alain devint livide. «Le pire, c'est qu'il y en avait,» murmura-t-il.

«Pas question qu'ils cherchent à t'incriminer puisque tes affaires étaient bonnes, que tes dettes étaient consolidées et que ton achalandage grossissait; mais ils peuvent miser sur ta négligence. As-tu une idée de la cause de l'incendie? Feu de vidanges, défaillance électrique, combustion spontanée?»

«D'après les sapeurs et l'agent de réclamations, il s'agirait d'un feu de vidanges dans la remise arrière. Et je pense comme eux; j'avais laissé un sac de déchets dans ce bout-là.»

«Tu vois! C'est une imprudence que d'avoir fait ça. Et les compagnies peuvent jouer facilement là-dessus. Et si en plus, il y avait des accélérants dans la bâtisse... Entre imprudence et négligence grossière, tu sais, la marge...» L'avocat bougea rapidement les mains et prit un air contraint tout en penchant laborieusement la tête. «Mais je peux te garantir qu'une fois le rapport de la brigade des incendies émis, je vais m'en occuper et voir à ce que ces gens-là bougent.» Il sourit avant d'ajouter: «Et toi, tu n'auras rien d'autre à faire que de dormir sur tes deux oreilles.»

«Il faut tout de même que j'établisse le rapport des pertes en équipement et inventaire,» dit Alain.

«Dès qu'il sera prêt, apporte-le moi et va te reposer. Je t'assure qu'ils ne me passeront pas des sapins à moi. C'est la première fois que tu as à régler un problème semblable. Pense que les assureurs pataugent à l'année longue là-dedans et qu'ils connaissent tous les trucs possibles. Il se trouve cependant que, moi aussi, je connais la partie et que j'ai tous les contacts qu'il faut pour ne pas qu'ils puissent t'embarquer. Quel est le nom de l'agent de réclamations qui t'a vu?»

«Gilles Rancourt.»

L'avocat fronça les sourcils: «Méfie-toi de lui...»

«Arrive-t-il que les assureurs refusent de payer?»

«Dans des incendies comme le tien, oui.»

«Je vais appeler le propriétaire de la Lune d'Or,» dit Alain.

L'avocat avança sur sa chaise en hochant la tête. «Ce n'était pas un incendie comme le tien. Le feu s'est déclaré en plein jour, dans l'huile à patates frites.»

«Alors celui de Manoir des Pins.»

« Autre cas bien différent du tien: feu d'électricité en plein hiver. »

« Si les écœurants refusent de payer, » grommela Alain.

« Refuser, peut-être pas, mais essayer de te passer une perte moindre... Attends une seconde... » Et l'avocat répondit au téléphone.

« Raynald Boisvert, » dit-il en décrochant. « Oui, Suzanne, comment ça va?... D'après ta voix, ça ne va pas trop, ma pauvre Suzanne, n'est-ce pas?... Ton mari?... C'est arrivé quand?... Ah sacrement!... J'espère que tu ne le laisseras pas faire... T'as bien fait de m'appeler... Quand tu dis de la bagarre, est-ce que ça veut dire qu'il t'a frappée ou non?... Non? C'est quand même un argument de plus pour nous autres. Passe me voir ces jours-ci et nous allons tout mettre au point pour la comparution... N'hésite pas à m'appeler et surtout, ne te laisse pas manger la laine sur le dos. N'oublie pas que je suis là pour t'aider... T'as raison à cent pour cent... Même que je te trouve généreuse de ne pas frapper plus fort... Je vais t'attendre... Bye, Suzanne! »

Alain recommença vite à parler de son problème qui n'avait pas cessé de le préoccuper pendant toute la conversation téléphonique de l'autre.

« Tu veux dire que s'il y avait une perte de quarante mille dollars, ils peuvent essayer de régler pour trente? »

« Et même pour vingt, » dit l'avocat.

« J'aurais pourtant cru qu'ils payent intégralement les dommages ou bien qu'ils refusent complètement, » dit Alain. « Si la négligence grossière leur est une porte de sortie pour dix ou vingt mille dollars, pourquoi ne leur en est-elle pas une pour la somme entière? »

« Qu'ils refusent de payer et tu les poursuivras, n'est-ce pas? Mais alors, ils risquent de perdre leur procès et d'avoir à payer en plus tous les frais légaux: les leurs et les tiens. Par contre, s'ils t'offrent disons vingt au lieu de quarante et que tu acceptes, alors ton dossier se ferme sans procédures judiciaires coûteuses. Tu peux toujours refuser leur offre, mais ils savent bien que tu n'es pas en position de le faire et que tu ne peux pas t'embarquer dans de longues et onéreuses démarches, d'autant plus que tu dois rouvrir ton commerce le plus vite possible. Le temps joue pour eux et contre toi et ils sont parfaitement conscients que tu finiras par accepter une offre modifiée. En bref, c'est un gambling et la meilleure carte à jouer pour eux, c'est celle de l'offre réduite. »

« Mais tout ça n'a aucun sens, » protesta Alain sur le ton de la supplication.

« Pour eux? Oui! » jeta Boisvert.

« Qu'est-ce que je peux y faire? »

« La meilleure façon de t'en sortir, c'est d'abord de leur faire savoir que tu ne les crains pas en t'adjoignant immédiatement quelqu'un d'habitué dans ces cas-là pour défendre tes intérêts: moi ou un autre avocat. Soit dit en passant: tu sais que chaque avocat a un peu sa spécialité? L'un, les divorces; l'autre, les incendies etc... »

« Plusieurs autres, la politique! »

« Ha, ha, ha, ha, maudit Alain! Toujours le mot pour rire! Donc, s'ils se sentent suivis de près, ils te feront une première offre d'au moins vingt pour cent supérieure à celle qu'ils t'auraient faite si tu avais négocié seul. Mais, comme ils ne veulent pas de procédures judiciaires, ils seront prêts pour la négociation. Au fond, ce qui les intéresse, c'est un règlement à l'amiable. »

« L'agent de réclamations qui établit les chiffres ne travaille pas pour les compagnies d'assurances, » objecta Alain.

« Ne va surtout pas croire non plus, qu'il va travailler à te sauver de l'argent. »

Alain fit une moue d'approbation résignée.

« Je poursuis, » dit l'avocat. « Ils te feront donc une offre meilleure car ils te sauront solidement appuyé. Ensuite, nous allons négocier de façon très serrée ce qui veut dire qu'en fin de compte, au lieu d'aller chercher disons vingt mille, nous obtiendrons trente ou trente-cinq. »

Au bout d'un long et las soupir, Alain laissa tomber: « Je commence à comprendre qu'ils ont le gros bout du bâton. »

« Et si jamais tu essayais de savoir qui tient le manche, il faudrait que tu fasses de l'antichambre une bonne dizaine d'années dans un gros édifice de New York. » L'avocat réfléchit un moment. « Écoute, Alain, tu es fatigué et c'est normal, bourreau de travail comme tu l'es. Repose-toi, prends des vacances. Je vais prendre en charge ton problème et je peux te garantir que tu seras en mesure de relever ton commerce en moins de temps que tu ne le crois. Si tu préfères traiter directement avec eux et prendre des risques, libre à toi. Tu es habitué avec des étudiants, des auditeurs, des buveurs et des danseurs, mais pas avec des assureurs. Et quand il s'agit de montants de l'ordre de trente mille dollars, on ne rit pas. »

Inquiet, Alain se frotta la barbe. « Évidemment, tu auras des frais pour ce service: ça voudra dire combien? »

Comme si c'était une parole pénible à entendre, l'avocat fit un signe de rejet de la main et dit: « Ne me parle surtout pas de ça! Nous finirons bien par nous arranger. C'est un ami qui est en face de moi, pas un client. Ce qui compte pour le moment, c'est que tu ne te fasses pas avoir. Apporte-moi ton rapport de pertes et je vais communiquer avec ton agent de réclamations et avec les assureurs, et je peux te garantir que ça va bouger. »

●

Denise et Alain s'embrassèrent longuement.

« Tu as fait un bon voyage? »

« Ce fut long sans toi. Comme j'aurais aimé que tu sois avec moi! Je te jure que nous n'avons pas été gâtés par le soleil. Et toi, il t'en est arrivé toute une. Quand je l'ai appris, j'ai pleuré... toi qui as tant travaillé pour monter ce commerce! »

« Le feu, ce n'est pas tellement grave! Ce qui l'est bien davantage, c'est le problème des assurances. Ils risquent de contester le paiement pour une clause de la police. »

« Ah non! »

« Au fond, rien de trop alarmant puisque Raynald Boisvert m'aide à m'en sortir. Bah! ne parlons pas de cela! Allons au salon et raconte-moi ton voyage. Tu m'invites? »

Elle lui prit la main et l'entraîna fermement dans la petite pièce où ils s'assirent à une distance qui leur permette de se créer le désir de se rapprocher.

« Quoi de neuf aux États-Unis? »

« Du mauvais temps. Il paraît qu'ils n'en ont jamais autant subi que cet été. De la pluie, de la bruine et le jour d'après, pour changer, de la bruine et de la pluie. »

« Tu es toujours restée au bord de la mer? »

« Sauf deux journées où nous avons visité Washington et une semaine dans les Laurentides. La pluie a fini par nous chasser et nous sommes revenues une semaine avant notre temps. »

« À Washington, tu as salué le président de ma part? » demanda-t-il, pince-sans-rire.

« Il n'était pas là, mais nous lui avons laissé un message et il va te rappeler, » répondit-elle sur le même ton.

« Alain, » dit-elle doucement, « l'une des rares fois où je suis allée à la plage, j'ai pensé à toi très fort. M'as-tu entendue ? »

« Je t'assure bien qu'avec tous les problèmes... »

« Tu n'as pas trop pensé à moi et je te comprends. Mais, cette fois-là, je t'ai parlé tout haut. Et en revenant à la chambre, je t'ai composé un mini-poème. »

« Tu me le montres ? »

« Pas tout de suite. Sais-tu à quoi j'ai pensé ? J'aimerais que nous tenions cette promesse que nous nous sommes faite depuis longtemps de souper à la chandelle et au vin, ici, de l'autre côté, dans la cuisine, dans notre cuisine. Et alors, je te donnerai mon poème. »

« Oh oui ! ça me plairait beaucoup ! Nous fêterons nos retrouvailles.

« Jeudi ? » fit-elle.

« Vendredi. »

●

Cette scène avait si souvent caressé son rêve. Il l'avait vue au cinéma, dans les revues à papier glacé chic, et même, ces dernières années, dans des annonces publicitaires imprimées sur du vulgaire papier journal.

Où qu'elle se trouve, cette image lui était toujours apparue marquée d'un sceau de qualité, de raffinement. En son esprit, elle avait odeur d'armoiries, de noblesse, de dignité, de bourgeoisie, de poésie. Que Denise soit l'auteur de cette mise en scène le surprenait un peu. Elle pouvait emprunter le genre, mais elle ne l'avait pas fondamentalement.

« Tes yeux sont pleins de neuf ! » dit-il.

« Sans doute parce qu'ils sont pleins de toi ! »

Ils étaient assis, face à face, maîtresse et amant, seuls au monde, séparés par de douces interférences génératrices de désir : musique en sourdine, chandelles envoûtantes, un Côte-Rotie 1970, des poivrons farcis, quelques roses en retrait...

« Ne te moque pas de mes essais gastronomiques, sinon je ne t'embrasserai plus. »

« Je ne me moque de personne sauf de ceux qui n'essaient jamais... » Il réfléchit avant d'ajouter : « Malgré tous mes problèmes, je trouve la vie de plus en plus merveilleuse. »

« Raconte, mon chéri ! »

« Pour toutes sortes de raisons. Tiens, par exemple, en ce moment, de voir que toutes ces choses sont à notre portée. Quel complément à la vie, ne trouves-tu pas ? »

Voix délicieuse, prunelles chargées, vibrante jusqu'au bout de ses longs doigts fins, Denise s'exclama : « Toujours tes grandes théories ! »

Il sourit.

« Sais-tu que nous sommes riches ce soir ? » dit-il.

« Riches d'amour, » murmura-t-elle en balançant son corps à droite et à gauche.

« Riches d'espoir, riches de désirs, riches d'être plus heureux que les riches, riches de liberté, riches d'équilibre, riches d'être pauvres, riches de nouveauté, riches d'imagination, riches du futur, riches comme des fiancés... »

« Pas mariés, » protesta-t-elle doucement.

« Non, car les murs du mariage tueraient ces richesses. »

« Arriverons-nous seulement à vivre ensemble un jour ? » dit-elle, songeuse.

Il haussa les épaules et jeta avec un sourire : « Qui sait ? »

Il se dit à lui-même: « Peut-être! Quand tu comprendras que de se marier ou bien rester ensemble, c'est du pareil au même. Car si les modalités changent, l'esprit demeure. »

« Tu as soudainement l'air bien lointain, » dit-elle.

« Je pensais à... quelque chose. »

« À quoi? »

« C'est un secret que tu devras découvrir. »

« Ce sera plus facile si tu me le dis. »

« Il y a des choses qu'il faut découvrir par soi-même. »

« Et si on ne les découvre pas? »

« Alors on manque un certain bateau... »

« Quel bateau? »

« Celui de la joie. »

« Mais doit-on refuser de répondre à qui ne veut pas rater le bateau et, pour cela, demande l'heure? »

« Oui... quand cette personne a déjà une montre. »

« Si elle ne sait pas s'en servir? »

« Il lui appartient de ne pas perdre de temps à demander l'heure et de se diriger au plus vite vers le bateau. »

« Alain, tu es chouette, dis-moi le secret. »

« Non. »

« Tu ne me dis pas tout. »

« Surtout pas. Et toi? »

« S'il fallait. »

« Tu es à croquer. »

« Pas du tout. Mais toi tu l'es. »

« Pas du tout. Mais tes yeux m'aiment. »

« C'est vrai. » Et elle fit des paupières gamines.

« J'ai une bonne idée. »

« Les idées mènent le monde. »

« Cliché, ma chère! Et foutaise! Ce sont les enfants qui mènent le monde. Où sont donc les poivrons? »

« Nous les avons tous mangés, » dit-elle, joyeuse.

« Et notre vin? »

« La bouteille achève. »

« Nous avons bouffé? »

« Nous avons dégusté. »

« Ils étaient très bons tes poivrons. Où as-tu pris la recette? »

« Dans un livre. Quelle était ton idée? »

« Je l'ai perdue. »

« Tu perds tes idées et tu gardes tes secrets: je me sens seule. »

« Tu m'offres un dessert? »

« Oui, des brownies. »

« Je n'en veux pas. »

« Non? »

« Mais je vais en prendre quand même. »

« Tu es fou. »

« C'est enfantin. Pire: c'est péché de prendre un dessert quand on a des livres à perdre. Mais qui sait si le péché occasionnel ne soutient pas la persévérance dans la vertu? »

Elle accompagna le dessert de crème glacée et le servit pendant qu'il terminait sa coupe de vin.

« La tête me tourne et j'ai une bonne idée. »

« Cette fois tu me la dis ou bien je t'enlève ton dessert, » fit-elle.

« Tu ris ? C'est pourtant ce que tu vas faire : nous enlever nos desserts et les mettre au congélateur. Et, pendant que le vin nous caresse l'âme, nous allons nous coucher et faire l'amour… non, déguster l'amour. »

« Si, si, si. »

Il ferma les yeux et lui adressa un clin d'œil. Elle répondit en déposant amoureusement un baiser imaginaire sur sa main. Elle le lui montra ensuite, puis elle le lui souffla délicatement.

« Nous sommes deux enfants, » dit-elle.

« Oh non ! je ne voudrais pas ! »

« Mais pourquoi, ils sont si charmants. »

« Je voudrais que de l'enfance, nous gardions le rêve, le désir, la spontanéité, le goût d'exploration, mais que tout cela s'accompagne en nous d'équilibre physique et mental, de maîtrise de notre corps et de notre esprit par nous-mêmes, pour nous-mêmes et ensuite pour les autres… »

« Shhhhhh, plus de discours ! »

Après qu'elle eut disposé des desserts, elle passa ses bras sur les épaules d'Alain et glissa ses mains vers sa poitrine. Elle lui chuchota à l'oreille : « Tu t'es ennuyé cet été au moins ? »

« Non, » dit-il en gambillant au son d'une musique rythmée venant du salon.

« Ce n'est pas gentil. »

« Tu voudrais que je mente ? Je me suis dit : elle vit, elle est heureuse et je dois en faire autant. S'ennuyer de l'autre, souffrir à cause de son absence, c'est la contrepartie de la possessivité amoureuse… »

« Mais pourtant, quand je suis allée en Espagne ? »

« J'étais super-possessif, puisque je souffrais tant de ton absence. Et, si tu te souviens, j'étais, sans vouloir l'avouer, au fond de moi-même, très jaloux. Et si j'avais été libre, j'aurais voulu te mettre en cage : la cage du mariage. »

« Tu ne t'es même pas ennuyé… tout court ? »

« S'ennuyer tout court, c'est manquer d'imagination créatrice. »

« Moi, je me suis ennuyée de toi, » dit-elle, capricieuse.

« Alors tire tes propres conclusions. »

« Gros méchant ! »

« Les hommes sont tous de gros méchants et les femmes des petits anges victimes ! Demande à la société. »

« Ta femme a dû se sentir bien cet été ? »

« Parce que tu n'étais pas là ? »

« Oui. »

« Nous n'en avons pas parlé. »

« Elle a dû le sentir ou bien le vérifier. »

« Je me rappelle de le lui avoir signalé au moment de l'incendie. Elle a fini par se décider à sortir de sa coquille et s'est trouvé un emploi en attendant que nous… que je reconstruise la discothèque. »

« Elle travaille ? »

« Vendeuse au supermarché. »

« Elle travaille ce soir ? »

« Jusqu'à vingt-et-une heures. »

« Tu es venu comment ? »

« En taxi. »

« Elle va se demander où tu es passé ? »

« Ça ne la regarde pas et elle commence à le comprendre. »

« Tu aurais dû m'appeler pour que j'aille te chercher. »

« Je suis là et c'est ce qui compte, n'est-ce-pas ? »

« Tu viens ? » Elle lui prit les mains.

« Où ? »

« Mais dans la chambre, sur le lit. »

« Si, si, si. »

Dès qu'ils y furent, elle lança, joyeuse : « Déshabillons-nous vite j'ai hâte que nous soyons nus, collés, dans les bras l'un de l'autre. »

Ils enlevèrent leurs vêtements et se glissèrent sous le drap où ils s'enlacèrent.

Alain rassembla ses idées : « Il y a le vin des retrouvailles, le repas romantique, la séparation qui a créé le désir, nos conversations d'avant son voyage qu'elle a dû réfléchir... elle va sûrement montrer ce soir qu'elle peut et qu'elle veut évoluer. Je sais qu'elle va poser des gestes, qu'elle va donner des signes. »

Ils firent l'amour. Comme à l'accoutumée ! Il l'amena à l'orgasme sans qu'elle n'interrompe une seule fois le processus traditionnel. Elle le toucha sans conviction, du bout des doigts. Ensuite, il la pénétra, se masturba en elle et le sperme sortit. Cependant, quand il eut éjaculé, elle le serra plus fort que d'habitude et il dut rester plus longtemps couché sur elle.

Elle chuchota avec force avant qu'il ne se dégage : « Comme je suis heureuse de t'avoir retrouvé ! »

Mais elle vit ses yeux quand il se coucha à côté d'elle et lui demanda : « Tu es triste ? »

« Il paraît que les hommes ont tous l'air triste après l'amour... »

Ils ne parlèrent plus et somnolèrent un temps qu'il ne put déterminer car le bruit qui devait les sortir de leur alcôve ne s'y prêtait guère.

La sonnerie de la porte retentit à deux reprises.

« J'espère que c'est verrouillé ; nous ne sommes pas trop dans une tenue pour recevoir de la visite, » lui souffla-t-il joyeusement à l'oreille.

À nouveau le timbre modula. Puis une autre fois. Puis une autre.

« Ça ne peut pas être un de mes frères ; ils savent qu'ils ne doivent pas insister si je ne réponds pas, » dit-elle.

La sonnerie se fit encore entendre.

« De la façon dont on insiste, je commence à avoir ma petite idée, » grommela Alain.

Des coups frappés succédèrent à la sonnerie.

« Je suis sûr que c'est ma femme, » dit-il.

« Tu penses ? Oserait-elle ? »

« Cette fois-ci, je ne lui pardonnerai pas sa violence, » grinça-t-il.

Il mit son pantalon et rendit au salon où il s'embusqua derrière une toile. Le personnage mystérieux donna d'autres coups secs à la porte, puis le silence se fit jusqu'au bruit d'un moteur qui se mit en marche. Alain regarda passer sa voiture dans la rue, en bas.

À Denise qui arrivait, il dit : « Elle m'a offert son aide pour rebâtir la discothèque et a décidé de sortir de sa coquille en prenant un emploi à temps partiel, mais tout ça, encore une fois, était pour négocier, pour mesquiner sur ma liberté. Elle veut m'acheter. Elle ne veut pas se rentrer dans la tête que la liberté d'un être humain, dès qu'elle fait l'objet de négociations, n'est plus de la liberté. »

« Que vas-tu faire ? »

« Attends, » fit-il en s'approchant du téléphone.

Lorsque par le temps écoulé, il sut que Viviane devait avoir regagné la maison, il appela chez lui. Viviane répondit.

« Tu avais affaire à moi ? » demanda-t-il.

Elle ragea : « Tu es bel et bien avec ta putain ? »

« Et je n'ai pas pu te répondre puisque nous étions en train de faire l'amour, » cracha-t-il. « J'ai trouvé impolie ton insistance à sonner. Par la suite, je me suis dit qu'il devait se passer des choses graves à la maison, alors j'ai voulu savoir. »

« Sûrement qu'il s'en passe des choses graves! Pendant que je travaille, tu laisses ton enfant toute seule à la maison et tu en profites pour aller coucher avec ta maîtresse. Quand je reviens, elle m'attend, le visage défait d'avoir pleuré, n'ayant même pas mangé. Je veux bien croire que tu ne t'occupes pas de moi dans la vie, mais tu pourrais au moins te rendre responsable de ta fille quand je ne suis pas là. »

« Fais venir Caroline au téléphone, » dit-il.

« Tu ne lui parleras pas. »

« Puisqu'elle est mon enfant, je présume que j'ai le droit de lui parler au téléphone. »

« Tu voudrais l'abîmer de bêtises en plus du reste? Tu ne lui parleras pas. Si tu veux le faire, viens à la maison. »

« Je vais quand même te laisser un message pour elle; je crois qu'elle comprendra mieux que toi. Dis-lui qu'une enfant de onze ans qui fait une crise de larmes de rester seule à la maison de dix-huit heures à vingt-et-une heures avec des voisins tout proches et un appareil de téléphone à portée de la main, on appelle ça du chantage. Dis-lui qu'une enfant qui sait fort bien, quand je suis là, se servir d'un poêle et d'un réchaud micro-ondes pour se préparer à souper, mais qui profite de la jalousie de sa mère pour se plaindre d'avoir été abandonnée sans manger, j'appelle ça aussi du chantage. Et à toi, je dis ceci: tu devrais donner une meilleure éducation à ta fille, car elle apprend vite à se servir de toi comme tu ne te gênes pas pour te servir d'elle. Quant à moi, je connais mes responsabilités dans la vie et ni par chantage, ni pour or, ni pour argent, jamais je ne négocierai ma liberté d'être humain adulte. Pour le reste, va au diable! »

Il avait parlé sur un ton lent et ferme, et dès le dernier mot, avait raccroché, ne désirant entendre aucune réplique.

Il se tourna vers Denise pour déclarer. « Si tu m'héberges, nous l'aurons enfin notre nuit complète, comme tu l'as si souvent désirée. »

« Ce n'est pas trop tôt, » soupira-t-elle.

Ils retournèrent s'asseoir à la table et mangèrent leur dessert.

« Ça ne se peut pas tant de violence de sa part, » dit Denise.

« S'il-te-plaît, n'en parlons pas! »

« Je comprends. »

Elle ne parla presque plus, le laissant réfléchir.

Il ajusta ses idées. Il fit son plan pour les heures à venir: il rentrerait chez lui, mais pas avant le lendemain matin. Aucune des deux femmes ne devrait pouvoir sentir victoire. Il ne poserait aucun geste de collusion avec Denise, car si leurs relations n'étaient jamais entachées de violence, par contre, il les jugeait tout aussi insatisfaisantes. Au cours des six derniers mois, il avait senti entre lui et chacune des deux femmes le même bilan d'interférences. Ni l'une ni l'autre ne comprenait les sens profonds des mots évolution et liberté. Il les trouvait toutes les deux jalouses, possessives, calculatrices, mesquines et négatives. Même leurs sourires lui semblaient ceux de l'exploiteur moral.

Bien sûr, sans la guerre entre elles, les défauts se seraient atténués, mais ils auraient toujours rôdé, indomptés, cherchant à mordre dans sa liberté et traumatisant son esprit d'aventure.

L'une d'elles pourrait-elle en arriver à se prendre en mains, non pas à refouler ou nier ses impulsions négatives, mais à les reconnaître et les utiliser pour construire?

Denise et Alain parlèrent de banalités toute la soirée. Elle lui montra son poème: vibration sur une plage américaine. Il sourit vaguement et l'embrassa sans plus, car l'écrit sentait le négativisme, contenait des «que toi», des «plus que tout», des «toujours», des «je suis triste».

À plusieurs reprises, elle s'inquiéta de ses inquiétudes. La première fois, il lui dit de ne pas s'en faire pour si peu. La seconde, que c'était un signe d'évolution. La troisième, qu'elle apaiserait son anxiété par la chaleur de son corps, sous les draps.

Ils se couchèrent tôt. Elle avait hâte de le sentir à côté d'elle, avec elle, là. Lui, désirait dormir au plus vite pour savoir ce que serait le lendemain.

Avant de s'endormir, il lui dit: «Prépare-moi un plan de toi que je puisse te comprendre. Un plan détaillé avec lequel je puisse te connaître assez pour te rendre heureuse, mais qui ne révèle pas tes mystères pour que tu gardes tes attraits. Veux-tu?»

«J'y réfléchirai.»

«C'est ce que je voudrais.»

Quand il rentra chez lui, il ne dit pas un mot et se rendit à son bureau, comme si de rien n'était. Viviane resta silencieuse aussi. Au moment de partir pour son travail, elle le lui signala, sans plus.

●

Viviane ne travaillait pas ce jour-là, elle était assise dans le bureau d'Alain. Depuis la nuit de la dispute, elle cherchait à le faire parler sur ses réactions et sur ce qu'il envisageait pour l'avenir. Mais il n'avait rien dit. Et cette nuit où elle avait dû réfléchir à fond, et le temps qui passait ajoutaient au message de chacune de leurs conversations: chacun devait vivre libre et les murs du mariage devaient rester par terre.

Elle avait fini par ne plus pouvoir se retenir et ce jour-là, lui posa une question directe: «Comment se fait-il que tu sois revenu l'autre matin?»

«Parce que je demeure ici,» dit-il en souriant.

«Alors pourquoi avais-tu passé la nuit ailleurs?»

«Parce que j'en avais envie et besoin, et parce que je suis libre. Je vis ma vie. Je peux le faire ce soir, demain, n'importe quand. Je ne veux pas avoir à me cacher derrière l'excuse d'un congrès ou d'un besoin professionnel ou d'un voyage sportif pour passer une nuit avec une autre femme. C'est la même chose pour les nuits que je passe avec toi: je choisis de le faire et ça ne m'est imposé ni par la vie, ni par de vieilles décisions, ni par toi, mais par un libre-choix. Qu'un homme brasse des millions, fasse la guerre ou bien gouverne un pays toute une journée, si, le soir venu, il ne se sent pas libre de sa nuit, son agir du lendemain sera certainement coloré de sa frustration de la veille. Quelle énorme illusion que la fidélité. Ne contredit-elle pas plusieurs des plus grandes valeurs humaines: le goût inné pour la variété, car la routine tue le désir et le plaisir; le goût exploratoire de l'être humain; son esprit de conquête. Et c'est elle qui encourage chez l'autre la possessivité et son cortège de malheurs.

«Oh! mais quelle sécurité que la fidélité! Elle fait se sentir à l'abri de la solitude et ainsi, encourage la paresse, permet tous les laisser-aller. On engraisse, disant que c'est la vie. On se vide de ses agressivités sur l'autre, soutenant que c'est normal. On perd sa jeunesse de cœur, accusant l'âge. Comme elle est facile et sécuritaire, la fidélité!...»

«Un mariage ne peut pas tenir sans fidélité.» objecta Viviane.

«Si chacun avait le contrôle de sa possessivité naturelle, le mariage n'en serait que bien plus solide. Et j'aurais bien aimé que nous en fassions la preuve...»

Le téléphone sonna, il répondit.

« Salut Alain, comment ça va ? » dit la voix claire.

Il reconnut son ami, l'avocat Boisvert.

« Pas trop fatigué d'attendre les assurances ? »

« Si je pense aux vacances et au temps qu'il fallait à la brigade des incendies pour émettre son rapport, on ne peut pas trop s'alarmer encore, » dit Alain.

« Tant mieux que tu le prennes de cette façon, parce que... parce que mon vieux, on n'est pas sortis du bois. »

« Ce qui veut dire ? »

« Qu'il va falloir leur donner des coups de poing sur la gueule... »

« Comment ça ? »

« Combien t'attendais-tu de recevoir, Alain ? »

« Aux environs de quarante ; je pourrais difficilement reconstruire à moins. »

« C'est bien ce que je pensais, » fit l'autre, déçu.

« Qu'est-ce qui se passe donc ? »

« Ils ont fait une première offre et ce n'est pas fameux. »

« Elle est de combien ? »

« Trente. »

« Combien ? » s'écria Alain qui avait pourtant compris.

« Trente mille et quelques cents ; je viens tout juste d'avoir la nouvelle. »

« Mais ça n'a aucun sens, » hurla Alain.

« Je sais. »

« Ces gens-là sont des voleurs ! »

« À qui le dis-tu ? »

« Jamais je n'accepterai cela ! »

« C'est bien ce que je pensais, mais c'est toi le patron et c'est pourquoi je t'ai appelé. J'ai commencé par la mauvaise nouvelle, mais je vais maintenant te dire la bonne. »

« La bonne ? »

« Une bonne nouvelle, ça t'intéresse ? »

« Après ce que je viens d'entendre... »

« Voici : l'offre est à peu près ce que j'attendais. C'est tout à fait normal. Mais je puis te dire que je peux aller chercher probablement le quarante que tu espérais et peut-être même davantage. Qu'est-ce que tu dirais de ça ? »

« De quelle façon t'y prendras-tu ? »

« Première étape : refus catégorique. »

« S'il fallait six mois ? » s'inquiéta Alain.

« Jamais de la vie ! On va leur « brasser le canadien ». Le plus long est fait. D'ici à trois jours, je te donne de mes nouvelles. »

« Je comprends mal : l'agent de réclamations m'avait parlé de trente mille, seulement pour la bâtisse ; et mon rapport sur les autres pertes s'élevait à seize mille... »

« Ils ont coupé sur la bâtisse et sur les équipements. »

« Je n'en reviens pas. »

« Comme ces grosses compagnies n'ont pas d'âme, il faut les frapper en plein front, avec la loi. »

« Agis pour le mieux, Raynald. »

« Dors tranquille, Alain, je ne te laisserai pas tomber. »

« Salut ! »

« À ces jours-ci, » termina l'avocat.

Alain avait gardé son visage défait depuis le début de l'entretien téléphonique et il resta interdit un moment après avoir raccroché.

« Ils n'offrent que trente mille dollars ? » questionna Viviane.

Il fit signe que oui. « Il y a quelque chose de curieux dans tout ça, » dit-il en s'essuyant le front, puis la bouche, puis le menton.

« Comme quoi ? »

« Je ne sais pas. Une impression que j'ai ! J'ai bien envie d'appeler l'agent de réclamations. »

« Tu ne perdras rien à le faire. »

Alain trouva le numéro de l'agence dans son portefeuille et appela. Il rejoignit celui qui s'était occupé du cas.

« Je vous appelle pour le montant alloué pour l'incendie... Y a-t-il toujours des coupures de cet ordre dans les évaluations initiales ? »

« Oui... » fit l'autre en hésitant.

« Mais comment se fait-il qu'ils vous fassent évaluer et que, par la suite, ils ne vous croient pas ? »

« C'est toujours ce qui se produit ; mais l'assuré peut toujours contester le paiement, » dit l'autre.

« C'est ce que je vais faire. »

« Je ne voudrais pas trop m'avancer, mais je crois que cela ne serait pas avantageux pour vous, monsieur Martel. »

« Et pourquoi ? »

« Vous retarderez le paiement et en subirez des frais inutiles pour récolter peut-être mille dollars de plus. »

« Ce n'est pourtant pas ce que soutient l'avocat Boisvert. »

« À moins qu'il ne connaisse des façons spéciales de procéder ?... De toute façon, je ne peux pas vous en dire plus long puisque vous avez un avocat pour traiter à votre place. »

« Avocat, avocat, entendons-nous. Raynald Boisvert est un bon ami, mais il n'a aucun mandat officiel de ma part... »

« Ce n'est pourtant pas ce qu'il soutient. Il nous a rappelé que nous étions tenus par l'éthique professionnelle et que par conséquent, nous ne devions traiter qu'avec lui... »

Alain comprit soudain que l'amitié de son avocat avait été trop empressée et qu'il avait donné dans le piège tête baissée.

« Quel est donc le montant octroyé par les assureurs ? » demanda-t-il.

« Nous ne pouvons pas discuter de cela puisque nous sommes liés par l'éthique professionnelle. »

« C'était juste pour préciser le pourcentage de la coupure, » dit hypocritement Alain. « Mon avocat vient de me dire au téléphone qu'il s'agissait de quarante mille et quelques cents. Je... »

L'homme tomba dans le piège. « Je jette un coup d'œil, » dit-il.

Alain commençait à sourire.

La voix dit, presque musicalement : « Quarante-trois mille sept cent vingt-sept. »

Alain répéta le chiffre en articulant chaque mot : « Quarante-trois mille sept cent vingt-sept. »

« Et l'évaluation totale était de quarante-six mille huit cents, » dit l'autre.

« Ce qui donne une coupure de... voyons, trois sur quarante-huit... environ six pour cent, » dit Alain.

« Ce n'est tout de même pas excessif, » dit l'homme.

« Non, ce n'est pas excessif, » reprit Alain le cœur léger. « Si je change aussi vite d'attitude, c'est qu'il y a malentendu quelque part. Vous avez vu l'avocat récemment ? »

« Non. Je lui ai parlé au téléphone ce matin pour lui transmettre le chiffre du montant accepté par les assureurs comme il nous avait demandé de le faire. »

« Vous a-t-il fait voir que je pourrais contester ce montant ? »

« Non... Il doit d'ailleurs nous rappeler demain. »

« Pourrais-je vous rappeler un peu plus tard? Pour le moment, j'aurais un coup de fil à donner à mon avocat. »

« Comme vous voudrez, monsieur Martel, je serai ici. »

Alain remercia et raccrocha.

« Nous étions en train de nous faire jouer la comédie et je me demande?... Je n'ai pas à me demander, c'est pour la paye. Je vais appeler ce bon ami d'avocat. »

Quand il eut obtenu l'autre, il revint directement à la question: « Suite à tout à l'heure, Raynald, pourrais-tu me rappeler le montant offert ainsi que le surplus que tu penses qu'il soit possible d'obtenir, et dans combien de temps ? »

« Ils offrent trente-deux mille trois cent vingt et je pense pouvoir aller chercher dix mille de plus. Évidemment, je ne te fais aucune promesse. Ils offrent trente, alors nous allons demander cinquante, » fit l'autre résolument.

« Plutôt que de rester fermé trop longtemps, je vais peut-être accepter leur offre, » dit Alain.

L'avocat l'interrompit et affirma avec force: « D'ici à une semaine, j'aurai réglé toute cette affaire. Comme on dit, je vais y mettre toute la gomme. »

« J'y pense, tes frais seront de combien ? » dit négligemment Alain.

« Même pas le tarif régulier, » lança l'autre.

« Il est de quoi le tarif régulier ? »

« Quinze pour cent. Mais entre amis, on va s'arranger à moins. »

« Tu veux dire que si tu sortais quarante, ça me coûterait six ? »

« Ça, c'est le tarif normal. »

« Et on s'arrangerait pour combien ? »

« Douze pour cent ? »

« Tu es malade ou quoi ? »

« Écoute, mon vieux, quinze pour cent, c'est le tarif officiel, établi par le barreau... »

« Même quand l'avocat ne plaide pas et qu'il ne fait que deux ou trois appels téléphoniques ? »

« Alain, je m'occupe de ton affaire depuis le début. »

« En ami... »

« En ami et en avocat. »

« Les deux se valent en efficacité et en tarif. Mille dollars par appel téléphonique, je trouve ça élevé comme honoraires. Mais le pire, c'est que t'es un petit cachottier. Les responsables de l'agence de réclamations viennent tout juste de me renseigner sur l'offre véritable des assureurs. Je présume que tu me préparais une joyeuse surprise de ton crû ; onze mille de surplus grâce à tes bons offices. Et naturellement, cinq mille pour moi et six pour toi... »

Expert en cabrioles, l'avocat ne perdit pas contenance et rétorqua aussi vite : « Si ce montant est tel, c'est que je me suis occupé de tes intérêts. »

« Ma version est la suivante: tu as fait quelques appels pour te renseigner, juste pour bâillonner les gens de l'agence de réclamations et pour me faire paniquer au bon moment, et pour m'endormir quand il le fallait. »

« Si je n'avais pas agi, tu aurais eu du mal à te sortir de tout ça, et le seul fait que tu m'aies mandaté justifie mes honoraires de quinze pour cent. »

« Tu penses vraiment que tu vas me soutirer six mille de ces dollars que ma femme et moi avons arrachés de peine et de misère à la vie ? »

« Quand c'est le temps de demander, les gens sont là; mais quand vient le temps de payer, ils ne veulent plus rien savoir. C'est pour ça que le Barreau nous protège. »

« Il est inutile de discuter davantage, Raynald, je sais ce que je voulais savoir. Tu as tes moyens d'agir et j'ai les miens. »

« Ha, ha! tu me fais parler et tu enregistres notre conversation, mais çà ne te servira à rien. »

L'avocat prenait peur. Alain en profita.

« Espérons que tu as bien pesé ce que tu viens de me dire, » insista-t-il.

« Tu avais prévu quoi comme honoraires? » demanda l'homme de loi.

« Cinq cents, huit cents au plus... »

» Écoute, mon vieux, pour ne pas faire de chicane, réglons à mille? Tu ne diras pas que je ne suis pas bon prince? »

Alain ne répondit pas à la question et changea de sujet: « D'ici là, j'ai besoin du papier que je t'avais laissé pour le renouvellement de mes permis. »

« Viens le chercher, et tu verras qu'on va s'entendre pour mes honoraires. »

« D'accord, » fit Alain qui raccrocha sans saluer.

« Tu vois comment un jocrisse peut se faire posséder par un avocat. Je me méfiais des compagnies d'assurances comme de la peste et le voleur faisait ses jongleries dans mon jardin, sous mon nez, sans que je ne m'en aperçoive. »

« Que vas-tu faire? »

« Il n'aura pas un sou et je vais faire ce qu'il faut pour cela. Je vais immédiatement écrire aux intéressés et les aviser que Boisvert n'a jamais été mandaté et qu'ils doivent traiter directement avec moi. L'important, c'est qu'il ne mette pas la patte sur les chèques des compagnies. Irais-tu chercher le papier pour les permis? »

« Oui. »

« Si tu préfères ne pas y aller, je vais m'arranger autrement. »

« Je peux y aller dès aujourd'hui. »

« D'accord. »

Dès son retour, il lui demanda: « A-t-il rechigné pour te donner le papier? »

« Il m'a dit s'être souvenu qu'il l'avait envoyé à Montréal à l'organisme gouvernemental responsable de l'émission des permis. »

« Nous voilà joliment arrangés. Je suis sûr qu'il a bel et bien ce papier mais qu'il n'a pas voulu te le donner. Nous allons devoir procéder autrement. »

« Il m'a dit aussi que je n'étais pas celle qu'il voyait habituellement avec toi... »

« Et qu'as-tu répondu? »

» J'ai ri et je lui ai dit que j'étais bel et bien ta femme. »

« Il a une belle façon de recruter des clientes pour des causes de divorce. »

« Si nous divorçons, il ne sera sûrement pas mon avocat! » dit-elle.

Alain se leva et arpenta la pièce en se frottant les mains d'aise. « Maintenant que la question d'argent est réglée, je vais me cracher dans les mains et relever la bâtisse. Les vacances sont finies. »

« Veux-tu que je t'aide? »

« Tu as déjà la maison à tenir et ton travail de vendeuse. »

« Je ne suis qu'à temps partiel là-bas et je peux bien aussi mettre la tenue de maison à temps partiel. »

« Je ne refuserai l'aide de personne malgré que je n'escompte rien de quiconque, sauf de toi. »

Alain savait qu'une telle parole stimulerait Viviane, mais pour protéger ses arrières, il s'empressa d'ajouter: « J'espère que tu ne t'en serviras pas pour négocier sur mon comportement; autrement, je préférerais travailler seul. »

« Ne crois pas toujours que j'essaie de te vendre mon soutien. »

« Tu m'as habitué à cela; la voisine le fait; la plupart des femmes le font. La prostitution morale fait partie de la culture. »

« Comment ne pas en faire? »

« Tu commences juste à comprendre et pourtant, je te l'ai expliqué mille fois: chacun doit vivre pour son propre épanouissement. S'oublier pour l'autre est d'une incroyable inconséquence; c'est l'antichambre de la prostitution morale. Une femme doit se chercher, se rechercher, et, dès lors qu'elle se trouve et s'aime sainement, les joies de son épanouissement rayonnent autour d'elle. »

« C'est très difficile de vivre ainsi. »

« Le contraire donne pourtant des résultats pitoyables. »

« Difficile! Je veux dire face à l'aide que je pourrai t'apporter. »

« Le projet te dit-il quelque chose? »

« Oui, car j'aimais beaucoup le service à la discothèque même si je ne le disais pas. Je m'ennuie de ne plus le faire. »

« Du travail de rénovation, ça te plaira? »

« Dans ce que je pourrai faire: oui. »

« Bien sûr, je me réserve les gros travaux, mais tu pourras faire du rembourrage, ici à la maison, et aussi du nettoyage de vaisselle, de disques, de verrerie... Et, vers la fin des travaux, là-bas, tu pourras venir pour la décoration intérieure. Au départ, la question que tu dois te poser est la suivante: le projet te plaît-il en lui-même ou si tu ne vas y participer que pour moi? »

« Si ça ne m'intéressait pas, je ne le ferais pas. »

« C'est ce que je voulais t'entendre dire librement. Donc, en principe, nous allons rouvrir vers Noël avec une discothèque deux fois plus originale que celle d'avant. À faire nous-mêmes les travaux, nous allons économiser plusieurs milliers de dollars, ce qui va compenser pour les pertes d'opération et nous donnera la joie de créer de nos propres mains. Attends-toi à ce que je travaille sept jours sur sept. Quant à toi, tu feras les heures que tu voudras. Tout ce que je te demande, c'est de me faire régulièrement des prévisions, afin que je puisse tout coordonner. »

« Je suis prête à te suivre. »

« Ça te le dit vraiment? »

« Oui. »

« Pour toi-même? » insista-t-il.

« Oui. »

« Alors on va s'entendre. »

●

Il avait gratté jusqu'au bois un plafond calciné. À son retour chez lui, il passa par chez Denise.

Il avait bien essayé de lui faire admettre que les deux mois seraient difficiles à traverser pour eux deux et que cette séparation ne serait qu'une mise en banque et les paierait de retour, mais elle avait mal réagi.

Il s'arrêta dans l'espoir de la faire rire de le voir en charbonnier. Aussi pour qu'elle sache qu'il ne se tournait pas les pouces.

Mais elle ne rit pas de le voir. « Comme tu es sale! » dit-elle sans sourciller. Le teint crayeux et les yeux las de la jeune femme créaient un vif contraste avec les yeux rougis et l'aspect aussi noir que réjoui de son amant.

« Je vais rester timidement au bord de la porte... Si tu veux m'apporter une chaise ? »

Elle disposa des papiers essuie-tout sur le siège d'une chaise qu'elle approcha.

« Comment ça va? » demanda-t-il en s'asseyant.

Elle répondit par une grimace.

« À ce que je vois : pas trop bien. » Il plissa la bouche en signe d'impuissance. Puis il changea d'attitude et sourit. « Comment me trouves-tu en ramoneur ? »

Elle ne broncha pas.

Il comprit que le moment n'était pas au rire.

« Dis-moi ce qui ne va pas, » fit-il, plus grave.

Elle garda la tête basse, sans répondre, assise nonchalamment à l'autre bout de la table de la cuisine.

« Nous ne nous voyons pas assez ? » demanda-t-il.

« Il y a de ça, » murmura-t-elle, lointaine.

« Tu acceptes mal que je sois plongé dans mon travail ? Je sais que ce n'est pas facile à vivre pour toi, mais il faut que tu le vives. C'est ta façon à toi de me libérer... »

« Tu en parles souvent de ta chère liberté. »

« La liberté d'un être humain est fondamentale, Denise. Depuis ma naissance que je me bats pour la trouver et je ne fais que commencer à lui entrevoir le bout du nez. Elle passe et passera toujours avant toi. C'est d'ailleurs à cause d'elle que je me suis attaché à toi. Si mon absence te rend négative, c'est que tu es possessive. Si, comme bien des femmes, tu prends mes absences pour des abandons et que tu vas rire jaune dans les bras d'un autre... »

Elle l'interrompit : « Ça te déplairait que je me retrouve dans les bras d'un autre ? »

« Dans ces conditions-là, oui, parce que ça ne serait pas un geste authentique de ta part ; tu ne le ferais pas pour toi-même, mais par réaction à mon agir. Oui, je vais te condamner si tu vas dans les bras d'un autre par frustration. Mais si tu le fais pour ta joie, par goût, dans un esprit positif, alors je vais t'approuver... Oh ! je ne te dis pas que je ne devrai pas me battre contre moi-même, contre le mauvais qu'il y a en moi, contre ma possessivité naturelle, contre mes vieux principes... »

« Tu aurais la paix, n'est-ce-pas, si je m'en allais dans les bras d'un autre ? »

Alain secoua la tête et sa voix devint agressive : « Denise, tu es négative et tu vas finir par me rendre négatif moi aussi. »

Elle s'appuya le bout des doigts sur le coin du front et dit tranquillement : «Alain, si tu vivais dans l'atmosphère de travail pourrie dans laquelle je vis cette année, cela déteindrait peut-être sur toi aussi. »

Il haussa les épaules. « Je sais bien que le climat est plus difficile que d'habitude dans le monde de l'enseignement, mais utilise-le donc comme un défi au lieu de ronger ton frein ! Toi qui savais rire, que fais-tu pour rire maintenant ? »

« Si tu vivais avec nos directeurs... »

« J'ai vécu cinq ans avec ton directeur et je t'assure qu'il a de la souplesse ; en tout cas beaucoup plus que le petit principal machiavélique de la polyvalente de St-Grégoire. »

« Tu ne peux pas te permettre de parler beaucoup, Alain, tu t'es révolté plus que moi et on t'a mis au bord de la porte, presque saqué. »

« Je n'ai pas agi dans votre esprit de cette année. Vous cherchez à détruire à tout prix. J'ai lutté, mais je n'ai pas cherché à briser et tu le sais bien. »

« À St-Maurice, nous allons tout faire pour que Rouillard sèche. Il veut nous mater et n'y réussira pas. »

« Depuis septembre que tu me parles de votre façon de lutter et je ne te comprends plus Denise. Tu es en train de tomber sous certaines influences absolument négatives. Voilà seulement deux ans, tu rejetais cet esprit-là, et maintenant, il te conduit. Tu te ligues pour écraser, tu te ranges derrière un esprit de clan. De votre côté, tout est blanc et de l'autre, tout est noir. Où est donc rendue ton ouverture aux autres? »

« L'ouverture à ces gens-là n'est pas possible; ils se servent des moindres fissures pour dominer et exploiter. »

« Toi? Une personne exploitée? Fais-moi rire. Tu vis, tu manges bien, tu t'habilles convenablement, tu possèdes une auto, un appartement, tu te payes un voyage par année. »

« Il n'y a pas que la question monétaire. »

« Question professionnelle, peut-être? Tu as d'excellentes conditions de travail et des outils en quantité. Ça ne te suffit pas çà non plus. Tu veux que je te dise: les leaders enseignants ne pensent qu'à la sur-consommation. Ce n'est pas l'augmentation des salaires et des gadgets qui vont changer quelque chose en éducation. Et pour qu'il y règne un nouvel esprit, les enseignants doivent se battre, pas faire la guerre. Tu comprenais cela dans le temps. »

« Je ne crois plus en ces théories-là, Alain. Ce ne sont que des vœux pieux. Dans la vie de tous les jours, il faut lutter d'un côté ou de l'autre. Eux se liguent, vois ce qu'ils t'ont fait. Sachant que tu n'aurais pas de protection du côté syndical, ils se sont empressés de te guillotiner. Face à une armée qui agresse, il faut que tu fasses la guerre; et c'est ce que nous faisons cette année. »

« Pour combattre une forme de mal, vous en créez une autre. Mais le pire, c'est que vous vous détruisez vous-mêmes en faisant cela, car votre esprit de clan vous fait perdre votre identité personnelle. La solidarité elle-même fait de vous des individus dépersonnalisés, absorbés; elle crée donc en vous des frustrations qui vous rendent encore plus négatifs et vous empêchent de vivre. Ou plutôt non, vous vivez, mais vous vivez de rage. »

« On ne peut pas se battre seul. »

« On le peut. Il faut être fou, mais on le peut. Et peut-être que les choses iraient mieux s'il y avait plus de fous en ce monde. En tout cas, ce serait plus drôle. Se vaincre soi-même, voilà la meilleure façon de convaincre l'ennemi. »

Elle fit légèrement tournoyer son doigt sur la surface polie de la table et dit avec nargue: « Chacun ne peut pas avoir la force morale de monsieur Alain Martel! C'est bien malheureux que tu n'en aies pas autant devant tout le monde... »

« Tu crois que je suis faible devant Viviane? À ma place, comment aurais-tu agi avec elle? »

« Jamais je n'aurais enduré ce que tu as enduré! »

« J'aurais dû la détruire ou quoi? »

« La patience et l'endurance ne doivent pas dépasser certaines limites. Elle a essayé de te détruire et essaiera encore. »

« Comme n'importe qui, elle se débat avec la vie, avec sa vie, avec sa psychologie, avec sa culture. »

« Tu es naïf et tu fais confiance aux gens; tu vois pourtant comment l'avocat t'a traité. »

« Si nous revenions à toi... »

Elle l'interrompit: « Je sais, je dois changer. Je fais mal l'amour et je suis négative. »

« Je cherche simplement à te faire évoluer. »

«Tu voudrais que j'évolue et que je mette de côté l'esprit de famille et de clan et pourtant, tu me laisses me débrouiller toute seule.»

«L'avenir va nous rapprocher.»

«Ça fait quatre ans que tu me chantes cela...»

«Pardon, Denise, pardon, je ne t'ai jamais fait aucune promesse et c'est toi qui m'as déjà dit que tu choisissais d'être avec moi.»

«Je m'excuse, Alain, mes paroles ont dépassé ma pensée.»

«Tu dis que tu dois te débrouiller seule et c'est exactement cela qu'il faut. Chacun, dans la vie, doit s'en sortir par lui-même, doit voler de ses propres ailes au lieu de toujours attendre qu'on lui tienne la main.»

«J'ai toujours besoin de quelqu'un pour me conseiller, pour m'aider. Je ne suis qu'une femme.»

«Oh! oh! la faiblesse féminine,» ironisa-t-il.

«Bah! n'en parlons plus!» fit-elle, excédée.

Il serra les poings. «Mais que voudrais-tu exactement? Que je laisse tout tomber chez moi? Sache bien que les choses que je fais actuellement, je les ai choisies librement...»

«Sans moi,» dit-elle d'une voix éteinte.

Il ferma les paupières, cherchant à réunir et à chasser vers les coins des yeux toute la poussière accumulée pendant la journée. «Avec toi... si tu le veux. Retrouve ton esprit positif et tout ira.»

Il se leva pour s'en aller, mais elle changea de sujet de conversation.

«Tu dois avoir de beaux poumons ce soir?» fit-elle.

«Comme du temps où je fumais comme une locomotive. Que veux-tu, tout ne peut pas toujours être rose!»

●

Il mit dix jours avant de revoir Denise: cas exceptionnel. Il réfléchit. Il se remémora tous ces lieux où ils s'étaient aimés et se rappela toutes les émotions qu'ils avaient partagées.

Surtout, il s'inquiéta de l'avenir. Tous ses raisonnements l'amenèrent à la même conclusion qu'aucune nostalgie ne put atténuer: incapable d'être heureuse par elle-même dans le moment présent, Denise continuerait, inconsciemment ou non, à le rendre responsable de ses misères psychologiques. Elle le culpabiliserait plutôt d'en chercher les causes en elle-même d'abord tout comme elle l'avait toujours fait en sexualité. Quand ils vivraient ensemble, elle continuerait de l'accabler pour ses absences physiques; de là à lui reprocher ses rêves et ses projets, il n'y avait qu'un pas que sa possessivité lui ferait vite franchir. Elle était de ces femmes qui ont toujours d'excellentes raisons d'être malheureuses et négatives et qui posent sans cesse des conditions que les autres doivent remplir pour que leur attitude devienne positive, et qui ne sèment autour d'elles, toute leur vie, que des nuages et de la grisaille. Combien de temps se passerait-il avant qu'elle ne le blâme ouvertement de son sens du devoir envers Viviane et Caroline? Elle le faisait déjà. Il passerait son temps à remplir des conditions à son bonheur et la vie deviendrait une perpétuelle négociation. S'il rejetait ce genre de relations avec Viviane, ce n'était pas pour s'y replonger avec une autre. Remplacer l'étouffement d'une femme par celui d'une autre ne lui disait rien qui vaille. Et il finit par statuer: «La solitude est le prix qu'un homme doit payer pour sa liberté.»

●

Novembre était frais ce matin-là. Alain grelotta quand il sortit de chez lui. La neige avait engrisé la ville: pelouses d'herbes mouillées lacérées de traces blanches, rues noires et humides, maisons poussives, autos sales, autos laides, autos fuyantes, autos mobiles.

Il fallait faire aiguiser des ciseaux chez un vieux près de chez Denise. Avant d'aller chez l'aiguiseur, il visita sa maîtresse. Il entra sans bruit, sachant qu'elle le reconnaîtrait puisqu'il n'avait pas frappé. Il se rendit tout droit à la chambre et s'assit sur le bord du lit. Enfouie sous les draps, elle le regarda amoureusement.

« Je vais chez l'aiguiseur de ciseaux et j'en ai profité pour te saluer en passant, » dit-il.

Elle tendit ses bras chauds et dit: « Je suis heureuse. »

Il s'approcha et se laissa envelopper par cette chaleur intense que le corps de la jeune femme dégageait toujours quand elle était sous les draps.

« Je n'arrête que trente secondes. L'aiguiseur m'attend. Il doit partir de chez lui aujourd'hui. D'un autre côté, j'espérais que tu sois encore ici que je puisse te voir... »

Taquine et folichonne, elle dit: « Je comprends. Ce matin, je comprends tout. »

Il posa sur elle des yeux pleins, comme s'il y avait projeté toute son âme. « J'ai envie de t'embrasser très fort, très fort, et je crois que je vais le faire. »

« Qu'est-ce que tu attends? » ronronna-t-elle.

Il retint ses lèvres. « Laisse-moi d'abord vibrer à mon désir. » Il détailla chaque élément du visage qu'il avait si souvent embrassé depuis plus de trois ans, mais il n'arrivait pas à saisir l'ensemble ou à superposer les images; chacune effaçait la précédente, la bousculait, la chassait. Il courba un peu l'échine et leurs lèvres, pour la millième fois, se rencontrèrent. En même temps que le baiser bref, il tira sur le drap afin de voir la poitrine nue. Alors, lentement, il défit un à un les boutons de sa chemise et en écarta les pans, laissant son estomac à découvert. Il se pencha à nouveau et les deux corps se frôlèrent, se touchèrent, s'écrasèrent. Il divinisa le contact par un second et violent baiser tout aussi bref cependant que le premier.

« Comme tu es affectueux ce matin! » s'exclama-t-elle avec un large sourire.

Il sourit aussi et se leva brusquement. Il ferma les yeux et, à chaque bouton qu'il introduisit dans sa boutonnière, dit: « Je t'aime, bonne journée. »

Entre son dernier geste et le « Bonne journée, mon amour! » qu'elle lui cria, il avait quitté la chambre, traversé la cuisine et s'était engagé dans la sortie.

Le regard gris, il marcha lentement vers son auto, remonta son col pour éviter d'être trop transis. « Quel crachin! » proféra-t-il à l'égard du temps.

Lorsqu'il revint chez lui après l'aiguisage, Viviane se rendit le retrouver dans son atelier de travaux manuels qu'il avait transformé en salle de rembourrage. Près d'un établi, le visage tourné vers un mur, Alain utilisait une agrafeuse électrique sur un siège de chaise.

« Nous travaillons comme des nègres dans un projet commun et, à la première occasion, tu t'en vas retrouver ta maîtresse, » dit-elle avec colère.

Il ne broncha pas. Il pensa qu'elle n'avait pas pu s'empêcher encore une fois d'utiliser ses lunettes d'approche pour suivre ses mouvements avec l'auto, de l'autre côté de la rivière.

« C'est écœurant d'être traitée de la sorte, Alain Martel, » cria-t-elle.

Un sec mouvement agita les épaules de l'homme et il siffla entre ses dents: « Ne dis pas une parole de plus! »

« Quoi ? Tu profites de chacune de tes sorties pour courir chez ta maîtresse et je ne parlerais pas ? »

Il se retourna brusquement et dévisagea Viviane, comme jamais de sa vie il n'avait regardé quelqu'un. Les larmes roulaient sur son visage et la brillance de ses yeux ajouta à la colère froide et à la douleur qui s'en dégageaient.

Elle le regarda un moment, hébétée. Elle pencha la tête, hésita une seconde, puis tourna les talons et retourna à l'étage.

●

« J'ai vérifié mon échéancier et pour rouvrir la discothèque le vingt-six comme prévu, soit dans quatre jours, il me faudra travailler la veille et le jour de Noël. Si tu veux prendre l'auto pour aller réveillonner chez toi avec Caroline, je m'arrangerai bien, » dit-il.

« Non, je travaillerai moi aussi je veux être là pour la touche finale, » dit Viviane.

●

Vingt-cinq décembre, dix-sept heures, Alain venait de raccorder un dernier lustre et Viviane de nettoyer une dernière tuile de miroir.

Ils s'assirent sur un des nombreux petits divans qu'ils avaient eux-mêmes fabriqués. Il avait choisi de prendre place en ce point central du bar-discothèque qu'il avait toujours évité pour ne pas gaspiller le plaisir de la conjonction de la minute de la dernière touche à celle de goûter l'œuvre accomplie. Ils étaient prêts à boire aux joies de l'achèvement.

« Je suis bien contente, » dit simplement Viviane.

« Il manque juste un peu de musique, » dit-il.

Elle se rendit à la cabine de contrôle et mit en marche le système de son. Puis elle retourna s'asseoir près d'Alain.

« Entre nous deux, on peut bien se le dire : nous avons fait du bon boulot, » dit-il.

« J'ai appelé chez moi cet après-midi et il paraît qu'on me plaint dans ma famille. S'ils savaient que j'ai passé le plus beau Noël de ma vie, » dit-elle.

« Pourtant, il ne faudrait pas que tu vives exactement la même chose l'an prochain. L'intérêt serait drôlement diminué. Comprends-tu un peu mieux pourquoi je n'aime pas tellement les traditions ? C'est d'abord une routine qui tue l'intérêt et c'est ensuite une façon de regarder son passé et de se dire : on est beaux. Je trouve que ça fait prétentieux. Comme si on embrassait sa propre image dans un miroir. Et que ça fait injure à l'imagination créatrice. À ce perpétuel repli sur soi-même, je préfère du neuf, du différent, une ouverture à d'énormes horizons, au monde entier... »

« Si je suis bien ton raisonnement, tu vas tâcher de vendre la discothèque ? »

« Exactement !... Que tu le déduises montre bien que tu commences à comprendre. Je veux désormais une vie d'évolution positive... Et peut-être pourras-tu la vivre avec moi... Bien entendu si elle te convient... »

1976

Il gardait la lettre depuis deux jours sans l'ouvrir. Et il se sentait enfant de ne pas oser. Sa décision de ne plus revoir sa maîtresse manquait-elle de fermeté ?

Depuis le matin du dernier baiser, il n'avait plus donné aucun signe de vie à Denise. Une explication claire n'aurait suffi qu'à faire naître en elle les mots susceptibles à retarder la rupture. Il en avait rejeté l'idée. Elle aurait affiché des attitudes positives pendant une quinzaine de jours et, peu à peu, sans trop qu'il ne s'en rende compte, les interférences auraient surgi à nouveau entre eux, aussi implacables qu'auparavant. Dans sa vie sexuelle, Denise refuserait d'évoluer et dans sa vie professionnelle, elle nourrirait constamment des pensées noires. Elle en avait maintes fois donné la preuve. Quant au milieu, il continuerait de la mouler trop.

Alain avait résumé ces trois choses dans les difficultés d'adaptation de sa maîtresse. Le violent affrontement auquel se livraient en elle la peur de l'inconnu et le besoin de changement l'acculaient à une solution intermédiaire: elle se repliait sur son passé, non pour en faire une autopsie utile à plonger dans le futur, mais pour en admirer des photos, larme à l'œil, et chercher à le faire revivre. À l'instar de bien des couples, mariés surtout, elle ne parvenait pas à comprendre que les vibrations de la grande romance — espoir de conquête, goût du neuf, attrait du désir — se fussent envolées. Elle ne percevait que l'éphémérité des choses et cela l'avait poussée vers un passé d'avant lui. Cependant, n'y trouvant pas satisfaction — le passé étant peu pourvoyeur d'espoir — chaque semaine, elle était devenue de plus en plus aigrie.

Il déposa sa lettre sur le bureau, devant lui. Il se rappela d'une de ces nombreuses soirées où il avait vainement essayé de susciter en sa maîtresse une philosophie de vie un peu plus rose. Une philosophie de vie, il le savait pourtant, ne s'injecte pas.

« Le pessimisme c'est hier et l'optimisme c'est demain ! » lui avait-il dit. « Pourtant la naissance c'était hier et la mort sera demain. Voilà le grand paradoxe de la vie. Mais ce n'est qu'un paradoxe apparent, tout simplement parce que l'être humain ne sait pas encore qu'il est plus difficile de naître que de mourir. Méfie-toi d'hier et des liens du sang, car s'il fallait vivre en fœtus, la nature nous laisserait dans l'utérus. Respire par toi-même. Prends dans ton passé des matériaux pour bâtir ta maison, mais n'essaie pas de copier le modèle familial, si attirant puisse-t-il être, car il ne te conviendrait pas. »

Toutes ces choses avaient trotté des jours entiers dans son cerveau. Il avait fait de multiples recomptages de gestes, des repiquages d'attitudes, des recoupages de paroles et l'inexorable conclusion revenait sans cesse: Denise aurait essayé de l'absorber dans une vie de repli, et lui voulait s'ouvrir à une vie de pluralité.

Il n'avait pourtant pas fermé la porte. Secrètement, envers et contre lui-même, il espérait un miracle, un signe d'espoir, une souffrance régénératrice, un choc moral qui mobilisât toutes ces forces positives qu'il avait aimées en elle en 1972-1973.

Cette lettre était la réponse. La réponse totale, définitive, dernière. Serait-elle un cri d'espoir positif ou bien le contraire ? Il la prit dans ses mains pour la dixième fois et la tapota avec espoir et appréhension. Il ne trouva pas de coupe-papier dans son tiroir. Alors il déchira le bout de l'enveloppe et lut.

St-Grégoire, le trois janvier 1976.

Alain,

J'ai compris que tu ne reviendrais pas. Pourquoi donc le destin est-il aussi affreux? Où sont donc passés tous nos rêves d'avenir? Toutes ces années que nous avons vécues sont-elles perdues à jamais?

J'avais prévu de ne pas te voir beaucoup en décembre, mais Noël sans nouvelles m'a jeté la mort dans l'âme et j'ai souffert à n'en plus pouvoir pleurer pendant les vacances. Quand j'ai vu que le Jour de l'An ne te ferait pas sortir de l'ombre non plus, alors j'ai tout compris.

J'avais pourtant mis des heures à préparer ce plan de moi que tu m'avais demandé. Avec tout mon cœur, je l'avais enregistré sur une cassette. Tu n'es pas venu la prendre. Ni ce cadeau que j'avais choisi avec tant d'amour. Jamais de toute ma vie, je n'ai autant préparé une fête que ce Noël de nous deux que nous aurions pu célébrer, comme les autres années, la veille ou bien le lendemain. J'ai passé le pire Noël de ma vie: je te sentais si loin, si désespérément loin.

Qu'est-il donc arrivé? Le but était là, tout proche, presque atteint. Tu te libérais de plus en plus de ton ancienne vie et la grande année 1976, enfin, après tant de frustrations, nous aurait définitivement rapprochés. Mais que s'est-il donc passé en toi, Alain? Dis-moi au moins quelque chose, que je ne devienne pas folle!

Je sais que j'ai souvent été négative, d'humeur maussade ces derniers mois, mais ne peux-tu comprendre à quel point le milieu du travail était noir? Et toi, mon guide des années meilleures, tu n'étais plus là. Jusqu'à ma compagne de travail avec qui je formais équipe depuis six ans qui m'a fait de sérieuses misères! Et toi, tu vivais dans un autre monde, loin, si loin de moi.

Toi qui disais me comprendre et me connaître, toi qui avais vécu les mêmes choses que moi, pourquoi m'as-tu laissée tomber la main au moment où j'en avais le plus besoin?

Oh! j'arriverai à oublier, comme tu disais si souvent qu'il faut savoir le faire dans la vie. J'ai de bonnes chances d'obtenir une place dans la région de Québec pour la prochaine année scolaire. Je continuerai à vivre. D'une autre manière. Cependant, je sais qu'à travers les autres, c'est toujours toi que je rechercherai.

Pourquoi donc tout s'effondre-t-il à quelques pas du but? Quelles erreurs ai-je donc faites si ce n'est de t'avoir trop aimé, trop désiré et d'avoir trop souffert de tes absences?

Je ne trouve plus les mots, Alain. Quoi ajouter, sinon te dire que j'accepte ta décision, même si je ne la comprends pas? Quoi te dire, sinon que je t'aime? Quoi te dire, sinon que je souffre atrocement?

Pourrai-je au moins te revoir une heure avant que nous ne prenions définitivement chacun notre route? Ou bien devrai-je continuer à vivre dans cette incertitude intolérable?

Ton silence est pire que tout!

Denise.

Après sa lecture, Alain s'expliqua la peur qu'il avait eue de lire cette lettre. Il avait craint, d'y trouver le type de message que justement elle contenait. Il avait eu peur de souffrir devant des mots scellant sa certitude quant à l'existence de barrières infranchissables entre lui et sa grande, comme il appelait souvent Denise dans ses élans de tendresse.

Et pourtant, au lieu de souffrir comme il aurait dû, il se sentait libéré, sécuritaire dans ses réflexions, prêt à du neuf.

Il prit un stylo et rédigea sa réponse.
St-Grégoire, le sept janvier 1976.
Denise,

Tu te trompes lorsque tu dis que je suis parti. Je suis de plus en plus là, de plus en plus moi. Mon cœur vibre, mais c'est à une morte. La Denise Martel que j'aimais est disparue quelque part en 1974. Mon cœur est lamé de noir depuis qu'il sait sa mort.

Quand je travaille dans mon sous-sol, je passe des heures à me rappeler de celle qui riait à la pluie, qui pouvait faire des grimaces aux singes comme aux rois, mais aussi à sa propre image dans une flaque d'eau, qui jetait du soleil partout, qui rebâtissait mes forces, qui, du bout de ses doigts et de son sourire, expédiait au diable lui-même tous mes problèmes. Elle savait vivre pour elle-même; voilà pourquoi elle était capable de parsemer, avec tant d'art, ma vie de fleurs. Et moi, je lui proposais des projets, des défis, des folies, un futur original, d'assauts de nos mesquineries, d'insécurité complice, de liberté créatrice.

Mais celle que j'aimais mourut quelque part en 1974, assassinée par l'air ambiant. Peut-être ne lui ai-je pas tenu la main assez longtemps et assez serrée, mais il faut bien qu'un jour chacun avance sans béquilles, libre. J'ai lâché ta main afin que tu sois plus attrayante parce que davantage toi-même, indépendante, forte de tes propres forces.

Je n'aime pas ceux qui pleurent; ils le font toujours sur eux-mêmes. L'on peut, comme un enfant, pleurer les insatisfactions, les contrariétés, mais il ne faut pas pleurer sa vie. Vois comme les vieillards savent rire aux petites choses. Pourquoi garder une âme d'enfant dans un corps d'adulte alors qu'en s'en donnant la peine, l'on peut se forger une âme bien mûre dans une enveloppe encore jeune. L'âme qui sait vieillir trouve équilibre et joie, mais le corps, lui, marche dans le sens inverse; pourquoi ne pas déjouer ce vilain tour de la nature en s'aidant à mûrir vite?

L'autre Denise Martel, toi, celle qui a survécu, pleure sa vie. Elle l'a confirmé par sa lettre: ce long cri de désespoir. Ni joie, ni tendresse, ni rêves qu'il aurait pourtant fallu que tu m'écrives pour que je sache qu'elle n'était pas morte, ma grande. Oui, cette lettre me dit qu'elle est bien morte, cette femme au rire d'enfant né pourtant d'une pensée réfléchie.

À toi, à celle qui vit, je dis: fuis les gens destructeurs; ils te conduiront au drame. Tourne tes regards vers le neuf. Prends du recul, prends des distances face à ceux qui représentent ton passé; choisis librement tes amours, avec ton intelligence et que ton instinct naturel ne te les impose pas! Sois la maîtresse de ton destin! Qui, mieux que toi, peut savoir et sentir ce qui est bon pour toi? Laisse donc tomber les pisse-en-lair de la prêche, qu'ils soient d'une religion, d'un syndicat, d'un parti politique ou de quelque clan que ce soit. Ce que veulent de toi ces gens, c'est que tu t'identifies à leur image, donc que tu perdes la tienne. Ce sont des exploiteurs d'âmes pires que tous les autres exploiteurs contre lesquels tu rages. Sers-toi d'eux. Sois plus grande qu'eux. Ai-je l'air à mon tour de vouloir t'endoctriner? Est-ce faire la prêche que de dire à quelqu'un: sois toi-même? Quand tu le seras, peut-être que la morte renaîtra en toi; alors, dis-lui que je me souviens d'elle.

Tu sais, moi aussi, je pleure. Je pleure d'avoir perdu celle qui m'a tant aidé à trouver ma vie. Je me console cependant lorsque je sors sa photo de mon cœur, que je la regarde et que je ris à ses yeux rieurs.

Au lieu de haïr ta souffrance et d'en chercher des responsables, je te souhaite d'apprendre à l'apprivoiser car elle porte sa fécondité, et murit, et nourrit l'âme humaine. Ce n'est pas de souffrir qui est mal, c'est de haïr à cause de sa douleur.

Denise, dis à l'autre, dis à ma grande, si tu la revois un jour, que je l'aime.

Alain.

•

Plongeant à nouveau dans le travail, il trouva dans l'utilisation des choses matérielles un plaisir qu'il n'y soupçonnait pas auparavant. Particulièrement fasciné par la peluche acrylique, il en trouva un usage dans le recyclage des mobiliers de chambre.

Un soir, il en discuta avec Viviane.

« L'expérience est concluante, » dit-il. « J'ai calculé que nous pourrions recouvrir un mobilier pour cent dollars tout compris : travail et tissu. Pour connaître la réponse du public, le mieux serait de tenir une petite exposition au centre d'achats. La demande nous indiquera si nous devons lancer le commerce.

« Ce n'est pas la beauté qui va manquer, » dit Viviane.

« J'ai résumé les avantages que cette idée d'habillage de meubles comporte et ça donne ceci : réponse au goût de renouveau des gens ; aspect riche, futuriste, chaud et coloré donné aux mobiliers ; entretien facile ; tissu de haute qualité ; prix de recyclage. Quoi de mieux ? »

« Je ne sais trop si la combinaison de l'aspect somptueux et du prix abordable prendra auprès des gens. Ils ont tendance à douter de la qualité quand le prix n'est pas assez élevé, » dit Viviane.

« Tout de même, les gens ne sont pas fous ! Il s'agit d'un recyclage. Ils seront conscients qu'ils fournissent la structure de base... »

« Habituer le public à une nouvelle idée n'est pas chose facile, tu sais. »

« J'ai quand même envie d'essayer. Si nous vendons bientôt la discothèque, il faudra bien autre chose. Pourquoi pas un commerce que nous aurons mis au point entièrement nous-mêmes, à partir de l'idée de base jusqu'à la mise en marché ? En fait, notre service d'habillage sera connexe au rembourrage, mais plus simple et tout à fait nouveau, et l'absence de compétition nous sera profitable au départ. Quand l'affaire sera mise sur pied et qu'elle ira bon train, nous la vendrons.

« Par la combinaison des diverses formes de mobiliers et des centaines de tissus, depuis l'uni en style frappé jusqu'à celui aux couleurs animales que nous avons vu chez le grossiste à Montréal, nous pourrons offrir une variété infinie de modèles d'habillage, » dit Viviane.

Il renchérit : « Nous allons produire des mobiliers en manteau de fourrure. » L'œil vif, il ajouta : « Le cachet sensuel que prendront ainsi les meubles, correspondra à l'évolution sexuelle des gens. »

« Si tu veux lancer ce commerce, je suis intéressée à te seconder. Nous travaillons dans cette ligne depuis plusieurs semaines et j'aime la créativité qu'elle suscite, » dit-elle.

« Peu de contacts humains pour le moment, mais ça viendra, » fit-il. « Si nous décidons de ce projet commun, nous allons devoir retourner à Montréal afin d'établir nos entrées chez les marchands de gros et aussi de nous procurer ce qu'il nous faut pour préparer notre exposition. »

•

Il leur avait fallu plus de temps que prévu avant de retourner en ville ; ils avaient été retardés entretemps par la vente de la discothèque.

« Je suis bien content que ce commerce soit vendu ; nous serons plus libres pour en bâtir un autre, » fit-il.

« Et pour t'enchaîner à nouveau, » taquina-t-elle.

« Quand il suffit de vendre une chose pour qu'elle cesse d'enchaîner ! » rétorqua-t-il sur le même ton.

Elle jeta un coup d'œil à la chambre et demanda : « Combien coûte le motel ? »

« Quinze dollars. »

« Ils n'en donnent pas beaucoup pour ce prix-là ! » s'exclama-t-elle.

« C'est que nous ne sortons pas souvent. Les belles chambres sont bien plus chères... Vas-tu trouver difficile de ne pas fumer jusqu'à demain ? »

« Nous nous étions promis en 1968 de ne jamais fumer dans la chambre à coucher pour ne pas vicier notre air de la nuit et je ne casserai pas ma promesse ce soir parce que nous sommes dans un motel de Montréal. »

« Nous allons nous venger en faisant l'amour, » dit-il, malicieux.

Elle dit doucement : « Bonne idée. »

« Avant, il faudrait discuter un peu. J'espère que la peur ne te prendra pas. »

« Après tout ce que j'ai vécu, je suis moins peureuse que je ne l'étais. »

« J'aimerais que nous soyons prêts à faire l'amour. Faisons tout de suite notre toilette et nous discuterons après. »

Quand ils furent prêts, étendus nus sur le drap, il regarda intensément le corps de Viviane et dit : « C'est du neuf, ça ! »

« Quoi ? »

« Que nous nous mettions nus avant les préliminaires de l'amour. D'habitude, nous avons toujours un vêtement. »

« Tu n'aimes pas ça ? »

« Dans un sens, oui. Parce que c'est nouveau comme façon de faire ; mais dans l'autre, ça enlève un peu à mon désir. La nudité doit se faire attendre... »

« Tu veux que je mette quelque chose ? »

« Je crois que oui. » Il réfléchit une seconde. « Ah ! et puis non !... Fais comme tu voudras ! »

« Je n'aurais jamais prévu de nous voir ainsi il y a un an, » dit-elle.

« La vie est curieuse : normalement, selon mon échéancier, nous devrions être sur le point de nous séparer et pourtant, nous nous rapprochons de plus en plus. Par sauts périlleux, à travers nos larmes et nos violences, mais nous nous rapprochons quand même. »

« Tu crois ? »

« Moi oui, en tout cas. »

« Si ce n'était pas de me mêler de tes affaires, je te poserais une question... »

« Je la devine. Je l'attendais depuis plusieurs semaines. Je vais y répondre... Il y a, disons, quatre-vingt-quinze pour cent des chances que ce soit fini pour toujours entre Denise et moi. Il ne me reste qu'à fermer définitivement la porte. »

« Tu ne la vois plus du tout ? »

« Pas depuis novembre. Nous nous sommes écrit une fois. » Il se fit un court silence qu'il rompit : « J'espère que tu ne le prendras pas comme une victoire ; ce serait mauvais signe. »

« Je n'ai pas essayé de lutter contre elle, mais il a fallu que je lutte énormément contre moi-même, et c'est pourquoi j'ai été violente parfois. »

« Sans tes agressions, mes relations avec Denise auraient pris fin avant, mais chaque fois que tu me chicanais, tu me poussais directement dans ses bras. J'ai commencé à me rapprocher de toi quand tu t'es mise à évoluer dans le bon sens, dans le sens positif. »

« C'est-à-dire ? »

« De faire moins les choses comme les voisines ou bien comme tes sœurs et plus parce qu'elles te conviennent à toi. De t'être émancipée de ta famille, ce qu'actuellement ils prennent pour du rejet mais que plus tard ils comprendront. D'avoir moins couvé la maison et réchauffé tes petits problèmes ; de t'être créé un petit monde à l'extérieur, car même si le salaire n'en valait pas le coup, tu allais y quérir de la richesse morale, De m'avoir davantage laissé vivre à ma convenance ; et tu vois que les résultats ne sont pas si mauvais. »

« Je suis contente d'avoir fait des progrès à tes yeux. »

« Nous ne sommes qu'au début de notre émancipation mutuelle ; nous devrons cheminer beaucoup plus loin vers notre libération psychologique. Chacun devra apprendre à contrôler sa possessivité, car, crois-le ou non, même si j'étais souvent sur le bord de m'en aller, j'ai, moi aussi, la mienne. Je me suis laissé dire que même les partenaires divorcés restent longtemps possessifs l'un de l'autre... Et je crois qu'un bon moyen d'arriver à nous émanciper sainement, c'est ce dont nous avons parlé il y a une quinzaine de jours. »

« Tu veux dire une évolution sexuelle commune qui pourrait aller jusqu'à l'ouverture aux autres ? »

« C'est cela. Nous en avons parlé à mots semi-couverts, mais je crois que le temps est venu d'en discuter un peu plus librement, ne penses-tu pas ? »

« Tu m'as toujours dit qu'une sexualité saine vécue ailleurs n'éloignait pas du conjoint, » fit-elle.

« Bien sûr qu'à vingt ans, cela n'était pas possible. Nous étions trop possessifs l'un de l'autre pour tolérer une telle chose que nous aurions prise pour une monstruosité. Mais au milieu de la trentaine, cette ouverture aux autres nous rapprochera probablement. Que peut-il y avoir de destructeur dans un acte sexuel désiré, même s'il ne se fait pas avec le conjoint? Pourquoi être imbu de soi-même jusqu'à vouloir être le seul au monde à connaître le corps de son partenaire ? »

« Tu le vois comme une nouvelle étape de notre vie sexuelle ? »

« Oui. Et qui viendra sans doute à point. À vingt ans, nous avons exploré nos corps et si quelqu'un nous avait alors parlé de caresses plus évoluées comme le sexe oral, nous aurions traité de vieux pervertis ceux qui nous auraient dit s'y adonner. Et pourtant, ce fut une très belle fleur dans le bouquet de notre vie sexuelle. Par la suite, quand même dans la diversité et la variété, nous avons mis plusieurs années à ne nous servir que de nos corps pour faire l'amour ; l'utilisation d'accessoires complémentaires nous aurait aussi alors paru de la perversion pour vieux vicieux. Et pourtant, nous nous sommes rendus compte que notre vie sexuelle pouvait évoluer, s'améliorer, se diversifier par des choses vendues dans des boutiques de sexe, comme des vêtements érotiques, ou certains gadgets. À cette époque, l'idée d'échanges physiques avec d'autres couples ou de rencontres individuelles chacun de notre côté nous aurait traumatisés ; nous aurions eu une peur morbide de perdre l'autre, et nous aurions jugé pesamment qu'il s'agissait là de dépravation pure et simple... Comment cela sera-t-il? Au début, sans doute fort difficile. Tu connais la désagréable sensation de voir partir l'autre vers une tierce personne? Il faudra bien que je la vive moi aussi. Mais au-delà de nos souffrances animales et mesquines, nous en retirerons sûrement des bienfaits, car l'acte, fondamentalement, n'est pas destructeur, si ce n'est qu'il nous force à mettre un peu au pas notre possessivité maladive. »

« Pourrons-nous trouver des couples qui envisagent les choses de cette façon ? »

« Il faudra qu'ils soient positifs dans leur démarche, sinon pas question d'échanger ! »

« Te souviens-tu comme cette conversation nous avait excités l'autre jour : nous avons fait des prouesses inhabituelles... » dit-elle.

« Presque pornographiques, » renchérit-il.

« D'après ce que je peux voir, ça ne te laisse pas indifférent ce soir non plus. »

« Il faut se dire que nous y avons songé à froid et discuté avec toute notre raison. Sans désir physique, en toute logique. Ce qui d'ailleurs, à cause de notre culture, nous faisait utiliser un langage voilé. Nous sommes convaincus tous les deux que le principe le plus important en sexualité, c'est d'évoluer et d'être parfaitement conscients que nous ne risquons pas de nous tromper en avançant toujours, puisque la sexualité est une force naturelle positive. En soi, elle ne détruit pas, elle fait désirer, elle fait espérer, elle fait vibrer, elle détend, elle fait sortir bien des frustrations, elle fait donner, elle est excellente pour le corps et la santé, et pourtant, notre culture continue de l'associer à la violence, à la dépravation, au mal, au diable. Si le diable existe, je crois que son plus formidable tour de force est précisément celuilà : faire croire aux gens que leurs désirs secrets sont répugnants et que l'évolution sexuelle est dégradante. Même la pornographie donne dans pareil piège, étant le plus souvent violente et négative. »

« En fin de semaine, nous devrions appeler ce couple de Québec dont nous avons obtenu le numéro de téléphone, » dit-elle.

« Pas si vite tout de même ! »

« Oh ! pas pour un échange, mais pour discuter. »

« Je suis d'accord. Il est évident que nous ne ferons jamais l'amour le premier soir avec les premiers venus. Il faudra tout de même créer certains liens avant. »

« Nous ne mourrons pas de tenter l'expérience, et si les résultats sont mauvais, nous mettrons un point final, » dit Viviane.

« Voilà ! Malgré qu'il faudra plus d'une expérience pour en voir les résultats. En somme, nous avancerons avec prudence et nous n'aurons ainsi rien à nous reprocher. »

« S'il fallait que ma mère m'entende ! »

« Pas seulement ta mère, bien des gens. Nous nous ferions crucifier du regard. Pourtant, le seul complot que nous faisons en est un de joie, d'ouverture aux autres, d'épanouissement personnel, de partage, de recherche de maîtrise de nos impulsions égoïstes. Échanger avec un couple attrayant et plaisant, ce sera comme prendre un bon repas à quatre ou bien de partager un vin fin. Ce sera une forme de fraternité bien plus grande que les sourires préfabriqués des cocktails ou des réunions de famille. Où est-donc la dépravation, sinon dans l'œil de celui qui triche pour séduire ? Le mal est-il dans l'hypocrisie d'une sexualité refoulée ou bien dans une vibration librement partagée par quatre personnes qui se veulent du bien ? »

« Ce que pensent les gens ne me touche plus dans la conduite de ma vie privée. Il faudra quand même que nous soyons discrets à cause du milieu. »

« Je suis bien d'accord avec toi. Le milieu nous force à jouer un jeu tout comme tu me forçais à le faire dans le temps. »

« Faisons notre vie comme nous l'entendons ! »

« J'aime tes paroles. »

●

« Que c'est beau ! »

Cent fois, mille fois, Viviane avait entendu cette réflexion spontanée à l'égard des mobiliers habillés. Pourtant, les commandes tardaient à entrer. Alain voulut comprendre pourquoi. Aussi, à l'insu de Viviane, pour qu'elle reste à son naturel, il s'embusqua, un après-midi, derrière la cloison de leur kiosque d'exposition.

Il remarqua la conversation d'un couple type.

« Mais c'est magnifique ! » dit la femme. « Qu'en penses-tu ? »

« Ah oui ! » répondit l'homme.

« Quel est le prix de ce mobilier ? » demanda la femme.

Viviane répondit : « Il n'est pas à vendre ; c'est un exhibit. Mais si vous avez chez vous un mobilier de chambre qui commence à se défraîchir, nous pourrions vous l'habiller comme celui-ci ou bien avec un autre tissu du genre. Voyez : nous avons une soixantaine d'échantillons. »

« Le nôtre est neuf, » dit la femme. « Par contre, celui de la chambre de notre fille serait parfait pour un tel habillage... Ça ferait changement de l'éternel bois brun. Combien ça coûte ? »

« Tout dépend du mobilier. Aux environs de cent dollars. Sûrement pas plus de cent vingt-cinq, » répondit Viviane.

« Que c'est original comme idée ! Est-ce que ça se fait ailleurs ? » demanda la femme.

« C'est une nouveauté, madame. »

« Ah bon ! Et quelle sorte de tissu est-ce ? »

« Fibres acryliques à cent pour cent. De la plus haute qualité. »

« Résistant ? » demanda l'homme.

« Voyez nos échantillons par vous-même, » dit Viviane. « Avec un mobilier habillé, plus d'époussetage, mais un simple coup de balayeuse en même temps que vous faites la chambre, » ajouta-t-elle à l'adresse de la femme.

« En cas de brûlure ? »

« Un morceau de tissu et un peu de colle. Une greffe quoi et rien n'y paraîtra plus. »

« Nettoyage ? »

« Comme un divan de velours. »

« Il faudrait combien de temps si nous décidions de faire recouvrir un mobilier ? » demanda la femme.

« Pas plus de deux jours si nous disposons du tissu. Autrement : de deux à quatre semaines. »

« Nous allons y penser sérieusement et nous vous téléphonerons peut-être. »

« Je pourrais prendre votre commande tout de suite, » dit Viviane.

« Nous allons en discuter. »

Pour regarder les autres exhibits, le couple se trouva à se rapprocher de la cloison derrière laquelle Alain se cachait.

« Qu'en penses-tu ? » demanda la femme à voix basse. « Fait-on recouvrir les meubles de Nicole ? »

L'homme hésita : « C'est franchement beau, je n'ai rien contre... Je serais d'accord. »

« C'est tout de même curieux ce prix-là, » dit-elle. « Je me demande si le tissu est de bonne qualité. »

« Sur un meuble, ça ne résistera peut-être pas, » s'inquiéta l'homme.

« Il ne faudrait pas que nous servions de cobayes, » dit la femme.

« Nous devrions peut-être attendre à l'automne, » dit l'homme.

« Attendons que d'autres le fassent faire, » dit la femme.

« Je me demande si Nicole... malgré que... »

Quand ils furent partis, Alain réfléchit à cette conversation qui résumait toutes les réactions des visiteurs. Les deux blocages naissaient curieusement de la nouveauté de la technique et du prix douteusement bas. « Il va nous falloir mentir en soufflant les prix, se dit-il, et dire que ça se fait quelque part aux États-Unis ou bien en Europe, ce qui doit sûrement être le cas même si nous ne l'avons jamais vu dans les revues de décoration, » se dit-il.

Il fut interrompu abruptement dans sa réflexion par des mots qui n'avaient rien à voir avec les mobiliers de chambre. Une voix de femme, pas très familière mais connue, attira son attention et de façon brûlante.

« La maudite Denise Martel a un don pour mettre le diable dans les ménages des autres, » dit-elle d'un ton de rage à peine retenue.

C'était la voix d'une amie de jeunesse de Viviane. Il n'avait nul besoin d'entendre cette phrase pour savoir que Denise rencontrait régulièrement et publiquement Claude Poulin qui avait travaillé comme hôte à sa discothèque. Alain avait été plus flatté que choqué de l'apprendre. Il s'était dit que Poulin avait tout simplement pris une place qu'il avait, lui, librement quittée. Par la suite, jugeant mesquine et prétentieuse, sa réaction à cette nouvelle, il avait cessé d'y penser.

En réalité, Denise et Claude couraient les discothèques de la petite ville en compagnie d'un autre couple de professeurs formé de Charles Goulet et d'une jeune fille, nouvelle venue dans l'enseignement.

Les deux hommes étaient mariés et c'est la femme de Goulet qu'Alain avait reconnue à travers la mince cloison.

Il se pardonna d'écouter aux portes et décida de profiter de l'occasion, qu'il n'avait pas cherchée malhonnêtement, pour se faire une idée de Viviane entendue d'un autre angle.

« Elle a aussi essayé de mettre la peste chez toi ? » questionna la femme de façon affirmative.

« Ne cachons pas les mots, elle fut la maîtresse d'Alain pendant près de quatre ans, » dit Viviane.

« Nous allons sûrement nous comprendre car je vis les mêmes problèmes. »

« Denise Martel et Charles ? »

« Non, Charles rencontre une fille de St-Camille. Mais c'est Denise Martel qui est derrière tout ça. Elle rencontre Claude Poulin. C'est elle qui mène le bal. Ils courent ensemble les bars de la ville ou encore s'en vont passer la soirée à l'appartement de mademoiselle. Tout cela a commencé autour des fêtes... »

« Tu vas m'excuser un peu, je vais donner un feuillet publicitaire à la dame qui vient d'entrer, » dit Viviane.

Alain n'entendit plus que des murmures, puis à nouveau la voix aigrie de Ginette.

« Chez moi, les choses se sont mises à se gâter en janvier. Des chicanes interminables. Il sortait trois soirs par semaine et rentrait tard. Il devenait de plus en plus agressif et dépressif. Je me suis dit que Denise Martel pouvait être derrière tout ça. Je savais depuis longtemps qu'elle et Alain sortaient ensemble. Je ne sais pas ce qui m'a toujours retenue de t'en parler. Tu comprends, on ne se voyait jamais. Toujours est-il que j'ai fait ma petite enquête et découvert qu'elle et Alain ne se voyaient plus. À force de questionner Charles, j'ai fini par savoir toute la vérité : Claude et Denise, lui et la fille de St-Camille se rencontraient régulièrement, et à l'école de St-Maurice, et dans les bars de St-Grégoire, et à l'appartement de Denise Martel... »

« Maman, allons-nous en, » dit une voix d'enfant.

« Va jouer dans la promenade, je parle avec la madame, » dit Ginette. « Et toi, tu ne savais pas ce qui se passait entre Denise Martel et ton mari ? »

« Au fond de moi-même, je crois que je m'en doutais; mais je préférais n'en rien savoir. Finalement, je ne l'ai appris officiellement qu'en février de l'an dernier. »

Curieuse et surprise, elle s'exclama: « Et tu as quand même continué de vivre avec Alain? »

« Tous les deux, nous avons fini par nous en sortir et nous en sommes bien contents. »

« Comment as-tu fait? »

« Il a fallu que je change bien des choses en moi-même. Le pire fut d'affronter la méchanceté des gens qui ne se sont pas gênés pour y aller de leurs allusions... »

« Et comment réagissais-tu quand il revenait de chez sa maîtresse? »

« Oh! je me débrouillais comme je pouvais. Vers vingt-trois heures, je prenais un grand verre de vin chaud et j'allais me coucher. Ainsi, le plus souvent, je réussissais à m'endormir. »

« Moi, je ne dors pas tant qu'il n'est pas rentré. Une nuit, il y a deux mois, la bagarre fut terrible. J'étais allée me stationner près de la clinique médicale au cours de la soirée et je les ai vus tous les quatre entrer dans l'appartement de Denise Martel. La semaine d'avant, en pleine nuit, j'avais vu Charles descendre de l'auto de la fille de St-Camille, à deux coins de rue de la maison. Cette nuit-là, il m'avait tout dit ce qu'il est possible de se faire dire: qu'il ne m'avait jamais aimée, que nous nous étions mariés seulement parce que j'étais enceinte, que je n'avais qu'à prendre mes guenilles et m'en aller. Et moi, je lui ai répondu que si je devais partir, il ne reverrait jamais sa petite fille. Finalement, il a pleuré et menacé de se suicider. Mais rien n'a changé: son état dépressif a augmenté et il est devenu sexuellement impuissant. Je l'ai envoyé chez un psychiatre, mais les choses ne s'améliorent pas. Il a continué de rencontrer sa donzelle et moi, je suis allée voir un avocat. »

Alain se hérissa et siffla entre ses dents: « Un psychiatre et un avocat: belle combinaison pour pourrir un problème conjugal! »

« Quel avocat as-tu vu? » demanda Viviane.

« Raynald Boisvert. »

« C'est bien ce que j'avais pensé. Tu devrais t'en méfier, » dit Viviane.

« Je t'assure qu'il savait ce qui se passait au sujet de Charles et de la fille de St-Camille. Il m'a renseignée sur tous mes droits. La loi va me protéger et je pourrai garder ma fille. Il m'a certifié qu'il serait facile de prouver qui est coupable... »

« À ta place, je ne procéderais pas ainsi. Au lieu d'agresser Charles quand il rentre, pourquoi ne l'ignores-tu pas? Vos chicanes le poussent dans les bras de l'autre. Et toi, fais ta vie. Fais-toi des amis et sors. Dès que tu l'agresses, tu alimentes le problème et il va vers l'autre pour se vider de son refoulement. Ce que je te dis, bien sûr, n'est pas facile à faire, mais ça vaut la peine d'essayer. » Viviane avait parlé très doucement et avec conviction.

« Chaque fois que je sors, il me critique. Je vais parfois visiter des amies à Québec et il me le reproche. La vie n'est plus endurable depuis qu'il voit cette petite garce. »

« Tâche de lui faire comprendre que tu as le même droit de disposer de ta vie que lui, de la sienne... »

Ginette n'avait pas écouté. Elle dit: « Je lui ai téléphoné à la fille à son école, mais elle m'a ri au nez avant de raccrocher. Je te jure qu'elle et Denise Martel vont prendre ça chaud. Tu dois avoir son numéro de téléphone à cette garce-là? »

« Non. »

« Tout le temps qu'Alain a voyagé là, tu ne t'es pas renseignée? »

«Ça m'aurait donné quoi? Céder à mes impulsions de colère? J'ai fait assez de gaffes dans toute cette histoire que...»

«Tu sais ce qu'ils ont fait en fin de semaine passée? Les deux hommes se sont organisé un voyage à Québec. Denise Martel et l'autre fille ont laissé leur auto chacune chez ses parents. J'ai vérifié par téléphone et j'ai su qu'elles étaient, toutes les deux, parties pour Québec. Alors j'ai appelé la femme de Claude Poulin et je lui ai tout raconté.»

«Excuse-moi, je vais recevoir cette visiteuse,» dit Viviane.

Quelques minutes plus tard, Ginette renoua la conversation: «Je pensais bien que tu aurais pu me donner son numéro de téléphone à son appartement.»

«Les choses se sont arrangées avec Alain et, en dépit de tous mes rêves de vengeance de l'époque où il la rencontrait, je ne tiens plus à brasser dans tout ça. Je suis sortie d'un long tunnel et je ne veux pas y retourner.»

«Maman, j'ai chaud; est-ce qu'on s'en va maintenant?»

«Enlève ton manteau et retourne jouer: je n'ai pas fini de parler avec la madame,» dit Ginette à l'enfant. Et à l'endroit de Viviane: «Elle est vache la Denise Martel. Te souviens-tu de l'épluchette de blé d'Inde, il y a trois ans? Elle avait déjà commencé à te rire dans le dos.»

«Je sais,» dit tranquillement Viviane. «Alain m'a dit que lorsqu'il n'était pas à la maison ou bien au travail, il était toujours avec elle.»

«Nous devrions nous organiser, la femme de Claude, toi et moi pour lui prendre la tête quelque part dans un coin. Elle s'en rappellerait longtemps, la salope.»

«Ne t'amuse pas à elle. Tes problèmes avec Charles sont bien plus importants.»

«Les problèmes seraient réglés si ces deux petites putains laissaient les maris des autres tranquilles.»

Alain serra les poings.

«La femme de Claude Poulin, qu'est-ce qu'elle pense de tout ça?» demanda Viviane.

«Elle a eu l'air de douter; mais je me charge de lui ouvrir les yeux. Elle m'a répondu que son mari avait beaucoup travaillé dans la construction de leur maison et qu'il avait besoin de sortir un peu plus de ce temps-ci.»

«Si tu veux un bon conseil, évite la violence. Charles est de ceux qui ont besoin de beaucoup de liberté et qui se sentent en prison dans le mariage traditionnel. Même si Denise Martel et son amie disparaissaient...»

«Je ne les laisserai pas faire de moi la risée de tout St-Grégoire.»

«Tu te sentirais bien moins seule à St-Grégoire à être montrée du doigt si tous les hommes qui vont ailleurs étaient connus. Bien des femmes ravaleraient leurs petites allusions sur les ménages des autres si elles savaient. Et, à moins qu'elles ne se fassent une raison, le taux de divorce monterait en flèche. Dans un petit milieu comme le nôtre, les hommes sont prudents et prétextent les affaires ou le travail pour aller à Québec ou Montréal pendant que leurs épouses dorment bien tranquilles. Ton cas n'est pas grave, Ginette. Ça ne dure que depuis quelques mois et c'est bien davantage une amitié professionnelle qu'autre chose, puisqu'ils se tiennent en groupe. C'était bien pire pour moi: entre Alain et Denise Martel, c'était le grand amour et ils se sont vus pendant quatre ans.»

«Ma pauvre enfant, c'est bien plus qu'une amitié; j'ai trouvé des préservatifs dans le portefeuille de Charles. Il couche avec elle, tu comprends, et avec moi il est impuissant.»

«Il ne peut pas être disposé à faire l'amour avec toi s'il se sent continuellement agressé. Un homme, c'est bien plus fragile qu'on ne le pense sur le plan sexuel.»

«Maman, est-ce qu'on s'en va?» demanda l'enfant.

« Mets ton manteau. Quelle heure as-tu, Viviane ? »

« Dix-sept heures. »

« Il faut que je m'en aille. Tu viendras me voir... »

La voix éraillée d'une femme vieillissante enterra l'autre : « Comme c'est beau ce mobilier ! »

Alain sortit discrètement par la porte arrière et rentra par une autre donnant sur la promenade. Il flâna devant quelques vitrines avant de rejoindre Viviane à leur local d'exposition.

Il pensait qu'elle lui ferait part de sa rencontre avec son amie Ginette ; mais elle n'en fit rien. Pendant l'heure calme de la période du souper, ils ne parlèrent que d'exposition. Il la fit parler ; elle en arriva aux mêmes conclusions qu'il avait lui-même formulées derrière la cloison.

Il réfléchit longuement à cette conversation de Viviane avec son amie et il décida de revoir une dernière fois son ex-maîtresse. Cette fois cependant, il voulut le faire avec l'appui de Viviane.

Il espérait chaque jour qu'elle lui parle de sa rencontre avec Ginette, mais une semaine devait s'écouler avant qu'elle ne se décide à le faire, à travers une conversation sur l'exposition de meubles.

« Viviane, avant de pouvoir vivre de ce commerce dans l'Etchemin, nous avons le temps de crever plusieurs fois, » dit-il.

Elle secoua la tête. « Nous n'avons eu que deux commandes cette semaine. »

« Et tu as remarqué de qui ? De personnes qui n'ont pas peur d'essayer du neuf : une immigrée française et une femme divorcée. Les gens emplâtrés dans leurs traditions estiment que c'est bien beau, puisque les opinions sont favorables à près de cent pour cent, mais n'embarqueront pas tant que la mode ne sera pas répandue aux États-Unis et à Montréal. Tu as vu pour les discothèques ? Même filière : U.S.A., Montréal, Québec, St-Grégoire. Tu sais ce que nous sommes en train de faire avec notre idée ? Nous tentons de nager à contre-courant ; or, dans le commerce, ça ne se fait pas. Les choses doivent naître quelque part aux États-Unis, en Europe ou au Japon, et ensuite, nous suivons la vague. Jamais le contraire ! »

« Que proposes-tu ? »

« J'ai justement une suggestion à te faire et à laquelle je réfléchis depuis un bon moment déjà. Que dirais-tu si nous vendions tout ce que nous avons ici et que nous levions les voiles ? Direction : là où il y a de l'action. Montréal d'abord, puis la Californie, puis l'Europe, puis la planète Mars... Je te demande d'y réfléchir. Nous avons comme objectif commun d'évoluer ; ce n'est donc pas en tournant en rond dans notre petit milieu que nous pourrons le faire.

Pendant qu'Alain parlait les yeux pétillants, Viviane avait jeté un coup d'œil inquiet à ces draperies qu'elle avait elle-même fabriquées, à cet intérieur qu'elle avait décoré avec soin, petit à petit, au fil des jours et des revenus.

« Vendre la maison ne me dérangera pas, » dit-elle. « Je veux dire que j'aurai bien un peu de peine, mais je me console d'avance en pensant qu'à Montréal ou en Californie, il y en a d'autres. Après tout, qu'est-ce que ça signifie une maison si les gens qui l'habitent ne se comprennent pas entre eux et ne se comprennent pas eux-mêmes ? »

« J'aime tes paroles, » s'exclama-t-il.

Elle hésita un peu pour dire : « Alain, j'ai eu la visite de la femme de Charles Goulet la semaine dernière. Elle m'a parlé de Denise Martel. Je sais que tu n'aimes pas les racontars... »

« Je t'écoute... »

« Ce n'est pas pour te jeter quelque chose à la figure. »

« Si tu dis la vérité, je le sentirai ; si tu avances des choses par calcul, je le sentirai aussi, » dit-il hypocritement.

Quand elle eut terminé son récit, il commenta : « Qu'ils ont donc un mauvais jeu entre les mains ! Charles reste un enfant qui a mal grandi, négatif, intolérant, qui ne voit pas les nuances et surtout ne veut pas les voir. Et Ginette répond à cela par une agressivité tout aussi négative. Et en plus, il y a ce cher avocat qui lui pousse dans le dos. Pour chacun d'eux, le coupable, c'est l'autre. Claude Poulin s'en sortira mieux, car même s'il est aussi radical sur bien des points, il a une âme plus superficielle et ça lui permet de rire. Par contre, Charles ne sait pas rire et son problème empire d'année en année. »

« Qu'est-ce que Denise Martel fait avec eux ? »

« Elle subissait de plus en plus leur influence négative : elle était devenue terne, triste, à l'écoute de ses frustrations. Toujours en proie au spleen le plus total. Elle ne savait plus rire à l'avenir, mais seulement pleurer au passé, et elle craignait de plus en plus de perdre ce qu'elle avait. Vois-tu, plus elle cherchait à trouver son identité en fermant ses frontières morales à l'évolution et à l'ouverture aux autres, plus elle perdait son identité dans le moule étroit du clan. Elle ne cessait de se regarder dans un miroir et pourtant, elle avait perdu tout sens d'auto-critique.

« Tout ceci pour te dire que je ne les laisserai pas finir de la détruire sans un dernier effort pour elle, sans une dernière conversation avec elle. Peut-être que mes mots et sa réflexion de ces derniers mois lui permettront de voir plus clair à l'intérieur d'elle-même. »

Viviane pencha la tête et sa voix trahit une forte inquiétude : « Ne pense pas que c'est pour te posséder, mais je ne crois pas que tu puisses changer quelque chose en elle. Morne comme elle est, à ce que tu dis, elle devra s'en sortir par ses propres forces, comme je l'ai fait. »

« Viviane, tu avais des hauts et des bas. Tu n'as jamais été perpétuellement ténébreuse comme elle l'était devenue. Si je ne lui apporte rien, j'aurai au moins le sentiment d'avoir fait ce que je devais. J'ai besoin de la voir et j'aimerais savoir que tu m'appuies dans ma démarche. »

Elle réfléchit, puis releva la tête. « En ce cas, tu dois y aller, » dit-elle fermement.

Il se leva de son fauteuil et s'approcha d'elle. « En dehors de notre vie sexuelle, je ne t'ai pas embrassée de moi-même depuis combien de temps ? »

« Au moins dix ans ! »

Il la prit dans ses bras et dit : « J'espère que ça ne prendra pas un autre dix ans. » Il l'embrassa puis la regarda intensément. « Tu es en train de devenir une grande femme. »

« Quand iras-tu chez Denise Martel ? »

« Je vais lui téléphoner demain, et j'irai samedi. »

●

« Denise, c'est Alain ! »

« Oui, » dit faiblement la voix.

« Tu dois être surprise de m'entendre aujourd'hui ? » s'enquit-il.

« Oui et non. Avec tout ce qui s'est passé... »

« Je voudrais que nous puissions parler... Pas pour renouer des liens... Mais une dernière discussion avec toi. »

« Après ce qui s'est passé, je pourrai difficilement ces jours-ci. Peut-être plus tard. »

« Le plus tôt serait le mieux. Je retarde cette rencontre depuis plusieurs jours. Je voudrais te voir chez toi, demain après-midi... Si tu pouvais me recevoir. »

« Je ne suis vraiment pas d'humeur pour discuter. »

Il connaissait bien ces hésitations de son ex-maîtresse. Elles signifiaient toujours un refus catégorique. Il visa une corde sensible : « Denise, je ne le fais pas pour moi ; j'ai des choses importantes à te dire... mais qui te concernent. »

Elle jeta avec indifférence : « Qu'est-ce qui est important, qu'est-ce qui ne l'est pas ? »

Il se désola : « Tu es encore plus sombre que tu ne l'étais. »

« Ne le serais-tu pas à ma place ? »

« Peut-être qu'une discussion, une dernière discussion sur notre passé t'aiderait à être moins morose. »

Elle hésita quelques secondes puis changea tout à fait le ton qui devint curieux : « Alain, j'ai comme l'impression que... Est-ce que tu as su ce qui était arrivé ? »

« Su quoi ? »

« On ne t'a pas dit pour Charles Goulet ? » insista-t-elle.

« Les nouvelles, je suis le dernier de la région à les apprendre. Mais ça sent le drame... »

« Il s'est tiré une balle dans la tête. Pas la nuit dernière, l'autre. Qui aurait pu imaginer une chose pareille ? Une heure auparavant, il était avec nous autres, tout un groupe, à la discothèque du centre. Il riait avec tout le monde... Tu m'écoutes ? »

« Oui, oui, j'essaie seulement de me ressaisir, » répondit Alain. « Je savais qu'il se passerait quelque chose, mais je n'aurais pas cru que ce soit aussi grave. »

« Il n'est pas mort, mais tout son visage est atteint. S'il s'en sort, il restera complètement défiguré. »

« Il avait le tempérament pour le faire... Que je suis stupide ! Évidemment, puisqu'il l'a fait. »

« Il était particulièrement dépressif depuis quelques mois. Ça n'allait pas trop bien dans son ménage. »

« Il est encore plus urgent que je te voie, » dit Alain. Ils restèrent silencieux un moment, puis il ajouta : « Je me disais que tous les éléments du drame se trouvaient réunis, mais je ne le voyais que pour dans cent ans. »

« Jeannine est complètement bouleversée ; elle ne sait plus à quel saint se vouer. »

Il dit sur le ton de celui qui sait : « Ils sortaient ensemble ? »

« Ils se voyaient de temps en temps, surtout à l'école... Et toi, comment ça va ? Tu t'es lancé dans un nouveau commerce ? »

« Pas pour longtemps ! »

« J'ai vu ta marchandise au centre d'achats ; c'est très beau. »

« Mais ça ne prend pas ! Tu connais l'esprit conservateur du milieu. En Etchemin, on croit quand tout le monde croit et quand on croit, on est les derniers à cesser de croire. Je ferme tout ça et je m'en vais ailleurs. »

« Québec ? »

« Probablement Montréal... pour le moment. Je parle de cela, mais j'ai du mal à détacher mon esprit de ce qui est arrivé, comme si j'avais pu l'empêcher. À vrai dire, comme bien des gens, j'aurais pu faire quelque chose, mais je n'ai rien fait, moi non plus. Et je me déculpabilise, moi, en me disant que c'est la société qui doit changer, qu'il lui faudra trouver une autre forme de mariage à pratiquer... Tiens, me voilà à recommencer de grands discours. Je te parle toujours trop et je ne t'écoute pas assez... »

« En effet ! » dit-elle sèchement.

« À treize heures, demain, ça te va ? »

« Pas avant quatorze heures. Je vais probablement me coucher tard ce soir et... »

« D'accord, » coupa-t-il. « Je serai là à cette heure-là. »

Ils raccrochèrent sans formalités. Alain réfléchit un court moment, puis il monta à l'étage raconter à Viviane ce qui s'était passé.

Il conclut : « S'il avait fallu que tu parles à sa femme autrement que tu ne l'as fait, imagines-tu comment tu te sentirais ce soir ? »

« Iras-tu quand même la voir ? »

« Mon devoir est encore plus impérieux du fait qu'elle est désemparée. À ma place, tu en ferais tout autant. »

« Je n'ai pas ton âme, Alain. »

« Ton âme est bien meilleure ; car elle a traversé bien plus d'épreuves que la mienne ne saurait le faire. »

Entendre la voix de Denise avait rempli son cœur de nostalgie. Il retourna à son bureau et rédigea une lettre qu'il se proposait de lui donner le lendemain.

Denise,

Ce soir, j'ai noir ! La mort est dans mon cœur ; mon cœur est à la mort. Je prépare une dernière heure ; je prépare une fin ; je prépare demain. Je suis incapable de voir au-delà et c'est pourquoi je pleure. Je pleure parce que j'ai peur ; peur de vivre jusqu'à demain, peur de demain qui me fera mourir.

Te souviens-tu de nous, Denise ? Te souviens-tu du grand sapin et de la grange grise ? Du feu de camp, de l'été bleu, de nos regards ?

Pourquoi donc as-tu cessé de rire ? Toi qui me l'avais si bien montré. Pourquoi donc as-tu accepté d'être enchaînée ? Toi qui m'avais pourtant libéré.

Tu as été la femme de ma vie ; tu ne l'es plus, mais tu le seras toujours. Je te retrouverai partout car tu vivras toujours en moi. Et moi, je serai toujours en toi, car si tu m'as tué, là, pour un temps, un jour, je renaîtrai bien au fond de ton âme.

Nous étions-nous perchés si haut que nous nous sommes fait si mal quand la vie nous a délogés de notre nid ? Comme elles sont affreuses, affreuses et dégoûtantes mes blessures, ce soir ! Toutes ces chairs déchirées, tous ces os broyés, tous ces organes mutilés se rassembleront-ils pour aimer ou pour haïr ?

Demain, auras-tu pitié de ma douleur ? Pourras-tu me montrer, prisonnier au creux de ta main, un papillon, un de ces papillons invisibles comme tu m'en as si souvent fait voir ? Jamais le même. L'un toujours plus coloré que l'autre, plus léger, plus libre. Pourquoi as-tu cessé de m'en montrer ? On ne se lasse pourtant jamais des papillons, surtout si on ne les voit pas, car ils sont à l'exacte mesure de nos rêves, car ils sont immortels. Pourquoi donc les as-tu écrasés avec ton poing fermé, levé au ciel ?

Tu n'auras qu'à desserrer le poing, qu'à ouvrir les bras, et je te reviendrai comme dans le temps ; nos corps ne se rencontreront plus, mais nos âmes se parleront d'espoir et de complicité. Car mon âme s'offre à toi, car mes bras te sont ouverts pour te libérer, comme tu m'as libéré.

Me donneras-tu un brin d'espoir demain : un tout petit signe qui me fasse savoir qu'un jour, ton poing va se relâcher, permettant à quelques papillons de s'échapper, puis à plusieurs, puis à des millions d'envahir l'humanité et de répandre leur joie ? Verrai-je dans tes plaies un signe de vie ? Saurai-je que je pourrai, toute ma vie, puiser à toi, à nos souvenirs, à nos pensées, à nos découvertes, pour aller toujours plus loin ?

Ou bien demain sera-t-il mortel? Ou bien demain devra-t-il être la fin de toi en moi? Ou bien demain, devrai-je t'arracher de mon âme?

J'ai peur. J'ai peur et je prie.

Je t'aimerai toujours, mais, Dieu m'en préserve, devrai-je t'extirper de mon âme? Toutes ces graines que tu as semées en moi et qui sont devenues fleurs, devrai-je les détruire après la saison? Ou quelque chose me fera-t-il comprendre qu'elles sont vivaces?

Ce soir, je n'aime que toi, et c'est pourquoi je pleure, et c'est pourquoi j'ai peur, et c'est pourquoi je souffre. Mais, lorsqu'en plus, je pense à cette fin, à cette mort de demain, alors ma douleur devient atroce. Je ne veux pas de cette mort; je veux que toujours tes fleurs s'épanouissent en mon âme pour que viennent s'y poser des milliers d'invisibles papillons aux nuances infinies.

À demain, ma grande! Et, de toute mon âme: à la vie!

Alain.

Il relut lentement sa lettre avant de la plier soigneusement pour l'insérer dans une enveloppe qu'il scella.

•

Il se surprit à attendre pour entrer, que Denise vienne ouvrir. Il ne lui jeta qu'un vif et discret coup d'œil, puis il attacha au geste de fermer les portes une importance qu'il n'aurait pas normalement. De la sorte, il put analyser ce regard global qu'il venait de porter sur elle.

La jeune femme avait le visage couleur de cendre, ce que pourtant elle avait toujours combattu par un maquillage matinal fort discret, mais suffisant pour effacer cette pâleur inquiétante. Elle avait revêtu un gilet trop grand et de cette couleur vert feuille qu'il avait toujours détestée sur elle. Et cela aussi, il savait qu'elle le savait. Ses seins, trop lourds pour être libres, — elle-même l'avait souvent affirmé — tombaient néanmoins derrière le tissu lâche.

« Viens t'asseoir au salon, » dit-elle faiblement.

Il l'observa en la suivant. Sa tête portait gauchement ses longs cheveux muets et elle traînait laborieusement ses savates claquantes.

Il s'assit sur le divan face à un fauteuil-sac noir où Denise s'affala lourdement. L'appartement lui avait paru impeccable, comme six mois auparavant. Tout y était rigoureusement propre. Chaque chose avait sa même place. Rien n'avait changé. Sauf un immense calendrier rouge vertical aux 366 chiffres alignés comme des soldats, témoins de la guerre du temps et de la vie.

Alain passa la main au-dessus de sa tête, frôlant ses cheveux qu'il espérait bien en place, tels qu'ils avaient été précautionneusement peignés par Viviane une heure plus tôt. Mais ce geste machinal en avait été simplement un d'ajustement à cette scène étrange qui le rendait mal à l'aise.

La radio diffusait en sourdine. Derrière Denise, dans un coin, un bouquet de plantes pâles tendaient leurs bras secs.

Il se demanda quoi dire pour casser la glace. Comment ne pas parler de choses dramatiques? Fallait-il plonger tout de suite dans le désarroi? Ne pourrait-on retarder le mal? Pourquoi ne pas parler de température, de choses neutres? De choses qui ne font ni très chaud ni très froid comme le travail, la mort d'un citoyen éminent, l'état des routes?

« Qui eût pu croire une chose comme celle qui est arrivée? » dit-elle au moment où il allait dire quelque chose.

« Toi et moi nous aurions pu le croire. Probablement plusieurs autres aussi. Nous connaissions la puissance de ses forces négatives. S'il les avait acceptées telles qu'elles étaient, il aurait sûrement posé des bombes, mais sans doute les refusait-il puisqu'il a tenté de les détruire? Qu'aurions-nous pu faire? Que faire devant quelqu'un qui ne tolère aucune ligne de pensée en dehors de la sienne?...»

«Je t'assure que de la façon dont nous nous sommes fait bafouer par les autorités scolaires locales et par le gouvernement cette année, ça n'améliorait pas les choses.»

Il pencha la tête et ne répondit pas. Il hésita pour dire: «Pourquoi?... Pourquoi ce qui nous est arrivé à nous deux?»

«Parce que chacun de nous, et surtout toi, s'est trop attaché à son passé,» dit-elle.

«Ce n'est pas parce qu'on retourne vers la même personne qu'on retourne vers les mêmes valeurs. C'est peut-être simplement le signe que la personne a évolué... Mais je te renvoie la balle: et toi, pourquoi avoir continué ton repli vers un passé noir, vers de vieilles valeurs trompeuses?»

«Tu m'as laissée, tu es parti sans jamais plus me donner de nouvelles, et tu as même évité que je puisse te rejoindre, ce que j'ai essayé de faire des dizaines de fois; alors je me suis débrouillée comme j'ai pu.»

«Tu étais devenue négative bien avant que je ne parte et c'est pour cette raison, principalement, que je l'ai fait.»

Elle secoua tristement la tête. «Tu serais parti de toute manière car tu es un homme; les hommes ne savent que prendre.»

«Nous sommes en train de nous déchirer et je n'étais pas venu pour cela.»

Alors Denise se mit à pleurer doucement, ce qui étonna Alain. Il se demanda le pourquoi de cette surprise. Ne l'avait-il pas vue souvent?.. Justement, pensa-t-il, c'est la première fois que je la vois pleurer. Elle a dit souvent qu'elle l'avait fait, mais il n'avait jamais vu ses larmes. Sans doute avait-il confondu avec Viviane...

Il chercha en son esprit une fleur pour essuyer les yeux de la jeune fille. «Parlons de ces lieux où nous nous sommes aimés,» dit-il.

«Tout ça est loin de moi,» répondit-elle.

«Même notre motel aux «chips»?»

Elle se leva sans répondre et se rendit chercher une boîte de papiers-mouchoirs qu'elle plaça sur la table des plantes sèches. Elle se jeta encore plus pesamment que la première fois dans son fauteuil-sac.

Alain avait l'impression de s'enliser chaque fois qu'il ouvrait la bouche. Il se jeta le blâme de ne savoir que lui faire des reproches, de ne savoir que la détruire en cherchant à la bâtir. Pour réprimer ses propres larmes, il se rendit à la chambre de toilettes. En revenant, il aperçut, dans une petite pièce à débarras, plusieurs caisses de bière, signe des réceptions de la jeune femme.

«Tu bois encore du vin parfois?» lui demanda-t-il à son retour au salon.

«Pas souvent!»

«Chanceux d'avoir l'argent,» jeta-t-elle avec indifférence.

«Nous en avons déjà discuté, tu te souviens? Quand on divise le prix d'une bouteille par la somme des plaisirs qu'elle procure, ça fait bien peu dispendieux à l'once de plaisir... ou de vin. En, en tout cas, c'est bien moins engraissant que la bière.»

Elle montra, par son regard, qu'elle avait compris l'allusion, mais elle demeura silencieuse.

Il soupira: «Je vois bien que tout ce que je dis tourne au vinaigre.»

«Veux-tu entendre le montage sur cassette que je t'avais préparé pour Noël? Ce plan de moi-même que tu m'avais demandé et que j'aurais dû...» Elle ne termina pas sa phrase, cherchant à ravaler ses larmes. Sans attendre la réponse, elle quitta la pièce et revint quelques secondes plus tard avec son lecteur de cassettes et une tablette à écrire remplie de notes.

«Je ne veux pas l'entendre,» dit Alain en lui regardant fixement le contenu des mains. «Les circonstances ont tellement changé!» s'exclama-t-il. Il frotta ses mains avec une nervosité retenue. «Si tu veux me donner la cassette, je l'écouterai plus tard... Pas aujourd'hui. D'ailleurs, j'ai moi aussi quelque chose pour toi.»

«Je vais te résumer ce qu'elle contient...»

«Si tu veux!» dit-il.

«Ce sont des paroles et des chansons qui alternent et par lesquelles je t'explique ma perception de moi-même, comme tu me l'avais demandé.»

Les deux ex-amants pleurèrent tout au long de la lecture. Alain n'en retint que des bribes, que les clichés caractéristiques à Denise. Les «je me sens seule» avaient succédé aux «j'ai besoin de tes bras». Puis il y avait eu les «je ne suis heureuse qu'avec toi», les «je n'aime que toi», les «viens m'aider», les «je souffre», les «jamais» et les «toujours».

Elle lui tendit la cassette qu'il empocha.

Puis la conversation porta sur des banalités, sur la tentative de suicide de Goulet et sur les projets de vengeance que nourrissait sa femme à l'égard de Denise une dizaine de jours auparavant.

Toutes leurs paroles furent anachroniques, désynchronisées, comme s'ils avaient été, tous les deux, des accidentés, sur le bord d'une route sans issue, le corps en charpie et qui auraient essayé d'échanger des idées sur le futur et sur la vie.

Quand dix-huit heures arrivèrent, Alain se leva et se dirigea vers la sortie, désireux de partir, bien qu'hésitant à le faire. Elle marcha à trois pieds derrière lui jusqu'à ce qu'il s'arrête à trois pieds de la porte. Il ne bougea pas, le temps d'une courte réflexion.

Il conclut qu'elle n'avait pas donné le signe d'espoir qu'il espérait. Dans sa tenue, dans ses gestes, dans ses paroles, elle n'avait pas montré autre chose qu'une noirceur totale. Aucune joie, aucun rire, pas le moindre papillon. Elle avait été aussi noire que morte. Il sentit des larmes lui grimper aux yeux et ne fit rien pour leur barrer la route. Il fouilla péniblement dans une de ses poches, sortit sa lettre qu'il jeta sur la table.

«Il ne reste plus qu'à reprendre la route,» dit-il.

«C'est ça!» jeta-t-elle laconiquement.

D'un geste brusque, il se retourna et s'approcha d'elle. Il lui mit la main sur l'épaule, scruta le fond de son âme et lui dit, comme s'il voulait lui marquer le cœur au fer rouge: «Vis donc avant de mourir et prépare ta mort au lieu de la vivre chaque jour!»

Elle baissa la tête sans dire un mot.

D'un second geste brusque, il tourna les talons et sortit en silence, le cœur ulcéré.

Dehors, il prit une profonde inspiration pour tâcher de renaître à quelque chose. Mais la terre puait, dégageait de ces exhalaisons nidoreuses, signes d'une pourriture féconde.

●

Il pleuvait doucement. Alain sortit de chez lui, une pancarte sous le bras, un marteau dans la main. Il marcha posément dans l'herbe mouillée et s'arrêta au milieu de la pelouse, vis-à-vis la porte d'entrée. Il jeta un regard circulaire sur la petite ville à flanc de côteau, sur l'autre versant de la rivière. Il goûta le chatouillement de la pluie fine sur son visage et ses bras nus. Il mit le bâton pointu en position et, de son marteau, l'enfonça facilement dans cette terre molle de la mi-mai. Il redressa le corps et recula de deux pas; la pancarte était bien centrée et bien ancrée. Il dévisagea la pluie, la ville, puis sa pancarte et les mots «à vendre» qu'elle contenait. Et il sourit.

Il fut envahi alors par un curieux besoin de faire le tour de cette ville qu'il connaissait trop maintenant pour pouvoir y vivre heureux. Il ne s'agirait pas d'une tournée d'adieu nostalgique, mais bien plutôt d'une occasion de prendre, avec son cerveau, les plus belles photographies qu'il pourrait.

Il monta dans sa voiture et se mit à quadriller les rues.

Une heure plus tard, il retourna chez lui. Sous le porche, Viviane regardait s'allumer les lumières de St-Grégoire. Elle lui parut d'humeur maussade.

«C'est ma pancarte qui te donne cet air?»

«Il y a un peu de çà,» dit-elle calmement. «Mais il y a surtout autre chose,» termina-t-elle, aigrie.

«Quoi donc?»

«N'as-tu rencontré personne que tu connais?»

«Plusieurs. Pourquoi?»

«Nous avons eu de la visite.»

«Et alors?»

«De ton ex-maîtresse.»

«Denise Martel? Ici?»

«Elle était au volant d'une auto et a tourné dans la montée, juste ici. Elle s'est arrêtée pendant plusieurs minutes pour rire et me regarder. Elle discutait, la bouche fendue jusqu'aux oreilles, avec une autre fille et me montrait du doigt. Je l'aurais assommée... Elle n'a pas le droit de venir me narguer ici.»

«Tu es sûre que c'était bien elle?» Et il se sentit bête de poser une pareille question.

«Tu veux ajouter à ma mauvaise humeur ou quoi?» dit elle.

Caroline, qui se balançait tout près, dit avec impatience: «Cette sacrée folle est venue rire de nous autres...»

«Elle ne riait pas,» dit Alain.

«Oui, oui, insista l'enfant, elle riait et nous montrait du doigt.» Il hocha doucement la tête et se dit à lui-même: «Si vous saviez comme ce n'était pas du rire!»

●

La maison fut vendue et une autre fut achetée quelques jours plus tard dans un quartier de banlieue de Montréal.

Une nuit de la fin juin, ils quittèrent définitivement St-Grégoire et l'Etchemin.

Viviane partit la première, en auto, accompagnée de l'enfant. Alain suivit une quinzaine de minutes plus tard dans une camionnette qu'il avait achetée quelque temps auparavant pour son commerce de recyclage de meubles.

À quinze milles sur la route, il aperçut au loin des lumières tournoyantes indiquant un accident qui avait l'air d'être important, à en juger par le nombre des feux mobiles. Ce n'est qu'une fois rendu sur les lieux de l'agitation qu'il comprit ce qui se passait. Il ne s'agissait pas d'un accident, mais bien d'un incendie, sans flammes extérieures. Il réduisit la vitesse, mais ne s'arrêta point. Puis il accéléra à nouveau. Il regarda dans son rétroviseur le motel aux «chips» qui brûlait.

●

Il fut transporté par le grandiose. C'était la deuxième fois qu'il vibrait de cette manière, la première s'étant produite en 1960 dans une salle de cinéma à un dollar le billet, lorsque Juda Ben-Hur, Messala et les autres avaient commencé à défiler dans le grand stade de Jérusalem.

Cette fois-là, il avait monté aux côtés du viril prince dans son char honnête et craint les agressions du tribun tricheur, le noir étranger tyrannique et exploiteur. Lorsque la course s'était mise en branle, il avait quitté le char et attendu, misant tous ses espoirs sur les quatre coursiers blancs et surtout sur le sang pur du jeune prince. Il avait rejoint l'attelage pour la tournée du vainqueur, partagé la couronne de lauriers. Et enfin, il lui avait bien fallu accepter sa vibration de triomphe au dernier souffle de Messala.

Le roulement du tambour, l'entrée rapide des athlètes et délégations, la réponse à une attente de plusieurs années, le désir de gagner, les regards de l'humanité, les couleurs nationales, tout cela avait servi de ferment à son émotion devant la cérémonie d'ouverture de la XXIe Olympiade, de la même façon que la première partie du film *Ben-Hur* avait disposé son âme à la grande compétition.

Alain détailla les sources de son plaisir comme il l'aurait fait d'une femme désirée depuis longtemps, qu'il n'eût jamais osé imaginer à sa portée, mais qui se serait trouvée bel et bien là, entrouverte, s'offrant.

À n'en pas douter, cette XXIe Olympiade était une déesse brillante, regorgeante de soleil et d'or, descendue sur terre, sur sa terre du Québec, venue pour son plaisir à lui, venue dire à toute l'humanité qu'elle pourrait et désirait baiser avec lui. Il se sentait un as d'avoir apprivoisé la déesse, de l'avoir fait se coucher à ses côtés, oubliant l'idée qu'elle lui laisserait indiscutablement une maladie.

Après s'être tant laissée désirer, elle arrivait, la géante, et commençait à se déshabiller, pleine de promesses.

Quand, sur l'écran de son téléviseur, il aperçut sur l'estrade d'honneur les principaux entremetteurs de la rencontre avec la divinité, il cessa un moment le mouvement masturbatoire que sa main avait inconsciemment entrepris dans la poche de son pantalon, et il applaudit au génie.

Il remit alors sa main dans sa poche. Cette fois, il ne fit que tapoter sa monnaie. Il divisa le chiffre du coût des jeux par le nombre de ceux qui devraient les payer, soit un milliard et quart par six millions. Grosso-modo, deux cents dollars par personne, pensa-t-il. Et avec les intérêts, aux environs de quatre à cinq cents. Il calcula donc quinze cents dollars pour sa famille. « Trop cher comme spectacle, même d'une durée de deux semaines ; j'aurais dû m'en tenir à du grand cinéma à trois dollars le billet. » Et il tourna le bouton de l'appareil.

À la réflexion, il se ravisa. Réduire de si grandes valeurs à de vulgaires questions d'argent n'est pas très raisonnable, pensa-t-il, car il est impensable d'oser vouloir monnayer les plaisirs apportés par la formidable déesse. Après tout, n'est-elle pas adorée par l'humanité toute entière ? Qu'importe si le travail des entremetteurs fut aberrant ! « Pouah ! » se lança-t-il tout haut à lui-même. Et il ralluma le téléviseur.

Et il remit lentement la main dans sa poche.

●

« J'ai une incroyable envie de fumer ce soir, » dit Viviane. Elle venait de se jeter sur le petit divan d'une chambre étroite qu'Alain avait transformée en bureau à leur arrivée dans cette maison.

« Trois semaines déjà ! Ton pire est fait, » dit-il.

« Si ça continue à être aussi difficile, je recommence. »

« Au point où tu en es, tu peux bien persévérer jusqu'à deux mois. »

« Le plus difficile, c'est quand je suis seule à la maison. »

« Tu te souviens que j'ai vécu ça quand j'étais à la radio? L'important maintenant pour toi est de bouger beaucoup. »

« J'ai justement envie de me trouver un emploi. »

Il sourit d'un coin de la bouche et leva une main en signe d'acquiescement. « Libre à toi, » fit-il.

« Mon moral se porterait mieux et notre vie de ménage sans doute aussi. »

« Pour ma part, j'ai envie du contraire. Je veux dire que je voudrais prendre une année sabbatique et tenir la maison. »

« Nous pourrions inverser les rôles un bout de temps. »

« Peut-être serait-ce la meilleure façon pour chacun de comprendre ce que l'autre a vécu dans le passé? »

« Nous avons un peu de foin dans nos bottes, si tu gagnais un salaire normal, nous pourrions boucler l'année. Dans quelle ligne aimerais-tu travailler? »

« J'y ai bien pensé et je voudrais être serveuse d'apparât dans une salle à manger bien cotée. »

« Mais tu n'as aucune expérience là-dedans! »

« Un peu... D'une certaine façon... »

« Ma pauvre Viviane, le genre d'endroit où tu voudrais travailler et notre gargote de St-Grégoire, c'est deux. »

« Je pourrais commencer dans un restaurant ordinaire. J'apprendrai. »

« Je vais t'appuyer dans tes démarches. » Il sourit vaguement et ajouta: « À moins que tu ne veuilles rester à la maison pour élever un autre enfant. »

Elle hocha la tête. « J'ai déjà connu ces joies-là et j'en suis bien contente. Répéter cette expérience, alors ses plaisirs deviendraient des servitudes. Je préfère du neuf. J'ai d'autre projets pour la quarantaine que les murs de la famille. Je crois que des enfants, ça doit se faire pas trop tard dans la vingtaine... »

Leur discussion se poursuivit jusque tard cette nuit-là. Ils arrêtèrent leurs décisions. Elle travaillerait à l'extérieur. Il verrait à l'entretien de la maison et en profiterait pour commencer la réalisation d'un autre vieux rêve toujours remis à plus tard: l'étude des langues. Chacun serait libre de sa personne. Quand le cœur leur en dirait, ensemble, ils exploreraient le milieu et ses nouveautés.

Transparut derrière toutes ces intentions l'idée qu'ils connaîtraient enfin une année de bonheur...

●

« Par chance que nous n'avons pas un jeune enfant! Je ne tiendrais jamais le coup. »

Ils étaient assis chacun au même endroit où, trois mois plus tôt, ils avaient décidé d'inverser les rôles. Les murs du bureau n'étaient plus les mêmes cependant; Alain les avait tapissés de régimes alimentaires, de chartes de vitamines, de vinoscopes, de recettes diététiques et de cartes de visite de solliciteurs aux portes.

« C'est la première fois que nous en discutons, mais je sentais que tu n'aimais pas trop ton rôle de ménagère. »

« Je ne mourrai sûrement pas en faisant ce métier-là! » soupira-t-il.

« Tu trouves les tâches difficiles? »

« C'est que ça n'en finit pas! Passe la balayeuse. Fais cuire une dinde. Sors les vidanges. Fais l'épicerie. Cours à la pharmacie. Cherche une recette. Essaye une recette. Rate une recette. Nettoie le four. Lave cette chère vaisselle. Nettoie les tapis. Prépare les repas. Lave la toilette. Surveille les spéciaux. Repasse le linge. Lave les vitres. Fais des emplettes. Réponds au téléphone. Un peu de bricolage pour avoir au moins l'impression de créer quelque chose. »

« Mon pauvre Alain, tu ne le fais que depuis quelques mois. »

« C'est bien ce qui me décourage. Par chance que tu es là! À vrai dire, si tu ne m'aidais pas, je ne pourrais même pas étudier les langues. »

« Il faut tout dire: tu n'es pas trop habitué, mais tu vas prendre le tour de ton ouvrage. »

« Tu sais ce qui m'est arrivé aujourd'hui après ton départ pour la travail? Un drôle, travaillant pour la ville, a passé pour le recensement municipal. Il m'a demandé ma profession et, quand je lui ai dit ménagère, il m'a regardé avec un curieux d'air. Je l'aurais frappé, l'animal. Monsieur le petit recenseur n'avais jamais vu un homme tenir maison et ça l'a fait sourire. »

« J'ai fait ce métier pendant des années, Alain, » dit-elle doucement.

« Tu avais de la misère à vivre avec toi-même, aussi. Un être humain n'est pas fait pour s'emprisonner dans de pareilles routines. Ce métier-là, c'est le sommet de la platitude, de l'ennuyance et du sentiment d'inutilité. Heureusement que je me raccroche à mes rêves d'avenir... »

Il se fit un long silence au cours duquel il espérait qu'elle le plaigne davantage pour qu'il puisse lui faire part de ses intentions. Mais elle ne parla pas et il se sentit incompris.

« Ça ne se passera pas comme ça! J'ai pris plusieurs décisions, » finit-il par déclarer sur un ton d'impatience.

« Comme quoi? »

« Un: Caroline va dîner à la cafétéria de l'école. Deux: fini le bricolage; j'aime mieux consacrer mon temps à l'étude des langues. Trois: plus de repas cuisinés; je passe mon temps dans la cuisine et regarde-moi, j'ai encore vingt livres de trop. D'ailleurs, tu as aussi besoin d'une diète, » termina-t-il d'un ton excécrable.

« Tu n'as pas à me le dire. Si ça continue, je vais recommencer à fumer. »

« Tu es folle? Si tu as vaincu le tabac, tu dois être capable de vaincre tes... tes... Combien déjà? »

« Dix livres, » dit-elle sèchement. « Et quelles sont tes autres décisions quant à la tenue de la maison? »

« Je vais espacer certains travaux de nettoyage. Nous allons suivre la liste de priorités que j'ai établie. » Il lui tendit un papier qu'elle parcourut des yeux et lui remit.

Elle lui jeta un regard malicieux et dit: « Je ne t'ai jamais critiqué sur ta façon de faire. Essaie comme tu l'entends et si la maison devient trop à l'envers, on verra. »

« Pour en revenir à notre alimentation, que dirais-tu d'une diète à douze cents calories avec suppléments vitaminiques? Comme celle que je t'ai montrée avant-hier? »

Elle réfléchit un court instant. « Je suis d'accord. Mais il faudrait qu'on embarque tous les deux et qu'on se tienne. »

« Ça va pour moi, » dit-il avec assurance.

●

Viviane se maquillait sans enthousiasme, les yeux perdus. Alain le nota et s'en inquiéta.

« Tu sembles distraite ? »

Elle haussa les épaules, gardant son air perplexe.

« Je présume que tu te dis en toi-même que nous allons nous river le nez encore une fois ce soir ? »

« C'est le cinquième ou sixième couple que nous rencontrons et c'est toujours la même chose, » dit-elle.

« Je n'avais pas prévu ni toi non plus que, même chez les gens qui pratiquent l'échange de partenaires, ce soit la loi de la possessivité qui prévale. Tous ceux que nous avons rencontrés à date n'avaient qu'une idée en tête : consommer du sexe pour fuir un problème. Bon Dieu, est-ce possible un échange authentique, positif, pensé en vue d'un enrichissement mutuel ? »

« Elle est forte cette possessivité de l'autre chez l'être humain. Les femmes n'embarquent dans l'échangisme que traînées par leur mari, ou bien pour ne pas le perdre, ou pour mieux contrôler ses sorties. »

« Ce n'est pas de l'amour, encore moins le partage d'une nouvelle expérience de vie, mais bien de la pure négociation. »

« Heureusement que ma sœur ne connaît pas notre évolution sexuelle, elle crierait au scandale. Et ma mère me traiterait de brebis galeuse. »

« Ta sœur fait justement partie de celles qui passent à côté des plaisirs sexuels et qui croient encore que l'orgasme est un idéal à atteindre alors qu'il n'est que le commencement d'une véritable sexualité. Si elle savait donc que, plus nous évoluons sexuellement, plus nous nous rapprochons l'un de l'autre par l'esprit... »

« Tu sais, je me demande si avant de franchir l'étape de l'échange de partenaires, chacun de nous deux ne devrait pas d'abord s'émanciper individuellement. Je veux dire... » Elle s'interrompit.

Il se produisit un long silence qu'Alain finit par rompre : « Tu veux dire qu'il te faudrait une aventure solitaire avant que nous ne fassions des échanges ? Libre à toi ! C'est ta vie ! » Il hésita une seconde puis ajouta, songeur : « As-tu des projets... en tête ? »

« Sait-on jamais ? » dit-elle avec un sourire vague.

« De toute façon, espérons que nous finirons par rencontrer un couple qui sache rire sincèrement. Peut-être que celui de ce soir... »

●

Ils entrèrent dans le restaurant-bar où ils avaient rendez-vous avec le couple. Les musiciens grecs jouaient sans excès. La femme devait être habillée d'un manteau pâle avec fourrure au col. Alain n'eut aucun mal à la repérer.

Après les présentations, les quatre nouveaux amis s'attablèrent dans un coin discret. Gauche dans les gestes conventionnels des premières minutes d'une rencontre, Alain ne retint pas leur nom bien qu'il sût déjà les prénoms de Danielle et René par de brèves conversations téléphoniques antérieures. Quant au premier contact, postal celui-là, il s'était fait sous le couvert de pseudonymes de la part du couple.

« Votre nom est Morin ? » s'enquit Alain.

« Moreau, René Moreau, » répondit l'homme.

« Et nous, c'est Martel... Comme je vous l'avais dit sur ma lettre. »

La femme dit : « Vous savez, pour éviter les appels de maniaques, nous préférons le premier contact sous un faux nom. »

« Y a-t-il tant de maniaques chez les « swingers » ? » demanda Alain.

L'homme fronça les sourcils et dit avec autorité: « Nous ne sommes pas des « swingers », car ces gens-là ne se voient qu'un soir, font l'échange si ça leur convient, et ensuite disparaissent: ni vu ni connu. »

« Il est certain que nous n'en sommes pas, si c'est là leur définition, » dit Alain. « En tout cas, pas encore ! »

L'homme dit: « Nous avons décidé de tenter l'expérience du phénomène — nous appelons l'échange de partenaires le phénomène devant les enfants — parce que nous ne croyons pas en cette vieille culture que nous avons reçue concernant le mariage traditionnel. Nous pensons que cette façon de n'appartenir qu'à l'autre détruit un couple; aussi avons-nous décidé d'élargir nos horizons. Ce n'est pas en passant leur vie à se regarder dans les yeux que deux personnes mariées bâtissent l'amour, bien au contraire. Nous ne voulions pas de cette routine et de cet ennui qui s'installent dans la plupart des foyers un jour ou l'autre; voilà pourquoi j'avais si hâte de connaître l'auteur de la lettre que vous nous avez envoyée. » L'homme avait parlé vite, sans façons, avec assurance.

La serveuse approcha, nota la commande. Danielle demanda un highball; son mari, un double cognac. Les Martel optèrent pour un carafon de vin blanc, leur diète n'en admettant pas davantage.

Alain profita de ces quelques instants pour détailler le couple. Au début de la quarantaine, d'apparence soignée, d'allure professionnelle, l'homme retenait ses gestes. À prime abord, il semblait ne douter de rien. Alain eut envie de croire qu'il était médecin. Au premier coup d'œil, la femme lui paraissait assortie: mince, couverte de bijoux, bien mise, d'âge correspondant. Son sourire cependant coulait plus facilement, et elle répondait à l'idée qu'Alain s'en était faite au téléphone: engageante et ouverte d'esprit. Abords charmeurs, tous deux fort galamment vêtus: en somme, un beau couple, conclut-il.

Après le départ de la serveuse, Alain renoua la conversation:

« Je vous ai écrit une assez longue lettre pour vous dire à quoi vous attendre de nous et ce que nous cherchions. Nous avons rencontré plusieurs couples depuis un an, mais aucun dont les motivations ne ressemblent aux nôtres. Comme je vous l'ai mentionné, nous ne cherchons pas des personnes qui soient le miroir de nous car, en ce cas, elles ne pourraient nous enrichir. Au moins, leurs motivations d'envisager les échanges physiques doivent-elles être positives? À date, nous n'avons rencontré personne qui ne cherche, par l'échangisme, à fuir un problème. »

« Tu vois, Danielle, comme tout ça rejoint nos idées ! » s'exclama l'homme.

La femme sourit et dit: « Il était tellement content quand il a reçu votre lettre qu'il l'a relue trois fois, me disant entre chaque lecture qu'il n'en revenait pas d'avoir enfin trouvé quelqu'un qui pense comme nous. »

« Si j'ai bien compris ta lettre, tu as eu une maîtresse, » s'enquit l'homme auprès d'Alain.

« Pendant quatre ans. »

Les Moreau se jetèrent un bref coup d'œil. La femme sortit ses cigarettes et en offrit. L'homme en prit une qu'il alluma. La conversation roula naturellement pendant plusieurs minutes sur le tabagisme. L'homme semblait n'avoir jamais réfléchi aux méfaits du tabac puisqu'il ne prit nulle partie au débat. Par la suite, Danielle et Viviane trouvèrent un sujet à leur convenance et discutèrent entre elles.

L'homme dit à Alain: « Il n'est vraiment pas facile de se dépouiller du besoin de posséder l'autre; il faut du compromis. Danielle a souvent trouvé la soupe chaude; elle a trouvé ça dur de se battre contre tout ce qui nous a été enseigné. »

Alain commenta : « La possessivité n'est pas seulement une valeur enseignée, elle est dans notre nature, mais ce n'est pas elle qui doive contrôler l'esprit, c'est à l'esprit de la contrôler. »

La serveuse vint déposer les consommations et repartit.

« Vous travaillez dans quoi ? » demanda Alain.

L'homme hésita un moment, prit son verre, but une gorgée, noua ses épais sourcils, répondit : « Médecin. »

« C'est ce que j'avais pensé, » dit Alain.

« Et comment cela ? » fit l'homme en plongeant ses yeux dans ceux de son interlocuteur.

Alain leva la main : « Une intuition comme ça ! »

« Et toi-même ? »

« Année sabbatique. »

« Chanceux ! J'en parle depuis des années et le temps me manque toujours. Tu faisais quoi ? »

« Enseignement, hôtellerie, radio... »

« À Montréal ? »

« Non, dans l'Etchemin. »

« Je connais très bien ce coin, » dit l'homme. « J'y suis resté pendant trois ans. »

La conversation tourna pendant plus d'une demi-heure autour des activités du médecin à une base militaire de la région de l'Etchemin dans le début des années 60.

Tout en parlant, Alain le jaugea : « Ses gestes sont trop brusques, presqu'impatients et il fume trop. Sans doute est-il déçu de nous, de nos manières. » Mais il se ravisa, l'homme paraissant trop catégorique dans ses paroles pour subir une présence dont il n'aurait rien tiré. Il décida donc de ramener la conversation sur l'objet de la rencontre et il questionna : « Vous faites des échanges depuis longtemps ? »

« Le phénomène ? Un an, » dit l'homme.

« Plusieurs rencontres ? »

« Quatre. C'est ça, Danielle ? » demanda-t-il à sa femme.

« Quoi ? »

« Combien de rencontres de couples avons-nous faites ? »

« Quatre, » répondit-elle.

« Et... satisfaisantes ? » demanda Alain.

« À vrai dire, nous ne sommes allés à l'échange qu'avec un seul couple. »

« Et encore, il faut le dire vite, » coupa Danielle. « L'homme n'était pas prêt psychologiquement et ne pouvait faire quoi que ce soit. »

Le médecin ne commenta pas ces propos et poursuivit : « Il faut dire que nous éliminons la plupart des candidats dès le premier contact téléphonique. »

« Nous avons rencontré tous ceux avec qui nous avons établi des contacts, » dit Alain.

« Et sans aucun résultat ? » questionna le médecin.

« Tous des couples à problèmes, » répondit Alain. « Nous avons senti chaque fois que la femme était traînée dans l'échange. Les premiers, c'étaient des gens sans enfants, un fonctionnaire de petite ville et sa femme, une ex-religieuse. À force de jaser, nous avons découvert que la femme n'avait pas d'orgasme et que le mari l'avait habilement amenée à l'échangisme pour régler son cas. C'était fort astucieux puisque les autres hommes héritaient ainsi du problème, tandis que lui en profitait pour se payer la traite. Ensuite, ce fut un couple dont la femme ne disait rien et qui suivait tête basse, comme un petit chien. Elle était la monnaie d'échange du mari. Tu te souviens, Viviane ? »

« Oh oui ! ce fut vraiment spécial que cette rencontre. Nous nous étions entendus avec eux pour un simple souper. Pendant tout le repas, l'homme regardait l'heure nerveusement. Nous avons fini par découvrir qu'il s'imaginait que nous irions au motel tout de suite après. Il le voulait tellement qu'il prenait tous les moyens imaginables, allant jusqu'à s'identifier à nous sur toute la ligne à chaque parole qui se disait. Alain aurait prétendu que le blanc était noir qu'il aurait acquiescé. »

« Et après, nous avons rencontré un jeune couple dans la vingtaine et dont le mari avait eu une maîtresse. Elle l'avait découvert et il s'était justifié en mettant de l'avant des idées d'avant-garde. Nous avons eu l'impression qu'elle acceptait l'échange de partenaires pour ne pas le perdre. Mais le couple était quand même vraiment sympathique. Viviane et moi en avons discuté, et si elle avait été plus dégagée, plus heureuse de cette philosophie de vie, probable que nous aurions plongé. Ensuite... te souviens-tu de nos rencontres, Viviane ? »

« Ce fut tout dans la région de Québec, » dit-elle. « Nous sommes venus demeurer à Montréal et nous avons rencontré le fameux couple du dimanche après-midi. »

« Quel souvenir ! » s'exclama Alain. « Si je n'en parlais pas, c'est que je cherchais encore dans ma tête dans la région de Québec. Ils furent vraiment inoubliables. Puisqu'ils étaient des gens de banlieue et que nous devions les rencontrer le dimanche après-midi, nous sommes allés chez eux. Il était bien clair que nous ne devions que discuter. Très agressive envers les hommes, la femme soutenait que la plupart d'entre eux n'étaient que des égoïstes en sexualité. Quant à lui, il ne parla que de ses performances. Il voulut passer aux actes et nous avons eu du mal à quitter les lieux. À notre retour, nous nous sommes promis de mettre en veilleuse ce projet de sexualité ouverte, puisqu'il nous semblait impossible de trouver quelqu'un dont les agissements et intentions soient positifs en ce domaine... »

Viviane l'interrompit : « Je m'excuse, mais tu oublies ce couple dont le mari disait qu'il rendait les autres hommes jaloux... »

« Ah oui ! l'autre performer... Il pourra toujours s'inscrire aux olympiades du sexe ou devenir vedette de porno... »

« En somme, vous êtes fort déçus, » dit le médecin.

« À vrai dire, non, car chacune de ces rencontres nous a apporté beaucoup. Nous aurions aimé, bien sûr, rencontrer des gens vraiment positifs dans leur démarche d'évolution, mais qu'importe ! Croyez bien que seulement le plaisir de nous préparer pour aller rencontrer quelqu'un, le suspense de nous demander comment ils seront, les expériences que ces gens-là ont à nous raconter, les discussions que nous avons à leur sujet par la suite : tout cela vaut bien des fois la déception que nous cause le but non atteint. Il reste qu'après un an de tentatives et plusieurs rencontres sans aucun aboutissement, nous avons décidé, comme je vous le disais, de mettre le projet en veilleuse. Par la suite, nous avons vu votre annonce très éloquente et qui nous a paru tellement positive. Voilà pourquoi je vous ai écrit une si longue lettre, histoire d'annoncer clairement nos couleurs. »

Le médecin se gratta le front. « Le phénomène va cependant et doit aller au-delà des démarches de couple à couple. Je veux dire que chacun peut très bien faire ses propres rencontres individuelles, et que cela, au contraire de ce qui se fait habituellement, peut se dérouler en toute honnêteté, au su et au vu du partenaire, tu ne trouves pas ? »

« Bien sûr ! » s'exclama Alain. « Nous sommes parfaitement d'accord là-dessus, nous aussi. Faire l'échange de partenaires par souci d'évoluer et de contrôler sa possessivité, et refuser que chacun puisse faire ses propres rencontres serait une absurdité. Il ne s'agirait là que de possessivité déguisée, ce qui d'ailleurs était le cas des femmes des couples que nous avons rencontrés.»

Le médecin recula sur son siège. Il leva son verre en souriant.

«Disons que pour nous, c'est une réalité. J'ai une amie que je vois régulièrement et pourtant, notre ménage fonctionne très bien,» dit-il.

«Je dois vous avouer que la même chose ne s'est pas produite sans heurts et même de violentes crises chez nous. Nous avons avancé de façon chaotique. Nous avons quand même fini par nous retrouver l'un l'autre. La chose la plus merveilleuse qui nous soit arrivée, c'est d'avoir pris la ferme décision de regarder davantage le côté reluisant des choses et d'adopter des attitudes positives.»

«C'est ce que nous faisons toujours,» répliqua le médecin.

Alain avait remarqué que l'homme ne s'était jamais adressé à Viviane et qu'après les présentations, il ne l'avait pas regardée une seule fois. Viviane ne laissant pas d'habitude, un homme indifférent, il commença à se demander si René ne se servait pas d'eux pour justifier, cautionner ses relations avec sa maîtresse. Pour en savoir plus, il posa une question piège.

«Nous avons commencé par des rencontres individuelles, c'est-à-dire que j'ai eu une maîtresse et ce n'était pas par ouverture aux autres, croyez-le bien, mais par recherche de ma liberté. Mais vous, vous avez bien commencé par votre libération en tant que couple avant de vous libérer individuellement?»

L'homme ne répondit pas et Alain dut plonger directement.

«Votre amie est une rencontre que vous avez faite après vous être engagés dans le phénomène, n'est-ce-pas?»

L'homme jeta un coup d'œil vers sa femme occupée à sa discussion avec Viviane. Il répondit: «Mais oui, je ne sors avec elle que depuis quelques mois.» Et il changea de propos. «Il est normal que le processus d'évolution ait été plus difficile pour vous étant donné que vous êtes dans la trentaine. Nous sommes dans la quarantaine et, comme on dit: à cet âge, les coins sont moins carrés, arrondis par la vie. Soit dit sans t'offenser...»

Alain fit signe que non et tourna la tête vers les femmes afin de porter attention à leur conversation. Viviane répondait à une question de Danielle: «Je suis serveuse dans un restaurant du nord de la ville.»

Mais son esprit ne fit qu'effleurer l'entretien des femmes et le départ du médecin pour la toilette lui donna l'occasion de se poser pour la centième fois la question sur l'intérêt réel de Viviane dans cette démarche. Était-elle vraiment positive dans ses intentions ou bien ne s'y engageait-elle pas par crainte d'une autre Denise Martel dans sa vie? Ne serait-ce qu'inconsciemment? Ses idées sur la question sont pourtant pures: elle sait que l'expérience ne sera pas facile à vivre et qu'elle devra encore se battre contre sa possessivité naturelle... Faudra-t-il qu'elle passe par l'étape de l'amant, se demanda-t-il. N'est-ce-pas ce qu'elle prépare, sans trop s'en rendre compte, avec son compagnon de travail, ce Grec dont elle parle de plus en plus souvent à la maison? Et quand elle se maquillait, tout à l'heure, avant leur départ, n'a-t-elle pas dit certaines paroles annonciatrices?»

Il observa le médecin revenir et nota une fois de plus que son regard ignorait totalement Viviane. Trouvant l'homme trop intéressé à parler de sa maîtresse, Alain guetta, de l'autre oreille, le moment propice pour poser des questions à Danielle. Et quand elle prononça le nom de Gisèle, la maîtresse de son mari, il lui adressa une question: «Pas trop de difficultés à vivre la situation du triangle?»

«Quand on vit le phénomène, il faut en accepter toutes les dimensions et pas seulement ce qui fait son affaire à soi,» répondit-elle avec assurance. «Je dois être vraie, authentique, logique avec moi-même. Puisque j'ai accepté au départ de vivre tout cela après avoir mûrement réfléchi, je ne puis reculer parce que les circonstances d'après font que c'est René qui s'est trouvé une amie. Dans six mois, il se peut bien que ce soit mon tour, et, à ce moment-là, il devra bien s'en accommoder.»

Ces paroles donnèrent une douche froide aux doutes grandissants d'Alain et il pensa, à travers la suite de la conversation, à toutes les souffrances que Viviane et lui se seraient évitées si leurs démarches d'ouverture aux autres s'étaient faites dans le cadre du couple d'abord.

Le reste du temps, l'on papota et la rencontre se termina sur des à bientôt.

Sur le chemin du retour, les Martel échangèrent leurs commentaires. «Qu'en penses-tu?» demanda-t-il.

«Tout simplement que cet homme-là a une maîtresse et qu'il n'est aucunement intéressé par une démarche de couple. Ça crève les yeux: il ne m'a pas adressé la parole une seule fois et ne m'a même pas regardée,» dit Viviane.

«J'ai pensé la même chose, mais j'ai rejeté l'idée puisqu'il n'a eu sa maîtresse qu'après s'être engagé dans ce qu'ils appellent le phénomène.»

«Et tu as cru cela?»

«Alors quoi? Il l'a connue à cause de leurs rencontres de couple.»

«Il la connaissait bien avant puisqu'elle est la secrétaire de la clinique où il travaille.»

«Qu'est-ce que tu dis?»

«C'est Danielle qui me l'a dit.»

«Ah! elle est bien bonne celle-là! Je ne le savais pas et il a pris bien soin de me le cacher habilement. Je me suis fait avoir. Je pense qu'il s'agira d'un autre cas à problèmes pour nos registres: le gars avait une maîtresse cachée et il s'est servi du phénomène pour ne plus avoir à dissimuler. Je comprends maintenant. C'est plus subtil que les autres. C'est à la mesure d'un professionnel. Mais qu'est-il donc venu faire là ce soir?»

«Mon pauvre Alain, mais il veut quelqu'un pour défendre sa cause et c'est pourquoi ta lettre a fait tant d'effet et qu'il s'en est tellement servi auprès d'elle. Et je ne serais pas surprise qu'il cherche à se débarrasser d'elle en quelque sorte; il lui cherche peut-être un amant. D'après notre conversation, elle lui donne des maux de tête et n'accepte qu'en théorie toute son histoire de maîtresse. Il l'a entortillée avec ses idées, mais elle se rebiffe...»

«Et il a essayé de nous entortiller nous aussi, et je n'y ai vu que du feu.» Alain se mit à rire et leva les mains du volant avant d'ajouter: «Je vais vérifier nos conclusions. Nous sommes jeudi? Je vais attendre jusqu'à mardi ou mercredi prochain et rappeler Danielle et je vais tâcher que le chat sorte du sac.»

«Fais-le si tu veux, mais je sais d'avance ce qui va se passer.»

●

Le mercredi suivant, Alain téléphona à Danielle et s'entretint plus d'une heure avec elle. Quand Viviane revint de son travail, il lui résuma l'appel.

«J'en ai appris de toutes les couleurs. Tout d'abord, je lui ai dit que son mari n'avait pas du tout l'air intéressé par les démarches de couple. Elle a soutenu le contraire. Alors je lui ai confié que tu avais des intérêts ailleurs, ajoutant qu'elle et moi, cependant, nous aurions bien des choses à nous dire. Elle a fini par se mettre à table. Elle m'a raconté qu'ils ont passé une terrible fin de semaine. Ils se sont querellés constamment à propos de la maîtresse, comme ils le font régulièrement depuis qu'elle sait. Si toi, tu m'avais soigneusement peigné la dernière fois que je suis allé voir Denise Martel, lui a réussi bien mieux:

il a emmené sa maîtresse souper à la maison, il les a fait magasiner ensemble et Danielle a même coiffé l'autre. Je n'ai rien contre tout cela, bien qu'il s'agisse d'une forme d'héroïsme assez poussée, mais Danielle a fini par ne pas le prendre, et la guerre éclate souvent à la maison. À jaser avec elle, il lui a fait dire ses fantasmes et elle lui a confié qu'elle avait toujours désiré un prêtre de leurs amis qui les visitait régulièrement depuis l'époque de la base militaire. Tu sais ce qu'il a fait l'astucieux médecin: il a inventé le prêtre chez lui et il a fiché le camp à Paris pour quinze jours au moment où il a su que le prêtre viendrait. Ce qui devait arriver arriva: le curé s'est ramassé dans le lit de Danielle. Elle m'a raconté tout cela avec force détails très croustillants. Mais, comme le prêtre est curé à Québec et qu'il a déjà, à ce qu'elle dit, sa donzelle là-bas, le problème du médecin n'était donc pas résolu. Et il lui cherche maintenant un amant. Elle n'y voit que du feu, mais je l'ai décelé à travers tout ce qu'elle m'a dit. Ma lettre aura fait sentir, au médecin, que je pourrais être un bon candidat et, fin psychologue, il a décidé de nous rencontrer, de t'éliminer par ses manières, et d'user de son pouvoir de persuasion — très fort auprès d'elle en tout cas — pour me convaincre, moi, de la nécessité d'une libération individuelle. Alors voilà: ça ressemble à du Columbo, mais c'est la pure vérité.»

«Tu n'avais pas à me le dire; j'avais tout deviné à notre rencontre de la semaine dernière,» dit Viviane.

«Çà veut dire que nous allons mettre un x sur nos démarches d'ouverture aux autres couples.»

«Nous essaierons de nouveau en Californie,» dit-elle.

«Si on fait notre bilan du monde des «swingers», ça nous donne ceci: la plupart de ceux qui font paraître des annonces sont des bouffeurs de sexe et les mots qu'ils choisissent le laissent bien voir; ils sont eux aussi atteints de la rage de la super-consommation. Quant à ceux qui font passer des annonces sérieuses, ils sont des couples à problèmes dont les partenaires essayent de se posséder à travers l'échangisme. Encore là, rien de nouveau sous le soleil! Qui, désormais, osera venir me parler de libération sexuelle en 1976?»

•

Elle se jeta sur le divan en riant aux éclats.

«Tu as le vin gai ce soir!» s'exclama Alain.

«Joyeux Noël!» dit Viviane.

«Joyeux Noël!»

Ils s'embrassèrent.

«J'ai pris un verre de trop.»

«Çà arrive à tout le monde, surtout à Noël.»

«J'ai un autre aveu à te faire, mais j'ai peur,» dit-elle gauchement.

«Si tu n'as tué ou blessé personne, tu n'as rien à craindre.»

«J'ai peur quand même.»

«Caroline fête Noël chez sa grand-mère dans l'Etchemin et moi, je préparais notre réveillon en t'attendant. Tu arrives et tu te portes bien. Si tu n'as rien fait pour détruire quelqu'un, puisque tout le monde est heureux, tu n'as pas à avoir peur...»

Elle tendit les bras et dit: «Viens m'embrasser encore.»

Il se coucha sur elle. «Parle ou bien je ne t'embrasserai jamais plus...»

«Donne-moi d'abord un baiser!»

Il obéit.

«Tu n'es pas le premier que j'embrasse ce soir.»

Il fronça les sourcils, puis se gratta le front. Il dit: « Je dois t'avouer que je m'attendais à cela d'une semaine à l'autre. Je présume que tu as connu un peu de la chaleur grecque ? »

« Oui. Et elle est plus élevée que la chaleur québécoise. »

« Merci ! » dit-il sèchement. « C'est très gentil de ta part. »

« Je dis cela parce que je dois souvent quêter mon affection de toi, » fit-elle, boudeuse.

« C'est vrai, » acquiesça-t-il. « Que veux-tu, je ne suis que le mari. »

« Justement, » et elle l'embrassa, « tu es le mari », et l'embrassa à nouveau, « tu es l'amant, » nouveau baiser, « tu es le complice. » Elle lui mit un doigt sur le nez. « Ne crains pas, je ne suis pas sa maîtresse. J'avais pris quelques consommations ; or, l'esprit des fêtes, çà me tourne toujours un peu la tête. Et puis, il m'a prise par surprise. »

« Tu n'as pas à chercher d'excuses. Même celle d'avoir été prise par surprise. Au fond de toi-même, tu en avais probablement le désir... »

« Tu es fâché ? »

« Pas de ce que tu as fait ! Juste un peu de ce que tu m'as dit. »

« Dit quoi ? »

« Que la chaleur québécoise est plus froide que la chaleur grecque. Tu veux me mettre en compétition, et je n'aime pas la compétition, surtout de cette sorte-là. Mais je ne t'en veux pas. Je te trouve honnête et authentique. Maintenant, je veux que nous changions de sujet. Mon réveillon nous attend... »

Elle leva les bras et s'exclama: « J'ai hâte de boire du vin, beaucoup de vin. Qu'est-ce que tu as choisi comme bouteille ? »

« Il ne faudra pas que tu en boives trop parce que demain, c'est là-dedans que tu auras mal. » Il lui pointa la tête. « Et tu regretteras peut-être certaines choses... »

« Quel vin as-tu choisi ? » insista-t-elle.

« Un Echezeaux 1970. Un cru fameux, dit-on ! »

« Allons réveillonner et ensuite faisons l'amour ici, sur ce divan, » dit-elle.

« D'accord. Et en plus, ce soir, faisons des péchés: pas de diète. Mangeons comme des cochons quitte à prendre deux livres ! »

Elle s'agrippa à lui pour se lever. « Viens, » dit-elle.

●

1977

« Laisser vivre : voilà ce qui doit régir ma pensée chaque jour, chaque heure, non seulement parce que je veux, moi aussi, qu'on me laisse vivre à ma mesure, mais parce que c'est sain et logique. Car empêcher l'autre de respirer, c'est l'aimer comme un bien matériel et le vouloir à son entier service. »

Alain se répéta cent fois ce postulat avec tous les mots qu'il put trouver. Il se procura des livres sur le mariage ouvert, les lut, les relut. Il entraînait son esprit à faire face à ce qu'il considérait maintenant comme une probabilité : une aventure de Viviane. Ce n'était plus qu'une question de temps : son intuition de ménagère le lui disait.

Il se demanda pourquoi il s'était adapté plus facilement à l'idée de l'échange de partenaires. Était-ce à cause de la faible implication émotive qu'elle supposait ? Était-ce le fait de pouvoir, en quelque sorte, y suivre de près la relation bien qu'ils eussent prévu des échanges fermés ? Était-ce le fait de pouvoir connaître et, d'une certaine façon, choisir l'autre homme pour Viviane, s'assurant ainsi qu'il n'était pas un profiteur ou bien un super-mâle imbu de lui-même et de ses performances ? N'était-ce pas tout simplement, qu'à son tour, il s'était laissé prendre au piège de la possessivité ?

Quoi que ce fût, il s'était dit qu'il aurait le meilleur sur lui-même et qu'un bon moyen d'y arriver était de se préparer mentalement aux événements.

« J'ai besoin de vivre une expérience, » disait-elle souvent. Mais elle ne précisait pas ses intentions, comme si elle cherchait une approbation sans rien de plus.

« Je te tiendra la main et serai ton complice dans toute expérience positive, conforme à ton épanouissement et à ta nature, » lui répétait-il. « Si tu me disais que tu veux recommencer à fumer, que cela correspond à ton épanouissement, je ne pourrais pas tenir ta main, car je sais, hors de tout doute, que le tabac est nocif, antinaturel et esclavagiste. Par contre, s'il s'agit d'une expérience sexuelle, je ne pourrai pas faire autrement que d'être le complice de tes joies, car, à l'opposé du tabac, la sexualité est saine, naturelle et libératrice. »

Cependant, plus il parlait à Viviane et plus il se parlait à lui-même pour se conditionner mentalement, plus il lui apparaissait qu'elle s'éloignait du foyer. Il ne décelait plus d'enthousiasme dans ses gestes qu'à la veille de son départ pour le travail. Elle en revenait fatiguée, désireuse de dormir au plus vite. Quand elle ne parlait pas de ses occupations extérieures, elle rêvait, ce qui lui parut fort inhabituel. Ses jours de congé semblaient l'ennuyer. Elle revenait plus tard qu'avant et surtout le jeudi où elle avait l'habitude auparavant de rentrer avant vingt-trois heures.

Depuis plus d'un mois, à tout venant, elle critiquait ses façons de s'y prendre dans la tenue de la maison. Elle n'avait plus posé aucune question sur son apprentissage des langues, non plus que sur ses autres occupations en dehors de cette tâche de ménagère qui le compressait moins maintenant qu'en 1976. À ce désintéressement de Viviane, à sa nervosité, s'ajouta une baisse de sa libido. Alors, il fut amené à conclure qu'elle vivait non seulement une aventure sexuelle mais aussi romantique, de la fameuse romance des fiancés qui attache, absorbe, submerge un être humain et l'empêche de voir que la terre tourne.

« Elle enlève à son foyer pour donner ailleurs: voilà exactement le contraire de la philosophie de vie que nous avions adoptée, » se dit-il. « Elle est incapable — est-ce parce qu'elle est une femme? — de puiser ailleurs, de s'enrichir aux contacts extérieurs pour qu'ensuite son épanouissement rejaillisse sur ceux qui l'entourent. Se tourner vers quelqu'un signifie-t-il pour elle, parce qu'elle est une femme, se détourner des autres? Est-elle sur le point de dire à quelqu'un d'autre cette monstrueuse parole: « Je n'aime que toi. » ? »

Il fallait qu'il sache. Un jeudi soir, aux environs de minuit, il se rendit au restaurant où elle travaillait. L'auto de Viviane n'était plus là, il aurait été plausible qu'il l'eût rencontrée en chemin, ce qui n'avait pas été le cas. Une demi-heure après, il retourna chez lui. Elle était rentrée.

Il ne put contenir un air sombre qui s'accentua devant les attitudes légères de sa femme. Elle l'accueillit en riant: cas rare.

« Salut, » dit-elle.

Il ne répondit pas et marcha jusqu'à la cuisine où il brancha la bouilloire.

« Fais-moi un café, s'il-te-plaît, » dit-elle. « Je vais au sous-sol mettre en marche la machine à laver. Je reviens dans cinq minutes. »

Il prépara les cafés, commença à boire le sien qu'il préférait brûlant. Il resta debout, adossé au comptoir, les bras à demi-croisés, tasse à la main. Quand elle remonta, il calcula une lampée pour le moment où elle arriverait au haut de l'escalier.

Traversant la cuisine, elle dit: « Je vais porter ce linge dans la chambre et je reviens te rejoindre. »

« Mots inutiles, » pensa-t-il en relevant légèrement la tête. Et pourtant, avant qu'elle ne disparaisse dans l'embrasure de la porte, il dit tout haut: « Ton café refroidit. »

« C'est ainsi que je l'aime, » dit-elle.

Quand il l'entendit revenir, il se tourna vers la fenêtre et leva la toile dans un geste qu'il voulait qu'elle perçoive comme de la curiosité relativement à la température extérieure.

Elle s'approcha et, de ses bras, lui ceintura la taille et s'appuya la tête dans son dos.

Ce geste irrita Alain, si bien qu'il eut du mal à contenir sa réaction. D'un ton qu'il composa badin, il dit: « Tu aimes me jouer dans le dos ce soir? »

Elle recula. « Qu'est-ce que tu veux dire? » fit-elle.

« Je dis ça comme ça! »

« Je suppose que tu m'as rencontrée tout à l'heure et que tu t'es demandé pourquoi je ne venais pas du restaurant? »

« Que vas-tu chercher là? Je ne t'ai même pas vue. »

« Mais où donc es-tu allé? »

« Je ne te demande pas d'où tu viens, toi, ni où tu vas après ton travail quand tu ne rentres pas directement à la maison. »

« Je veux savoir où tu es allé ce soir, » dit-elle avec autorité. Elle lui tira le bras pour qu'il fasse demi-tour.

Il raidit. « Je suis allé faire un tour d'auto... Tout simplement. J'ai fini tard de la réparer et j'ai voulu savoir comment elle allait. Ma foi, on dirait que tu as des choses à te reprocher? »

Elle tira davantage sur son bras. « Regarde-moi que je puisse te parler en face. »

Il obéit.

Elle dit: « Je n'ai rien à me reprocher. »

« Alors pourquoi une attitude aussi mal contrôlée? »

Elle le dévisagea, cherchant, par son regard, à lui injecter au fond de l'âme sa conviction personnelle.

« Tant mieux ! » dit-il en obliquant la tête. « Parce que si tu as un amant, je n'aurai rien à te reprocher effectivement ; mais si tu ne me fais pas assez confiance pour m'en parler et que tu me joues dans le dos en hypocrite, alors tu as beaucoup à te faire pardonner. »

« Je n'ai pas d'amant. »

« En ce cas, pourquoi cette attitude ? Et pourquoi n'es-tu pas rentrée directement à la maison ? Que tu sois allée prendre une consommation ou même faire l'amour avec un compagnon de travail ne m'offensera pas, mais si tu mens à pleine bouche, alors je vais m'énerver. Je suis allé faire un tour du côté de ton restaurant ; ton auto n'était plus là. Probable que tu as fini à vingt-deux heures comme c'était toujours le cas avant les fêtes. Donc tu mens, donc tu me trahis... Et je sais très bien que ce n'était pas la première fois ce soir, car ces choses-là se sentent par celui qui attend à la maison. »

Viviane marcha jusqu'à la table de cuisine et s'assit. Elle s'appuya la main sous le menton et murmura d'un ton hésitant : « Je n'ai pas d'amant, mais... j'ai... j'ai une petite aventure... »

Il haussa les épaules. « Tu veux dire que ton Grec — parce qu'il faudrait que je sois peu brillant pour ne pas déduire que c'est lui — n'est pas ton amant ? »

« Je te jure qu'il ne s'est rien passé entre lui et moi... »

« Tu appelles ça rien ce qui se passe depuis plus d'un mois ? »

« Si tu veux savoir : il ne s'est rien passé entre lui et moi. »

Il secoua la tête. « Et voilà l'éternel piège : s'il n'y a pas de sexe, il n'y a rien ; s'il y en a, la vie s'écroule. Mais qu'est-ce que ce sera donc quand tu auras couché avec ? Pourquoi donc faire de l'acte sexuel la différence entre rien et tout ? J'aimerais cent fois mieux savoir que tu as fait l'amour avec lui et que tu me reviennes à la maison heureuse et épanouie plutôt que d'avoir subi tes airs maussades et tes agressions de ces dernières semaines. »

« Je n'ai pas osé t'en parler... »

« Pourquoi as-tu si vite jeté par terre les nouvelles bases de vie commune que nous nous étions données il y a un an ? »

Elle répondit d'une voix basse mais intense : « Je n'ai rien voulu détruire. »

« Et pourtant, tu as menti. Nous avons basé notre nouveau — et tacite — contrat de mariage sur d'autres assises comme la libération des partenaires, la confiance mutuelle, la complicité. Tu es en train de les saper sérieusement par ton agir. »

« J'avais peur de ta réaction. »

« Justification ! » Il prit une gorgée de café. « Tout ça me monte au nez, » s'exclama-t-il.

« J'en connais qui s'y connaissent bien mieux que moi dans le mensonge. »

« Réponse facile ! Tu sais bien que je mentais par obligation comme il faut parfois le faire à certains enfants ou certains malades. Je t'ai menti parce que tu n'étais pas en mesure d'absorber certaines idées sur la vie et au sujet desquelles j'étais moi-même hésitant à l'époque. Par contre, toi, tu n'avais pas à me mentir car tu connaissais mes idées sur les choses que tu as faites. »

Elle s'impatienta : « Mais je ne t'ai pas trompé ! »

« Oui tu l'as fait, et bien plus que moi dans le temps. Et cela, même si j'ai fait l'amour deux cents fois avec Denise Martel. Tu me devais la vérité parce que tu pouvais me la dire. Et moi, je ne te la devais pas parce que je ne pouvais pas te la dire. »

« Tu ne veux pas comprendre que je n'ai pas fait l'amour avec le Grec. »

« Faire l'amour, faire l'amour: ça n'a pas plus d'importance que cette tasse de café. La question n'est absolument pas là. Après toutes les misères que nous avions connues dans notre vie de ménage, nous nous étions assis et avions fait des choix. Serait-ce que tu m'as tout simplement amené à parler et fait semblant d'acquiescer à ces idées neuves qui, au fond, ne te conviennent pas ? »

« J'y avais bien réfléchi et j'étais d'accord. Et je le suis encore. »

« Nous nous sommes dit qu'il pourrait y avoir des aventures dans la vie de chacun, mais que nous les acceptions d'avance et qu'elles se feraient dans la construction du couple que nous formons. Trouvais-tu ces conceptions idiotes, comme le feraient bien des gens qui m'entendraient parler ? »

« Non. Et je les ai fait passer dans ma vie. »

« Crois-tu vraiment que ces idées soient saines et logiques pour le couple que nous formons, ou bien agis-tu comme ces femmes de couples « swingers » que nous avons connues et qui subissaient, souffraient cette philosophie d'ouverture aux autres ? »

« Je suis certaine que cette façon d'aborder la vie, bien que difficile par moments, sera autrement plus exaltante que notre ancienne, mais ce n'est pas facile de s'y faire. Se débarrasser de ses vieilles théories, contrôler ses vieilles peurs, ce n'est vraiment pas facile... »

« Qui m'a dit, l'automne dernier, qu'il faudrait que chacun mette les cartes sur table en cas d'une aventure à l'extérieur ? »

« C'est moi, » dit-elle faiblement.

« Pourquoi ne l'as-tu pas fait au lieu de m'imposer un mois d'agression, d'indifférence frôlant parfois le mépris ? »

« Tu es si exigeant: on ne sait jamais sur quel pied danser avec toi. »

« Tout ce que je veux entre nous, c'est de la confiance réciproque. Est-ce chinois ? »

« Toi-même, tu es venu m'espionner ce soir, Alain. »

« Ce fut le résultat direct de ton agir de ces derniers temps. Le manque de confiance, c'est comme la guerre: ça dégénère vite en escalade. Je ne suis pas allé à ta recherche par morbidité vengeresse, mais pour que tu te décides, une fois pour toutes, dans ta vie, à me faire confiance. Dois-je te le crier plus fort: CONFIANCE. »

Elle secoua la tête. « J'ai compris, j'ai compris. Je sais que j'ai mal agi, mais j'ai fait ce que j'ai pu. Je crois vraiment, au fond de moi-même, que la liberté des partenaires dans un couple est une des clefs du bonheur humain, mais l'humanité ne pense pas de cette façon, et c'est comme si je me sentais pointée du doigt par le monde entier. »

« Viviane, nous nous étions aussi entendus pour vivre par nous-mêmes, sans tenir compte de l'avis des autres, tout en évitant quand même de les heurter. Une partie de l'humanité fume, se drogue, boit dans l'excès et pourtant se trompe ; une partie de l'humanité mange mal et trop et se trompe ; une partie de l'humanité ne prends pas ses responsabilités envers l'autre et fait fausse route ; une partie de l'humanité consomme dans l'orgie et fait erreur ; une partie de l'humanité ne veut pas tenir compte de l'ambivalence bon-mauvais présente en l'homme et se trompe ; une partie de l'humanité croit que le paradis terrestre viendra d'une répartition égale entre tous des biens matériels, ce qui est pourtant le plus court chemin menant à une vie infernale... »

« Je sais Alain, je sais... »

« Une grande partie de l'humanité a peur de la sexualité et c'est pourtant l'une des plus grandes valeurs d'équilibre et de remplacement de choses moins heureuses comme la sur-consommation... et c'est une valeur qui ne détruit pas et qui n'enlève rien aux autres... Viviane, ce n'est pas parce que l'humanité est malade que tu doives te sentir pointée du doigt d'être en santé. Le gâchis a beau être universel, doit-on s'en réclamer pour autant ?»

«Je sais. Je le comprends et je te dis que je me suis trompée. J'aurais dû t'en parler. Au fond de moi-même, je le désirais ; j'avais hâte que tu découvres tout. C'est probablement pour cette raison que j'ai agi comme je l'ai fait ces dernières semaines. Mais il faut aussi que tu acceptes mes erreurs. Notre philosophie de vie ne me rendra pas parfaite du jour au lendemain.»

Il perdit son air maussade et sourit un brin. «Quant à ça, la vie serait drôlement plate s'il fallait que les humains soient parfaits et que nous vivions au paradis terrestre.»

Il déposa sa tasse de café pour lever les bras au ciel et ajouter avec plus de bienveillance: «Mais de grâce, à l'avenir, fais-moi davantage confiance: ça nous rapprochera au lieu de nous éloigner.»

●

«Ai-je fait du progrès depuis quinze jours pour te dire ce qui se passe ?»

«C'est ce que tu dois faire,» répondit Alain.

Il était allongé sur elle, pénétré en elle, ne bougeant pas. Ils s'étaient couchés fatigués et avaient décidé de faire l'amour sans préliminaires, lentement, confiant à leurs propos le soin d'augmenter le niveau de l'intensité érotique, laissant leurs corps devenir les jouets de leurs âmes. La noirceur se faisait la complice de leurs propos.

«L'adaptation ne se fait pas sans crises à l'intérieur d'un couple. C'est ce qui rend la vie intéressante. Ce qui a fait que ça n'allait plus entre Denise Martel et moi, ce furent nos points communs. Je veux dire en dehors des choses importantes comme la conception de la liberté et de la sexualité. Tandis que toi et moi, nous nous entendons sur les grandes lignes, mais avons de sérieuses frictions quand il s'agit de faire passer tout cela dans la vie de tous les jours.»

«Est-ce que je peux te poser une question sur ton passé ?»

«Maintenant que le passé est loin, oui,» dit-il.

«Denise Martel faisait-elle bien l'amour ?»

«Ça ne méritait pas le nom de faire l'amour. Entre elle et moi, c'était un sexe de masturbation et non de participation. Elle n'utilisait pas la sexualité pour le plaisir, mais pour m'absorber, me posséder.»

«Elle n'avait pas d'orgasme ?»

«Oui, mais je devais me tuer à travailler sur elle.»

«Et toi ?»

«Je ne suis pas de ceux qui appellent l'émission de sperme un orgasme. Crois-moi, je n'ai vraiment pas eu une maîtresse pour le sexe.»

«Elle était frigide ?»

«Ses organes étaient parfaitement normaux. De plus, elle n'avait aucune gêne à être nue. Mais elle freinait. En fait, elle n'aimait pas le sexe. Elle ne savait pas jouir de son propre corps parce qu'elle ne voulait pas en jouir.»

«Mais pourtant, elle cherchait drôlement la compagnie des hommes, n'est-ce-pas ?»

«Je crois, et je lui disais parfois qu'elle était une nymphomane morale. De son côté, elle prétendait que je comprenais mal l'amour humain. Un peu plus et elle m'aurait traité de perverti d'aimer faire l'amour avec toi... Ah! n'en parlons plus, je suis en train de perdre mon érection.»

Il entama un léger mouvement de va-et-vient.

« Je ne dis pas cela pour t'en empêcher, mais ce serait peut-être la même chose si tu faisais l'amour avec une autre. Nous deux, ça va bien parce que nous sommes adaptés l'un à l'autre. »

« Sais-tu, c'est plaisant parfois de faire l'amour à la façon de nos grands-parents: dans le noir et sous les couvertures, » dit-il. Il donna quelques coups de reins un peu plus fermes, puis s'arrêta pour dire: « Tu crois que la sexualité entre deux personnes, pour être bonne, a besoin d'une longue adaptation? »

« J'ai dit peut-être. »

« Je ne suis pas d'accord. Il suffirait que la femme que je rencontre aime le sexe, comme toi tu l'aimes. D'ailleurs, toi-même avec un autre que moi, tu aurais une très bonne expérience... »

« À condition que l'homme aime le sexe. »

Il se mit à rire. « Tu sais bien que tous les hommes aiment le sexe. Et je ne crois pas non plus qu'ils s'en servent pour faire de la négociation. J'irai plus loin en disant que la plupart des hommes ne seraient pas si rapides si les femmes participaient pleinement, sans arrière-pensées, faisant porter sur elles-mêmes d'abord la responsabilité de leur propre plaisir. »

« Nous pourrons en reparler quand j'aurai eu ma première expérience. »

« J'ai hâte que tu la fasses car elle sera une réussite pour toi. »

Elle cambra les reins pour aller à sa rencontre.

« Je goûte chaque repli de ton sexe. Tu m'inondes et c'est bon. Tu veux que j'accélère? »

« Oui, » fit-elle.

« Je vais te chevaucher comme tu ne l'as jamais été. Tu veux? »

« Oui. »

« Mais il faut pourtant y aller doucement. Nous devons nous retenir. »

« Non, avance, va, cours. »

« Il faut que je me retiennes. »

« Non. »

« Oh oui! même si j'ai une envie folle de... »

« Va plus vite. »

« Nous venons à peine de commencer. »

« Tu me tortures. »

« Tourne ta tête et donne-moi ta bouche. »

« J'ai hâte de sentir ton sperme en moi. »

« Pas tout de suite! »

« Oui, Alain, va plus vite. »

« Tu veux vraiment? » souffla-t-il.

« Comme c'est délicieux! Oh! oui, oui, plus vite, plus vite... »

« Laissons augmenter encore notre désir... »

« S'il monte trop, je vais mourir. »

« Laisse-moi t'embrasser. »

« Je t'en prie, Alain, je t'en prie, » dit-elle comme dans un sublime sanglot.

« Tout mon corps va se transformer en sperme et je vais m'écouler en toi et te submerger. Il faut maintenant que je cesse de me retenir... je n'en peux plus de me retenir... J'accélère, oui, je vais plus vite, beau... beaucoup plus vite... »

« Encore plus vite, » dit-elle.

« Tu seras le complice de ma joie quand je te dirai que j'ai éjaculé dans le ventre d'une autre femme et je serai le complice de la tienne quand tu m'avoueras qu'un autre t'a pénétrée... Je vais maintenant trop vite, je ne peux plus me retenir... Viviane, mon sperme va jaillir vers toi... »

« Viens! »

« Je deviens sperme. »
« Viens ! »
« Je coule en toi... »
« Viens ! »
« Oh ! mon Dieu, je coule... oh ! mon Dieu... »
« Comme c'est chaud ! »
« Je coule, je coule, je coule... »

●

Quelques jours plus tard, elle lui annonça que sa première expérience extra-conjugale aurait lieu le jeudi suivant et qu'il devrait s'y préparer. Cette fois, son rendez-vous était fixé, sa décision prise.

Il eut peur pendant quelques minutes, puis se ressaisit. Il tâcha toute la semaine de s'habituer à l'idée. Cette fois, plus d'échappatoires et il n'en chercherait pas. Il fallait avancer !

Il repassait régulièrement en son esprit tous les arguments aptes à le rassurer, repensait à toute l'évolution qui avait amené la venue de ce jeudi, et chaque jour, il se révoltait contre lui-même d'avoir aussi peur.

Le jeudi midi, il se rendit en ville chercher du pain, de la farine et des menus articles. Une grève, il ne savait pas de quel sous-groupe d'adjoints aux adjoints des transporteurs de farine, empêchait l'approvisionnement régulier des magasins ordinaires en cette denrée et en pain. Il rapporta donc un vingt kilos de farine de blé entier pour une belle-sœur, mais il garda le sac dans son auto pour se ménager une sortie après le départ de Viviane.

Quand il entra, elle achevait de prendre son bain. Il se rendit uriner et remarqua qu'elle avait utilisé plus de sels que d'ordinaire.

Il s'enferma ensuite dans son bureau afin d'étudier l'espagnol, mais il ne put se concentrer. Alors il passa au russe afin de mieux mobiliser toute son attention. Il se pencha pour la troisième fois sur la nuance à faire entre le perfectif et l'imperfectif du verbe et il répéta plusieurs exercices.

Il trouva qu'elle y mettait le temps au maquillage cette journée-là. Mais il se ravisa, et se dit que le temps était relatif, qu'il remarquait plus parce que c'était le jeudi J.

Avant son départ, elle frappa à sa porte et entra, mais ne fit que dire en consultant sa montre : « Voilà, je pars. »

Il la suivit jusqu'à la sortie et la regarda enfiler ses bottes blanches et son manteau. Quand elle fut prête, il se pencha vers elle et l'embrassa, puis il lui serra très fort les mains dans les siennes.

« Complices ? » dit-elle interrogative.

« Complices, » reprit-il calmement.

Elle mit la main sur la poignée de la porte.

« Attends, » dit-il soudain, « je vais sortir moi aussi, et aller chez ta sœur lui porter sa farine. »

Il s'habilla et ils sortirent ensemble.

●

De temps à autre, au cours de la soirée, pour se vider de sa nervosité, il écrivit quelques lignes impétueuses et remplies de contradictions sur ce qu'il vivait. Juste avant de se mettre au lit, il relut son papier.

« Tu te souviens quand nous nous sommes quittés cet après-midi, chacun dans notre auto ? Je t'ai regardée aller et je me serais cogné la tête sur un mur de briques de te laisser partir vers une expérience inquiétante, risquée. N'aurais-tu pas désiré que je te retienne ? Mais il le fallait. C'est un pas difficile de notre évolution, mais il devait être franchi. Je me suis repris et je suis allé chez ta sœur.

« Tu t'inquiétais de mon alimentation aujourd'hui. Devine ce que j'ai mangé ? Seulement du pain ; rien d'autre que du pain ! Jamais je n'en mange et pourtant... C'était du pain au maïs à recette indienne et j'en ai mangé tout un. Que mon estomac doit se sentir farineux ! Pourquoi donc ce déséquilibre alimentaire aujourd'hui ? Parce qu'il y a pénurie de pain ? Ou bien parce que j'étais stressé ? Ou peut-être les deux ?

« Devine quoi ? Je t'ai dit que je dormirais à cause de petits moyens personnels que je prendrais et tu as cru, n'est-ce-pas, que je boirais ? Tu as eu raison : je boirai. Je vais vider une demi-bouteille de vodka : ce sera comme si je prenais un médicament pour les nerfs. Une fois par deux ans, ce n'est tout de même pas excessif... Je vais me comporter en amoureux éconduit. Ce n'est pas que je manque de courage, c'est tout simplement que... que... À vrai dire, je manque de courage. Tu buvais un verre de vin chaud pour t'endormir quand j'étais chez ma maîtresse et c'était une bonne idée. Mais il me faudra plus. Une demi-bouteille de vodka... Oui. Qu'en penses-tu ? Avec du jus de pamplemousse...

« Il est vingt-trois heures et demie. Tu dois avoir quitté le travail depuis vingt-deux heures. Où es-tu maintenant ? Dans un restaurant à regarder le type dans les yeux ? Dans sa voiture à jaser et à l'embrasser ? Sur un lit quelque part ? Tu m'as laissé entendre qu'il se pourrait que rien ne se passe, tout dépendant des circonstances ; mais je veux que ça se fasse enfin, pour me libérer de ce malaise qui ne me lâche pas, comme si j'étais millionnaire et que j'eusse risqué toute ma fortune d'un coup. Tu as mis de nouveaux sous-vêtements aujourd'hui. Tu m'as montré ton soutien-gorge neuf. Je ne t'ai pas répondu, mais c'est vrai qu'il est plus moulant et te va mieux...

« J'ai peur.

« Je viens de te préparer une « cole slaw » pour quand tu reviendras. Elle sera au réfrigérateur. Je te laisserai une note.

« Comme ce sentiment de solitude est profond, total ! Ni ton frère qui est venu réparer l'auto, ni Caroline à qui j'ai enseigné de l'italien n'ont pu me faire oublier ce terrible sentiment de solitude. Le monde n'existe plus. Tout a disparu... Je suis seul...

« J'ai essayé sans succès de me plonger dans le russe et l'allemand... Tiens, je viens d'entendre le bruit d'une portière d'auto. Se peut-il que tu sois déjà de retour ? Mon cœur s'accélère. Est-ce bien toi ? Ça voudrait dire que... Mais non, c'est le voisin qui revient de son travail.

« Tu m'as tenu très fort les mains avant de partir. Mais qu'as-tu donc enduré lorsque je quittais la maison comme un voleur, sans te dire le moindre petit mot ? Pourquoi ai-je toujours détruit du pied les châteaux de sable que tu préparais spécialement pour moi ? Pourquoi ai-je toujours regardé avec indifférence les fleurs que tu m'offrais ? Pourquoi avais-je toujours si peur de payer de ma liberté chaque chose que tu voulais m'offrir ? Aurais-tu vraiment essayé d'acheter ma fidélité par tes petites attentions ? Ou bien aurais-tu essayé d'imprégner mon âme de tes sentiments, peut-être authentiques pour toi, mais pas pour moi ? Tant d'hommes se font absorber de cette façon et perdent leur authenticité. Aurais-je dû ne pas laisser mon âme aussi fermée et l'entrouvrir au moins l'espace d'une lueur d'espoir pour toi ?

« Pourquoi ne croyais-je pas en la sincérité de tes sourires lorsqu'avec mille précautions, tu me préparais quelque chose qui ajoute à mon plaisir de vivre ? Toute la journée, dans ta cuisine, tu pensais à moi, tu travaillais pour moi, j'étais le centre de tes ambitions, et de ton monde, et de ta vie. Pourquoi t'ai-je causé tant de déceptions à cause de mon obsession d'être ta chose ? Jusqu'à mes désirs affectueux que j'ai cachés derrière un écran de froideur quand ça n'était pas d'agressivité ! Pourquoi la recherche de mon identité a-t-elle coûté tant de larmes à tes yeux ? Comment pouvais-je être aussi insensible à tes yeux, à tes beaux yeux bleus, regorgeant de larmes ? Comme j'étais mufle en tout et pour tout envers toi !

« J'ai beau me dire qu'il fallait que tu y passes, comme c'est mon tour ce soir, que tu connaisses la souffrance qui grandit, que ces immenses frustrations portaient en elles-mêmes leurs germes de joies futures, mais était-il nécessaire que ce fût moi la cause. D'autant plus que je ne le faisais pas pour toi, mais pour moi-même.

« Comment ne m'as-tu pas quitté pour aller offrir à quelqu'un d'autre les nouvelles richesses de ton âme ? Avec un autre, tes frustrations auraient-elles fermenté et seraient-elles devenues richesses ? Tant de gens qui se sont laissés gardent pourtant un goût d'amertume et restent fielleux !

« Et si j'avais refusé ton aventure, je crois bien que tu aurais abandonné...

— Quelle heure est-il maintenant ? Je ne sais pas. Quel insupportable sentiment que d'attendre que tu sortes des bras d'un autre ! Si au moins j'avais quelqu'un à qui parler... Comme toi dans le temps. Me vois-tu, moi, un homme, dire à quelqu'un : ma femme est avec son amant et je m'ennuie ?

— Ah ! je te déteste. Je me déteste. Je déteste la société qui m'a légué mon aberrante culture. Je déteste Dieu qui m'a créé une âme si tourmentée, si humaine... À vrai dire, je ne hais personne, car il faudrait pour cela que je me haïsse vraiment moi-même. Tout mon problème vient sans doute du fait qu'aucun être humain n'est bâti pour passer sa vie entre les quatre murs d'une maison, à attendre, attendre, attendre. Mais j'ai choisi de vivre ce que tu as vécu et je boirai la coupe mon année entière.

— Je viens de prendre une autre rasade de vodka et, cette fois, je me couche. Tiens, la vodka me donne une idée : je vais tâcher de m'endormir en concentrant mon esprit sur du russe...

— Je me suis couché plus d'une heure, mais je n'ai même pas pu m'assoupir. L'heure qu'il est me dit que tu as franchi l'étape... Il fait froid dans cette chambre. Comme février nous agresse cette année ! Tiens, j'entends le bruit d'un moteur d'auto devant la porte ; se peut-il... »

Il déposa sa feuille et son stylo de son côté de lit qui restait dans l'ombre, la veilleuse étant de l'autre, et il s'allongea sous le drap.

Viviane entra, prit quelques secondes pour se déshabiller et fila droit à la chambre à coucher. Elle s'assit sur le rebord du lit.

« Allo ! » fit-elle.

« Allo, » dit-il faiblement. Il se mit un bras sur les yeux.

« Tu ne dors pas ? »

« Comme tu vois ! »

« Je veux dire : as-tu dormi ? »

« Assez peu. »

« Ça va ? » demanda-t-elle.

« Et toi ? »

Elle sourit légèrement et répondit avec douceur : « Maintenant nous sommes à égalité. »

Elle avait fait le grand saut et cette perception lui fit comprendre qu'il s'était rattaché au mince espoir qu'elle eût pu changer d'idée.

Les mots de Viviane avaient fait s'atomiser son cerveau. Un violent frisson courut tout le long de son corps, depuis les cheveux jusqu'à la plante des pieds. Il essayait de dire quelque chose, mais il n'y parvenait pas. De longues et incessantes vagues de tremblements envahirent son corps tout entier. Comme un coursier emballé cherchant à rattraper des foulées, son cœur se mit à courir pour rattraper ses coups. Il dut s'appuyer sur un coude afin de parvenir à dire péniblement: « Comment c'était ? »

« Très bien, » dit-elle simplement.

Les frissons redoublèrent d'intensité. Ses dents se mirent à claquer dans une étrange, nouvelle et inquiétante sensation. Il perdait le contrôle de ses nerfs, comme s'il avait lutté en vain contre quelqu'un cherchant à l'enterrer vif.

Les questions virevoltèrent à l'intérieur de son crâne. Pourquoi l'a-t-elle fait ? Lui revenait-elle plus grande ? Cette soirée l'a-t-elle attachée à l'autre ? L'aiderait-elle à traverser cette affreuse crise ? Pourquoi n'a-t-elle pas attendu une expérience de couple ? Pourquoi a-t-elle voulu choisir elle-même ?

L'instant d'après, les questions disparurent et son cerveau recomposé se vida net. Il ne pensa plus qu'à son corps horriblement secoué de convulsions inexorables.

Anxieuse, Viviane dit : « Viens avec moi, allons prendre un café, mon complice. »

« Pas maintenant. Laisse-moi me retrouver un peu. Laisse-moi me réchauffer. Tu me crieras quand les cafés seront prêts. »

« Tu m'inquiètes, Alain. Pourquoi m'as-tu demandé de venir te parler en arrivant. J'ai peur de ta réaction. Je ne suis pas morte, tu sais. Je suis ici, à côté de toi, plus épanouie, plus libérée qu'avant. »

« Laisse-moi me vider de ma peur. Car c'est elle qui sort. La vie m'exorcise. Va préparer les cafés ; j'arrive. »

« Viens tout de suite prendre un bon café chaud et ça va te réconforter. »

« Laisse-moi seul pendant quelques minutes. Ces frissons finiront bien par s'en aller. »

« Comme tu m'inquiètes ! » s'exclama-t-elle. « Mais je suis là, positive, sans stress autre que celui de te voir réagir ainsi. J'avais si hâte de te retrouver... Viens boire quelque chose. »

Elle lui prit la main et tira. Il la suivit docilement, misérablement, comme un robot dérangé.

« Pourquoi n'ai-je pas arrêté tout cela aujourd'hui, » dit-il en marchant derrière elle.

« Parce qu'il fallait franchir l'étape. Tu l'as dit cent fois et tu avais raison. Et maintenant tu ne le prends pas. »

Il s'assit à la table de cuisine et Viviane commença à préparer les breuvages. Il s'enveloppa les épaules de ses mains, cherchant vainement à chasser le grelottement sauvage.

Il parla difficilement : « Tu es passée par là ; tu dois savoir ce que je ressens. Le temps seul peut m'aider. Alors oublie ma réaction. Parle et ne t'inquiète pas... »

« Tu as bu ? »

« Assez pour m'énerver, mais pas assez pour m'endormir. »

Elle brancha la bouilloire. « Rappelle-toi que nous sommes ensemble. Ma première expérience est faite et ce fut un succès, » dit-elle doucement.

« Que s'est-il passé ? » demanda-t-il malaisément.

« Nous sommes allés dans un bar chic et avons pris quelques consommations. » Elle sortit deux tasses et le bocal de café. « Nous sommes allés ensuite dans une chambre très romantique, avec lumières tamisées, musique en sourdine... »

Chaque mot lui frappait la tête, comme de violents coups de masse qui auraient cogné à l'intérieur de sa boîte crânienne. Il se sentit de plus en plus glacé.

« Ce fut très bien sur toute la ligne, » s'empressa-t-elle d'ajouter. « Tu n'aurais pas voulu que ça se passe dans un endroit minable, n'est-ce-pas? Nous serons maintenant plus près l'un de l'autre... »

Elle continua de parler. Il cessa d'écouter. Il devint muet comme un livre dont, cependant, on eût tourné les pages à une cadence vertigineuse. Elle parla, parla, parla. Il n'avait pas vu qu'elle avait fini de préparer les cafés et qu'elle lui avait servi le sien. Il but, petite gorgée par petite gorgée.

Quand il se rendit compte que la chaleur ne voulait pas revenir dans ses membres de glace, il se leva.

« Je vais me coucher, j'ai froid. » Et il retourna au lit. Elle se déshabilla, fit sa toilette et le rejoignit.

« Jamais je n'aurais cru que cela t'affecterait autant, » dit-elle, inquiète.

« Les batailles qu'il faut se livrer à soi-même sont sans doute les plus difficiles. Ça passera. Prends-moi dans tes bras. »

Elle s'approcha et l'embrassa.

« Je voudrais que nous fassions l'amour, » dit-il.

« J'aimerais mieux que nous attendions à demain; nous sommes si fatigués tous les deux. »

Cette réponse l'irrita au plus haut point et il dit: « Tu me refuses ce que tu viens d'accepter il y a à peine deux heures avec un homme que tu connais depuis moins de six mois? »

« Alain, c'est que j'ai des douleurs vaginales. Tu comprends, il est très fortement membré et, au début, ça m'a donné des douleurs. D'autre part, il a un grand contrôle sur lui-même et ce fut très long; je suis complètement fourbue. Il n'a pas été violent, sois sans crainte. Au contraire, il a été tendre et délicat. Il m'a même appris des choses que je t'enseignerai... »

Le ciel et la terre s'écroulèrent ensemble dans le cerveau de l'homme. La cible était atteinte droit au cœur. Il se sentit battu, défait, brisé, démoli sur son propre terrain. Ses nombreuses lectures lui avaient appris que son membre n'avait rien d'impressionnant et que, sauf en pornographie, la taille d'un pénis n'avait rien à voir avec la jouissance féminine, à moins d'une carence vraiment grave, ce qui n'était pas son cas. Pourtant, à cause des paroles de Viviane, son complexe pénile le terrassa. Il s'était vengé de la nature en développant une sexualité d'adaptation au lieu d'une sexualité de performances routinières. Il avait cherché la qualité et la variété plutôt que la quantité et la durée. Mais voilà que Viviane lui assénait, sans même s'en rendre compte, des coups capables d'annihiler sa confiance en lui-même. Il se dit que la plus méchante femme de la terre n'aurait pas pu avoir meilleure revanche sur l'homme qui l'avait tant fait souffrir. Et, ironiquement, comble de tout, elle le faisait en toute innocence. Il se sentit la pire sorte de victime qui soit: celle de ses propres enseignements.

Il se retourna brusquement et essaya de fixer son esprit sur quelque chose de précis. Mais il ne trouva rien et n'en eut pas le temps puisqu'elle tira fermement sur son bras, disant: « Viens, pénètre-moi. »

« Attendons à demain, » dit-il, bourru.

Elle insista: « Viens. »

Il obéit et s'ajusta entre ses jambes. Il lui dit sur un ton de reproche à peine contenu: « Ce sera court; moi aussi, je suis exténué. »

Il tenta de la pénétrer, mais son érection était trop faible.

Elle lui prodigua une caresse qui ne ratait jamais et il durcit aussitôt.

Il s'enfonça en elle avec rage. Elle avait le ventre froid, très froid.

Sans hésitation ni ménagements, il passa tout de suite aux coups de boutoir de fin d'acte, n'ayant au cerveau qu'une seule pensée: jouir d'elle quoi qu'elle ressentît, comme elle avait joui d'un autre quelques heures plus tôt.

Au plus violent de ce qu'il considérait maintenant comme un acte d'agression sexuelle, il cracha: « J'espère qu'il te fera encore jouir ton Grec. »

Ces mots provoquèrent chez elle une violente réaction, comme si son thermomètre sexuel, parti du point zéro, avait monté à dix mille degrés en moins de dix secondes. La rage de l'homme se transforma en désespoir et redevint rage; il ne savait plus quoi était quoi. En même temps qu'il projeta les premières giclées, il entendit les gémissements excessifs de sa compagne et sentit que tout son corps était secoué de frémissements orgasmiques d'une intensité nouvelle. Alors sa fureur décupla et il donna les derniers coups pour la briser, ce qui multiplia d'autant les délices de la femme.

Dès le dernier spasme, il se projeta sur le côté et ne bougea plus, cherchant à reprendre son souffle.

Viviane se tourna un peu et s'endormit profondément.

Lui ne dormit pas. Pas avant une éternité.

●

Elle se leva tôt afin de préparer le déjeuner de Caroline.

Il se leva aussi, l'œil poché, les pieds traînassants. Il prit un bain puis se rendit à la cuisine.

Viviane rayonnait et il le nota. Dès le départ de l'enfant pour l'école, elle ramena la conversation sur son aventure de la veille.

« Il m'a demandé ce que tu représentes pour moi dans la vie. Tu sais ce que je lui ai répondu ? »

Il haussa les épaules. « Comment le pourrais-je ? » dit-il.

« Je lui ai dit que tu es mon ami, mon compagnon de route, mon confident, mon complice. »

« J'espère qu'il aura compris chacun des mots de même que leur ensemble, » fit Alain avant d'avaler une gorgée de café.

« Quand je lui ai dit cela, il a secoué la tête avec tristesse. »

« Pourquoi veut-il tant être en compétition avec moi ? Je te partage bien, moi ? Je ne compétitionne pas ? »

« Tu te trompes. Il ne cherche pas la compétition. Si tu savais comme il n'a aucune agressivité... »

Alain pensa: « Voilà une chose que j'ai déjà dite au sujet de Denise Martel. » Mais tout haut, il dit: « Ce que tu m'as confié quant à ses performances sexuelles est plutôt inquiétant... »

« Tu vois: ce fut la même chose pour lui. Il m'a dit après: ton mari est-il meilleur ? Je lui ai répondu qu'avec toi c'était toujours bon. Alors il a dit: très bon ? J'ai répondu: excellent. Et à nouveau il a penché la tête tristement. »

« Et tu dis qu'il ne cherche pas la compétition ? Mon œil ! C'est là l'une des pires formes de compétition qui puisse exister... À ce petit jeu, l'un des compétiteurs est toujours cruellement blessé. J'appréhende bien que dans ce cas-ci, ce sera moi. »

Viviane marcha depuis la table jusqu'à une chaise berçante où elle s'assit. Elle dit: « Mais tu es malade, Alain ! C'est du défaitisme que tu fais là. »

« Viviane, le gars a un corps neuf pour toi, des techniques différentes des miennes, des expériences différentes à t'offrir; il est donc tout à fait normal que, pour toi, ce soit meilleur avec lui, tout comme pour moi ça serait sans doute plus excitant avec une femme neuve... Pas une Denise Martel, mais une femme qui aime la sexualité. Tu vois que je suis perdu d'avance au jeu de la compétition.»

Il vida sa tasse d'un trait et ajouta: «Et toi, la nuit dernière, tu es tombée dans le piège de cet esprit dangereux avec tes comparaisons blessantes. Tu m'as frappé à l'endroit le plus vulnérable d'un homme et je dois t'avouer bien humblement que tu m'as fait perdre bien des illusions.»

«Tu as mal compris tout cela. Avec lui, ça n'en finissait pas, mais justement, ce n'était pas si agréable que ça, à la longue. Finalement, je n'ai même pas eu de second orgasme comme celui que j'ai toujours lorsque tu éjacules en moi. Mais je ne serais pas honnête de dire que ce ne fut pas plaisant. Tu devrais comprendre qu'il est beaucoup plus vulnérable que toi, étant donné qu'il n'a pas notre évolution dans la vie. Tiens, par exemple, il ne peut absolument pas comprendre que tu sois à la maison pendant que ta femme se trouve avec quelqu'un d'autre que tu ne connais même pas. Il trouve ça original.»

«Y'a de quoi, si j'en crois ce que tu m'as dit quant à la mentalité grecque concernant les femmes.»

Alain se rendit au comptoir et se versa une autre tasse de café. Il retourna s'asseoir à la table. «De toute façon, tu m'en as suffisamment dit à son sujet pour que je le connaisse assez bien,» dit-il.

«Mais lui ignore que tu sais que c'est lui!»

«Quoi?» s'écria Alain. «Tu veux me répéter cela?»

«Il n'accepterait pas que je lui dise que tu sais que c'est lui.»

Alain serra les poings et, les yeux exhorbités mordit rageusement dans ses mots: «Elle est bien bonne celle-là! D'abord la compétition et maintenant les jeux d'hypocrites? Ça ne se passera pas comme ça!»

«Écoute, il n'a pas ton évolution pour comprendre ces choses-là. Il ne comprendrait pas...»

«Dis plutôt qu'il aurait peur. Mais où donc est-elle rendue notre complicité? Aucune règle du jeu n'est respectée dans cette histoire. Tu vas lui dire la vérité et ça presse.»

«Alain Martel, je ne le blesserai pas en lui disant cela; il m'a fait promettre que tu ne saurais pas que c'est lui...»

«Ha, ha, ha, ma pauvre petite fille. Comme tu t'es laissée embobiner! Sache bien que les larmes grecques ne m'attendrissent pas au point de leur sacrifier notre complicité, même si toi tu le fais. Ce que je pensais depuis le début, sans trop l'admettre, tu le confirmes: tu sacrifies les valeurs de ton foyer à celles de ton amant. Tu ne les sacrifies pas, tu les trafiques. Regardez-moi ça: elle ne veut pas faire de peine à son petit poodle grec. Quelle farce! Et moi elle me frappe à coups de hache, sans vergogne, depuis la nuit dernière!»

Viviane frémit, mais se contint. «Je ne lui dirai pas simplement parce qu'il n'y a aucune raison que je le fasse, sauf ta hargne.»

«Bien sûr, ce que je viens de te dire ne compte pas. Comme il n'a pas notre évolution, il doit me prendre pour un beau con de mari trompé. Dernièrement, tu m'as chanté sur tous les tons que tu voulais l'aider à évoluer et tu ne lui dis même pas l'un des aspects les plus importants de notre évolution? Tu lui caches notre complicité? Mais pour quelle sorte d'imbécile me fais-tu donc passer? Par ton agir, tu admets implicitement que sa philosophie de vie est meilleure que la nôtre.»

«De toute façon, tu n'as pas à te mêler de tout ça puisque c'est ma vie à moi.»

«D'accord, mais une vie que tu as engagée sur de nouvelles bases l'an dernier. Et voilà qu'à la première occasion tu renies notre nouvelle entente pour retourner aux vieilles conceptions du mensonge, de la mesquinerie, de la compétition, de la possessivité.»

«Tu as eu ta façon de vivre ton aventure et j'ai la mienne.»

«Encore l'argument matraque: mon passé qui justifie tout. Rappelle-toi bien d'une chose: c'est grâce à mon passé si chacun de nous a fini par trouver sa personnalité. Mon aventure t'a grandement aidée à te découvrir toi-même. Mais toi, au contraire, dans ton aventure, tu cherches à me détruire. Grâce à ce passé, nous partagions des choses que peu de couples peuvent se vanter de posséder à la fois: une grande complicité, une merveilleuse sexualité et une capacité d'évolution constante. Et voilà que tu es en train de tout démolir.»

Il se leva brusquement et se dirigea vers son bureau. Il ajouta avant d'en claquer la porte derrière lui: «Et puis après, que le diable t'emporte et ton Grec avec. Vous êtes tous les deux incapables de voir la vie autrement que de la façon traditionnelle. Vous pensez comme ça fait votre affaire et ne jouez pas franc jeu.»

Elle le suivit et lui cria à travers la porte: «Tu as été capable de jouer franc jeu, toi, dans le passé?»

«J'avais affaire à une emmerdeuse qui ne comprenait rien et pensait comme les voisins au lieu de penser pour elle-même.»

«Il est difficile de parler avec toi puisque tu ne peux pas garder ton calme.»

«Je suis coupable, toujours coupable: coupable depuis le premier jour. Je suis le diable noir qui a toujours pris ses aises et vécu au paradis terrestre et toi, tu es l'ange blanc vivant dans un enfer: le mien. Demande à ta famille, demande au Québec, demande à l'humanité... Je suis l'homme donc je suis le méchant: demande aux juges...»

Viviane entra, disant: «Tu en veux à tout le monde pour ce qui s'est passé hier.»

«J'admets que c'est une épreuve difficile à traverser, mais toi, tu ne m'aides pas à le faire par tes tricheries. D'ailleurs, si j'avais su que tu te conduirais de cette manière, je ne t'aurais pas donné ma confiance. Je t'aurais traitée comme tu dis que les Grecs traitent leurs femmes: en objet possédé.»

«Tu ne le ferais pas longtemps avec moi.»

«Les femmes sont prêtes à n'importe quelle servitude pourvu qu'elles possèdent un homme.» Il ajouta dans un sourire vague: «Ton Grec commence à te traiter en objet possédé et tu ne t'en rends même pas compte.»

«Je suis moins écervelée que tu ne sembles le croire; n'oublie pas que j'ai trente-quatre ans.»

«On passe sa vie à dire qu'on n'a plus l'âge d'il y a dix ans, comme si on s'apercevait toujours dix ans trop tard de ses erreurs.»

«Alain, quand tu le veux, tu es capable de parler calmement. Viens t'étendre un peu sur le lit et nous allons poursuivre la discussion dans une atmosphère plus détendue.»

«Je n'ai pas envie d'aller m'étendre. Tu vas me peloter, en profiter pour essayer de me faire le tour de la tête: toi et ton style accrocheur!»

«Si tu veux me faire des reproches, autant me les dire sur le lit qu'ici.» Elle lui prit le bras. «Viens,» fit-elle d'une voix radoucie. «Viens, peut-être que dans le calme et la détente, nous pourrons trouver des solutions à nos problèmes.»

Il se leva de sa chaise et dit: «C'est bon, mais ne te sers pas de cela pour tricher encore une fois.»

«Qu'est-ce que tu vas chercher?»

Ils se rendirent au lit et s'allongèrent côte à côte, chacun de son côté, sans se toucher.

Elle insista pour répéter que son aventure n'était que passagère et peu sérieuse, qu'il avait mal interprété ses paroles quant à son acte sexuel avec le Grec, acte, qui, somme toute, avait été des plus ordinaires par rapport à ce que lui, Alain, pouvait lui faire vivre.

Il sentit qu'elle jouait sur sa possessivité et sur son orgueil mâle, mais il la laissa dire et lui répéta à son tour, sur un ton plus bienveillant que dans leurs dernières douze heures, ce qu'il lui avait déjà dit relativement à leurs valeurs à partager.

Ils firent l'amour sans passion. Ensuite ils allèrent manger. Ils s'entretinrent de banalités une partie de l'après-midi. Par la suite, Alain s'occupa à de menus travaux et Viviane se prépara pour retourner au travail. Il finit par sourire avant qu'elle ne parte, mais ce fut d'un sourire fabriqué.

Pendant toute la soirée, il réfléchit aux événements survenus depuis la veille et aux gestes de Viviane depuis Noël. Dès qu'elle fut de retour, la discussion reprit plus incisive que le matin.

« Ça n'a pas l'air d'aller? » dit-elle en entrant.

Calé dans son divan, jambes allongées sur la table du salon, bras croisés, il paraissait absorbé par un grand problème devenu pour lui unique, absolu.

« Tout ce qui s'est passé ici depuis les fêtes me remonte au nez. Il va falloir que nous fassions un véritable point là-dessus, » dit-il, hargneux.

« Comme quoi encore? » demanda-t-elle en se laissant tomber à l'autre bout du divan.

« À toi de juger, » jeta-t-il laconiquement.

« Qu'est-ce qui te remonte au nez? »

« Tu es en amour ailleurs: amour au sens traditionnel du mot. C'est un amour de romance, donc de choix de l'un et de rejet des autres, au lieu d'être un amour de partage. Et ça, je ne l'accepte pas. J'ai pris pour des réalités mes rêves de te voir vivre libre. Tu t'es bien libérée de moi, mais ce fut pour mieux t'accrocher à quelqu'un d'autre. Tu n'es rien de plus que les autres femmes et bien des hommes: dominée par tes sentiments, incapable d'assumer la maîtrise de toi-même. »

« Alain, je t'ai pourtant répété que le Grec n'était que passager dans ma vie. »

« C'est toi qui le prétends. Mais moi, j'ai analysé tout ce que tu m'as raconté à son sujet depuis que tu le connais. J'ai ajouté cela à ce qui s'est passé jeudi et ma conclusion est irréfutable: tu as les pieds joints dans l'amour possessif, tu es prise à ce piège de l'amour mesquin que toi et Denise Martel avez, toutes deux, essayé de me faire vivre. »

« Pourquoi tant dramatiser? »

« Si ce n'est pas sérieux, alors mets un terme à ton aventure. »

« Non, car c'est ma vie, et que ma vie m'appartient, et que tu m'as montré à vivre autonome. Tu viens juste de le répéter. »

« Vivre libre, oui. Mais pas écraser son compagnon de route. »

« Je n'écrase personne. »

« Tu veux que je t'explique de long en large? » demanda-t-il. « C'est si peu tout ce qui se passe ici. » ajouta-t-il d'un ton sarcastique. « Tout d'abord, à Noël, tu me comparais défavorablement au Grec sur le plan affectif. En soi, ça n'est rien! Ensuite, dans les semaines qui ont suivi, tu n'as été à la maison que de corps, et quand tu étais là avec ton esprit, c'était pour m'agresser. En soi, ce n'est pas grave ça non plus! Puis, tu m'as trompé sur tes allées et venues sans même que je ne te force à le faire par mes questions ou autrement: tu mentais d'avance, par précaution. Ce n'était pas si terrible ça non plus. Je t'ai quand même laissée évoluer à ta manière et tu as vécu ton expérience sexuelle, non sans faire des comparaisons dévastatrices. C'était si peu ça aussi: seulement une blessure de mon amour-propre! Ensuite, tu m'as avoué que les règles du jeu étaient changées et que tu leur avais incorporé une base d'hypocrisie et de quiproquo. En soi:... Enfin, tu refuses farouchement de lui dire que je connais l'identité de l'amant. Ça non plus, ce n'est rien: rien qu'un peu de peur de sa part.

« Mais toutes ces choses ajoutées les unes aux autres prennent cependant une signification fort différente et veulent dire ceci, pour qui voit clair: tu aimes ton amant d'un amour romantique, donc possessif, exclusif, replié sur soi, égoïste. C'est beau, ça fait vibrer, ça tire des larmes ce genre d'amour, mais ça ne dure jamais, et le temps que çà dure, ça provoque les pires gaffes... C'est cet amour qui fait se marier quarante-huit personnes sur cinquante. Ce qui fait qu'officiellement ou pas, la majorité des mariages tournent au désastre. »

« Pour résumer toute ta théorie en ce qui nous concerne, tu crois que je suis en train de briser tout ce que nous construisons ensemble dans la vie pour une petite aventure de rien du tout? »

« Oui, je le crois! En voici une preuve parmi plusieurs autres: depuis Noël, combien de fois as-tu parlé de notre rêve américain? Et pourtant, nous en discutions presque tous les jours auparavant. Ce que je commence à comprendre, c'est que ce n'était pas un rêve authentique pour toi. Tu faisais semblant parce que ça faisait ton affaire... Et, s'il l'a déjà été, ton rêve n'est plus américain, il est grec... »

« Je partage toujours le rêve américain, mais tu étais si morose depuis quelque temps. »

« Si tu veux une vie libre remplie de projets, avec moi comme compagnon de route, quitte le restaurant où tu travailles et cherche-toi une place ailleurs. »

Elle bondit. « Tu es malade ou quoi? Et je présume que nous allons vivre de l'air du temps? »

« La question d'argent n'est pas un problème urgent. Il nous en reste assez pour que tu puisses, au besoin, prendre quelques mois de repos entre deux emplois, ce qui nous permettra de nous rebâtir une sexualité et une confiance mutuelle qui en ont pris de sacrés coups depuis quelques semaines. »

« Tu fais erreur, je ne démissionnerai pas. Ce n'est pas le bon temps de l'année pour chercher du travail dans ce domaine. »

« Tu prendras le temps qu'il faudra. »

« Jamais de la vie! J'ai une bonne place et je la garde. » Elle réfléchit et ajouta: « Peut-être qu'à l'été... »

« Tu y restes pour protéger ta liaison, » dit-il, amer.

« Ma vie m'appartient, » dit-elle fermement en détachant chaque syllabe.

« Je respecte ce principe, mais n'oublie pas que la mienne m'appartient aussi. Tu veux vivre à ta façon? Voilà ce que j'ai toujours désiré pour toi. Et tu ne veux pas non plus des nouvelles bases de confiance et d'amitié? Parfait, parfait! » Il secoua la tête. « Alors nous n'avons plus rien à nous dire. »

Il se leva et se dirigea vers un petit bar dans le coin de la pièce. Il prit une bouteille de vermouth italien ainsi qu'un verre et il revint s'asseoir.

« Ce n'est pas à boire que tu vas régler les problèmes, » dit-elle.

« Je le sais fort bien. Je n'ai pas l'intention de me saoûler non plus. Je veux simplement calmer mes nerfs. D'autre part, tu n'as pas de conseils à me donner. Je vis ma vie. »

Il se versa un demi-verre et l'avala d'un trait.

« Alain Martel, tu vas serrer cette bouteille, » ordonna-t-elle.

« Non, ma chère! Je suis un adulte libre qui, avec une femme libérée, forme un couple à esprit ouvert et dans lequel l'un ne fait pas opposition aux gestes de l'autre et où chacun sait que l'autre est assez grand pour se conduire tout seul.»

Elle s'approcha de la petite table de salon et esquissa le geste d'empoigner la bouteille, mais il fut plus rapide. D'un geste vif, il se leva, saisit le goulot et s'éloigna de quelques pas.

«Serre cette bouteille, ça ne te mènera nulle part,» dit-elle, furieuse.

«Je la garde. Elle est mon Grec,» cracha-t-il avec dérision. «Regarde, elle est aussi bien bâtie qu'un Grec... ne trouves-tu pas?»

Elle fit deux pas vers lui et tenta d'attraper la bouteille. Il leva les bras le plus haut possible. Alors, sans hésitation, elle lui projeta sa main ouverte sur le côté de la figure. Il vacilla un peu, abasourdi par la gifle et la surprise. Prestement, il fit un pas de côté, sauta par-dessus la table, se rendit à la cuisine qu'il traversa pour emprunter l'escalier du sous-sol.

«Tu vas enfin me laisser la paix,» cria-t-il en descendant. Ce n'est que rendu là, qu'il prit conscience de la réalité. Ils en étaient venus aux coups pour la première fois de leur vie et que c'est elle qui l'avait frappé, lui, la femme de la maison. Il s'esclaffa vigoureusement et voulut qu'elle sache qu'il riait.

«Vivre et laisser vivre!» cria-t-il.

Il prit une rasade à même la bouteille.

«Vivre et laisser vivre!» répéta-t-il sur le même ton.

Comme il n'avait pas vraiment l'intention de boire beaucoup, il remonta bientôt à l'étage et retourna au salon. Viviane était allée se coucher. Il se trouva une couverture et s'affala sur le divan où il finit par s'endormir à travers de multiples gestes nerveux.

●

Ils se levèrent tôt le lendemain et ne se dirent pas un mot de l'avant-midi. Viviane quitta la maison peu avant l'heure du dîner, visiblement pour aller à l'épicerie.

Alain s'enferma dans son bureau et rédigea une lettre qu'il mit dans son portefeuille avant de quitter la maison à son tour. Il se rendit au restaurant, lieu de travail de Viviane, et s'assura que l'auto de l'amant était bien sur le stationnement. Avant d'entrer, il relut sa lettre dans laquelle il résumait la philosophie de vie que Viviane et lui partageaient. Aussi, il mettait l'autre en garde contre les dangers d'une liaison pour les deux familles impliquées. Mais surtout, et c'était là son but premier, il lui faisait savoir qu'il savait qui était l'autre homme.

Sitôt entré, il prit un fauteuil à une table du bar-salon et se commanda une bière. Il demanda à la serveuse de lui envoyer le patron qu'il connaissait déjà pour s'être entretenu avec lui à une réception donnée aux employés du restaurant avant les fêtes.

L'homme arriva. C'était un Grec d'environ quarante ans, oncle de l'amant de Viviane. Grand, mince, noir, sourire engageant, allure bourgeoise, fume-cigarette aux lèvres et fort bien mis. Il frémit légèrement quand il reconnut Alain. N'étant pas de ceux qui perdent pied facilement, il donna la main avec une pression qui annonçait son intention de conduire la conversation.

«Je voudrais vous dire quelques mots au sujet de Viviane,» dit Alain. L'homme tira une chaise et s'assit en face de Martel qui ajouta alors: «Et aussi de votre neveu Kosta.»

L'homme frémit à nouveau. Parant les coups, il dit: «Ce sont de très bons amis... D'ailleurs Viviane n'a que des amis ici au restaurant.»

«C'est qu'avec lui, les choses vont au-delà de la simple camaraderie...»

L'homme l'interrompit: « Mon cher ami, Kosta est mon neveu et je puis mettre ma main à couper qu'il n'y a jamais rien eu entre lui et ta femme. Il est marié avec ma nièce et heureux en ménage. Il a deux enfants qu'il adore et vient tout juste d'arriver au Canada. C'est un type travailleur, sérieux et jamais il ne ferait quoi que ce soit avec une employée du restaurant... »

« Je connais toutes ses qualités pour en avoir suffisamment entendu parler par Viviane, » coupa Alain. « Je ne viens pas ici pour le démolir, bien au contraire. J'entreprends une démarche auprès de vous et je voudrais vous en expliquer le sens tout simplement. »

L'homme s'exclama d'une voix qu'il tâchait de teinter d'une totale persuasion: « Je peux répondre à cent pour cent de la moralité de mon neveu... »

« Écoutez-moi simplement, » dit Alain.

« J'écoute, » dit l'autre en portant à sa bouche ce fume-cigarette qu'il tenait toujours négligemment entre le pouce et l'index, comme s'il cherchait ainsi à convaincre les gens qu'il ne s'agissait que d'un fume-cigarette.

« Viviane et moi avons une vie très libre... »

L'homme l'interrompit à nouveau! « Ah! voilà justement le problème. Nous, les Grecs, ne procédons pas de cette manière avec nos femmes. Nous leur disons de faire ça ou ça et elles obéissent au doigt et à l'œil. Une femme est incapable de sortir comme un homme parce qu'elle n'est pas faite comme un homme. Une femme doit être traitée en femme. Il m'est arrivé de prendre la mienne par le chignon du cou, de lui ordonner de rentrer à la maison et de faire ce que je voulais sous peine de me mourir entre les mains. Et s'il nous arrive, à nous les hommes grecs, de coucher avec une autre, ça ne porte pas à conséquence et cette femme n'est pour nous qu'une putain. » Il pencha la tête. « Je sais que vous devez penser que nous sommes durs envers nos épouses, mais il n'en est rien. Nous leur faisons d'abord comprendre qui est le maître. Cela ne nous empêche pas ensuite de les aimer fermement et tendrement... »

« Vous agissez comme les colonels, » dit Alain avec un sourire.

« C'était le bon temps malgré tout, » soupira l'autre. « Mais l'exemple est frappant: dans un ménage comme dans un pays, il faut une autorité solide. »

L'homme continua de parler. Alain cessa d'écouter, ce qu'il faisait généralement devant ceux qu'il trouvait trop en possession tranquille de la vérité. Il profita du long discours de l'autre pour associer ses premières paroles à ce qu'il savait de son neveu par la bouche de Viviane. Cette réflexion l'amena à confirmer ses décisions quant à ses deux démarches: donner sa lettre à l'amant et provoquer la démission de Viviane.

Quand l'homme lui parut à bout de paroles, Alain dit: « Je pense qu'il n'est pas bon que Viviane continue de travailler ici. »

L'homme coupa: « Kosta est honnête, travailleur et surtout, il s'en va chez lui en fin d'après-midi, alors que ta femme ne travaille qu'en soirée. Ils ne font que se croiser. Je peux t'assurer qu'il ne s'est rien passé entre eux. D'ailleurs, Viviane est de loin la meilleure serveuse que nous avons ici... »

Alain s'impatienta: « Écoutez, coupons au plus court: je vous demande simplement de congédier Viviane. »

L'homme retrouva son sourire, comme s'il venait d'être soulagé d'une écharde ennuyeuse, et il tendit la main. Alain hésita un moment puis serra la main de l'autre. Mais il le regretta aussitôt, car il lui sembla, que l'homme avait dans l'esprit qu'il s'agissait là d'un pacte couillon.

« Et maintenant, je voudrais voir votre neveu. »

« Il n'est pas ici, » dit l'autre.

« Pourtant sa voiture est sur le stationnement, » dit Alain. Il sentit une profonde inquiétude chez le Grec et il voulut le rassurer, disant: « Ce n'est rien, je veux simplement lui donner une lettre. »

« Je la lui remettrai moi-même, » dit l'homme.

« Je veux lui donner personnellement. »

« Il parle à peine français et ne comprend pas du tout le français écrit. »

« Je l'ai rédigée en anglais. »

« Il ne comprend pas mieux l'anglais. Tu sais, il vient d'arriver au Canada et il a le style camionneur sur les bords. Ce que tu pourrais lui écrire n'est sûrement pas à sa portée. Par exemple, il n'y comprendrait strictement rien à tout ce que nous venons de dire sur les philosophies de vie... »

« Il comprendra ce que j'ai écrit, » dit Alain sur un ton d'ironie qu'il dirigeait à son interlocuteur, mais que celui-ci pensa à l'adresse de son neveu.

Puis il se leva et se dirigea vers la section du restaurant où il aperçut l'amant de Viviane qu'il connaissait de vue depuis le party d'avant Noël. Le patron le rejoignit et s'interposa d'un geste qui signifiait son intention de ne pas le laisser aller plus loin. Le regard qui lui fut servi par Alain était une invitation pressante à s'écarter, ce qu'il fit aussitôt. Derrière la caisse, l'amant de Viviane se renfrogna le cou et recula d'un pas, comme s'il cherchait à se dissimuler derrière une serveuse qui se trouvait là.

Alain, néanmoins, passa le bras par-dessus le comptoir et tendit sa lettre que le Grec accepta sans dire un mot ni lever les yeux. Il salua du geste de la main et tourna les talons. Du même geste, il salua l'homme au fume-cigarette et sortit en sifflotant.

À travers le bilan de sa visite, sur le chemin du retour, il se rappela de ce film américain dans lequel le viril amant de Natalie Wood avait perdu tous ses pouvoirs à l'arrivée du mari et n'avait plus été capable de faire autre chose que de serrer les fesses. Il évalua toute la mesquinerie de cette réflexion, mais il voulut néanmoins la caresser en son esprit, car c'était la seule pensée réconfortante qu'il avait eue ces trois derniers jours.

●

De retour à la maison, il se rassit au même bout du long divan de velours jaune que lors de son altercation de la veille avec Viviane, et dans la même position significative. Elle était rentrée et elle le rejoignit.

« J'avais hâte que tu reviennes pour que nous puissions continuer la discussion d'hier soir, » dit-elle.

« Nous risquons d'avoir bien des choses à nous dire, » fit-il, songeur.

« Parlons calmement, » dit-elle tranquillement.

« Moi, je suis tout à fait détendu, mais il n'en sera peut-être pas ainsi de toi. »

« Je suis capable de discuter sans m'énerver. »

« C'est ce qu'on verra. Qu'avais-tu à me dire ? »

« Tout d'abord, je voudrais m'excuser de t'avoir frappé hier soir. Je voulais t'empêcher de faire des folies... »

« Tu sais bien que je n'aurais pas fait de folies... »

« Avec une pinte de vin devant lui, » coupa-t-elle, incrédule.

« Tu t'énerves déjà. »

« Je ne voulais pas que tu te saoûles pour fuir un problème, » dit Viviane.

« Quel problème ? »

« Celui de te contrôler mieux toi-même. »

« De toute façon, tout ça n'a plus d'importance. Tous les problèmes sont réglés ce matin. »

« Que veux-tu dire ? »

« Que j'ai pris certaines décisions à ta place... Puisque tu es aveuglée par l'amour de ton Grec... »

« Que veux-tu dire ? D'où viens-tu ? »

« Je suis allé clarifier certaines choses. »

« Au restaurant ? »

« C'est ça ! »

« Et pourquoi faire ? »

« J'ai donné une petite lettre à ton ami Kosta... »

« Pour lui dire quoi ? »

« Que je savais... Aussi, j'ai rencontré le patron et je lui ai demandé de te congédier, ce qu'il a accepté de faire. »

Elle blêmit, mais garda un ton d'incrédulité : « Je ne te crois pas. »

« Non ? Alors prends le téléphone et appelle la gérante ou mieux, le patron lui-même. »

« Tu ne peux pas avoir fait une chose pareille ; tu ne peux pas être intervenu de cette façon dans ma vie. Tu es complètement fou ; ça ne se peut pas, » dit-elle d'un ton qui passa du désespoir à la rage.

« Je l'ai fait, » dit-il, serein. « Et je suis content de l'avoir fait. Tu seras libre maintenant d'avoir un amant. Ce ne sera pas lui qui va te choisir et profiter des circonstances pour te tromper et t'inciter à me tromper. »

« Tu es sauvage ! » cria-t-elle. « Tu n'avais pas le droit de faire une chose pareille. Tu n'es qu'un salaud. » Elle se mit à sangloter à travers sa fureur. « Tu es le pire homme possessif, ombrageux et jaloux qui soit. Jamais, tu m'entends, jamais je ne te le pardonnerai. J'avais une bonne place et tu me l'as fait perdre... Pourquoi ? Parce que tu n'es qu'un jaloux... »

« Ce n'est pas la place que tu aimais, c'est l'amant. »

« Ce n'est pas vrai, tu mens ! Ce n'est pas à cause de lui que j'aimais ma place. »

« En ce cas, pourquoi faire un drame ? Tu l'as dit cent fois toi-même que les serveuses de restaurant changent fréquemment d'endroit. Tu n'auras qu'à te trouver une place ailleurs, » dit-il avec un sourire vague.

« Mon Dieu, qu'est-ce qui m'arrive, » dit-elle entre deux sanglots. « J'avais une bonne place et la vie était agréable, et voilà que monsieur, parce qu'il se sent morose à la maison, vient tout fouler de ses gros pieds de salaud. »

« Si tu n'es pas contente de moi, alors séparons-nous. Fais ton choix. Prends-toi un appartement et deviens la maîtresse attitrée de ton cher Grec. On verra bien où ça te mènera dans la vie. »

« Tu veux faire de moi une putain et tu vas y arriver. »

« Quel que soit ton métier, j'aurais du respect pour toi. Sois une prostituée, une institutrice, ou une psychologue et je t'appuierai dans la vie, à condition cependant que tu sois une femme libérée, épanouie et surtout HONNÊTE. » Il avait parlé calmement, mais hurlé le mot honnête.

« Pourquoi m'avoir poussée à vivre ma vie et, à la première occasion, venir brimer ma liberté dans le domaine le plus important et le plus personnel : ma vie professionnelle ? »

« Je vais te le rabâcher pour la dixième fois, pour la centième fois : une flamme passagère où tu vas chercher ailleurs pour rapporter au foyer, je l'aurais accepté. Mais je n'accepte pas une aventure sentimentale remplie d'exclusivisme et d'égoïsme à deux. Ton Grec veut t'identifier à lui. Tu m'as dit toi-même qu'après votre relation sexuelle, il t'a déclaré : « Maintenant tu es grecque. » Voilà une parole raciste, voilà une parole de rejet. Denise Martel cherchait à me faire vivre ce genre de choses mesquines et je l'ai laissée à cause de cela. Tu m'avais fait croire que tu pouvais vivre en femme libérée et moi, j'ai marché. Mais tu n'es qu'une femme comme les autres, qui se donne pour mieux posséder, qui négocie chaque geste au lieu de rechercher un épanouissement authentique.»

«Je ne suis pas en amour avec le Grec. Je ne suis pas en amour avec le Grec. Faudra-t-il que je le répète mille fois? Comment te le fourrer dans la caboche?» Elle s'essuya les yeux tant bien que mal du revers des mains et ajouta: «Tu essaies de me détruire, comme tu le fais depuis toujours.»

Il sourit. «Vois-tu, c'est que je suis un sadique, un salaud, un sauvage, un ombrageux, un possessif, un morose et quoi encore. Toi, si sensible à l'opinion des gens, si tu veux passer pour intelligente, ne vis donc pas avec un tel homme!»

Elle cessa de parler pendant plusieurs minutes et continua de pleurer doucement. Puis elle se renseigna sur tout ce qui s'était dit et passé au restaurant. Il lui raconta tout par le détail. Elle nia catégoriquement que son amant puisse la considérer comme une putain parce qu'elle avait couché avec.

«Je ne te rapporte que le jugement du patron sur les femmes,» dit-il.

«Kosta et lui ne se ressemblent pas du tout.»

«Il ne m'appartient pas d'en juger,» dit-il en haussant les épaules. «Qu'un Grec pense noir et dise parler au nom des autres de son peuple ne me fera pas conclure que les autres pensent comme lui.»

La discussion se poursuivit jusqu'au soir. Les mêmes thèmes revinrent sans cesse d'une demi-heure à l'autre. Ils se couchèrent épuisés et s'endormirent sur leurs problèmes.

●

Tôt le dimanche matin, il se leva et s'enferma dans son bureau afin d'écrire à Viviane et ainsi lui dire exactement pourquoi il avait agi de la sorte la veille.

Viviane,

J'espère de toute mon âme que nous sortirons de cette terrible tempête sans trop de plaies inguérissables, ce qui nous permettra de mieux nous rapprocher par la suite.

Je suis intervenu dans ta vie parce que je sais ce qu'est une implication émotive entre deux personnes, pour l'avoir vécue, tu le sais, passablement longtemps. Je sais ce qui fait naître l'attachement, ce qui le fait grandir. Je sais ce qui le fait devenir si fort qu'un être en vienne à s'illusionner sur lui-même, à dorer la pilule à ceux qui l'entourent et à bouleverser sa vie d'une façon pas toujours valable.

Ta liaison et celle que j'ai vécue se ressemblent. D'ailleurs, toutes les implications amoureuses à base de romance se ressemblent. En voici la description.

À son travail, une personne en rencontre une autre de l'autre sexe qui lui paraît, à prime abord, tout à fait quelconque: pas d'attraits physiques particuliers, pas d'idées emballantes, une personnalité des plus ordinaires.

Mais cette autre personne perçoit vite que vient d'entrer dans sa vie quelqu'un d'heureux parce que fort et équilibré. La proie est tentante, si tentante que la personne faible ne résiste pas et s'attèle à la tâche de posséder la personne forte nouvelle venue.

Voilà ce que furent dans nos vies, Kosta le Grec pour toi et Denise Martel pour moi.

Ces personnes sont faibles parce que malheureuses et malheureuses parce que faibles. Elles vivent mal avec elles-mêmes; elles ne savent pas rire, mais cherchent à posséder les personnes qui le savent, comme si cette possession pouvait les guérir de leur mal. Elles recherchent la présence, le contact d'une personne heureuse, qu'elles vont côtoyer tous les jours et dont elles vont tout d'abord attiser la curiosité par leur sollicitude et leur assiduité.

Elles sont attentives au moindre détail, au moindre bruit, au plus petit changement dans la vie de la personne forte, n'ayant, vingt-quatre heures sur vingt-quatre, qu'un seul but: s'attacher à la mettre en valeur. Qu'elles voient du rayonnement sur son visage et elles tenteront de partager l'émotion qui le cause. Mais elles ne s'imposeront pas — pas encore — et resteront d'une discrétion très grande. Parfois, elles risqueront un petit geste négatif pour observer la réaction de l'autre; mais il ne s'agira que d'un tout petit geste anodin. Une petite frayeur, un petit recul dans leur sollicitude, un petit pincement au cœur. S'il n'y a pas de réaction, elles retourneront à leur poste d'observation; dans le cas contraire, elles franchiront une autre étape.

Elles seront toute dévotion, toute attention. Elles montreront envers la personne forte du favoritisme si elles le peuvent, de l'exclusivisme qui flattera celle-ci. Que cette dernière montre qu'elle préfère la pluralité ne fera qu'augmenter leur obsession de la posséder. Elles s'en feront souvent le miroir, lui permettant ainsi de se mieux connaître. Et quoi de plus flatteur qu'un miroir qui parle et surtout qui veut flatter?

Elles la provoqueront à parler et s'opposeront à ses idées, mais sans trop de fermeté. Puis elles écouteront et finiront, sans trop de mal, par se laisser convaincre. Mais parfois, subtilement, sur des questions mineures, elles garderont des points d'opposition, histoire de montrer un brin de personnalité. Une parole comme: «Je n'aime pas que tu te maquilles autant,» provoquera une réaction. Elles s'empresseront alors d'ajouter: «Tu es pourtant si jolie sans cela.»

Le conjoint de la personne forte est un être qu'elles respecteront et dont elles éviteront de parler. Du moins, dans les débuts... Plus tard, arrivera une petite question, une allusion vague, sans plus... Mais un doute sera semé. Elles vont souvent déplorer leur infériorité face au conjoint de l'autre, feront de petites comparaisons douloureuses afin d'attirer la sympathie. Et elles resteront à l'affût des réactions.

Plus tard, devant les tensions morales surgissant forcément chez le couple de la personne forte, et qu'elles auront appris à déceler, elles chercheront à connaître le motif précis de l'agressivité du partenaire pour ensuite, habilement, en faire voir chez elles-mêmes une image contraire. Elles chercheront à connaître les faiblesses du conjoint et, si elles le peuvent, tenteront, toujours aussi subrepticement, de montrer leur propre valeur à cet égard. Par exemple, si le conjoint n'a pas d'emploi officiel, elles insisteront sur la valeur du travail et sur la sécurité des revenus. (Kosta) Et si le conjoint est possessif, elles montreront leur grand amour de la liberté et de l'autonomie des partenaires dans un couple. (Denise)

Quand elles sentiront que le torchon brûle dans le ménage de la personne forte, elles se garderont bien de dire un mot, ce qui embellira leur image de grandeur d'âme. Elles se contenteront d'un travail indirect mais combien plus efficace: hochements de tête, soupirs mal contenus et pourront aller jusqu'à donner des exemples venus d'ailleurs pour appuyer les doléances de l'autre et ainsi donner tort au conjoint.

Un beau jour, quand elles se sentiront sûres d'elles-mêmes, elles en viendront à donner des coups violents pour que l'autre brise son union qui vogue déjà très mal. Elles miseront sur sa peur de la solitude, lui disant qu'elles ne peuvent plus attendre, lui fourniront des armes légales, lui conseilleront un bon avocat. Elles tenteront toutes sortes d'assauts pour briser les derniers grands éléments de résistance.

Si la personne forte reste attachée à certaines valeurs de son union, elles lui proposeront des solutions de rechange, détourneront son attention. Elles chercheront à détruire l'image du conjoint dans son esprit et la justice se fera leur complice.

Au départ, elles étaient douces, gentilles, charmantes comme des enfants. D'abord, elles ont démontré à l'autre qu'après vingt ou trente ans de vie plutôt triste, grâce à elle, elles ont enfin trouvé le bonheur. Puis elles lui ont fait sentir ses influences en changeant leur surface: habilement, cheveux, certaines idées... Ensuite, elles ont utilisé tout leur arsenal de guérilla sentimentale: sourires, douceur, complaisance, tristesse, doute, solidarité, chantage amoureux, violence. Elles finissent par exploiter toutes les faiblesses du conjoint et amènent la personne forte à s'engager dans un processus de destruction de sa vie de couple.

Et l'autre, forte parce qu'heureuse, peu à peu, graduellement, deviendra malheureuse, chloroformée, exclusive. Elle finira par croire que le seul obstacle entre elle et le bonheur, c'est le conjoint. Une solution: le quitter. Alors, se referme sur elle, le terrible piège de ce que les humains appellent l'amour. En quittant son conjoint, elle avoue son incapacité d'être heureuse. À cela s'ajoutent les frictions légales. Et les pensées nostalgiques... Et l'idée de rejet de la part du conjoint. Alors elle faiblit. Elle devient brisée et malheureuse, à l'image même de celle qui a empoisonné, drogué sa vie. Quant à l'empoisonneuse, elle ne tardera pas à repartir à la conquête d'une autre personne équilibrée car elle est peu intéressée par les malheureuses dans son genre.

Elle est un vampire de l'amour humain!

Un vampire cherche à rendre l'autre semblable à lui. Il veut posséder totalement le corps et l'âme d'une personne rayonnante. Au cours de son long processus de prise de possession, il donne à la personne forte l'image rêvée du conjoint idéal. On peut le reconnaître à sa façon subtile de faire ressortir ses points de ressemblance avec l'autre. Il parlera de leurs intérêts communs, de leurs goûts similaires, d'un trait physique ou caractériel se rapprochant. Et l'autre oubliera — peut-être n'y a-t-elle jamais pensé — que son bonheur lui vient d'abord de sa complémentarité avec son conjoint et s'éloignera des richesses de cette complémentarité à cause des frictions inévitables qu'elle suscite, pour se diriger vers la pauvreté et l'anémie d'une similitude. Et, au lieu de dire: « Nous sommes faits l'un pour l'autre parce que différents, » elle en viendra à dire: « Nous sommes faits l'un pour l'autre parce que nous nous ressemblons. »

Voilà pourquoi le mariage traditionnel est une institution vampirique, car l'un finit toujours par absorber l'autre, sinon l'union craque.

Tu as dû comprendre à travers ces lignes ce que fut ma liaison avec Denise Martel. Elle a cherché à m'absorber, à me rendre semblable à elle, donc à me faire perdre mon identité propre. Je ne lui en veux pas parce qu'elle n'a été qu'humaine. Nous sommes tous affligés d'inclinations vampiriques qu'il faut contrôler, et les personnes qui y arrivent le moins sont précisément celles qui ne peuvent pas s'accorder avec elles-mêmes parce qu'elles n'ont pas le sens de l'auto-critique.

Ton Grec est de cette race. Ne t'a-t-il pas dit qu'il était souvent triste avant de te connaître? Ne t'a-t-il pas dit cette parole monstrueuse: je n'aime que toi, laquelle, en langage vampirique, devient: je veux t'absorber? N'a-t-il pas soulevé vos points de ressemblance? N'a-t-il pas suscité des comparaisons entre lui et ton conjoint? Bien sûr, il n'a pas passé aux assauts violents... donne-lui seulement le temps. C'est toi qui m'as donné les indices de sa possessivité. N'a-t-il pas dit qu'il te rejetterait si tu faisais l'amour avec quelqu'un d'autre que lui et (puisqu'il le faut bien) ton conjoint? Il te veut à lui seul, façonnée à sa manière et selon ses désirs: c'est de l'amour vampirique.

Pendant des années, j'ai lutté pour que nous puissions nous libérer de cette façon d'aimer. Vient à peine d'éclore notre amour libéré. Crois-tu que je vais, sans réagir, laisser l'un de nous deux retomber sous la domination de quelqu'un d'autre? Mais si c'est véritablement ce que tu veux, alors je n'en serai pas le complice. Il y a notre conception de l'amour et il y a la sienne; à toi d'en choisir l'une ou l'autre.

J'accepte et j'encourage ta recherche de richesses extérieures à notre couple, mais je condamne ceux qui veulent t'absorber. Je n'accepterai pas le Grec comme ton amant à moins que tu ne me prouves que ta volonté d'être libre est plus forte que la sienne de t'enchaîner, ce que tu n'as pas fait jusqu'à présent.

Tu crois que c'est formidable une liaison? Je te parlerai de la mienne les jours qui viennent et tu en verras les incroyables servitudes. Tu verras aussi comme la romance et la poésie des débuts se transforment vite en misère et en larmes. L'amour grandit un être pour mieux l'abâtardir ensuite.

Entretemps, sache que j'ai fait pour le mieux hier, quelles que soient les souffrances que mon agir puisse te causer.

Je t'aime, Viviane. D'un amour libérateur...

●

Dans les deux semaines qui suivirent, ils discutèrent chaque jour pendant plusieurs heures. Il lui raconta tout ce qu'il avait vécu depuis le jour de sa rencontre avec Denise Martel et cela, par la même occasion, lui permit d'ajouter à ses conclusions précédentes concernant son ex-maîtresse et l'amour.

« Elle était tout simplement une femme qui voulait remplacer tes chaînes par les siennes, » dit-il en bref.

Il écouta avec attention ce qu'elle lui raconta de sa propre aventure et il fit le bilan de ses réactions.

Dès les premiers jours, il avait accepté qu'elle puisse revoir son amant encore une fois. Ce qui lui permettrait de fermer la porte, avait-elle soutenu.

Le matin du jour où elle devait le rencontrer, il déposa sur sa table de chevet une courte lettre.

Viviane,

Je n'aurai brimé ta liberté que pendant deux semaines. Nous nous sommes parlé et nous nous sommes écoutés. Nous nous sommes retrouvés et nous sommes ensemble, plus solides qu'auparavant car les grandes tempêtes, ça rapproche les marins dans une même peur, dans une même volonté de dompter la mer.

Tu t'es aperçue de ta romance et je crois que tu es retombée les deux pieds bien sur terre.

Toi qui ne comprenais que les grandeurs d'une liaison, tu en vois maintenant mieux les misères et les pièges qui ressemblent incroyablement à ceux du mariage, mais en pire. Il fallait que j'y passe pour devenir celui que je suis. Dois-tu y passer toi aussi, à ta manière? Peut-être...

Tu as dans tes mains toutes les pièces du jeu. Tu as tous les éclairages que j'ai pu te donner avec le plus d'objectivité possible. Tu sais mieux ce que nous avons été l'un pour l'autre dans le passé et ce que nous sommes maintenant. Et j'ai senti que notre futur d'imprévu et d'insécurité t'intéresse vraiment.

Je ne te demande ni de rompre ta liaison ni de la continuer. Mais je voudrais qu'en femme libérée, confiante, forte, tu prennes la décision qui s'accorde le mieux avec ton épanouissement personnel.

Je te redonne mon entière confiance. J'ai retrouvé ma foi en toi.

Arrange les choses à ta manière ce soir. Je t'offre ma complicité. Quoi que tu fasses, ce sera pour bâtir, je le sais, je le sens.

Nos larmes ne sont pas finies, mais notre bonheur non plus.

Je t'embrasse. D'un baiser possessif, de ce baiser qui n'est qu'à nous deux. C'est péché de nous embrasser ainsi puisque nous voulons garder égoïstement ce baiser sans le faire partager à quiconque. Mais le péché n'est-il pas parfois agréable? N'est-ce pas la répétition du péché qui est un vice?

Alors, je te donne notre baiser exclusif...

Alain.

Quand elle eut terminé sa lecture, elle le retrouva pour l'embrasser.

●

Elle prit la décision de ne revoir son amant qu'une fois par quinzaine. Elle voulait, tout à la fois, quérir par ces rencontres de l'épanouissement personnel, évoluer selon une philosophie d'ouverture aux autres, éviter les servitudes d'une liaison, casser la possessivité de son amant.

Alain approuva l'équilibre de son choix.

●

Au cours des quinze jours qui suivirent, il s'inquiéta de sa santé. Il se rendit tout d'abord chez un médecin pour un examen relatif à certains malaises gênants qu'il traînait depuis longtemps: bourdonnements d'oreilles, maux de reins, rougeurs au visage.

Les conclusions du praticien furent à l'effet que son patient ne souffrait véritablement de rien qu'il ne puisse contrôler lui-même. Les remèdes prescrits furent: sortir, bouger, prendre l'air.

Alain trouva que le professionnel était incompétent et il en consulta un deuxième qui posa à peu près le même diagnostic. Force lui fut de reconnaître que les deux médecins avaient raison et il entreprit de se donner une meilleure discipline de vie.

●

Il était couché, un drap sur la tête, frissonnant ou suant, en alternance, d'une minute à l'autre.

Quand elle fut prête à partir, Viviane vint s'asseoir sur le bord du lit.

«Je n'ai pas envie d'y aller,» dit-elle.

Il ne répondit que par un très lent mouvement de la tête.

«Je n'aime pas les sorties à dates fixes. De plus, je me sens fatiguée. Je m'endors. Et toi, ça va?»

Il se dégagea la tête et dit à faible voix: «Je suis «down», tout à fait «down». J'aurais besoin de bras chauds qui m'enveloppent comme si j'étais un fœtus.»

Elle fronça les sourcils. «Tu dois faire une autre gastro-entérite.»

« Mais je viens d'en faire une, » protesta-t-il faiblement.

« Tu as vu chez ma sœur? Chacun a fait la sienne et la semaine dernière, le cycle recommençait. Tous ont dû finalement prendre des antibiotiques. L'eau est dangereuse, cette année... »

« Je ne bois jamais d'eau non bouillie. »

« Tu as pu prendre le microbe en te brossant les dents, ou bien de moi ou de Caroline. »

Elle se coucha à plat ventre, passa son bras autour de la taille de son mari, serra fortement.

Ce geste affectueux le poussa à s'approcher la tête pour embrasser sa compagne, mais elle dit: « Attention de ne pas me décoiffer! Je pars dans dix minutes et je n'aurais pas le temps de me replacer les cheveux. »

« Je m'excuse, » dit-il avec lassitude.

« J'espère que tu comprends ? »

« Bien sûr, » jeta-t-il.

Il y eut un moment de silence.

« Et comme ça, tu es « down ». »

« À mort ! »

« Tu voudrais une pilule ? »

« Une pilule ? »

« As-tu mal quelque part ? »

« Le problème est justement là: je n'ai mal nulle part en particulier. Ni à la tête, ni au cœur, ni au ventre, ni à l'estomac. Je suis exténué, mes muscles sont de plomb, je pèse une tonne. Je n'ai qu'un désir: être couché et pourtant je ne m'endors pas. Alors je suis « down » avec des pensées « down ». »

Elle consulta sa montre et dit: « Je dois maintenant partir, il est vingt heures. » Elle se releva à demi pour l'embrasser.

Il la prit par les deux épaules et la regarda intensément dans les yeux sans parler, pensant: « Je suis fou de te laisser partir à ce rendez-vous. Quelque chose ne tourne pas rond dans ma tête. Est-ce que je veux me prouver quelque chose à moi-même ou bien démontrer que je suis différent du reste de l'humanité. Ou, masochiste, suis-je en train d'essayer de payer pour mes injustices passées envers elle ? Ah ! quelle importance ! Pourquoi ne dis-je pas simplement au diable, en bloc, à toutes ces raisons, sans chercher à savoir laquelle est la bonne ? Notre couple a-t-il vraiment besoin qu'elle aille chercher de l'enrichissement avec quelqu'un d'autre ? »

Ils se serrèrent fort les mains.

» Salut, » dit-elle en se levant.

« Reviens, » dit-il, presque suppliant.

Elle s'arracha du lit et bientôt ses pas se perdirent dans le passage. Il l'écouta s'habiller, sortir et partir.

Les pensées recommencèrent à tourbillonner en son esprit. Il remit en question son argument final pour l'avoir laissée partir à ce deuxième rendez-vous avec son amant grec. En fait, c'était la troisième soirée à laquelle il consentait, mais la deuxième n'avait été qu'une rencontre de mise au point, très brève, dans un bar. Mais ce soir-là, il le savait, ce serait une rencontre d'amant-maîtresse.

Il raisonna: « Que vaut-il cet argument sur la richesse du couple ? Oui, la richesse est dans la pluralité. Oui, la pauvreté se trouve dans le repli sur soi et l'égoïsme à deux qui entraîne routine, platitude, agressivité, jalousie, divorce ou absorption. C'est logique tout ça et je me le dis pour la millième fois. Et d'autre part, ce sont des postulats vérifiés par l'histoire de l'humanité elle-même. Mais le bonheur, lui, se trouve-t-il dans la richesse ou dans la pauvreté ? Peut-on se débarrasser aussi facilement des composantes négatives de son âme?... Comme s'il s'agissait de simples dents gâtées? Accepter l'ouverture aux autres jusqu'à brimer à l'excès sa possessivité naturelle est-il souhaitable? Car contrôler ne veut pas dire fouler du pied!

« Mais alors, comment savoir où se termine le contrôle de ma possessivité et où commence son enchaînement? Quel critère me servira de mesure et servira à établir la démarcation entre les deux? Quoi d'autre que le sentiment du moment présent? J'avais mal de la voir partir; alors j'aurais dû la retenir. Et si j'avais eu plus mal de la retenir, j'aurais toujours pu revenir sur ma décision; tandis que maintenant, il est trop tard... »

Il s'assoupit péniblement. Une pensée pesante revenait sans cesse hanter son esprit: « N'aurait-il pas été plus logique et normal qu'elle reste ici, auprès de moi, à m'aider physiquement et moralement plutôt que d'aller chercher seule, ailleurs, un épanouissement que je ne partagerai peut-être même pas par la suite? »

Elle revint à deux heures de la nuit. Il n'avait que somnolé et s'était porté de plus en plus mal. Elle ne se rendit point à la chambre et cela le contraria. Il la laissa rôder un peu dans la cuisine, puis la rejoignit.

Il entra, les yeux plissés, sans lever la tête. « Je suis toujours « down », » choisit-il de dire, croyant que ces mots faciliteraient leur premier contact.

Il se laissa tomber sur sa chaise habituelle près de la table.

« Ça ne va pas? » demanda-t-elle sur un ton qu'il jugea évasif.

« Le temps arrangera les choses... comme toujours... »

« Tu devrais aller voir le médecin demain matin, » dit-elle.

Il haussa les épaules. Viviane lui paraissait nerveuse et indisposée. La barrière psychologique ne tombait pas.

« Et toi, ça va? » demanda-t-il.

Leurs yeux se rencontrèrent et il vit tout de suite qu'elle avait fait l'amour, car elle avait les yeux d'une pulsion sexuelle libérée, ces yeux post-orgasmiques qu'il connaissait bien.

Il se dit à lui-même qu'il devrait essayer d'abattre la barrière, mais il se ravisa. Il pensa: « Après tout, c'est elle qui a les batteries chargées, tandis que les miennes sont à plat. Elle s'est enrichie au contact d'un être humain et je suis resté pauvre dans ma solitude; elle doit donc être donneuse morale et moi, receveur. »

Viviane dit des banalités, mais pas un mot concernant sa soirée. Très vite, elle manifesta le désir d'aller dormir.

Au moment de se coucher, il se demanda pourquoi elle n'avait aucune parole rassurante, aucun mot enveloppant, rien pour lui qui en avait pourtant grand besoin.

Il la toucha légèrement à trois reprises; mais, chaque fois, elle fit un geste de recul. Il se demanda s'il n'était pas Satan lui-même.

Elle se retourna sans dire un mot. Et, sans un geste, elle s'endormit rapidement.

« Si c'est cela de l'enrichissement! » pensa-t-il avec amertume. Et il se remit à somnoler, la mort dans l'âme.

Après plusieurs heures d'angoisse, il prit une décision qui l'apaisa: « Puisque l'expérience du mariage ouvert provoque des crises aussi profondes et apporte trop peu pour ce qu'elle coûte, alors elle devra se terminer. Je suis d'ailleurs trop bon prince de l'avoir tolérée jusqu'ici. En fort mauvais investisseur que j'ai toujours été, je risque trop pour trop peu. Refusera-t-elle de mettre un terme à son aventure? Non! Pas après quatorze années de mariage, de partage de tant de choses. Nos liens sont plus solides, du moins je l'espère, que ces quelques mois d'une aventure irréfléchie. » Et il s'endormit plus détendu.

Le lendemain, il manifesta toute la journée une humeur de chien, chaque fois qu'il se leva et il subit sans arrêt une diarrhée qui l'affaiblit considérablement.

En soirée, il s'affala sur son divan de salon et ne parla point. Quand il vit que l'heure avançait, il coupa brutalement le silence de mort dont il s'était entouré: « Tu vas mettre un point final à ton aventure. »

« Qu'est-ce qui te prend encore ? » demanda-t-elle.

« Cette histoire est en train de détruire notre couple ; voilà ce qu'il y a, » dit-il.

« Tu vois les choses d'un autre œil parce que tu es malade physiquement. »

« C'est vrai que je suis malade, mais je me porte cent fois plus mal mentalement. Ta maudite aventure ne nous apporte rien que des problèmes. »

« Ça ne peut rapporter du jour au lendemain, tu me l'as souvent dit toi-même. Les fruits viendront à longue échéance. Tu m'as dit bien des fois que ton aventure avec Denise Martel avait fait évoluer magnifiquement notre vie de couple. Alors laisse-moi le temps de vivre un peu la mienne. »

« Tiens, voilà qu'elle recommence à me faire le tour de la tête comme elle l'a fait depuis un mois. »

Elle se laissa tomber à l'autre bout du divan. « Alain, ne recommençons pas encore une fois... »

Il haussa les épaules. « Tu m'as parlé dans le sens qu'il fallait: tu m'as doré la pilule et c'est là une forme de mensonge. »

« Par exemple ? »

« Par exemple, tu as apaisé mes craintes et misé sur mon orgueil en me présentant ton amant comme un être faible et inoffensif. Tu as misé sur ma fierté, me disant que c'est toi qui conduisais la barque grâce à la force morale que je te communique. Mais tu as surtout misé sur le fait que tu sais que je veux ton bonheur et tu m'as fourré dans la tête que ce caprice-là en fait partie. Et tu avais tout un orchestre pour jouer ta symphonie: une journée c'était la lassitude, le lendemain un peu d'agressivité. Puis l'amant passe dans la rue ; alors tu deviens plus enthousiaste, oh ! juste ce qu'il faut pour qu'il n'y ait aucune fausse note. Et moi, je plonge dans le piège, tête baissée, comme un lapin. Et tu as fait une très bonne publicité pour vendre ta salade: aucun danger de romance à trente-quatre ans m'as-tu répété cent fois. Et j'ai marché sur tes belles présentations, tout comme je me laisse bourrer depuis des années par les aliments de poubelle vantés à la télévision. Non seulement tu m'as vendu ta salade, mais tu m'as amené à me la vendre moi-même. Tu as compté sur le fait que je me targue souvent de bien connaître les êtres humains en me faisant sentir qu'au fond, j'avais la situation bien en mains. Mais ça aussi, c'était du faux.

« En résumé, tu m'as tout simplement, encore une fois, trompé. Et sur toute la ligne en plus, comme seule une femme est capable de le faire. La tricherie vient de tout ce que tu as mis en œuvre pour que je consente à la suite de ton aventure. Et la tricherie, pour un couple évolué comme le nôtre, est inacceptable. Alors il ne te reste qu'à mettre un X sur ton amant... »

Viviane ne réagissant pas, il dut poursuivre: « Crois bien que je le fais pour toi puisque tu ne sembles pas savoir où se trouve le véritable bonheur. Je peux te guider mieux que personne. Je veux t'aider dans la vie, alors je dois te sortir de ce pétrin que je connaissais pourtant bien, mais que je n'ai pas su t'éviter. C'est difficile d'évoluer à deux, mais je vais t'aider, je vais t'aider... »

Elle répondit par une moue désenchantée et s'en alla à la chambre de bain.

« Tu pourrais me dire au moins ce que tu as l'intention de faire, » lui cria-t-il à travers la porte.

« Exactement ce que tu me demandes, » répondit-elle.

« Tu as bien compris au moins pourquoi je réagis ainsi. »

« Non, mais ça n'a pas d'importance ! »

« Tu aimes les faits concrets, alors je vais t'en donner un. Hier soir, lorsque tu es arrivée, pourquoi m'as-tu fui moralement et physiquement, comme si j'avais été le diable en personne ? N'aurais-tu pu me parler un peu de ta soirée, me réconforter, me rassurer ? Tu m'as laissé complètement seul, dans un coin, comme un vieux meuble. »

« Malade comme tu semblais l'être, j'ai jugé que ce n'était surtout pas le moment de te parler de ma soirée. Tu te souviens de l'autre fois : je t'en avais parlé et tu avais fort mal réagi. »

Il fit quelques pas dans le passage.

« Justement ! » dit-il avec impatience. « Malade comme je l'étais, tu aurais dû annuler ton rendez-vous et rester ici. »

« Alain, remettons la discussion à demain. De toute façon, il est inutile de parler puisque je suis d'accord avec ce que tu demandes. »

« Tu dis cela, mais au fond de toi-même, tu n'es pas d'accord du tout. Je le sens bien. »

« Demain, tu veux ? Demain, » insista-t-elle.

« O.K., O.K. » Il s'en fut se coucher.

●

Le dimanche matin, il se leva à la barre du jour et s'attabla dans la cuisine pour écrire une lettre.

Viviane,

Ce matin, je suis au neutre, dans un neutre désespérant. À vrai dire, non ! Comment le neutre pourrait-il être désespérant ? Alors, disons au neutre tout court.

Je n'ai aucune vibration. Je ne souffre pas ; je ne suis pas heureux non plus. Rien ne m'attire ; rien ne me répugne. Et c'est la même chose en alimentation : hier, les choses goûtaient le sucre, mais aujourd'hui elles sont redevenues normales, neutres.

J'ai concentré mon esprit sur un projet qui aurait dû être emballant et qui nous permette enfin de partager un petit bout de bonheur, mais ça m'a laissé indifférent. J'ai pensé à notre rêve américain, mais je n'ai pas vibré non plus. J'ai regardé mes livres de langues, mais je n'ai pas eu l'envie d'étudier. J'avais des papiers à remplir et je les ai mis de côté.

Je n'ai ni faim, ni soif, ni sommeil.

Ni émotions, ni vibrations, ni douleur, ni joie, ni désir, ni refoulement, ni anxiété, ni foi, ni doute, ni colère, ni peur.

Rien.

Je me sens juste un peu seul...

Qu'est-ce qui s'est donc brisé entre nous jeudi ? Tu es partie chargée d'émotion pour moi, mais tu n'es jamais revenue. Quel pouvoir cet homme a-t-il donc sur toi ? Chaque fois que vous faites l'amour, il te transforme, et je dois ensuite aller te rechercher morceau par morceau. Mais, cette fois-ci, la tâche est au-dessus de mes forces. De mes forces ? Je n'ai plus aucune force et pourtant, je ne me sens pas faible.

Le cœur est mort ; il ne me reste plus que ma raison. C'est un peu ennuyant. Mais pas plus que ça.

Et toi tu vibres, mais c'est pour quelqu'un d'autre. Et si, par hasard, tu t'approches de moi, je me sens alors un mauvais fac-similé. Curieusement pourtant, je n'ai pas envie de faire d'efforts pour te retrouver.

Je dois t'aimer, mais je ne le sens pas. Cette phrase n'a aucun sens, car on doit forcément le sentir, quand on aime quelqu'un.

Où sont-elles donc ces intensités qu'il y a trois jours à peine tu me donnais l'illusion de vivre grâce à moi?

Oh! je sais bien que dans quelques heures, le goût de toi me reviendra car les effets de ma maladie s'atténueront, car ma chimie intérieure se modifiera, car la pression atmosphérique changera, car le sommeil reviendra, car la libido renaîtra. Je redeviendrai celui que j'étais mais en plus évolué. Oui, le goût de toi reviendra car je sais qu'il est indestructible en moi. Il a commencé à zéro, au début de notre mariage, alors que j'avais l'illusion qu'il était très élevé. Et, avec une extrême lenteur, à travers les larmes, les reprises et la peur, il a grandi et grandi. Les souffrances de cette croissance ont produit, paradoxalement, l'effet contraire en toi: ton désir de moi s'est usé et s'est porté ailleurs. Tu as trouvé ta sécurité affective auprès de quelqu'un d'autre et tu dois la garder; tu l'as trop longtemps cherchée pour que moi, en égoïste, je vienne te l'enlever encore une fois. De mon côté, je chercherai.

Pour nous deux, il est trop tard.

Tiens, voilà qu'enfin me viennent des larmes. Comme c'est bon de pouvoir pleurer! Comme elles sont chaudes et abondantes ces larmes, ce matin! Il fallait que le balancier de mes émotions se remette en marche...

Il est inévitable que nous nous séparions et voici pourquoi. Tu es sociale, pratique, matérielle et moi, je suis solitaire, rêveur et plutôt intellectuel. Je crois en la pluralité source de richesse, et c'est justement notre complémentarité qui, finalement, m'a fait me tourner vers toi au lieu de ma maîtresse, car je suis plus attiré par les êtres qui ne me ressemblent pas, puisqu'ils ont ce qui me manque pour que je sois fort, plus fort. J'ai voulu appliquer cette théorie à notre couple mais en t'oubliant encore une fois. Pourtant, les gens comme toi se renforcent dans la similitude; ils vibrent à se retrouver entre eux et c'est leur identité de goûts et de culture qui fait leur bonheur.

C'est en dehors de moi que tu trouveras ton bonheur et c'est pourquoi nous devons prendre chacun notre route. Je dois te libérer pour de vrai et définitivement.

Quant à moi, je chercherai et trouverai d'autres complémentarités ailleurs, quelque part. Je m'en sortirai bien; on s'en sort toujours.

Soyons positifs et dirigeons-nous sans cris mais sans freiner vers notre séparation. Pas de décisions précipitées, pas de chambre à part. Soyons disponibles l'un à l'autre et le temps, goutte à goutte, nous rapprochera de notre destin. Nous passerons d'un duo heureux à une vie individualisée plus heureuse encore.

Nous serons le plus heureux couple de séparés du monde!

Je t'aime!

Alain.

Il laissa le papier sur la table et retourna au lit. Viviane le réveilla plusieurs heures plus tard, lui demandant ce qu'il voudrait manger.

« À ton choix, » dit-il. Il se rendit à son bureau. Elle y avait déposé sa lettre. Quand le dîner fut prêt, elle l'appela et, quand il fut attablé, lui dit: « J'ai lu ta lettre et je voudrais que nous en discutions. »

« Qu'as-tu à en dire? »

« Demain, nous allons prendre l'avant-midi pour en parler. Nous serons seuls à la maison: ce sera plus facile. »

« Comme tu voudras, » jeta-t-il laconiquement.

Dans l'après-midi, il s'enferma dans son bureau pour réfléchir... Mais sans succès. Il pensa au montage audio sur cassette que Denise Martel lui avait donné un an plus tôt et qu'il n'avait jamais voulu écouter, se disant toujours que le moment n'était pas encore venu. Denise en avait bien résumé le contenu à leur dernière rencontre, mais pour ce qu'avait été la communication ce jour-là... « Puisque le montage avait été fait pour Noël, il devait forcément être optimiste, » pensa-t-il.

Il chercha la cassette dans un petit coffret d'acier fermé à clef, que Viviane lui avait offert en cadeau après qu'il se soit plaint, dans le temps qu'elle l'espionnait en se mettant le nez dans ses affaires personnelles. Il mit la cassette en position sur son lecteur et appuya sur le bouton.

Voix de Denise: Allo mon chéri. J'ai le goût de t'offrir un petit quelque chose de spécial à l'occasion de Noël. Tu me parlais d'un plan de moi-même que tu pourrais analyser à fond: j'ai cherché partout, surtout dans mes livres de patrons, mais je n'ai rien trouvé qui corresponde fidèlement à moi. D'ailleurs, en faisant ma recherche, je changeais déjà. Il faudrait un plan à pièces mobiles, à couleurs différentes. Ça prend seulement des génies comme toi afin de concevoir et surtout afin de comprendre de tels casse-tête. Cependant, j'ai trouvé une façon bien personnelle de me décrire un peu à toi que j'aime plus que tout au monde, à toi qui es mon éternité. Voici, sans ordre, quelques facettes de mon moi. C'est juste pour toi...

Viviane, à travers la porte, entendit la voix et frappa.

« Qu'est-ce que c'est? » demanda-t-elle en entrant.

« Un enregistrement que m'avait préparé Denise Martel et que je n'avais jamais écouté. Si ça t'intéresse, tu peux t'asseoir, » dit-il, calculateur.

Elle se cala dans un petit divan et lui dans sa chaise à bascule.

« Tu peux recommencer? »

Il fit reculer la bande et la voix reprit. Cela lui donna l'occasion de remarquer davantage le « mon chéri », le « toi que j'aime plus que tout au monde », le « juste pour toi ». Était-elle possessive à ce point. se demanda-t-il ensuite en écoutant les souvenirs d'enfance dont elle parlait, et une chanson leur seyant?

Voix de Denise: « Oui, c'est vrai, ces souvenirs sont tellement loins que j'ai oublié que j'avais pu vivre sans toi. Il me semble que tu as toujours été là. Peut-être pas présent physiquement, mais il me semble que ta façon de penser et de t'interroger sur tout étaient déjà en moi. Comme si, même avant de te connaître, ton image était déjà imprégnée en moi. »

La chanson qui suivit fit sourire Viviane.

Denise chante: « Je t'aime, je t'aime, oh! oui, oh! oui, je t'aime; je t'aimerai toute ma vie...

Voix de Denise: « Il reste que cet amour-là est autrement des autres. Par bouts, je me sens comme emprisonnée par mes principes; on dirait que les gens me pointent du doigt, me jugent, me condamnent. Et ce qui me fait le plus mal, c'est quand je me rends compte que je suis un paquet de problèmes pour toi. »

Denise chante: « Parle plus bas car on pourrait bien nous entendre...

« Elle chantait mal ta maîtresse, » dit Viviane.

« Et ton amant lui, te fait chanter comme il veut, » rétorqua-t-il du tac au tac.

Ils ne se parlèrent plus de toute la chanson.

Voix de Denise: « Cette impression d'être mise à part, je ne la ressens pas seulement face aux gens du milieu mais aussi, face à toi. Je me sens comme quelqu'un qui dérange tes projets, qui ne fait plus que combler un vide...

Denise chante: « Fais-moi l'amour, pas la charité... »

Vers la fin de la chanson, Viviane dit: « Selon ce que tu m'as dit, c'était pourtant le cas. »

Alain haussa les épaules.

Voix de Denise: « Ça, je ne veux pas y croire. Malgré toutes tes grandes théories, shhhhhhhh, ne dis pas un mot. Laisse-moi m'accrocher à l'idée que, quand on fait l'amour, y'a beaucoup d'amour. Je sais que ça ne peut pas toujours être comme la première fois, mais, pour moi, c'est de plus en plus imprégné d'amour. Ce n'est pas comme avant; je ne suis pas capable de te décrire la différence avec des mots, mais c'est comme ça et j'en suis fort heureuse. Et ça m'attache beaucoup à toi. Voilà pourquoi la prochaine chanson ne me laisse jamais indifférente.

Denise chante: « Reste, reste encore, reste, sur mon corps...

Voix de Denise: « C'est beau, n'est-ce pas? Les paroles, je veux dire! C'est pourtant vrai, tu écoutes rarement les paroles d'une chanson. Tant pis! Tu n'auras qu'à faire un petit effort. On appelle ça un consensus; mais puisque c'est un consensus, il faut que, de mon côté, je fasse quelque chose. De mon côté, je chanterai moins longtemps. Tu sais Alain, je fais bien des folies, mais à travers tout ça, je me rends compte d'une chose bien importante. Approche. Encore. Plus près. Je suis amoureuse... »

Denise chanta puis elle parla de ses crises d'adolescente où elle broyait du noir en attendant qu'on aille à son secours, espérant que les autres devinent ses états d'âme. Elle dit aussi qu'elle n'avait pas changé, si ce n'est qu'aujourd'hui, elle tentait d'oublier sa peine avec d'autres au lieu de rester dans son coin. Puis elle chanta: « Je regarde les autres, et ne leur trouve rien... »

Viviane dit: « D'après ce que j'entends, je n'étais pas la seule à faire preuve d'exclusivisme affectif. »

Alain ne répondit pas, mais il se mit à en vouloir à Denise de révéler, par cet enregistrement, que leur relation avait été de très loin plus possessive qu'il ne l'avait cru et perçu à l'époque.

Voix de Denise: « Puis la période noire s'en va. Elle laisse souvent des blessures. Mais, en vieillissant, je m'efforce de les guérir par moi-même en cherchant des choses positives autour de moi, soit une parole douce, un geste tendre. Et c'est la transformation. Le soleil revient. Je reprends ce que j'avais laissé; une ardeur nouvelle me gagne. »

Alain pensa: « Même en période qu'elle dit positive, elle se fie sur les autres pour son bonheur et oublie de chercher en elle-même. » Alors l'amertume s'empara de lui et il verbalisa mentalement, à gros traits, les causes de ses déboires avec Denise et Viviane. « Voilà bien les femmes! Incapables d'autonomie. Elles doivent sans cesse s'accrocher à quelqu'un de bien déterminé; elles doivent se conditionner par rapport à un seul homme. Quelle farce d'avoir inventé pour cela le mot fidélité et d'avoir subtilement, en fond, derrière le mot, mis une touche d'esprit de sacrifice! Ce n'est pourtant que de la faiblesse et de la peur. Les femmes se cachent derrière de multiples paravents: la fidélité pour posséder, les enfants pour croupir derrière les quatre murs d'une maison ou pour justifier la déformation de leur corps ou la sur-consommation d'aliments de poubelle, d'animaux pollueurs, de médicaments... »

Tout au cours de la chanson, il se laissa aller à sa mysoginie.

Voix de Denise: « Pendant ce temps nuageux dont je te parlais tantôt, mon attitude influence ta façon d'être, d'agir, de penser avec moi. Bien sûr, je ne dois pas m'attendre à un flot de tendresse quand je sors mes épines; mais j'ai besoin, en ces moments-là, que tu me rassures, que tu m'entoures de soins. Traite-moi d'idiote s'il le faut, contredis tout ce que je dis pourvu que tu en arrives à me dire que tu m'aimes, que c'est moi que tu désires. Bien sûr, je dois considérer ta personnalité. Elle est tendre, mais exige la tendresse et ne sera douce que par la douceur. Tu rebrousses farouchement chemin devant une poussée... en tout cas, quand c'est moi qui te la donne. Alors je me retrouve seule et triste et toi aussi, tu te retrouves seul et triste.

Denise chante: « Dans le jardin de l'homme au cœur blessé... »

Alain pensa: « Ma pauvre Denise, tu sais bien que j'étais heureux pas seulement avec toi mais aussi sans toi... »

« Tu critiquais plus souvent à la maison que tu ne pleurais, » dit Viviane, sarcastique.

« Ce n'est pas le moment d'être agressive, » lança-t-il.

Voix de Denise: « Et on se perd de vue pour un autre petit bout de temps; il y a un fil de coupé. De ton côté, tu es amoureux, tu aimerais me le dire, tu voudrais être dans mes bras, mais tu juges que ce n'est pas le moment et tu t'engouffres dans le travail et tu laisses le temps passer. Moi, je suis amoureuse, j'aimerais te le dire, j'aimerais me jeter dans tes bras, mais je rage contre tout. Je dispute contre la stupidité de la vie. J'en veux à tout le monde, même à toi. Je fais un tour d'auto, te cherche et ne te trouve pas. Alors je reviens chez-moi et je pleure. Plus rien ne m'intéresse. Ça me choque de voir qu'on ne peut se rejoindre. »

Viviane dit: « Elle était aussi peu positive que toi ces jours-ci. »

Alain haussa les épaules, écouta la chanson suivante.

Voix de Denise: « Quand je dispute comme ça, j'ai envie de penser que c'est de la mesquinerie, parce que je me dis, dans ce temps-là: pour quelle raison, moi, je fais telle chose et lui, il ne la fait pas? Par chance que je ne suis pas toujours comme ça. Parfois, je donne sans compter. Par contre, d'autres fois, je compte ce que je reçois, je fais le bilan, j'analyse les détails à la loupe. J'oublie qu'en amour, ce qui compte, c'est justement ce qu'on ne compte pas.

Denise chante: « Pour vivre ensemble il faut savoir aimer, et ne rien prendre que l'on n'ait donné...

Voix de Denise: « Eh oui, il faut savoir aimer. C'est pas facile: être capables de synchroniser nos caractères. Pourtant, quand les événements tournent un peu de notre côté, c'est si merveilleux. Quand tu poses ta tête sur mes seins, quand je te serre fort, quand tu me roules dans tes bras pour me protéger de tout, quand nous sommes allongés tous les deux, l'un cherchant dans le regard de l'autre des mots d'amour: toutes ces heures devraient s'arrêter.

Denise chante: « Lorsqu'on est heureux, on devrait mourir...

Voix de Denise: « Il me semble pourtant qu'il y a d'autres moyens que la mort pour prolonger le bonheur. Et, un moyen parmi d'autres, c'est la vie. Je m'écoute parler et je me trouve drôle. C'est incroyable d'être si positive des fois et si noire par bouts: une vraie toupie. C'est curieux... Le bonheur n'est grand qu'avec toi et quand je n'ai pas de tes nouvelles depuis longtemps, d'abord, je deviens songeuse, puis triste et ensuite indépendante. Je me pose des questions et formule des hypothèses. Souvent ma pensée se résume à ceci:

Denise chante: « Dis, quand reviendras-tu? Dis, au moins, sais-tu que le temps qui passe ne se rattrape pas...

Voix de Denise: « J'ai essayé de t'oublier, de te remplacer par un autre. Tu vas me dire: c'est possible, personne n'est irremplaçable. Je ne suis d'accord avec toi que jusqu'à un certain point. L'autre ne sera jamais toi. Je suis imprégnée de toi; c'est toi que je veux. Que tu meures et tu seras toujours en moi, car ce ne sont pas les gestes qui ont un goût d'éternité mais la pensée. »

Viviane dit: « Curieux, je n'ai jamais eu de telles vibrations de toute ma vie. Même quand nous étions fiancés. J'ai souvent remarqué cela de toi: tu sembles vibrer aux mêmes choses beaucoup plus que moi... Chanceux! »

« Ça crée pourtant bien des problèmes, » dit-il.

«Surtout ces jours-ci.»

«Peut-être!»

Voix de Denise: «Pour toutes ces raisons, je n'ai pas le goût de te remplacer par de l'accessoire. Si un jour la vie nous sépare, je prendrai mon chemin. Au début, ce sera difficile, mais je dominerai la situation à la longue. Mais pour l'instant, je veux croire à nous deux. Évidemment, nous connaîtrons des moments de solitude et, qui sait si nous n'en avons pas besoin... Que de beaux souvenirs nous avons! Pour cette marguerite que tu as effeuillée sous mon nez, pour ces larmes que j'ai versées dans ton cou, pour ces randonnées au clair de lune, pour ces soupers où tu rigolais de mes gaucheries culinaires, pour m'avoir guidée sur le chemin de moi-même, pour les milliers de baisers juste à nous deux et pour tout ce qui fait que nous sommes bien ensemble, je te demande d'oublier mon côté noir.

Denise chante: «Ne me quitte pas...

Voix de Denise: «Nous avons tant à faire, mon chéri. Je sais que je pourrai me glisser dans tes projets. Je suis active. Mais écoute bien ceci: j'entreprends quelque chose dans le mesure où d'autres personnes voient ou verront ce que je fais. À cela s'ajoute mon plaisir personnel; mais il ne fait que s'ajouter. Je travaille pour m'attirer une critique la plus positive possible et c'est pour cela que je ne compte pas mon temps. Cependant, je suis consciente de ne pas plaire à tous, et voilà ma faiblesse. Seule, je réagis mal à une critique négative. Je dis bien seule, car autant j'aime partager un succès avec quelqu'un d'autre, autant j'ai besoin des autres pour m'aider à accepter l'échec. Nous réaliserons des projets ensemble et, après le travail, nous prendrons le temps de relaxer. Je sais que jamais tu ne pourras t'étendre au soleil à ne rien faire et ce n'est pas moi qui vais te l'imposer non plus.

«En terminant, je tiens à te résumer plus clairement ce que j'ai voulu te dire qu'aujourd'hui. Comme moi, à la fois, c'est très simple et très compliqué: je t'aime.

Denise chante: «Quelle importance le temps qu'il nous reste, nous aurons la chance de vieillir ensemble... je nous imagine, ta main dans la mienne, nos moindres sourires voudront dire je t'aime...»

Alain laissa la bande se dérouler jusqu'au bout, puis il remit la cassette à sa place dans le coffret.

«Tu ne l'avais jamais écoutée?» demanda Viviane.

«Jamais! J'attendais d'avoir besoin de le faire et j'ai senti ce besoin aujourd'hui. Elle m'en avait résumé le contenu, mais j'avais mal écouté et je n'étais pas disposé à le faire à ce moment-là.»

«Et qu'est-ce que tu en penses?»

«Nous en reparlerons demain, d'accord? Disons en bref qu'elle fait naître en moi un grand espoir: c'est de ne pas être demain celui que j'ai été ces jours-ci.»

●

Le lendemain matin, pendant que Viviane s'occupait de faire déjeuner l'enfant, Alain se rendit à son bureau quérir la lettre qu'il avait rédigée la veille et il retourna au lit pour la relire. Bientôt, Viviane le rejoignit.

«Comment va la santé ce matin?» demanda-t-elle.

«La maladie physique est terminée,» répondit-il.

«Et l'autre?» dit-elle, narquoise.

«La maladie mentale est passée aussi. Tu as dû me trouver bête à manger du foin?»

« On parle de la cassette ? »

« La lettre et la cassette se ressemblent beaucoup et, si je veux garder la cassette en souvenir, par contre, je vais déchirer ma lettre. »

« Tu devrais la garder ; il y a des choses vraies dedans. »

« Mais aussi des fausses et les vraies y sont au service des fausses. »

« Garde-la comme un souvenir d'évolution. »

« Je voudrais bien savoir si Denise a continué de se replier sur elle-même. Non, mais ce que le mal physique peut aigrir et aider la peur. La même vie, si emballante en temps de santé, devient invivable en temps de maladie. La mesure des choses se modifie incroyablement. Tout se déforme dans l'excès. Les risques deviennent folie. La peur devient cauchemar. Et le gris ne devient pas blanc mais noir, car les déformations sont négatives... »

« Voilà pourquoi j'aurais peut-être dû ne pas aller à mon rendez-vous jeudi dernier, » dit-elle, songeuse.

« Peut-être... Afin de soigner l'enfant. »

« Ce fut mon erreur. Après tout, j'aurais pu me reprendre cette semaine. »

« Par contre, la crise fut très profitable. Un autre piège est écarté qui, en d'autres circonstances, nous aurait peut-être davantage blessés. »

« À force de déjouer les pièges de la vie, nous deviendrons de vieux renards rusés, » dit-elle en riant.

Il sourit. « Malheureusement, le renard a la queue un peu basse ce matin, sinon la renarde prendrait ça chaud. »

•

Les bouchées de poulet grésillaient dans la cocotte à fondue.

Caroline sortit ses fourchettes dont elle dégagea le contenu, puis elle piqua des morceaux de poulet cru et plongea le tout dans l'huile bouillante. De sa fourchette de table, elle piqua un morceau de poulet frit et, devant les sauces, hésita.

« Elles sont bonnes mes sauces, n'est-ce pas, » demanda Alain.

L'enfant haussa les épaules. « Tu as fini de te vanter, papa ? »

« Il faut bien que je le fasse, personne ne le fait. »

Il sortit ses fourchettes de l'huile et ajouta : « Finalement, Caroline, tu n'as pas répondu à ma question d'avant souper. C'est quoi ta définition de l'amour ? »

« Je ne sais pas, » dit l'enfant.

« Alors, c'est que tu n'aimes pas ! » dit-il.

« Comment ça ? » demanda l'enfant.

« Le véritable amour devrait pouvoir se définir s'il touche tout l'être humain. Il doit venir du cœur mais aussi de la raison, tu ne trouves pas ? »

« Je suppose, » dit-elle sans intérêt pour la question.

« Le véritable amour devrait, pour l'être humain, constituer la chose la plus facilement définissable puisqu'il fait bouger à la fois le cœur et la tête et qu'on se base sur lui pour prendre des tas de décisions concrètes. Les gens doivent savoir ce qu'est l'amour puisqu'ils lui subordonnent leur vie entière... »

Il mastiqua une bouchée de poulet. « Tu aimes Marc ? » demanda-t-il à l'enfant.

« Bien... oui, » hésita-t-elle.

« En ce cas, tu dois pouvoir définir l'amour. »

« C'est quand on voit un gars et que ça cogne ici, » dit-elle en se désignant la poitrine.

« Pour toi, c'est donc une vibration? » demanda-t-il.

« Allo mon chéri, ahhhhh, » dit Viviane.

« Tiens, ta mère qui parodie mon ex-maîtresse, » dit Alain. « Passe-moi la sauce à l'estragon, Viviane, veux-tu? »

« Te souviens-tu de la définition de l'amour que papa t'a donnée tout à l'heure? » demanda Viviane.

« Non, c'est trop compliqué, » s'impatienta l'enfant.

« Ce n'est pas compliqué, » dit Viviane. « C'est la complémentarité... heureuse... »

« De deux êtres... »

« Laisse-moi le dire moi-même, » ordonna joyeusement Viviane.

« D'accord, » dit Alain.

« C'est la complémentarité heureuse de deux êtres différents habitant sous le même toit, partageant les mêmes choses de la vie... » dit-elle.

« Pas nécessairement, » interrompit Caroline qui chargeait une autre brassée de fourchettes.

« Hein? » dit Viviane.

« Pas besoin qu'ils soient mariés ou vivent ensemble, » dit l'enfant.

« Elle ne pense qu'à elle, » dit Viviane.

« Je ne pense pas qu'à moi, voyons maman, » protesta l'enfant.

« Nous, on parle de l'amour vrai, » dit Viviane.

Alain parla en mangeant. « La petite fille doit être sur le point de dire: mes chers parents, vivez vos amours de trente-cinq ans et laissez-moi vivre mes amours de douze ans. »

Viviane commenta: « Caroline aime à douze ans, elle aimera à quatorze, à vingt ans et ce sera différent chaque fois. »

« Mais sache que le plus grand amour... » dit Alain.

Caroline l'interrompit: « C'est à vingt ans. »

« Non, » dit Alain.

« Quatorze. »

« Non. »

« Douze. »

« Non. »

« C'est l'amour que tu n'as pas encore vécu, » dit Viviane.

« Non, » dit Alain.

« Vingt-quatre ans, » dit Caroline.

« Non. C'est l'amour que tu vis dans le moment présent, » affirma-t-il.

« Celui que tu vis dans le moment présent est le plus beau, et celui que tu vivras dans dix ans, à ce moment-là, sera le plus grand puisqu'il sera présent, » dit Viviane.

Le son de l'appareil de télévision parvenait jusqu'à eux depuis le salon. C'était l'émission: *La petite maison dans la prairie*. Y prêtant l'oreille un moment, Alain commenta: « Toutes les petites filles charmantes sont maintenant à l'école. Que c'est beau! Que c'est édifiant de voir ces petits anges! Comme Mélissa a de beaux yeux bleus turquoise!... »

« Ne te moque pas de ses yeux, papa, ils sont assez beaux. »

« Elle a de petits yeux grecs, les préférés de ta mère, » dit Alain.

« Les Grecs n'ont pas les yeux bleus turquoise, » dit Viviane.

« Alors, ils ne doivent pas être beaux, » dit Alain.

« La plupart ont les yeux comme toi et comme Caroline. »

« Alors ils ne sont sûrement pas beaux, » fit-il.

« Vous avez les yeux à la grecque, » dit Viviane.

Il fit un clin d'œil à l'enfant et dit: « Je pense plutôt que ce sont les Grecs qui ont les yeux à la « nous autres. »

« Papa ! » s'exclama l'enfant amusée.

« Je suis drôle, hein ? » dit Alain. « Il y a une chose mon enfant, un souvenir que tu vas garder de ton père. Tu pourras toujours te dire que ton père était un homme drôle. »

« Tu diras que ton père est un original, » dit Viviane.

« Un excentrique, » dit l'enfant.

« Un quoi ? » demanda Viviane.

« Un excentrique, » répéta l'enfant.

« Ça veut dire décentré, » dit Alain entre deux bouchées. « Et ta mère ? »

« Qu'est-ce qu'elle a ma mère ? » demanda l'enfant.

« N'est-elle pas excentrique ? »

« Non, » dit l'enfant.

« Elle est quoi à tes yeux ? »

« Originale, » dit l'enfant.

« Tu es bien organisée dans la vie, » dit Viviane. « Un père excentrique et une mère originale. »

« Caroline, tu ne m'as pas encore donné la définition de l'amour que je t'ai dite avant le souper, » dit Alain.

L'enfant s'impatienta : « Je ne m'en souviens pas. »

« Écoute bien, je vais la répéter. C'est la complémentarité heureuse de deux personnes individualisées, s'enrichissant l'une l'autre par le partage de leur épanouissement personnel qu'une libération mutuelle favorise. »

« C'est bien trop compliqué, » grimaça l'enfant.

« C'est tout cela plus la petite ou grande vibration un peu diabolique dont tu nous parlais tantôt et qui s'appelle de la possessivité. En y pensant bien, tu peux bien t'en tenir à cette vibration pour un bon bout de temps. Je ne voudrais pas te priver des joies de t'en libérer toi-même un jour. »

« Changeons les sauces, » proposa la jeune adolescente.

« D'accord, » fit Viviane. Elle fit l'échange des petits plats.

« Toutes mes sauces sont à base de ketsup... histoire de faire de la variété, » dit Alain. « Caroline, as-tu goûté à un toast melba avec du ketsup dessus ? Ça goûte la même chose qu'un hamburger... »

« Je ne te crois pas. »

« Je te jure, » dit-il en levant la main. « Mais un hamburger sans viande et... dont le pain serait remplacé par un toast melba. »

« Ahhhhh ! » dit l'enfant en hochant la tête.

« Finalement, pendant que nous étions au cinéma hier, as-tu regardé ton film de monstres ? » demanda-t-il.

« Non. »

« Et celui de John Wayne ? »

« Non plus. »

« As-tu lu ? »

L'enfant fit signe que non.

« As-tu fouillé dans mon bureau ? »

« Non. »

« Tu as fait quoi ? »

« J'ai joué avec mes poupées. »

« Mais voyons, ça parle d'amour et ça joue encore avec des poupées ? »

« Elle fait faire l'amour à ses poupées, » dit Viviane.

« Non, » protesta l'enfant, « j'ai fait une maison pour ma poupée. »

« Oui, tu fais faire l'amour à tes poupées ; tu les déshabilles et tu les couches ensemble dans des positions... » dit Viviane.

« Elle a des poupées mâles ? » s'enquit Alain.

« Elle en a deux, » dit Viviane.

« Hey papa, tes fourchettes sont tombées sur les miennes. »

« Est-ce qu'elles ont vraiment des attributs masculins ? » demanda Alain.

« Non, » dit l'enfant.

« Est-ce que tu sais ce que c'est que des attributs masculins, » dit Alain.

« Ah ! ce que tu peux être con, papa, » dit l'enfant.

« Es-tu vierge ? » demanda Viviane.

« Ouais ! » dit l'enfant.

« Qu'est-ce que c'est qu'être vierge ? » demanda Viviane.

« C'est quand on n'a pas fait l'amour, » dit l'enfant.

« Qu'est-ce que faire l'amour ? » demanda Alain.

« Ben... ehhhh. »

« Tu ne le sais pas ? Qui va me le dire ? Qu'est-ce qu'il a fallu que je fasse pour que tu viennes au monde ? » dit-il.

« Je te jure qu'il y a belle lurette qu'elle sait tout cela, » dit Viviane. « Elle n'est pas à un âge pour en parler librement. »

« Les tabous naturels ? C'est merveilleux. Çà permet à l'exploration de s'étendre sur plusieurs années, » dit Alain.

« Ton père a un pénis, ta mère a un vagin et ensemble... » dit Viviane.

L'enfant interrompit : « Ça donne un bébé ! » jeta-t-elle avec impatience.

« Non, il faut parler à mots plus couverts, » dit Viviane. « Ton père a la saucisse et ta mère a le pain... »

« Ton père a la saucisse et ta mère a le pain... »

« Et ensemble ça a donné un hot dog. » dit Alain.

« Vous êtes malades tous les deux, » dit l'enfant.

« Ta mère a un pain à la grecque, » dit Alain.

« Ah ! non, pas encore ça ! » dit Viviane.

« Ha, ha, ha ! » fit Alain. Il se mit à chantonner en sortant ses fourchettes chargées : « Y'a du poulet frit Kentuck... Kentuck... »

« Rien n'empêche que le pain à la grecque, il est bon, hein ? » questionna Viviane.

« Je le trouve épais, » dit Alain.

« Toutes les fourchettes sont mélangées, » dit l'enfant avec un brin d'impatience dans la voix.

« J'ai la blanche, la rouge et la jaune. Et toi, Alain ? » demanda Viviane.

« Et moi, celle-là, celle-là et celle-là. Donc, celles qui restent sont les tiennes, » dit-il à Caroline.

« Je suppose bien, » dit l'enfant en hochant la tête.

« Les Grecs, les Québécois, les Allemands, les Italiens, ce sont tous des hommes, » dit Viviane.

« Pourrais-je me permettre une remarque ? » demanda Alain.

« Oui, » dit Viviane.

« Est-ce qu'il serait compliqué, difficile, possible, de me passer la bouteille de vin, s'il-te-plaît ? »

« Certainement mon chéri... Voici mon chéri... » dit Viviane.

« On pleure à la télévision, » dit Caroline.

« Oh ! mon Dieu, Mélissa qui pleure. Ahhhhhhhhh ! comme c'est poignant ! Sie ist krank. Sie hat kein Glück. »

« Papa, tu ridiculises tout. »

« Un bon moyen d'apprendre à apprécier les choses, c'est d'en rire. Chacun veut se faire prendre au sérieux parce que chacun prêche pour lui-même. Parfois ce sont les prêtres, parfois les avocats, parfois ce sont les scientifiques qui veulent qu'on les prenne très au sérieux. Et de plus en plus, le monde ordinaire. Eh oui ! Tu veux que je te dise une bonne chose : méfie-toi des gens qui veulent se faire prendre trop au sérieux, car leur vérité, quand on l'étudie, qu'on la décortique, c'est toujours un brin sur rien. »

« Il faut bien se brancher un jour, » dit Viviane.

« Voilà l'erreur fondamentale : se brancher. Imiter, suivre la foule, faire le lemming. Non, mon enfant, non, mes enfants. Il faut plutôt vivre selon sa propre nature. Entendre les prêcheurs, peut-être ; mais n'en écouter aucun, au grand jamais. »

» Qu'est-ce qu'un lemming ? » demanda la fillette.

« Une petite bête qui suit les autres, même si les autres courent au suicide. »

« Savez vous que notre conversation s'en vient pas mal sérieuse pour des gens qui disent ne pas se prendre au sérieux, » commenta Viviane.

« Ça, c'est vrai ! Revenons à Mélissa, » dit Alain.

« Et aux Grecs, » dit Caroline.

« Ta mère n'aime pas qu'on parle en mal de ses chers Grecs, » dit Alain.

« Oui, mon chéri, » dit Viviane. « Mon chéri veut-il venir poser sa tête sur mes seins ? »

●

À l'automne, Alain retourna aux études à l'université. Une fin d'après-midi, entre deux cours, dans un angle d'un couloir du pavillon, il s'arrêta net. Il porta sa main à sa poitrine, se demandant si son cœur ne sauterait pas. Ses yeux s'écarquillèrent, n'en finirent pas de détailler une jeune femme aux allures bourgeoises qui s'était également arrêtée au même moment.

« Alain, mais qu'est-ce que tu fais donc ici ? » dit-elle de sa voix suave.

« C'est toi, Micheline ! Mais bon Dieu de bon Dieu, qu'est-ce que tu fais ici ? »

« J'étudie et toi ? »

« Moi aussi. » Il la regarda cent fois de la tête aux pieds. « Mais bon Dieu de bon Dieu, tu es encore plus belle qu'il y a dix-sept ans ! »

« C'est que je suis heureuse... »

« Et ça se voit. Tu as toujours ce sourire exquis, si vivant, si plein d'espoir... »

« Et toi, ça va ? »

« Oui. Et toi ? Toujours mariée ? »

« Oui. Et toi ? »

« Oui... Oh, bon Dieu de bon Dieu, je n'en crois pas mes yeux... »

« Tu as couru ? Tu es essoufflé ou quoi ? »

« Pas essoufflé ! Ému ! Abasourdi ! Fou ! Bon Dieu, on dirait que tu as rajeuni. Te souviens-tu de l'aveugle dans le cimetière ? Tu as des enfants ? Tu as repris tes études depuis longtemps ? Que je suis heureux de te voir ! Bon Dieu de Bon Dieu, comme tu es belle ! Te rappelles-tu...

●

« J'espère que nous aurons des nouvelles avant Noël au sujet de notre demande de visa, » dit Alain.

« J'en doute, il ne reste que huit jours, » dit Viviane.

Ils venaient de rentrer, presque au même moment, juste après minuit, plus tôt d'une grosse heure qu'ils ne le faisaient d'habitude leur soir de sortie et cela, sans s'être, à l'avance, donné le mot. Ils n'avaient pas trop su quoi se dire en se voyant et c'est pourquoi il avait parlé de visa. Ils savaient, qu'en ces moments-là, parler de leur rêve américain abattait les barrières. Mais ils n'avaient pas eu besoin d'en dire bien long ce soir-là pour se trouver une jetée. Et ils s'esclaffèrent.

« Veux-tu bien me dire par quel maudit hasard nous nous sommes ramassés dans le même bar ? » demanda Alain.

« Nous n'avons pas vu ton auto devant. »

« J'étais monté avec Micheline. »

« Avec le paquet de bars qu'il y a dans cette ville, c'est en effet tout un hasard. »

« Ça, tu peux le dire ! »

« Mais je n'en suis pas fâchée. Ça m'a permis de voir quel air elle a maintenant ta Micheline. »

Il questionna des yeux.

Viviane poursuivit avec un air malicieux : « Elle n'est pas mal conservée... »

« Je te l'avais bien dit. »

« Sauf qu'elle a les tabous tenaces... »

« Moins. »

« Tu veux dire que ?... »

Il fit signe que oui. « Nous arrivions d'un motel. »

Viviane frémit légèrement, puis elle sourit.

« Comment ce fut ? »

« Pas trop active, mais je crois que ça viendra. »

« Mais agréable tout de même ? »

« Nécessairement puisque je le désirais depuis quatre mois. »

« Quand je t'ai vu avec elle, il a fallu que je me prenne en mains pour dompter ma possessivité. Je dois t'avouer que, sur le coup, j'ai réagi. »

« Ce fut la même chose pour moi et c'est pourquoi Micheline et moi n'avons pas moisi là-bas. Comment ton Grec a-t-il pris la chose ? »

« Il n'a rien dit si ce n'est que tu avais du goût pour choisir tes amies... et pour me reprocher de partir trop tôt. Mais j'avais hâte de te retrouver et quelque chose m'a dit que tu ne rentrerais pas tard. »

« Ce fut exactement la même chose pour moi. »

Il bâilla.

« On va se coucher ? » dit-elle.

1978

Elle rentra tard de son travail et s'affala sur le divan du petit bureau où Alain travaillait encore.

« Ça va ? » dit-il.

« Fourbue, » fit-elle.

« Beaucoup de clients ce soir ? »

« Pas mal. Et toi, tu n'es pas couché ? »

« Je n'ai pas de cours demain matin, alors je t'ai attendue. »

« Tu étudiais ? »

Il fit signe que oui. « J'ai un examen important cette semaine. » Mais je t'ai attendue pour une autre raison. J'ai du neuf à t'annoncer. Nous avons reçu des nouvelles concernant le visa. Après étude des papiers, je pense qu'il vaudra mieux que ce soit toi qui fasses la demande. Et moi, je t'accompagnerai comme conjoint. La raison est bien simple : c'est que grâce à ta sœur qui signera la requête pour toi, le temps requis pour obtenir ton visa sera bien moindre qu'il ne m'en faudrait pour obtenir le mien. Je réfléchissais à tout cela ce soir. Ça voudra dire que le rêve américain sera rendu possible grâce à toi finalement. »

Elle sourit et dit : « Mais c'est kif kif puisque j'aurai bien besoin de ton aide là-bas, surtout à cause de la langue. »

« Je pensais aussi que si notre vie se déroulait comme un roman, nous quitterions pour la Californie vers septembre, nous envolant après de touchants adieux à Micheline et Kosta... »

« Puis-je voir les papiers que tu as reçus ? » demanda-t-elle.

« Attends, ils sont là, quelque part... »

FIN

Achevé d'imprimer par les travailleurs des ateliers Marquis Ltée de Montmagny le 4 avril 1978